D0548563

1001 TRUCS & ASTUCES POUR LE JARDIN

1001 TRUCS & ASTUCES POUR LE JARDIN

Sélection Reader's Digest
MONTRÉAL

1001 TRUCS ET ASTUCES POUR LE JARDIN

est une réalisation de
SÉLECTION DU READER'S DIGEST

Données de catalogage avant publication (Canada)

Vedette principale au titre : 1001 trucs et astuces pour le jardin

Comprend un index.

ISBN 0-88850-523-X

1. Horticulture. 2. Jardinage. 3. Plantes. I. Sélection du Reader's Digest (Canada) (Firme). II. Titre : Mille et un trucs et astuces pour le jardin.

SB450.97.M54 1996 635.9 C95-941474-6

Imprimé au Canada
96 97 98 99 / 5 4 3 2

Équipe canadienne de SÉLECTION DU READER'S DIGEST

Conseillère en horticulture : Brigitte ROY
Illustrateur : Charles VINH

RÉDACTION : Agnès SAINT-LAURENT
DIRECTION ARTISTIQUE : John McGUFFIE
GRAPHISME : Cécile GERMAIN
LECTURE - CORRECTION : Gilles HUMBERT
RECHERCHE ICONOGRAPHIQUE : Rachel IRWIN
FABRICATION : Holger LORENZEN

Cet ouvrage est l'adaptation canadienne de *1001 Trucs et astuces pour le jardin*

Auteurs :
Philippe BONDUEL, Valérie GARNAUD D'ERSU, Jean-François JARREAU, Michèle LAMONTAGNE, Jean-Claude LAMONTAGNE, Jean-Paul THOREZ

Illustrateurs :
Isabelle ARSLANIAN, Liliane BLONDEL, Bénédicte CARRAZ, Nicole COLIN, Bruno CONGAR, Philippe DEGRAVE, Paulette DIMIER, William FRASCHINI, Nicole GAWSEWITCH, Michel LOPPÉ, Régis MACIOSZCZYK, Jean-Marc PARISELLE, Anne SARRAZIN, Michèle TRUMEL

Nous remercions Rhône-Poulenc pour l'aide apportée à la création des illustrations de la partie Les ennemis du jardin.

Préface

Le jardin est privilèges. Au jardin, le bouturage d'une clématite, un après-midi d'été près d'un bouquet parfumé d'héliotropes, la cueillette des fruits de saison, le temps qui passe, tout est privilège pour qui sait y goûter. Ces privilèges appartiennent à tous, sous réserve de quelques arpents de terre… de la terre pour y poser les pieds… d'une bêche, d'une houe et d'un râteau pour cultiver.

Lorsque s'annonce le printemps, quand le gazon reverdit, alors que les souches de dahlia s'éveillent et que le carré à côté de la véranda est prêt pour les semis de cosmos et d'œillets d'Inde, l'impatience jardinière nous gagne, que nous soyions débutants ou connaisseurs. Alors monte en nous l'émoi devant un bourgeon, une feuille encore fripée. Alors nous viennent en mémoire les vieux journaux, le marc de café, les coquilles d'œuf pilées que les parents et grands-parents portaient au gros tas de compost. Et dans la modernité, nous risquions de tout oublier !

Heureusement, 1001 TRUCS ET ASTUCES POUR LE JARDIN, bible et mémoire, a tout noté, tout recensé pour nous. Cet incomparable ouvrage recèle tout le savoir du jardinier. Il est simple et accessible à tous et à chacun.

Parfois, le jardinage peut devenir synonyme de corvée. Pourtant la détente et la contemplation de notre jardin devraient toujours primer sur l'entretien de celui-ci. Et comme un jardin n'est jamais tout à fait terminé… comme, en fait, il est constamment en devenir… il devrait toujours rester un lieu de détente. C'est pourquoi je vous recommande 1001 TRUCS ET ASTUCES POUR LE JARDIN. Facilitez-vous la vie en le consultant et… que le temps passé au jardin soit synonyme de plaisir !

Voici comment vous allez mettre à profit ce livre :

– De la page 10 à la page 325, **le dictionnaire des trucs** rassemble des centaines d'astuces faciles à mettre en œuvre — comment utiliser l'eau de cuisson des pommes de terre, par exemple, pour tuer les mauvaises herbes ou, encore, pour éliminer les pucerons de vos rosiers. Elles ont été sélectionnées pour leur efficacité par une équipe de professionnels. Vous y trouverez aussi : les matériaux et les cultivars modernes ; les soins de culture et le choix de variétés pour les zones de rusticité du Québec, du centre et de l'est du Canada ; les trucs efficaces des jardiniers d'autrefois ; une approche écologique à l'horticulture... Un plus pour profiter au mieux de votre jardin : au fil des pages, ce dictionnaire est émaillé de très belles **séquences plaisir** (senteurs, couleurs, plantes aromatiques...) et de **séquences pratiques** (climat et zones de rusticité, érables, visites de jardins botaniques...), facilement repérables grâce à leurs bandeaux en couleurs : jaunes pour le plaisir des yeux ou du nez, orange pour les côtés pratiques.

– De la page 326 à la page 347, le guide **les ennemis du jardin** permet d'identifier les maladies, les troubles physiologiques et les animaux nuisibles qui agressent les plantations. Comprenant les causes des dégâts, vous pourrez traiter les végétaux attaqués et adopter les mesures préventives appropriées.

Derniers outils bien utiles : un **glossaire** du vocabulaire de base du jardinage et un **index** très détaillé pour une consultation rapide du livre.

1001 TRUCS ET ASTUCES POUR LE JARDIN, c'est le jardinage plaisir, fruit d'expériences centenaires, de recettes transmises de bouche à oreille... de haie à hȁie. Ces secrets de famille, 1001 TRUCS ET ASTUCES POUR LE JARDIN vous les offre en exclusivité.

Brigitte Roy

BRIGITTE ROY, horticultrice

Sommaire

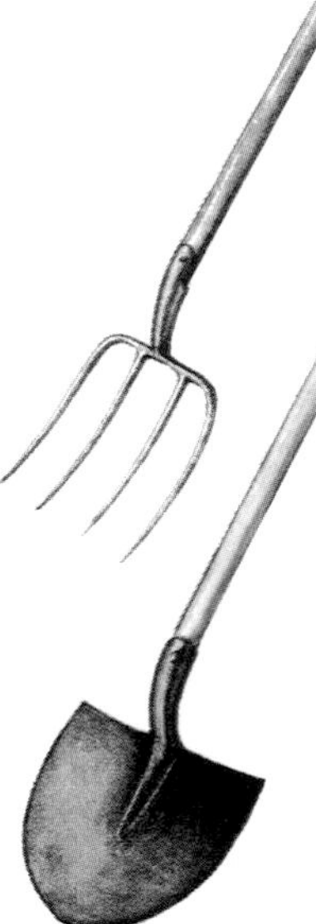

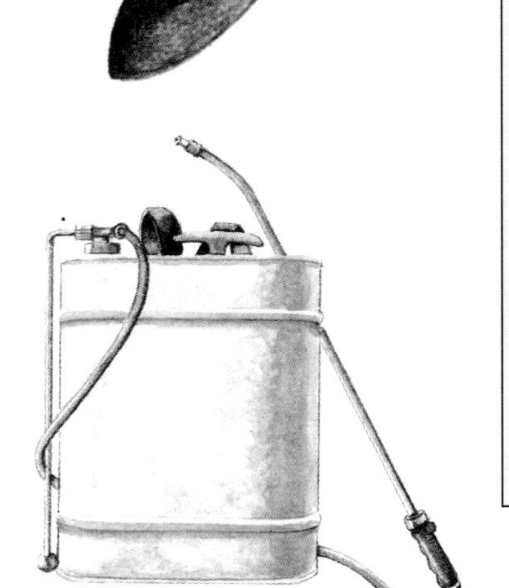

Séquences pratiques

Le dictionnaire
des trucs

Quoi de plus facile à consulter qu'un dictionnaire ?
Et quoi de plus complet ?
Le dictionnaire des trucs n'est, bien sûr, pas un traité de jardinage ; c'est un recueil de toutes les astuces possibles et imaginables, utiles dans la pratique du jardinage. La somme d'informations qu'il contient vous permettra de résoudre tous les problèmes que vous rencontrez dans votre jardin et vous facilitera la tâche. Grâce à l'ordre alphabétique, vous accédez immédiatement au thème qui vous intéresse. Cherchez, par exemple, à CACTÉES un moyen de rempoter votre cactus sans vous piquer les doigts ni le casser ; à PUCERONS une méthode non polluante pour lutter contre ces insectes ; à ROSIER une astuce pour que vos grimpants fleurissent plus abondamment… et vous trouverez !

En fin de rubrique, les renvois permettent de voyager dans le dictionnaire et de trouver rapidement des renseignements complémentaires.

Des pages thématiques signalées par un bandeau de couleur vous offrent une mine d'informations pour connaître votre CLIMAT, découvrir la NATURE dans votre jardin, constituer votre panoplie d'OUTILS, choisir un arbre en fonction de sa SILHOUETTE...

Essentiellement pratique, le dictionnaire des trucs n'en oublie pas moins les aspects historiques ou amusants des plantes et du jardin. Il interrompt parfois son cours pour vous laisser sourire à la lecture d'une anecdote.

Telle l'abeille sur les fleurs de votre jardin, butinez sans retenue votre dictionnaire des trucs. Il est fait pour cela, et la récolte promet d'être bonne.

Abeilles

Faites plaisir aux abeilles. Attirez-les avec les plantes qu'elles aiment, des plantes condimentaires (thym, mélisse, hysope, menthe, sarriette, sauge, origan, romarin, bourrache), des fleurs de saison (centaurée, clarkia, eschscholzia, lin, pavot, phacélie — l'une des plus mellifères —, sauge rouge, scabieuse, giroflée, myosotis, rose trémière, lobularia, pois de senteur), des plantes vivaces (delphinium, asters, nombreux chardons, hélianthe, sauges...). Plantez des arbres fruitiers (cerisiers, pommiers). En visitant de 10 à 15 fleurs par minute, l'abeille favorise la fécondation de façon spectaculaire (90 % pour les petits fruits, 80 % pour les cerises et les fraises, et 70 % pour les pommes). Vous récolterez beaucoup plus de fruits.

Respectez les insectes butineurs. Choisissez exclusivement des produits chimiques portant clairement sur l'emballage la mention « emploi autorisé durant la floraison ». Utilisez des produits à base de dicofol, d'endosulfan, de pyrimicarbe ou de roténone, non toxiques pour les abeilles.

Offrez-leur un hiver confortable. En soulevant les ruches à bout de bras au cours de l'automne, vous constaterez que certaines manquent de réserves. Pour passer l'hiver, une colonie doit disposer de 15 kg de nourriture environ. Ces provisions permettent aux abeilles de se nourrir et de réchauffer l'atmosphère de la ruche. Si le miel manque en hiver, la température de la ruche descend et provoque la mort des abeilles. Apportez un complément en versant dans le nourrisseur un sirop épais contenant de 2 à 3 kg de sucre pour 1 litre d'eau.

Amateur : attention à la contamination. La varroase est un acarien qui fait de plus en plus de ravages au Québec. La loi sur les abeilles vous oblige à faire inspecter votre ou vos ruches par un vétérinaire dès que vous voulez les transporter afin de prévenir toute contamination possible.

En cas de piqûre. Surtout, n'écrasez pas le dard avec les doigts, le venin pénétrerait encore plus. Retirez-le au plus vite avec la pointe d'un couteau ou une pince à épiler. Pour soulager la douleur, les remèdes populaires sont nombreux : morceau d'oignon, feuilles de poireau ou de plantain... Le plus efficace reste la teinture de calendula (le souci de nos jardins). On la prépare en faisant macérer 1 semaine quelques fleurs de souci dans de l'alcool à 90°. Attention, certaines personnes manifestent des réactions allergiques graves suite à une piqûre d'abeille, pouvant nécessiter une injection intramusculaire d'adrénaline.

Abricotier

Connaissez ses points faibles. Sa floraison précoce, au mois de mai, l'expose aux gelées printanières, et les à-coups climatiques de la fin de l'hiver risquent de provoquer la chute des bourgeons.

Protégez-le en tendant du film plastique ou une grande toile sur l'arbre en cas de risque de gel. C'est facile sur un espalier ou un jeune arbre, moins évident sur un plein-vent adulte !

Ne l'exposez pas à l'est. Si les fleurs gèlent la nuit, elles dégèleront lentement dans la journée au lieu de griller au soleil matinal.

Sachez l'arroser. Les fruits seront plus gros et plus juteux si vous offrez à votre arbre de 4 à 6 gros arrosages entre le 15 mai et le 15 septembre par été sec. Arrosez-le à hauteur des racines actives, c'est-à-dire en cercle à l'aplomb de l'extrémité du feuillage.

Réservez-lui un grand espace. Adulte, un arbre de plein vent peut faire 5 m de diamètre et couvrir 10 m^2 qu'il souhaite ensoleillés, abrités, exposés au sud ou au sud-ouest, protégés des vents froids. Dans un petit jardin, préférez une palmette palissée sur un mur ou une clôture.

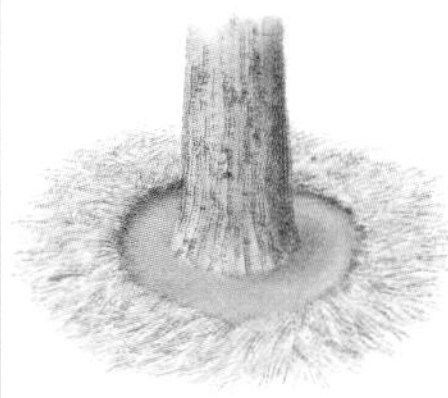

Le pied propre. Il redoute les mauvaises herbes. Offrez-lui un tapis d'écorces en dégageant la base du tronc pour qu'elle respire.

Pour le protéger de la verticilliose, ne le plantez pas à proximité des cultures potagères ni des dahlias, qui peuvent abriter des germes, comme les mauvaises herbes. En cas d'attaque (flétrissement du feuillage de façon brutale), coupez rapidement la ou les branches atteintes.

Faites le bon choix

Zone 2 : 'Prairie Gold', 'Sunrise'.

Zone 3 : 'Brookcot', 'Morden', 'Robust', 'Westcot'.

Zone 4 : 'Mandchourie', 'Moongold', 'Sungold'.

Zone 5 : 'Golden Giant', 'Henderson', 'Iowa'.

Autres variétés : 'Alfred', 'Harcot', 'Hargrand', 'Harlayne', 'Harogem', 'Goldcot' et 'Veecot'.

On peut cueillir des abricots pendant tout le mois d'août en plantant des variétés hâtives ('Harcot' et 'Goldcot' : récolte début août) ; mi-tardives ('Alfred', 'Hargrand' et 'Veecot' : récolte mi-août) ou plus tardives ('Harlayne' et 'Harogem' : récolte fin août).

▶ **Verger**

Achat

SUR CATALOGUE, PAR CORRESPONDANCE...

Des photos de rêve. Vous choisissez une plante d'après une image et une description qui, même si elles paraissent flatteuses, sont proches de la réalité. Soyez patient. Votre plant, en grandissant, ressemblera un jour à l'illustration proposée. Ne plantez pas trop serré, pensez au volume d'un sujet adulte.

Décodez les chiffres des catalogues ou des étiquettes. Arbuste (50 cm R.N./B.R.) : il s'agit de la hauteur en centimètres de la touffe en partant du sol jusqu'à son point le plus haut. R.N. signifie en racines nues et B.R. en est la traduction anglaise (*bare root*). Vous verrez aussi : 50 cm pot. Il s'agit d'un arbuste de 50 cm de haut, transplanté dans un pot pour la mise en marché. Arbre : un arbre à feuilles caduques est en général vendu en motte. Il sera catalogué ainsi : 70 mm P.B./W.B., soit le diamètre du tronc en millimètres, mesuré à 15 cm du sol. P.B. signifie panier de broche (W.B. *wire basket*). Les conifères sont, quant à eux, catalogués selon leur hauteur en centimètres. Il est donc évident que plus le diamètre ou la hauteur de l'arbre est grand, plus le prix en sera élevé. Le tronc grossit lentement, et les années de culture chez le professionnel se paient... Or, il n'est pas toujours intéressant de choisir un très gros sujet, car la reprise est plus facile chez un jeune plant.

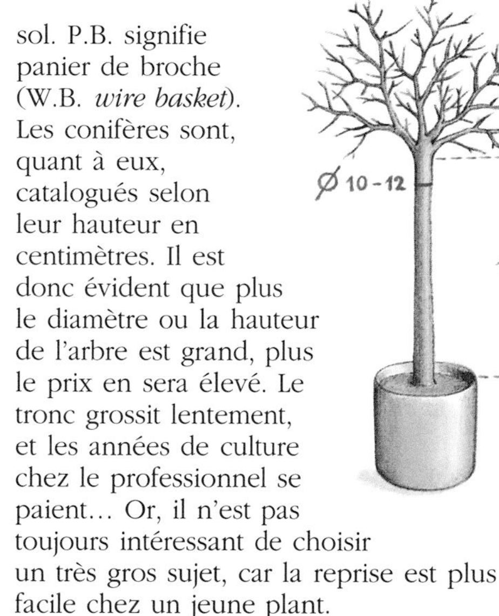

Le meilleur rapport qualité/prix. Comparez des espèces, des variétés de force similaire. Les promotions intéressantes existent, les petits plants malingres, à peine racinés, aussi !

Sur votre bon de commande, indiquez clairement si vous laissez au pépiniériste la possibilité de remplacer, à son choix, une variété épuisée. Si cette mention est absente, il complétera de lui-même votre commande en fonction de ses cultures.

Prix de gros. Les tarifs sont souvent dégressifs pour une commande de 10 sujets identiques ou davantage. Mieux vaut, dans un grand jardin, composer 2 ou 3 taches formant masse et commander en nombre.

Méfiez-vous des variétés « en mélange » ou « à notre choix ». Idéales pour un jardin de fleurs à couper, elles peuvent provoquer un désastre en massif (hauteurs différentes, coloris sans harmonie, dates de floraison décalées...).

EN PÉPINIÈRE, EN JARDINERIE, SUR LE MARCHÉ...

Les premiers rayons ne font pas le printemps... même si les commerçants vous proposent déjà les fleurs annuelles de l'été. Ces plantes fragiles sortent de serre et seront la proie de la première nuit fraîche ou d'une gelée tardive. Attendez sagement l'époque où vous ne courez plus de risque avant de planter géraniums, fuchsias, pétunias... en plein air ou sur votre balcon.

L'important se trouve dans les racines. C'est d'elles que dépend la bonne reprise de la plante. Vérifiez qu'elles tapissent correctement les parois du pot, sans tourner plusieurs fois sur elles-mêmes, formant un « chignon » à la reprise difficile. Un bon indice : tirez doucement sur la plante ; si la motte vient facilement, portez votre choix sur une plante dont les racines seront moins à l'étroit.

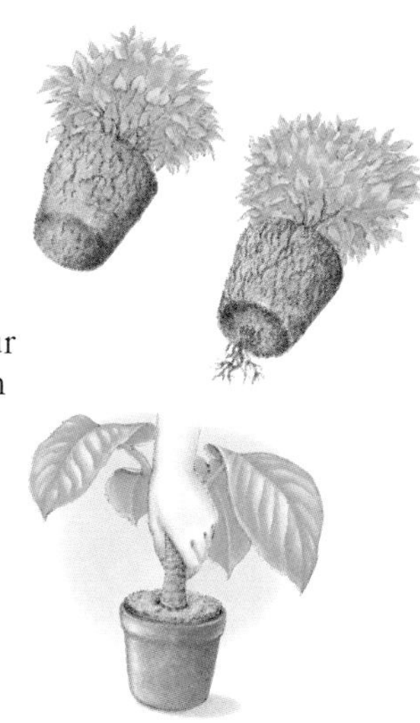

Préférez un plant trapu. Éliminez les plants filiformes, aux pousses allongées. L'aspect frais du feuillage reste cependant moins important que celui des racines.

Choisissez un sujet en boutons si vous achetez une plante fleurie en conteneur ; elle s'épanouira dans votre jardin. Achetée en pleine fleur, elle s'y flétrirait vite.

L'achat en pépinière permet de choisir des plantes dont les formes sont à votre goût. Le pépiniériste se fera un plaisir de vous réserver une plante si la période ne permet pas l'achat immédiat. L'arrachage de pleine terre a lieu entre septembre et mars, période durant laquelle la sève ne circule pas ou beaucoup moins.

Une plante sous emballage plastique, c'est simple, propre, bien identifié... à condition que tiges et racines soient complètement à l'état dormant. N'achetez pas le sujet s'il montre de jeunes pousses pâles et recroquevillées, surtout s'il fait chaud dans le magasin. La plante aura souffert dans son emballage et ne saura pas affronter le froid lors de la plantation. De même, sachez repérer les petites racines blanches qui poussent dans la poignée de terreau au fond du paquet : elles montrent que la plante a séjourné trop longtemps dans le magasin.

Garantie de reprise. Faites la différence entre les pépinières qui en offrent une et celles qui ne le font pas. Conservez toujours votre ticket de caisse ou votre bon de réception pour justifier de l'achat, surtout pour une grosse commande ou des sujets coûteux.

Profitez des plus belles plantes en étant parmi les premiers acheteurs : dès le jeudi ou le vendredi, les jardineries sont bien approvisionnées pour la fin de semaine. N'attendez pas les bousculades du samedi et du dimanche.

DE RETOUR CHEZ VOUS

Défaites les paquets, mais ne laissez pas les plantes sécher à l'air ni supporter le froid. Si vous ne pouvez les planter tout de suite, enterrez les pots et racines dans une tranchée abritée du vent. En période de sécheresse, arrosez.

Soignez bien les plantes nouvelles. En cas de non-reprise, signalez le fait au pépiniériste, qui, bien souvent, remplacera la plante capricieuse ou vous conseillera utilement.

À la belle saison, arrosez les plantes achetées en conteneurs. Plantez-les dans un sol que vous aurez humidifié avant d'y placer la motte. Allégez la terre lourde avec de la tourbe ou du sable de rivière. Arrosez après mise en place pour tasser la terre autour des racines.

Si vous vous passionnez pour une plante, un style..., devenez membre d'une association, qui vous fera découvrir d'autres amateurs (de vivaces, de fuchsias, de roses, d'arbres, de bulbes...). Il existe des clubs qui organisent des achats, des ventes, des voyages, des échanges, des conférences et mettent tous les passionnés en contact : société d'horticulture locale ou, pour la région de Montréal, les Amis du Jardin botanique de Montréal.

Acide (sol)

Sachez reconnaître un sol acide. L'analyse chimique du sol est le moyen le plus fiable (voir Analyse du sol). Si le pH est inférieur à 7, le sol est acide. À l'œil, vous aurez pu voir pousser la mousse, la prêle, l'ajonc, la fougère, le genêt, la bruyère... Les plantes acidophiles sont appelées plantes de terre de bruyère (voir Terre de bruyère).

En cas d'acidité majeure, le meilleur remède est le chaulage. En automne ou au printemps, apportez un élément calcaire pour remonter le pH du sol : maërl, calcaire broyé ou craie, scories potassiques ou de déphosphoration. Travaillez le sol par binage entre les plants ou par enfouissage lors du bêchage. Pour gagner environ un degré de pH en une année, comptez de 4 à 5 kg de produit par an pour 100 m^2. Une fois que vous avez obtenu le pH souhaité, divisez les doses par 4 pour un apport d'entretien, soit environ 1 kg pour 100 m^2 enfoui par griffage.

Une solution liquide peut être appliquée à l'arrosoir, sans bêchage ; pour cette autre technique d'entretien, mélangez dans un grand récipient (poubelle, bac en bois...) 1,5 kg de chaux horticole à 10 litres d'eau, remuez bien et épandez cette solution sur 100 m^2.

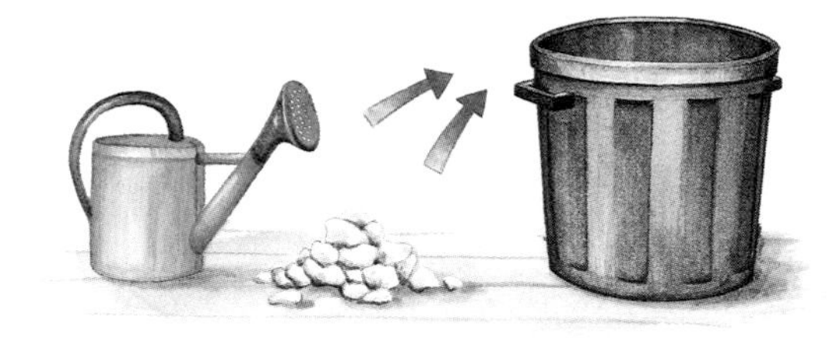

▶ **Analyse du sol, Œuf**

Faites le bon choix

Apprenez à connaître les meilleures plantes pour un sol acide. Parmi les bulbeuses, la plupart des lis (sauf le lis de la Madone), presque tous les bulbes de printemps s'ils sont tenus bien au sec grâce à un drainage efficace. Pour les vivaces, tous les delphiniums, primevères, digitales, gentianes, lupins, de nombreuses campanules... Si le pH ne descend pas au-dessous de 6, les haricots, les pois, les pommes de terre, la tétragone, la mâche... se plairont au potager (l'apport de calcaire est indispensable dans ce cas). Au verger, seuls les framboisiers et les myrtilliers seront heureux. Pour la pelouse, faites composer un mélange spécial adapté à votre acidité. Sinon, chaulez jusqu'à obtention d'un pH de 6.

Agrumes

Des agrumes au jardin ? Oui, mais obligatoirement en pots ou en bacs, leur culture au Canada ne pouvant se faire qu'en serre ou dans une pièce très éclairée. Ces plantes aimant avoir les racines au large, offrez-leur un grand volume de terre équilibré à leur silhouette aérienne. Les grands bacs d'orangerie (50 cm de côté sur 60 à 70 cm de profondeur) doivent être mobiles pour être rentrés à l'abri en septembre et sortis début juin. Montez-les sur roulettes ou déplacez-les sur un diable ou un chariot.

Quelle terre choisir ? Procurez aux agrumes une terre bien drainée, composée de 20 % de terre de jardin lourde, 20 % de tourbe ou de terre de bruyère, 30 % de sable fin de rivière, 10 % de fumier pailleux et bien décomposé, 20 % de sable grossier ou de graviers.

En Floride ou sur la côte méditerranéenne, un citronnier créera un joli décor au jardin. Chez nous, faites-le pousser dans un grand bac.

Un engrais spécial. On trouve depuis peu un engrais spécialement conçu pour les agrumes, riche en azote mais surtout en potasse, ce qui permet un bon développement du feuillage et optimise le grossissement des fruits. Apportez-le par des arrosages ou des épandages sur la terre entre avril et octobre.

Attention, cochenilles ! Inspectez les jeunes tiges et le dessous des feuilles. Traitez avec un produit spécialisé. Un signe avant-coureur : si vous voyez des fourmis monter le long des tiges, c'est qu'il y a une colonie de pucerons ou de cochenilles à « traire ».

Des fruits aussi beaux que bons. Dans une véranda, devant une baie vitrée, les agrumes offrent un décor original et durable. Lorsque les premiers fruits flétrissent ou sont très mûrs, cueillez-les avec un sécateur ou des ciseaux en conservant une petite queue. Transformez votre récolte en liqueurs, confitures, fruits confits...

Conservez les écorces dans du sucre. Pelez vos fruits et retirez la peau blanche de l'écorce avec un petit couteau. Coupez la partie colorée en fines lanières et stockez-les dans du sucre granulé. Vous les aurez sous la main pour décorer un gâteau ou des verres à cocktail, pour parfumer compotes, conserves de fruits, confitures, etc.

Parfum d'ambiance. Lorsque vous pelez un fruit, conservez son écorce. Faites-la sécher sur un radiateur ou encore jetez-la dans le feu de la cheminée.

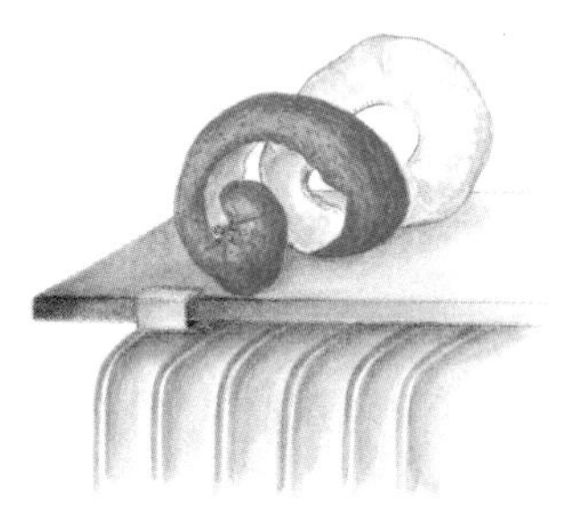

Petite histoire

Les agrumes sont principalement originaires d'Asie. Bien avant Jésus-Christ, on dégustait à Rome des citrons et des oranges, importés de Chine par la route de la soie. Mongols, Arabes, croisés puis conquistadors firent connaître les agrumes au reste du monde. Le premier plant qui parvint en France, en 1424, fut planté à la cour de Navarre ; on l'offrit au connétable de Bourbon, qui le garda en son château de Chantilly. D'autres arbres arrivèrent ensuite à Fontainebleau, puis à Versailles. Pour les abriter, Louis XIV fit construire la célèbre orangerie de Versailles, où demeurent encore des arbres aux noms illustres : le Grand Bourbon, François Ier...

Les pépins d'agrumes semés dans de la terre maintenue constamment humide germent assez bien. Lorsque les petits plants sont hauts de 3 à 4 cm, coupez d'un coup d'ongle la tige centrale et la racine pivotante et rempotez individuellement. Vous obtiendrez de jolies plantes vertes trapues qui deviendront épineuses avec l'âge. N'attendez pas de fruits comestibles à moins de greffer vos protégées.

Fabriquez un pomander. Une orange (ou un citron) piquée de clous de girofle et suspendue après séchage dans une armoire ou un buffet en parfumera agréablement l'air. Très décoratif, le pomander a aussi la propriété d'éloigner les insectes (mites, poissons d'argent...). En le préparant, prévoyez un emplacement pour fixer un joli ruban coloré mais ne le mettez qu'après dessèchement du fruit : son diamètre aura nettement diminué. Vous pouvez conserver un pomander plusieurs années.

Ail

Échangez vos gousses entre jardiniers. On ne plante pas toujours le même ail sur le même terrain, pour des questions de déséquilibre et de viroses qui entraînent une baisse de production et des maladies.

Ne semez que les plus grosses gousses de l'extérieur de la tête, jamais celles de l'intérieur, qui donneraient de moins bons résultats.

Faites des nœuds. Nouez les tiges vertes vers la fin de la saison, avant la récolte. La sève se concentrera dans les gousses, ne pouvant plus courir dans les feuilles, qui sèchent ainsi plus vite.

« Oubliez » 2 ou 3 têtes d'ail dans le sol lors de la récolte. À la saison suivante, dès que les petites pousses vertes pointeront leur nez hors de terre, utilisez ces gousses comme semence à repiquer individuellement. Déjà racinées, elles pousseront plus vite et donneront de très belles têtes d'ail. Changez de parcelle pour éviter ravageurs et maladies.

Un insecticide naturel contre les pucerons

— Versez 60 ml d'huile dans un bol. Ajoutez-y 125 g d'ail. Laissez macérer 24 heures.
— Ajoutez ensuite 15 ml de savon biodégradable ainsi que 1 litre d'eau. Après avoir mélangé, passez au tamis.

Ce mélange est un concentré. Conservez-le au réfrigérateur. Lorsque vous en avez besoin pour pulvériser vos plantes attaquées par les pucerons, diluez votre concentré dans 20 parties d'eau. C'est une recette simple mais efficace !

Pour une meilleure conservation des bulbes. Dégagez leur base d'un léger coup de binette lorsque les tiges commencent à jaunir. L'air asséchera plus vite leur épiderme.

Après consommation. Croquez un grain de café, une queue de persil, du cerfeuil après avoir mangé de l'ail cru pour vous rafraîchir l'haleine.

À titre préventif. Pour que l'ail soit plus facile à digérer, faites tremper les gousses de 1 à 2 heures dans l'eau froide avant utilisation.

Vous n'aimez pas en retrouver des petits morceaux dans votre assiette ? Contentez-vous de frotter l'intérieur du plat ou du saladier avec une gousse coupée en deux, ou pilez la gousse avec sel et poivre jusqu'à en faire une pommade, ou encore faites cuire au four des gousses d'ail non pelées : elles se repèrent très facilement.

Protégez votre garde-manger. Mettez quelques gousses d'ail dans les réserves de légumes secs et de céréales : vous éloignerez ainsi les charançons et d'autres insectes indésirables.

Filtrez un mélange eau et ail, écrasé au mixeur. Additionnez de savon de Marseille. Pulvérisez cette solution sur vos plantes : vous les protégerez des principaux ravageurs.

Vermifuge et fongicide. Écrasez quelques gousses d'ail dans l'eau de boisson des animaux de la basse-cour pour améliorer leur santé.

Chats et chiens. Glissez quelques gousses dans leur coussin, leur panier ou leur litière, vous leur éviterez puces et tiques.

Un peu d'histoire

Née voici bien des millénaires dans les steppes d'Asie centrale, cette gousse miraculeuse a toujours été auréolée de mille vertus. Gravée sur la grande pyramide de Gizeh pour avoir su protéger des maladies les ouvriers constructeurs, elle fut considérée comme une panacée par les plus célèbres médecins grecs et romains.
Au fil des siècles, l'ail a su conquérir le monde entier. Ce condiment connut une longue période d'oubli en Occident, pour revenir sur les tables à l'époque des croisades et regagner ses lettres de noblesse au XVIe siècle.

▶ **Aromatiques, Potager**

Aleurodes

Sachez les identifier. Plus connu sous le nom de mouche blanche, l'aleurode est un ravageur parent des pucerons et des cochenilles. L'adulte ressemble à une minuscule mite aux ailes

poudrées de blanc. Agitez les feuilles ou les branches atteintes pour que les adultes s'envolent en nombre. L'insecte pond ses œufs et les fixe au revers des feuilles dont il se nourrit. Ces larves plates, ovales et écailleuses sécrètent un liquide collant (exsudat). Lorsque ce liquide tombe sur les feuilles situées en dessous, il offre le milieu idéal au développement d'un champignon microscopique qui forme une espèce de suie noirâtre, un miellat, appelé fumagine. Ce si petit animal devient redoutable si on ne l'élimine pas rapidement.

Où sévissent les aleurodes ? Au jardin, on les rencontre en été, surtout dans les cultures de chou, et dans les rhododendrons. En serre, en véranda ou sur les plantes d'intérieur, ils se repèrent généralement sur la face inférieure des feuilles.

La couleur jaune attire irrésistiblement les aleurodes. Placez des plaquettes jaunes couvertes de glu au-dessus de vos cultures. Les insectes viendront s'y coller.

Prévention. Associez des capucines aux cultures sensibles (chou, tomate, haricot).

Si vous utilisez des produits chimiques anti-mouches blanches à base de pyréthrine, pensez à renouveler très régulièrement le traitement pour supprimer les nouvelles générations.

En serre, enfumez-les. Jetez une grosse poignée de feuilles de chêne presque sèches dans un gros pot de fleurs en terre cuite placé sur une soucoupe également en terre. Posez le tout sur un matériau ne craignant pas la chaleur (sol, tablette en fer...). Mettez le feu aux feuilles en calfeutrant bien les ouvertures et arrivées d'air de la serre, et laissez brûler pendant 30 minutes en rajoutant des feuilles si nécessaire. La fumée âcre qui se dégage élimine non seulement les aleurodes mais aussi bon nombre de parasites. Moins écologique et plus musclée, une intervention de dichlorvos est très efficace.

Lutte intégrée. Introduisez *Encarsia formosa*, le parasite tueur de l'aleurode. Cette lutte n'est possible qu'en serre, dans des conditions optimales d'élevage (chaleur, lumière et humidité) pour qu'*Encarsia* se développe plus rapidement que l'aleurode et en vienne à bout.

Algues

Jetées sur le tas de compost, les algues d'une bourriche d'huîtres se décomposeront vite et réchaufferont le compost. Ne les lavez pas pour éliminer le sel, il a son utilité.

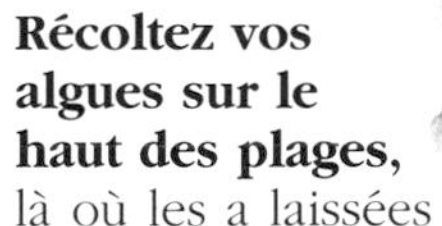

Récoltez vos algues sur le haut des plages, là où les a laissées la marée. Séchées au soleil, elles pèsent moins lourd et sont plus faciles à transporter. En revanche, les algues séchées contiennent trop de sel pour être utilisées comme engrais sur certaines cultures sensibles. Aussi, stockez-les quelques mois dans un coin du jardin, arrosez-les à l'eau douce, ou laissez faire la pluie en remuant le tas plusieurs fois.

Points faibles. Sachez que les algues sont pauvres en phosphore et en azote, d'où la nécessité de compenser ces faiblesses avec de la corne broyée ou de la poudre d'os pour certains usages (légumes-feuilles : épinards, bettes, salades...).

Asperges et artichauts. Ces deux légumes sont friands d'algues, qui leur procurent beaucoup de potassium, de calcium, de magnésium, d'oligoéléments, dont le bore, le sodium, le chlore, le soufre, l'iode, et des mucilages... Enfouissez les algues directement dans le sol, sans décomposition préalable. La vie des micro-organismes du sol s'en trouvera stimulée. On peut dire que les algues ont la même valeur que le fumier de ferme, avec une richesse supérieure en potassium et en oligoéléments.

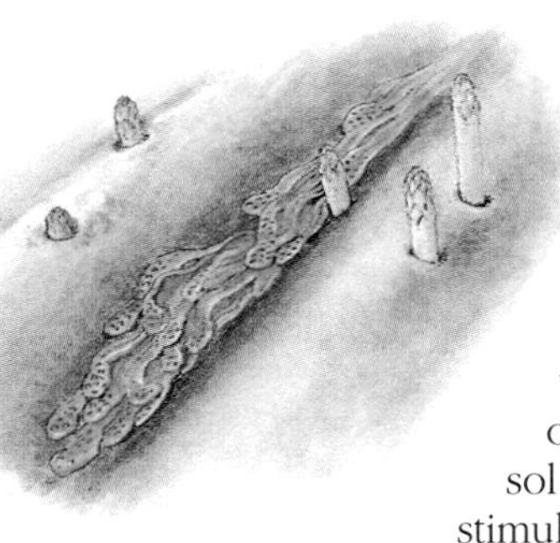

Fraisiers et haricots : s'abstenir. Le chlore des algues ne ravit pas ces deux espèces.

Remède miracle pour les pommes qui montrent des taches de liège dans la pulpe : il s'agit là d'une carence en bore, vite rééquilibrée par des apports d'algues au pied de l'arbre.

▶ Bassin

Alignement

Pensez à planter des arbres d'alignement pour border une allée, souligner un chemin, mettre en valeur une perspective, guider l'œil vers un but précis (maison, banc, bassin, statue...). Cet alignement peut n'être qu'un simple rideau de verdure sur un seul côté, une rangée de chaque côté de la circulation, ou une double rangée avec des sujets plantés en quinconce.

Faites le bon choix

Les meilleurs candidats à l'alignement, chez les gros sujets (de 6 à 8 m d'écartement) : chêne, érable de Norvège, frêne, marronnier d'Inde, micocoulier, robinier faux-acacia, tilleul à petites feuilles ; parmi les sujets moyens (de 4 à 6 m d'écartement) : aubépine 'Toba', févier, lilas japonais 'Ivory Silk', marronnier de Bauman, pommetier.
Espacez les sujets pyramidaux de 2 à 3 m environ (voir Pyramidal).

La force d'un alignement réside dans l'emploi d'une seule espèce. Avant de choisir celle-ci, il faut connaître son développement

Donnez du charme à une allée en la bordant d'arbres identiques. Ici un double alignement de tilleuls.

adulte pour éviter des tailles ou des mutilations trop souvent répétées. Respectez cet espace vital à la plantation.

Pour obtenir un joli résultat dès les premières années, optez pour une contreplantation provisoire d'arbustes. Supprimez ces plantes dès que vos arbres auront atteint une taille suffisante pour obtenir l'effet souhaité.

Allée

Construite en dur, longue et rectiligne, impossible à retirer : plantez très près de ses bords des espèces tapissantes, gazonnantes, qui formeront une dentelle fleurie festonnant sur le béton, le goudron… pour qu'on l'oublie. Parmi les plantes recommandées : lavande, hélianthème, aubriette, alysse, thym, corbeille-d'argent, céraiste, ciste, œillet mignardise…

Longue et mal éclairée : bordez-la de galets, de pierres ou de gros cailloux blancs. En saison, doublez-la de fleurs blanches ou très pâles, qui se distinguent bien entre chien et loup.

Une allée peu fréquentée peut se transformer en dallage fleuri *(crazy paving).* Lors de la pose du dallage, pensez à laisser des réserves de terre pour installer quelques touffes de vivaces à fleurs (phlox nain, iris nain, céraiste…).

Allée de gazon. Sous climat maritime ou humide, c'est la solution la plus pratique (entretien à la tondeuse) partout où la circulation est faible et non motorisée. Délimitez les bords des allées à l'aide d'une planche de bois le long de laquelle vous couperez au dresse-bordure ou à la bêche tout ce qui dépasse, assez profondément. En cas d'allée courbe, suivez le tracé d'un tuyau d'arrosage souple, maintenu de place en place par quelques cavaliers de fil de fer sur une longue distance.

Au potager, engazonnez les sentiers secondaires : c'est plus joli, facile à déplacer en cas de changement de conception ou de rotation des cultures et simple d'entretien.

Antiglisse sur les rondins de bois. Rustiques et faciles à poser, les rondins deviennent glissants avec l'âge et l'humidité : recouvrez-les d'un fin grillage lors de la pose. Cloué ou agrafé, il disparaîtra vite du regard.

Pour éviter la corvée de désherbage : avant d'étaler la couche de sable, gravillons, petits galets, écorces broyées, coquillages ou autre matériau isolant, placez un film plastique, ou du feutre de jardin, sur la terre. Il aura le double avantage d'étouffer les herbes et d'empêcher le revêtement choisi de s'enfoncer trop rapidement.

Pour lutter contre l'usure d'une allée de gazon, placez aux points très fréquentés quelques dalles plates. Enfoncez-les assez pour ne pas gêner le passage de la tondeuse.

Prévoyez de petites allées, ou passe-pieds, dans les massifs. Elles vous permettront d'y pénétrer pour les entretenir sans abîmer les branches. Vite cachées par la végétation, elles seront discrètes. Même conseil pour le passage entre la clôture et la haie, afin de permettre la taille.

Pente obligatoire : lors de la pose d'un dallage ou de tout autre matériau, donnez à l'allée une forme bombée (pente d'environ 4 cm/m) pour éviter la formation de flaques et permettre à l'eau de s'écouler vers les massifs, un caniveau ou un égout…

Quelques mesures : la circulation d'une personne exige 60 cm de large. La circulation de deux personnes ou d'un engin (brouette, motoculteur…) demande de 1,10 m à 1,20 m.

▶ **Alignement, Bordure, Dallage, Feutre de jardin, Pas japonais**

Alpines (plantes)

ACHAT

Où s'adresser ? Les véritables alpines — celles qui ne deviennent pas envahissantes — s'achètent chez un spécialiste de plantes vivaces, offrant plus de choix qu'une jardinerie. Les catalogues ont généralement une page consacrée exclusivement à ces espèces naines. C'est le type de plantes qu'on se fait expédier très facilement.

PLANTATION

Il existe 3 sortes de mélanges terreux, correspondant à 3 catégories de plantes : celles qui aiment le calcaire, celles qui le redoutent et les indifférentes. À vous de former des poches de terre soit alcaline, soit acide (terre de bruyère) ou un mélange standard contenant beaucoup de sable et de gravillons afin d'assurer un bon drainage, pour y installer l'espèce qui convient.

Ne serrez pas trop les petites touffes à la plantation. Elles sont en effet minuscules, mais, après une ou deux belles saisons, il faudra arracher ou rogner si elles ont trop poussé.

En cas de forte humidité, faites une plate-bande surélevée en formant un massif de terre bien drainé retenu par un petit muret ou des rondins de bois. Une épaisseur de 30 cm est un minimum. Une couche de 4 à 5 cm de briques pilées, de cendres de bois, de mâchefer ou de gravillons peut, en plus, isoler la rocaille de la terre naturelle. Avec ce système, la terre sera moins basse pour travailler, les fleurs plus près des yeux.

Épandez beaucoup de gravillons. Ils sont indispensables sous les touffes de plantes rampantes pour former une couche où circulera l'air, pour isoler les feuilles du sol et de la pourriture et pour décourager les limaces. De plus, les gravillons retiennent une grande partie de l'humidité de la terre. Mélangez des cailloux ou même des roches à cette couverture pour offrir une vision plus naturelle.

Plantes alpines : faites le bon choix

Pour plein soleil	Pour situations chaudes et sèches (sol calcaire)	Pour ombre légère ou sol acide
arabette	*Acaena*	astilbe naine
Armeria	alysse	azalée naine
campanule	aubriète	cœur-saignant
corbeille-d'argent	céraiste	*Daphne*
Draba	*Erinus*	*Gaultheria*
érodium	euphorbe	gentiane
gentiane	fétuque	menthe
géranium vivace	*Genista*	primevère
joubarbe	gypsophile rampante	rhododendron nain
œillet des montagnes	lavande	sanguinaria
phlox nain	millepertuis	saule nain
primevère	œillet des montagnes	*Trillium*
saxifrage	orpin	*Vaccinium*
	thym	

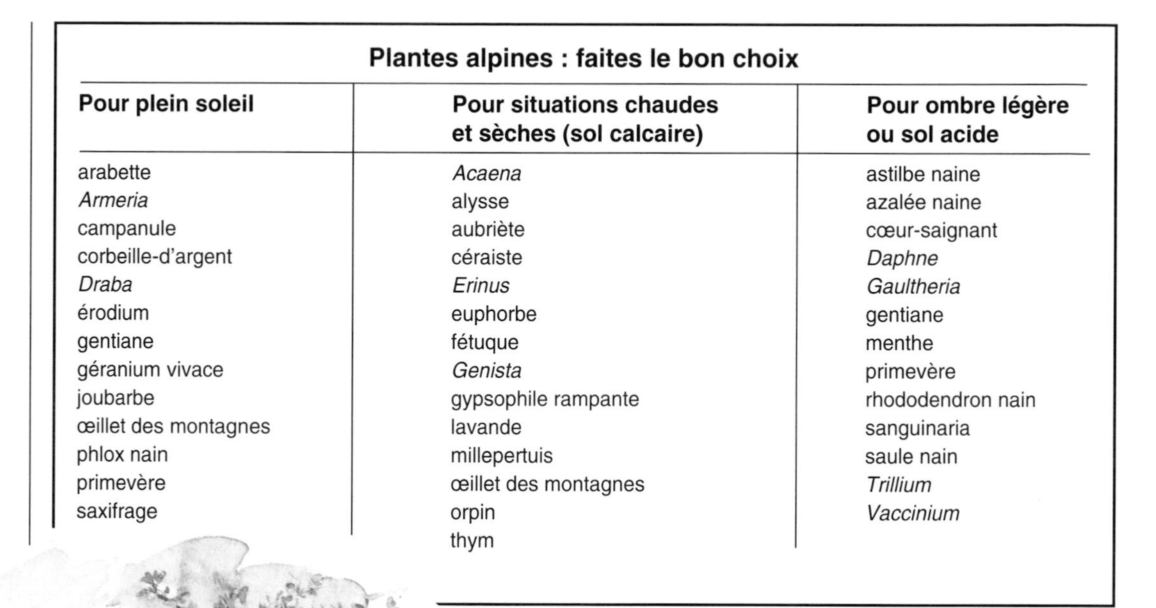

Si vous avez choisi des pierres calcaires et désirez planter des sujets calcifuges, placez-les en haut de votre décor, dans des poches de terre acide. Situés au milieu ou en bas, les végétaux souffriraient un jour ou l'autre du calcaire entraîné dans l'eau de ruissellement.

Une orientation ensoleillée est nécessaire, la plupart des alpines aimant recevoir beaucoup de lumière. En cas de pente naturelle, formez de petites terrasses et retenez la terre par des blocs de pierre enfoncés verticalement dans la terre.

ENTRETIEN

Une rocaille ne s'arrose pas. Vous pouvez offrir un peu d'eau à un jeune sujet qui traverse une période de sécheresse, mais ne donnez surtout pas cette mauvaise habitude aux plantes alpines.

Rabattez (coupez) immédiatement après floraison. Ne laissez pas les fleurs devenir fruits et graines (sauf si vous souhaitez récolter des graines). Coupez, dès la dernière corolle flétrie, les tiges porteuses de fleurs fanées. Vous maintiendrez un joli coup d'œil et éviterez l'épuisement inutile des plantes, qui restent plus trapues et mieux formées. Ainsi traitées, les plantes connaissent parfois une seconde floraison, plus timide mais appréciable en fin de saison.

La fourchette devient un bon outil entre des pierres serrées ou entre deux touffes qui se touchent. Utilisée en guise de minibêche, elle ne traumatisera pas les racines tout en aérant bien la terre.

Choisissez un tuteurage naturel et élégant pour les plantes alpines qui grimpent ou forment des verticales : ramure effeuillée de noisetier, de tilleul, de bouleau…

Protection hivernale. En montagne et à la campagne, la neige isole et protège les alpines. Il n'en est pas de même en ville, où la pluie s'associe mal au froid, surtout pour les plantes à feuillage persistant en rosettes ou argentées. Recouvrez les touffes de branches de conifère (recyclage du sapin de Noël), de fougères sèches ou de paille pour limiter la pénétration de l'eau dans le sol et éviter le froid. Attention, ne placez pas cette protection trop tôt en saison, les rongeurs risqueraient d'y trouver un logis confortable.

Placez les graines au réfrigérateur avant semis. De 2 à 3 mois à 0-2 °C remplacent un hiver en altitude, ce qui induit la germination. Certaines espèces de haute altitude apprécieront même 2 ou 3 jours de congélateur.

Pour le balcon et la terrasse : l'auge fleurie. De 3 à 5 espèces alpines dans une auge de pierre, un petit rocher et une couche de gravillons forment un joli décor sur une petite surface.

Altitude

Un problème d'ombre et de lumière. Sachez distinguer l'adret, versant ensoleillé, de l'ubac, versant ombragé. Installez toujours sur l'adret des fleurs et des légumes à cycle de végétation court (radis, salades, fleurs annuelles…) dès que les derniers gels ne sont plus à craindre.

Faites le bon choix

Voici une sélection d'arbres à planter en altitude :

bouleau blanc	orme
chêne	robinier faux acacia
érable plane	saule
hêtre	sorbier

Un royaume pour les plantes alpines : elles s'étalent au sol et supportent le poids de la neige, qui les protège tout au long de la mauvaise saison. À vous les rocailles, les plantes de crevasse, les arbustes rampants, les coussinets fleuris, à condition de procurer à tous un excellent drainage sous les racines et sous les rosettes de feuilles.

Cerclez les conifères qui montrent un feuillage dressé pour que le poids de la neige ou de la glace ne casse pas leurs branches.

Au verger, plantez des espèces résistantes. Le pommier, par exemple, supporte –30 °C. Choisissez les variétés fleurissant tardivement (à cause du gel et de la pollinisation). Palissez poiriers et abricotiers sur un mur abrité, une façade exposée au sud ou à l'ouest. Framboisiers, fraisiers et bleuets font merveille.

En cas de forte pente ravinée par les pluies et la fonte des neiges, installez vos végétaux dans des cuvettes et plantez-les en étages ou en paliers, pour stabiliser le sol et récupérer l'eau de pluie.

▶ **Froid, Neige, Pente**

Aluminium

Chou-fleur blanc immaculé. Pour blanchir une jeune tête de chou-fleur en formation, placez dessus une feuille d'aluminium ménager légèrement froissée. Fixez-la par quelques piquets de bois. En grossissant, la tête de chou-fleur défroissera l'aluminium.

Pour chasser les oiseaux des arbres fruitiers, formez vos affolants en recouvrant d'aluminium ménager des formes suspendues à un lien, qui s'agiteront au vent (coquilles Saint-Jacques vides, bandes de carton…). Les rayons solaires s'y reflétant chasseront — pour un temps — les gourmands indésirables.

Protégez les jeunes arbres des rongeurs. Enveloppez le tronc d'une bonne épaisseur d'aluminium ménager sur une hauteur de 50 cm en partant du sol. Ce sont surtout la brillance et le bruit des pattes sur l'aluminium qui feront fuir les lièvres et autres rongeurs d'écorces. Laissez un espace entre aluminium et tronc pour que l'écorce respire.

Donnez plus de lumière à vos plantes en pots en hiver. Tapissez d'aluminium ménager le mur près duquel les plantes sont situées ou le fond de la pièce (des miroirs feront le même effet, mais ils coûtent plus cher). La lumière sera réverbérée partiellement vers le côté de la plante qui voit peu le jour.

Diminuez l'évaporation des pots de terre cuite en en tapissant l'intérieur avec une couche d'aluminium ménager, sans cependant obstruer le trou de drainage pour que l'eau d'arrosage s'évacue.

Un antipucerons écologique. Les fleurs ou les légumes plantés sur une feuille d'aluminium ménager en extérieur seront moins atteints par les pucerons que les autres sur terre nue, et cela à cause de la réflexion des rayons ultraviolets. Formez une fente en croix au milieu de l'aluminium pour planter le jeune plant. Maintenez l'aluminium en place par quelques galets, pierres ou pelletées de terre.

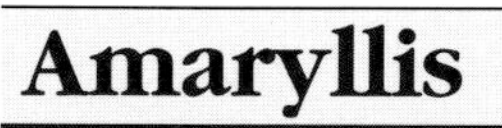

Pour fleurir en intérieur, les jacinthes forcées ont besoin d'obscurité. Formez un cône d'aluminium ménager sur la hampe florale en formation.

Amaryllis

Facile à faire fleurir. Il suffit d'acheter un bulbe du plus gros calibre, seule garantie de floraison spectaculaire. Un peu plus coûteux qu'un petit, il vous offrira souvent deux, voire trois hampes florales au lieu d'une.

Plantez vite, dès l'achat ou la réception de votre commande, en supprimant au couteau une partie de la « barbe » des racines (1/3 environ). Vous pouvez aussi faire tremper la base du bulbe quelques heures dans de l'eau tiède juste avant la plantation pour accélérer sa végétation.

Le cou à l'air. N'enterrez pas ce bulbe comme les autres : le tiers supérieur de l'oignon doit dépasser de terre, sinon il y a risque de pourriture.

Arrosez progressivement. Mouillez d'abord légèrement la terre du pot et placez celui-ci sur (ou près) une source de chaleur (radiateur, cheminée, dessus de réfrigérateur...). Ses racines se développeront plus vite. Quand la pointe de la hampe florale sort et se colore, arrosez nettement plus. La terre du pot ne doit pas sécher.

Groupez les bulbes d'amaryllis, vous obtiendrez un massif très coloré, spectaculaire dans la maison.

Vacances obligatoires. Arrosez le bulbe jusqu'à ce qu'il donne des signes de fatigue et de jaunissement naturel des feuilles (de 4 à 6 mois). Laissez-le dans son pot, réduisez peu à peu l'apport d'eau, et, quand les feuilles sont jaunes, coupez-les et placez le pot quelque part au sec (fond de serre, placard...). La survie de votre amaryllis nécessite une sécheresse désertique pendant au moins 3 mois. Après ce délai, reprenez les arrosages ou rempotez la plante pour une nouvelle floraison.

Elle refleurira... si vous arrosez le bulbe avec un engrais riche en potasse (l'engrais pour tomates fait merveille). Arrosez pendant et après la floraison et ne coupez que le haut de la hampe fanée, car la tige, riche en chlorophylle, contribue à la formation, dans le bulbe, de réserves nutritives.

Attention, fleurs lourdes. Dès le début du développement de la tige, placez un bambou fin dans la terre sans abîmer le gros bulbe. Il soutiendra au bout de quelques jours la masse des fleurs épanouies en larges trompettes. Les feuilles n'apparaîtront qu'après la floraison.

Culture sur carafe : floraison unique. Le forçage sur une carafe pleine d'eau donne de jolies fleurs, mais la plante s'épuise à vous faire plaisir et, ne disposant d'aucun moyen pour reconstituer ses réserves, elle ne peut vous contenter une seconde fois. Jetez le bulbe forcé.

Ne confondez pas l'amaryllis d'intérieur, de son véritable nom *Hippeastrum*, et la véritable amaryllis *(A. belladonna)*, qui fleurit en fin d'été, à l'extérieur, et aime les situations chaudes, ensoleillées et bien drainées ; son bulbe est beaucoup plus petit et se plante en mars-avril.

Vive la cohabitation. Adoucissez la silhouette un peu raide de l'amaryllis en groupant différentes espèces à feuillage autour de son pot : fougère, aspidistra, maranta...

Aménagement

SUR LE PAPIER

Un plan sur du papier quadrillé. Si vous n'avez pas totalement votre projet en tête, tracez les clôtures, les allées principales, le garage, l'abri de jardin, les escaliers, la terrasse, la pergola, la serre, la niche, le coin-poubelles, le bois de chauffage, le portique… Disposez également pelouse ou prairie, aire de jeux pour les enfants, massif de fleurs, potager, verger, rocaille, bassin ou mare, haie… N'oubliez pas de noter l'orientation sur le plan.

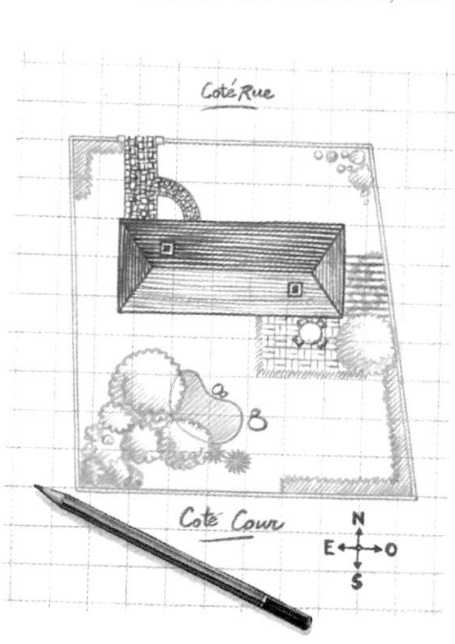

Faites une photocopie agrandie du plan de la parcelle à partir du certificat de localisation ou du cadastre de la mairie. Vous y trouverez l'orientation du terrain, ses dimensions, ses limites et l'emplacement exact des bâtiments existants.

Prenez des photos du terrain sous différents angles et faites des agrandissements (13 × 18 cm). Dessinez quelques types d'aménagement sur du calque que vous aurez disposé sur les photos.

Des kits pour paysagistes amateurs sont disponibles dans le commerce. Ces boîtes contiennent des figurines autocollantes représentant tous les éléments d'un jardin. Une fois le plan tracé, assemblez à votre gré ces éléments jusqu'à obtenir l'aménagement de vos rêves.

SUR LE TERRAIN

Un grand nettoyage s'impose pour y voir plus clair. Enlevez les herbes folles mais, dans un premier temps, laissez le plus possible d'arbres et d'arbustes à moins qu'ils ne gênent ou ne soient dangereux. Il suffira peut-être de les élaguer.

Prenez le temps d'examiner l'orientation, l'environnement (vue, bruits) du terrain, arpentez-le plusieurs fois et découvrez-le à différents moments de la journée. Faites un inventaire rapide des plantes, de la structure et des mouvements du sol. Vous aurez une première idée des possibilités d'aménagement et de plantations.

Le temps des premiers tracés est arrivé. Munissez-vous de grosse ficelle, de piquets, d'un marteau, d'un paquet de plâtre et d'une peinture fluo en aérosol. Avec ce matériel, placez de manière symbolique les allées et les escaliers, les massifs, les pelouses, les grands arbres, l'aire de jeux et tout ce que vous avez prévu sur votre plan.

Ne jetez pas les pierres, même petites. Vous les utiliserez pour empierrer une allée, faire un drainage, installer une rocaille ou construire des murets… Conservez-les dans un coin où elles ne vous gêneront pas.

Si vous n'avez pas de ruban à mesurer, sachez qu'une enjambée mesure 65 cm environ et 1 m si vous forcez. La largeur de la main, doigts écartés, fait à peu près 20 cm (un empan). D'une main à l'autre, bras écartés, vous avez une longueur d'environ 1,50 m.

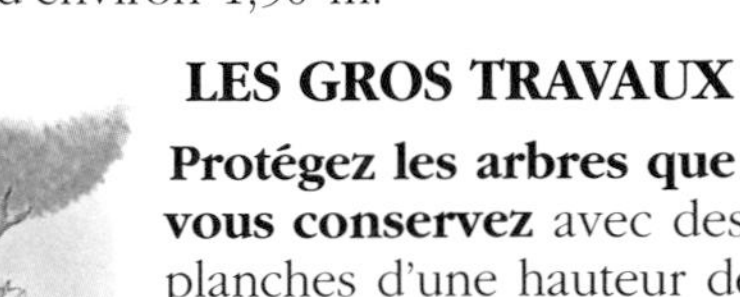

LES GROS TRAVAUX

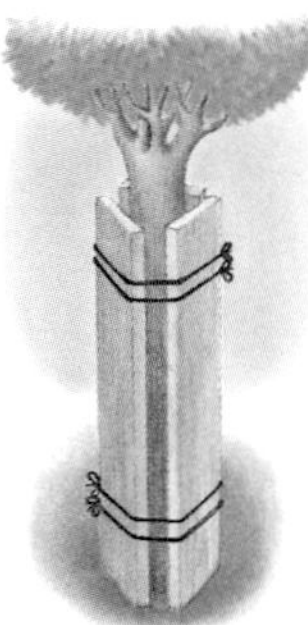

Protégez les arbres que vous conservez avec des planches d'une hauteur de 1,50 m minimum, des toiles ou du plastique, avant de commencer le terrassement et le travail du sol (défrichage, labour, creusage…).

Conservez la terre arable si le terrain doit être partiellement décapé. Vous la remettrez en place après les travaux.

Protégez les conduites d'eau en les enterrant au-dessous du niveau de gel (entre 1,20 m et 1,80 m). Enterrez aussi les câbles électriques à au moins 40 cm. Posez un grillage avertisseur coloré 20 cm au-dessus des canalisations et des câbles électriques. Faites un relevé précis du réseau souterrain.

Faites-vous livrer un complément de terre végétale (terreau ou terre franche) si votre terrain a été particulièrement « écorché ». Comptez une épaisseur de 30 cm pour une pelouse, 40 cm pour les plantes vivaces, 60 cm pour les arbustes et les haies. Pour les arbres isolés, prévoyez des fosses de 1 à 4 m³.

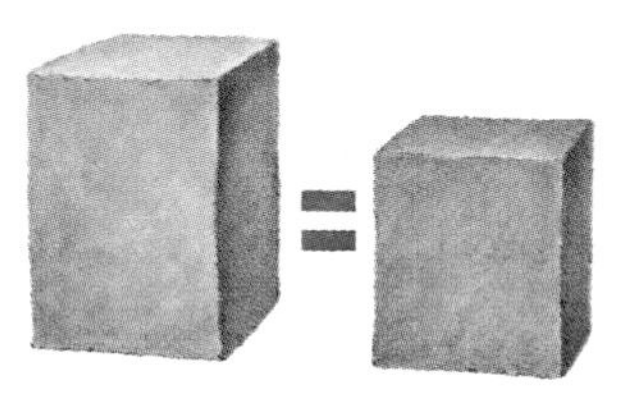

Attention au tassement de la terre. Toute terre remuée ou rapportée se tasse d'environ 20 % en hauteur. Prévoyez donc un volume supplémentaire à celui calculé si vous devez faire un remblai.

La meilleure période pour faire les gros travaux se situe en automne et au printemps. Les entreprises sont plus disponibles et le repos de la végétation donne une vue plus dégagée. Mais n'oubliez pas que les journées sont plus courtes et que le mauvais temps ne facilite pas le travail.

LES AMÉNAGEMENTS SECONDAIRES

Travaillez par étapes, qu'il s'agisse de l'aménagement initial de votre jardin ou de son remodelage. Aménagez les différentes zones en partant de la maison : c'est plus encourageant.

Un style de jardin adapté. Quelle que soit la taille de votre terrain, réfléchissez au temps et au budget dont vous disposez. Choisissez le style qui vous conviendra : jardin sauvage, jardin très soigné ou structuré, jardin de loisirs, jardin de collectionneur de plantes...

Si vous avez peu de temps, prévoyez des pelouses rustiques ou des prairies plutôt qu'un fin gazon, qui a besoin de tontes répétées. Optez aussi pour les haies libres et les arbustes qu'on ne taille pas. Préférez les plantes vivaces aux massifs d'annuelles. Sachez que les plantes potagères et bien des arbres fruitiers exigent plus de temps et des techniques de jardinage plus pointues.

TOURS DE MAGIE

Pour donner une impression d'espace sur une surface limitée, pratiquez une ouverture dans la haie ou la clôture du fond du jardin ; laissez apparaître l'horizon, la campagne. Si la vue est bouchée par un mur, pensez aux trompe-l'œil, aux treillages ayant des lignes de fuite.

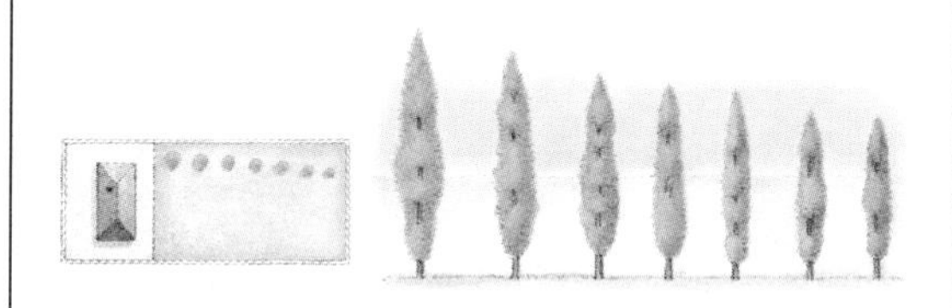

Illusion d'optique pour un jardin qui manque de profondeur. Plantez un rideau d'arbres en ligne, dont la hauteur diminuera en même temps qu'ils s'éloigneront de l'observateur.

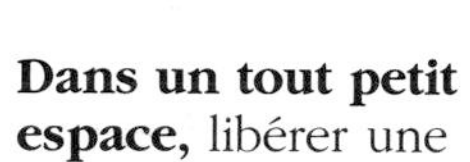

Votre jardin, tout en longueur, est trop profond ? Utilisez des espèces à feuillage de plus en plus petit en vous éloignant de la maison.

Dans un tout petit espace, libérer une surface pour une pelouse centrale serait ridicule. Cherchez plutôt un matériau agréable à l'œil, facile à vivre (nettoyage rapide, séchage après la pluie) ; habillez-le de belles poteries de grande taille, déplaçables. Plantez dedans des arbustes et des fleurs, notamment des grimpantes pour donner une troisième dimension à l'espace. Privilégiez les persistants faciles : fougères, buis, ifs... Créez quelques points très colorés qui attireront l'œil.

Trucage pour rétrécir un jardin trop large. Plantez au fond des petits arbres et au premier plan 2 ou 3 gros sujets hauts et étroits (peupliers, bouleaux, thuyas colonnaires, sorbiers...).

▶ **Barbecue, Composition du jardin, Couleurs, Éclairage, Perspective, Porte d'entrée**

Analyse du sol

Ne négligez pas cette opération simple mais capitale qui vous aide à comprendre la vie présente et future de votre jardin. Elle vous permet de planter les bonnes espèces et vous évite des erreurs coûteuses. Adressez-vous à une ferme expérimentale.

Observez la végétation naturelle qui prospère sur votre terrain. Quenouilles, digitale, fougère-aigle, framboisier, genêts, cytise, bleuets, pin maritime, pin blanc, prêle, tormentille, véronique... indiquent un sol acide. Buis, différents chardons, pavots, genévrier, merisier... poussent dans les sols calcaires.

Tests faciles à faire. Pressez une poignée de terre légèrement humide dans votre main. Si la motte ne s'agglomère pas et s'effrite entre vos doigts, il s'agit d'un sol sablonneux. Si la motte reste en boulette dans votre main, laissez-la tomber sur un sol dur. Elle n'éclate pas sous le choc : il s'agit d'un sol argileux. Elle se brise au contact du sol après s'être agglomérée

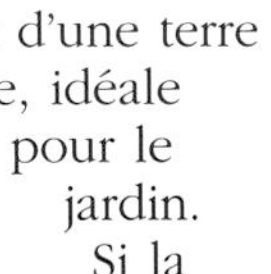

doucement dans votre main : il s'agit d'une terre franche, idéale pour le jardin.

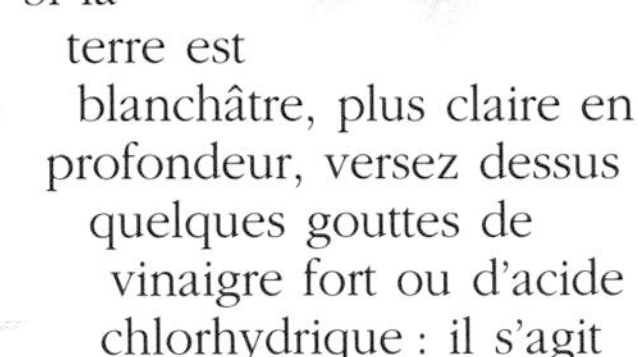

Si la terre est blanchâtre, plus claire en profondeur, versez dessus quelques gouttes de vinaigre fort ou d'acide chlorhydrique : il s'agit d'un sol calcaire si elle marque une effervescence.

En cas de doute : prélevez la terre en trois endroits différents du jardin, sans ôter les cailloux, gros ou petits. Mélangez ces prélèvements dans un sac et envoyez-en

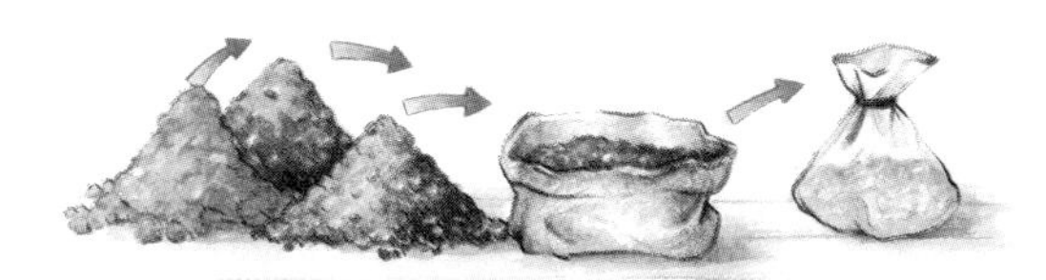

250 g à un laboratoire spécialisé, ou déposez-le dans une jardinerie, qui, la plupart du temps, travaille avec une ferme expérimentale.

Un morceau de papier réactif (en vente en jardinerie), trempé dans une solution de terre et d'eau neutre, vous donnera une assez bonne approche du pH (potentiel hydrogène) du sol. Comparez la couleur obtenue après quelques instants avec l'échelle des couleurs donnée avec le papier : un résultat entre 6,8 et 7,5 assure la neutralité, un résultat inférieur à 6,8 tend vers l'acidité, un résultat supérieur à 7,5 signifie alcalinité.

Ne tentez pas d'adapter les plantes à la nature du sol. Une azalée ou un rhododendron seront un jour très malheureux dans un sol calcaire, même si vous vous évertuez à leur creuser une fosse de terre de bruyère. L'eau d'arrosage et d'infiltration sera calcaire, et vous n'y pourrez rien. La chlorose, puis les maladies et la mort seront inévitables au bout de quelques années.

Annuelles (plantes)

Que sont-elles ? Des plantes qui germent, fleurissent et meurent dans la même année. On les cultive pour leur décor estival, qui se prolonge jusqu'à la première gelée, sauf si on les rentre sous abri.

Où les planter ? Généralement peu exigeantes quant au sol, pourvu qu'il soit bien drainé, la plupart des annuelles demandent une situation ensoleillée. Quelques-unes peuvent aussi éclairer les coins d'ombre légère : impatiens, mimulus tigré, capucine, némophile, julienne de Mahon.

Précieux bouche-trous. Utilisez des annuelles pour combler les vides dans les massifs et dans certains coins du jardin : semez directement en place de façon très légère ou installez quelques plants prêts à fleurir. Lors d'une plantation d'arbustes ou de vivaces, pensez aux annuelles pour occuper le terrain à la première saison avant que les plantes aient atteint leur plein développement.

Un jardin vertical. Pensez aux annuelles grimpantes à croissance rapide (ipomées, *Mina lobata*, haricot d'Espagne, houblon panaché, pois de senteur, dolique...) pour habiller une clôture, un grillage, pour cacher rapidement une vue, un mur disgracieux. Plantez-en au pied de la haie en attendant qu'elle gagne en hauteur ou contre la pergola avant que la vigne ou les rosiers ne l'habillent.

En plantant les annuelles par taches juxtaposées, vous obtiendrez des massifs éclatants.

Soignez la présentation. En massif uni, vous obtiendrez un décor sobre et d'une rare élégance. Reprenez cette idée pour la terrasse, les jardinières, le patio, les fenêtres de la maison... N'oubliez pas qu'on voit davantage les couleurs claires (blanc, crème, jaune, rose...) le soir ou au petit matin. Si vous préférez un massif multicolore, faites un petit dessin au préalable pour trouver l'agencement le plus élégant. Jouez avec les teintes des fleurs mais aussi avec leurs formes et les hauteurs des tiges. Si vous plantez les annuelles parmi des bulbes, vivaces, arbustes, rosiers..., choisissez des nuances en harmonie avec les plantes en place. En cas de doute, optez pour le blanc ou les feuillages gris.

Pour les potées et jardinières, privilégiez les petites annuelles à port buissonnant, tapissant ou retombant, comme pourpier, ficoïde, pétunia, œillet d'Inde, verveine, thunbergie, lobélies, variétés naines de tabac d'ornement, héliotrope... Un grand sujet en pot, comme un tournesol, apportera une touche d'originalité.

Semez les annuelles dès février si vous possédez une serre ou un éclairage artificiel pour les plantes. Les semis printaniers vous permettront d'avoir des plants presque en fleur lorsque la température sera assez chaude pour la plantation dans votre jardin.

Quand faire les premiers semis ? En février, semez agérate, muflier, gazania, héliotrope, nicotiana et verveine.

Pour un semis léger. Placez un morceau de grillage sur la terrine de semis et jetez une graine par trou, pas plus. Vous obtiendrez des plants à bon espacement.

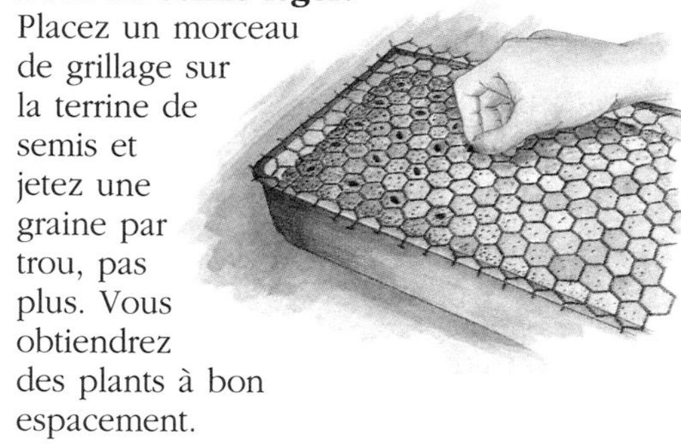

En mars, semez brachycome, cléome, cosmos, hélychrysum, lobélie, rudbeckie et sauge ; en avril, tournesol, giroflée d'été, lavatère et némésie.

Profitez des ventes de « plants en vert ». Il s'agit de lots de 9, 12 ou 15 plants en godets d'une même variété, déjà racinés mais encore non fleuris. Quelques jours de patience vous feront faire des économies appréciables.

Avant plantation, faites boire les plants en godets dans une cuvette. Ne les plantez qu'une fois la motte imbibée, sinon l'arrosage ne parviendra pas aux racines. Versez aussi de l'eau dans le trou de plantation, c'est plus sûr.

Pas de fumier frais pour les annuelles. Même bien décomposé, il contient trop d'azote. Vos plantes annuelles donneraient trop de feuilles et trop de tiges. Préférez un compost bien décomposé. Les composts sur le marché sont tout à fait convenables.

Pincez les jeunes plants pour qu'ils soient trapus et bien buissonnants : coupez entre le pouce et l'index l'extrémité de la tige principale, au-dessus d'une feuille ou d'une paire de feuilles. Cette taille légère retarde un peu le début de la floraison, mais celle-ci n'en sera que plus fournie ! À entreprendre pour clarkia, pois de senteur, cosmos, *Godetia*, héliotrope, par exemple.

Plantes annuelles : faites le bon choix

Situation ensoleillée	Situation ensoleillée ou mi-ombragée	Situation ombragée
amaranthe tricolore	agérate	balsamine
célosie crête-de-coq	alysse	basilic ornemental
cinéraire maritime	brachycome	bégonia
cléome	capucine	*Clarkia*
cobée grimpante	centaurée bleue	coléus
gaillarde	cosmos	*Impatiens*
giroflée	dahlia	*Kochia* (ansérine- cyprès)
godétia	muflier	*Mimulus*
héliotrope	*Nicotiana* (tabac odorant)	
œillet de Chine	pensée	
pavot de Californie	pétunia	
pois de senteur	phlox de Drummond	
pourpier	reine-marguerite	
ricin	sauge	
rudbeckie	souci officinal	
statice	thunbergie	
tagète	verveine	

Les semis des plantes grimpantes annuelles se font en mars et sont peu compliqués. Pour obtenir des plantes vigoureuses, sortez-les au grand air avant le repiquage définitif au jardin. Pour stimuler leur croissance en hauteur, mettez un tuteur dans leur pot.

Certaines grimpantes peuvent être semées directement en place au mois de mai, dès que le sol se réchauffe. Les grimpantes à croissance rapide sont dans ce cas de bons choix : capucines, volubilis ou haricots d'Espagne.

Refusez les mélanges de graines. C'est une fausse bonne idée proposée par les grainetiers : la pochette contient un mélange de graines dites « parfumées », « classées par couleurs », « pour l'ombre » ou « contre la sécheresse »... On vous informe mal sur les noms des différentes plantes, et encore moins sur les écarts à respecter. Effet catastrophique garanti !

Au sujet du compost. N'oubliez pas que les annuelles sont en floraison continue pendant toute la belle saison. Il est donc indispensable de leur fournir un apport important de compost, c'est-à-dire de matière organique.

Fertilisation. Vous pouvez utiliser un engrais de synthèse, tel que le 15-30-15. Fertilisez vos annuelles avec ce dernier toutes les deux semaines, du mois de juin à la mi-août.

Les engrais de synthèse ne doivent être appliqués que lorsque les feuilles des plantes sont bien développées. Par ailleurs, ils ne doivent en aucun cas être utilisés sur un sol désséché : vous devez donc d'abord arroser vos plantes et, ensuite, fertiliser avec l'engrais de synthèse.

Taille rapide. Pour les annuelles fleurissant par vagues, utilisez une cisaille ou des ciseaux de cuisine pour supprimer les fleurs fanées groupées à la même hauteur. On applique ce type de taille aux fleurs suivantes : coréopsis, pétunia, pavot de Californie, œillet de Chine...

Retour de vacances difficile. Si, en août, vous retrouvez vos plantes de jardinières tristement desséchées, renouvelez-les avec des plants d'annuelles estivales. Choisissez des plantes qui ne craindront pas les premières fraîcheurs de septembre : géranium, aster du Cap, souci, reine-marguerite, *Begonia semperflorens*, tabac, rudbeckie, zinnia, sauge...

Au début de l'automne, rentrez quelques pieds d'annuelles en pots (coléus, toutes les impatiens, géranium, agératum...), ils fleuriront votre intérieur.

▶ **Massif**

Aquatiques (animaux)

POISSONS

Une installation confortable. Ne jetez pas brutalement les nouveaux poissons dans le bassin : immergez le sachet de plastique qui les contient dans l'eau de votre bassin, pendant environ une demi-heure, pour que la température du sac devienne la même que celle du bassin. Ouvrez alors le sac et laissez les poissons évoluer vers la liberté. Si l'eau du bassin se trouve à être beaucoup plus fraîche que l'eau du sachet, laissez ce dernier à l'extérieur jusqu'à ce qu'il atteigne la température du bassin.

Beaux et utiles. Outre l'agrément visuel qu'ils procurent, les poissons nettoient et « taillent » à leur façon les plantes aquatiques. Ils dévorent également les œufs et les larves de moustiques pour votre plus grand confort au jardin.

Les poissons rouges (carassins dorés) et les carpes koï sont les plus courants — et les plus résistants : ils vivent dans des eaux de 0 à 30 °C. Ils nagent en surface et se laissent parfois apprivoiser. Dans une eau de plus de 20 °C, vous pouvez introduire des espèces plus exotiques, mais sachez qu'il faudra les transférer dans un aquarium chauffé dès que la température extérieure baissera. Pour simplifier la vie aquatique, évitez de mélanger les espèces dans un petit bassin.

Calculez le volume d'eau nécessaire aux poissons : tous les poissons demandent une certaine quantité d'eau pour vivre, et surtout pour se reproduire. Pour calculer en litres ce volume minimal, multipliez par cinq la longueur en centimètres du poisson. Ainsi, un poisson rouge adulte de 20 cm de long a besoin d'au moins 100 litres d'eau ! Mieux vaut toujours prévoir un volume supérieur à ce minimum vital.

SOS en hiver. Lorsqu'il gèle longtemps, les poissons se réfugient dans la vase, au fond du bassin. Il faut donc aménager une zone plus profonde dans votre bassin (au moins 80 cm) pour leur hibernation, car l'eau ne gèle pas à cette profondeur. N'oubliez pas que la couche de glace qui se forme en hiver sur toute la surface du bassin empêche l'oxygénation de l'eau. Les poissons ayant besoin de l'oxygène de l'air, vous devez contrer cette situation en installant, dans la zone profonde, une petite pompe qui, par son bouillonnement incessant, leur apportera l'oxygène nécessaire.

Les poissons aiment manger... jusque dans votre main, mais laissez-les se débrouiller seuls à la belle saison si vous voulez qu'ils vous débarrassent des œufs et des larves des moustiques et qu'ils nettoient correctement le bassin. Si vous vivez dans un milieu urbain, vous devez leur offrir une nourriture riche en protéines, afin de leur assurer une bonne croissance.

N'abusez pas, car un apport trop élevé de nourriture entraîne un excédent de déjections de la part de vos poissons ; il s'ensuit un déséquilibre du milieu et vous aurez des problèmes d'algues. Lorsque la température de l'eau descend à 10 °C ou moins, il n'est plus nécessaire de nourrir vos poissons. C'est l'hibernation qui commence.

Dès que poissons et plantes seront bien acclimatés, introduisez quelques escargots nettoyeurs dans le bassin. Ils y feront le ménage sans bruit ni souci pour vous. Attention, sachez qu'ils sont vecteurs de la douve du foie.

BATRACIENS

Contrôle des naissances. Grenouilles et crapauds viennent d'on ne sait où, attirés par le plan d'eau et la nouvelle vie qui s'y installe. Amusants et sympathiques... à condition que la famille ne s'agrandisse pas trop ! À la saison des amours, les coassements peuvent vous empêcher de dormir la nuit. Les têtards se nourrissent, entre autres, des jeunes pousses des plantes aquatiques, ce qui ne vous plaira pas forcément... Au printemps, prévoyez une épuisette à mailles fines pour récupérer les pontes, qui se présentent sous la forme d'amas gélatineux.

PALMIPÈDES ET AUTRES OISEAUX

La vie de couple est vivement conseillée si vous ne voulez pas que le célibataire retrouve l'usage de ses ailes pour partir rejoindre l'âme sœur.

Espace vital. Les canards prennent vite leurs aises et se sentent chez eux dès que le bassin fait entre 15 et 20 m², sur une profondeur leur permettant de s'immerger totalement. Mais ces gentils palmipèdes savent aussi trouver le chemin des massifs et du potager. Pour les maintenir dans leur domaine, installez-leur un abri surélevé dans le bassin et posez une barrière autour du coin de pelouse que vous leur destinez.

Soyez patient. Ne placez jamais d'oiseaux aquatiques avant que le bassin ne soit complètement installé et que les plantes ne soient denses et prospères, car ils y goûteront certainement.

Aquatiques (plantes)

Grand lavage. Gardez-vous bien de placer les plantes dans l'eau du bassin juste après l'achat. Bien souvent, feuilles ou racines abritent des larves, des œufs, des particules indésirables, dont les terribles lentilles d'eau. Déballez-les et passez-les entièrement sous un robinet d'eau froide. La solution la plus sage serait même de leur faire passer de 2 à 3 semaines en quarantaine pour y voir plus clair : on assiste alors parfois à des naissances (têtards, escargots nettoyeurs...).

Plantation à distance. Entourez le rhizome ou les racines d'un morceau de plaque de gazon maintenu par un élastique ou un lien de plastique, et lancez l'ensemble dans l'eau. Le poids de la terre entraînera la plante vers la vase. Vous pouvez aussi glisser à l'intérieur de la motte un gros caillou pour l'alourdir.

Plantation bien centrée. Pour placer un plant au milieu d'un bassin large, il faut être deux. Attachez au pot (ou à la caissette) deux ficelles solides. Chaque personne tient deux extrémités de ficelle tendue au-dessus de l'eau jusqu'à amener le plant en bonne position. Déposez le pot en place et coupez les ficelles.

Protections antifuites et antipoissons. Lorsque vous plantez une espèce aquatique dans un pot alvéolé qui laisse filtrer l'eau, placez au fond un morceau de tissu (toile de jute, gaze, morceau de serpillière, sac de pommes de terre...) pour éviter que la terre ne s'épande dans l'eau. À la surface du pot, recouvrez la terre de gravillons pour empêcher les poissons de la « labourer » avec leur museau, car ils fouilleraient jusqu'à déraciner les plantes.

Plantes en cage. Les plantes oxygénantes jeunes sont petites et les poissons en sont friands. Mettez-les à l'abri dans une cage de grillage à petites mailles avant de les jeter à l'eau. Elles pousseront bien et sortiront par les trous du grillage.

En présence de pucerons, faites monter le niveau d'eau et maintenez les feuilles sous l'eau avec un grillage ou un filet. Les poissons se jetteront sur cette nourriture imprévue. Retirez grillage ou filet dès que le nettoyage est terminé.

Nénuphar, roi des eaux. Ne vous laissez pas envahir par ses larges feuilles. Dans le cas d'une petite surface, exigez des nénuphars à petit développement, tel le *Nymphaea aurora* (zones 3-4). Pour les grands bassins, optez pour : *Nymphaea carnea* 'Marliac Rose' (zones 3-4), à fleurs roses ; *Nymphaea chromatella* (zones 3-4), à fleurs jaune vif ; *Nymphaea gladstoniana* (zones 3-4), à fleurs blanc pur. Sachez que le nénuphar ne supporte pas l'eau en mouvement ni les éclaboussures de jet.

Un nénuphar à trois couleurs. 'Aurora' est jaune canari le premier jour, orange saumoné le deuxième et écarlate le troisième. Une variété à privilégier si l'on n'en veut qu'une. Pour la mi-ombre, préférez *Nymphaea marliacea* 'Albida' (blanc), 'Carnea' (rose) ou 'Chromatella' (jaune).

Envie de lotus ? Comme les nénuphars, ils n'aiment ni l'eau froide ni les températures estivales fraîches. À rhizomes très traçants, ils deviennent vite envahissants : aussi plantez-les dans des caissettes fermées sur les côtés.

Plantes de bordures. Pour limiter le développement de certaines espèces (massette, jonc, menthe, papyrus...), plantez-les dans de gros pots enfouis dans la terre. Vous éviterez l'asphyxie des essences fragiles.

Faites le bon choix pour votre bassin

15 à 30 cm d'eau	aponogéton, arum d'eau, flèche d'eau, iris d'eau, myosotis des marais, nénuphar nain, papyrus, scirpe...
40 cm et plus	jacinthe d'eau, nénuphar à moyen développement, orontium...
Plantes à feuillage émergent	acore panaché, arum des marais, butome (jonc fleuri), ériophorum, pontédérie à feuilles en cœur, roseau odorant, sagittaire...
Plantes oxygénatrices (ou submergées)	élodée du Canada, myriophyllum, vallisnérie...
Plantes de sol marécageux	astilbe, bergénie, cimifuga, iris de Sibérie, iris des marais, iris japonais, ligulaire, lysimiaque, mimulus, primevère japonaise, rodgersia, salicaire, spirée barbe-de-bouc, véronique des marais...

▶ **Bassin, Bord de l'eau**

Araignées rouges

Sachez les détecter. Si une pulvérisation d'eau laisse des gouttelettes en suspension sur de fines toiles invisibles reliant tiges et feuilles, vous tenez les coupables : les araignées rouges. On

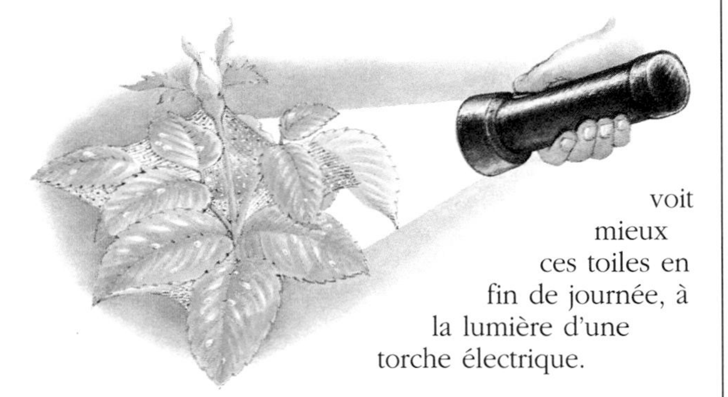

voit mieux ces toiles en fin de journée, à la lumière d'une torche électrique.

Des signes qui ne trompent pas. Ces acariens suceurs, de couleur rouge vif, brune ou beige, sont invisibles à l'œil nu, mais l'aspect des plantes attaquées est symptomatique : elles paraissent fatiguées, leur feuillage se décolore, devient terne et plombé... On dit que la plante a « la grise ». L'épuisement peut entraîner la chute des feuilles, des bourgeons et même la mort.

Leurs victimes sont surtout des plantes d'intérieur ou de véranda et les cultures en serre, en châssis ou sous tunnel plastique. Au potager, les araignées rouges préfèrent les haricots, les concombres et les fraisiers (en plein été). Leurs arbres fruitiers de prédilection sont les pommiers, les pruniers et les pêchers, qui montrent des plaques d'œufs ronds brun-rouge près des boutons (de novembre à avril). Sur les conifères, les aiguilles tombent prématurément (de mai à septembre). Les arbustes du jardin, comme l'aubépine, le buddléia, les rosiers..., subissent aussi leurs attaques.

Ne vous méprenez pas. Les minuscules araignées rouge vif que vous voyez se promener dans les jardins ne sont pas nuisibles : ces acariens dévorent les « vraies » araignées rouges, qui, elles, sont invisibles à l'œil nu.

COMMENT LUTTER

Faites un grand nettoyage. Pas de pitié pour une plante trop atteinte ayant perdu ses feuilles. N'hésitez pas à la jeter et à la brûler. Arrachez aussi toutes les mauvaises herbes qui poussaient à proximité et ramassez consciencieusement les feuilles fanées pour les brûler.

Soyez prévoyant. Supprimez tous les abris possibles pour l'hivernage, comme les tuteurs creux en bambou, les treillis, les paillassons... Badigeonnez les murs de brique et les écorces rugueuses au lait de chaux. Lavez les pots de fleurs avec une solution javellisée.

Sortez les pots de la serre dès les premiers beaux jours et espacez les plantes que vous y laissez pour le décor. Une grande concentration de végétaux d'espèces variées devient un séjour de rêve pour les araignées rouges.

Réhydratez l'atmosphère car les araignées rouges se développent surtout en cas de chaleur sèche. Tous les moyens sont bons

(arrosage de la plante, du sol, bassinage, pulvérisations répétées, feutre-jardin mouillé dans la serre...).

Traitements chimiques. Pulvérisez un acaricide (en général à base de dicofol) sur les plantes atteintes. Renouvelez l'opération plusieurs fois pour éliminer les nouvelles générations. Les insecticides ne donnent aucun résultat contre les araignées rouges.

Traitez les arbres fruitiers en fin d'hiver (mars ou avril) avec une huile jaune puis au diméthoate, au malathion ou au dicofol juste après la chute des pétales, en juin. Renouvelez le traitement si nécessaire. Ces produits peuvent aussi s'utiliser sur les conifères à la mi-juin.

Arbres

CHOIX, ACHAT

Pensez à l'arbre au stade adulte. Tout chêne des forêts a d'abord été un gland ! Essayez de visualiser la hauteur de son tronc dans 20 ans ainsi que le volume qu'occupera son feuillage, et imaginez plus ou moins le même volume sous terre, vous serez très près de la réalité.

Tenez compte de votre climat. Avant de choisir, regardez ce qui prospère dans le voisinage, faites un tour chez un pépiniériste local et ne cherchez pas l'exotisme ou l'originalité de façon systématique.

En pépinière, préférez un arbre petit et jeune. Premier avantage, il coûtera moins cher qu'un arbre plus gros et plus âgé. Mais, surtout, il sera moins capricieux à la reprise, ayant moins besoin d'eau et d'éléments nutritifs. Il sera plus facile à transporter et résistera mieux aux intempéries.

Petit calcul pour mesurer un arbre dans la nature. Plantez un bâton à proximité de l'arbre. Mesurez son ombre, puis mesurez aussitôt l'ombre de l'arbre. Multipliez la hauteur du bâton par la longueur de l'ombre de l'arbre et divisez le tout par la longueur de l'ombre du bâton. Vous obtenez la hauteur de l'arbre.

Méfiez-vous des racines. Pour éviter qu'elles ne s'étalent trop près d'une canalisation, enfoncez en terre des plaques d'aluminium ou d'amiante-ciment à environ 2 m du tronc. Ce système d'encaissement est également efficace si vous plantez un arbre à proximité d'un dallage, d'une fosse, d'une

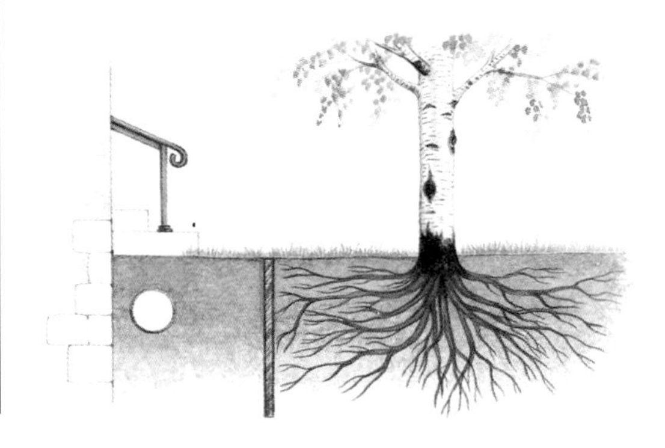

cuve..., ou d'un massif d'arbustes ou de jeunes arbres. Attention : n'installez pas un arbre à enracinement superficiel (aulne, saule, peuplier, bouleau...) sur une pelouse ou près du potager.

Épargnez-vous les tailles répétées. Choisissez des espèces adaptées à votre espace. Dans un petit jardin, préférez aux arbres des arbustes à grand développement (amélanchier, hamamélis, érable de l'Amur...). Vous pouvez aussi opter pour un arbre à petit déploiement (lilas japonais 'Ivory Silk', cerisier à grappes 'Shubert'...), ou pour un arbre au port pyramidal (cèdre fastigié, chêne fastigié, pommetier 'Royalty', sorbier à feuilles de chêne...).

Évitez de planter des arbres à moyen ou à grand déploiement à proximité des installations de services publics (électricité, téléphone ou gaz). Il est important d'évaluer ce que deviendra l'arbre choisi à maturité : vous vous éviterez des désagréments.

Caducs ou persistants ? Il vous faut des deux dans une mesure bien dosée d'environ 1/3 de persistants (conifères et non-conifères) pour 2/3 de caducs (à feuillage, à fleurs, à écorce...). Autour d'un bassin, d'une piscine, le feuillage persistant s'impose. Pour cacher une vue toute l'année, même conseil.

Attention au sexe de certains arbres. La floraison du peuplier femelle cause des allergies et laisse flotter dans l'air et sur le sol une sorte de duvet poussiéreux fort pénible. L'arbre aux quarante écus femelle se couvre, en automne, de fruits en forme de prunes qui mûrissent en exhalant une odeur nauséabonde. Certains pommetiers donnent des fruits délicieux en compote, dans les clafoutis et en confiture... mais nettement moins appréciés sur les dallages et la carrosserie des voitures. Veillez donc à les planter assez loin de l'entrée ou de l'allée.

Vous souhaitez un décor très rapide, choisissez une espèce à croissance vigoureuse (peuplier, bouleau...), mais sachez que souvent ces plantes ont une durée de vie moins longue, un bois plus tendre, des branches plus fragiles, donc plus sensibles aux effets du vent, de la neige, des tempêtes. L'idéal est de doubler les sujets à développement rapide de sujets à développement plus lent et, un jour, de supprimer les premiers, devenus inutiles.

Attention aux fausses bonnes affaires. Vous pouvez acheter les sujets caducs à racines nues, ils seront plus faciles à transporter. Mais refusez d'acheter — même à bas prix — un conifère à racines nues. Il doit toujours être vendu en motte ou en pot de plastique.

PLANTATION

Choisissez la bonne période. Plantez les sujets caducs après la chute des feuilles et avant la remontée de sève printanière, soit au printemps ou à l'automne. En repos végétatif ils supporteront l'arrachage et la transplantation. Les persistants et conifères n'arrêtent jamais totalement leur végétation. Plantez-les lorsqu'ils ont une moins grande activité, soit à partir de septembre.

Un gros trou de plantation. Soyez généreux en imaginant les possibilités d'évolution des racines : la beauté future de l'arbre en dépend. Un trou de 1 m^2 en surface, sur une profondeur d'au moins 2 fois la hauteur des racines, semble correct. Défoncez la terre au fond du trou et ajoutez 20 cm d'un fumier bien décomposé mêlé à du compost.

Savez-vous planter un arbre ? Les erreurs à ne pas commettre

– Planter trop d'espèces différentes, car il n'y a plus d'unité, surtout dans un petit espace. Préférez la plantation en groupes de 3 à 5 sujets formant un bosquet, un petit sous-bois, vous créerez ainsi une atmosphère agréable.
– Planter trop serré, car il faudra un jour arracher ou couper, ce qui fait mal au cœur, coûte cher et donne des plantes qui n'offrent pas une belle silhouette.
– Planter trop de sujets persistants (et de conifères), qui donneront trop d'ombrage, surtout en hiver. Préférez les arbres caducs en situation très ensoleillée et au nord pour que le soleil d'hiver puisse filtrer entre les branches dépouillées ; et plantez les persistants et conifères en zone ombragée ou au sud.
– Planter des espèces mal adaptées au sol et au climat. Il est vrai qu'un magnolia poussera, bien abrité, en région montréalaise ; mais un jour, un gel pourrait survenir et votre arbre en ressentir de sérieux dommages.
– Planter dans un sol détrempé ou s'il menace de geler. Même si l'excès d'eau au fond du trou est censé disparaître, vous risquez en effet l'asphyxie des racines. En cas de gel menaçant, l'eau versée pour tasser la terre risque de geler et d'abîmer les racines. Dans ces deux cas, laissez l'arbre en jauge et reportez votre plantation à un jour meilleur.

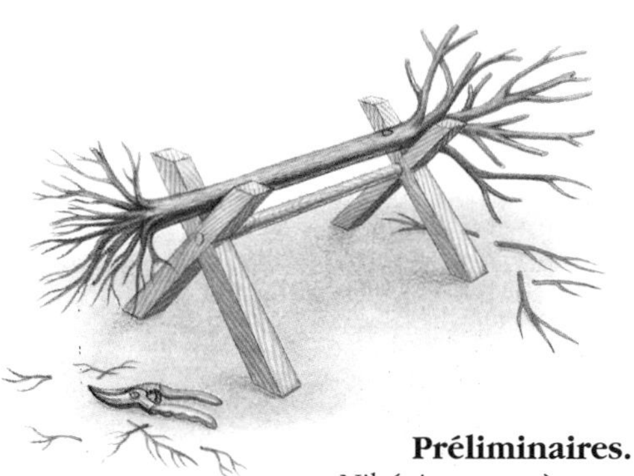

Préliminaires. N'hésitez pas à couper un bon tiers de la longueur des tiges caduques, et supprimez tout de suite celles qui sont très faibles ou ont été abîmées lors du transport. Pour vous faciliter le travail, prenez appui sur un chevalet en bois. Côté racines, coupez les morceaux meurtris par l'arrachage et rafraîchissez les racines moyennes. La coupe des grosses racines provoque l'apparition de jeunes radicelles, qui nourrissent et ancrent la plante dans le sol.

La bonne position pour un arbre. Tendez une baguette en travers du trou de plantation pour indiquer le niveau du sol (un manche d'outil peut également faire l'affaire). Arrosez la motte en conteneur ou trempez l'arbre dans un seau. Dépotez votre arbre s'il y a lieu, repérez la trace de terre sur le tronc. Placez l'arbre dans le trou de sorte que la marque de terre arrive à la hauteur de la baguette. Veillez à mettre la plus belle face dans l'axe de vue des fenêtres.

Rebouchez le trou de plantation de votre arbre avec un mélange de terre arable et de tourbe, de fumier, ou de compost... Tassez plusieurs fois avec les talons pour faire adhérer la terre aux racines. Arrosez abondamment.

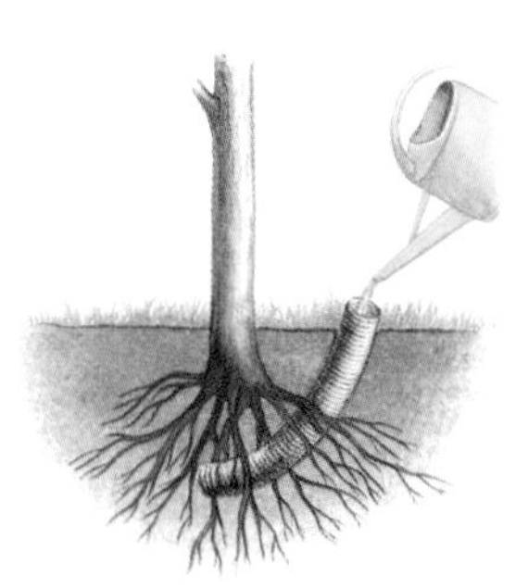

De l'eau directement aux racines. Placez un morceau de drain, ou une portion de tuyau de plastique de grand diamètre, en biais entre les racines et l'air libre, l'extrémité dépassant de 5 à 10 cm du sol. Vous arroserez alors directement dans ce conduit.

Arbres ou grands arbustes : faites le choix selon leur rusticité

Zone 2	Zone 3	Zone 4	Zone 5
alisier	amélanchier glabre	amélanchier du Canada	arbre à perruque
amorpha	bouleau jaune	arbre aux quarante écus	aralie du Japon
arbousier nain	charme de Caroline	aubépine	catalpa
aubépine ergot-de-coq	cornouiller à feuilles alternes	aulne blanc	chêne pédonculé
aulne crispé	érable argenté	bouleau à feuilles pourpres	chêne 'Fastigiata'
bouleau à papier	érable rouge	caryer	chicot du Canada
bouleau glanduleux	frêne blanc	céanothus à feuilles ovales	frêne pleureur 'Excelsior'
bouleau pleureur	noyer	chêne	fusain d'Europe
caraganier	ostryer de Virginie	érable à sucre	hamamélis velouté
cerisier à grappes	pommetier 'Radiant'	érable noir	magnolia
cornouiller blanc	sorbier	érable de Norvège	marronnier de Baumann
érable à épis	tamarix de Russie	févier inerme d'Amérique	noisetier de Byzance
érable de l'Amur	tilleul à petites feuilles	frêne bleu	
frêne noir		frêne vert	
frêne rouge		hêtre à grandes feuilles	
lilas japonais		marronnier rouge	
marronnier de l'Ohio		micocoulier	
olivier de Bohème		mûrier blanc	
orme de Sibérie		noisetier américain	
peuplier		robinier faux-acacia	
pommetier 'Dolgo'		saule pleureur	
saule laurier		tamarix à petites feuilles	
tilleul d'Amérique			
viorne commune			
viorne aubier			

ENTRETIEN

Attention à la foudre. Si vous avez dans votre jardin un très bel arbre, solitaire, en bosquet isolé ou sur une colline, installez un paratonnerre. Les espèces les plus touchées sont, dans l'ordre : les chênes, les ormes, les pins, les frênes, les saules, les peupliers, les sapins et les érables, surtout s'ils sont plantés sur un sol sablonneux ou normal. L'argile est moins conductrice.

Lorsqu'un jeune sujet semble mal reprendre, protégez-le de l'ardeur du soleil et d'une évaporation excessive en plaçant tout autour un écran protecteur (une toile et trois piquets). Entourez son tronc d'une toile de jute et humidifiez tronc et feuillage très régulièrement. Recouvrez ses racines d'une bonne épaisseur de terre ou étalez de la tourbe humide, des écorces broyées... N'oubliez pas de vérifier si son tuteurage est correct, ni trop serré, ni trop souple.

Attention aux oiseaux. Après un hiver sévère, ils se rabattent parfois sur les bourgeons des arbres, surtout fruitiers. Pour les en empêcher, pulvérisez une solution d'alun, dont le goût les repousse. (Suivez bien les indications du fabricant.) Si les branches sont hautes, utilisez un pulvérisateur à haute pression.

Protégez la végétation autour d'un arbre en circonscrivant ses racines gourmandes. Enfoncez profondément en terre des plaques d'aluminium ou d'amiante-ciment à environ 2 m de distance du tronc pour former un encaissement.

ÉLÉMENT DU DÉCOR

Offrez-vous un double décor. Lors de la plantation de l'arbre, formez un trou un peu plus grand et installez une autre plante, qui fleurira avant ou après le décor « officiel » (clématite, rosier grimpant botanique).

Dégagez le pied des arbres. Laissez un carré ou une circonférence de terre nue au pied de chaque arbre, qu'il soit d'ornement ou fruitier. Formez une légère dépression, qui recevra facilement l'eau d'arrosage durant les premières années du sujet. Vous comblerez par la suite cette cuvette avec des écorces de pin broyées, qui assurent un rôle protecteur, désherbant et esthétique. Vous pouvez aussi préférer planter un couvre-sol persistant (lamium, *Vinca,* oreille-d'ours, céraiste...), qui garnira rapidement le sol en créant un joli décor, ou ajouter des petits bulbes ou des fleurs rampantes dans la terre nue.

Prévoyez toujours l'éclairage avant la plantation, car il est plus difficile d'amener l'électricité après le développement des racines. L'éclairage par-dessous, avec un spot à ras de terre, rend l'arbre spectaculaire la nuit. Choisissez le plus beau sujet de votre jardin, ou le mieux placé par rapport à la terrasse, aux fenêtres du salon... (voir Éclairage).

Nouvelle parure pour arbre triste. Les conifères de haie vieillissent parfois très mal en se dégarnissant de la base. Prenez vos cisailles et taillez-les à la japonaise, en nuage... Pour orientaliser un sujet qui deviendra un nouveau centre d'intérêt de votre jardin, dégagez bien son tronc, conservez uniquement la végétation à l'extrémité des grosses branches principales et taillez-la en boules bien régulières.

▶ **Automne, Blessure, Boule, Cernage, Colonne, Conifères, Élagage, Nains, Pleureur, Pralinage, Pyramidal, Silhouettes, Tronc mort, Tuteurage, Verger**

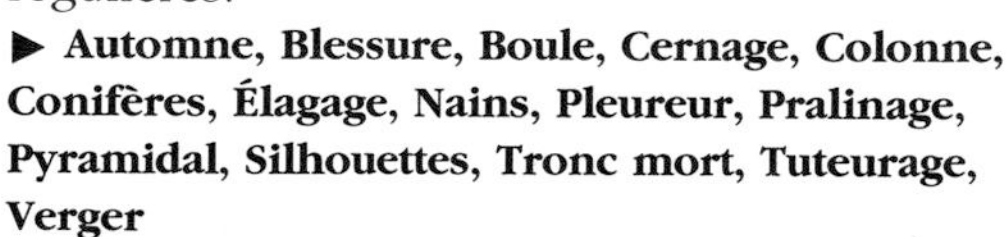

Arbustes

Pensez à arroser le feuillage de vos plantes : en plus de lustrer les feuilles, le bassinage permet d'éliminer les insectes qui se propagent dans des conditions de sécheresse, tels que les araignées ou encore les pucerons. Servez-vous d'un pulvérisateur.

En cas d'hiver doux et sec, la végétation des arbustes à feuilles persistantes continue. Même au ralenti, la sève circule, les racines ont besoin d'eau. Le vent et le froid assèchent le sol, tout comme ils attaquent votre peau... Alors, arrosez les persistants jusqu'à saturation pendant tout l'automne ; ils auront ainsi plus de réserves pour passer l'hiver.

Arbustes à feuillage gris. Si vous souhaitez une bordure bien soignée, supprimez les fleurs des arbustes à feuillage gris (séneçon, armoise, santoline, phlomis...) pour que le feuillage reste bien trapu. Coupez de 15 à 20 cm de tige chaque printemps, pour obtenir une jolie silhouette et éliminer les boutons floraux inutiles.

Panachure à préserver. Les feuillages panachés (*Elaeagnus,* érables, fusains, lierres...) émettent parfois des rameaux vert uni. Coupez-les à ras dès que vous vous en apercevez, car ils sont très vigoureux et prendraient vite le dessus.

La taille, en général, se fait juste après la floraison pour les arbustes fleurissant au printemps (de mars à mi-juin). Les arbustes à floraison estivale et automnale se taillent tôt au printemps, de même que les arbustes à feuillage persistant. Ne taillez pas à l'automne les arbustes dont les fruits ou les fleurs séchées sont décoratifs.

Un bon nettoyage après floraison est nécessaire : coupez les fleurs fanées. Les arbustes qui fleurissent l'été vous procurent ainsi la joie d'une deuxième floraison. Ne pratiquez pas ce nettoyage si vous voulez des fruits.

Dégarni à la base ? Plantez au pied de l'arbuste un petit lierre, de la pervenche ou tout couvre-sol persistant, qui pourra pénétrer sous sa ramure et offrir une jolie note de couleur.

Parfum garanti. Pour que votre jardin embaume, choisissez parmi les arbustes suivants : lilas, seringat à fleurs simples, daphné odorant, azalée à feuilles caduques, sureau noir, viorne commune... Mélangez-les pour obtenir un parfum plus soutenu.

Faites le bon diagnostic

Pourquoi votre arbuste a-t-il l'air fatigué ?
– Le sol n'a pas été assez travaillé à la plantation (remblais, mauvaise terre, trou trop petit, sécheresse en profondeur...).
– Les racines ont été mal disposées à la plantation (motte éclatée, « chignon » d'un conteneur, sol mal tassé, poches d'air...).
– L'espèce est mal adaptée à la situation (sol, exposition, vent, excès ou manque d'eau...).
– Il a été victime d'un coup de froid, de coups de vent asséchants, il souffre du sel provenant du déglaçage de la rue ou de la route...
– Il a été attaqué par une maladie, des parasites, des rongeurs...
– Il est atteint par le ruissellement accidentel d'un désherbant.

Pourquoi votre arbuste ne fleurit-il pas ?
– Il est trop jeune : prenez patience, il forme ses racines.
– Il a été mal taillé ou taillé à contre-saison.
– Il est trop à l'ombre.
– Il manque de potasse ; l'engrais donné est trop riche en azote, ce qui favorise le développement du feuillage au détriment des fleurs.
– Les racines ont manqué d'eau au moment de la formation des boutons.
– Les boutons ont subi un coup de gel.
– Les bourgeons ont été mangés en hiver par les oiseaux (ou par les lièvres...).

Weigela (rose), spirée (blanche) et genêt (jaune) composent un massif d'arbustes à fleurs très réussi.

Rajeunissement. Lorsque les arbustes sont trop denses, trop âgés, fleurissent mal, ne les taillez pas en boule, ils repousseraient deux fois plus touffus. Éliminez, en les sciant à ras du sol, une bonne partie des branches les plus anciennes – ce sont les plus sombres et les plus épaisses — et épointez les branches restantes juste au-dessus d'un œil ou d'une petite pousse. La silhouette ainsi allégée sera beaucoup plus élégante.

Savez-vous planter un arbuste ? Les erreurs à ne pas commettre

– Planter trop serré : vous serez obligé d'arracher des sujets dans 2 à 3 ans, sinon ils s'étioleront ou s'étoufferont vite.
– Planter trop d'espèces variées dans un massif. Évitez l'aspect collection, sans unité. Trois sujets identiques forment une belle tache de couleur pour des espèces moyennes.
– Planter des sujets trop petits sous prétexte d'économie. Mieux vaut en acheter moins mais de belle qualité et enrichir convenablement le sol à la plantation, car l'avenir des plantes en dépend.
– Ne pas mettre assez de persistants. Dans les régions froides, aux hivers longs, prévoyez jusqu'à 2/3 de persistants pour agrémenter la mauvaise saison.
– Mettre de l'engrais en automne, car cela encourage la formation de nouvelles pousses, qui gèleront aux premiers froids.

Un cadeau original. Pour célébrer la naissance, la fête, l'anniversaire de mariage d'un parent, offrez un arbuste décoratif à cette époque ; il marquera l'événement très fidèlement chaque année.

Âmes sensibles. Une graine, une bouture, un greffon vous rappelleront un agréable moment, un joli voyage, un ami jardinier... Ne vous privez pas de ces souvenirs fleuris, à condition de ne pas avoir de douanes à passer.

Un arbuste à l'ombre ? C'est possible. À condition de trouver le bon candidat. Vous avez le choix entre arbustes à feuillage persistant (buis de Corée, mahonie à feuilles de houx, andromède, houx, kalmia, if du Japon, rhododendron) et arbustes à feuillage caduc (azalée, hydrangée, pivoine en arbre, sureau, érable de l'Amur, cornouiller à feuilles alternes...).

Pour planter un arbuste sur une pelouse, le rendu sera plus esthétique si vous faites une jolie découpe bien ronde du gazon. Formez un compas avec une ficelle attachée à un bâtonnet placé au centre. Découpez avec la lame d'un couteau, soulevez le gazon à l'aide d'une pelle plate, puis creusez le trou.

▶ **Automne, Fruits décoratifs, Habillage, Haie, Nains, Persistantes, Tige, Topiaire**

Argileux (sol)

Sachez le reconnaître. Observez votre jardin et les terrains vagues alentour. Si les boutons d'or, la grande oseille, les chardons... poussent à l'état spontané, votre sol est argileux. Autre signe qui ne trompe pas : les flaques qui restent longtemps en surface après une grosse pluie ou un orage.

Pratiquez le double bêchage, si vous souhaitez établir un potager. Creusez une tranchée, ajoutez du compost ou du fumier, creusez une nouvelle tranchée le long de la première, en rejetant la terre retournée dans la première tranchée. Cette technique permet de défoncer et d'ameublir le sol sur une profondeur de 60 cm environ.

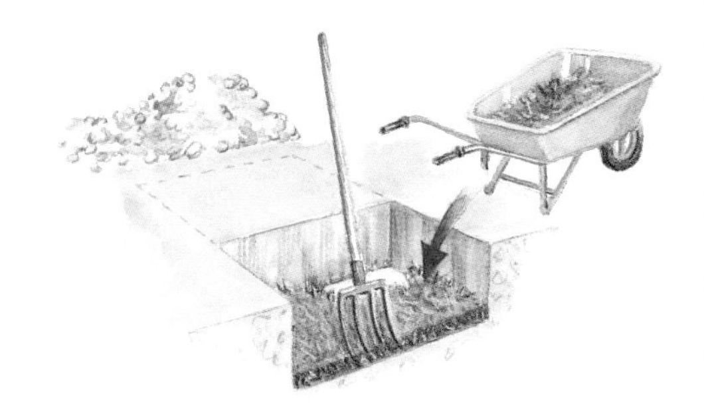

Pour rendre la terre plus perméable, prévoyez une dizaine de kilos de chaux horticole par an pour 100 m².

Traitement anticrevasses. Elles se forment à la surface du sol après une période de sécheresse et sont surtout visibles sur la pelouse et dans les massifs de fleurs. Remplissez-les d'un mélange de bonne terre légère, sableuse, et de poudre d'os ou de sang desséché. Vous améliorerez le drainage et nourrirez la terre en profondeur.

À chaque plantation, installez un épais lit de sable et de gravillons entre 5 et 10 cm sous la plante. Le drainage sera impeccable. Cette opération est indispensable pour tous les bulbes.

Arrosez plus longtemps et acceptez un certain ruissellement superficiel, qui disparaîtra plus lentement que dans d'autres types de sol.

Pour éviter l'asphyxie des racines charnues (iris, pivoines, hémérocalles...), étalez sur tout sol argileux une couche de 30 cm d'un mélange composé de 1/3 d'humus, 1/3 de fumier décomposé et 1/3 de gravillons (de la taille d'un pois).

Si vous travaillez au motoculteur, optez pour des lames droites et non en L pour éviter la formation de boulettes collantes.

Un arbuste mal connu, *Amelanchier lamarckii,* fait merveille en sol argileux. Il a l'avantage de ne craindre ni le vent violent ni la pollution. Il offre une floraison blanche et un feuillage doré, puis vert, qui vire à l'or en automne. Ses fruits sont comestibles.

La pâte d'argile : un pansement pour les arbres. Faites tremper pendant une nuit de l'argile dans un seau d'eau. Mélangez-en 3 parts avec 1 part de fumier frais ou de compost jusqu'à obtention de la consistance d'une pâte à tartiner. Étalez ce mélange sur les blessures, écorchures, brûlures d'un tronc d'arbre. Enroulez une toile par-dessus.

Fabriquez-vous un répulsif contre les rongeurs. Ajoutez un œuf cru et une poignée de sang desséché à de la pâte d'argile. Disposez cette pâte sur le trajet des rongeurs.

▶ **Analyse du sol**

Le jardin des plantes aromatiques et condimentaires

Les plantes aromatiques ont leur place au jardin comme sur la table. On les cultive depuis fort longtemps, pour leur valeur tant médicinale que culinaire. Toutes possèdent une richesse en principes essentiels qui donnent du relief aux plats, leur communiquent leurs parfums et attisent l'appétit. Pas de fèves ni de lapin sans sarriette, pas de gigot sans ail ni estragon. Une salade de tomates sans basilic fait pâle figure, et l'on ne saurait battre l'omelette sans y glisser quelques feuilles d'oseille ou tiges de ciboulette.

Un très large choix

Un bon jardin se doit d'en posséder. Assurez votre base de départ avec le thym, le laurier, la sauge, l'oseille, le persil et la ciboulette. Vous aurez de quoi composer un bouquet garni et assaisonner la plupart des salades. Si vous vous piquez au jeu, allongez la liste et organisez un véritable jardin d'herbes. Annuelles ou vivaces, la plupart sont de très belles plantes, assez faciles à cultiver.

Un jardin en damier

Une bonne façon de dessiner ce jardin consiste à disposer les plantes dans les cases d'un damier ou les quartiers d'un cercle. Regroupez-les en fonction de leurs besoins en fraîcheur ou en soleil. Installez ce jardin le plus près possible de la maison : vous prendrez plaisir à vous y promener pour y faire votre cueillette de plantes toutes fraîches.

1. ache ou céleri vivace
(Apium graveolens)
et 2. livèche
(Levisticum officinale)

Plantes vivaces et rustiques assez proches dont le feuillage disparaît en hiver. Elles apprécient un sol frais et riche en situation mi-ombragée.

Utilisez les feuilles hachées dans les salades et les potages : elles leur communiqueront un délicieux goût de céleri.

3. cerfeuil
(Anthriscus cerefolium)
et 4. cerfeuil musqué
(Myrrhis odorata)

Plantes annuelles de la famille de la carotte aux feuilles vert tendre. Le cerfeuil a un goût se rapprochant du persil alors que le cerfeuil musqué possède un parfum anisé très agréable. Cultivez-les au frais et récoltez les feuilles en période de végétation.

Utilisez les feuilles toujours crues, et hachez-les finement juste au moment de servir : elles parfument les salades, les potages et les poissons ou viandes grillés.

5. ciboulette

Les fines herbes sont vivaces et rustiques. Cultivées en bon sol frais, riche et mi-ombragé, elles fournissent de nombreuses tiges entre mai et octobre.

La ciboulette communique un léger parfum d'échalote aux omelettes, fromages blancs et salades.

6. échalote

Bulbes annuels que l'on repique en sol léger mais frais. Récoltez en été et laissez sécher les bulbes. Ils se conservent alors plusieurs mois.

Préparez-les crues ou cuites pour assaisonner les salades ou les viandes en sauce.

7. estragon

Plante annuelle au feuillage vert ayant un petit goût d'anis. L'estragon français n'est pas rustique au Québec mais on peut le mettre en pot et le rentrer à l'intérieur en hiver.

Récoltez les feuilles en période de végétation et hachez-les dans les crudités. Parfumez le vinaigre des cornichons et surtout ne l'oubliez pas dans la sauce béarnaise.

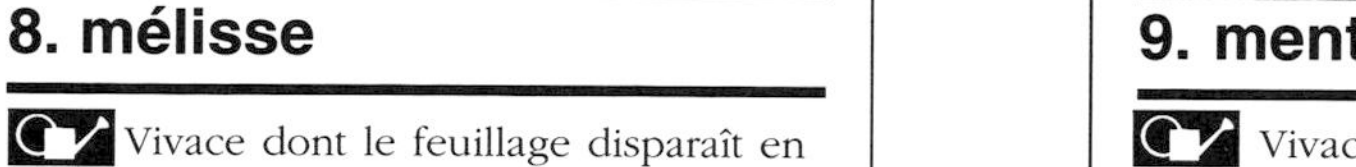

8. mélisse

Vivace dont le feuillage disparaît en hiver. Réservez-lui une place fraîche à mi-ombre.

Récoltez ces feuilles dont le parfum citronné peut aromatiser (mais ayez la main légère !) les potages et les marinades. Faites-vous aussi des infusions très toniques et rafraîchissantes.

9. menthe

Vivace dont le feuillage disparaît en hiver. Il en existe de nombreuses variétés, qui apprécient un terrain frais et ombragé.

Utilisez les feuilles pour parfumer les salades, les crudités, certaines sauces, l'agneau grillé, les fraises et les salades de fruits. La menthe poivrée accompagne bien la cuisine orientale.

10. oseille

Vivace dont le feuillage disparaît presque entièrement en hiver. Demande un sol frais, riche, et une situation mi-ombragée. Cueillez les feuilles au fur et à mesure qu'elles se développent.

Cuite, l'oseille donne une acidité agréable à de nombreux potages, sauces et omelettes.

11. persil

Annuelle qui apprécie les terrains frais et la mi-ombre. Semez-en chaque année, au printemps. Récoltez les feuilles en cours de végétation.

Crues et finement ciselées, ses feuilles parfumeront toutes les salades, les crudités, les viandes grillées et le beurre. Dans les plats cuits, ajoutez-le à la dernière minute afin qu'il conserve son arôme.

12. raifort

Vivace rustique et très envahissante. Cultivé en terrain frais et riche il reste en place de nombreuses années.

La racine, récoltée en automne et en hiver, sert de condiment au goût puissant très piquant. Faites-en une sauce, qui peut remplacer la moutarde.

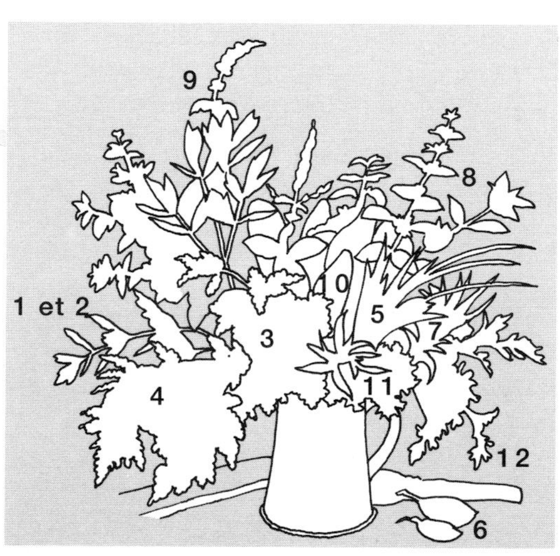

Côté soleil

1. ail

Qu'il soit rose ou blanc, repiquez les semences au printemps. Récoltez à l'automne et faites de jolies tresses à accrocher dans la cuisine.

Cru ou cuit, l'ail trouve sa place dans de nombreux plats d'hiver et d'été. Si vous en trouvez la saveur trop forte, cuisez-le en chemise, avec la peau.

2. aneth
(Anethum graveolens)

Annuelle ressemblant au fenouil. Semez les graines en avril à bonne exposition. Récoltez le feuillage au fur et à mesure des besoins et les graines en été.

Utilisez l'aneth comme le fenouil, surtout avec les poissons. Son parfum est plus âcre et légèrement mentholé.

3. basilic

Annuelle que l'on sème (ou repique) en terre bien réchauffée et au soleil. Récoltez les feuilles au fur et à mesure de vos besoins.

Lorsqu'il est frais, ajoutez toujours le basilic juste au moment de servir. Outre la plante type, il existe des basilics plus rares, à parfum d'anis, de citron, de cannelle ou de girofle.

4. citronnelle-verveine

Petit arbrisseau vivace mais non rustique. Cultivez-le en pots si votre climat est trop froid.

Les feuilles au parfum de citron peuvent remplacer la vraie citronnelle *(Cymbopogon citratus),* une graminée orientale, dans la cuisine asiatique ou les infusions.

5. coriandre

Annuelle que l'on sème au printemps, sur une planche bien exposée. Récoltez les feuilles puis les graines, en été, lorsqu'elles sont mûres.

Le feuillage frais parfume la cuisine du Moyen-Orient et le riz cantonais. Les grains relèvent les marinades ou les viandes rôties.

6. cumin

Plante annuelle à semer au printemps, au soleil.

Utilisez le cumin pour aromatiser salades, poissons et viandes et servez-le avec le fromage.

7. fenouil
(Foeniculum vulgare)

Annuelle que l'on peut semer ou repiquer à bonne exposition.

Utilisez le feuillage pour son parfum anisé très doux avec les salades et les poissons. Récoltez aussi les graines pour l'hiver : elles parfumeront les légumes secs.

8. hysope

Petit arbrisseau vivace et rustique aux jolies fleurs bleues à cultiver au soleil. Récoltez les feuilles dès le début de l'été.

La saveur amère des feuilles doit les faire utiliser avec parcimonie pour aromatiser les légumes secs, les viandes blanches et les poissons. Mettez un brin d'hysope dans vos bouquets garnis.

9. laurier noble

Arbuste à cultiver en pot, à l'extérieur en été, à l'intérieur en hiver. Récoltez les feuilles au fur et à mesure des besoins.

Utilisez les feuilles dans les pâtés, les marinades, les poissons et viandes grillés et les bouquets garnis.

10. marjolaine
(Origanum majorana)
et 11. origan *(O. vulgare)*

La première, annuelle, et la seconde, vivace, poussent en plein soleil dans toute bonne terre. Leur feuillage dégage un parfum mentholé et poivré.

Récoltez-les en été pour parfumer vos pizzas, gratins, grillades et salades.

12. piment fort

Annuelle que vous sèmerez au chaud en février-mars et repiquerez à bonne exposition fin mai. Arrosez régulièrement. Récoltez les fruits au fur et à mesure qu'ils mûrissent.

Consommez-les frais ou faites-les sécher pour l'hiver. Crus ou cuits, les piments épicent de nombreux plats méditerranéens, sud-américains et orientaux.

13. romarin

Arbuste persistant non rustique, à cultiver en pot. Peut être rentré à l'intérieur en hiver. Récoltez des rameaux toute l'année. Leur parfum puissant est proche de celui de l'encens.

Utilisez-le avec toutes les grillades, viandes et poissons.

14. sarriette

Une espèce est annuelle *(Satureja hortensis)* et se sème chaque année, l'autre *(S. montana)* est vivace et rustique. Elles se cultivent toutes les deux en terre légère et au soleil.

Toutes deux ont une saveur poivrée légèrement âcre. Utilisez les feuilles avec les légumes secs (les fèves en particulier) et la viande. Ajoutez-les en fin de cuisson.

15. sauge officinale

Vivace en zone 5 et plus seulement, sinon cultivez-la comme annuelle.

Récoltez les feuilles grisâtres.

16. thym

Vivace rustique aux formes et aux arômes variés qui a besoin de soleil et de chaleur pour donner le meilleur d'elle-même.

Récoltez des rameaux toute l'année pour parfumer bouillons, ragoûts et grillades. Ne l'oubliez pas dans vos bouquets garnis.

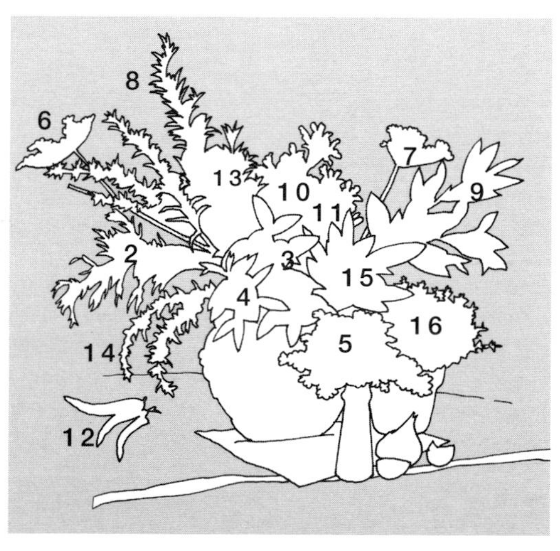

Arrosage

PLANTES EN POTS

À quelle fréquence arroser ? Trop de facteurs extérieurs interviennent (température de la pièce, sécheresse de l'air, nature du terreau, exigences de la plante...) pour énoncer une règle générale du genre « 2 ou 3 fois par semaine ». La réponse est au bout de votre doigt ! Enfoncez-le dans la terre. Si vous sentez de l'humidité, attendez encore quelques jours. Si votre doigt bute sur un sol sec, arrosez ou, mieux, trempez le pot entier dans l'eau jusqu'à ce que toutes les bulles d'air soient évacuées.

Jamais de calcaire. Si l'eau de votre ville est calcaire, ne la versez pas directement dans vos pots. Un filet de vinaigre réduira son effet nocif ou, mieux, un pochon de tourbe acide relèvera son pH. Placez quelques poignées de tourbe dans une vieille chaussette ou un vieux bas, et laissez tremper une nuit dans l'eau. Changez la tourbe de temps en temps. Autre solution : récupérez l'eau de pluie et stockez-la.

Attention, les arrosages entraînent les éléments nutritifs de la terre. En période de croissance ou de floraison (mai à septembre pour la plupart des espèces), apportez très régulièrement un engrais spécialisé. Pour vous en souvenir, procédez toujours les mêmes jours du mois, par exemple le 1er et le 15.

Évitez les éclaboussures. Enfoncez en terre le goulot d'une bouteille en plastique que vous aurez découpée pour former un entonnoir. Versez l'eau dedans, elle arrivera plus rapidement aux racines, sans que la terre soit tassée ou creusée pour autant.

Jamais d'eau froide. Laissez « chambrer » l'eau du robinet avant d'arroser des plantes d'intérieur ou de serre. Si vous êtes pressé, quelques gouttes d'eau chaude réchaufferont le contenu de l'arrosoir.

Régime spécial cactées et plantes grasses (succulentes). Offrez-leur de l'eau seulement lorsque vous constatez que la terre se sépare des parois du pot. Arrosez alors à la petite cuiller pour ne pas risquer de verser trop d'eau d'un seul coup.

Halte aux débordements. Placez une soucoupe de récupération d'eau sous votre pot, mais isolez la base du pot de la soucoupe par une poignée de gravillons, des petits cailloux ou, plus décoratif, un lit de très petits coquillages ramassés sur la plage. Cet isolant permettra à l'air de circuler, évitant l'asphyxie des racines. Ajoutez aussi un lit de mousse des bois à la surface des pots, il absorbera une petite réserve d'humidité pour la restituer aux plantes un peu plus tard.

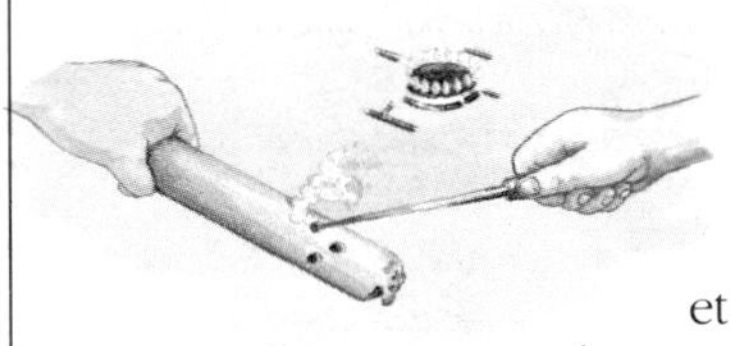

Un cas particulier : le pot à alvéoles. Vous arrosez, et l'eau sort par les premiers trous, n'atteignant jamais la bonne profondeur. Lors du remplissage du pot, glissez-y un morceau de tuyau que vous aurez perforé avec une pointe chauffée au rouge. Bloquez également son extrémité en la chauffant. Les trous doivent être tournés vers le bas du tuyau, pour éviter que la terre ne les bouche. Faites légèrement dépasser la partie supérieure du tuyau de la terre.

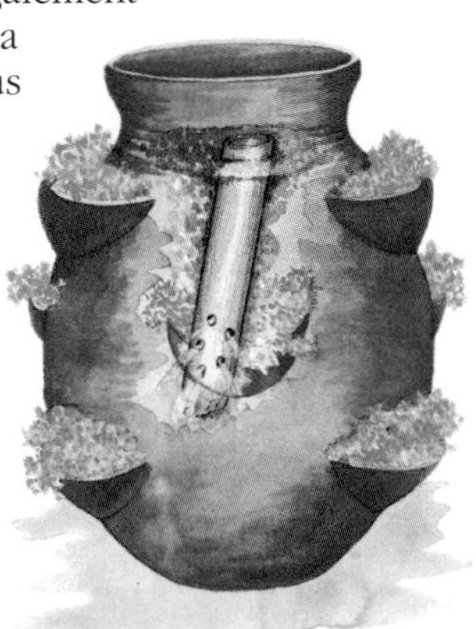

Récupérez les restes de thé froid, l'eau de cuisson des œufs durs et des légumes, l'eau de l'aquarium... Ces eaux sont enrichies d'éléments minéraux bénéfiques pour vos plantes.

EN PLEIN AIR

Arrosez aux bonnes heures : le matin au printemps et à l'automne, pour éviter le refroidissement nocturne ; en soirée ou la nuit en été, pour limiter les déperditions liées à l'évaporation et ne pas avoir à craindre les gouttelettes d'eau formant loupe, qui causent des brûlures sur le feuillage aux heures ensoleillées.

Arrosez longtemps, mais pas trop souvent. Un arrosage excessif perturbe la vie du sol, favorise le parasitisme, donne des légumes aqueux et des fruits sans goût. Même s'il ne pleut pas, un arrosage chaque semaine est suffisant. Si le sol est recouvert par un paillis, l'arrosage ne devient nécessaire que tous les 10 à 15 jours.

Optimisez vos arrosages en offrant à vos plantes un épais paillis (paille, sciure, écorces broyées, tourbe...). Il emmagasine l'eau, limite l'évaporation et conserve longtemps l'humidité naturelle de la terre, ainsi disponible pour les racines (voir Paillage).

Plante test : le chrysanthème (marguerite d'automne). Dans un jardin, il donne le signal d'alarme en cas de sécheresse. Ses feuilles se rabattent lamentablement avant que d'autres plantes n'aient eu le temps de souffrir du manque d'eau. Fiez-vous à ses réactions.

Sur gazon, évitez les petits arrosages très fréquents. Les racines des graminées ne se développeront qu'en surface et votre gazon se transformera en paillasson dès la première sécheresse. Arrosez peu souvent mais longuement ; l'eau descendra dans la terre, les racines aussi.

Pour arroser un gros arbuste ou un jeune arbre, ne versez pas l'eau au pied du tronc, c'est inutile. Limitez-vous à la couronne, qui correspond à l'aplomb extérieur de son feuillage : c'est là que les jeunes racines travaillent et absorbent eau et éléments nutritifs.

Douchez régulièrement les conifères et autres sujets persistants. Ils pousseront plus vite, l'eau éliminant la poussière qui s'accumule sur le feuillage et rafraîchissant l'atmosphère. Ce travail devient obligatoire après une tempête, qui, en bord de mer, laisse des traces de sel apporté par les embruns.

Besoins d'eau au potager. Comptez à peu près 6 litres d'eau par jour au mètre carré, soit environ 40 litres par semaine ou 60 litres pour 10 jours. Pour évaluer approximativement la quantité d'eau recueillie sur le sol, placez-y une boîte de conserve vide.

Un jet oscillant est idéal pour une pelouse. Arrosez-la longtemps mais pas trop souvent.

Pour éviter le gaspillage au potager, apportez l'eau là où elle est nécessaire, c'est-à-dire vers les racines. À côté des plants individuels (tomates, courgettes, poivrons...), enfoncez dans le sol un pot en terre ou une bouteille en plastique sans fond retournée ; vous verserez l'eau directement dans ce récipient, et elle s'écoulera doucement sans se perdre.

L'eau est l'ennemie de la conservation, tout spécialement de nombreux légumes d'hiver, comme les pommes de terre, les carottes, les betteraves, les potirons et autres courges de garde. Arrêtez les arrosages un bon mois avant leur cueillette.

MATÉRIEL, INSTALLATION

Un bon tuyau. S'il reste dehors, un tuyau de plastique transparent, même teinté en vert, voit se développer sur ses parois internes des algues microscopiques, qui peuvent boucher les raccords et les buses des jets. Optez pour un tuyau opaque, à armature renforcée. Les tuyaux en PVC (polychlorure de vinyle) sont plus légers à manipuler que ceux en caoutchouc, qui en revanche durent plus longtemps.

Achat judicieux. Ayez en tête le diamètre du robinet et son type de filetage avant d'acheter le tuyau et ses raccords. Dans la mesure du possible, prenez raccords et arroseur de la même marque.

Trempez les tuyaux de plastique dans l'eau chaude pour les assouplir. Vous enfoncerez plus facilement les raccords et les embouts d'arroseur.

Enrouleur économique. Pour ranger votre tuyau d'arrosage, enroulez-le autour d'une jante de voiture ou de camion, que vous aurez fixée au mur du garage ou de l'appentis.

Grâce au minuteur d'arrosage, vous ne laisserez plus couler l'eau trop longtemps au même endroit et pourrez laisser l'arroseur fonctionner pendant votre sommeil... Plus sophistiqué, le minuteur à programmation se déclenche — même à distance — aux heures et pour la durée choisies et tient compte d'une pluie naturelle, qui annulera votre programmation si la terre est suffisamment mouillée.

Le goutte-à-goutte permet de faire des économies, puisque chaque goutteur apporte l'eau exactement où vous voulez en fonction des besoins des plantes. Vendu en kit, il est facile d'installation. C'est une révolution de grand intérêt en serre, sur terrasse ou en véranda en cas d'absences répétées, au potager, pour les haies, les massifs... et dans tous les jardins où l'on va peu souvent.

Les jets oscillants sont des appareils qu'on pose au sol ; c'est idéal pour une pelouse, mais tout se complique au potager dès que les plants ont grandi. Pour qu'il porte plus loin, posez l'appareil sur une caisse ou un escabeau, en l'attachant avec une ficelle.

Stockez l'eau d'un puits avant de l'utiliser, car elle est trop froide pour la plupart des plantes. Faites-la séjourner dans un bac, des arrosoirs ou une cuve, afin qu'elle arrive à température ambiante. N'arrosez pas votre jardin avec l'eau d'une mare ou d'un étang, car elle véhicule trop d'algues et de micro-organismes.

▶ **Bassinage, Drainage, Eau, Hygrométrie, Vacances**

Artichaut

Connaissez ses exigences avant de vouloir le cultiver ! L'artichaut est aussi frileux qu'un dahlia ou un géranium. Son feuillage ne résiste qu'à – 2 °C et, pour pousser, il exige 100 jours consécutifs sans gel. En été, il n'aime pas les fortes chaleurs.

L'artichaut est peu cultivé au Québec. Toutefois, on peut retrouver sur le marché des variétés qui sont rustiques en zone 5. Leur disponibilité, par contre, reste un problème pour cette culture peu familière de nos jardins.

Plantez en mai, après la période des gels. Achetez des petits plants ou divisez les souches âgées pour prélever des œilletons en début de printemps. Replantez-les sans attendre dans un sol fertile et bien drainé, en les espaçant de 1 m en tous sens. Comptez 10 pieds pour une famille de 4 à 5 personnes.

Un capitule plus gros. Une bonne semaine avant la cueillette, faites dans la tige une entaille ne dépassant pas 1/3 de son diamètre et glissez dans cette fente un petit caillou, un morceau de bois... pour que la plaie ne se referme pas. La sève montante restera prisonnière dans le bourgeon comestible, et vous vous en régalerez.

L'œilletonnage. Pour prélever de jeunes rejets à la base d'une touffe mère, dégagez d'abord la terre du pied pour faire apparaître les racines. Séparez verticalement le rejet de sa mère avec une lame bien aiguisée. Ne vous inquiétez pas si les éclats récoltés montrent peu de racines (de 2 à 3 cm), voire pas du tout. Plantez-les immédiatement.

Pour obtenir des artichauts tendres, la pousse du bouton doit être rapide. Arrosez régulièrement, surtout s'il fait sec, paillez avec du compost ou de la tourbe, apportez une fumure. Si vous vivez en bord de mer, les algues que vous pouvez récolter sur la plage sont très appréciées.

Pensez à l'avenir. En cours de végétation, laissez seulement de 4 à 6 capitules (fleurs) par pied. En limitant le nombre d'artichauts à récolter, vous préparez la saison suivante : la plante ne sera pas épuisée.

Cueillez vos artichauts au sécateur ou au couteau, quand les écailles de l'extérieur s'entrouvrent. N'utilisez jamais une lame oxydable, le cœur noircirait.

Une protection nécessaire en fin d'automne. Coupez les plus grandes feuilles extérieures, rabattez les feuilles centrales à 30 cm, liez le pied pour serrer les feuilles les unes contre les autres. Entourez-les de papier kraft pour emballage avant de butter chaque plant avec du sable, de la sciure, de la terre fine, des feuilles mortes, des cendres froides..., qui formeront un écran imperméable au gel.

Plus savoureux. Faites cuire vos artichauts à la vapeur ou à l'eau, en ajoutant 1 cuil. de vinaigre et un morceau de sucre à l'eau de cuisson.

Si vous préparez des cœurs crus, frottez-les d'un jus de citron pour éviter qu'ils ne noircissent.

Bouquet d'artichauts. Si vous ne consommez pas immédiatement votre cueillette (ou achat), groupez vos artichauts dans un grand verre rempli d'eau, la queue trempant dans le liquide.

Asperge

Le secret d'une belle production réside dans le choix du sol, qui doit être très léger de nature ou allégé par de gros apports de sable de rivière. Si votre sol est lourd, choisissez une autre culture.

Sachez les acheter. Exigez des griffes (racines munies d'un bourgeon) mâles, elles sont plus solides et plus productives. Rejetez toutes les griffes sèches.

Si l'origine des plants n'est pas certifiée, désinfectez-les : faites-les tremper 15 minutes dans une solution légère d'eau de Javel ; puis lavez-les à grande eau avant plantation.

Des racines toujours fraîches. Si vous ne pouvez les planter immédiatement, recouvrez-les d'un sac, d'une serpillière ou de sable humides. Même si vous les plantez profondément (25 cm), n'oubliez pas de disposer un paillis protecteur en surface. Les algues constituent un excellent paillis-engrais (voir Algues).

Plantez avec soin : une aspergeraie peut durer de 15 à 20 ans. Comptez 100 souches pour une famille de 4 personnes, un peu plus si vous congelez ou faites beaucoup de conserves. Fiez-vous au sens du vent dominant : il vous indique le sens de la plantation. Espacez les griffes de 60 cm en tous sens ou optez pour des doubles rangs espacés de 2 m. Préférez une plantation au printemps, plutôt profonde.

Pas de récolte la première année : laissez vos plants former leurs tiges et bien s'installer dans le sol. Vous ne goûterez les premiers turions (jeunes pousses) que la 2e ou, encore mieux, la 3e année. Les racines auront alors bien colonisé le sol pour les productions gourmandes des années futures.

Gardez le feuillage si vous êtes amateur de bouquets. Aérien, il devient jaune d'or en automne. En revanche, coupez les tiges et brûlez-les si vous redoutez la mouche de l'asperge.

Quelle couleur choisir ? Blanc, c'est classique et cela nécessite un buttage suivi d'une cueillette très régulière en saison de production (ne convient pas aux jardins de week-end). Vert, c'est plus facile à cultiver et relativement plus productif sur une petite surface. Pas de plantation profonde, pas de buttage. Pourpre, c'est joli, c'est nouveau et délicieux... L'association vert et pourpre donne un potager de printemps joli à regarder. Quelle que soit la variété, la période de production s'étale sur environ 8 semaines.

Cuisson plus douce. Faites cuire vos asperges fraîches dans très peu d'eau, ajoutez sel et sucre, couvrez.

Faites bouillir 3 à 4 minutes, éteignez, puis laissez macérer à découvert 10 minutes avant de servir tiède.

▶ Potager

Aubergine

Pour vous faciliter le travail, achetez des plants en godets, bien formés, prêts au repiquage. Comptez de 6 à 10 plants pour une famille de 4-5 personnes. Plantez profond, la terre arrivant à ras de la première feuille de base. Aménagez une cuvette au pied de chaque plant pour faciliter l'arrosage. Espacez chaque plant de 60 cm en tous sens.

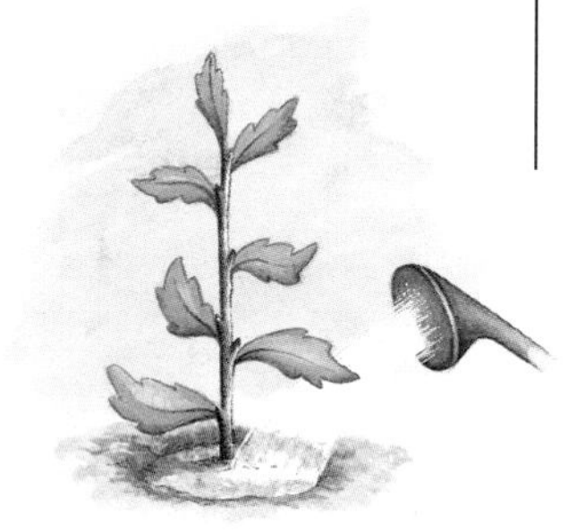

Maintenez-la toute sa vie au chaud. Elle arrive d'Inde tropicale et ne prospère bien que dans l'exposition au sud ou la chaleur d'une serre, d'un châssis ou d'un tunnel. Semez-la 8 à 10 semaines avant la date de plantation possible en extérieur (mai-juin) ou sous châssis chauffé jusqu'à l'arrivée de l'été. La germination prend 10 à 12 jours, la récolte n'a lieu que 70 jours environ après mise en pleine terre.

Pincez d'un coup d'ongle au-dessus de la 5e feuille lorsque le plant a 6 ou 7 feuilles. Vous réveillez ainsi les boutons latéraux, qui porteront fleurs et fruits. Pincez ensuite chaque rameau au-dessus de la feuille suivant la 2e fleur. Chaque plant peut donner de 8 à 10 fruits, à récolter d'août à octobre.

Faites le bon choix

Variétés très productives : 'Black Belle', fruit ovoïde, 15 cm, pourpre noir, à pelure très lustrée ; 'Ichiban' et 'Classic', fruits longs, minces et cylindriques, violet foncé presque noir.
Variétés précoces : 'Avan' (fruit semi-long, pourpré); 'Dusky' (fruit ovale, très ferme, pourpre foncé) ; 'Elan' (fruit long, cylindrique, pourpre noir) ; 'Epic' (fruit en forme de larme, pourpre) ; 'Vernal' (fruit noir, variété très hâtive).
Variétés à fruits miniatures : 'Little Fingers' ou 'Bambino Pourpre'.
Aubergines italiennes : 'Vittoria' (fruit long et cylindrique, pourpre noir) ; 'Italienne Rose Bicolore' (fruit blanc crémeux, strié de rayures roses verticales).

Protégez-la de ses ennemis : le froid, l'humidité stagnante, trop de pluie sur les fleurs, l'arrivée des limaces (posez des appâts) ou des doryphores (utilisez de la roténone).

Pour éviter les maladies cryptogamiques, entourez délicatement chaque pied d'aubergine d'un petit morceau de fil de cuivre de quelques centimètres.

Avant cuisson, faites dégorger les aubergines au gros sel dans une passoire pendant 1/2 heure. Ainsi préparées, elles absorberont moins de matières grasses, seront donc plus digestibles et resteront bien présentables. De plus, le sel pompe l'eau et les substances amères du fruit, réduisant ainsi son amertume.

Automne (couleurs d')

Pour en profiter, n'installez pas les espèces lumineuses pendant la mauvaise saison au fond du jardin, mais plantez-les soit sur un chemin très fréquenté, soit dans l'axe de vue des fenêtres principales de la maison. En effet, elles sont le plus spectaculaires entre la fin septembre et la fin novembre, période où l'on sort peu au jardin.

Avivez les couleurs de l'automne. Elles seront d'autant plus éclatantes que l'été aura été sec. Évitez les arrosages à partir de la fin août au pied des plantes devant s'enflammer en fin de saison. Attention, ne les menez pas pour autant au dessèchement final !

Couleurs d'automne : faites le bon choix

	Nom botanique	Nom vernaculaire	Zone de rusticité	Taille adulte (haut. x diam.)	Remarques
Arbustes bas	*Acer palmatum* 'Dissectum'	érable du Japon 'Dissectum'	5	1,50 m x 1 m	préfère sol acide, riche
	Clethra alnifolia	clèthre à feuille d'aulne	4	1,20 m x 2 m	préfère sol acide, humide
	Spiraea x arguta	spirée arguta	4	1,50 m x 1,50 m	plante peu exigeante
Arbustes moyens	*Aronia arbutifolia*	aronie à feuilles d'arbousier	4	2 m x 1 m	s'adapte à tous les sols
	Cotinus coggygria 'Royal Purple'	arbre à perruque pourpre royal	5	2,50 m x 1 m	préfère sols fertiles
	Euonymus europaeus	fusain d'Europe	4	3 m x 1,50 m	feuillage rouge violacé à l'automne
	Hamamelis virginiana	hamamélis de Virginie	4	2 m x 3 m	fleurs jaunes en septembre-octobre
	Sambucus canadensis	sureau du Canada	3	3 m x 2 m	peu exigeant ; supporte l'ombre
	Spiraea x *van houttei*	spirée de Van Houtte	3	2 m x 2 m	peu exigeant ; floraison blanche abondante
	Viburnum plicatum	viburnum plicatum	5	2 m x 2,50 m	peu exigeant ; préfère mi-ombre
Grands arbustes	*Acer ginnala*	érable de l'Amur	2	5 m x 4 m	très rustique ; rouge à l'automne
	Amelanchier lamarckii	amélanchier à grandes fleurs	4	7 m x 5 m	supporte mi-ombre
	Rhus typhina	sumac de Virginie (vinaigrier)	3	5 m x 4,50 m	supporte sols pauvres et secs
	Viburnum opulus	viorne obier	3	4 m x 4 m	supporte mi-ombre
	Viburnum trilobum	viorne trilobée (pimbina)	2	4 m x 3 m	fruits rouges nombreux
Arbres	*Acer rubrum*	érable rouge	4	20 m (hauteur)	rouge à l'automne
	Acer saccharum	érable à sucre	4	20 m	rouge, orange et jaune à l'automne
	Betula pendula	bouleau européen	2	15 m	écorce blanche crevassée noire
	Fraxinus nigra 'Fall Gold'	frêne noir 'Fall Gold'	2	18 m	coloration jaune à l'automne
	Ginkgo biloba	arbre aux quarante écus	4	18 m	feuilles en éventail jaune vif à l'automne
	Quercus rubra	chêne rouge	4	15 m	coloration rouge à l'automne

Lorsqu'il se pare de rouge ocre à la fin de la belle saison, l'érable du Japon Acer palmatum *crée un somptueux décor automnal.*

Automne-hiver : arbres et arbustes à fruits décoratifs

Fruits jaunes ou orange	Fruits roses ou rouges	Fruits violets ou noirs
argousier faux-nerprun	aronie à feuilles d'arbousier	alisier
cognassier du Japon	aubépine	amélanchier
pommetier de Sibérie	cotonéaster	aronie noire
pommetier du Japon	fusain d'Europe	camarine noire
pommetier 'Everest'	houx	cerisier à grappes
	pimbina	mahonie à feuilles de houx
	pommetiers : 'Hopa', 'Liset', 'Profusion', 'Radiant', 'Red Jade', 'Zumi'	sureau
	sorbier	viorne dentée
	sumac de Virginie (vinaigrier)	

Azote

Retrouvez-le sur une étiquette. Tout engrais commercial affiche sur son emballage, dans un ordre immuable, les lettres N, P et K. Ces lettres sont les abréviations chimiques des composants du produit : azote (nitrogène), phosphore, potasse. Le premier chiffre indiquera donc le pourcentage d'azote.

Quand offrir de l'azote aux racines ? Enfoui dans le sol avant plantation, il se libérera lentement en cours de végétation ; au moment de la croissance, il agira alors comme un coup de fouet. Les principales sources d'azote sont les résidus animaux ou végétaux décomposés (fumier, compost, terreau de feuilles, sang desséché, corne broyée, laine, guano, tourteaux, déchets de brasserie…).

Lorsque vous donnez de l'azote à un arbre, épandez-le sur la couronne périphérique de ses racines et non à son pied. Griffez le sol, laissez la pluie ou la rosée le faire pénétrer. S'il fait très sec, arrosez.

Le jus de plumes. Si vous disposez de plumes de volailles, placez-les dans un récipient, recouvrez-les d'eau

(si possible de pluie), placez par-dessus un fin grillage non métallique) et quelques pierres pour éviter que les plumes ne flottent. Laissez macérer à l'ombre. Le jus de plumes est « à point » au bout de 2 mois. Cet engrais, traditionnel en Chine depuis des siècles, est très riche en azote et en oligoéléments et parfaitement toléré par toutes les plantes.

▶ **Engrais**

Bac

L'important, c'est la profondeur, le bien-être de vos plantes en dépend : 20 à 25 cm conviennent à des plantes de faible enracinement, qu'il faudra arroser souvent, comme les fleurs d'été (géraniums, pétunias, verveines...). En revanche, 30 à 40 cm sont indispensables pour installer des plantes plus hautes, plus vigoureuses, des petits arbres, des arbustes, des petits conifères ou des plantes grimpantes.

Trous de drainage. Faites-les à la chignole ou à la perceuse dans le bois, l'amiante-ciment ou la terre cuite. Pour éviter la casse, travaillez doucement, en élargissant le trou peu à peu.

Pour trouer vos bacs en plastique, faites chauffer à blanc une pointe d'outil sur la flamme d'une cuisinière à gaz.

Au fond des bacs, étalez une couche de gravillons, tessons, sable grossier, billes d'argile expansée... Isolez-la du mélange terreux en la recouvrant d'un morceau de feutre de jardin, d'un voile de forçage ou d'une vieille serpillière, qui retiendra un peu d'humidité. La saison suivante, même si vous changez la terre, vous pourrez réutiliser votre couche drainante.

Si vous n'avez pas de caillou pour boucher un trou d'évacuation, utilisez une capsule de bouteille ou un coquillage.

Attention au vent ! Si les végétaux sont de bonne taille, placez quelques gros galets au fond du bac pour en alourdir la base.

Jamais de terreau pur. Coupez votre mélange pour plantes de balcon ou d'intérieur avec quelques pelletées de sable pour en améliorer le drainage. Si vous optez pour des plantes de terre de bruyère, donnez-leur le mélange acide qu'elles aiment. Veillez à toujours grouper des espèces aux goûts communs.

Arrosage facile. Lors de la plantation, installez une portion de drain en plastique (de couleur discrète). Il vous permettra d'arroser sans éclabousser et directement vers les racines.

Écran solaire. Doublez la paroi de vos bacs la plus exposée au soleil. Si la superposition des matériaux permet un vide, comblez-le d'une substance pouvant s'humidifier rapidement, comme de la tourbe, de vieux chiffons...

Paillez la surface de la terre des bacs. Utilisez, au choix : des gravillons blancs ou clairs (pour la réverbération des rayons), de la mousse des bois en plaques (elle agit comme une réserve d'eau), des écorces de pin broyées (préférez le petit calibre), ou une petite plante couvre-sol (helxine, petit lierre, pervenche...), qui signalera très vite l'assèchement du sol. Vous protégerez ainsi les racines d'une forte insolation et d'un dessèchement trop rapide, et mettrez en valeur le décor végétal.

Le surfaçage. Si le bac présente un trop gros volume de terre pour permettre un changement de la terre épuisée, évacuez les 10 à 20 cm supérieurs de terre et remplacez-les par un mélange très riche, tout neuf. Arrosez pour que les éléments nutritifs descendent à hauteur des racines affamées.

Déplacez vos bacs. S'ils ne sont pas munis de roulettes et si vous n'avez ni diable, ni plateau à roulettes, utilisez un balai à longs poils, ou, comme les Égyptiens, des rondins de bois.

Matériaux : avantages et inconvénients

Amiante-ciment : pratique, léger, non gélif, pas très esthétique avec l'âge, mais se peint facilement. Choisissez des formes simples et habillez-les de plantes retombantes.

Bois : élégant, se travaille dans toutes les dimensions si l'on est bricoleur, un peu cher à l'achat mais durable si l'on choisit un bois dur (espèce exotique ou, plus économique : pin, chêne, hêtre, châtaignier), sans nœuds, qu'on le traite avec un produit fongicide ou du goudron végétal et que l'on proscrit les clous qui rouillent !

Plastique : acceptable dans les couleurs neutres, pratique, léger, maniable, mais il vieillit mal et devient cassant s'il gèle. Éliminez les couleurs sombres en plein soleil, les parois absorbent alors trop de chaleur et brûlent parfois les racines qui sont en contact direct.

Pierre reconstituée : belle harmonie avec les vraies pierres si les formes sont simples et traditionnelles, mais relativement cher et toujours lourd à déplacer.

Terre cuite : naturelle, belle à regarder, avec de jolies formes, et parfois économique. Attention, elle peut être gélive. À l'achat, tapez du bout du doigt sur le bac, qui doit répondre par un son clair, preuve qu'il n'est pas fêlé. N'arrosez pas avant les coups de froid. En revanche, trempez le bac vide dans l'eau ou arrosez-le abondamment avant plantation.

Si vous faites vous-même vos bacs en bois, préférez un bois exotique qui résiste à l'humidité ou, plus économique, un bois traité sous pression, généralement garanti 10 ans. Si vous utilisez des planches ordinaires, traitez-les avec un vernis marine ou du goudron végétal. Attendez quelques semaines avant de faire vos plantations, ces produits n'étant guère appréciés par les racines.

Poubelles élégantes. Le volume des poubelles domestiques convient aux gros arbustes. Elles sont économiques, faciles à déplacer... mais peu esthétiques. Habillez-les de bacs en bois ou confectionnez un store en enfilant des lattes percées, sur deux fils de fer plastifiés (pour éviter la rouille).

Isolation d'un bac. Au Québec, en culture permanente, il faut isoler l'intérieur du bac (les quatre côtés) avec au moins 5 cm de mousse polystyrène. Isolez le fond du bac d'une membrane géotextile, puis de 8 à 10 cm de billes de polystyrène que vous recouvrez d'une autre membrane géotextile. Perforez le fond du bac pour le drainage !

Quels végétaux choisir ? Pour la culture en bac, choisissez des végétaux de rusticité plus basse que la vôtre. Par exemple, pour la région de Montréal (zone 5), optez pour des plantes de zone 4 ou moins.

Un grand nettoyage tous les 2 à 3 ans. Si la taille des plantes le permet, videz totalement vos bacs et lavez-les à l'eau légèrement javellisée. Si leur fond présente une pellicule de calcaire, détartrez avec de l'eau vinaigrée. Rincez bien.

▶ **Jardinière, Panier suspendu, Pot**

Balcon

INSTALLATION

Relisez votre bail et le règlement de copropriété de votre immeuble. Ils comportent généralement des restrictions concernant l'usage des balcons et fenêtres. Il y est souvent stipulé qu'aucun objet ne peut être posé sur les bords sans être fixé et que les pots et jardinières doivent reposer sur des soucoupes étanches pour ne pas détériorer les murs ni incommoder les voisins ou passants. Même s'il ne s'agit que de quelques pots, ne négligez pas la sécurité. La loi soumet par ailleurs à autorisation de l'assemblée générale des copropriétaires les travaux effectués dans les parties privatives et susceptibles d'affecter l'aspect extérieur de l'immeuble. Sachez également qu'il peut exister une réglementation municipale particulière, pour les bâtiments anciens notamment.

Grands travaux. En cas d'aménagements importants et lourds (grands bacs, apport de terre, revêtement de sol), renseignez-vous pour connaître la charge acceptable par mètre carré.

Pour abriter le balcon du vent, doublez de filet brise-vent ou de treillis les rambardes

à claire-voie et plantez dans des bacs des arbustes robustes, à feuillage persistant, comme aucuba, buis, chamaecyparis, laurier du Portugal, troène...

Protégez-vous des regards grâce aux plantes grimpantes (sur les côtés), ou retombantes (en paniers suspendus) et aux arbustes en

Les treillis protègent du vent et des regards. Ils sont plus élégants habillés de verdure.

bacs. Attention, ne vous enfermez pas non plus dans une cage tapissée de feuillage. Pour être agréable, le balcon doit être largement ouvert.

Choisissez des végétaux adaptés à l'orientation du balcon. Au sud, sans ombre, des plantes résistant à la sécheresse s'imposent : pourpier, lavande, romarin, santoline, gazania... Les expositions ouest et est, avec une bonne luminosité mais sans chaleur excessive, vous laissent l'embarras du choix. (Pour les balcons situés au nord et très ombragés, voir Jardinière.)

ENTRETIEN

Stimulez la croissance des pétunias, lobélies, *Begonia semperflorens* en raccourcissant les tiges de moitié ou plus après la première vague de floraison, vers la fin juillet.

Si vous ne disposez pas d'un local lumineux pour mettre à l'abri les belles exotiques comme bougainvillées, fuschias, jasmins..., tentez un hivernage à l'obscurité dans un endroit frais (5 à 10 °C). Taillez-les très court avant de les rentrer et cessez les arrosages.

Rapprochez du mur les plantes passant l'hiver sur le balcon. Elles y seront plus à l'abri du froid et du vent. N'oubliez pas de les arroser au printemps.

En période de fortes gelées, enveloppez vos pots avec un matériau isolant, comme du plastique à bulles ou des paillassons. Isolez-les si possible du béton en les posant sur une planche ou une plaque de polystyrène.

Autre solution pour protéger un arbuste, couvrez son pied avec un paillis ou avec de la mousse de tourbe. Recouvrez ensuite bac et arbuste d'une membrane géotextile blanche. Les mêmes précautions doivent être prises pour les grimpants, tels que les clématites, les chèvrefeuilles.

Des branchages de conifères ou un simple carton retourné et bourré de paille vous permettront d'abriter sur votre balcon les petites vivaces, les bulbes ou les arbustes nains pendant l'hiver. Pour les plantes hautes, utilisez des treillis ou de la toile géotextile.

▶ **Bac, Jardinière, Panier suspendu, Pot, Terrasse**

Bambou

Froid ? Moi, presque jamais... La plupart des bambous résistent à – 20 °C. Mais il est à noter que la culture du bambou au Québec en est encore aux balbutiements. Les conseils qui suivent s'appliquent à des climats plus propices que le nôtre ou à la culture en serre.

Comment planter un bambou ? Retirez la touffe du pot. Creusez un trou d'un volume égal à deux fois celui de la motte. Mouillez motte et trou. Placez la motte pour qu'elle reste au même niveau qu'en pépinière. Rebouchez le trou avec de la bonne terre, mélangée à un engrais-retard ou à décomposition lente. Tassez, arrosez. Ne procédez pas durant les mois d'avril à juin, période où sortent les pousses.

Choisissez le bon endroit, à l'abri du vent, bien ensoleillé, dans un sol riche, ne séchant pas vite mais bien drainé. Préférez une cour, un angle de murs, l'abri d'une haie ou d'un bosquet. On dit en général que le bambou pousse partout où prospère le cerisier.

Votre bambou a gelé ? Attendez sagement au moins 2 ans, souvent, les bourgeons et la souche repartent.

Attention à l'envahissement si vous optez pour un sujet à rhizomes traçants. Plantez-le dans un gros conteneur, mais il faudra le rempoter dans un plus grand tous les ans. Ou creusez une tranchée chaque année et éliminez tout ce qui en dépasse – 25 cm de profondeur sont alors suffisants. Ou tondez régulièrement autour des touffes. Ou encore enfoncez une barrière autour de la plante jusqu'à 50 cm de profondeur : les rhizomes remonteront à la surface comme de petits serpents et vous pourrez les supprimer.

Paillez à la plantation. Épandez des feuilles sèches autour de la plante. Vous maintiendrez l'humidité dans le sol et protégerez les racines du soleil violent. Ensuite, les feuilles tombées naturellement suffiront.

Pour inciter les racines à rester en profondeur, arrosez les bambous copieusement à la plantation et l'été des premières années. Attention, des arrosages légers et répétés sont nocifs, le développement des racines restant superficiel.

Un peu de patience. Les bambous n'atteignent leur taille adulte qu'après 2 ans de culture pour les nains, de 3 à 5 ans pour les petits, de 5 à 6 ans pour les moyens, de 10 à 12 ans pour les géants.

Lorsque les tiges deviennent trop denses, pratiquez l'éclaircissage des tiges âgées de plus de 4 à 5 ans. Conservez-les précieusement, elles forment d'excellents tuteurs et ont de multiples usages au jardin.

Multiplier un bambou, pas si facile ! Pour augmenter vos chances, détachez une grosse motte de terre avec 4 à 6 tiges. Coupez les rhizomes au sécateur. Replantez vite, sans laisser sécher, dans des conditions identiques de profondeur. Raccourcissez les tiges d'un tiers, arrosez-les et étendez un paillis pour les protéger du soleil.

Sur un balcon ou une terrasse, une belle touffe de bambou a fière allure et cache des regards indiscrets. Choisissez un sujet à développement moyen, résistant au froid (*Phyllostachys aurea, P. humilis, P. nigra, Pseudosasa japonica, Fargesia murielae* ou *F. nitida*). Placez-le dans un gros pot (au minimum 50 litres) dont la taille sera supérieure à celle de la motte. Prévoyez un arrosage automatique en cas d'absence à la belle saison.

Protégez vos bambous en pots contre le gel en les entourant de plaques de polystyrène ou de plastique à bulles sur plusieurs épaisseurs... Recouvrez la terre d'une épaisse couche de paille ou de feuilles mortes.

Pour réussir le bouturage, sélectionnez la bonne tige : trop jeune, elle ne donnerait pas de racines, trop vieille, elle ne pousserait plus. L'idéal est une tige de 3 ans. Coupez-la en tronçons de 20 à 50 cm de long avec 3 bourgeons au moins. Enterrez ces segments dans une terre bien ameublie et légère, les bourgeons tournés vers le haut. Arrosez copieusement.

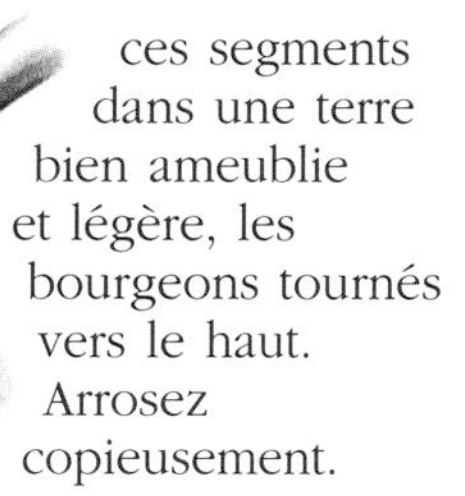

Dans une véranda ou une pièce très lumineuse, vous pouvez opter pour des espèces plus sensibles au froid, comme *Bambusa* 'Alphonse Karr' ou *B.* 'Golden Goddess', ou pour des bonsaïs : *Bambusa ventricosa, Pleioblastus pumilus, Pseudosasa japonica.*

Une jolie haie brise-vent. Couchez une canne de bambou dans une tranchée. Recouvrez-la de terre. Arrosez-la régulièrement : une pousse apparaîtra bientôt au niveau de chaque nœud. Vous obtiendrez en quelques années une haie de 2 ou 3 m de haut.

Le Jardin botanique de Montréal possède des bambous dans son jardin de Chine. Montréal est à la limite de la rusticité des bambous au Canada.

Choix de bambous en climat tempéré

Nains : de taille inférieure à 1,50 m, à couper court tous les 1 ou 2 ans, en mars, avant la sortie des jeunes tiges. Excellents couvre-sol pour les plus petits.

Arundinaria atropurpurea (–18 °C), tiges pourprées, de 18 à 20 cm ;
Pleioblastus distichus (–18 °C), vert brillant, 50 cm ;
P. fortunei variegata (–20 °C), panaché de blanc, de 80 cm à 1 m ;
P. pumilus (–20 °C), aime la mi-ombre, 80 cm ;
P. viridistriatus auricoma (–22 °C), doré, de 80 cm à 1,50 m ;
P. v. vagans (–24 °C), marginé de blanc en hiver, de 80 cm à 1 m.

Petits : entre 1,50 et 3 m, peuvent former des haies.

Arundinaria gigantea (–16 °C), supporte l'humidité aux racines, 3 m ;
A. murielae (–24 °C), peu traçant, redoute trop de soleil, de 1,50 à 2 m ;
Sasa cernua nebulosa (–18 °C), larges feuilles, superbe, de 2 à 3 m ;
S. tessellata (–18 °C), larges feuilles (10 cm), de 1,50 à 2 m ;
Sinarundinaria nitida (–25 °C), port flexueux, de 1,50 à 2,50 m.

Moyens : entre 3 et 9 m de haut, forment des bosquets ou des haies.

Phyllostachys aurea (–20 °C), résiste bien à la sécheresse, de 5 à 9 m ;
P. aureosulcata (–20 °C), raie jaune à chaque nœud, de 6 à 9 m ;
P. flexuosa (–18 °C), branches souples, de 6 à 9 m.
P. humilis (–20 °C), petit et gracieux, de 3 à 5 m.
P. nigra (–18 °C), tiges noires au bout de 3 ans, de 5 à 8 m ;
P. viridiglaucescens (–22 °C), tiges vertes très droites, de 5 à 9 m ;
Pseudosasa japonica (–24 °C), résiste à la sécheresse mais devient une pompe à eau sur les plateaux absorbants.

Géants : entre 10 et 20 m, ces bambous remplacent des arbres.

Phyllostachys bambusoides (–18 °C), tiges vertes, bois dur, de 18 à 20 m ;
P. nigra boryana (–20 °C), aime le soleil, tiges tachées de brun, en peau de panthère, 16 à 18 m ;
P. viridis mitis (–18 °C), tige verte sinueuse, décorative, de 14 à 16 m ;
P. v. sulphurea (–18 °C), tiges qui deviennent jaunes, superbes, 15 m.

Une graminée pleine de mystère

Les bambous d'une même espèce fleurissent tous la même année, dans le monde entier, avec une régularité qui varie beaucoup selon les espèces : en 1932, *Phyllostachys nigra* a fleuri, ce qu'il n'avait pas fait depuis 120 ans, d'autres espèces ont des cycles de 20, 32, 50 ans…

Banc

Un point d'eau apporte une note rafraîchissante, toujours appréciée près d'un banc.

Utilitaire et décoratif. Le banc peut être le point d'aboutissement visuel d'une perspective, d'une allée. Cachez-le au détour d'un sentier : vous profiterez du calme et de l'isolement du lieu. S'il domine une jolie vue, légèrement en hauteur, vous apprécierez le moment qui passe et les beautés des environs. Le banc aide à mettre tous les sens en éveil. Placez-le très près d'un point d'eau, si petit soit-il — un simple bain d'oiseaux en situation très calme suffit. Une gargouille ou une petite cascade apporteront leur note rafraîchissante durant la chaleur estivale.

Quel matériau choisir ? La pierre est dure et froide, apportez avec vous quelques moelleux coussins pour adoucir son contact. Le bois est plus souple et s'harmonise avec le reste du mobilier de jardin. En teck, il devient garanti à vie (de 70 à 100 ans).

Question de confort. La présence d'un dossier est importante. La partie siège ne doit pas dépasser 45 cm de haut pour un bon repos.

Pour un doux parfum, plantez à proximité du banc seringat, lavande, pivoine, chèvrefeuille… Si vous choisissez des espèces grimpantes, installez une treille, qui viendra en plus apporter de l'ombre. Quelques fleurs attirant les papillons rendront l'endroit encore plus attrayant (voir Papillons).

Soleil, mi-ombre ou ombre… C'est affaire de goût et de climat, mais installez-le toujours en dehors d'une zone de courants d'air ou de vent. Près de la mer, protégez-le avec un brise-vent, sinon vous n'irez jamais vous y asseoir.

Si vous êtes nombreux, fabriquez-vous un banc en arc de cercle, il facilitera la conversation beaucoup plus qu'un banc droit.

Antiusure. Si votre banc est sur une pelouse, placez quelques dalles à l'endroit où reposent les pieds pour éviter l'usure de la partie la plus fréquentée.

Récupérez un gros tronc d'arbre. Évidez-le d'un quart de sa circonférence. Vous obtiendrez un banc rustique parfait pour un coin sauvage du jardin.

Un banc roulant. Installez 2 roues de charrette à la place des accoudoirs. À l'arrêt, n'oubliez pas de caler votre banc ou enfoncez légèrement ses roues en terre pour qu'il soit bien stable.

Un banc-brouette. Fixez deux roulettes sous les deux pieds du même côté du banc et deux cales sur les deux autres pieds pour rééquilibrer la hauteur. Ajoutez deux poignées solides du côté opposé aux roulettes. Vous pourrez déplacer votre banc au gré de vos envies.

Un banc rond. Pour réussir, enserrez le tronc d'un arbre avec un assemblage de planches que vous aurez fixées sur des pieds solides. Vous obtiendrez un charmant coin-détente, à l'ombre du feuillage.

▶ **Mobilier de jardin**

Barbecue

Le choix d'un barbecue fixe est toujours préférable à celui d'un appareil mobile. Même si vous n'en avez pas un usage fréquent, il sera plus pratique, plus efficace et plus sûr. Ce peut être alors une vraie cuisine de jardin. Construisez-le en pierre ou en brique ou achetez un kit prêt à monter. Équipez-le d'une cheminée et d'une hotte pour ne pas être enfumé. Fixez la grille rectangulaire à une hauteur de 70 à 80 cm. Pour votre sécurité, laissez une zone libre de 1,50 m tout autour.

Où l'installer ? Le mieux est qu'il ne soit pas trop éloigné de la maison, mais pas trop près non plus pour que la fumée n'entre pas à l'intérieur. S'il s'agit d'une vraie cuisine d'été, placez-la dans un coin tranquille du jardin. Vous apporterez tout ce qu'il faut pour le repas sur un chariot.

Gare au vent. Près d'un mur, il crée des turbulences qui malmènent les fumées ou attisent inopinément les flammes. Si votre barbecue n'est pas muni d'une cheminée (appareil mobile), travaillez toujours le dos au vent. Pensez à vous installer dans un endroit dégagé : jamais près de plantes (en particulier de résineux), ni sous une pergola.

Barbecue-incinérateur. Agréable à la belle saison, un barbecue fixe peut devenir utile à l'époque des grands nettoyages : il peut vous servir à brûler les déchets du jardin, là où les règlements municipaux ne l'interdisent pas.

Une table-barbecue. C'est une manière très conviviale de partager un repas en faisant griller les mets directement au centre de la table, un peu à la mode japonaise. Utilisez un hibachi, posé ou vissé directement au centre de la table — qui ne doit être ni en bois ni en plastique. Allumez le feu suffisamment à l'avance pour que les charbons ou les briquettes aient bien pris : cela évitera les fumées désagréables. Proposez à vos convives de longues piques comme celles utilisées pour la fondue.

Un barbecue improvisé. Superposez à même le sol quelques parpaings ou des briques à 50 cm de distance. Une hauteur de 30 cm est suffisante. Calez la grille sur une ou deux tiges métalliques posées en travers. Vous n'avez plus qu'à faire griller vos plats.

Ne jouez pas avec la sécurité. Les barbecues provoquent chaque année de très graves accidents par brûlures. Ne rallumez jamais un feu qui paraît éteint avec une bouteille d'alcool à brûler ou d'essence. Utilisez pour cela une pastille d'allume-feu. Il existe de l'allume-feu liquide (sans alcool). Employez-le avec précaution, en imbibant un morceau de papier absorbant, que vous déposerez dans le foyer avec des pinces à feu. Ne laissez pas les jeunes enfants jouer près du barbecue. Ayez toujours à portée de main un arrosoir d'eau ou un extincteur.

Les bons outils. Utilisez des gants de cuir et des ustensiles à long manche vous permettant de rester à distance du feu.

Les herbes aromatiques comme le thym, le romarin, l'origan, la ciboulette ou le persil sont toujours appréciées dans les assaisonnements. Pensez à les cultiver près de votre barbecue, dans un carré de terre ou dans un grand bac. Vous les aurez sous la main à la belle saison.

Pour éviter que les braises ne s'enflamment, saupoudrez-les de sel fin ou de cendres fines.

▶ **Loi**

Basilic

Semez-le en mars-avril dans un mélange très léger comprenant moitié terreau de semis, moitié sable pour un bon drainage. Pour emmagasiner chaleur et lumière, recouvrez la terrine d'une plaque de verre, qui formera une miniserre.

Attention, les graines sont très fines. Ne les enterrez pas, mais recouvrez-les juste d'un peu de terreau pour les cacher.

Installez les plants au soleil, en pleine terre ou en pots, si possible là ou vous les verrez de la cuisine.

Le secret d'une longue production. Pincez très souvent l'extrémité de chaque pousse pour supprimer les fleurs en formation et forcer la plante à former de nouvelles pousses feuillues.

Parfumé, mais aussi utile. Plante sacrée en Inde, herbe royale pour les Grecs, le basilic a été considéré comme une panacée médicinale. On dit aussi qu'il éloigne les mouches et les moustiques. Placez les pots sur le rebord des fenêtres ouvertes en été.

Faites le bon choix

La variété de basilic 'Feuilles vertes de laitue' a les plus grandes feuilles et elles sont très parfumées. Dans cette variété, l'on trouve les saveurs suivantes : basilic, cannelle, citron ou encore clou de girofle.
'Fine grecque' : feuillage fin, vert.
'Grand vert' : classique, feuilles ovales.
'Mammouth' : feuillage moyen à large, vert pâle, très aromatique.
Certains basilics, comme 'Purple Ruffle' et 'Dark Opal', doivent être utilisés de façon ornementale seulement.

Difficile conservation. Il n'y a aucun moyen pour garder le goût réel et subtil du basilic frais. Sec, il a une odeur de menthe : faites-le tremper dans de l'eau citronnée avant utilisation. Congelé, il devient mou et sans parfum. Seules les feuilles conservées dans une bonne huile d'olive parfumeront délicieusement minestrone, sauce tomate ou soupe au pistou...

▶ **Aromatiques**

Bas nylon

Pour conserver vos bulbes et vos graines à l'abri des rongeurs, stockez-les dans de vieux bas nylon ou collants, que vous suspendrez à une poutre ou à une tuyauterie. Les rongeurs sont repoussés par les fibres synthétiques, qu'ils ont en horreur.

Faites-vous des liens imputrescibles, souples et discrets en découpant de vieux bas en lanières. Pour attacher un arbre à son tuteur, formez un 8, qui protégera l'écorce.

Un garde-manger économique. L'air circule vite et bien dans ce matériau moderne : faites-y sécher et conservez-y tisanes, herbes, céréales, maïs, haricots, lentilles, pois, soja...

Si vous récupérez l'eau de pluie du toit, installez un morceau de bas entre deux raccords de gouttière. Votre eau sera ainsi débarrassée de toute impureté.

Protégez vos fruits et légumes en les recouvrant d'un morceau de bas. Oiseaux, guêpes et rongeurs se tiendront à distance, car ce matériau brillant les effraie. Le nylon a en plus l'avantage d'entretenir une chaleur près de l'épiderme des plantes ; il ne risque pas d'abîmer vos récoltes, puisqu'il se détend au rythme de la croissance des fruits. Pensez-y pour les tomates, grappes de raisin, jolies poires...

Un filtre à miel improvisé. Si vous avez des ruches, filtrez le miel qui sort de l'extracteur avec un morceau de bas bien propre.

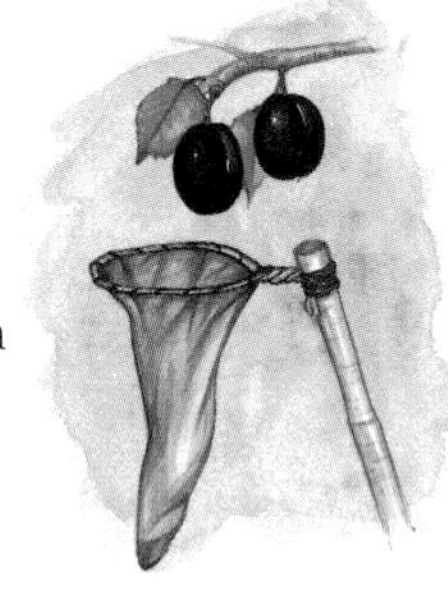

Une main de velours. Vous obtiendrez un cueille-fruits pratique pour atteindre les fruits situés hors de portée en fixant un collant solide, ou une chaussette, sur un cercle de fil de fer emmanché sur un long bambou.

Bassin

INSTALLATION

Bassin surprise. Dans un jardin de bonne dimension, placez-le au détour d'un chemin, à un endroit inattendu. Pour amener le promeneur vers ce point d'intérêt, trouvez un fil conducteur, qui peut être une allée, un pas japonais, l'axe d'une perspective...

Situez-le loin des arbres, d'abord parce que les plantes aquatiques aiment recevoir beaucoup de lumière, mais surtout pour ne pas connaître la corvée de la récupération des feuilles mortes tombées dans l'eau à l'automne. Seuls les conifères et les sujets persistants peuvent être tolérés, et encore à une certaine distance du bassin seulement, car les racines savent s'infiltrer et perforent parfois des matériaux réputés solides.

Fabriquez-vous un minibassin dans une vasque ou un demi-tonneau. Faites bien boire le bois en l'immergeant, avant mise en eau définitive. Plantez-y des plantes aquatiques de petites dimensions. Bien situé, il décuplera l'impression d'espace et de lumière en réverbérant le ciel.

Trompe-l'œil. Si vous voulez agrandir votre nappe d'eau, plantez sur ses bords de larges taches de genévriers bleus ('Blue Star' ou 'Blue Carpet').

Pour donner l'illusion qu'il n'y a pas de fond, ou tout au moins qu'on ne peut évaluer la profondeur, optez pour un fond noir, qui s'intègre bien dans le décor et intensifie les reflets. Le gris et les tons pierre s'associent bien aux plantes. Proscrivez le blanc, trop salissant, et le bleu lagon, agressif et irréel.

Pour suivre la courbe de niveau lorsque vous creusez le trou qui recevra le bac prémoulé, la toile ou la couche de béton étanche, utilisez, en plus d'un niveau à bulle, un tuyau d'arrosage transparent. Remplissez d'eau votre tuyau. Fixez-en une

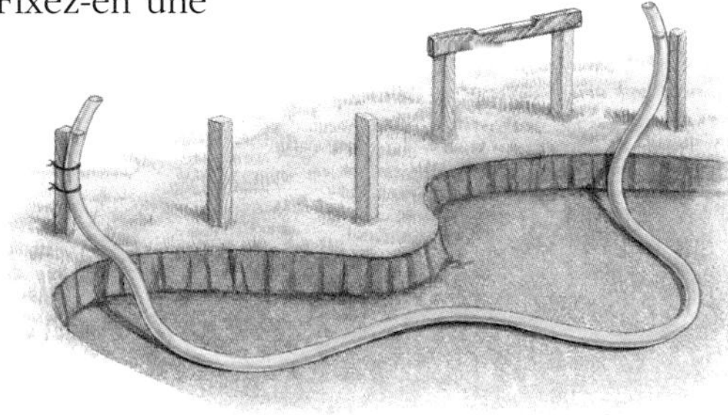

extrémité à un piquet repère. Tirez l'autre extrémité jusqu'à un piquet à installer. Enfoncez le piquet jusqu'à ce qu'il arrive au niveau de l'eau. Recommencez l'opération jusqu'à avoir piqueté tout le tour du bassin. Si 2 piquets sont proches, servez-vous de votre niveau à bulle.

Si vous posez une toile, procédez par temps chaud et ensoleillé. Elle sera plus souple et s'adaptera donc plus facilement au modelé du sol.

Votre bassin est trop profond pour certaines plantes ? Empilez des parpaings ou des briques et posez vos pots dessus.

Remplissage du bassin en douceur. Pour briser le jet d'eau trop brutal, attachez l'extrémité du tuyau avec un fil de fer à l'anse

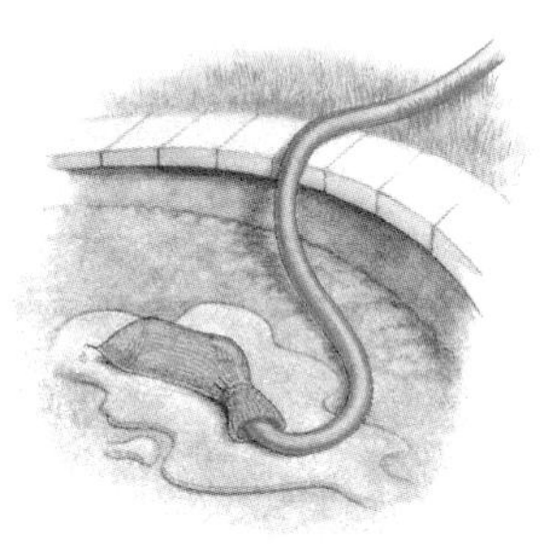

d'un seau ou glissez le tuyau dans une vieille chaussette et maintenez-la avec un élastique.

ENTRETIEN

Ajoutez régulièrement de l'eau en été, lorsque la chaleur cause beaucoup d'évaporation. Pour ne pas effrayer les poissons, ni déchausser les plantes, ni soulever la boue par des tourbillons violents, mettez une chaussette au bout du tuyau comme pour le remplissage du bassin.

Si vous récupérez l'eau de pluie : attention, ne la versez pas dans le bassin si vous avez des gouttières en zinc, car l'oxyde de zinc nuit à la flore et à la faune aquatiques.

Limitez la multiplication des algues en installant quelques plantes à feuilles flottantes qui donneront de l'ombre. En effet, les algues se développent surtout en plein soleil.

Pour éliminer les algues, fixez du grillage à mailles fines entre les dents d'une fourche. Vous obtiendrez ainsi une sorte d'épuisette à long manche. Ne les jetez pas, elles sont chargées d'oligo-éléments et constitueront un excellent engrais pour vos massifs ou votre potager.

Pour éviter les dégâts du gel, en régions tempérées, mettez dans l'eau des bouteilles en plastique lestées d'un caillou au début de l'hiver. La pression de la glace s'exercera sur ces réserves d'air, pas sur les bords du bassin.

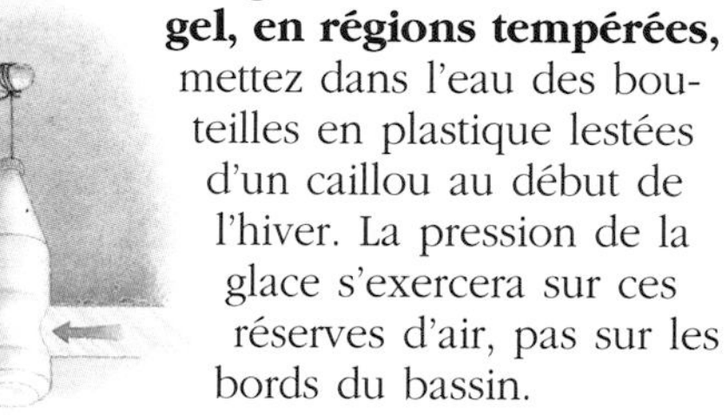

À l'automne, au Québec, videz le bassin d'un quart et jetez-y un ou deux morceaux de bois pour réduire la pression de la glace sur les parois. Les plantes aquatiques tropicales (lotus, papyrus, nénuphars...) doivent être rentrées. Placez leur pot dans des bacs remplis de 3 à 4 cm d'eau ; recouvrez-les de tourbe de sphaigne toujours humide.

▶ **Aquatiques, Bord de l'eau, Feuilles mortes, Filet de protection, Fontaine, Hormone**

Bassinage

À quoi ça sert ? Le bassinage est un arrosage du feuillage en fines gouttelettes, qui augmente l'humidité de l'air. Il limite les pertes d'eau par évaporation, réduisant ainsi les risques de dessèchement ou de flétrissement des feuilles. C'est un remède efficace pour les plantes d'intérieur qui souffrent de l'air chaud et sec, surtout en période de chauffage.

Utilisez une eau non calcaire. L'eau calcaire laisse de petites taches blanchâtres sur le feuillage. Si vous le pouvez, recueillez l'eau de pluie, sinon, acidifiez l'eau calcaire (voir Arrosage).

Pour que l'eau soit à la bonne température, remplissez toujours le vaporisateur quelques heures avant de bassiner les plantes d'intérieur.

Ne bassinez pas vos plantes en plein soleil car les fines gouttelettes déposées sur les feuilles peuvent brûler le feuillage par effet de loupe.

Situez toujours le bassin loin des caduques pour ne pas avoir à ramasser les feuilles en automne.

Protégez les fleurs de cette aspersion qui tache les fins pétales. Utilisez un morceau de carton en guise de cache.

Attention aux feuillages duveteux, comme ceux des saintpaulias, gynuras... : ils n'apprécient pas ce traitement, de même que les cactus, sensibles à la pourriture.

N'oubliez jamais les plantes épiphytes. Dans la nature, elles vivent ancrées sur des troncs d'arbres et utilisent l'humidité de l'air pour leur approvisionnement en eau. En pot, un bassinage quotidien leur est donc indispensable en période de croissance. C'est le cas de nombreuses orchidées tropicales, de broméliacées (tillandsias), de certaines fougères (corne-de-cerf, corne-d'élan).

Pour ne pas endommager vos meubles cirés et autres surfaces fragiles, transportez les plantes sur l'égouttoir de l'évier ou dans la baignoire pour les bassiner sans risque.

Luttez contre les araignées rouges en vaporisant de l'eau tiède sous les feuilles de vos plantes. C'est surtout là, entre feuilles et tiges, qu'elles tissent leurs toiles.

Bain de vapeur express. Placez une cale (un bol retourné) dans un grand saladier. Posez votre plante en pot sur la cale, de sorte qu'elle ne trempe pas dans l'eau. Versez dans le saladier assez d'eau chaude pour faire de la vapeur. Une température de 60 °C suffit largement. Pour que les feuilles retiennent le maximum d'eau, couvrez votre plante d'un torchon. Laissez l'eau s'évaporer et refroidir. Ce « hammam » très simple tonifie les plantes, surtout à la mauvaise saison. Profitez-en pour dépoussiérer les grandes feuilles.

Profitez d'une pluie tiède, entre automne et printemps, pour sortir vos plantes et les exposer quelques heures à cette douche bénéfique. Emballez les pots dans des sacs plastiques si la pluie risque de détremper le terreau.

Au jardin, par temps chaud, douchez arbustes et conifères récemment plantés. Ces végétaux aux racines fragilisées captent plus difficilement l'eau du sol que les plantes bien établies. Utilisez un jet fin et procédez aux heures fraîches de la journée.

▶ **Hygrométrie**

Bêchage

Une bonne bêche. Préférez un manche court. Les outils « pour dames », plus légers, rendent le travail moins pénible. Une poignée au bout du manche facilite la préhension et le soutien de la charge.

Pour un sol lourd, caillouteux, avec racines, abandonnez la bêche, réservée au sol léger, souple et sans cailloux, et prenez une fourche-bêche (voir Argileux).

Pour bêcher une grande surface, louez un motoculteur et achevez le travail à la main, en éliminant les pierres et les racines et en brisant les grosses mottes.

En automne, ou avant les grands froids, laissez les grosses mottes en place. L'action gel-dégel de l'hiver, les pluies, la neige se chargeront de les réduire en fines particules.

Faites la chasse aux indésirables. Pour un bon résultat, éliminez tous les cailloux, les morceaux de racines. Arrachez les mauvaises herbes, surtout celles à longues racines (liseron, bardane, pissenlit, chiendent...).

La meilleure façon de bêcher. Commencez par ouvrir une tranchée. Procédez à reculons. Évacuez la terre dans une brouette ou laissez-la en tas sur le côté, elle servira à reboucher la tranchée finale. Travaillez en deux temps. Plantez d'abord votre fourche-bêche ou votre bêche perpendiculairement à la tranchée, puis plantez-la parallèlement à la tranchée. Vous détacherez ainsi plus facilement chaque motte.

Pour ne bêcher que tous les 3 ou 5 ans, faites-le une bonne fois très profondément, en incorporant beaucoup de matières organiques. Ensuite, ne

marchez jamais sur la surface bêchée, utilisez des planches ou un passe-pieds de brique (amovible). Entre les végétaux, étendez un paillis, qui protégera du tassement et des mauvaises herbes.

Sachez vous ménager. Ne soulevez jamais une bêche pleine de terre, mais faites basculer son contenu. Veillez à ne pas travailler trop longtemps : de 30 à 40 minutes suffisent le premier jour pour éviter courbatures et « overdose ».

Redressez facilement une dent de votre fourche-bêche. Enfoncez dans le sol près de la remise à outils un tuyau galvanisé de 75 cm de long et 2,5 cm de diamètre. Laissez dépasser 25 cm de la terre. Glissez la dent abîmée dans ce tuyau et redressez-la doucement jusqu'à ce qu'elle retrouve sa position initiale.

Bégonia

Pour vous y retrouver dans ce vaste genre botanique, sachez distinguer : les bégonias obtenus par semis, variétés regroupées sous le nom de *Begonia* × *semperflorens-cultorum* — traités comme des annuelles, ils sont très utilisés dans les massifs, en jardinières ou en pots ; les bégonias tubéreux, variétés réunies sous le nom de *Begonia* × *tuberhybrida* — les tubercules sont mis en végétation en fin d'hiver, pour une abondante floraison estivale dans les massifs et surtout les jardinières ; et enfin les bégonias à rhizome ou à racines fibreuses, buissonnants ou arbustifs, à feuillage (et souvent floraison) décoratif, comme les célèbres *Begonia rex* — ces derniers sont cultivés comme plantes d'intérieur. Il convient d'y ajouter les *Begonia* × *elatior* ou bégonias à fleurs, tubéreux et utilisés comme plantes fleuries d'intérieur, proposés essentiellement en hiver.

BEGONIA SEMPERFLORENS

N'enterrez pas les graines de bégonias lorsque vous les semez dans leur terrine. Très fines, elles ont besoin de lumière pour pouvoir germer. Contentez-vous de les poser à la surface.

Imbibez le terreau par en dessous pour éviter de bousculer les graines en arrosant : faites tremper la base de la terrine dans un récipient creux contenant quelques centimètres d'eau. Quand le terreau est humide en surface, ôtez la terrine, laissez-la égoutter avant de la remettre en place.

Autre solution pour un arrosage en douceur : Enfoncez un godet poreux (dont vous aurez bouché le trou de drainage) au centre de la terrine. Remplissez-le d'eau, il diffusera peu à peu l'humidité dans le terreau.

Attendez la fin des risque de gel tardif avant de mettre en place les bégonias de vos massifs et de vos jardinières : ils ne résisteraient pas au gel.

En cas de coup de froid tardif, rentrez à l'abri les potées de bégonias chaque soir et faites-leur passer la nuit dans une pièce fraîche.

Taillez les tiges sur la moitié de leur longueur vers la fin juillet, après la première vague de floraison. Vous conserverez des plantes bien buissonnantes et fleuries jusqu'aux premiers froids.

Rempotez en fin d'été quelques sujets bien vigoureux de vos massifs, dans un terreau ordinaire. Ils poursuivront leur floraison dans la maison pendant plusieurs mois. Taillez éventuellement les tiges pour les inciter à former de nouvelles pousses.

BÉGONIAS TUBÉREUX

Ne lésinez pas sur la qualité des tubercules. Plus ils sont gros à l'achat, plus ils seront florifères. Vous avez le choix entre différentes formes de fleurs, simples ou doubles, frangées, ondulées... Les *Begonia pendula* sont tout indiqués pour les suspensions et jardinières.

Pour les situations ensoleillées, choisissez les multiflores à fleurs simples (*Bertini compacta*) ou doubles ('Non Stop'). Les autres préfèrent la mi-ombre.

Pour planter les tubercules dans le bon sens, repérez la petite pointe sur la face supérieure : c'est elle qui donne la tige, orientez-la vers le haut. Attention, cette face supérieure est concave, ce qui peut porter à confusion. Mettez ces tubercules en culture dès février-mars dans la maison. Placez-les côte à côte, dans des caissettes remplies de tourbe humide, sans les enterrer complètement.

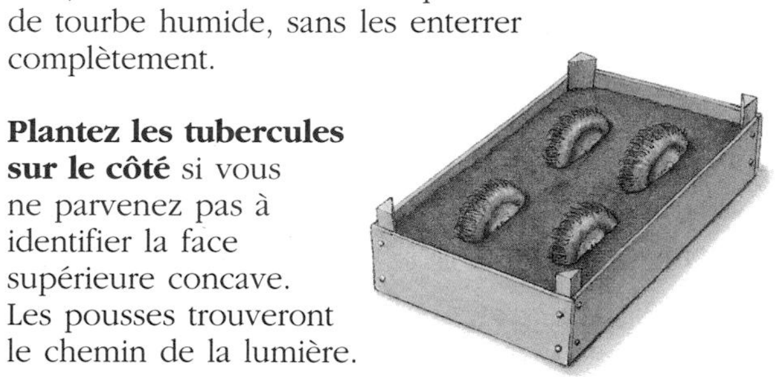

Plantez les tubercules sur le côté si vous ne parvenez pas à identifier la face supérieure concave. Les pousses trouveront le chemin de la lumière.

Les bégonias tubéreux offrent une abondante floraison estivale.

Laissez jaunir le feuillage en fin de floraison. Le cycle de cette plante bulbeuse comprend en effet une période de repos végétatif. Diminuez les arrosages, mais ne laissez pas le terreau sécher complètement.

Faites sécher les tubercules sur des clayettes tapissées de papier journal pendant quelques jours après l'arrachage. S'ils ne sont pas parfaitement secs, ils risquent de pourrir pendant l'hiver. Conservez-les en situation fraîche (de 4 à 10 °C), enfouis dans de la tourbe sèche.

Faites le bon choix

Pour la maison : bégonias à fleurs (*Begonia* × *elatior*), tamaya, bégonias à feuillage décoratif (*B. rex, B. maculata,* bégonia croix-de-fer).
Pour le balcon : bégonias tubéreux à mi-ombre, *Begonia semperflorens* au soleil.
Pour vos massifs : *Begonia semperflorens.*

Si l'automne est humide, poudrez les tubercules avec un fongicide avant de les placer dans la tourbe.

BÉGONIAS D'INTÉRIEUR

Ayez la main légère pour l'arrosage. Les bégonias sont en général très sensibles à la pourriture des racines et s'accommodent mieux d'une sécheresse passagère que d'une humidité stagnante. Arrosez-les toujours avec une eau à température ambiante.

Ne les rempotez pas chaque année, c'est inutile. Ces bégonias se plaisent plutôt à l'étroit dans leur pot, le rhizome de certains débordant largement du pot. Préférez les pots larges et peu profonds.

Pour éviter l'oïdium (petites taches poudreuses blanchâtres sur les feuilles), proscrivez toute vaporisation d'eau en situation fraîche. L'oïdium apparaît en effet surtout en atmosphère humide.

Traitez préventivement avec un fongicide les espèces les plus sensibles à l'oïdium, comme *Begonia corallina* et ses hybrides, *Begonia maculata.* Répétez le traitement toutes les 3 semaines.

Ne supprimez pas les tiges florales des bégonias à feuillage décoratif. Leur floraison légère, généralement blanche ou rose, se marie à merveille avec le feuillage. Ôtez-les en revanche dès que les fleurs fanent pour éviter la formation des graines.

Un bouturage amusant pour les bégonias à grandes feuilles souples (*Begonia rex,* bégonia croix-de-fer). Prélevez une feuille saine, supprimez le pétiole (queue), retournez-la sur une planchette et incisez-la en plusieurs endroits, perpendiculairement à une nervure principale. Plaquez-la ensuite sur la terre de la terrine, face supérieure vers le haut, en la maintenant avec quelques cailloux. Des plantules vont bientôt se développer au niveau des incisions.

Autre solution pour un bouturage facile : Coupez la feuille en morceaux (carrés ou triangulaires) comprenant chacun une section de nervure principale. Piquez ces morceaux de feuille dans une terrine remplie de terreau, en respectant le sens de la montée de la sève. Les plantules se développeront à la base de ces portions de feuille.

Bégonia passion

À la fin du XVIIe siècle, le père Plumier, éminent botaniste, découvrit plusieurs espèces de bégonias à Haïti lors d'un voyage en tant que botaniste du roi Louis XIV. Il dédia ce genre à Michel Bégon, gouverneur de Saint-Domingue, passionné de botanique lui aussi. C'est à Rochefort, en France, qu'arrivèrent les premiers spécimens identifiés par le père Plumier.
Les bégonias, qui étaient passés de mode dans de nombreuses maisons, font depuis quelques années un retour en force, avec d'innombrables espèces et variétés. Il faut citer notamment le tamaya, ce petit arbre d'intérieur, en fait un hybride de *Begonia corallina* greffé sur une autre espèce à tige droite, robuste.
La ville de Rochefort possède maintenant un conservatoire du bégonia à la collection très riche. En Europe, cependant, c'est la ville de Gand, en Belgique, qui est la capitale du bégonia. Chaque année, des milliers de touristes viennent de fin juillet à mi-septembre admirer ses champs fleuris.

Bette à carde

Une plante potagère gourmande. Plus vous lui offrirez de matière organique (compost ou terreau), plus elle donnera des cardes et un feuillage volumineux.

Pour prolonger la récolte. Cueillez les bettes feuille à feuille en commençant par celles du pourtour. Les bettes continueront ainsi à pousser pendant tout l'été jusqu'en automne.

Le meilleur outil. N'utilisez pas de couteau ou de lame tranchante. Vous risqueriez de blesser les tiges du centre, qui ne pourraient repousser. Cueillez-les à la main.

Il existe plusieurs variétés sur le marché. Notez spécialement 'Géant Fordhook' (hauteur 55-70 cm), 'Silverado' (hauteur 30-40 cm) et 'Silver Giant' (40-50 cm).

Si vous n'aimez pas les manger, utilisez les bettes à cardes rouges comme des plantes ornementales. Leur teinte fluo apportera à votre jardin une note de couleur peu commune. Associez-les avec des fleurs comme les capucines et, pourquoi pas, avec d'autres légumes décoratifs, comme les choux d'ornement de couleur rose et mauve, le fenouil bronze, le basilic à feuilles pourpres… En automne, ne les arrachez pas trop tôt. Vous les admirerez alors dans leur somptueux manteau de givre.

Pour vous éviter la corvée de désherbage, cultivez les bettes sur un film de plastique noir en repiquant un pied tous les 40 cm.

Astuce de cuisson. Vous relèverez le goût des bettes en les faisant cuire dans de l'eau citronnée. Accommodez-les à votre goût, d'une béchamel ou de fromage râpé gratiné.

Betterave

Pour gagner du temps, faites prégermer les graines en les trempant pendant 24 heures dans de l'eau tiède légèrement vinaigrée ou citronnée. Puis semez-les en place directement en mai. Vous gagnerez une dizaine de jours.

Quelle quantité semer ? Comptez en moyenne 2 m linéaires (soit une dizaine de légumes) par personne. Doublez les doses si vous prévoyer des conserves pour l'hiver.

Pour une récolte précoce. Préparez les plants en serre dès le mois d'avril dans des godets remplis de terre de jardin et repiquez-les dès qu'il ne gèle plus en les protégeant d'un voile de forçage.

Découvrez les betteraves « primeur ». Cueillez-les dès qu'elles atteignent la taille d'une balle de golf ; vous obtiendrez le meilleur rapport production/qualités gustatives. Pour ce type de récolte, semez tous les 10 cm.

Les variétés tardives se gardent plusieurs mois, à condition de les récolter en automne, avant les gelées. Laissez les racines sécher une journée à l'air, à l'abri de la pluie. Coupez le feuillage en le tordant à la main et enlevez grossièrement la terre.

Surprenez vos invités. Toutes les betteraves ne sont pas rondes et rouges. Jouez avec les formes des variétés très allongées ('Cylindra') ou de petite taille ('Miniature', petite racine ronde rouge foncé, 2 à 3 cm de diamètre) ; ou encore choisissez une variété à fruit jaune telle 'Jaune Doré'. Si vous voulez une betterave qui se conserve tout l'hiver, optez pour 'Lutz Green Leaf'.

Pour bien les conserver, mettez-les à la cave dans une caisse remplie de sable, avec les carottes, les navets et le céleri, ou stockez-les dans de la tourbe juste humide à une température entre 0 et 5 °C.

Betteraves : faites le bon diagnostic

QU'EST-CE QUI NE VA PAS ?	POURQUOI ?	QUE FAIRE ?
Les racines sont fourchues	Présence de cailloux ou de fumier pailleux dans le sol	N'apportez plus de fumier et enlevez les pierres
Les racines sont petites et le feuillage trop développé	La terre est trop riche en humus	Cessez tout apport d'engrais et de compost
La saveur est âcre	Le terrain est trop sec ou trop acide (pH 6)	Arrosez davantage ou maintenez un pH entre 6 et 8
Les racines sont ligneuses	Récolte trop tardive des variétés précoces	Récoltez à la date conseillée
Les racines sont grosses, mais ligneuses et fades	Éclaircissage trop large	Cultivez les betteraves plus près les unes des autres (20 cm)

Ne jetez pas systématiquement le feuillage des betteraves. Récoltez les jeunes feuilles et servez-les en salade.

Crues ou cuites ? On oublie souvent que les betteraves sont délicieuses crues, râpées comme les carottes. Vous pouvez les servir mélangées à d'autres légumes râpés. Les meilleurs variétés à déguster sous la cendre sont 'Red Ace', 'Detroit Suprême', 'Detroit Rouge Foncé' et 'Reine de Rubis'. Vous pouvez aussi les faire cuire au four à 160 °C pendant 1 à 2 heures ; une fourchette doit pénétrer facilement dans la chair. Servez avec la peau et une noix de beurre.

Doigts rouges ? Frottez-les avec le jus ou la peau d'un citron ; la couleur disparaîtra.

▶ **Potager**

Binage

Pour les travaux délicats, utilisez une petite binette à oignons (large de 6 cm) ou une griffe à trois dents. Ces outils étroits se faufileront partout entre les fleurs et les légumes sans les abîmer.

Faites des économies d'eau. En binant régulièrement, vous empêcherez l'eau du sol de remonter trop vite à la surface et vous permettrez à l'eau d'arrosage ou de pluie de pénétrer plus facilement dans la terre.

Le meilleur moment. Binez au printemps et en été, après un arrosage ou une forte pluie, pour empêcher la terre de former une croûte. Les binages de printemps ont également tendance à réveiller les graines enfouies.

Peut-on biner à l'automne ? Oui, si le sol n'est pas gelé : cela permet de détruire bien des larves de parasites hivernant au pied des arbres.

Bisannuelles (plantes)

Comment les distinguer ? Un développement en deux temps caractérise leur cycle végétatif. Semées en début d'été, elles développent avant l'hiver une rosette de feuilles ou des tiges ; les fleurs apparaissent au printemps suivant. Ce sont bien souvent des variétés améliorées d'espèces qui appartiennent à notre flore sauvage, comme la matricaire ou le myosotis. Sont également cultivées comme des bisannuelles certaines plantes vivaces éphémères — benoîte, cheiranthus, digitale, rose trémière.

ENTRETIEN

Couvrez d'une fine couche de tourbe vos semis de digitales et de pensées. Vous faciliterez ainsi la germination et retiendrez l'humidité dans le sol.

Ne négligez pas l'arrosage après les semis de début d'été. N'oubliez pas d'équiper votre arrosoir d'une pomme fine pour ne pas bousculer les graines.

Pour réussir le repiquage des bisannuelles, arrosez copieusement avant et après, même par temps humide. Si le temps est sec, faites plus : arrosez les plants la veille du repiquage et mouillez bien la terre qui va les accueillir.

Attention au cheiranthus. L'espèce bisannuelle, *Cheiranthus allionii* (connue également sous le nom de *Erysimum asperum*), possède des fleurs orangées. Ne la confondez pas avec des espèces non rustiques telles *Cheiranthus cheiri* ou encore *C.* 'Bowles Mauve'.

Une campanule bisannuelle. La majorité des campanules sont des plantes vivaces. Une espèce, cependant, est bisannuelle : *Campanula medium calycanthema.* D'une hauteur de 60 à 80 cm, elle possède de grosses cloches pendantes de couleur blanche, rose, bleue ou violette et qui exhalent un doux parfum. Cultivez cette campanule par semis au printemps ; elle fleurira la saison suivante.

Les bisannuelles hautes, comme les campanules, permettent de cacher un mur disgracieux derrière un abondant rideau de fleurs.

Coupez les roses trémières à la base des tiges dès la fin de la floraison. Vous les conserverez ainsi plusieurs années. Si vous les laissez former des graines, elles ont toutes les chances de se ressemer ailleurs au gré des vents.

Taillez l'épi principal des pieds de digitale dès qu'il est défleuri. Vous favoriserez la poursuite de la floraison, sous forme de tiges latérales.

UTILISATION

Pour ne pas dégarnir vos massifs de fleurs, cultivez des bisannuelles dans votre potager ou dans un coin discret et abrité du jardin. Vous pourrez les cueillir pour vos bouquets. Campanules, digitales (attention, elles sont toxiques), pavots d'Islande, benoîtes et cheirantus conviennent pour de grands vases, les œillets de poète pour de petits vases.

Un mariage réussi pour le début du printemps. Associez bisannuelles et bulbes. Optez pour des bisannuelles basses, comme myosotis, pensées, eustomas, et, au contraire, des plantes bulbeuses qui domineront, comme tulipes, narcisses, jacinthes... Plantez-les en automne en

commençant par les bulbes, puis intercalez les plants de bisannuelles. Respectez la densité de plantation habituelle (20 cm pour les eustomas, 15 cm pour les myosotis). Les tiges des plantes bulbeuses traverseront sans difficulté le tapis de bisannuelles.

Facilitez-vous la tâche ! Adoptez les bisannuelles qui se ressèment toutes seules, il suffit de les laisser former des graines avant de les arracher : myosotis, digitale et monnaie-du-pape à mi-ombre, benoîte au soleil. En terrain sec et caillouteux, offrez-vous les gigantesques chandelles de la molène. Si ces plantes prennent trop d'importance à votre goût, il vous suffit de désherber avant floraison.

Des bouquets secs argentés. Outre ses enveloppes de graines qui sont utilisées dans les bouquets séchés, la monnaie-du-pape offre une belle fleur, très semblable de par sa forme à la julienne des jardins (*Hesperis matronalis*). Sa floraison blanche ou pourpre, au mois de juin, agrémente bien un coin de bisannuelles ou de vivaces.

Coupez les tiges de la monnaie-du-pape lorsque les fruits sont secs. Frottez délicatement ces disques plats entre vos doigts : les membranes brunes externes se détacheront pour laisser la membrane centrale argentée et brillante.

Blanchiment

Des frisées ou des scaroles blanches, tendres et sans amertume ? Protégez-les de la lumière en fin de végétation. Pour cela, couvrez-les avant la récolte d'une assiette, d'un pot de fleurs ou d'une cloche de plastique opaque.

Pour les autres légumes (poireaux, céleri-branche, cardes...), entourez le pied des plantes de papier journal ou de plastique et buttez leur base d'un petit monticule de terre.

▶ Froid

Blessure

Coupe d'un chicot. Pour obtenir une coupe nette, assurez-vous d'avoir un outil très bien aiguisé. Que ce soit lors de l'élagage ou de la coupe d'un chicot, le collet de la branche ne doit jamais être touché, ni l'écorce du tronc.

Produits de recouvrement des blessures. Leur utilisation devient inutile lorsque l'angle de coupe a été respecté (voir Élagage). En effet, l'arbre sécrète, au collet de la branche, des substances protectrices contre l'entrée des micro-organismes. L'application de goudron peut même être néfaste : il se fend après quelques saisons et sa couleur noire attire soleil et humidité, créant ainsi un lieu propice aux champignons.

Si une branche se fend ou menace de se fendre, n'essayez pas de la cercler pour la retenir, sauf provisoirement. Un cerclage deviendrait vite une entrave à son développement. Posez une tige métallique en travers, maintenue par des écrous et des rondelles. La branche pourra continuer à grossir après cicatrisation.

Si un arbre est blessé par accident. Avec un couteau ou une serpette bien affûtés, taillez la blessure en forme la plus ronde possible (évitez les formes ovales) pour permettre l'irrigation complète de la sève sur la cicatrice, qui se refermera alors très bien.

Bleuetier

Voir Myrtillier

Bois

Le bois de chauffage. Abattez-le en période de repos de végétation, c'est-à-dire entre la Toussaint et Pâques. Comptez 2 ans de séchage avant utilisation. 1 kg de bois sec remplace 330 ml de mazout. Les meilleurs bois de chauffage sont : le charme, le chêne, le hêtre, l'érable, le pommier, le noyer, l'orme, le peuplier et le pin.

Un tas de bois qui se tient. Plantez 2 solides piquets d'au moins 10 cm de diamètre de chaque côté du tas, à 50 cm de profondeur dans le sol. En cas de terre meuble, bloquez-les avec de gros cailloux. Rangez ensuite les bûches, en commençant si possible par les plus grosses et en alternant une couche de bois dans un sens, la suivante dans l'autre, et cela jusqu'à 1,80 m de haut (hauteur moyenne facilement accessible pour un adulte).

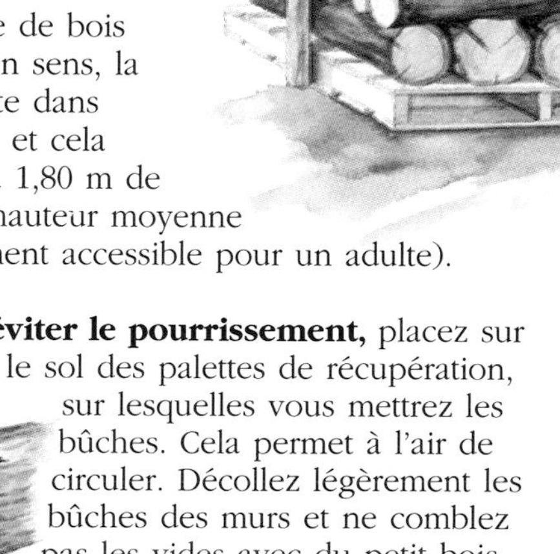

Pour éviter le pourrissement, placez sur le sol des palettes de récupération, sur lesquelles vous mettrez les bûches. Cela permet à l'air de circuler. Décollez légèrement les bûches des murs et ne comblez pas les vides avec du petit bois.

Protégez votre tas de bois contre la pluie. Couvrez-le d'une bâche et placez dessus une dernière rangée de bûches, qui maintiendra et camouflera le plastique.

Le petit bois difficile à stocker. Ramassez-le dans des sacs en papier de la taille de votre foyer. Vous allumerez le feu avec un paquet entier, il n'y aura pas de brindilles éparses. Ne faites pas des paquets trop gros : il s'agit uniquement d'aider le feu à prendre.

Descente en direct. Vous rangez votre bois à la cave ou dans un cellier enterré ? Fabriquez un toboggan rustique sur lequel vous ferez glisser le bois par la fenêtre ou le soupirail.

Longue vie pour vos tuteurs en bois. Badigeonnez-les d'huile de vidange. Lavez-les après usage et stockez-les toujours au sec.

Trempez dans un seau de goudron éléments de pergola, poteaux... Le bois deviendra presque imputrescible. Évitez de placer des plantes à proximité de ce produit, les racines le supportent mal.

Calcinez la surface des poteaux en bois et des pieux rustiques en les passant longuement au feu : ils seront beaucoup plus résistants à l'humidité.

Un habillage en bois. Décorez des buses de ciment ou des bacs ordinaires avec des rondins coupés en deux dans le sens de la longueur. Vous obtiendrez de jolies jardinières à peu de frais.

Bonsaïs

ACHAT

Espèce d'intérieur ou d'extérieur ? Tout dépend si vous souhaitez pouvoir rentrer la plante ou non. Les espèces dites d'intérieur sont souvent des sujets de climats tropicaux, elles supportent donc mieux que les autres l'atmosphère de nos maisons, ce qui ne les empêche pas d'apprécier un petit tour au jardin ou au moins sur un rebord de fenêtre. Les sujets d'extérieur ne peuvent venir décorer l'intérieur que pour 1 à 2 journées, pas plus, sous peine de voir les feuilles sécher et tomber.

Comment le choisir ? Vérifiez d'abord l'enracinement en observant la motte : le système radiculaire doit s'étaler autour du tronc sans chevauchement. La structure de l'arbre doit s'élever avec naturel, les branches être fermes et solides, réparties avec élégance, le feuillage touffu. Choisissez plutôt un sujet à feuilles caduques : l'absence des feuilles permet en effet de mieux apprécier sa silhouette en hiver. S'il porte des fruits ou des fleurs, ils doivent être relativement miniaturisés, sauf chez la glycine, dont les fleurs restent longues. Le pot sera impérativement percé de trous de drainage, qui ne devront jamais être bouchés.

Un cadeau empoisonné. La culture d'un bonsaï demande attention, connaissance, présence. N'offrez pas un tel sujet à quelqu'un qui n'en a pas manifesté l'envie, ne sait pas être attentif ou s'absente régulièrement.

SITUATION

Sur un piédestal. Placez votre bonsaï en hauteur, sur une tablette ou un tabouret (si possible tournant). Il y sera à l'abri des parasites du sol, des animaux domestiques ou visitant le jardin. Vous serez à la bonne hauteur pour prodiguer les soins, qui peuvent être quotidiens à la belle saison.

Une place bien définie. Ce n'est pas parce que la plante est en pot qu'il faut la déplacer : elle n'aime pas cela. Offrez-lui de la lumière en la protégeant du soleil direct, surtout entre 11 et 16 heures. Évitez-lui aussi les courants d'air, les coups de vent, et, à l'intérieur, la proximité d'une source de chaleur.

Ne rentrez jamais un bonsaï d'extérieur dans la maison ou en serre pendant l'hiver. La chaleur déclencherait la circulation de sève, et donc le bourgeonnement hors du cycle naturel, ce qui lui serait fatal.

En cas de gel, entourez le pot avec du plastique à bulles, plusieurs épaisseurs de

Placés sur des tablettes, les bonsaïs sont à l'abri des parasites du sol et des animaux domestiques. De plus, ils sont à la bonne hauteur pour les soins.

laine de verre, une boîte en polystyrène, de la paille ou une toile géotextile... Retirez cette protection dès que le coup de froid n'est plus à craindre.

Si votre bonsaï d'extérieur est couvert de neige, ne la retirez pas, c'est un excellent isolant thermique naturel.

ENTRETIEN

Un outillage spécialisé. Au départ, seuls une très bonne paire de ciseaux et un vaporisateur vous suffiront. Viendront ensuite la pince à branches, la griffe de rempotage, le fil de laiton, la pince à couper les ligatures... Chaque outil proposé dans le commerce correspond à un acte précis. Attention, l'engrais, le produit de traitement et la terre de rempotage sont indispensables et doivent être parfaitement adaptés à ce type de culture.

L'excès d'humidité est toujours nocif. Évitez les soucoupes pleines d'eau, qui asphyxient les racines. Si la terre est très sèche, trempez le pot dans une cuvette, puis faites-le égoutter en l'inclinant d'un côté (même conseil après un excès de pluie).

Arrosez uniquement lorsque la motte commence à se dessécher, si possible le matin (surtout en cas de risque de gel nocturne). Utilisez de l'eau de pluie ou de l'eau non calcaire. Si votre eau du robinet est dure, acidifiez-la (voir Arrosage).

Vaporisez très régulièrement, et même quotidiennement en intérieur, avec une eau non calcaire (pour éviter les taches blanches sur le feuillage) et jamais en plein soleil, car les gouttes forment loupe et peuvent brûler le feuillage. Protégez les fleurs qui n'aiment pas l'eau avec un morceau de carton.

Faites pousser de la mousse au pied des bonsaïs. C'est décoratif mais c'est surtout un bon moyen de surveiller les besoins en eau des plantes. Aidez-la à pousser en entourant le pot pendant 1 semaine d'un sac de plastique transparent, qui fait office de serre.

Les espèces les plus faciles

Arbres à feuilles caduques
- aubépine
- azalée
- bouleau à papier
- érable rouge
- micocoulier occidental
- pommetier
- prunier à fleurs
- orme d'Amérique

Conifères
- épinette blanche
- épinette noire
- genévrier commun
- mélèze laricin
- pin gris
- pin rigide
- pin sylvestre
- pruche de l'Est
- thuya occidental

Une tradition séculaire

Le mot bonsaï est composé des termes japonais *bon*, qui signifie pot, récipient de terre cuite, et *saï*, arbre. Il désigne donc un arbre cultivé en pot. Ce type de culture a vu le jour en Chine au IIIe siècle avant J.-C., mais ce sont les moines bouddhistes japonais qui en ont développé l'art en définissant des canons esthétiques et philosophiques. L'arbre et son pot sont indissociables, leur équilibre doit être parfait, puisqu'il tend à reformer le naturel avec harmonie.

Engrais : achetez un produit spécial pour bonsaïs, à décomposition lente ; n'utilisez jamais d'engrais pour plantes vertes. Faites des apports faibles mais réguliers, au printemps et à l'automne. Ne donnez pas d'engrais à une plante malade, ou juste après le rempotage.

Rempotez environ tous les 2 à 3 ans, de préférence au printemps. Changez la terre et retaillez les racines d'un tiers. Plus l'arbre vieillit, moins on doit le rempoter.

Pincez les pousses de conifères entre le pouce et l'index. Supprimez les rejets sur le tronc et la base. Faites cette opération du printemps à l'automne.

Procédez à la taille de structure en hiver pour que la plante souffre moins. Cicatrisez les grosses plaies avec du mastic.

Ligatures. Vous pouvez ligaturer tout au long de l'année en intérieur, mais plutôt en hiver sur les conifères. Changez le fil de laiton dès que la forme souhaitée est prise.

Bord de l'eau

Créez une perspective. Plantez les grandes espèces sur la rive éloignée, les plus petites sur la rive proche de la pièce d'eau par rapport à son principal angle de vue dans le jardin (souvent de la maison).

Si vous bordez votre bassin de gravillons ou d'écorce broyée, installez une retenue : traverses de chemin de fer, briques... Vous éviterez ainsi que les gravillons ou les copeaux d'écorce ne tombent dans l'eau.

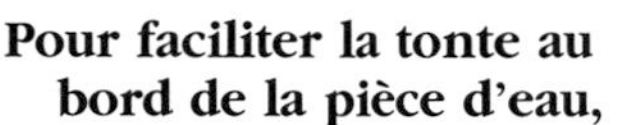

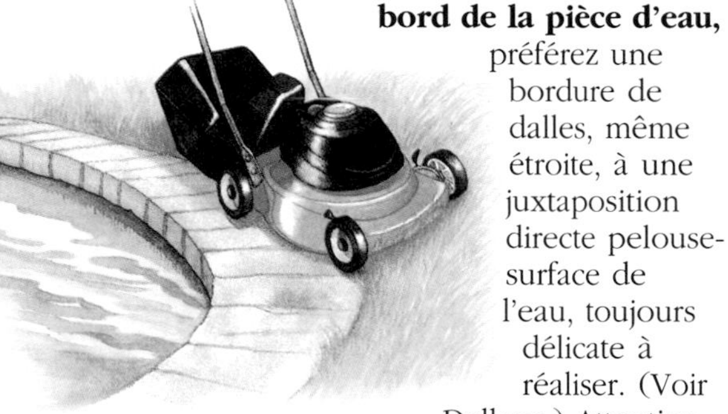

Pour faciliter la tonte au bord de la pièce d'eau, préférez une bordure de dalles, même étroite, à une juxtaposition directe pelouse-surface de l'eau, toujours délicate à réaliser. (Voir Dallage.) Attention, proscrivez tout revêtement glissant (dangereux par temps de pluie).

Ayez le sens de la mesure. Une pièce d'eau entièrement bordée de végétation luxuriante, surtout si elle est petite, donne une impression d'étouffement. Prévoyez des ouvertures : bordure de dalles ou de bois, pelouse, plage de galets... ne serait-ce que pour faciliter l'accès à l'eau et l'entretien des plantes aquatiques. Évitez d'agrémenter un petit bassin de plantes gigantesques et spectaculaires, aussi tentantes soient-elles — comme le macleaya ou l'héracléum —, qui seraient tout à fait disproportionnées.

Ne plantez pas trop serré les plantes de berge, sans quoi vous devrez vous débattre dans une véritable jungle ! Respectez une distance de 50 à 60 cm pour les grandes plantes (lysimaque, salicaire, petasites...), et 40 cm pour les plus petites (populage, hostas). Évitez au bord des petits bassins les mimulus, salicaires, certaines renouées, menthes, épilobes et *Houttuynia cordata*.

Masquez le film plastique ou les bords maçonnés du bassin avec des plantes couvre-sol de terrain frais : hostas, alchémille, bergénia, populage, *Polygonum affine, Lysimachia nummularia*, fougères.

Soulignez l'effet apaisant de l'eau en l'entourant de larges taches de feuillages spectaculaires et contrastés, comme ceux des hostas, iris et fougères, éclairées par quelques floraisons douces et légères (astilbes, salicaires, primevères du Japon). Évitez en règle générale les massifs très colorés.

Attention aux feuilles mortes. En tapissant la surface de l'eau, elles risquent de mettre en péril l'équilibre biologique du bassin. Tendez un filet à la surface de l'eau pendant quelques semaines en automne ou récupérez-les (voir Feuilles mortes).

▶ **Aquatiques, Bassin, Bordure**

Bord de mer

Plantez toujours au printemps dans nos régions froides. Vos plantations n'auront pas à souffrir des vents violents et des tempêtes de la mauvaise saison. Si les conseils qui suivent conviennent aux climats tempérés, ils s'appliquent aussi à nos climats plus rudes.

Protégez vos jeunes sujets avec un brise-vent pendant 2 à 3 ans. Ils auront moins de mal à s'installer et rattraperont rapidement des arbres plus grands.

Fixez bien les plantes palissées en doublant les points d'attache sur leurs supports le long des murs de la maison. Elles ne se décrocheront pas et pousseront plus rapidement.

Plantes de bord de mer : faites le bon choix

Des plus résistantes aux plus délicates

Conifères et persistants	Arbres caducs	Arbustes	Fleurs	Bulbes
laurier-rose	peuplier deltoïde*	tamaris*	santoline*	*Amaryllis belladonna*
raisin-d'ours*	peuplier faux-tremble*	*Elaeagnus angustifolia**	gazania*	anémone*
pin d'Autriche*	érable de Norvège*	*E. commutata**	*Lotus corniculatus**	agapanthe
pin gris*	mûrier blanc*	*Hippophae*	coronille*	nérine
pin mugho*	platane	groseillier alpin*	romarin (non rustique)	galtonia
pin rouge*	arbre de Judée	genêt*	arméria*	tulipes basses*
laurier-tin	saule marsault*	shépherdie argentée*	lavande*	narcisses botaniques*
chêne vert	chamaerops	sumac vinaigrier*	graminées basses*	
genévrier horizontal 'Douglasii'*	*Sorbus aria**	chèvrefeuille*	chardon bleu*	
genévrier horizontal 'Plumosa'*	sycomore	vigne vierge*	euphorbes*	
genévrier sabinier 'Tamariscifolia'*	bouleau*	caraganier de Sibérie*	hélianthème*	
	ailante	lilas commun*	millepertuis*	
	charme*	rosier rugueux*	iris nain*	
	hêtre*	séneçon	sauge*	
	frêne*	yucca	fuchsia (non rustique)	
	chêne rouvre	choisya	pélargonium (non rustique)	
	cerisier de Pennsylvanie*	cytise*		
		robinier hispide*		

* Pour zones maritimes dans le nord-est du continent nord-américain

Soignez le tuteurage, car un arbre dont les racines bougent beaucoup ne peut pas pousser normalement. Plantez le tuteur incliné du côté opposé au vent dominant. Fixez-le le plus haut possible sur le tronc. Utilisez un collier muni d'un tampon isolant (mousse, caoutchouc) ou un lien croisé. Cela évitera les frottements directs entre le tuteur et l'écorce de l'arbre. Pensez à le resserrer régulièrement pour éviter le jeu.

Haubanez les grands arbres si vous les plantez en situation très ventée. Prévoyez trois câbles maintenus au sol par de solides piquets. Fixez-les sous le départ des branches charpentières.

Organisez les plantations pour obliger le vent à monter au-dessus du jardin tout en le filtrant pour l'affaiblir. La ligne la plus exposée sera assez basse, composée de buissons très résistants au vent et aux embruns. Remplacez-la éventuellement par un muret ou un filet brise-vent. La deuxième sera un peu plus haute (de 2 à 4 m), et la dernière encore plus haute (de 6 à 10 m). Cette triple barrière vous protégera sur une profondeur de 100 m environ. Vous pourrez jardiner tranquillement et cultiver des plantes plus délicates.

Petit calcul. Une haie protège un jardin sur une profondeur égale à dix fois sa hauteur… Bon à savoir avant de choisir les végétaux qui la composeront !

Tendez des filets spéciaux sur des piquets solides si vous n'avez pas assez de place pour planter une haie naturelle. Mesurant 2 m de haut, ils laissent passer environ 40 % du vent. C'est une bonne moyenne, et cela évite les effets de turbulence.

Des écrans naturels. Fabriquez-vous des écrans de bruyère. Masquez-les avec quelques plantes grimpantes fleuries. Ou installez une double rangée de grillage, large de 10 cm, et remplissez-la de bruyère, de branches de genêt ou d'aiguilles de pin. Ou encore posez un grillage à larges mailles (type grillage à mouton) et tressez dedans des branches de genêt ou des bruyères.

Des oasis pour se reposer. Un vent permanent vous fatigue ? Aménagez des coins abrités avec des arbustes persistants ou des claustras.

Protégez le sol qui se dessèche en permanence sous l'action du vent. Plantez des végétaux couvre-sol et épandez le plus de paillage possible partout où la terre est travaillée (écorces ou végétaux broyés, galets, graviers…).

Un bon lavage au jet est nécessaire dans les plus brefs délais après une forte tempête pour éliminer les embruns sur les feuillages. Utilisez une lance à haute pression pour atteindre les branches hautes. Les sujets persistants et les conifères sont les premières victimes de ces brûlures. N'attendez pas que la pluie fasse le travail pour vous, ce n'est pas suffisant.

Pour stabiliser le sol à l'endroit où le sable ou les galets ne laissent aucune chance à la bonne terre, plantez les végétaux les plus résistants : oyats, tamaris, fusain vert, atriplex, olivier de Bohême… Protégez-les avec des bouchons de paille,

comme le montrent nos illustrations. En Floride et en zones non gélives, ajoutez les griffes-de-sorcière, les succulentes, les agaves et les aloès, le pittosporum.

Bordure

Pour tracer une bordure droite, utilisez une planche et un cordeau. Tranchez la terre avec une bêche bien affûtée en suivant le bord de la planche alignée sur le cordeau.

Pour tracer une bordure courbe, utilisez un tuyau d'arrosage ou une corde posés sur le sol. Tranchez la terre en suivant le tuyau, que vous aurez calé avec quelques piquets.

Les bons outils. Une bêche bien affûtée suffit en général. Pensez à lui ajouter, pour le confort et l'efficacité, un manche à béquille. Sinon, il existe des outils spéciaux pour trancher les bordures : vous travaillerez un peu plus rapidement en terre légère. Les dresse-bordure motorisés ne sont rentables que pour les très grandes pelouses bordées de nombreux massifs. Pour fignoler les bordures des pelouses, équipez-vous d'une cisaille

spéciale munie d'un long manche ou d'un taille-bordure à fil. Ces petits engins (à moteur électrique ou à essence) sont très utiles pour bien d'autres travaux de nettoyage ou les petites tontes.

Une bordure « béton » faite maison. Creusez une gouttière de 10 cm de largeur et de profondeur le long d'un massif ou d'une allée. Coulez du béton dedans. Pour éviter les cassures, intercalez de fines planchettes tous les mètres.

Des bordures en dur. Aux bordures de ciment, efficaces mais assez coûteuses, préférez les dalles de pierre naturelle ou reconstituée (voir Dallage). Pour une solution économique, utilisez des matériaux de récupération : briques, pavés, pierres des champs... Pensez aux anciennes traverses de chemin de fer, pendant qu'il en existe encore ! Ce matériau quasiment imputrescible peut être taillé et enterré. Vous vous en procurerez dans les jardineries et dans les cours à bois.

Facile et élégant : une bordure de fascines. C'est ainsi qu'on faisait les bordures autrefois. La technique est simple. Plantez des petits piquets de bois tous les 15 cm, chaque piquet dépassant de 20 à 30 cm selon la hauteur souhaitée. Ensuite, entrelacez des branches de saule comme si vous tressiez un panier. Vous pouvez dessiner des massifs, ou longer une allée plus longue. Derrière, vous pouvez planter des fraisiers, des petites plantes fleuries ou des herbes aromatiques.

Entretenez les bordures tracées dans l'herbe. Dressez-les au moins 2 fois par an pour éviter que l'herbe ne gagne le massif.

Limitez le développement des plantes envahissantes. Millepertuis, pervenches, potentilles... s'échappent des massifs. Retenez-les par des bordures de tuiles plates ou d'ardoises, enfoncées verticalement. Faites une fente avec une bêche pour les introduire plus facilement.

Pour des bords de gazon bien nets, creusez un petit sillon large de 5 cm. Remplissez-le d'un mélange de graines de gazon et de terreau. Tassez et arrosez. Choisissez des graminées solides et non traçantes, comme le pâturin des prés, la fétuque ovine ou le ray-grass.

Une bordure abîmée ? Découpez un rectangle de gazon incluant la partie abîmée. Retournez-le et replacez-le de façon que la partie abîmée se retrouve à l'intérieur de la pelouse. Ressemez si besoin. La « plaie » se refermera bien vite.

Bordures : faites le bon choix

	Espèces	Hauteur	Remarques
Bordures à tailler	buis 'Green Mound'	90 cm	Feuillage vert foncé à l'année ; supporte plein soleil ou mi-ombre. Tailler au printemps.
	gadelier alpin	180 cm	Feuillage dense, vert foncé devenant jaune à l'automne. Supporte aussi bien soleil qu'ombre. Pour utilisation en haie taillée, on peut procéder de juin à septembre.
	lavande 'Hidcote'	30 à 40 cm	Floraison bleue parfumée, à partir de fin juin jusqu'au mois d'août. Protéger la plante en hiver d'un paillis épais, de bois, de paille ou de feuilles déchiquetées.
	physocarpe à feuilles d'obier nain	60 cm	Floraison blanche, abondante, au printemps. Peut croître au soleil ou à la mi-ombre.
Bordures libres	alchémille mollis	30 à 50 cm	Vivace, feuillage vert, floraison jaune de juin à août.
	bergénia hybride	30 à 50 cm	Vivace, feuillage vert à bronze selon les variétés, décoratif en hiver. Fleurs blanches, roses ou rouges selon les variétés.
	capucine	20 à 30 cm	Annuelle, feuillage vert, floraison rouge, orange ou jaune en été et en automne.
	fétuque bleue	15 cm	Graminée aux tiges bleutées, demande plein soleil.
	heuchère 'Palace Purple'	40 à 50 cm	Vivace, floraison blanc crème, feuillage bronze pourpre, décoratif tout l'été et l'hiver. Demande plein soleil.
	hosta	30 à 60 cm	Vivace, feuillage ornemental, différent selon les variétés, floraison blanche à violet en juillet. Demande mi-ombre ou ombre.
	iris nain	15 à 25 cm	Vivace, floraison en mai de toutes les couleurs selon les variétés.
	népéta 'Blue Wonder'	25 à 30 cm	Vivace, feuillage odorant, fleurs bleu lavande de juin à septembre.
	œillet mignardise	25 à 30 cm	Vivace, feuillage bleu-gris, fleurs simples ou doubles de couleur blanche, rose, rouge ou saumon selon les variétés.
	viorne obier naine	60 cm	Arbuste nain, feuillage vert clair devenant rouge à l'automne. Pas de floraison.
Bordures pour le potager	ciboulette	30 cm	Vivace aromatique dont le feuillage disparaît en hiver.
	hysope	40 cm	Vivace aromatique, floraison bleue, blanche ou rose en été, à tailler en hiver.
	origan doré	40 cm	Vivace aromatique, feuillage jaune clair.
	oseille	30 cm	Vivace potagère, feuillage vert ou pourpre disparaissant partiellement en hiver.
	sarriette	30 cm	Vivace aromatique, floraison blanche en été.
	sauge officinale	30 cm	Vivace aromatique, feuillage grisâtre.
	thym	10 à 30 cm	Vivace aromatique, nombreuses formes rampantes ou érigées, feuillage vert ou panaché de blanc, floraison rose en été.

Des bords de pelouse faciles à tondre. Laissez affleurer mais ne faites jamais dépasser du niveau du sol les pierres, les briques ou les traverses de bois qui bordent votre pelouse. Vous pourrez ainsi faire rouler dessus les roues de la tondeuse, qui restera bien horizontale.

Constituez votre propre pépinière. Les plantes de bordure risquent de vous coûter fort cher si vous devez les acheter en godets. Il vaut mieux vous procurer quelques plants plus forts, que vous utiliserez comme pieds mères pour vous fournir en boutures. Installez-vous un petit châssis, dans lequel vous repiquerez en fin d'été des boutures qui seront prêtes au printemps suivant. N'oubliez pas que certaines plantes, comme les lavandes, l'oseille, le romarin ou les népétas, peuvent se semer. C'est plus long, mais plus économique.

▶ Bord de l'eau

Boule (port en)

Une boule parfaite. Fabriquez-vous une forme en fil de fer. Piquez-la en terre et faites-la tourner au fur et à mesure du travail.

Pour une coupe d'entretien, taillez d'abord les tiges dures au sécateur, puis arrondissez la silhouette à la cisaille.

Votre plante a perdu sa forme boule initiale ? Coupez les branches rebelles à la scie. Retaillez branches secondaires et tiges au sécateur. Terminez par les feuilles.

Bouleau

Arbres feuillus très appréciés dans l'aménagement paysager pour leur écorce caractéristique qui s'exfolie avec l'âge, leur port léger et gracieux, la coloration jaune dorée de leurs feuilles à l'automne et leur croissance rapide. Il faut noter qu'ils sont parfois sensibles aux attaques de la mineuse. Mais les espèces suggérées ci-dessous sont peu ou pas attaquées par la mineuse du bouleau.

Faites le bon choix

Bouleau jaune (zone 3b) : arbre atteignant 20 à 25 m de hauteur. Écorce jaunâtre ou bronzée ; feuillage vert foncé devenant jaune à l'automne.
Bouleau à papier var. *Kenaica* (zone 3) : arbre atteignant 13 m. Cette variété de bouleau à papier est peu attaquée par la mineuse. Écorce blanche, fissurée de noir, très décorative en toute saison.
Bouleau pleureur (zone 2) : arbre atteignant 10 à 15 m. Ses branches légèrement retombantes, son écorce blanche crevassée de noir et son feuillage léger en font un sujet décoratif et tout à fait particulier.

Bouquet

Un vase fêlé ou poreux ? Faites fondre de la paraffine et versez-la, encore liquide, dans le vase. Donnez à ce dernier un mouvement de rotation rapide pour enduire toute la paroi.

Un bouquet original. Fixez avec du ruban adhésif spécial un morceau de mousse synthétique sur une assiette ou un plat creux. Ce matériau très pratique se coupe à l'aide d'un couteau. Variez les découpes suivant les circonstances : cœur, chiffres, initiales... Faites boire cette mousse plusieurs heures avant de piquer dedans vos fleurs, branchages...

Pour faire tenir droit des fleurs à longues tiges, coupez un morceau de grillage, pliez-le en plusieurs épaisseurs, glissez-le dans un vase. Il ne vous reste plus qu'à insérer les tiges dans les mailles.

Bouquet

Des pique-fleurs de fortune. Utilisez ce qui vous tombe sous la main : remplissez un aquarium de billes de verre, un vase de sable, de brindilles, de coquillages, une écuelle de mousse des bois...

Préparation des tiges. Supprimez les feuilles basses qui risquent, en trempant dans l'eau du vase, de diminuer la durée de vie du bouquet. Éliminez les épines des roses. Coupez l'extrémité des tiges en biseau pour qu'elles offrent une surface maximale d'absorption de l'eau. Effectuez cette opération si possible sous l'eau, pour que les vaisseaux des tiges ne soient pas bouchés par des bulles d'air.

Écrasez au marteau les tiges dures, ligneuses (rose, lilas, *Viburnum*...) ou fendez-les à l'aide d'une lame effilée pour que l'eau pénètre bien dans les tiges.

Un bain revigorant. Qu'elles soient cueillies au jardin ou achetées chez le fleuriste, mettez vos fleurs et branches fleuries, tiges recoupées, dans un grand seau d'eau et oubliez-les quelques heures au frais. Elles seront plus vigoureuses dans le vase.

Les grosses tiges creuses, comme celles des delphiniums ou des amaryllis, vivront plus longtemps si vous les retournez, les remplissez d'eau et obstruez leur base avec un tampon d'ouate. Placez-les immédiatement dans l'eau pour qu'elles ne se vident pas.

SOS bouquet fané. Recoupez les tiges, plongez-les dans de l'eau chaude pendant 1/2 heure, puis remettez les fleurs dans le vase après avoir changé l'eau. S'il fait chaud, glissez quelques glaçons dans l'eau du vase ; le soir, recouvrez le bouquet d'un tissu humide pour rafraîchir et réhydrater les pétales ; ou, mieux, placez le bouquet dans une pièce fraîche ou sur un balcon...

À chaque fleur son traitement

Clématites	Ébouillantez les tiges, puis placez-les dans l'eau froide.
Coquelicots, pavots	Cueillez-les en bouton ; cautérisez le latex s'écoulant des tiges à la flamme d'une allumette, d'un briquet ou de la cuisinière à gaz.
Dahlias	Ne cueillez jamais de boutons, ils ne s'ouvriront pas.
Glaïeuls	Coupez-les lorsque le premier fleuron du bas s'entrouvre. Supprimez une partie des boutons supérieurs.
Hellébores	Écrasez les tiges.
Lis	Cueillez-les en bouton ; supprimez les étamines au fur et à mesure de l'ouverture des fleurs (vous éviterez les taches jaunes).
Narcisses	Achetez-les en bouton ou à peine ouverts.
Pivoines	Coupez-les lorsque le bouton s'entrouvre et montre sa couleur.
Tulipes	Achetez-les ou coupez-les quand les boutons sont à peine colorés.
Violettes	Placez les tiges dans très peu d'eau ou dans de la mousse humide.

Pour offrir. Ajoutez un habillage de feuilles en harmonie avec les fleurs ; ou encore, entourez le bouquet d'une collerette blanche (un napperon pour gâteau troué en son centre, une dentelle).

Parfumez vos bouquets, frais ou secs, en glissant entre les tiges du papier absorbant imprégné de quelques gouttes d'huile pour pot-pourri.

Pour prolonger la vie d'un bouquet, ajoutez à l'eau le produit spécial des fleuristes, ou un comprimé d'aspirine ou quelques gouttes d'eau de Javel (bactéricides), un morceau de sucre (nutritif). Solution écologique : préparez une infusion de 20 feuilles de digitale pour 150 à 200 ml d'eau.

▶ **Cueillette, Graminées, Séchage, Transport**

Bouturage

Fabriquez-vous une miniserre économique à partir d'une caissette en polystyrène (celles des traiteurs conviennent parfaitement). Installez dessus des arceaux de fil de fer, et recouvrez-les de film plastique transparent (sac d'emballage de nettoyeur).

Ayez sous la main le bon outillage : un greffoir ou un couteau à lame bien affûtée, un arrosoir à pomme fine et un pulvérisateur, des pots ou des terrines plates lavées à l'eau de Javel, un crayon pour faire les trous qui recevront les boutures, une miniserre.

Préférez des petits pots à petite ouverture. Si vous utilisez un verre ou un pot de yogourt, tendez sur l'ouverture de l'aluminium ménager, que vous percerez de petits trous, les tiges ne s'emmêleront pas.

Pour réussir un bouturage dans l'eau. Lorsque vous placez

votre rameau, veillez à ce qu'aucune feuille ne trempe. Pour éviter à l'eau de se corrompre, déposez-y un petit morceau de charbon de bois aseptisant. Ajoutez 2 ou 3 gouttes d'engrais liquide pour nourrir la bouture.

Rempotez assez vite après émission des racines. Si vous attendiez trop longtemps, la reprise serait compromise par manque d'éléments nutritifs.

Des boutures originales : les boutures de racines. Taillez des morceaux de racines charnues de la grosseur d'un crayon et de 5 cm de long. Repérez leur base et enfoncez-les dans du sable. Ce procédé donne de bons résultats avec acanthe, *Anchusa*, anémone du Japon, *Dicentra spectabilis*, géranium vivace, gypsophile paniculé, hémérocalle, pivoine herbacée, pavot d'Orient, sauge vivace, *Verbascum* et yucca.

Essayez la bouture « à talon » pour les conifères et les arbustes difficiles à bouturer par bouturage classique. Arrachez un rameau latéral non fleuri en prélevant un morceau d'écorce de la tige sur laquelle il était attaché. Supprimez les feuilles de base, utilisez une hormone d'enracinement et repiquez à l'étouffée.

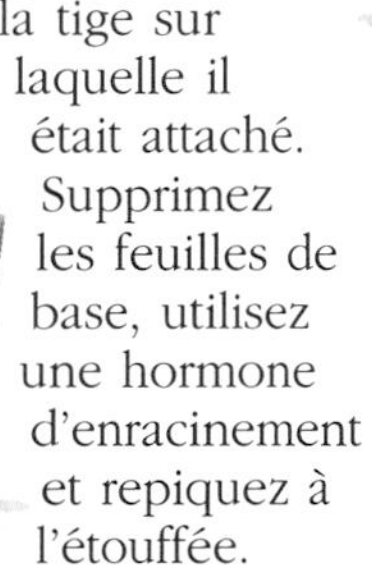

Établissez-vous des repères. Sur les boutures d'arbustes sans feuilles ou de racines, il est difficile de discerner le sommet de la base. Obligez-vous à tailler le sommet en biseau et la base à angle droit pour éviter toute équivoque lors de la mise en terre.

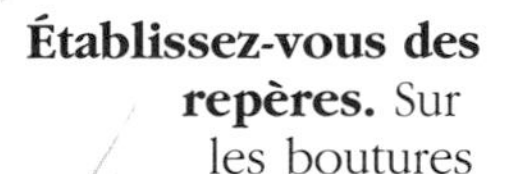

Les sept principes de base du bouturage

– Opérez à la bonne époque, qui se situe en règle générale de la fin du printemps au milieu de l'été. Arrêtez dès que les couleurs d'automne s'annoncent. Évitez la période de la première floraison et des remontées florales, les hormones des cellules sont alors occupées à autre chose qu'à faire des racines.
– Taillez sous un œil (un bourgeon latent), car cette zone, contenant plus d'hormones naturelles, émet plus facilement des racines.
– Utilisez une hormone d'enracinement. Secouez bien le surplus : un excès d'hormone peut inhiber le développement des racines. Conservez cette hormone 1 an, pas plus, et bien au sec.
– Assurez un excellent drainage : plus la bouture est tendre, plus le mélange doit contenir de sable (stérilisé si possible).
– Offrez de la chaleur de fond : plus la bouture est tendre, plus elle apprécie la chaleur (18 °C pour une pousse herbacée, de 13 à 16 °C pour une bouture semi-aoûtée). Ombrez : la bouture doit être à l'abri du soleil.
– Maintenez une humidité constante, proche de 100 %, aussi bien dans le sol que dans l'air (arrosez en pluie fine, pulvérisez, placez en serre, en châssis, en miniserre…).
– Multipliez des espèces faciles : vous aurez plus de chances de réussir ! Les meilleures plantes à bouturer dans l'eau sont aglaonéma, coléus, laurier-rose, lierre, plectranthe, scindapsus, syngonium, pour les plantes d'intérieur.

Où planter vos boutures ? Si votre jardin est petit, essayez de les installer dans le bas d'une haie, que vous arroserez régulièrement. Les boutures y seront à l'ombre. Vous pouvez préférer un petit trou entre quelques arbustes ou vivaces. Retournez sur les boutures un pot à confiture ou une demi-bouteille de plastique transparent, vous aurez ainsi votre plantation en permanence sous les yeux.

Bouturage

Le grand jour de la transplantation. Préférez une journée de pluie, ou tout au moins sans soleil, pour limiter les déperditions d'humidité et le choc de l'arrachage. Si vous repiquez vos boutures dans un châssis, placez-le à mi-ombre.

Démêlant. Lorsque les racines des boutures d'un même pot s'enchevêtrent à la transplantation, éliminez le maximum de terre et trempez le lot de boutures dans un saladier rempli d'eau. Tout se démêlera vite et sans casse.

La tête en bas. Pour bouturer du papyrus, réduisez la longueur de ses feuilles et placez-les dans l'eau, la tige en l'air. Les racines se formeront entre les feuilles.

Cactées, plantes grasses. Pour éviter la pourriture, laissez sécher la base de la bouture avant la mise en pot.

Fuchsia, géranium, anthémis... Bouturez les portions de tige que vous rabattez (taillez) juste après l'hiver. Sinon, opérez en plein été avec des rameaux ne portant pas de fleurs.

Plantes vivaces (achillée, alchémille, aster, centaurée, coréopsis, ibéris, lavande, phlox, plumbago, orpin...). Prélevez une portion de tige située après la 3e ou la 4e feuille en partant du sommet. Pour donner à vos boutures l'ombrage léger dont elles ont besoin, piquez du feuillage autour.

▶ **Habillage, Hormones, Mélanges de terre, Transport**

Broméliacées

De l'eau dans le cœur. Il n'en faut pas plus à la belle saison pour faire plaisir aux membres de la famille des broméliacées (aechmea, ananas, billbergia, vriesea...). Ces plantes n'ont pratiquement pas de

L'atmosphère chaude et humide d'une serre est propice à la culture des broméliacées.

racines et vivent surtout de l'humidité atmosphérique ; en hiver, en revanche, ne mettez pas trop d'eau au centre de la rosette, mais bassinez le feuillage (voir Bassinage).

Pour aider la plante à refleurir, achetez du carbure de calcium. Versez-en une pincée dans le cœur de la plante, que vous aurez rempli d'eau. Le lendemain, rincez et égouttez : il y aura eu dégagement d'éthylène, qui stimule la formation de bourgeons à fleurs. Autre solution, plus écologique : placez dans un sac de plastique la plante avec quelques pommes ou un ananas bien mûr. Ces fruits dégagent aussi de l'éthylène.

Détachez avec soin les rejets latéraux que la plante émet juste avant de fleurir : c'est grâce à eux que vous pourrez obtenir de nouvelles plantes lorsque la rosette périra. Ils ne montrent pas de racines mais en émettront vite si vous les plantez dans un terreau coupé de sphaigne (mousse) que vous maintiendrez convenablement humide.

Un arbre à épiphytes. Associez plusieurs broméliacées sur une grosse branche, après l'avoir couverte de mousse. Maintenez le tout par du fil de fer de fleuriste (vert et fin, il disparaîtra dans la verdure). Faites régulièrement des pulvérisations d'eau et apportez un peu d'engrais foliaire de temps en temps.

Bruit

Un bon amortisseur. Plantez une haie dense de 60 cm d'épaisseur. Vous réduirez le bruit de 4 décibels.

Les grands moyens pour faire barrage aux bruits de la rue. Aménagez une butte de terre. Prévoyez que

le terre-plein monte en pente douce vers la clôture à environ 3,50 m à l'intérieur de votre jardin. Plantez-le d'une haie d'arbustes persistants et d'arbres déjà grands pour un effet rapide. Installez des « puits » pour laisser les troncs à l'air.

Faites le bon choix

Les meilleurs arbres et arbustes antibruit sont souvent persistants, ont une ramure dense, une végétation touffue et une bonne résistance à la pollution, qui va souvent de pair avec le bruit. Préférez cèdre, épinette du Colorado, érable de l'Amur, lilas des jardins, pin noir d'Autriche, sapin du Colorado, tamarix de Russie, viorne obier...

▶ **Haie, Loi**

Brûlures

Méfiez-vous des murs blancs. Ils réverbèrent la chaleur et la lumière sur les plantes installées à proximité. Pensez à protéger les feuillages fragiles par des ombrières ou des arbustes persistants.

Pour blanchir une vitre dans une serre, un châssis ou une véranda, procurez-vous du blanc à ombrer. C'est une peinture au latex, qui éclaircit s'il n'y a pas de soleil et résiste à la pluie pendant plusieurs mois. Appliquez-la au pinceau ou au pulvérisateur suivant la surface. À l'automne, retirez-la avec une éponge. Attention, n'utilisez jamais de peinture blanche acrylique : elle fait rouiller les parties métalliques.

Les pots en plastique noir chauffent très vite au soleil. Pour éviter que les racines de vos plantes ne brûlent, changez-les pour des pots en terre ou mettez vos pots en plastique dans des pots en terre légèrement plus grands. Plus clairs, ils chaufferont moins, et ils sont plus décoratifs. Remplissez l'intervalle entre les pots avec du sable ou de la tourbe.

Si vous devez vous absenter, enterrez les plantes en pots dans un lit de tourbe humide ou bien dans la terre au jardin. Vous pouvez aussi les emmailloter avec du tissu blanc ou des feuilles de papier journal humides.

Votre pelouse est grillée ? Ne vous inquiétez pas : elle reverdira dès les pluies d'automne. Si vous ne voulez pas attendre, arrosez-la copieusement. Tous les soirs, pendant 1 semaine, apportez au moins 5 mm d'eau. Aidez-vous d'un pluviomètre pour vérifier les quantités. Un arrosage trop superficiel n'aurait aucun effet.

N'arrosez pas les plantes en plein soleil : les gouttelettes d'eau restées sur les feuilles se comportent comme de véritables loupes. Attendez la fin de la journée.

Protégez les jeunes arbres fruitiers. Leur écorce est particulièrement fragile et certaines espèces (pommiers et poiriers) peuvent souffrir du soleil dans les régions très chaudes. Badigeonnez simplement leur tronc de blanc à ombrer ou d'une pâte d'argile assez diluée. Ou enroulez autour une protection en spirale vendue dans les pépinières : en l'installant en hiver, vous protégerez les troncs, mais vous ralentirez également la montée de la sève. La floraison, plus tardive, risquera moins de geler.

Sachez utiliser vos engrais. En apportant de l'engrais à une plante qui a soif ou dont la terre est sèche, vous risquez de brûler ses racines. Arrosez toujours avant puis après un apport d'engrais, et ne surdosez jamais.

N'utilisez pas de sel près de vos plantations pour faire fondre la neige ou le verglas en hiver. Entraîné par l'eau, il pénètre dans le sol et un excès peut brûler les racines.

▶ **Chaleur**

Bruyère

Il y a deux genres de bruyères : la bruyère de printemps (*Erica*) et la bruyère d'été (*Calluna*). Nous retrouvons au Québec trois espèces de bruyère de printemps — *Erica carnea, E. darleyensis, E. tetralix* — et une seule espèce de bruyère d'été — *Calluna vulgaris* — (voir le tableau de la page suivante). Les bruyères tolèrent le soleil mais préfèrent la mi-ombre.

Offrez-leur un bon terrain. Les bruyères ont donné leur nom à une terre acide (pH de 5,5 à 6), légère (car très sablonneuse), mais riche en humus et en débris végétaux. Si la terre de votre jardin n'est pas adaptée, construisez de petits massifs surélevés. Pour acidifier le sol, mélangez au terreau — qui doit être riche en humus — une quantité importante de mousse de tourbe (1/3 terreau, 1/3 sable, 1/3 mousse de tourbe).

Une palette somptueuse. Plantez de grandes taches de couleurs différentes constituées d'au moins 5 plants de chaque type. Laissez un intervalle de 20 à 50 cm entre deux plants. Il faudra environ 3 ans pour que les gros coussins se rejoignent et que vous puissiez contempler votre patchwork. En attendant, paillez d'une légère couche d'écorce de pin et binez de temps à autre.

Des plantes multiusages. Les bruyères vous rendront bien des services dans différents coins du jardin : en lisière des grands arbres ou en sous-bois légèrement ensoleillé, dans un massif, en association avec des arbustes à fleurs (rhododendrons, azalées, érable du Japon, genêts) ou de petits et moyens conifères. Utilisez-les aussi dans les rocailles, ou simplement autour de gros rochers que vous ne savez comment habiller. Pensez à elles pour fleurir un talus, une pente ingrate, une descente de garage, des escaliers ou une terrasse.

Un nettoyage rapide. Après la floraison, coupez toutes les tiges fanées à la cisaille : la bruyère sera plus belle et, surtout, elle restera plus trapue. N'hésitez pas à descendre un peu la lame dans les tiges pour que de nouveaux rameaux percent le vieux bois. Pratiquez cette taille rajeunissante tous les ans, et faites-la suivre d'arrosages et d'apports d'engrais sur terre humide.

Pour donner du relief aux massifs de bruyères, plantez des genêts, des cytises, des daphnés, des fougères, des hélianthèmes, et toutes les plantes dites de terre de bruyère (andromède, azalée, kalmie, rhododendron, thé du Labrador, épigée rampante...). Parmi les arbres, choisissez l'amélanchier, le bouleau nain...

Arrosez vos bacs de bruyères avec de l'eau de pluie. Si vous ne pouvez pas la recueillir et que vous utilisiez de l'eau du robinet, laissez celle-ci reposer à l'air quelques heures et ajoutez-lui une pincée de chélate de fer. Ce produit évitera à vos plantes de jaunir.

Bouturage facile. Au cours de l'été, repiquez des boutures de 5 à 10 cm de longueur dans un mélange de tourbe et de sable ou directement dans votre massif de bruyères. Pour mettre toutes les chances de votre côté, évitez le plein soleil.

En climat tempéré, marcottez. Au printemps, couchez les tiges périphériques sur le sol. Maintenez-les en place, avec un petit crochet de métal. Au bout de 10 mois, vous pourrez, au sécateur, séparer du pied mère les tiges qui auront pris racine.

Pour rajeunir les vieux plants dégarnis, arrachez-les et replantez-les plus profondément dans un mélange très sableux et frais. Prenez soin de bien enterrer la base des tiges.

Un bain chaque semaine. C'est la seule façon de conserver plusieurs semaines des bruyères en pot à l'intérieur, car elles sont cultivées dans un substrat à base de tourbe assez difficile à arroser. Immergez complètement leur pot 10 minutes environ dans une eau tempérée peu calcaire.

Des bouquets qui durent longtemps. Pour conserver les rameaux de bruyère fleurie, piquez-les dans une pomme de terre, qui leur offrira juste assez d'humidité.

▶ **Calcaire, Terre de bruyère**

Des bruyères pour tous les goûts

Nom latin	Zone de rusticité	Hauteur	Couleur	Temps de floraison
**Erica carnea*	4	25 cm	blanc, rose ou rouge	avril-mai
E. darleyensis	5	30 à 50 cm	blanc, rose ou lilas	avril-mai
E. tetralix	5	15 cm	blanc ou rose	mai-juin
***Calluna vulgaris*	5	25 à 50 cm	blanc, rose, rouge, saumon, lilas, mauve ou lavande	juillet à octobre selon variétés

*Le genre *Erica* est appelé bruyère de printemps ou bruyère d'hiver.
**Le genre *Calluna* est appelé bruyère d'été ou bruyère commune.

Buis

Plantation d'une haie. Pour qu'elle soit rectiligne, tendez un cordeau entre 2 piquets avant de creuser une tranchée de 40 cm de profondeur. Placez du fumier bien mûr au fond du trou (ou un mélange riche en compost, tourbe, terre de jardin et poudre d'os). Plantez un buis tous les 15 cm, sans retirer les feuilles de base. Enterrez les plants d'un tiers environ. Tassez fort et arrosez.

Le buis se prête à toutes les formes. Avec un peu d'imagination, on peut obtenir des bordures inattendues !

Pour une bordure homogène, proscrivez le semis car tous les plants ne seront pas semblables. Achetez le buis en bottes, à racines nues. Chaque botte couvrira 2 m linéaires, avec 100 % de reprise.

La meilleure façon de le tailler. Le buis arrive en 2e position au palmarès des arbustes à tailler (après l'if et avant le houx). Mais ne le rabattez (coupez) jamais trop d'un coup, il repousserait mal. Taillez-le après une averse, les feuilles coupées ne sécheront pas comme par temps sec et ensoleillé.

Croissance plus rapide. Le buis est connu pour sa grande résistance à la sécheresse, mais arrosez-le copieusement, il poussera deux fois plus vite dans son jeune âge.

▶ **Haie, Topiaire**

Bulbes

PLANTATION

Par étages. En terre ou en pots, superposez plusieurs couches de bulbes. Étendez entre chaque couche une épaisseur de terre de 4 à 5 cm. La floraison sera plus dense au même endroit, formant un véritable bouquet éclatant. Utilisez la même espèce et la même variété pour que les fleurs s'épanouissent en même temps.

La bonne profondeur. Un bulbe doit généralement être enfoncé de 2 fois sa hauteur, mais il y a des exceptions. Les lis formant des racines adventives sur la tige doivent être enterrés plus profondément (3 à 4 fois). En revanche, le lis de la Madone se plante à fleur de terre, tout comme les nérines.

Les pieds sur terre. Lorsque vous enterrez un bulbe, veillez à ce qu'il ne reste pas en suspens entre les parois du trou de plantation : il a horreur du vide et exige de reposer bien à plat.

Un cas spécial. Le bulbe de fritillaire impériale montre un gros trou central, trace de la tige de l'année précédente. Plantez-le en biais, assez incliné pour que l'eau ne pénètre pas dans le trou et ne cause pas de pourriture.

Plantez toujours les piquets avant les bulbes, qu'il s'agisse de tuteurer des bulbes à fleurs lourdes (dahlias, glaïeuls, gloriosas…) ou de placer des repères pour signaler la présence de petits bulbes. En ne prenant pas cette petite précaution, vous risquez d'abîmer les bulbes.

Pour un arrachage rapide, ne plantez pas vos bulbes un à un, mais placez-les dans des caissettes de plastique alvéolées ou trouées (les cageots en plastique récupérés sur les marchés font très bien l'affaire). Lorsque le feuillage aura jauni, vous les déterrerez tous en une seule fois. Vous pouvez aussi libérer l'espace juste après la floraison et mettre les bulbes en caissettes en jauge dans un autre coin du jardin.

FLORAISON

Pour faire durer le plaisir. Plantez anémones et glaïeuls par vagues espacées de 15 à 20 jours : vous prolongerez la floraison.

Jouez les associations, avec des bisannuelles, des vivaces basses ou des espèces rampantes, qui cacheront plus tard le feuillage jaunissant. Vous soutiendrez les colchiques, qui ont la tige souvent faible, en les plantant à proximité d'un couvre-sol ras (pervenche, lierre…) ou dans la pelouse (dans ce cas, laissez des brins d'herbe non tondus, qui serviront de tuteurs).

CONSERVATION

Contre la pourriture. Stockez les bulbes dans de la tourbe sèche, du sable ou de la sciure. Pour les espèces délicates comme les lis et les gloriosas, préférez les cendres de bois froides. Rangez les bulbes par strates en veillant bien à ce qu'ils ne se touchent pas. Versez la cendre tout doucement pour éviter les nuages intempestifs.

Contre les ravageurs, utilisez un produit fongicide-insecticide. Pour l'épandre uniformément, glissez le cageot de bulbes dans un grand sac en plastique (type sac poubelle). Fermez-le et agitez-le pour une bonne répartition de la poudre. Laissez reposer quelques jours et retirez le sac. Cette technique permet en plus de ménager vos poumons !

▶ Forçage, Rocaille

Buttage

Au début du printemps. Quelques jours de beau temps font parfois sortir les pousses de bulbes, vivaces et arbustes, alors que le froid menace encore : buttez vite ces inconscientes avec un matelas de tourbe.

Du bon usage des bulbes

À FAIRE	• Acheter les bulbes en début de saison pour profiter d'un large choix de variétés. Les choisir sains et fermes sous les doigts, les gros calibres annonçant de belles floraisons. • Planter quand le sol retient encore la chaleur de l'été (bulbes à floraison printanière) ou est déjà bien réchauffé, en avril-mai (bulbes à floraison estivale). • Planter en sol bien drainé. Si la terre du jardin est lourde, argileuse, y ajouter beaucoup de sable, de tourbe, et même quelques poignées de gravillons au fond des trous de plantation, juste sous la base des bulbes. • Former des taches serrées d'une même variété dans une plate-bande, dans un tapis couvre-sol un peu triste, sur une pelouse loin du passage régulier, en pots et en jardinières… • Laisser les bulbes de printemps en terre pour qu'ils se naturalisent (sous-bois, prairies…). Ailleurs, les arracher après jaunissement du feuillage. Ils ont besoin d'une période de repos sec complet. La pluie ou l'arrosage de l'été perturbent ce repos nécessaire. • Supprimer la tige de la fleur fanée à hauteur de la première feuille dès la chute des pétales pour ne pas laisser de fruits inutiles se former. Laisser jaunir le feuillage en place ou dans une tranchée de terre. • Donner de l'engrais (superphosphate, matière organique, engrais spécial bulbes ou engrais-tomate, riche en potasse) dans le sol à la plantation et par arrosage en cours de végétation.
À NE PAS FAIRE	• Acheter des bulbes et les laisser traîner dans de mauvaises conditions de stockage (lumière, humidité, froid, chaleur…), puis les planter trop tardivement. • Acheter des bulbes à bas prix et de petit calibre. Ils ne fleuriront que peu, ou pas du tout. Le narcisse peut être une exception. • Planter en sol lourd, collant, très humide, sauf exception pour les arums et les nivéoles, qui aiment avoir les racines au frais. • Planter des mélanges de bulbes qui n'auront pas les mêmes dates de floraison. L'effet de masse spectaculaire disparaîtra. • Planter des bulbes « en mélange » dont on ignore les coloris. Le bariolage n'est tolérable que dans un jardin de fleurs à couper ou un endroit reculé du jardin. • Planter des bulbes en rangs d'oignons ou trop espacés. C'est l'effet de masse qui est recherché avec ces plantes. • Arracher ou tondre le feuillage juste après la chute des pétales. Les bulbes ont besoin de constituer des réserves nutritives pour la prochaine saison. Les feuilles sont les poumons, l'estomac d'un bulbe. On ne les retire qu'après jaunissement naturel complet.

Légère, elle ne risque pas d'abîmer un feuillage fragile.

Pour lutter contre la froidure de l'hiver, buttez les plantes moyennement rustiques, comme les jeunes rosiers, les hortensias bleus ou roses, les rhododendrons… Ramenez un bon paquet de terre en forme de dôme sur la souche et la base des plantes. Débuttez dès les premiers vrais beaux jours (avril-mai).

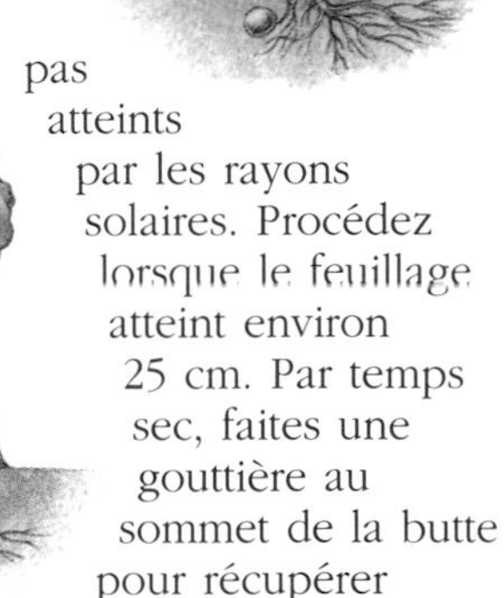

Régime spécial pour pommes de terre. Formez un monticule en ramenant la terre de surface autour des tiges pour que les tubercules peu enterrés ne soient pas atteints par les rayons solaires. Procédez lorsque le feuillage atteint environ 25 cm. Par temps sec, faites une gouttière au sommet de la butte pour récupérer l'eau ; par temps humide, arrondissez la butte pour empêcher l'excès d'eau.

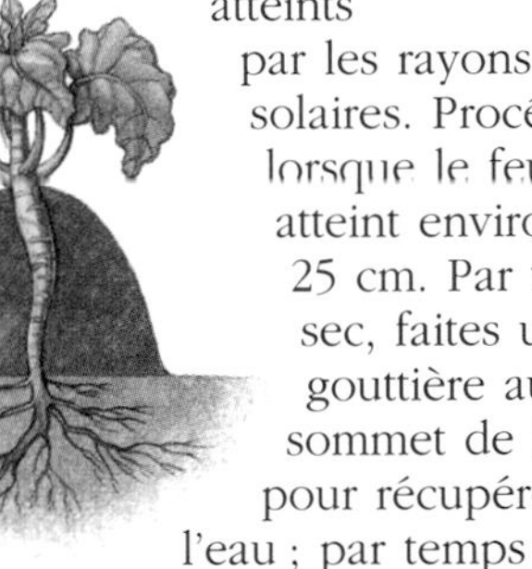

Pour un meilleur enracinement, buttez les choux, choux de Bruxelles, brocolis… Les plants, bien ancrés dans le sol, résisteront mieux aux vents.

Des légumes savoureux. Buttez les branches de céleri, les fenouils de Florence et les poireaux pour un blanchiment rapide.

Cactées et plantes grasses

Du soleil : il en faut beaucoup, surtout en hiver. Placez les pots derrière une vitre propre, n'ombrez qu'en plein été.

De la nourriture : rempotez tous les 2 ou 3 ans, ou donnez de l'engrais à cactées à vos plantes si vous ne les rempotez pas.

De l'air : ouvrez les fenêtres ou sortez vos cactées et plantes grasses de juin à septembre. Mais veillez aux courants d'air froids et au brouillard.

De l'eau en petite quantité : dans une pièce chauffée, arrosez, 1 fois par semaine en été et 1 fois par mois en hiver si la température de la pièce est supérieure à 10 °C. L'excès d'eau est l'ennemi nº 1…

Improvisez une pince à cactus avec une large bande de papier journal repliée plusieurs fois sur elle-même ; vous en entourerez la plante lors des rempotages ou des changements de place, s'il faut soutenir une plante haute.

Pour retirer la poussière accumulée sur les plantes, utilisez une vieille brosse à dents ou un blaireau usagé. L'été, vous pouvez ensuite leur donner une petite douche.

Dépotez très facilement un cactus en introduisant un crayon dans le trou de drainage du pot. Si vous n'avez pas arrosé juste avant, la motte se dégagera d'un bloc.

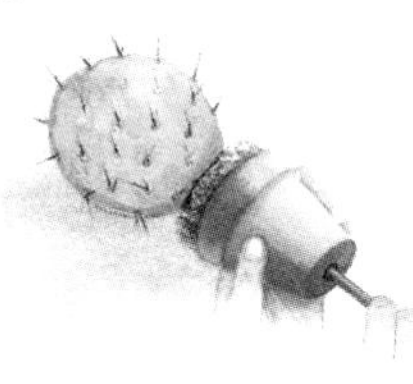

Question de pot. À l'achat, la plante est souvent habillée d'un pot en plastique. Rempotez-la dans un pot plus lourd, en terre cuite, plus poreux, plus joli et, surtout, offrant un meilleur drainage. Si vous installez une plante haute et lourde, lestez le pot avec un gros galet ou un poids en fonte pour éviter les chutes.

Méchants piquants. Ils ne resteront pas longtemps sur vos doigts si vous les retirez avec un morceau de papier adhésif, avant d'utiliser la pince à épiler pour les cas rebelles.

Un rempotage en douceur. Les plantes grasses comme orpin, *Crassula, Echeveria,* griffes-de-sorcière sont difficiles à rempoter parce que cassantes. Pour les préparer, cessez les arrosages quelques semaines avant : les feuilles vont doucement se plisser et s'affaisser ; elles seront ainsi plus souples. Si la plante est retombante, mettez sa « chevelure » dans un grand sac en plastique, rempotez et libérez le feuillage. Si, pendant l'opération, quelques feuilles sont tombées, mettez-les en pots, ces boutures reprendront très facilement. N'oubliez pas d'arroser dès le rempotage effectué.

Conservez vos boîtes en fer-blanc pour repiquer ou replanter les cactées. Les amateurs ont constaté qu'elles aimaient installer leurs racines dans ces pots de fortune… peut-être à cause de la chaleur qui s'y accumule. Vous pourrez les peindre afin de les rendre plus élégantes.

Le diamètre du pot. Il doit au minimum être égal au diamètre de la plante, piquants

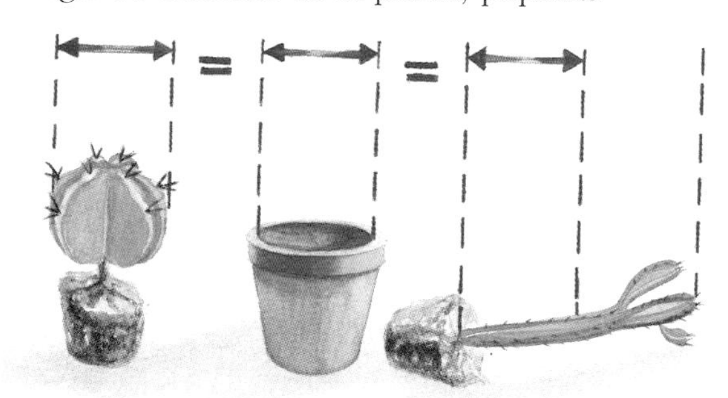

compris. S'il s'agit d'une plante haute (en forme de cierge), comptez un diamètre de la moitié de sa hauteur.

Le bon mélange terreux. Faites un mélange à parts égales de sable de rivière, terreau de feuilles et tourbe. Un bon truc pour enrichir le mélange du commerce pour plantes d'intérieur consiste à l'additionner de son poids de sable et d'y rajouter 1 cuillerée de poudre d'os à décomposition lente.

Sujet épineux : l'arrosage. Préférez l'arrosage par trempage du pot dans une cuvette et l'égouttage sérieux avant mise en place, dans une soucoupe par exemple. Pour arroser la terre directement, utilisez une petite cuiller afin de ne pas mouiller la plante elle-même.

Semez vos cactées avec succès. En été, enfoncez de quelques millimètres les graines dans du terreau, mouillez la terrine par la base et égouttez bien. Conservez au chaud, à mi-ombre, et maintenez humide jusqu'à germination. Ensuite, exposez au soleil de 4 à 6 heures par jour. Transplantez au bout de 1 an.

Bouturage facile. Il vous suffira de détacher un morceau — ou article — de la plante mère, de le faire sécher 24 heures à l'air libre et de l'installer ensuite en terre bien drainée.

Bouturage au couteau. Pour bouturer une plante trop haute et raide, comme un cierge, coupez-la en tronçons avec un couteau universel ou une lame de rasoir. Trempez chaque plaie dans de la poudre de charbon de bois. Laissez sécher votre plante 24 heures à l'air libre puis installez-la dans du sable à peine humide. Malgré quelques risques de pourriture, vous obtiendrez plus de 60 % de succès.

Une idée de cadeau original. Lorsque vos boutures ont bien repris, repiquez-les dans une coupelle pleine de terre bien drainée. En jouant avec les formes et les couleurs des cactus et en ajoutant quelques écorces, des cailloux et des gravillons, vous obtiendrez un jardin mexicain très décoratif.

Halte aux cochenilles. Si vous apercevez un point blanc laineux ou une sorte de petite carapace beige ou brune sur vos plantes, vous êtes en face de redoutables cochenilles. Il y en a peu ? Tuez-les avec un coton-tige imbibé d'alcool à 90°. S'il y en a déjà trop, nettoyez la plante au savon de Marseille avec une brosse à dents ou de l'alcool à brûler dilué de moitié. Rincez à l'eau tiède.

Cette jolie rocaille exotique n'est envisageable qu'en pays chauds. Ailleurs cultivez les cactus en pots à l'intérieur et sortez-les sur la terrasse à la belle saison

D'où viennent-elles ?

Les cactées et les plantes grasses n'ont pas toutes la même origine et ne demandent pas les mêmes soins. Il est donc important de connaître leur provenance.

	Plantes du désert	Plantes de la forêt
ORIGINE	Zones semi-arides d'Amérique	Forêts d'Amérique centrale ou d'Amérique du Sud. Poussent sur les arbres, ont un port retombant ou pleureur.
ESPÈCES	*Cereus* *Mammillaria* *Opuntia* *Rebutia*	*Epiphyllum* (cactus de Noël) *Schlumbergera (Zygocactus)* *Rhipsalis*
SOINS	Beaucoup de soleil. Exposition sud ou ouest. Pas d'eau entre octobre et mars.	Mi-ombre aux heures chaudes de l'été. Préférez une exposition nord ou est.

Café

De l'or sur le compost. Le marc de café se désintègre vite dans le compost, où il offre sa richesse en phosphate. Il lui donne de la souplesse, du corps

Pour faciliter vos semis, mélangez du marc de café sec aux graines fines que vous semez. Vous éviterez ainsi les surcharges. De plus, grâce à la couleur foncée du marc, vous verrez bien la délimitation du semis.

Une nurse au jardin. Le marc de café aidant bon nombre de graines à germer, répandez-en directement au fond des sillons où vous allez semer carottes et oignons ; de plus, il chasse les mouches par son odeur et permet de lutter contre les nématodes des racines.

À la maison, incorporez le marc de café à la terre de rempotage de vos plantes vertes, elles y

puiseront un complément d'éléments nutritifs. De temps en temps, vous pouvez aussi déposer 1 cuillerée de marc sur la terre du pot et en gratter la surface avec une fourchette ; l'eau d'arrosage fera descendre les éléments nutritifs vers les racines.

Un caféier à la maison. C'est une jolie plante à feuilles vert brillant qu'on achète toute poussée ou qu'on élève facilement à partir de semis. Elle fleurit très rarement en appartement et par conséquent ne fructifiera qu'encore plus rarement. N'hésitez pas à pincer ses tiges pour lui conserver une forme bien trapue.

Calcaire (sol)

Sachez le reconnaître. Versez quelques gouttes de vinaigre ou d'un autre acide à la surface du sol sec : vous observerez une effervescence caractéristique. Blanchâtre, de texture fine, presque poussiéreux lorsqu'il est sec, ce sol est souvent riche en cailloux, silex ou même craies. Sa couche superficielle sèche très vite l'été et s'avère plutôt collante l'hiver par temps de pluie. (Voir Analyse du sol.)

Fiez-vous aux mauvaises herbes. La végétation spontanée qui pousse dans votre jardin peut vous offrir de précieuses indications quant à la nature du sol. Observez les friches, les terrains vagues et les taillis avoisinants. Sureau, symphorine blanche, sumac de Virginie (vinaigrier), shepherdie du Canada, groseillier hérissé sont les signes d'un sol calcaire.

La clé du succès : n'essayez pas de neutraliser un sol calcaire, il faudrait des apports considérables de tourbe et un traitement au soufre. Mais choisissez des plantes adaptées à ces terrains, c'est-à-dire calcicoles.

Les plantes à proscrire. Parmi les arbres, de nombreux érables et chênes. Parmi les arbustes, tous ceux dits de terre de bruyère, ainsi que de nombreux magnolias, cornouillers, hortensias. Parmi les vivaces, aconite, centaurée, iris japonais, lupins, méconopsis, pied-d'alouette, sceau de Salomon. Parmi les bulbes, certains lis.

Renouvelez régulièrement la matière organique, rapidement consommée en sol calcaire. Le fumier est excellent, mais votre compost maison bien décomposé fera très bien l'affaire, ainsi que le terreau de feuilles... Apportez cette matière organique en abondance lors du travail du sol, dans les trous de plantation, en paillage au pied des arbustes, vivaces...

Sur sol très caillouteux, contentez-vous d'un travail du sol superficiel. Un travail en profondeur ramène encore plus de cailloux à la surface !

Préférez les plantations d'automne à celles de printemps. Les plantes auront le temps de bien s'enraciner dans ce sol, qui se réchauffe rapidement au printemps, et supporteront mieux la sécheresse estivale.

Des plantes qui se déchaussent. Attention aux alternances gel-dégel et aux pluies répétées : les plantes ont tendance à se déchausser. Par temps doux, tassez à nouveau la terre du bout des doigts autour du collet.

LÉGUMES

Des légumes-racines en terre calcaire ? C'est possible. Même si les racines sont fourchues à cause des cailloux, elles n'en sont pas moins consommables ! Mais prenez la peine d'éliminer les plus gros cailloux lors du travail du sol.

Plantez des choux, car la hernie du chou, maladie redoutable en sol acide, est rarement à craindre sur sol calcaire. Évitez en revanche le céleri-rave, qui demande un sol vraiment riche et frais.

FRUITS

Le bon porte-greffe. Les pruniers supportent les sols calcaires. Pour les cerisiers, pommiers, abricotiers, pêchers et surtout poiriers, choisissez une variété greffée sur un porte-greffe tolérant le calcaire.

PLANTES DE TERRE DE BRUYÈRE

Créez un massif surélevé, bordé de pieux ou de murets de brique d'au moins 40 à 50 cm de hauteur. Disposez au fond une couche de drainage constituée de matériaux non calcaires (gravillons), puis du feutre de jardin ; remplissez avec de la terre dite de bruyère. Vous pourrez ainsi cultiver azalées et rhododendrons.

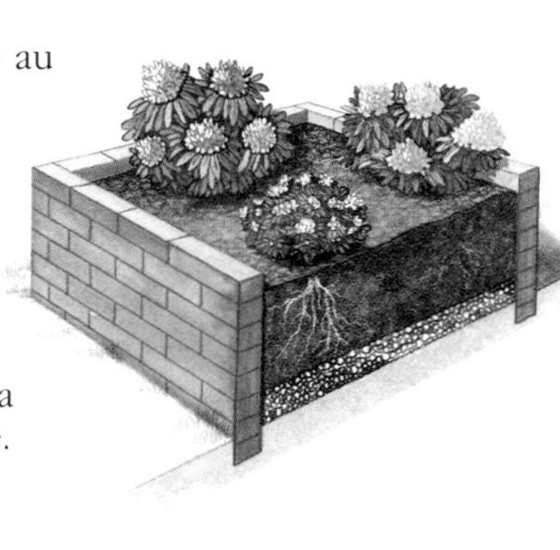

Une autre solution : la tranchée. Elle doit mesurer de 40 à 60 cm de profondeur. Étalez une couche de drainage, sur laquelle vous poserez du feutre de jardin de façon à éviter que la terre de bruyère ne soit peu à peu entraînée en profondeur. Tapissez également les bords d'une feuille plastique.

Récupérez l'eau de pluie pour l'arrosage de vos précieuses plantes calcifuges. L'eau du robinet a toutes les chances d'être aussi calcaire que votre sol.

▶ **Acide, Chlorose, Terre de bruyère**

Camélia

La culture du camélia au Québec ne peut se faire qu'à l'intérieur d'une serre ou d'une pièce bien éclairée.

Les clés de la réussite. Cet arbuste à feuillage persistant brillant, vert foncé, préfère vivre sous climat humide. Plantez-le dans un sol frais, humifère, légèrement acide ou neutre, jamais calcaire. Abritez-le du froid, du vent, du plein soleil. Offrez-lui une fumure de 15 cm d'épaisseur de compost bien décomposé au printemps et en automne. Au moment où il forme ses bourgeons et fleurit, apportez 20 g/m² de sulfate d'ammoniaque toutes les 3 semaines.

En sol calcaire, cultivez les camélias en pots, sur un massif surélevé ou dans une tranchée, remplis de terre de bruyère (voir Calcaire). Vous pouvez les mêler à des azalées et des rhododendrons. Si la terre n'est que légèrement calcaire, enfouissez de la fleur de soufre à raison de 250 g/m².

En pot, il est plus sensible au froid. Le camélia a un faible enracinement, aussi est-il particulièrement vulnérable en pot. Ses racines seront abîmées par de petites gelées de –3, –4 °C alors que son feuillage peut résister jusqu'à –10 °C. Dès l'arrivée de l'hiver, entourez le pot de plastique à bulles épais ou rentrez-le dans un local hors gel bien éclairé.

Petite histoire

Le camélia porte le nom d'un missionnaire jésuite né en Moravie, Georg Joseph Kamel, dit Camellus (1661-1706), qui parcourut l'archipel des Philippines à la recherche de plantes utilitaires et pharmaceutiques. Il expédia en Grande-Bretagne bon nombre de graines et de spécimens mais ne trouva pas — contrairement à ce que l'on peut souvent lire — trace du camélia. C'est Linné qui, un quart de siècle après la mort du naturaliste, offrit son nom à la plante.
À cette époque, on cherchait à percer le secret de l'infusion à la mode : le thé. Les Chinois vendirent des graines de théier... qui se révélèrent après culture être des camélias sans intérêt économique ni décoratif. En 1792 arrivèrent de Chine trois variétés : une blanche, une panachée et une rouge à fleurs doubles. En 1811, c'est une espèce résistante au froid, *C. sasanqua,* qui séduisit les hybrideurs... au point d'obtenir près de 1 500 variétés au milieu du siècle, dont 500 cultivées. Le camélia a été la troisième fleur coupée importante après la rose et le dahlia.

Il a gelé ? S'il ne reste aucune feuille... vous aurez peu de chance de le sauver. En cas de défoliation partielle, taillez sévèrement au-dessus des branches en bon état.

Semis plus facile. Faites tremper les graines 48 heures dans de l'eau maintenue tiède avant semis.

En région fraîche, préférez les variétés à fleurs simples ou demi-doubles, qui résistent mieux au froid que les fleurs doubles.

Le bon arrosage. En plein été, il est indispensable de bassiner toute la plante si le ciel ne s'en charge pas. En revanche, ralentissez les arrosages (à l'eau non calcaire) en septembre pour favoriser la formation des boutons à fleurs.

Campanule

Une préférence pour les sols bien drainés. Sur sol lourd, humide en hiver, les campanules à grandes tiges ont tendance à s'affaisser, les espèces tapissantes à dépérir. Ne craignez pas de planter les campanules en sol caillouteux, bordure de dallage ou auges contenant très peu de terre.

Aidez-les à refleurir. Coupez les tiges des grandes campanules juste sous les fleurs fanées. Régulièrement arrosées par temps sec, elles formeront de nouvelles pousses et fleurs, même si la seconde floraison est moins prestigieuse que la première.

Prolongez vos bordures de campanules en divisant les touffes bien implantées au sortir de l'hiver. Sur sol pauvre, ajoutez une poignée de bon terreau dans le trou de plantation et autour du collet pour assurer une reprise rapide, avec un début de floraison quelques semaines plus tard.

Les grandes campanules donnent de la hauteur aux massifs. Elles sont ravissantes en bouquets.

Pour réaliser vos bouquets champêtres, cultivez *Campanula latifolia,* aux grandes clochettes bleu-violet ou blanches, *C. lactiflora,* à floraison bleu-violet, ou encore *C. persicifolia,* aux tiges fines et aux clochettes largement ouvertes bleues ou blanches.

Tuteurez les espèces à hautes fleurs pour les protéger des bris causés par le vent ou la pluie.

Campanules : faites le bon choix

Les petites campanules, pour les bordures, les murets ou rocailles, les dallages

	Floraison	Hauteur	Remarques
Campanula carpatica	juin à septembre	25 cm	Petites clochettes
C. cochlearifolia	mai à août	10 cm	Beau couvre-sol
C. portenschlagiana (muralis)	juin à septembre	10 cm	Utile pour muret, rocaille
C. poscharskyana (serbie)	juin à août	20 cm	Fleurs bleu lavande

Les grandes campanules, pour les plates-bandes, les bouquets

	Floraison	Hauteur	Remarques
C. glomerata dahurica	juin à août	60 cm	Grosses fleurs blanches ou bleues
C. lactiflora	juin à août	150 cm	Longues hampes florales
C. latifolia	juin à août	80 à 100 cm	Tolère la mi-ombre
C. persicifolia	juin à août	80 à 100 cm	Peut croître à l'ombre
C. pyramidalis	juin à août	120 à 150 cm	Floraison spectaculaire

Exposition. Une situation ensoleillée convient bien à toutes les campanules, mais certaines espèces tolèrent aussi la mi-ombre (*Campanula carpatica, C. cochlearifolia, C. lactiflora, C. latifolia, C. poscharskyana*) et même l'ombre (*C. glomerata, C. persicifolia*).

Capucine

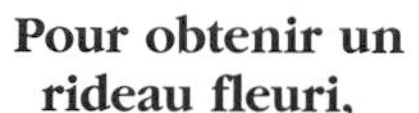

Pour obtenir un rideau fleuri, recouvrir le sol d'un massif, habiller un coin inesthétique ou boucher un trou dans une haie dégarnie, semez quelques graines de capucines grimpantes (capucine des Canaris). En quelques semaines, elles auront produit un abondant feuillage qui se couvrira de fleurs jusqu'au début de l'automne. Début mai, semez-les en poquets de trois ou quatre graines dans une poche de bon terreau. Laissez-les pousser librement sans les tailler. Elles apprécient les arrosages mais supportent plutôt bien la sécheresse une fois démarrées.

Faites le bon choix

Pour réussir de jolies bordures le long des allées, des massifs de fleurs hautes, ou au pied des arbres, en avril semez des capucines naines en place dans une terre fraîche enrichie de terreau. Disposez trois graines tous les 20 cm.

Choisissez : 'Alaska' (feuillage panaché de blanc) ; 'Bijou' (fleurs semi-doubles se hissant au-dessus du feuillage, couleurs mélangées) ; série 'Whirlybird' (fleurs larges simples bien en vue en dehors du feuillage, de couleur écarlate, or, tangerine, acajou, rose, orange ou en mélange).

Lorsqu'on mangeait des capucines

Au XVIe siècle, les premières capucines furent rapportées d'Amérique du Sud en Europe. On essaya de les cultiver comme plantes potagères : leur saveur piquante rappelait celle du cresson. Les graines, confites dans du vinaigre, remplaçaient les câpres. On tenta également d'utiliser les tubercules de certaines variétés (capucines tubéreuses), comme le font encore les habitants des Andes : cuites, congelées, desséchées ou encore confites au vinaigre. C'est devenu un peu trop exotique pour nos palais. Restent les fleurs de nos capucines annuelles, que l'on peut mettre dans les salades : elles sont décoratives et on peut les manger sans crainte.

Un chapiteau de capucines. Piquez un solide tuteur au centre d'un grand baquet en bois. Tendez une douzaine de ficelles entre le tuteur et les bords du baquet. Semez des capucines grimpantes. En quelques semaines vous aurez une splendide potée fleurie qui égaiera votre terrasse jusqu'à l'automne.

Pour avoir des capucines de bonne heure, semez-les début avril dans des godets perdus (godets de tourbe) à l'abri du gel. Ce peut être dans un châssis bien exposé, dans une serre ou à la maison, dans une pièce éclairée. Mettez trois graines par pot pour avoir une végétation plus dense. En mai, vous pourrez les sortir et les planter dans le jardin.

Si vous aimez mélanger les fleurs et les légumes, semez des variétés naines ou semi-naines au potager. Faites des rangs intercalaires entre les haricots, les salades, les fèves ou les radis. Déposez également quelques graines entre les choux, les pieds de tomates… Essayez aussi de mélanger la grande capucine aux courges et aux potirons. Semez-les en même temps en laissant au moins 1,50 m entre chaque plant. Placez toujours les graines dans du terreau.

Les capucines permettent d'obtenir des décors de charme en quelques semaines seulement.

Cardon

Il prend de la place ! Semez le cardon vers le 15 mai, à 1 m de distance en tous sens, en poquets de 3 ou 4 graines. 2 semaines après la levée, éclaircissez en ne laissant qu'un plant par poquet. Au début, cultivez entre vos cardons des radis ou des laitues. Ces légumes à cycle rapide rentabiliseront l'espace disponible.

Petite histoire

En France, le cardon n'est guère connu et cultivé que dans la vallée du Rhône. C'est une véritable institution dans les cuisines lyonnaises, où on l'accommode « à la moelle ». Ce genre d'artichaut à pétioles charnus aurait été introduit jusque dans la région de Genève par des huguenots chassés du Midi par la révocation de l'édit de Nantes, en 1685. Cet excellent légume pousse cependant fort bien partout, y compris au Québec.

Pour le coup d'œil. Les énormes bouquets de feuilles gris-bleu joliment découpées sont du plus bel effet dans une plate-bande de fleurs. Cultivez-le à travers vos massifs de fleurs annuelles ou de fleurs vivaces.

Blanchissez vos cardons pour les attendrir. En septembre-octobre, resserrez les touffes avec de la ficelle et enveloppez-les de carton ondulé ou de plastique (sac d'engrais). Ne laissez dépasser que les feuilles. Buttez à la base. Vous pourrez commencer à consommer 3 à 4 semaines plus tard. Ainsi protégés, les cardons résistent au gel.

> **Faites le bon choix**
>
> Préférez les variétés 'Bergamo' (à chair blanche et épaisse) et 'Blanc Inerme' (feuillage très découpé, légèrement verdâtre, blanchissant facilement).

Secret de préparation. Ôtez les feuilles, puis brossez les pétioles dans de l'eau additionnée de jus de citron, pour éviter le noircissement. Découpez-les en tronçons de 10 cm et faites-les cuire 1/2 heure dans de l'eau bouillante salée additionnée d'un peu de lait ou de farine. Accommodez ensuite au jus, à la crème, en gratin...

Carnivores (plantes)

EN PLEIN AIR

À l'état indigène, on retrouve au Québec de très belles plantes carnivores : la sarracénie pourpre est le principal attrait de nos tourbières avec les différentes espèces de rossolis (*Drosera rotundifolia, D. intermedia, D. anglica*) et d'utriculaires (*Utricularia cornuta, U. geminiscapa*).

Jardinière mobile. Plus simple qu'une tourbière et indispensable en région froide. Utilisez une jardinière que vous remplirez de tourbe pure, posez-la en bordure du bassin afin que la tourbe soit imbibée d'eau en permanence. En hiver, rentrez-la sous serre (5-10 °C).

Recréez une tourbière pour y accueillir, entre autres plantes de sol très humide, des espèces carnivores rustiques comme la grassette (*Pinguicula vulgaris*), la sarracénie pourpre, les rossolis et l'utriculaire cornue. Creusez une fosse d'au moins 40 cm de profondeur, au fond de laquelle vous étalerez une couche de sable avant de poser un film plastique épais spécial pour bassins. Percez des trous de drainage tous les 40 cm. Remplissez de tourbe. Avant l'hiver, protégez les plantes par du plastique alvéolé ou de la tourbe.

Pas d'engrais pour ces plantes natives des tourbières (donc de sols très acides) ou de sols très pauvres : cultivez-les dans de la tourbe pure ou dans un mélange sable et tourbe pour les plantes de marécages.

À L'INTÉRIEUR

Humidité indispensable. Entretenez en permanence une ambiance humide en groupant les pots sur un lit de gravillons ou de billes d'argile trempant dans un peu d'eau au fond d'un plateau creux. En été, laissez l'eau affleurer à la base des pots. Vous pouvez opter pour la culture en serre d'appartement ou un jardin en bouteille, qui maintiendront toujours une ambiance humide.

Préférez l'eau de pluie pour les arrosages, dans la mesure du possible, ou du moins une eau non calcaire. Maintenez le mélange de culture bien humide en été. En hiver,

> **Des pièges fascinants**
>
> Amusez-vous à reconnaître les différents types de pièges dont disposent les plantes carnivores pour capturer leurs proies.

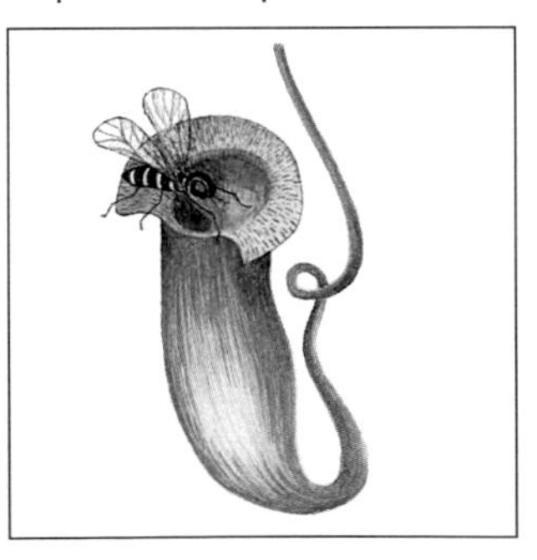

Les pièges passifs, comme on les observe chez les genres *Sarracenia* ou *Nepenthes* ; les feuilles se transforment en larges cornets ou urnes. Les insectes attirés par le nectar viennent se noyer dans le liquide remplissant le fond du piège.

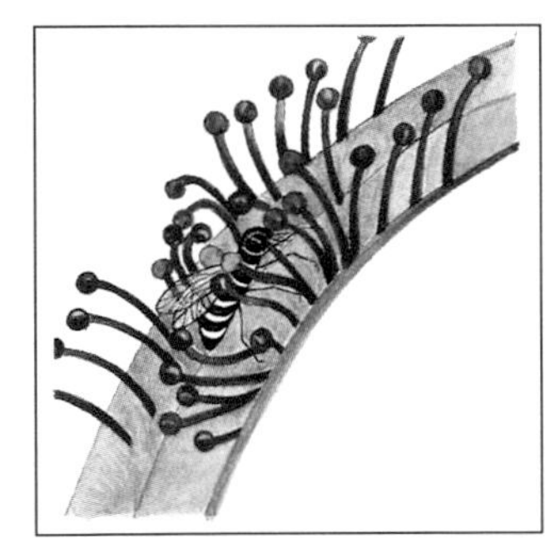

Les pièges dits semi-actifs, par exemple chez la drosera et la grassette ; les feuilles munies de poils glanduleux se replient pour maintenir la proie.

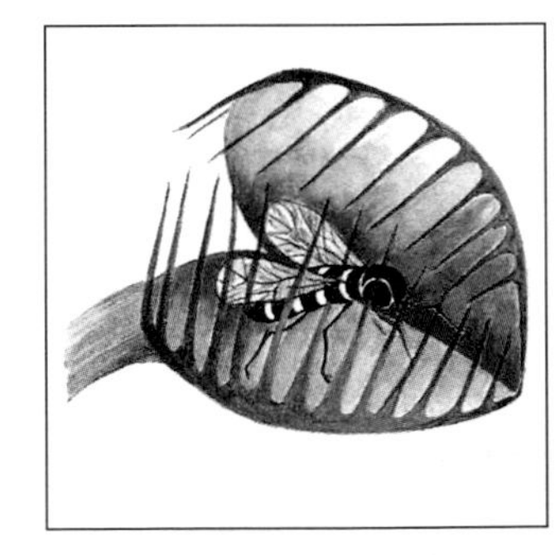

Les pièges actifs, comme celui de la dionée ; les feuilles sont constituées de deux lobes qui se referment comme des mâchoires lorsque l'insecte touche les cils glanduleux bordant les lobes.

arrosez moins, surtout si la température est fraîche.

Faites le bon choix

À l'intérieur, les plus faciles à cultiver sont : *Dionaea muscipula,* à installer à la lumière, température fraîche en hiver (5 °C) ; *Drosera capensis,* plein soleil, température de 5 à 10 °C en hiver ; *Sarracenia flava,* lumière vive, température de 0 à 10 °C en hiver.

Carotte

Un semis efficace et productif. Semez les graines sur une bande large de 10 cm, le plus légèrement possible. Tassez-les avec le dos du râteau pour les enterrer.

Un mois après, éclaircissez les plants pour n'en laisser qu'un tous les 5 cm — pour les petites variétés de carottes — ou tous les 7 cm — pour les variétés les plus grosses —,

en veillant à garder les plus belles plantules.

Graines enrobées et graines en rubans sont les deux types de présentation idéale. Semez les graines enrobées dans un petit sillon tous les 5 cm. Dans les rubans, les graines sont déjà à la bonne distance. Recouvrez-les de 5 mm de terreau légèrement tassé.

Accélérez la germination des graines de carotte en les trempant pendant une nuit dans de l'eau tiède. Si vous possédez un germoir à graines comestibles, utilisez-le pour faire prégermer les graines pendant 48 heures. Semez-les ensuite sans les laisser sécher. Vous gagnerez ainsi quelques jours. Profitez-en pour faire prégermer le persil, qui est de la même famille et demande souvent bien plus de temps pour lever.

Pour éviter d'éclaircir, semez des graines de radis rose et de laitue en même temps que vos graines de carotte. Les radis lèveront et viendront à maturité en premier (au bout de 3 semaines). Au bout de 1 mois ce sera le tour des laitues, que vous repiquerez lorsqu'elles auront 4 feuilles. Resteront les carottes, qui auront toute la place et le temps nécessaires pour grossir.

Pour récolter des carottes plus sucrées, apportez un engrais riche en potasse et pauvre en azote.

Si la terre est lourde, choisissez des variétés adaptées comme 'Choctaw', 'Six Pak II' ou 'Gold Pak'.

Si le sol n'est pas assez profond — l'idéal étant de 40 cm au minimum —, choisissez des variétés courtes à racines presque rondes ('Amini', 'Mini Amca', 'Tim-Tom' ou 'Imperator 58'). Ce sont des variétés précoces qu'il faut semer tôt. Attention, elles ne se conservent pas très longtemps (1 à 2 semaines au frais).

Des plates-bandes surélevées sur un sol peu profond permettent d'obtenir des carottes demi-longues. Ameublissez la terre à l'aide d'un râteau. Montez de longues buttes hautes d'une dizaine de centimètres et larges de 30 à 40 cm, et semez les graines (enrobées, de préférence). N'oubliez pas de prévoir un tuyau poreux pour l'arrosage et un ombrage propice, car ces plate-bandes sèchent plus rapidement.

Pour éloigner les « mouches », dont les larves font des ravages dans les racines, évitez les apports de compost frais et cultivez les carottes dans un sol léger.

À défaut de filet anti-insectes,

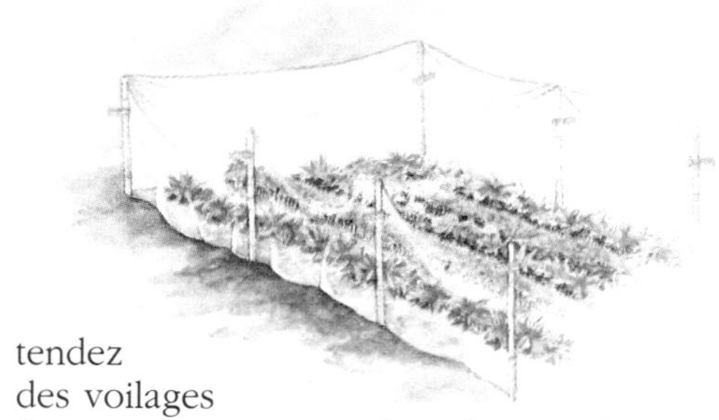

tendez des voilages (type voilages pour rideaux) verticalement autour des plates-bandes de carottes. Pour

Carottes : faites le bon choix

Étalez vos semis en utilisant judicieusement les différentes variétés de carottes, et vous en mangerez toute la saison.

Maturité hâtive	Maturité semi-hâtive	Maturité tardive
'Amini'	'Cello-King'	'Dominator'
'Cheyenne'	'Gold Pak'	'Imperator 58'
'Choctaw'	'Légende'	'Imperator 408'
'Mini Amca'	'Nantaise Longue Duke'	'Nantaise'
'Presto'		'Orlando Gold'
'Primo'		'Sierra'
'Tim-Tom'		

Semez vos carottes trois semaines avant la fin des gelées, dès que la terre est suffisamment asséchée. Si vous n'utilisez qu'une seule variété, semez-en toutes les trois semaines jusqu'au début de juillet. Vous pourrez ainsi les déguster tout l'été et tout l'automne !

être efficaces, les voilages doivent mesurer entre 30 et 40 cm de hauteur. En juillet-août, recouvrez les rangs de feuilles de fougère, de sauge ou de lavande.

Odeurs répulsives. Associez les carottes avec l'ail, les oignons ou encore avec les échalotes, dont l'odeur détourne les petites mouches en été.

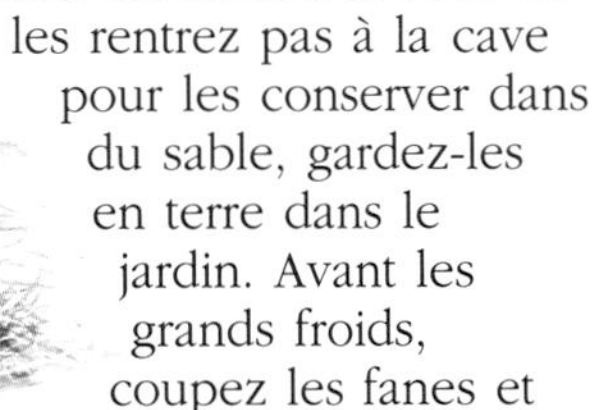

Des carottes en hiver. Si vous ne les rentrez pas à la cave pour les conserver dans du sable, gardez-les en terre dans le jardin. Avant les grands froids, coupez les fanes et couvrez le rang d'une bande de grillage à son tour couverte d'une couche de feuilles mortes ou de paille (20 cm). Il suffira de soulever l'ensemble pour la récolte.

Les petits malheurs des carottes : apprenez à les soigner

Les symptômes	Les causes et les solutions
Les racines sont fourchues.	La terre de votre jardin est trop caillouteuse ou bien contient du fumier pailleux mal décomposé. Éliminez les cailloux en bêchant et n'apportez plus de fumier frais.
Les racines sont trop petites.	Vous avez effectué un semis trop dense, sans doute pas suffisamment éclairci. Gardez un espace de 5 à 7 cm entre chaque plant. Il se peut également qu'il ait fait trop chaud. Ombrez en été.
Le cœur est dur et ligneux.	Les carottes ont eu soif ou la variété choisie ne convenait pas à une récolte tardive. Utilisez alors des hybrides F1, qui sont riches en vitamine A, faciles à cultiver, même sur terrain lourd, et qui n'ont pas de « cœur ».
Les racines sont fendues.	Elles ont reçu trop d'eau après une période de sécheresse. Cela ne modifie pas le goût. Modérez les arrosages ou protégez les racines des pluies d'orage avec des châssis mobiles.
Elles manquent de saveur.	Il s'agit d'une variété de garde semée trop tôt. Attendez le mois de juin.

Récolter sans outil, c'est possible. En général, en tirant sur le feuillage d'une carotte, il se casse au niveau du collet et la racine reste en terre. Un bon truc : avant de tirer, enfoncez légèrement la carotte ; cela brisera les radicelles qui la retiennent au sol. La racine viendra alors beaucoup plus facilement.

▶ **Potager**

Cassis

Achat malin. S'ils ont les racines nues, vous serez obligé de les planter en automne ou tôt au printemps. Pour pouvoir le faire toute la saison, choisissez-les en conteneurs.

Nourriture pour la mauvaise saison. Apportez-leur chaque automne une bonne pelletée de terreau ou de compost bien décomposé.

Pour favoriser le départ des branches à la base des jeunes buissons, plantez-les profondément. Enterrez sans crainte le collet de plusieurs centimètres par rapport au niveau précédent. Si vous ne l'avez pas fait, vous pouvez rattraper cette erreur en buttant chaque touffe sur une hauteur de 10 cm environ ou en rajoutant de la terre.

Un massif de petits fruits. Cultivez les cassis avec d'autres petits fruits rouges comme les framboises, les groseilles à grappes ou certaines variétés de groseilles à maquereau.

Pour obtenir davantage de fruits, associez une variété ancienne (autostérile) à une autre fleurissant en même temps. Les variétés récentes ('Baldwin', 'Blackdown', 'Géant de Boskoop', 'Magnus', 'Noir de Bourgogne') sont autofertiles : vous pouvez ne cultiver qu'une seule variété pour avoir des fruits.

Taillez-les au moment de la récolte. C'est plus facile et vous ne perdrez pas un fruit. Supprimez au ras du sol les branches les plus âgées. Ce sont les plus ramifiées et leur écorce est plus sombre. Un buisson doit conserver entre 8 et 10 branches pour bien végéter. Après avoir coupé les branches, égrenez-les à la maison. N'oubliez pas d'apporter de l'eau et de l'engrais après cette taille.

Paillez pour moins d'entretien. Le paillis traditionnel, fait de végétaux broyés ou de paille partiellement décomposée, est plus naturel et apporte de la matière organique aux plantes lorsque les végétaux se décomposent. Le paillage plastique (film noir ou vert) ne demande aucun entretien pendant au moins 3 ans si l'on utilise un film épais de 80 micromètres.

Faites le bon choix

Si vous appréciez la saveur des cassis, choisissez parmi les variétés suivantes : 'Baldwin', 'Blackdown' (saveur douce), 'Consort' (variété tardive), 'Coronet' et 'Crusader' (variétés communes, résistantes à la rouille), 'Géant de Boskoop' (gros fruits), 'Laleham Beauty' (2 récoltes à 2 semaines d'intervalle), 'Topsy Consort' (variété hâtive, gros fruits), 'Willoughby' (variété très rustique). Autres choix possibles : 'Magnus', 'Record', 'Silvergieter' et 'Tor Cross'. Pour les curieux, essayez 'White Imperial', variété à fruits blancs, savoureux crus ou en gelée (celle-ci est de couleur rose).

Une forme originale : le cassis sur tige. Vous pouvez le créer vous-même très facilement en partant d'une longue bouture d'environ 60 à 70 cm pourvue de son bourgeon terminal. Repiquez-la en l'enfonçant dans le sol sur 15 cm. Maintenez-la avec un tuteur en bois. Avec un couteau ou un greffoir, supprimez les bourgeons situés sur la tige. Au sommet, laissez-en 4 ou 5 : ils formeront la future ramure. En 3 ans vous obtiendrez un joli petit arbre qui demandera peu de taille et portera autant de fruits que les cassis en buisson.

Bouturage facile. Choisissez des rameaux bien droits et jeunes (leur écorce est lisse et grise) et coupez des tronçons de 25 cm de long. Repiquez-les en terre en les enfonçant de 10 cm. Vous pouvez les préparer dans un châssis, dans de grands pots ou les mettre directement en place. Si vous les préparez en automne, ils démarreront dès le printemps suivant.

▶ **Liqueur**

Céleri

Pour éviter de semer, procurez-vous des plants en mottes vendus en jardinerie dès le mois de mai. Repiquez-les dans une terre fraîche et bien travaillée enrichie de compost et d'engrais complet, type engrais coup de fouet. Lorsqu'ils auront bien démarré, dégagez le collet et, à l'aide d'un couteau, coupez les radicelles les plus haut placées. Supprimez également une partie du feuillage du pourtour.

Si le sol est sec, cultivez les céleris au fond de petites tranchées de 10 cm de profondeur et larges de 20 à 25 cm. Ils y trouveront la fraîcheur nécessaire. Vous pourrez même y installer un arrosage au goutte à goutte, ou un tuyau microporeux, qui maintiendra le sol à la même humidité.

Pour obtenir des côtes tendres, mettez-les dans l'obscurité pendant 1 à 3 semaines. Entourez les touffes d'une bande de carton ou de plastique noir maintenue avec des ficelles, ou bien recouvrez les plants aux deux tiers avec de la paille.

Un sol pas assez profond ou trop humide. Pour remédier à ces problèmes, cultivez les céleris sur des plates-bandes surélevées d'environ 20 cm et larges de 40 cm (voir Carotte). N'oubliez pas d'assurer un arrosage régulier sur ces plates-bandes surélevées qui sèchent toujours plus rapidement.

Améliorez le goût des céleris-raves en les stockant durant l'hiver dans de la cendre. Ils s'y affinent et perdent un peu de leur âpreté naturelle.

Après la récolte des céleris-raves, supprimez le feuillage et les petites racines et laissez-les sécher une journée au soleil. Rentrez-les ensuite à l'abri du froid, dans une caisse remplie de sable sec avec les carottes, les navets ou les betteraves.

Deux vivaces au goût de céleri. L'ache et la livèche sont des plantes vivaces à feuilles découpées qui ressemblent au céleri et qui en ont l'arôme. Cultivez-les avec vos plantes aromatiques et récoltez les feuilles tout au long de la saison. Leur goût étant très prononcé, utilisez-les en petites quantités.

Faites le bon choix

Céleris : 'Géant vert', pétioles larges, variété hâtive ; 'Summit', longs pétioles, vert foncé ; 'Ventura', pétioles très longs, vert clair.

Céleris raves : 'Monarch', grosses racines fermes, chair blanche ; 'Sublime', variété hâtive.

▶ **Potager**

Cendres

Conservez les cendres des feux d'hiver au sec dans des sacs en plastique pour qu'elles gardent le maximum d'efficacité au printemps. Elles contiennent du calcium, du potassium, du magnésium, du phosphore, du fer, du cuivre, du bore, du sodium, du zinc et du manganèse, qui se dégradent vite sous l'effet de l'humidité.

Engrais économique. Il plaira surtout aux tomates, aux légumes-bulbes (oignons, échalotes…), aux haricots, aux arbres et arbustes fruitiers, aux fleurs à bulbes. C'est la potasse et le calcium qui sont alors les plus précieux. Les cendres les plus riches en potasse sont celles de tilleul (38 %) et de fougère (30 %).

Versez-en sur le compost. Elles neutralisent sa tendance acide en relevant doucement le pH et font oublier son odeur en été.

Antiparasitaire. Pensez à répandre des cendres dans les sillons, avant vos semis de légumes. Elles éloigneront puces de terre et autres parasites du sol.

Un tronc inattaquable. Les insectes rampants ne monteront pas sur un tronc badigeonné d'une pâte de cendres obtenue en mélangeant celles-ci avec de l'eau.

Panne de chauffage ? Mettez des cendres chaudes dans un récipient métallique au centre de la serre ou de la véranda. Cela dégagera de la chaleur pendant plus de 24 heures.

Éloignez limaces et escargots en plaçant un cercle complet de cendres autour des plantes à protéger, jeunes pousses de vivaces comme les delphiniums, semis d'annuelles, plants repiqués au potager, touffes d'hostas, d'iris...

Bain de cendres. Les animaux de la basse-cour aiment se baigner dans les cendres, qui les aident à lutter contre les parasites. Offrez régulièrement aux volailles un cageot plein de cendres.

Conservez dans la cendre les bulbes les plus fragiles. Pendant l'hiver, rangez les bulbes qui ont besoin d'une protection thermique laissant bien circuler l'air (bulbes de lis, gloriosa, *Caladium*...) entre deux couches de cendres.

Un manteau pour l'hiver. Formez un monticule de cendres autour et sur la souche de plantes fragiles comme les gunneras, les fuchsias dits rustiques, certaines fougères ou sur les plants d'artichaut... Le pouvoir drainant des cendres évite à l'eau de stagner, limitant les risques de pourriture.

Antiglisse. Jetez des cendres de charbon sur une allée glacée ou enneigée. Évitez le sel, qui est très nocif pour les racines des plantes voisines.

Cerfeuil

Cultivez-le à mi-ombre car en plein soleil les petits plants germeront mal ou pas du tout. Une fois que le cerfeuil a trouvé son endroit (exposition nord ou est), laissez monter à graine une partie des tiges pour que le semis soit totalement naturel. À noter que le cerfeuil cultivé dans l'est du Canada est annuel.

Cueillez-le avant floraison. Supprimez autant que possible les fleurs en formation pour conserver le plus longtemps possible les feuilles à ramasser. Congelez ces feuilles hachées sous forme de glaçons pris dans du bouillon ou un peu d'eau. Ils serviront pour les soupes, sauces...

Cerfeuil tubéreux. Ce légume oublié revient à la mode. Stratifiez ses graines dès le mois d'octobre si vous pensez faire un semis printanier, la levée en sera plus rapide et régulière, sinon vous risquez d'être déçu par la récolte.

▶ **Aromatiques**

Cerisier

Dans un petit jardin, formez vos cerisiers en buissons (tronc très court) ou palissez-les le long d'un mur. Prévoyez une largeur de 6 m environ.

Choisissez un porte-greffe semi-nanisant ('Mazzard', 'Mahaleb'), vous réduirez d'environ 30 % les dimensions de l'arbre adulte. Ce porte-greffe procure une mise à fruits plus rapide pour une production aussi abondante.

Les cerisiers acides sont autofertiles : ils n'ont donc pas besoin des abeilles pour fructifier. Ceci est un avantage dans les régions moins clémentes, où les printemps frais ne favorisent pas l'activité des abeilles tôt en saison.

Pollinisation : les cerisiers doux dépendent de la pollinisation pour l'obtention de fruits, tout comme les pommiers. Comptez au moins 1 arbre sur 6 pour répondre à ce besoin.

Si le sol est trop humide et trop lourd (type argileux), vous n'obtiendrez pas de fruits. Choisissez donc un porte-greffe adapté, comme le merisier.

Sur une terre calcaire et sèche en été, préférez des arbres greffés sur 'Sainte-Lucie' (ou 'Mahaleb').

Arrosage efficace. Servez-vous de barres à mine, que vous enfoncerez dans la terre à l'aplomb de la couronne de l'arbre pour faire des trous de 30 cm de profondeur. Apportez-y votre tuyau d'arrosage.

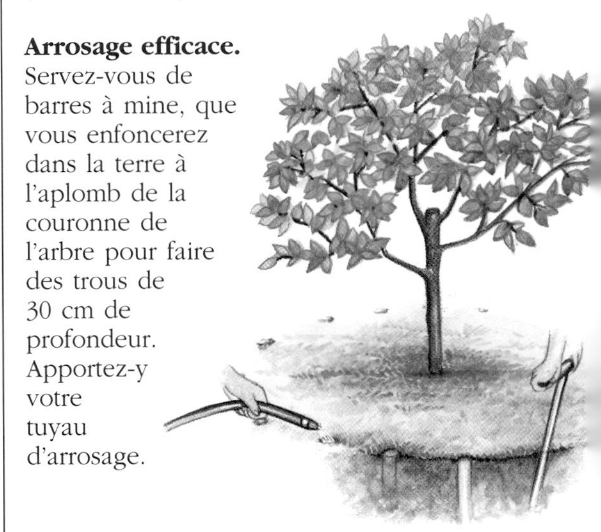

Faites le bon choix

Cerisiers doux (zone 5 et plus)

'Bing', fruit rouge foncé, très parfumé ; 'Black Tartian', fruit rouge foncé, presque noir ; 'Deacon', petit fruit, idéal pour conserve ; 'Hedelfingen', fruit presque noir ; 'Lambert', variété très rustique ; 'Senecal', gros fruit juteux ; 'Venus', variété intéressante pour petit jardin ; 'Vista', fruit noir.

Cerisiers acides

Zone 2 : 'Convoy', fruit rouge, chair jaune ; 'Dura', fruit rouge, chair marron ; 'Hiawatha', gros fruit rouge ; 'Manor', fruit rouge, chair rouge ; 'Opata', fruit rouge foncé, chair verte.

Zone 3 : 'Meteor', fruit rouge, chair jaune ; 'Northstar', variété naine.

Zone 4 : 'Montmorency', fruit rouge clair ; 'Morello', fruit rouge foncé ; 'Richmond', petit fruit, variété hâtive ; 'Suda', fruit rouge foncé.

Au bord de la mer, plantez les cerisiers à l'abri d'une haie assez haute (4-6 m), car ils n'apprécient pas le vent continu du littoral. Formez-les en gobelets assez bas.

N'arrosez jamais au moment de la maturation des fruits, ni plus tard : vous risqueriez de faire éclater les fruits.

Réduisez les arrosages si vous trouvez des cerises éclatées. Elles sont le signe d'un apport d'eau trop brutal.

En cas de forte pluie à la fin de la maturation, recouvrez largement le sol au pied de l'arbre avec un film plastique.

Piégez la mouche de la cerise, qui vient pondre ses œufs vers le mois de juin dans les jeunes cerises. Installez sur les branches des panneaux jaunes attractifs sur lesquels les insectes viendront s'engluer. Un panneau protège un arbre de taille moyenne.

Des fruits tombés avant leur maturité signalent sans doute la présence de larves de mouche. Détruisez-les avant qu'elles ne rentrent dans le sol pour se métamorphoser.

Si vous avez des poules, laissez-les travailler à votre place au pied des arbres.

Un arbre fragile. Une fois le cerisier planté, ne travaillez pas le sol au pied. Si vous devez le faire, utilisez une fourche-bêche qui ne blessera pas ses racines, sinon vous risquez de voir apparaître des champignons parasites.

Une cueillette sans danger. Lorsque les fruits sont mûrs, coupez une partie des branches les plus hautes avec un échenilloir (sécateur monté sur un long manche). Vous les « éplucherez » tranquillement assis à l'ombre.

Taillez l'arbre au moment de la cueillette. Les cerises se forment uniquement sur les jeunes rameaux, qui vont donc croître à nouveau rapidement.

Pour parer aux pillages, sortez votre panoplie d'affolants : aluminium, fils bruyants, ballons et même transistors ! Ne les installez qu'au moment de la maturité des fruits : les oiseaux n'y seront pas habitués.

Donnez à boire aux oiseaux. En juin et juillet, les oiseaux ont souvent soif. Si vous installez de grands abreuvoirs près des cerisiers, les oiseaux mangeront moins de fruits.

Le filet à mailles fines reste la parade la plus sûre contre les oiseaux amateurs de fruits. Il enveloppe complètement l'arbre mais vous ne devez le poser que sur un arbre conduit en basse tige. Pensez à l'enlever dès qu'il n'est plus utile, il risquerait de se transformer en piège.

Des écoulements de sève assez collante sur les branches ou le tronc des cerisiers sont le signe d'une souffrance de l'arbre. Ils ouvrent la porte à bien des maladies. Grattez la gomme avec un outil adapté (grattoir, couteau de jardin soigneusement désinfecté avec de l'alcool). Recouvrez ensuite la plaie d'un produit cicatrisant et désinfectant — alcool à brûler ou sulfate de cuivre (bouillie bordelaise) — dilué dans de l'eau.

2 mois de cerises

Si vous aimez vraiment les cerises, voici les variétés qu'il est conseillé de planter, dans le nord-est du continent, pour en récolter pendant presque 2 mois, soit de la mi-juillet à la fin août.

Zone 2 : 'Convoy', mi-août
'Dura', fin août
'Hiawatha', mi-août
'Manor', mi-août
'Opata', fin août

Zone 3 : 'Meteor', début août
'Northstar', mi-juillet

Zone 4 : 'Montmorency', fin juillet
'Morello', début août
'Richmond', mi-juillet
'Suda', mi-août

► **Chute des fruits, Pollinisation, Verger**

Cernage

Pour supprimer une partie des racines d'un arbre fruitier de manière à réduire sa vigueur, creusez une tranchée circulaire à l'aplomb de la couronne de l'arbre, large d'un fer de bêche et d'une profondeur de 40 cm, et tranchez au sécateur toutes les racines que vous découvrez au cours du travail. Rebouchez la tranchée et cessez les apports d'engrais azotés. Intervenez au début du printemps ou à la fin de l'été.

Pour donner de la vigueur à un arbre qui ne végète pas comme il faut ou tarde à mettre à fruits, faites une tranchée comme indiqué ci-dessus, mais sans supprimer les racines. Rebouchez la tranchée en mélangeant la terre à du compost et de l'engrais organique complet pour arbres. Arrosez-la copieusement. Faites ce cernage en automne ou au début du printemps.

Pour arracher un arbre en le dessouchant, commencez par élaguer (voir Élagage) les plus grosses branches pour ne laisser que le tronc. Ensuite, creusez autour du tronc une tranchée large de deux fers de bêche. Elle vous permettra de couper les grosses racines au fur et à mesure que vous les rencontrerez.

Si vous voulez arracher un arbre à pivot (racine centrale), coupez-le en dégageant suffisamment de terre d'un seul côté. Faites votre cernage assez près du tronc pour pouvoir couper les racines au ras de la souche et préparer un éventuel arrachage par un moyen mécanique.

Racines envahissantes. Réduisez les racines des grands arbres qui deviennent gênantes par un cernage partiel qui interrompra leur croissance pour laisser place à des radicelles suffisant à l'arbre.

Pour planter au pied d'un arbre, isolez ses racines au moyen d'une plaque de béton ou d'ardoise enfoncée verticalement, qui servira de frontière souterraine. Enrichissez ensuite la terre du trou de plantation avec du terreau et de l'engrais pour y installer un rosier grimpant ou une clématite.

Rempotez en automne les plantes d'orangerie si vous les avez installées dans un massif du jardin. Dès le mois de septembre, préparez les fuchsias, les lantanas, les bougainvillées... en cernant leurs racines. Utilisez une bêche bien tranchante ou tout simplement une vieille scie égoïne. Autour du collet, tranchez la terre (et les racines) sur un diamètre légèrement inférieur à celui du pot qui accueillera la plante.

Chaleur

Pour faire de l'ombre, récupérez des filets plastiques à mailles fines, de la toile de jute, des paillassons qui vous ont servi de protection hivernale, des cartons ou des cageots, et fixez-les sur des bâtons.

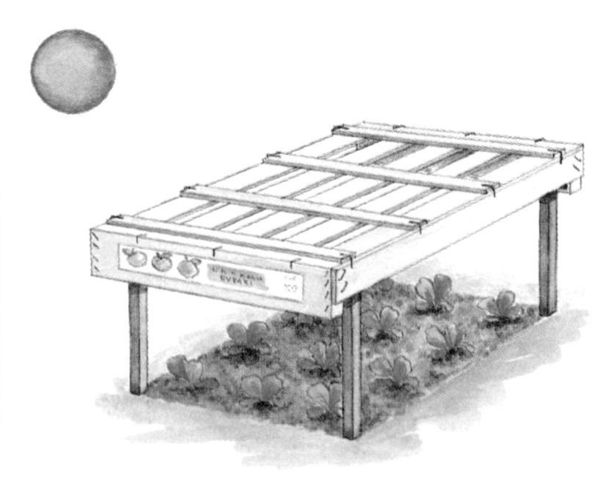

Au potager, plantez les légumes à un endroit où ils pourront recevoir un peu d'ombre pendant les heures chaudes (entre 11 h et 16 h), surtout les légumes-feuilles (salade, épinard, bette, herbes...).

À l'ombre des grandes. Installez au potager quelques rangées de plantes de haute stature qui protégeront semis, jeunes plants et plantes allergiques au soleil (épinard, bette, salade...). Choisissez les maïs, tournesols, dahlias, cosmos...

Un paillage de couleur claire réverbérera les rayons solaires et limitera la montée de la chaleur du sol. Faites-le avec de la sciure, du papier journal, du sable, des écorces fines broyées... N'utilisez jamais de plastique, qui retient trop la chaleur.

Badigeonnez le tronc d'un jeune arbre jusqu'au premier gros embranchement avec du lait de chaux : la couleur blanche réverbère les rayons solaires.

Pour emmagasiner de la chaleur afin d'obtenir des récoltes hâtives, pour neutraliser une gelée tardive, ou pour prolonger une culture au début d'une mauvaise saison, pensez aux cloches de verre ou de plastique (voir Cloche), aux films de forçage, aux voiles de protection.

Une vraie bouillotte ! Récupérez de vieilles chambres à air, remplissez-les d'eau puis fermez l'ouverture avec une pince à linge. Le noir attire la chaleur, l'eau se réchauffe dans la journée et la chaleur est restituée la nuit. Utilisez-les au printemps et à l'automne, et retirez-les l'été.

▶ **Brûlures, Ombrage, Sécheresse**

Champignon

Faites pousser des champignons sur votre pelouse sauvage. Jetez-y tous les restes de champignons des prés et de terrains découverts qui ont été consommés : mousserons, agarics, lactaires délicieux, coprins chevelus...

Ensemencez directement votre pelouse avec du « blanc de champignon » de couche. Creusez des petites fosses (40 cm de côté sur 15 cm de

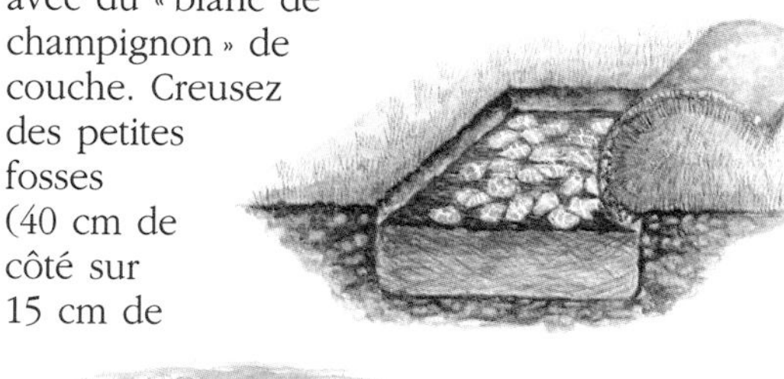

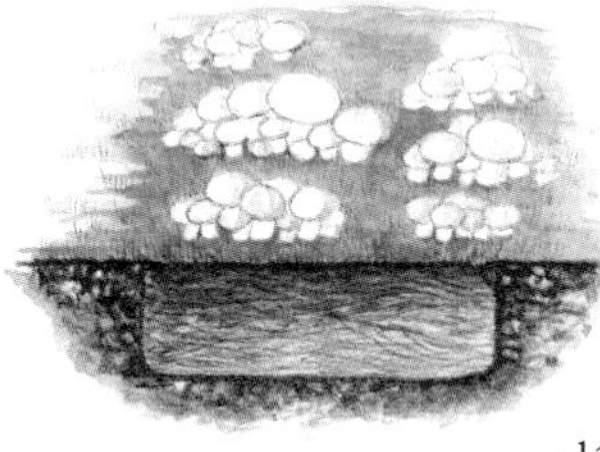

profondeur) dans un coin retiré, ombragé et frais du jardin. Remplissez-les de fumier de cheval bien décomposé et déposez quelques morceaux de « blanc ». Recouvrez de gazon et maintenez l'endroit frais sans trop le mouiller.

Cultivez des champignons chez vous. Procurez-vous le matériel d'ensemencement vendu par correspondance dans certains catalogues de graines. Déposez le « blanc » sur un support de croissance adapté et très humide. Les strophaires rugueux poussent sur des bottes de paille mouillées. Les pleurotes sur des bûches de bouleau, de peuplier, de saule ou dans des sacs de sciure de bois (non traitée). Commencez ces cultures au printemps à l'extérieur, ou en automne dans un endroit abrité.

Essayez le champignon parfumé Shii-také. Il pousse directement sur les substrats avec lesquels il est vendu. Ils se présentent sous la forme d'une bûche qu'il vous suffira de maintenir humide dans une miniserre. Récoltez au bout de 2 mois environ. Vous obtiendrez entre 200 et 300 g de champignons.

Des truffes ? Si vous possédez en Europe un terrain plutôt calcaire, soigneusement nettoyé et désherbé, procurez-vous des plants mycorhizés (c'est-à-dire dont les racines sont infestées par du mycélium de truffe) chez un pépiniériste spécialisé en France. Patientez entre 4 et 7 ans avant de récolter vos premières truffes.

Pour éviter l'apparition de l'armillaire couleur de miel, champignon parasite des arbres, plantez des sujets résistants comme les cornouillers, les charmes, les frênes, les tilleuls ou les sorbiers.

Méfiez-vous des trucs et des recettes qui permettraient de distinguer les bons champignons des mauvais (limace, oignon, pièce d'argent...) ou qui feraient disparaître le poison des espèces douteuses (sel, vinaigre, citron...). Toutes sont de pures fantaisies qui s'avèrent absolument dangereuses.

Charbon de bois

Pour cicatriser une plaie sur une bouture qui reste humide (cactées, plantes grasses...), trempez-la dans de la poudre de charbon de bois et attendez 24 heures avant de la mettre dans du sable à peine humide.

Pour rééquilibrer un sol trop acide, épandez 200 g de charbon de bois pilé avec 200 g de plâtre broyé par mètre carré. Griffez ou bêchez pour faire pénétrer ce mélange dans le sol.

Sur la terre des semis. Saupoudrez la surface des pots et terrines où vous allez semer des graines fines avec du charbon de bois en poudre (écrasez-le au rouleau à pâtisserie entre 2 sacs en plastique). Ce produit évite le développement du champignon qui provoque la fonte des semis.

Pour conserver l'eau d'un vase propre lorsqu'on fait croître une jacinthe ou que l'on garde les grappes de raisin pour Noël, par exemple, il suffit d'y ajouter un morceau de charbon de bois.

Lorsque vous rempotez les orchidées au printemps, ajoutez quelques poignées de charbon de bois au mélange de terre spécial.

Châssis

Une protection indispensable pour les semis, les jeunes plantes, les boutures, efficace aussi bien contre le froid que contre

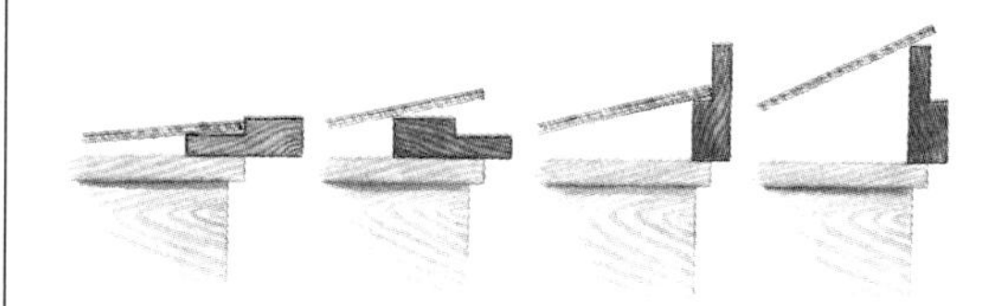

la chaleur. L'été, ouvrez davantage le châssis dans la journée et refermez-le le soir. Fabriquez-vous une cale qui vous permettra d'obtenir 4 hauteurs d'ouverture différentes.

Le châssis idéal est composé de 2 vitrages indépendants, et doit mesurer 1,35 m de large sur 2,60 m de long. Sa hauteur est de 20 cm sur le devant et 30 cm sur l'arrière pour former une pente douce bien exposée aux rayons solaires et permettant l'écoulement de l'eau.

Quels matériaux choisir ? Le châssis le plus facile à entretenir (dans le temps et contre les maladies) est en plastique ou en aluminium. Le bois doit être traité sous pression avant achat. C'est le matériau qui conserve le mieux la chaleur. La partie vitrée peut être en verre ou en

plastique. Vous pouvez aussi vous fabriquer un vitrage supersolide avec un film plastique armé.

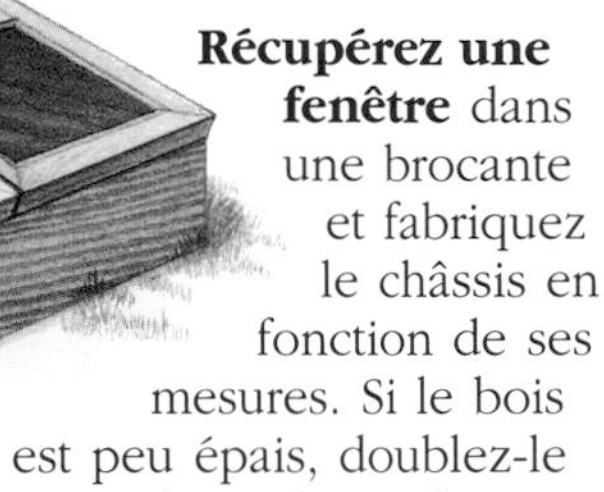

Récupérez une fenêtre dans une brocante et fabriquez le châssis en fonction de ses mesures. Si le bois est peu épais, doublez-le d'une couche isolante de polystyrène expansé ou de laine de verre.

Un châssis double usage. Récupérez un évier à deux bacs, même ébréché, et installez-le à hauteur d'homme sur une sorte de placard surélevé, pour y travailler sans vous baisser ; le dessous du châssis servira à stocker pots, sacs de terre, compost...

Si votre châssis est en bois, traitez-le chaque année avec un fongicide pour tuer les spores des champignons microscopiques qui s'y abritent. Utilisez un produit de jardin comme la bouillie bordelaise, peu nocive, ce qui n'est pas le cas de nombreux protecteurs du bois du commerce. (Voir Fongicide.)

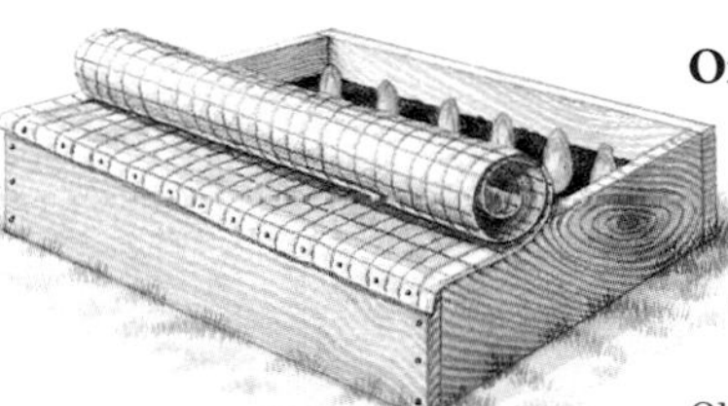

Ombrez dès qu'il fait chaud. Ouvrez les vitrages et tendez un voile à ombrer ou un paillasson.

Un voile facile à placer. Collez 4 ou 6 attaches de Velcro sur le montant du châssis et tendez une toile légère sur ces pattes vite accrochées. Le vent, la pluie passeront au travers, la chaleur et les chats resteront à l'extérieur.

▶ **Cloche**

Chat

Faites-lui plaisir. Il aime l'odeur de l'armoise et du népéta. Consacrez-lui un coin de plate-bande bien ensoleillé, si possible surélevé, où vous cultiverez ces espèces. Confectionnez-lui, pour la mauvaise saison, un coussin avec ces feuilles séchées.

Attention aux plantes vertes. Offrez à votre chat, tout au long de l'année, une herbe qu'il ira manger à sa guise, ce qui épargnera vos plantes. Faites germer des grains de céréales (blé, orge, seigle...) sur un carré de coton. Il se régalera avec les jeunes pousses.

Des pots à l'abri. Évitez qu'il ne gratte la terre des pots en plaçant à leur surface des petits cailloux, des galets, de la mousse humide ou encore des pelures d'orange.

Luttez contre les puces. Donnez à votre chat 1 cuillerée à café de levure de bière dans sa pâtée quotidienne. Les vitamines B ont une odeur que l'homme ne sent pas mais que ces parasites détestent.

Un tunnel inviolable. Lorsque vous aérez un tunnel, pensez à placer un obstacle pour votre chat, comme un grillage ou une toile fine.

Halte aux envahisseurs ! Limitez la présence des chats du voisinage en tendant à 10 cm au-dessus de votre clôture un fil de fer qui empêchera le chat de reprendre son équilibre sur cette barrière. Si vous installez une clôture, choisissez un grillage et cachez-le par deux rangées de plantes « offensives » : épine-vinette, argousier, *Elaeagnus*, pyracantha...

Pensez aux oiseaux. Si vous appréciez leurs chants et aimez qu'ils viennent nicher dans vos arbres, tenez leurs couvées à l'abri des griffes de votre matou en plantant un rosier grimpant au pied de chaque tronc. Les épines le dissuaderont de grimper.

Protégez vos semis en les couvrant de branches de houx ou même de débris de taille de rosiers. Ou encore disposez tous les mètres des boules de naphtaline dans les sillons.

Des feuilles de noyer dans sa corbeille ou son coussin éloigneront les puces.

▶ **Oiseaux**

Châtaignier

La rusticité du châtaignier ne permet pas sa culture au Canada. On retrouve toutefois des châtaignes sur le marché, d'où l'intérêt d'en connaître un peu plus sur cet arbre remarquable.

Petite histoire

Peu d'arbres ont eu, en France, un rôle économique plus important que celui du châtaignier. Pendant des siècles, ce dernier a permis à des populations entières de vivre dans des régions pauvres et escarpées, peu propices à la culture des céréales (Cévennes, Corse, Limousin). Tandis que la farine de châtaignier servait d'aliment de base, l'arbre fournissait bois de chauffage, bois d'œuvre, piquets, ruches, matériaux de vannerie, et ses feuilles nourrissaient le bétail.

Faites le bon choix
Préférez toujours une variété réputée donner de beaux marrons. Sinon, 'Marigoule' est une création récente qui résiste à la maladie de l'encre.

Amateur de silice. Il ne faut pas tenter de planter un châtaignier si le sol est plus ou moins calcaire. Cet arbre apprécie au contraire l'acidité des terres siliceuses à bruyères, fougères, genêts ou ajoncs.

Amateur de chaleur. Il lui faut un minimum de chaleur pour amener ses fruits à maturité. À l'état cultivé, il ne dépasse guère 600 à 800 m d'altitude.

Gain de place. Le châtaignier devient un très grand arbre. Il ne faut pas hésiter à implanter dans son ombre des plantes adaptées à la terre de bruyère : bruyère, digitale, rhododendron et myrtille.

Longue conservation pour vos châtaignes. Essuyez-les avec un torchon et placez-les dans un sac au congélateur. Vous les sortirez au fur et à mesure de vos besoins. Grillez-les toujours sans les faire décongeler auparavant.

Chaux

Protégez les arbres fruitiers en blanchissant leur tronc avec un lait de chaux (à 20 %). La chaux détruit les mousses et les larves d'insectes cachées sous les écorces. La couleur blanche permet également aux jeunes troncs de moins souffrir de la chaleur.

Badigeonnez les murs du fruitier avec de la chaux pour une propreté irréprochable. Si la pièce est petite, faites un badigeon épais et passez-le à l'aide d'un large pinceau. Si la pièce est grande, projetez le lait de chaux avec un pulvérisateur de jardin ou un petit compresseur à peinture après l'avoir filtré avec un tamis très fin. Vous trouverez de la chaux éteinte dans les centres de jardinage et certaines quincailleries.

Limitez l'expansion de plantes couvre-sol envahissantes comme les bugles *Ajuga reptans* en leur traçant une frontière de chaux. Répandez également quelques poignées sur toutes les surfaces où vous ne souhaitez pas les voir proliférer.

► **Acide**

Chenilles

Éloignez-les de vos choux. Piquez entre eux des rameaux frais de thuya

ou de genêt. Ou bien répandez sur les feuilles des choux des gourmands de tomates, lorsque vous pincez ces dernières. La forte odeur dégagée par ces plantes suffit à empêcher pendant un certain temps les papillons de venir pondre.

Protégez les chasseurs de chenilles. Les plus connus sont les mésanges et les différentes espèces de pics. Ces acrobates à plumes dévorent aussi par milliers les petites larves du carpocapse et de bien d'autres espèces nuisibles aux arbres et aux arbustes. Placez des nichoirs dans votre jardin, car vos auxiliaires ailés manquent de cavités où nicher.

Traitez « biologique » à l'aide d'un insecticide microbien. Aucun danger, rassurez-vous, la bactérie dont il s'agit s'attaque seulement aux chenilles. Elle est sans effet sur les autres insectes, sauf les pucerons, sur les autres animaux et sur l'homme. *Bacillus thuringiensis* est utilisé contre la tordeuse de l'épinette.

Chèvrefeuille

Décorez treillis et pergolas. Les chèvrefeuilles grimpants sont très intéressants sur treillis et pergolas. Leur floraison abondante, leurs fleurs en forme de trompettes rouges ou orange sauront égayer vos terrasses ou vos jardins. N'oubliez pas que les espèces grimpantes ne possèdent pas de vrilles ; elles ont donc besoin d'un support.

Des arbustes à fleurs et à fruits. Les espèces arbustives que l'on trouve au Québec et dans le nord-est du continent sont à feuilles caduques. Leur floraison commence en mai ou en juin et la couleur de celle-ci varie : rouge, rose, blanc, jaune orangé ou blanc jaunâtre. Les chèvrefeuilles produisent des fruits sous forme de baies rouges qui attirent les oiseaux.

Une plante rustique et facile. Le chèvrefeuille est une plante peu exigeante. Elle s'adapte à tous les sols et supporte très bien les conditions urbaines. La rusticité de certaines espèces en fait une plante de choix pour les régions froides : optez pour le chèvrefeuille grimpant 'Dropmore Scarlet' ou pour des espèces arbustives telles 'Zabelii', 'Arnold Red' ou 'Hack's Red' (voir le tableau page suivante). Pour assurer un bon départ à votre chèvrefeuille, renouvelez ou enrichissez la terre du trou de plantation.

Bassinez régulièrement le feuillage de votre chèvrefeuille palissé contre un mur de la maison si la fin du printemps et le début de l'été sont secs. Vous éviterez ainsi les attaques d'araignées rouges, qui peuvent entraîner le dessèchement d'une bonne partie du feuillage.

Chèvrefeuilles : faites le bon choix

Nom latin	Zone de rusticité	Hauteur	Remarques
Grimpants			
Lonicera 'Dropmore Scarlet'	2b	3 m	Floraison rouge orangé de juillet à octobre
Lonicera 'Gold Flame'	4	3 m	Floraison jaune à l'intérieur, rouge pourpre à l'extérieur, de juin à octobre
Arbustes			
Lonicera canadensis	3	2 m	Floraison jaune en mai, fruit rouge
Lonicera korolkowii 'Zabelii'	2	2 m	Floraison rose et odorante à la fin mai
Lonicera morrowii	3	2 m	Floraison blanc crème, fruit rouge foncé
Lonicera tatarica 'Arnold Red'	3	3 m	Floraison rouge foncé, odorante
Lonicera tatarica 'Hack's Red'	2	3 m	Floraison rose pourpre en juin
Lonicera xylosteoides 'Clavey's Dwarf'	2	1 m	Floraison blanche en mai, fruit rouge
Lonicera xylosteum 'Compacta'	4	1 m	Floraison blanc jaunâtre en mai

Utilisez la cisaille plutôt que le sécateur pour supprimer toutes les tiges enchevêtrées qui manquent de lumière et de vigueur au cœur du buisson grimpant. Vous gagnerez un temps précieux !

Si un chèvrefeuille a été longtemps négligé et n'offre plus guère de fleurs et de feuilles mais une masse dense de rameaux plus ou moins desséchés, optez pour une taille énergique. En mars-avril, rabattez toutes les tiges à 40-50 cm du sol. Répartissez ensuite les nouvelles pousses sur le support (treillage, clôture...) de façon à obtenir un port équilibré.

Chien

Accordez-lui son coin à lui, où il pourra à son aise gratter, creuser... Un endroit idéal : près du compost.

Avant de planter une haie, prévoyez un espace suffisant (40 cm) entre la clôture ou le mur et la haie. Sinon, votre chien ravagera impitoyablement le pied des arbustes ou des conifères pour se frayer un passage.

Plantez des végétaux robustes sur ses itinéraires favoris (de la maison à la grille...) : arbres, arbustes, rosiers, graminées, feuillages persistants. Renoncez aux plantes herbacées délicates et aux bulbes, qui seront décapités et ne fleuriront pas.

Envisagez des épineux comme épine-vinette, pyracanthas (variété résistante au feu bactérien), houx ou même groseilliers à maquereau, pour les coins que vous voulez préserver. À développer bien sûr s'il s'agit de repousser les chiens du voisinage !

Pelouse jaunie. L'urine de chien fait rapidement et irréversiblement jaunir la pelouse. Si vous prenez votre animal en flagrant délit, versez immédiatement de l'eau en grosse quantité à l'endroit voulu. Vous diluerez ainsi les substances toxiques.

Répulsifs chimiques. Si vous en utilisez aux endroits stratégiques, sachez que leur efficacité est malheureusement limitée dans le temps. Aussi, renouvelez souvent les applications.

Clôturez le potager avec de jolies barrières ou des palissades en bois. Le chien en sera exclu,

les légumes et petits fruits resteront à l'abri des pattes. Bordez ces barrières de fleurs (annuelles, dahlias...) pour un effet très décoratif.

Paillez tous vos massifs de fleurs avec des écorces de pin broyées. Très décoratives, elles sont également efficaces pour protéger vos plantations lorsqu'elles sont traitées avec un répulsif (contre chiens, chats et rongeurs).

Remède ultime. Pour limiter les divagations de votre animal ou empêcher l'intrusion des chiens du voisinage, installez autour de votre jardin une clôture électrique dissuasive, spécialement conçue pour les chiens.

Chlorose

Évitez toute confusion. En cas de chlorose, la feuille se décolore entre les nervures. Si, à l'inverse, les nervures jaunissent tandis que la feuille reste verte, il s'agit d'un autre type de carence.

EN PLEIN AIR

Si votre sol n'est pas très calcaire, ne faites pas un diagnostic trop rapide. Des taches décolorées entre les nervures peuvent aussi être dues à un coup de froid en début de croissance ou à un mauvais usage des herbicides.

Sage résolution. Proscrivez sur sol calcaire les plantes de terre de bruyère, mais aussi chêne, cornouiller à fleurs, cognassier, cytise, genêt, hamamélis, hortensia, hydrangée, lupin, magnolia, skimmia, weigela, particulièrement sensibles.

Acidifiez le sol au pied des arbustes chlorosés. Creusez une petite tranchée circulaire à l'aplomb des ramifications. Veillez à ne pas abîmer les racines. Remplissez cette tranchée de tourbe. Si nécessaire, répétez l'opération chaque printemps.

Pour un résultat rapide et spectaculaire, utilisez un produit reverdissant, antichlorose. Répétez le traitement plusieurs fois à 3 semaines d'intervalle. Sachez cependant que l'effet est limité dans le temps. Couplez avec un traitement de fond pour empêcher la réapparition de la maladie en début de saison suivante.

Essayez la fleur de soufre pour acidifier votre sol et limiter les risques de chlorose. Faites un apport de 120 g/m^2 au printemps, quand le sol est déjà bien réchauffé.

Prévention. Améliorez votre sol en apportant chaque année une grosse quantité de matière organique : compost, fumier, terreau de feuilles. Cette mesure est astreignante mais efficace à long terme.

Récupérez la mousse du gazon après traitement au sulfate de fer (antimousse) et disposez-la au pied des arbustes sensibles ou atteints. Ce paillage a un effet acidifiant.

Bienfait des oligoéléments. En fin d'hiver, donnez à vos arbres et arbustes un engrais complet enrichi en oligoéléments (en particulier en fer et en manganèse, que les racines ont du mal à puiser en sol calcaire). Cet apport facilite l'entrée en croissance des plantes au printemps, moment où elles sont particulièrement fragiles.

Récupérez l'eau de pluie pour arroser les plantes fragiles si l'eau du robinet est calcaire.

À L'INTÉRIEUR

Acidifiez l'eau d'arrosage (voir Arrosage) pour les plantes les plus sensibles (agrumes, azalées, camélias, gardénias, pétunias, marantas, syngoniums...).

Si la plante est très chlorosée, dépotez-la et lavez ses racines dans une eau douce. Vous éliminerez ainsi toute trace de calcaire restant dans le mélange. Rempotez ensuite dans du terreau frais.

▶ **Calcaire, Eau**

Chou

PLANTATION

Un proverbe à prendre au sérieux : « Qui plante petits choux et gros poireaux récoltera bien plus beau. » Repiquez avant que le jeune plant ne montre sa septième feuille ; l'idéal est entre 3 et 5 feuilles.

Pour des plants plus stables. Enterrez-les au maximum, quitte à enfouir les deux premières feuilles : de nouvelles racines se développeront sur les tiges enfouies.

Aide à la reprise. Lors du repiquage, plongez les racines dans un mélange liquide de terre et de bouse de vache (ou d'hormones d'enracinement) : ce pralinage dopera le plant, lui évitant dessèchement et soif.

Jamais deux fois au même endroit. Le chou est une plante gourmande, surtout de potasse et de phosphates. Pour ne pas épuiser le sol, assurez une rotation dans les plates-bandes, qu'il s'agisse de choux brocolis, de choux de Bruxelles, de choux-raves, de choux à jets, de choux-fleurs, de rutabagas…

Distances de plantation. Vous aimez les petits choux tendres bien parfumés ? Installez un plant tous les 15 à 20 cm. Vous voulez de gros choux pour la potée ou pour farcir ? Supprimez un jeune chou sur deux, pour laisser la place aux futurs gros joufflus.

Placez vos choux d'automne et d'hiver à la périphérie du jardin. Les plates-bandes centrales seront ainsi disponibles pour les bêchages de fin de saison.

Vous voulez des choux savoureux et tendres ? Préférez les choux de printemps et d'automne. Le soleil estival a tendance à faire durcir ou fleurir ces légumes.

Sol frais. N'arrosez plus les choux qui pomment, mais étalez un paillis tout autour ou plantez des espèces rampantes ou basses de fleurs ou de légumes entre les plants bien espacés (œillets d'Inde, capucines, tétragones…).

ENTRETIEN

Pare-soleil. En été, cassez 2 ou 3 feuilles extérieures pour protéger la pomme bien blanche du chou-fleur. Un fort ensoleillement risque en effet de la faire jaunir ou brunir.

Égayez le potager en choisissant des variétés qui restent décoratives tout l'automne, allant du bleu au vert. Ajoutez des choux d'ornement pour leurs nuances roses, blanches ou rouges.

Lorsque vous coupez un chou avec une lame, bien au ras de la pomme, laissez le trognon en terre. Faites-y une entaille

en croix profonde de 1 cm. Vous faciliterez la formation de petites pommes secondaires. Mieux vaut ne laisser alors que 2 ou 3 bourgeons pour obtenir de jolies petites têtes plutôt que 10 bouquets de feuilles sans intérêt.

Choux de Bruxelles : trop de feuilles et pas assez de choux ? Pincez la pousse terminale au stade adulte. Évitez cette technique dans les régions froides et sur les variétés tardives, car elle fragilise la plante.

Pour ralentir l'évolution des choux, tournez chaque tête d'un quart de tour sur elle-même, pas plus, afin de rompre une partie des canaux. La sève irriguant moins les feuilles, les choux seront plus tendres et n'éclateront pas.

Pour faire deux récoltes sur un même pied de brocoli, coupez d'abord la tête centrale, puis, quelques jours plus tard, les pommes latérales qui se seront développées.

UTILISATION

Conservation hivernale. Suspendez tête en bas choux-fleurs et choux pommés, avec leurs racines, dans un lieu frais (cave, cellier, garage…).

Limitez la consommation de nitrates. Supprimez les vieilles feuilles du chou-rave et ne récoltez que les jeunes. Comme la teneur en nitrates de la rave, tige renflée, est bien plus importante à la périphérie, faites des épluchures épaisses.

Chou-médecin. Placez une feuille de chou écrasée au rouleau à pâtisserie ou au fer à repasser sur une piqûre, une petite coupure ou une éraflure. Le chou a une forte action antiseptique, désinfectante, cicatrisante, et il soulage la douleur.

Des terrines moins grasses. Utilisez des feuilles de chou blanchies à l'eau bouillante pour tapisser les terrines (de porc, de volaille, de lapin…). Le plat y gagne en légèreté et le petit goût du légume se marie bien à la préparation.

Faites le bon choix

CHOU D'ÉTÉ
'Green Start' : vert foncé, gros et rond.
'Charmant' : vert foncé.
'Hispi' : pomme pointue, blanche et sucrée.

CHOU MI-SAISON
'Grand Prix' : feuilles bleu-vert, pomme ronde.
'Puma' : rond, compact, vert foncé.
'Rio Verde' : feuilles bleu-vert.

CHOU D'HIVER
'Bartolo' : longue conservation.
'Galaxy' : feuillage vert grisâtre.
'Lennox' : même type que 'Bartolo'.
'Provita' : tête ovale, feuillage gris-vert.
'Safekeeper' : longue conservation.
'Titanic 90' : pomme très grosse, aplatie.

CHOU ROUGE
'Normiro' : rouge foncé.
'Ruby Ball' : pomme ronde, rouge très foncé, variété hâtive.
'Ruby Perfection' : pomme rouge.
'Tenoro Red' : couleur rouge foncé, variété de mi-saison.
'Vorox' : très bon pour la conservation.

CHOU DE BRUXELLES
'Jade Cross Régulier' : plant uniforme, petit chou, vert bleuté.
'Prince Marvel' : chou ovale, vert pâle, plant vigoureux offrant une bonne récolte.
'Queen Marvel' : couleur verte.
'Royal Marvel' : chou rond et ferme, plant vigoureux et productif.
'Valiant' : chou ovale, vert foncé.

CHOU-FLEUR
'Candid Charm' : grosse pomme large.
'Cashmere' : tête très dense.
'Early Glacier' : variété hâtive, blanc pur.
'Ravella' : variété tardive, tête très blanche.
'Snow Crown' : variété hâtive, blanche.
'Violet Queen' : pomme pourpre.

CHOU CHINOIS
'China Pride' : feuilles vertes, très grosse pomme, variété semi-hâtive.
'Green Rocket' : variété hâtive.
'Michihili Jade Pagoda' : pomme plus petite que les autres variétés.
'Monument' : variété semi-hâtive.
'W-R Victor' : variété tardive.

Des vitamines pour la basse-cour. Suspendez un chou vert à une ficelle dans le poulailler. Les poules en manque de verdure viendront vite le picorer jusqu'au trognon.

LUTTE CONTRE LES RAVAGEURS

Éloignez la piéride en plantant des aromates (thym, sauge, romarin, menthe...), dont elle déteste l'odeur, ou plantez près de vos choux céleris, oignons, tomates ou pommes de terre, qu'elle ne supporte pas.

Pas de piéride au printemps. Placez des branches de genêt entre les plants et le long des rangs de semis de choux.

Pas de piéride en automne. Plantez des tournesols dans le potager. Leurs graines attirent les mésanges d'août à novembre... et ces oiseaux se feront un plaisir d'éliminer la piéride, qu'elle soit chenille ou papillon.

Pièges à altises. Posez des pièges englués de miel. Les insectes, gourmands, viendront s'y engluer.

Pour repousser les altises, arrosez les choux avec une solution de tanaisie ou d'armoise (500 g de feuilles pour 10 litres d'eau) ou une préparation à base de roténone.

Vous constatez un grossissement du pied ? Il s'agit probablement de la hernie du chou. Arrachez et brûlez les plants atteints, et préparez mieux le sol à la saison suivante. Ajoutez des cendres de bois et du calcaire broyé en quantités égales à raison de 5 kg pour 10 m^2, ou de la chaux agricole sur les terrains acides.

▶ **Potager, Rhubarbe**

Chrysanthème

Des vivaces colorées. Il faut savoir distinguer dans ce genre les marguerites (*Chrysanthemum maximum*) et les chrysanthèmes d'automne (*C. morifolium* et *C. rubellum*).

Un aspect champêtre. Les marguerites donnent une touche champêtre aux massifs de vivaces ou aux rocailles (variétés basses). On les cultive aussi pour leurs fleurs coupées. Leur hauteur varie de 25 cm à 1 m selon les variétés. En voici quelques-unes à floraison prolongée : 'Aglaya' (60 cm, fleur double, frangée, blanche) ; 'Alaska' (70-80 cm, grosse fleur blanche à centre jaune) ; 'Exhibition' (80 cm, large fleur semi-double, frangée) ; 'Sedgewick' (30-45 cm, fleur blanche, double, miniature) ; 'Snowlady' (25 cm, floraison blanche, mai à septembre).

Des marguerites tout l'été. Pour une floraison prolongée, prenez le temps de couper les fleurs fanées. Plantez les marguerites en plein soleil.

Tout l'automne, les chrysanthèmes offrent une palette de couleurs grandioses. *Chrysanthemum morifolium* fleurit en septembre et octobre. En voici quelques variétés : 'Grandchild' (60 cm, blanc ou rose, fleur double) ; 'Lipstick' (50 cm, rouge foncé ; 'Mini Yellow' (50 cm, jaune) ; 'Wildcat' (60 cm, rose) ; 'Wolverine' (50 cm, orange bronzé). *C. rubellum* diffère par sa floraison plus hâtive (août à octobre). En voici quelques exemples : 'Clara Curtis' (rose) ; 'Duchess of Edinburg' (rouge) ; 'Mary Stocker' (jaune) ; 'Nancy Perry' (rose, centre doré) ; 'Weyridchii' (blanc).

Cascades de chrysanthèmes pour décorer une fenêtre ou un balcon. Palissez les plantes, dans leurs pots, le long de fins tuteurs de bambou, que vous inclinerez progressivement au fur et à mesure de la croissance. En septembre, lorsque la plante est prête à fleurir, enlevez ces supports et laissez-la retomber le long du pot. Choisissez des variétés à petites fleurs, elles sont parfaites pour la culture en pots.

On oublie à tort que les chrysanthèmes sont du meilleur effet en massifs.

Chute des fruits

Vos cerises tombent prématurément ? Si le temps (pluie ou froid) n'est pas en cause, vous avez peut-être une variété autostérile. Plantez à proximité une variété différente qui fleurit en même temps : elle favorisera la pollinisation.

La chute des poires ou des pommes est souvent due à des parasites. Pour détecter leur présence, posez des pièges à phéromones. Ils attirent les papillons mâles d'une espèce précise (carpocapse des pommes ou des poires). Vous pourrez alors traiter les arbres avec l'insecticide adéquat.

Ramassez les noisettes véreuses dès qu'elles tombent à terre, et brûlez-les. Sinon, les larves de balanin qui les parasitent vont se réfugier dans le sol pour se métamorphoser et revenir pondre l'année suivante.

Une chute de jeunes fruits vers le mois de juin ne doit pas vous inquiéter. Cette chute naturelle, que l'on dit physiologique, permet aux arbres de se débarrasser de fruits mal pollinisés ou mal placés. Vous pouvez la réduire en apportant en mars des fertilisants et en arrosant dès le mois d'avril.

▶ **Pollinisation**

Ciboulette

Décorative. Son feuillage vert bleuté et sa floraison rose sont du meilleur effet dans une bordure basse au potager ou dans une plate-bande. Alternez par exemple pieds de ciboulette et petites campanules ou œillets de bordure.

Pour garder des touffes compactes, vigoureuses, et non échevelées, divisez-les tous les 3 ans environ, au printemps ou en automne de préférence. Repiquez les éclats de touffe tous les 25 à 30 cm. Mettez en pot ceux en surnombre, en prévision de l'hiver ou pour faire de petits cadeaux « fraîcheur ».

La division est possible en été, mais « tondez » alors à ras les touffes à diviser, elles reprendront mieux.

Plantez la ciboulette au pied des rosiers. Elle est efficace contre l'oïdium et la maladie des taches noires, deux plaies courantes des rosiers de jardin.

Minibouquets. De charmantes fleurs roses se développent au détriment du feuillage et gênent la récolte des feuilles. Coupez-les à la base quand elles sont en boutons et faites-en de petits bouquets, frais ou à sécher tête en bas.

Pour éviter le jaunissement, ne coupez pas les feuilles en morceaux, mais prélevez des feuilles entières ou des portions de touffe. Utilisez des ciseaux ou un couteau tranchant. Vous favoriserez ainsi l'apparition de nouvelles feuilles et la ciboulette restera tendre et parfumée.

Congelez-la. Lavez-la, séchez-la et hachez-la. Selon votre goût, mélangez-la ou non à d'autres herbes fraîches. Répartissez-la dans de petits sachets ou dans un bac à glaçons réservé à cet usage. Dans ce dernier cas, complétez avec un peu d'eau ou, mieux, de bouillon. Vous ajouterez un ou deux de ces glaçons à la cuisson de vos plats d'hiver.

En région froide, optez pour la culture en pots. En fin d'été, coupez à ras les feuilles de quelques touffes et rempotez-les dans une coupe large avec d'autres herbes (basilic, persil). Rentrez-les avant les gelées dans un endroit frais et lumineux. Leur survie se limite à quelques semaines dans une cuisine normalement chauffée.

Forçage en plein hiver. Arrachez de belles touffes en novembre et gardez-les au froid et au sec. Cette période de repos forcé est nécessaire avant la mise en végétation. Rentrez les touffes au bout de 3 à 4 semaines minimum. Recoupez les feuilles jaunies à ras avec des ciseaux, raccourcissez légèrement les racines et faites-les tremper 12 heures dans l'eau chaude (35 °C environ). Mettez en pots et installez la ciboulette en situation lumineuse dans la maison. De jeunes feuilles se développeront rapidement.

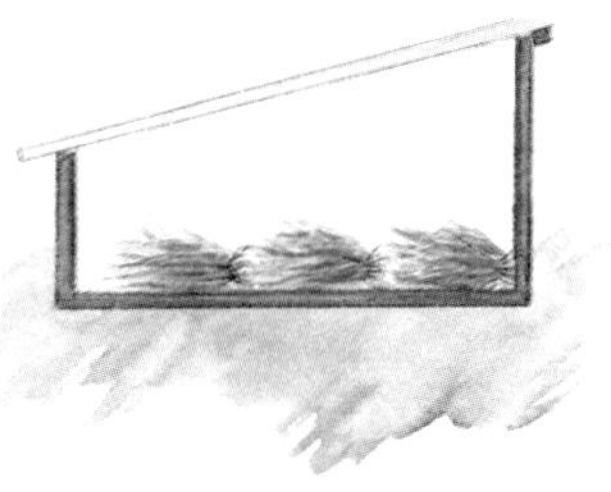

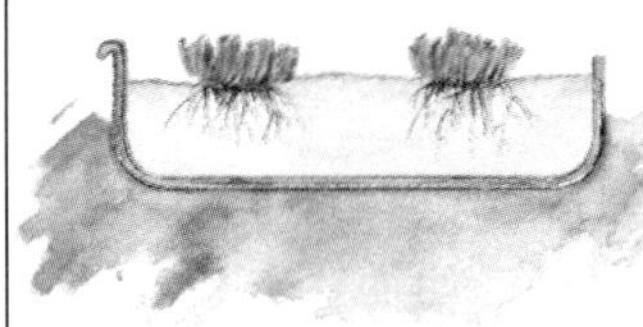

Citrouille

Voir Coloquinte, Courge, Potiron

Clématite

PLANTATION

« La tête au soleil et le pied à l'ombre. » Lors de la plantation, protégez la souche par un épais manteau de tourbe humide, de la paille, puis par des ardoises fichées verticalement en terre ou des tuiles posées à plat.

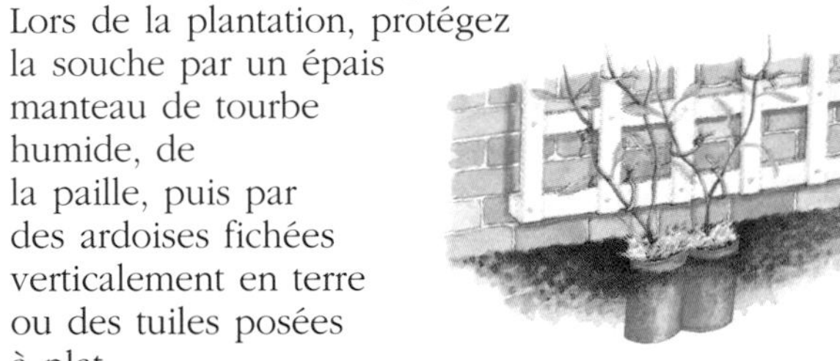

Beaucoup d'eau à la plantation. Placez la motte dans un seau d'eau. Maintenez-la immergée jusqu'à ce qu'il n'y ait plus de bulles en surface. Arrosez le fond du trou de plantation, puis couchez la motte à plat, à l'écart du mur ou du support pour éviter son principe asséchant. Tassez et arrosez en pluie.

Mariez-les. Plantez deux variétés différentes dans un même trou pour une floraison bicolore spectaculaire ou pour un prolongement du décor avec une espèce printanière et une estivale (*Clematis macropetala* et *C. jackmanii*).

Petite histoire

Appliquées sur la peau, les feuilles de certaines clématites causent parfois des réactions dermiques violentes, propriété que mettaient autrefois à profit certains mendiants pour apitoyer les passants. C'est pour cette raison que la clématite est parfois appelée herbe-aux-gueux, et qu'elle symbolise l'artifice dans le langage des fleurs.

Une bonne idée de support : le bambou. Il se marie joliment avec les clématites.

Pour guider les tiges, enfilez-les toutes lors de la plantation dans un drain de terre cuite ou de plastique, que vous poserez horizontalement dans le sol. Palissez ensuite les branches sur le support.

Ombre végétale. Installez un arbuste bas, touffu, si possible persistant (santoline, rue, pervenche, véronique arbustive, lavande…), au pied de la clématite. Son ombre fraîche aidera la liane à s'installer et à prospérer.

Double plaisir. Sélectionnez une variété à fleurs doubles : en blanc, 'Duchess of Edinburgh', en bleu-violet, 'Vyvyan Pennell'.

Original : une clématite à fleurs particulières. La plupart des clématites ont des fleurs en étoile. Une espèce cependant nous offre deux originalités : d'une part, ses fleurs sont de couleur jaune, d'autre part elles sont en forme de lanterne. Son nom : *Clematis tangutica.* Sa grande rusticité (zones 3-4) ainsi que ses fruits décoratifs — ne pas tailler après la floraison pour en profiter — en font un choix judicieux pour agrémenter un jardin.

Soutien obligatoire. Les tiges de la clématite ne sont pas assez solides pour tenir toutes seules. Palissez-les sur un mur ou une clôture avec des clous spéciaux, appelés clous à clématites. Sinon, posez un treillis ou une armature de fil de fer, bien décollés du mur pour limiter les effets nocifs de la réverbération.

Jouez avec les formes : la clématite ne se palisse pas que sur un mur. Faites-lui recouvrir un arceau, une tonnelle, une barrière, un arbre mort, un pilier…

ENTRETIEN

Mort subite. Si les fleurs de votre clématite deviennent noires et que ses tiges se dessèchent brutalement sans motif apparent, n'arrachez pas le plant : il repartira si vous procédez à un nettoyage au sécateur. À titre préventif, offrez aux racines un engrais de printemps riche en oligoéléments et protégez la souche en hiver par une épaisse litière de feuilles mortes.

Gare aux limaces qui attaquent les jeunes pousses printanières ! Si vous n'avez pas d'appâts spéciaux, entourez la souche dès le mois de mai d'un rempart protecteur de sciure, de sable, de cendres ou de tourbe sèche.

Pas de taille, mais un nettoyage de temps en temps s'impose pour limiter ou rajeunir la végétation. Éliminez les rameaux en surnombre, juste après la floraison. Pour les espèces ne fleurissant pas avant la fin de juin ou en juillet, procédez en début de printemps.

Faites le bon choix

Si vous souhaitez une floraison printanière (mai), optez pour *Clematis alpina* ou *C. macropetala* (zones 2-3). Si vous préférez une floraison estivale à grandes fleurs (juin-octobre), vous avez l'embarras des couleurs : 'Duchess of Edinburgh', 'Henryi', 'Madame Le Coultre', 'White Swan' sont blanches (zone 5). Vous aimez le rose : 'Bees Jubilee', 'Comtesse de Bouchard', 'Hagley Hybride', 'Nelly Moser' et 'Rosy O'Grady' sont faites pour vous (zone 5). Pour des fleurs rouges, achetez 'Ernest Markham' ou 'Ville de Lyon' (zone 5). Pour des fleurs bleues, préférez 'Pamela Jackman' (zone 5). Enfin, pour des fleurs mauve-violet, choisissez 'Jackmanii' (zone 4), 'President', 'Ramona' ou 'Vyvyan Pennell' (zone 5).

Un brin de fantaisie. La végétation de la clématite est ultralégère. Vous pouvez tout à fait la diriger vers un arbuste persistant triste en été, ou encore sur une haie un peu sévère, un conifère trop sombre, un pommier plein-vent…

Bouturage facile. En cours d'été, prélevez un rameau semi-ligneux (ni mou, ni très dur) dans la partie centrale d'une pousse. Coupez-le sous un œil et retirez l'écorce superficielle sur une extrémité. Enfoncez la bouture dans un milieu sableux humide après l'avoir trempée dans une poudre d'hormones d'enracinement.

Pour un décor hivernal, laissez en place les fruits plumeux des clématites. Ils se parent de très jolis éclats avec la rosée, le givre ou la neige. Si vous souhaitez en profiter dans un bouquet sec, prélevez-les avant maturité, sinon les fruits se détacheront.

Nouvelle vie pour un parasol. Enfilez l'armature d'un vieux parasol ou d'un parapluie dans un tube métallique creux fiché en terre. Faites pousser à son pied deux clématites, qui viendront vite couvrir l'ensemble de leurs fleurs élégantes.

▶ **Bouquet, Grimpantes**

Climat – rusticité

Sous quel climat jardinez-vous ?

Les zones canadiennes de rusticité, élaborées par le ministère de l'Agriculture du Canada à la fin des années 1960, se divisent en 10 principales zones climatiques, échelonnées de 0 à 9, 0 étant la plus froide (région du Grand Nord) et 9 étant la plus tempérée (côte de l'océan Pacifique en Colombie-Britannique).
La carte ci-contre vous permet de déterminer avec exactitude la zone de rusticité où vous habitez. Dans le cas du Québec, par exemple, les zones s'échelonnent de 1 à 5, la zone 5 étant, bien entendu, la plus tempérée. On distingue aussi à l'intérieur d'une même zone de rusticité des sous-climats, identifiés par les lettres a et b (exemple : 3a et 3b), b signifiant alors la zone la plus tempérée.
Ces zones vous permettent de choisir des plantes acclimatées à la région où vous vivez. Ainsi, si vous êtes situé dans la zone 4, il serait risqué de cultiver des plantes zonées 5 ou 6 car elles ne résisteraient pas aux intempéries et surtout aux températures minimales hivernales de votre région. Par contre, vous pouvez facilement opter pour toutes les plantes de zone 4 ou de zone 3, 2 ou 1.
Voici donc le secret pour la réussite de votre jardin : choisissez des plantes rustiques, donc adaptées aux conditions climatiques de votre région.

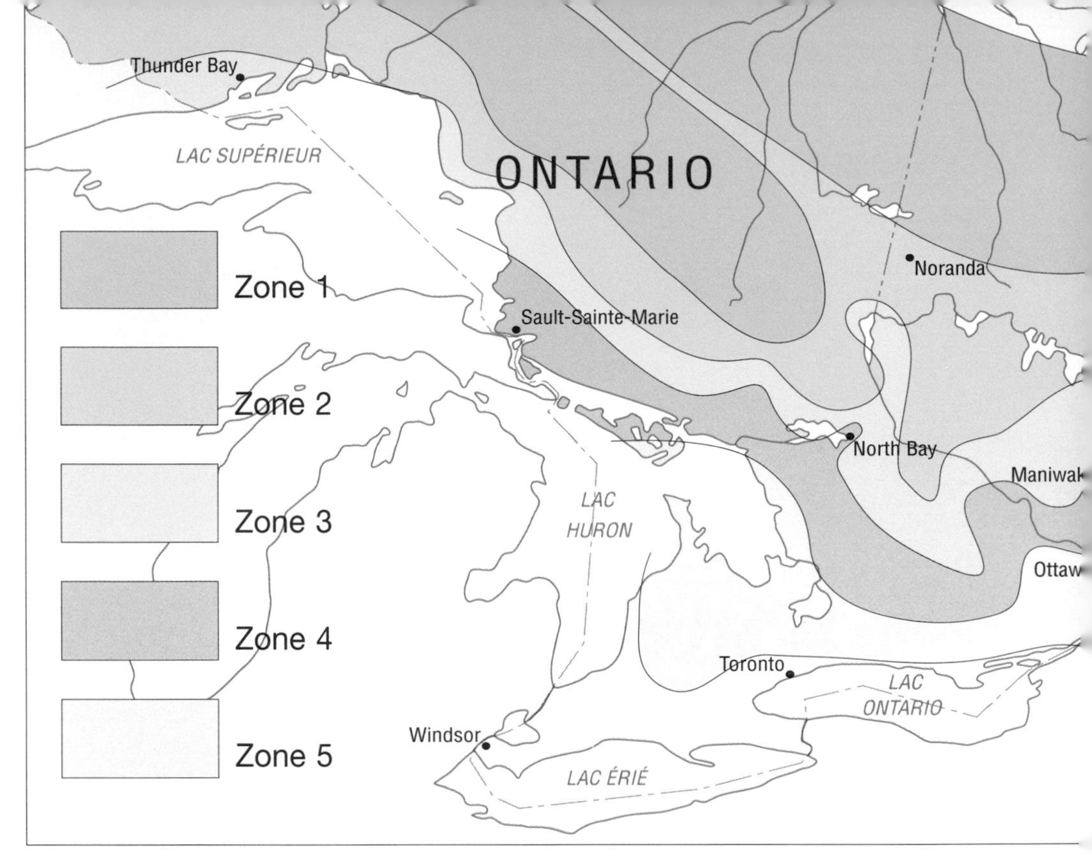

Zone 1

Mélèze laricin (*Larix laricina*)

Pour cette zone nordique, choisissez des arbres et des arbustes bien adaptés à vos conditions climatiques difficiles : mélèze laricin, sapin baumier, saule laurier, cerisier de Pennsylvanie, shepherdie du Canada, shepherdie argenté, bouleau nain, bouleau glanduleux, peuplier faux-tremble, peuplier baumier, pin gris, potentille frutescente, thé du Labrador, cornouiller stolonifère...

Zone 2

Marronnier de l'Ohio (*Aesculus glabra*)

Plusieurs végétaux sont adaptés à cette zone de rusticité : marronnier de l'Ohio, bouleau à papier, pommetier 'Dolgo', olivier de Bohême, tilleul d'Amérique, érable de l'Amur, lilas japonais... Autant de choix originaux et possibles que vous pouvez faire.

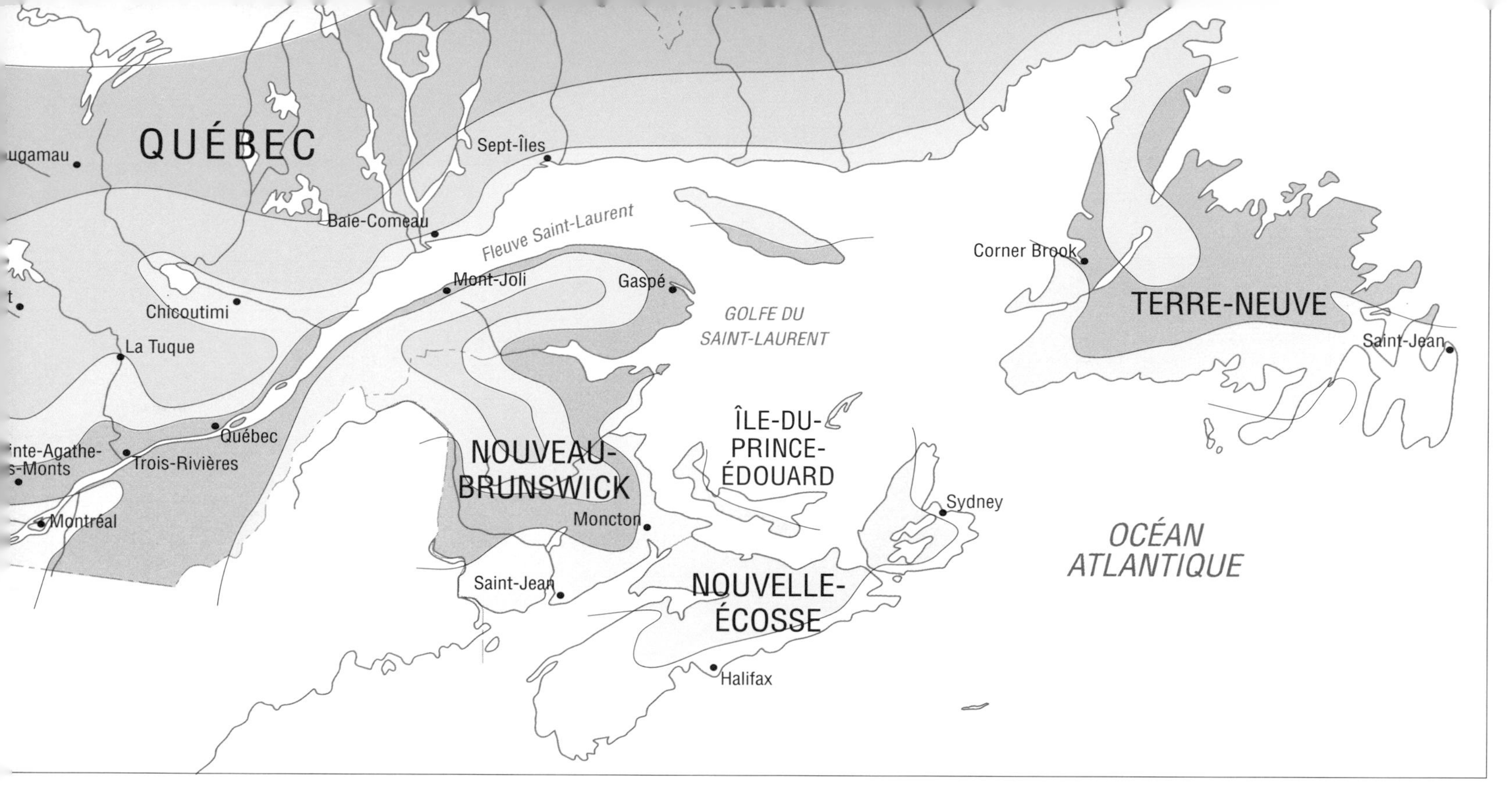

Zone 3

›rbier des oiseleurs (*Sorbus aucuparia*)

›partir de cette zone, vous pouvez penser à cultiver : ›rbier des oiseleurs, amélanchier glabre, érable ›uge, frêne blanc, tamarix de Russie, bouleau jaune, ›arme de Caroline, noyer, pommetier ‘Radiant’...

Zone 4

Arbre aux quarante écus (*Ginkgo biloba*)

Vous avez un grand choix de cultures possibles : arbre aux quarante écus, bouleau à feuilles pourpres, micocoulier, chêne rouge, robinier faux-acacia, érable à sucre, févier inerme d’Amérique, hêtre à grandes feuilles, amélanchier du Canada, aubépine, frêne bleu, marronnier rouge, mûrier blanc, noisetier américain, saule pleureur, tamarix à petites feuilles...

Zone 5

Magnolia étoilé (*Magnolia stellata*)

C’est la zone la plus tempérée du Québec. Vous pouvez y planter : magnolia étoilé, magnolia de Soulanges, aralie du Japon, hamamélis velouté, chêne fastigié, érable du Japon, fusain d’Europe, catalpa...

Cloche

Une aide précieuse. Transparente (en plastique ou en verre), une cloche protégera vos semis en place, vos boutures, vos jeunes plants. C'est un bon abri contre la pluie, les coups de froid, le gel. Elle réchauffe le sol avant les semis et maintient une humidité relative. Noire et opaque, elle permettra le blanchiment des salades.

Une minicloche économique. Coupez la partie supérieure d'une bouteille en plastique. Adaptez-la sur un pot de fleurs dont le diamètre est supérieur à celui de la bouteille. L'aération s'effectue en mettant ou retirant le bouchon. La partie inférieure de la même bouteille donne une autre cloche sans aération réglable (voir Miniserre).

Cloche du pauvre pour une protection d'hiver. Utilisez un pot de fleurs en terre cuite retourné, bourré de paille ou de feuilles mortes. Une ou plusieurs tuiles canal peuvent rendre le même service sur une plus grande surface.

Cloche-piège. Cachez des appâts antiravageurs (limaces, rongeurs...) sous une cloche. Glissez une cale (caillou, tesson...) pour la soulever légèrement. Les nuisibles pourront y pénétrer mais pas les animaux de la maison ni les oiseaux.

La cloche traditionnelle en verre est un outil précieux. À défaut, fabriquez-en une pour protéger vos semis ou vos jeunes plants.

Cloches gigognes. Fabriquez-vous des cloches de jardin à partir d'un montant de bois carré. Fixez dessus 2 arceaux de fil de fer croisés. Tendez un film plastique que vous agraferez sur le bois. Faites les montants de tailles croissantes afin que les cloches puissent s'emboîter, le rangement en sera grandement facilité.

▶ **Châssis**

Clôture

Pour une solution économique, choisissez une clôture végétale qui cache 2 ou 3 rangs de fil de fer barbelé ou un grillage. Ne lésinez pas toutefois sur la qualité du grillage, qui doit résister aux intempéries. Vérifiez la grosseur du fil, la qualité de galvanisation, le poids au mètre carré. Tendez les fils progressivement en commençant par le bas.

Une seule porte suffit. Si vous en construisez deux, tout le monde passera par la plus grande. Si vous avez la place, envisagez une largeur de 3,50 m pour permettre le passage des camions de livraison, de la caravane...

Poteaux couronnés. Si le bois est dur, taillez l'extrémité des poteaux (en arrondi, en pente, en pointe...) pour que l'eau ne puisse y stagner. Si le bois est tendre, protégez le sommet par une plaquette de bois résistant ou du métal inoxydable.

Longue vie pour poteaux en bois. Assurez-vous qu'ils ont été traités sous pression avec un produit xylophène, ou choisissez-les en cèdre, naturellement résistant à la pourriture.

Pour éviter la dégradation du bois, entretenez régulièrement votre clôture. Poncez-la et vernissez-la ou repeignez-la tous les 2 à 3 ans. En bord de mer, le vernis tient mal : traitez le bois sans le vernir.

Les fixations dans le sol les plus solides. Équipez chaque poteau en bois d'un embout métallique et plantez-les dans du béton. Ou fixez vos poteaux sur des tiges en béton que vous planterez également dans du béton. Si vous enterrez vos poteaux, posez-les sur une pierre de soutien, remplissez le trou de plantation de gravier avant de couler le mortier et entourez chaque poteau d'un collier de dilatation au niveau du sol. Dernière solution : des poteaux métalliques fichés dans du mortier.

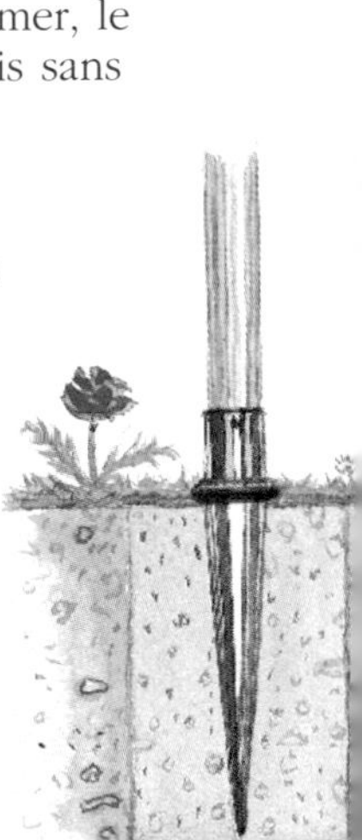

Un outil qui simplifie la vie. Lorsque vous mettez votre clôture en place, utilisez une tarière. Cet outil très simple permet de n'enlever que le minimum de terre en creusant les trous. On peut le louer.

Donnez une inclinaison à la lisse supérieure de votre barrière en bois. Elle permettra à l'eau de pluie de s'écouler et protégera les lattes clouées sur les montants.

Réparez une clôture pourrie. Coupez à la scie la partie abîmée et remplacez-la par une planche qui laissera passer un peu d'air entre sa base et le sol.

Contre les lapins. Enterrez le grillage ou les fondations du muret de soutènement à une profondeur de 20 à 25 cm.

Sur un terrain qui est en pente, deux solutions s'offrent à vous : monter la clôture par paliers ou lui faire épouser la pente. Dans le premier cas, des vides se découperont entre le sol et la clôture ; vous n'avez qu'à les remplir en construisant des murets de brique ou de pierre.

▶ **Haie, Loi, Mur**

Clôture : faites le bon choix

TYPE	ÉLABORATION	ASPECT
Haie	Met du temps à pousser. Prend de la place. Abrite les oiseaux et autres animaux sauvages. Assez économique.	Agréable à l'œil, surtout s'il y a des espèces à fleurs. Penser aux persistants pour l'hiver.
Clôture légère (bois, grillage...)	Vite érigée. Tient peu de place. Coût moyen.	Devient monotone si elle n'est pas colonisée par des espèces grimpantes ou palissées.
Mur en dur	Se construit vite. Reste solide, demande peu d'entretien. Coûte cher.	Assez lourd mais s'habille de nombreuses espèces végétales. Bonne inertie thermique.

Coccinelles

Offrez des orties aux coccinelles ! Laissez pousser dans votre jardin quelques touffes de cette herbe mal aimée. En effet, elle héberge des pucerons inoffensifs qui servent de nourriture à nos auxiliaires naturels. Ceux-ci seront ainsi prêts à intervenir si des pucerons apparaissent dans vos fleurs, dans vos légumes ou sur vos arbres fruitiers.

Apprenez à les reconnaître

Il n'y a pas que la « bête à bon Dieu » bien connue, mais également des coccinelles toutes noires, ou noires à points jaunes, etc. Les larves sont très différentes des adultes. Vous les rencontrerez souvent dans les colonies de pucerons (sur les rosiers ou les artichauts, par exemple). Dans ce cas, n'effectuez aucun traitement, sauf avec un produit garanti sans effet sur les coccinelles.

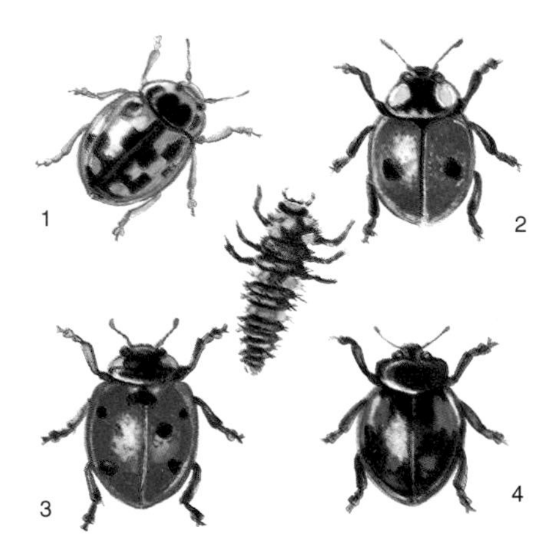

1. *Propylea quatuordecimpunctata* (coccinelle à 14 points).
2 et 4. *Adalia bipunctata* (coccinelles à 2 points, forme rouge et forme noire).
3. *Coccinella septempunctata* (coccinelle à 7 points).
Au centre, larve de coccinelle.

Des sacs de couchage pour coccinelles. Rien de plus facile que de placer dans vos arbustes à feuillage persistant des sacs en plastique bourrés de fibre de bois ou autre matériau analogue. Les coccinelles viendront s'y endormir pour l'hiver. Comme elles sont attirées par l'odeur de leurs congénères, introduisez au début quelques individus dans chaque sac.

Cochenilles

S'il n'y a que quelques individus faciles à repérer, utilisez un coton-tige (ou un pinceau à poils raides sur les cactées) pour badigeonner les insectes avec une solution composée de 1 litre d'eau, 50 g de savon et 100 g d'alcool à friction. À défaut, le vinaigre, le petit-lait, l'alcool à 60° coupé d'eau peuvent faire l'affaire.

Méthode douce. Si l'attaque n'est pas trop forte, contentez-vous d'abord d'essuyer le dessous des feuilles attaquées à l'aide d'une éponge imbibée d'eau savonneuse.

En cas d'infestation grave, pulvérisez une huile insecticide du commerce (huile paraffinique). Ce produit est inoffensif pour l'homme.

Un champignon microscopique noirâtre se développe souvent dans le gel collant qu'exsudent les cochenilles : c'est la fumagine. Pour traiter la plante attaquée, utilisez d'abord un insecticide spécifique anticochenilles, puis un fongicide.

Un insecte bien protégé. La cochenille reste souvent insensible aux traitements insecticides normaux, car elle est munie d'une sorte de carapace cireuse ou laineuse. Pour favoriser la pénétration des produits du commerce, ajoutez un peu d'eau savonneuse à la solution pulvérisée.

Cognassier

Culture du cognassier. Elle n'est possible qu'à partir de la zone 5 de rusticité (région montréalaise), et, même alors, il est recommandé de le planter en situation abritée pour le protéger des vents froids.

Pour récolter des coings parfumés, cultivez votre arbuste en sol sablonneux et fertile. Évitez les sols acides ou calcaires.

Faites le bon choix

Optez pour les cognassiers 'Crimson and Gold' (fleur rouge à cœur jaune), 'Fire Dance' (fleur rouge feu), 'Knaphill Scarlet' (fleur rouge orangé), 'Sunset Gold' (fleur rose, double), 'Falconnet Charlet' (fleur rose), 'Pink Lady' (fleur rose foncé) ou 'Nivalis' (fleur blanche).

Une floraison éclatante et précoce. Dès la fin mai, de très jolies fleurs parent le cognassier. De différentes couleurs, elles peuvent être simples ou doubles et sont suivies de fruits orangés ou jaunes.

Pour récolter de gros coings, plantez le cognassier au grand soleil mais apportez de l'eau en été. Sachez que ses fruits, durs, turbinés et parfumés, sont comestibles cuits.

Une taille de nettoyage est souvent nécessaire au printemps. En effet, même si l'accumulation de neige sur l'arbuste le protège des vents froids et asséchants, il n'est pas rare de voir des gélivures au bout de ses branches. Taillez alors la partie morte, juste au-dessus d'un bourgeon.

Attention aux taches de couleur rouille sur les feuilles en été. Il s'agit de l'entomosporiose, causée par un champignon qui fait tomber prématurément le feuillage et les fruits. Vous en viendrez à bout avec des pulvérisations de bouillie bordelaise (15 g/litre) à la chute des feuilles, en hiver, puis après la floraison.

Repérez le bon moment pour la cueillette. Lorsque le duvet qui les protège s'enlève facilement à la main, les coings sont arrivés à maturité.

Cuisine parfumée. Laissez quelques coings bien mûrs dans une jolie panière : ils embaumeront votre pièce.

Au fruitier, rangez les coings à l'écart des autres fruits : placés à proximité, ils en hâteraient la maturité.

Saveur originale. Transformez un jus ou une compote de pommes en y ajoutant quelques coings bien mûrs.

Les arbres à port en colonne permettent de structurer le jardin.

Colonne (port en)

Pour les petits jardins, faites des haies denses mais peu épaisses. Toutes les hauteurs sont possibles. Préférez les conifères, qui offrent des formes bien plus nettes que les arbres à feuillage caduc.

Créez un verger vertical avec des pommiers sans branches. Ces arbres ont des branches si courtes que les fruits poussent presque sur le tronc. Adultes, ils atteignent 3 m de haut et un diamètre de 50 cm. Utilisez-les dans un petit jardin, le long d'un mur, dans un massif de fleurs ou cultivez-les dans de grands bacs (profonds de 40 à 50 cm) sur votre terrasse. Vous profiterez de leur belle floraison au printemps et de leurs fruits en automne.

Utilisez la silhouette étroite et verticale des arbres-colonnes pour indiquer une vue, marquer un passage, un croisement, accentuer ou souligner une pente.

Évitez la rigidité. Ne plantez pas les arbres-colonnes en rang. Donnez-leur un peu de mouvement en les faisant onduler ou en les plantant en quinconce.

Si vous devez tailler un arbre à port en colonne, ne supprimez jamais les bourgeons terminaux des branches verticales. Vous provoqueriez le départ de branches latérales qui modifieraient sa forme étirée. Contentez-vous de tailler les départs obliques pour conserver une silhouette parfaite.

Végétaux à port colonnaire

Arbres et arbustes caducs	Hauteur
chêne pédonculé 'Fastigiata'	12 m
érable de Norvège 'Columnare'	12 m
érable rouge 'Columnare'	18 m
peuplier 'Tower'	20 m
peuplier blanc 'Pyramidalis'	15 m
peuplier blanc 'Raket'	15 m
pommetier baccata 'Erecta'	6 m
pommetier de Sibérie 'Columnaris'	5 m
sorbier à feuilles de chêne	8 m
Conifères	
cèdre 'Fastigiata'	5 m
cèdre 'Smaragd'	3 m
cèdre 'Techney'	5 m
cèdre 'Wareana'	5 m
genévrier de Chine 'Fairview'	4 m
genévrier de Chine 'Iowa'	3 m
genévrier de Chine 'Keteleeri'	8 m
genévrier de Chine 'Obelisk'	3 m
genévrier des Rocheuses 'Blue Heaven'	4 m
genévrier des Rocheuses 'Green Spire'	4 m
genévrier des Rocheuses 'Grizzly Bear'	3 m
genévrier des Rocheuses 'Moffat Blue'	3 m
genévrier des Rocheuses 'Moonlight'	3 m
genévrier de Virginie 'Burkii'	5 m
genévrier de Virginie 'Hillii'	4 m
genévrier de Virginie 'Sky Rocket'	5 m

Si le port en colonne vous semble trop strict, optez pour la forme fastigiée. Tout aussi élancée, elle se caractérise par un renflement plus ou moins marqué de la partie centrale de l'arbre, qui ressemble alors à un fuseau.

Pour les rocailles, choisissez des arbustes au port colonnaire tels les genévriers de Chine 'Fairview', 'Iowa' ou 'Keteleeri'. Le genévrier de Virginie 'Sky Rocket' donne aussi un joli résultat.

Pour les petits jardins, pensez aux cèdres 'Fastigiata', 'Pyramidalis', 'Smaragd' ou 'Techney' pour les conifères ; au pommetier de Sibérie 'Columnaris', à l'érable de Norvège 'Columnare' ou au chêne pédonculé 'Fastigiata' pour les caducs.

Coloquinte

Support obligatoire. Les coloquintes escaladent et décorent les grillages et clôtures, elles grimpent dans les haies ou les arbustes l'été. En cas de culture en massif, offrez-leur un faisceau de tuteurs pour soutenir la végétation abondante. Vous pouvez faire une tente d'Indien, pour le plus grand plaisir des enfants.

Pas d'humidité. Pour récolter les fruits, ne soyez pas trop matinal : attendez que la rosée se soit évaporée. S'il a plu, patientez plusieurs jours avant de les ramasser. Les coloquintes gorgées d'eau (à l'intérieur comme à l'extérieur) sont beaucoup plus difficiles à conserver. L'idéal est de les cueillir après une bonne période de sécheresse.

Un brillant protecteur. Une fois les fruits bien secs, passez une petite couche de vernis incolore (vernis à ongles ou vernis d'entretien) : ils seront plus agréables à regarder et se conserveront plus longtemps. De plus, le nettoyage sera simplifié.

Pour une meilleure conservation, cueillez le fruit avec un morceau de son pédoncule. Le conseil est également valable pour les courges, citrouilles, pâtissons et autres cucurbitacées qu'on souhaite conserver.

Jeux d'enfants. Les coloquintes se peignent facilement. On peut aussi les vider et en faire des petites boîtes à trésors.

1 001 décors possibles. Utilisez des coloquintes à la place des boules dans le sapin de Noël pour une parure naturelle. Faites un centre de table original, une composition dans une coupe de fruits. Apportez une touche de couleur sur vos étagères de cuisine. Associez-les à d'autres éléments du jardin (fleurs, écorces…) pour un joli bouquet sec.

Boîtes à graines. Conservez des graines dans une coloquinte sèche évidée : elles ne seront pas attaquées par les parasites.

Compagnes (plantes)

Détournez un insecte nuisible d'une culture qu'il affectionne en l'attirant avec un leurre végétal. Plantez par exemple des capucines à proximité des fèves, des choux ou des courgettes : les pucerons délaisseront vos légumes pour ces fleurs.

Complémentarité. Plantez une espèce aimant le soleil à proximité d'une plante exigeant de l'ombre. Installez par exemple une touffe de santolines au pied d'une clématite.

Gagnez de la place en cultivant deux espèces sur le même massif, une grimpante avec une ancrée au sol. Faites voisiner par exemple des haricots grimpants et des chaumes de maïs doux.

Des plantes maniaques de propreté. Certaines cultures, comme la pomme de terre, exigent binage et désherbage réguliers. L'année suivante, profitez du sol bien nettoyé pour planter des espèces qui ne supportent pas la concurrence des mauvaises herbes, comme les salades.

Pour que les haricots grimpants donnent plus de gousses, plantez-les en compagnie de pois de senteur ou d'ipomées, qui attirent les insectes pollinisateurs.

Différence de profondeur. Associez une plante à enracinement profond (carotte) avec une plante à enracinement superficiel et croissance rapide (radis) : elles ne se feront aucun tort.

Les racines de l'œillet d'Inde exsudent un produit qui combat de nombreux nématodes des légumes. Plantez-le au potager, mais faites le bon calcul, car il ne fait effet que 1 an après culture et reste actif dans le sol pendant 3 ans.

Semez des capucines dans vos cultures en serre : elles font fuir la mouche blanche (aleurode). Installez-les aussi au pied de vos pommiers puisqu'elles repoussent les pucerons lanigères.

Plantez de l'hysope près de vos rangées de choux : elle attire la piéride, qui boudera vos légumes. On dit aussi qu'elle augmente la productivité de la vigne.

▶ **Potager**

Composition du jardin

GRANDES LIGNES

Partagez l'espace pour y placer les éléments que vous souhaitez (pelouses, bassin, potager...). Découpez-le en parties inégales, que vous délimiterez avec des haies, des barrières, des murets, des marches, des massifs… Attribuez à chacune d'elles une fonction précise. Votre jardin sera ainsi enrichi de coins bien particuliers. Le plus petit compartiment doit mesurer au moins 8 m².

Fenêtres sur l'extérieur. Un jardin sans vue devient vite lassant. Si le vôtre est clôturé par de hauts murs, pratiquez des ouvertures pour que l'on puisse profiter d'un joli paysage. À l'intérieur, laissez des zones sans plantations hautes, pour avoir une vue plus dégagée.

Considérez votre jardin comme un tableau et apprenez à le regarder par les fenêtres. Vous trouverez amusant de le composer à partir des différentes vues offertes depuis la maison.

Intégrez la maison dans le jardin en palissant les murs avec des plantes grimpantes. Utilisez aussi des éléments de liaison comme les pergolas, les claustras et les escaliers fleuris.

Enrichissez votre jardin avec des éléments originaux que vous aurez plaisir à visiter ou à utiliser : un bassin ou une mare, un muret fleuri, une cabane, une petite serre ou un potager bien clos comme autrefois.

Si votre maison est « posée » sur une butte, ne l'isolez pas davantage au milieu d'une pelouse toute nue. Plantez des arbustes et des plantes vivaces au moins sur deux côtés pour la relier au jardin et estomper le côté artificiel de la butte.

Un jardin-couloir. Apportez des éléments qui brisent la perspective de tunnel. À l'entrée, un bassin, même peu profond,

donne toujours un bon résultat par le reflet qu'il apporte. Ensuite, créez des plans successifs, de plus en plus élevés, en faisant circuler une allée sinueuse de l'un à l'autre. Vous pouvez aussi habiller certains murs pour les faire disparaître avec des plantes grimpantes palissées sur des treillages.

Soignez le fond du jardin. N'y reléguez pas tous les objets que vous voulez cacher. Faites-en un endroit agréable, paisible, un peu mystérieux, installez-y un banc et une table ou creusez un bassin. Entourez-les d'une tapisserie végétale. Pour les gourmands, plantez des petits fruits : groseilles, bleuets, amélanchiers, noisettes…

CHOIX ET UTILISATION DES PLANTES

Occupez rapidement le terrain en utilisant des plantes vivaces qui poussent vite : asters, astilbes, delphiniums, gypsophiles, lavandes, monardes, renouées, véroniques. Pensez également aux plantes couvre-sol (aubriètes, pervenches, orpins), qui ne laisseront pas la terre à nu. Enfin, dès la première année, semez des fleurs annuelles qui se développent vite, comme les belles-de-nuit, les capucines, les cosmos, les eschscholzias et les giroflées.

Pour modeler des volumes, jouez avec la forme, l'encombrement et la hauteur des arbres et des arbustes. Même sans feuilles, en hiver, ils apportent un intérêt graphique avec leurs branches et leurs écorces.

Dans un jardin plat, évitez les arbres à forme fastigiée ou en colonne en plantation isolée. Leur aspect rigide accentue le manque de relief du terrain. Optez pour le foisonnement végétal d'aspect naturel, qui offrira un côté spontané et vivant, mais ne faites pas pour autant un fouillis impraticable !

Utilisez les feuillages des plantes vivaces et des arbustes, qui gardent leur intérêt bien plus longtemps que les fleurs.

Recherchez la simplicité. Pour composer un premier jardin, ne vous laissez pas tenter par la collection de plantes en tout genre. Préférez un groupe plus important d'une même plante qui fera une jolie masse, plutôt qu'une juxtaposition de plantes différentes que vous ne verrez pas.

▶ **Aménagement, Couleurs, Décoration, Jardins, Paysagiste**

Un jardin gagne à être partagé en différents « coins », délimités par des murets, des massifs, des marches, des haies...

Compost

L'endroit idéal se situe dans un coin discret du jardin, à mi-ombre, avec un accès facile pour une brouette. Il suffit de 1 à 2 m^2. Placez le tas à même le sol, jamais sur un support en dur. Ne déménagez pas le compost : vous conserverez la microflore et les vers de terre.

Pour une délimitation facile et durable, enfoncez dans le sol des traverses de chemin de fer à une profondeur de 40 à 50 cm.

Pour camoufler le tas, plantez en haie ou en arc de cercle, à 1 m environ du compost, quelques arbustes persistants et caducs. Ou essayez le macleaya, grande plante vivace indestructible qui peut dépasser 2 m de hauteur !

Les bonnes mesures pour un composteur tournent autour de 1 à 1,20 m de large sur 70 à 80 cm de haut. L'air pourra circuler dans la masse des éléments compostés et vous éviterez les mauvaises odeurs.

Récupération. Fabriquez-vous un composteur avec des palettes de bois. Enduisez-les de sulfate de cuivre et assemblez-les comme des cubes sans fond. Prévoyez au moins 2 compartiments : un pour les déchets nouveaux, un pour remuer le compost fait et y puiser. Le luxe comprend 3 cases pour en avoir toujours une comme dégagement. Montez les planches du devant au fur et à mesure que le tas prend de la hauteur.

Le meilleur moment pour démarrer est la fin de l'hiver. La décomposition des déchets, liée à la vie bactérienne, est plus rapide à la belle saison. La fermentation doit commencer rapidement, faisant monter la température à 50-60 °C au centre du tas pour redescendre ensuite.

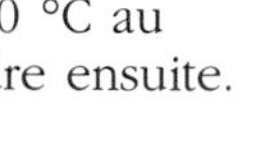

En période froide, un bon lit de fumier jeune peut aider. À défaut, utilisez du fumier déshydraté.

Si le compost ne chauffe pas ou si le tas est trop sec,

arrosez-le avec un activateur et de l'eau pour le ramener à une humidité semblable à celle d'une éponge humide.

Si le tas est trop humide, refaites-le en intercalant des couches fines de matériau absorbant (sciure, tourbe, paille hachée). Ne mettez jamais de gros paquets d'un même type de déchets (de 5 à 7 cm d'épaisseur au maximum).

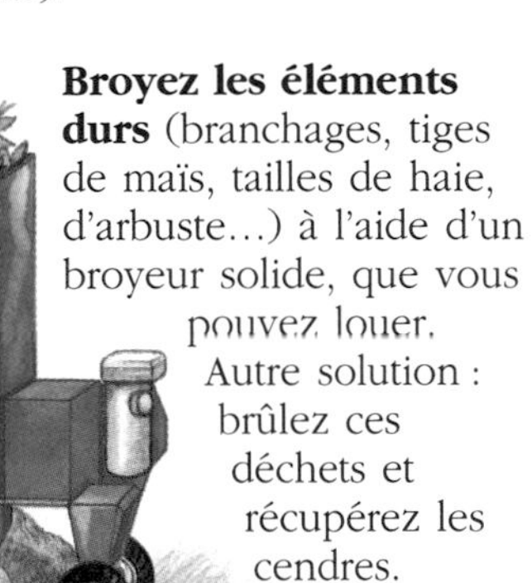

Broyez les éléments durs (branchages, tiges de maïs, tailles de haie, d'arbuste...) à l'aide d'un broyeur solide, que vous pouvez louer. Autre solution : brûlez ces déchets et récupérez les cendres.

Joli compost. La terre est très riche à la base du compost. Semez quelques graines de capucine grimpante (ou de haricot d'Espagne, ou de coloquinte...), qui escaladeront le tas en donnant quantité de fleurs pour la maison.

Si vous utilisez un produit activateur, creusez des trous dans le tas pour une meilleure diffusion du produit ou placez des cheminées (tuyaux perforés), que vous remonterez progressivement.

L'or noir du jardin

Le tas de compost permet de se débarrasser de bon nombre de déchets et de récupérer une matière première qui est nécessaire à toutes les cultures. Vous obtiendrez environ 500 g de compost avec 5 kg de déchets.

Jetez-y :

- les déchets ménagers végétaux
- les mauvaises herbes (sauf en graines)
- les déchets de tonte non traités
- les tiges et feuilles fanées
- le vieux terreau, les fonds de pots
- la paille, le foin, les tailles de haie
- le marc de café, les déchets de thé
- le papier ou carton en petits morceaux
- les litières animales
- le fumier (de vache si possible).

N'y jetez pas :

- les pierres
- les mauvaises herbes traitées
- le verre
- les feuilles mortes à décomposition lente (marronnier)
- le métal
- le plastique
- le papier ou carton en épaisseur
- les magazines en couleurs
- les détergents et les produits chimiques.

Un accélérateur naturel. Remplacez le produit du commerce par un lit d'orties tous les 20 cm, suivi d'un bon arrosage.

Pour éviter la venue des insectes, placez sur le tas en formation un bon lit de foin ou d'herbes sèches ou un morceau de moquette, que vous remettrez au sommet du tas à chaque apport de matériaux nouveaux.

Couverture d'hiver. Après avoir épandu un produit activateur, couvrez le tas de compost d'une couche de neige bien tassée de 25 à 30 cm d'épaisseur : elle aidera à la décomposition.

Si le compost est encore « jeune », utilisez-le pour les plantes gourmandes (pommes de terre, tomates, courges et toutes les cucurbitacées), il achèvera sa décomposition dans le sol. Mêlez-le à la terre au fond du trou de plantation ou épandez-le en surfaçage de 4 à 6 cm d'épaisseur au pied des plantes pour régulariser l'humidité.

Chauffage économique. Placez les terrines de semis ou les pots de bouturages délicats au milieu du tas de compost semi-fait : la terre des pots profitera de la douce chaleur naturelle de la fermentation. Attention, ne le faites jamais en début de fermentation, la température monte trop fort. Pour un effet de serre, tendez un film plastique ou placez une plaque de verre.

Pour obtenir un compost agréable à manipuler, tamisez-le. Si vous avez un tamis, placez-le en plan incliné et jetez-y votre compost à la pelle. Sinon fabriquez-vous un tamis avec du grillage à mailles cloué à la place du fond d'une cagette en bois. Plus fin sera le grillage que vous utiliserez, plus le compost récolté conviendra aux travaux délicats.

Pour un meilleur résultat, jetez sur le compost des produits demandant à peu près le même temps de décomposition. Si vous avez des feuilles à décomposition lente — comme celles du marronnier —, stockez-les d'abord dans des sacs poubelle et ne les incorporez aux autres déchets qu'après un début de fermentation.

Un compost-potager. Si votre compost est bien ensoleillé, plantez à la base du tas de compost bien « mûr » un pied de citrouille ou trois pieds de courgette. Vos légumes auront exactement tout ce qu'ils demandent : douceur, humidité, humus, soleil.

▶ **Fumier, Terreau**

Concombre

Si vous manquez de place, semez des variétés non coureuses comme 'Pot Luck' ou encore 'Salad Bush'. Elles n'occuperont pas plus de 1 m² chacune. Vous pouvez même les cultiver dans un grand pot sur un balcon.

Légumes frileux. Semez-les en avril à l'abri et ne les mettez en place que dans la seconde quinzaine de mai, à 60 cm les uns des autres, en les protégeant encore pendant 3 semaines avec des cloches ou des châssis mobiles pendant la nuit.

Des concombres dès le mois de mai ? C'est possible si vous semez les graines en serre au mois de février. Installez les godets sur une petite trame chauffante électrique, qui maintiendra la température à 18 °C.

Besoin d'espace. Comme la plupart des concombres sont des variétés coureuses (elles émettent de longues tiges de 1,50 m), prévoyez deux bons mètres carrés par plante au potager.

Tous les concombres ne sont pas verts

Il existe une variété à peau blanche : 'Merveille Blanche'. En cueillant cette variété lorsqu'elle est encore jeune, vous vous éviterez la peine de l'éplucher, mais elle ne prendra sa belle couleur blanche qu'à complète maturité. Sa chair a la même couleur que celle des concombres verts.

Pour des concombres plus propres et mieux ensoleillés, palissez les plants sur des supports (fils, filets, grillages ou rames) d'une hauteur de 1,50 m environ. Aidez-les à s'accrocher au départ. Ensuite, leurs vrilles trouveront d'elles-mêmes des points d'appui.

Petit geste pour favoriser la ramification. Taillez les jeunes plants dès que leur tige porte 4 feuilles : coupez le haut de la tige en laissant seulement les 2 feuilles du bas.

Pour obtenir de beaux légumes, laissez seulement 4 fruits en même temps sur chaque plant. Dès que l'un est presque mûr, laissez-en un autre se former, et ainsi de suite. La méthode de contrôle la plus efficace consiste à couper la tige au-dessus du fruit formé en laissant seulement une feuille.

Des concombres bien droits. Lorsqu'il commence à grossir, glissez chaque fruit dans un tube de plastique de 10 cm de diamètre et 30 cm de long. Une bouteille d'eau minérale dont vous couperez les extrémités peut très bien faire l'affaire.

Avant de partir en vacances, cueillez tout ce que vous pouvez, même les tout petits fruits. Pendant votre absence, d'autres se formeront et, si vous ne partez pas plus de 3 ou 4 semaines, vous aurez de beaux concombres prêts à être cueillis à votre retour.

Des légumes gourmands. Pour un rendement maximal de vos plants, plantez-les dans une terre riche en matière organique. Apportez donc un amendement en compost ou en fumier décomposé avant la plantation. Les concombres demandent aussi une grande quantité d'eau pendant toute leur croissance : ménagez donc une cuvette autour des plants pour minimiser les pertes d'eau. Effectuez des arrosages fréquents et abondants, mais attention !... ils ne supportent pas l'humidité constante.

Faites le bon choix

- Si vous aimez les concombres doux, optez pour les hybrides F1, qui sont des variétés modernes, résistant mieux aux maladies que les variétés classiques, qui sont par ailleurs plus amères. Et voici quelques exemples d'hybrides F1.
  - 'Dasher II' : plante vigoureuse, fruits uniformes.
  - 'Marketmore' : plant compact.
  - 'Perfection' : variété hâtive.
  - 'Pot Luck' : plante courte et compacte.
  - 'Safaa' : variété hâtive.
  - 'Salad Bush' : plant petit et compact.
  - 'Sweet Success' : plant vigoureux, fruits avec très peu de graines.
  - 'Trail Blazer Seneca' : variété très hâtive.
  - 'Turbo' : plant vigoureux, fruits uniformes.
- Si vous recherchez des concombres anglais, choisissez :
  - 'Telegraphe Anglais' : fruits d'une longueur de 50 cm.
  - 'Burpless' : fruits d'une longueur de 35 à 40 cm.
- Pensez aux miniconcombres, parfaits pour la décoration des plats, l'apéritif...
  - 'Little Leaf' : plante compacte, à très petites feuilles.
  - 'Pik Rite' : plante très productive.

▶ **Potager**

Confiture

Utilisez le congélateur. Au fur et à mesure des récoltes au jardin, lavez soigneusement les fruits, essuyez-les, coupez-les ou réduisez-les en purée, ensachez-les et rangez-les au congélateur. Vous ferez régulièrement de petites quantités de confiture fraîche plutôt qu'une énorme bassine. C'est meilleur, et vous pouvez utiliser moins de sucre puisque la confiture est vite consommée. Libre à vous d'inventer des associations originales en mélangeant des fruits de différentes saisons. (Voir Congélation.)

Prolongez le plaisir de la cueillette au jardin en faisant de délicieuses confitures maison.

Pectine naturelle. Pour réussir vos confitures qui « prennent » mal, placez dans la bassine un nouet de mousseline contenant des épluchures, des cœurs et des pépins de pomme (ce sont les parties contenant le plus de pectine). En saison, utilisez aussi les fruits des pommiers d'ornement et du cognassier du Japon.

Un petit goût d'amande amère pour la confiture d'abricots. Extrayez les amandes des noyaux, pelez-les et faites-les cuire avec les fruits. Une dizaine d'amandes suffisent pour parfumer 5 à 6 pots.

Si l'année est pluvieuse, les groseilles risquent d'être fades et les gelées liquides. Pour y remédier, rajoutez par kilo de fruits le jus d'un demi-citron et une vingtaine de pépins et, en toute fin de cuisson, une feuille de cassissier. Vos confitures et gelées retrouveront tenue, fruité et acidité.

Gelée bouillante. La gelée sera facile à mettre en pots si vous la versez préalablement dans un pot à eau.

Parfums insolites. Une confiture banale peut être transformée si vous lui ajoutez en fin de cuisson quelques gouttes d'alcool du fruit correspondant ou de rhum, une gousse de vanille ouverte, un bâton de cannelle, de la noix muscade, une feuille de menthe ou de géranium parfumé.

Le test de la petite assiette. Versez 1/2 cuillerée de confiture en ébullition sur une assiette. Laissez refroidir. Inclinez l'assiette. Si la confiture a beaucoup de mal à glisser, elle est prête à mettre en pots. Si elle glisse, continuez la cuisson.

La confiture cristallise ? Les fruits employés ne contenaient probablement pas assez d'acide. Faites-la recuire en ajoutant du jus de citron ou du thé.

La confiture moisit en surface ? Les bocaux ont été mal fermés ou la confiture n'était pas assez froide au moment de couvrir les pots. Enlevez la moisissure, faites recuire la confiture pendant 6 à 8 minutes, puis remettez-la dans les pots en les fermant bien.

Par goût ou par raison (de régime), stérilisez vos confitures peu sucrées. Elles se conserveront sans problème comme les autres, simplement avec moins de sucre et plus de fruits !

Congélation

Des produits prêts à l'emploi. Congelez fruits et légumes du jardin comme si vous alliez les consommer immédiatement : épluchés, lavés, séchés, sans déchets, coupés en cubes, ou en bâtonnets, râpés... Vous gagnerez du temps au moment de la préparation de vos repas.

Pour éviter le gâchis, préparez de petites portions. Elles ont en plus l'avantage de se décongeler plus vite.

Blanchiment. Avant de les congeler, plongez carottes, dés de courgette, légumes-feuilles (bettes, salades...) quelques secondes dans l'eau bouillante et rafraîchissez-les immédiatement dans l'eau glacée. Cette opération neutralise les enzymes destructrices de vitamines. Attendez que les légumes soient bien froids avant de les placer au congélateur.

Pour prélever juste la quantité qui vous convient sans sortir un gros bloc, congelez tous les éléments individuels

sur un plateau (oreillons de prune ou d'abricot, fraises, framboises, rondelles de courgette, bouquets de chou-fleur...). Cette mise à plat permet au froid de prendre vite. Placez ensuite tous les éléments dans des sacs en plastique où vous vous servirez par poignées.

Pas de produits laitiers. Si vous préparez un plat cuisiné, évitez si possible d'y ajouter lait, yogourt ou crème fraîche, qui se congèlent mal. Notez sur l'emballage qu'il faut faire cet apport après décongélation.

Laissez une part de vide dans le récipient ou le sac en plastique qui contient un liquide : la congélation le fait augmenter de volume. Sans cette précaution, l'emballage éclatera.

Fruits plus parfumés. Les fruits décongelés ont moins de parfum que les fruits frais, mais vous retrouverez des saveurs subtiles en les arrosant de quelques cuillerées de l'eau-de-vie ou de la liqueur correspondante.

Tartes croustillantes. En se décongelant, les fruits perdent beaucoup d'eau, et le fond de tarte s'en trouve ramolli, il cuit mal… Saupoudrez la pâte de sucre en poudre, de poudre d'amande liée d'un jaune d'œuf, de semoule…,

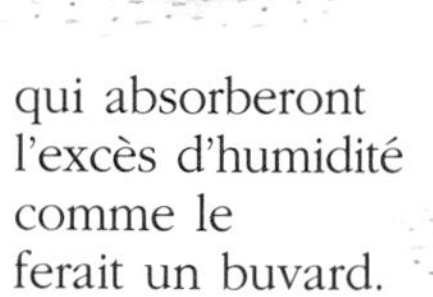

qui absorberont l'excès d'humidité comme le ferait un buvard.

Glaçons-surprises pour l'apéritif. En été, déposez une petite fleur colorée, une framboise, une petite fraise, une feuille de menthe… dans chaque alvéole d'un bac à glaçons. Remplissez d'eau bouillie froide (qui ne contient pas de bulles d'air opacifiant l'eau). En hiver, utilisez une écorce d'orange, un zeste de citron, une cerise à l'eau-de-vie…

Feuilles de vigne. Utilisez les feuilles de votre vigne (hors période de traitement). C'est en mai-juin qu'elles sont de bonne taille et encore assez tendres. Coupez le pétiole et blanchissez-les dans l'eau bouillante par paquets de 20 à 30. Congelez-les. Vous les farcirez au fur et à mesure des besoins dans l'année.

Un sac de glaçons posé en évidence au-dessus des produits confirmera la bonne marche de votre congélateur lors d'une absence. Si les glaçons ont fondu…, méfiance pour le reste.

En cas de panne, un congélateur bien rempli résiste mieux que s'il est à demi vide, car il accumule plus de frigories. Si une coupure de courant est annoncée, remplissez le congélateur de bouteilles en plastique ou de sacs pleins d'eau.

Un congélateur-armoire toujours bien fermé. Surélevez légèrement l'avant de l'appareil avec une cale : en cas d'oubli, la porte se refermera d'elle-même.

Conifères

À l'achat. Choisissez un arbuste bien équilibré ; n'hésitez pas à tourner autour pour vérifier que ses branches sont bien placées et que sa flèche est bien droite. Il est difficile, avec les conifères, de réparer les accidents de végétation.

Tout est dans la flèche. Si elle est cassée ou si l'arbre a deux pousses de force identique et parallèles, il faut agir. Dans le premier cas, relevez la pousse tendre la plus proche et tuteurez-la comme flèche nouvelle, car un conifère sans flèche ne pousse plus, ou pousse mal. Dans le second cas, supprimez une pousse pour éviter la concurrence.

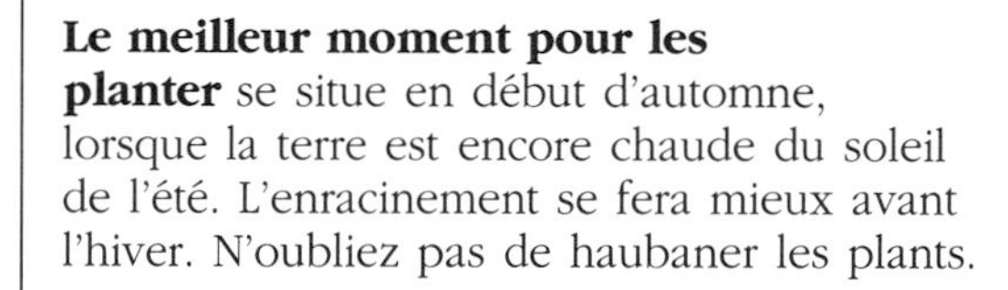

Le meilleur moment pour les planter se situe en début d'automne, lorsque la terre est encore chaude du soleil de l'été. L'enracinement se fera mieux avant l'hiver. N'oubliez pas de haubaner les plants.

Le secret d'une plantation réussie. Tant que les racines ne sont pas bien ancrées, les conifères traversent une période critique de déshydratation. Bassinez légèrement mais souvent leur feuillage, en plus des arrosages au pied. Autre technique : pulvérisez sur le feuillage une solution antitranspirante vendue dans le commerce.

Récupération. Ramassez les branches taillées lors d'un éclaircissage pour ombrer un semis ou de jeunes plants au potager, en éloigner les chats, qui n'aiment pas les pointes piquantes, ou les protéger du froid en hiver.

Élégantes et colorées, les compositions de conifères sont particulièrement appréciables à la mauvaise saison.

Pour vous débarrasser des aiguilles, jetez-les en fines couches (décomposition lente) sur le compost ou incorporez-les aux sols argileux, qu'elles aèrent doucement… On peut les associer à de la paille.

Un couvre-sol économique. Ratissez les aiguilles et étendez-les entre les touffes de fleurs et les arbustes. Vous empêcherez l'herbe d'y pousser. Les plantes de terre de bruyère apprécient leur présence parce qu'elles acidifient le sol en se décomposant.

Des noix de pin comestibles. Appelées aussi pignons ; on les retrouve facilement sur le marché. Dégustez-les dans les salades, les pâtes, les sauces (surtout le pesto).

Égayez leur végétation. En été, les conifères sont un peu sévères ; faites grimper sur leur feuillage, du côté le plus exposé au soleil, une clématite, des capucines, des volubilis, des cobées…

Faites le bon choix

Si vous cherchez un beau sujet à isoler, optez pour le faux-cyprès de Nootka, l'arbre aux quarante écus, le mélèze du Japon, le sapin du Colorado ou le thuya occidental 'Filiformis'. Les meilleurs conifères pour haies sont le thuya occidental (cèdre) et ses variétés — 'Brandon' (feuillage vert clair), 'Ellwangeriana Aurea' (feuillage jaune d'or), 'Techney' (feuillage vert foncé) —, le pin noir d'Autriche (vert foncé), le pin sylvestre (gris-vert), l'épinette de Norvège (rameaux retombants). Pour les coins ombragés, pensez aux ifs : if du Canada, if du Japon ou if hybride.

Les branches dégarnies des pins peuvent retrouver de la vigueur si vous épointez légèrement les aiguilles aux ciseaux au début du printemps.

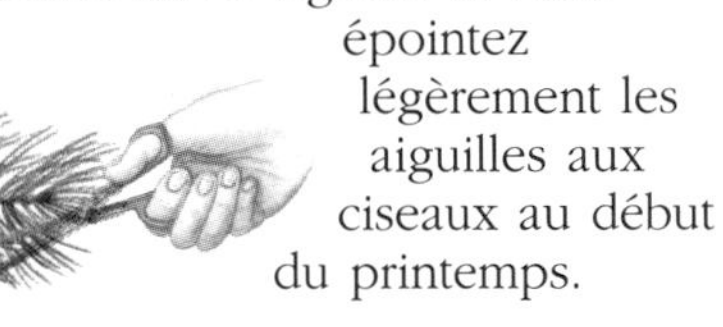

Pour réduire l'étalement d'un conifère, supprimez au printemps toutes les pousses vert tendre qui démarrent. Vous éviterez la suppression des branches futures, et la silhouette de la plante deviendra plus trapue.

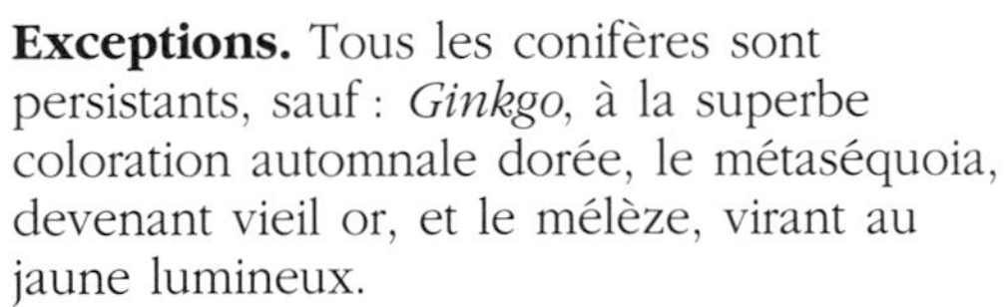

Exceptions. Tous les conifères sont persistants, sauf : *Ginkgo*, à la superbe coloration automnale dorée, le métaséquoia, devenant vieil or, et le mélèze, virant au jaune lumineux.

▶ **Arbres, Arbustes, Colonne, Haie, Nains, Neige, Sapin de Noël, Silhouettes, Tuteurage**

Conservation

Conservateurs naturels. En hiver, placez quelques feuilles de laurier et des gousses d'ail épluchées en différents points du fruitier.

Le bon rangement. Sur les clayettes, placez les pommes queue en bas et les poires queue en haut. Veillez toujours à ce que les fruits ne se touchent pas.

Un fruitier irréprochable. Pour tuer les germes, spores et autres champignons nuisibles, désinfectez le local avant les grosses récoltes. Profitez de l'été, quand il est vide, pour passer ses murs à la chaux et pour badigeonner les clayettes ou les étagères avec de l'eau de Javel additionnée d'un même volume d'eau. Brûlez des mèches soufrées si la pièce est bien fermée. Laissez séjourner les gaz pendant 24 heures, puis aérez.

Lors de la cueillette et du rangement des coings, veillez à ne pas retirer le duvet qui les protège. Conservez-les à l'écart des autres fruits car ils les feraient mûrir trop vite.

Posez courges, citrouilles... sur des planches recouvertes de paille, en les tenant à une température de 5 à 10 °C. Autre solution : Suspendez-les dans des filets en hauteur dans un lieu frais et sec. Leur épiderme solide leur permet une conservation de plusieurs mois, jusqu'en mars-avril.

Apportez du sable dans la cave sans vous fatiguer en utilisant une gouttière large en guise de toboggan. Vous n'aurez qu'à placer les caisses que vous voulez remplir à proximité de la gouttière.

Stockez les légumes-racines (carottes, navets, céleris-raves, rutabagas, topinambours...) dans des caisses remplies de sable, à l'exception des pommes de terre. Rangez-les par couches horizontales.

Plantez les légumes-feuilles (choux, céleris-branches, cardons, bettes...) dans du sable légèrement humide jusqu'à consommation.

Pour faire mûrir les fruits, enfermez-les dans un sac en plastique avec un ananas. L'éthylène dégagé par ce dernier accélérera le processus de maturation.

▶ **Confiture, Congélation, Conserves, Graines**

Conserves

Ne voyez pas trop grand pour chaque « fournée » de conserves. Pour une préservation parfaite des fruits et légumes, il est indispensable d'opérer rapidement.

Ne remplissez pas complètement les bocaux, pour éviter qu'ils n'éclatent à la cuisson. Laissez toujours 2 cm environ sous le niveau de fermeture.

Le secret de la réussite. Soyez sévère lorsque vous sélectionnez fruits et légumes. Il faut qu'ils soient bien frais et fermes. Utilisez les plus avancés pour vos confitures, compotes, coulis.

Gardez vos conserves au frais, au sec et à l'abri de la lumière (cave tempérée, sous-sol frais, garage sombre...). Chaleur et lumière stimulent les réactions de fermentation.

Consommez-les sans trop attendre. C'est dans les 2 premières années que les

conserves sont les meilleures. Faites plaisir à votre entourage en en distribuant pour ne pas les garder trop longtemps. Personnalisez vos bocaux-fraîcheur en fabriquant de jolies étiquettes avec la date de la cueillette.

LÉGUMES

Faites cuire les betteraves rouges dans leur peau avant stérilisation. Elles garderont ainsi leur couleur et ne saliront presque pas la casserole.

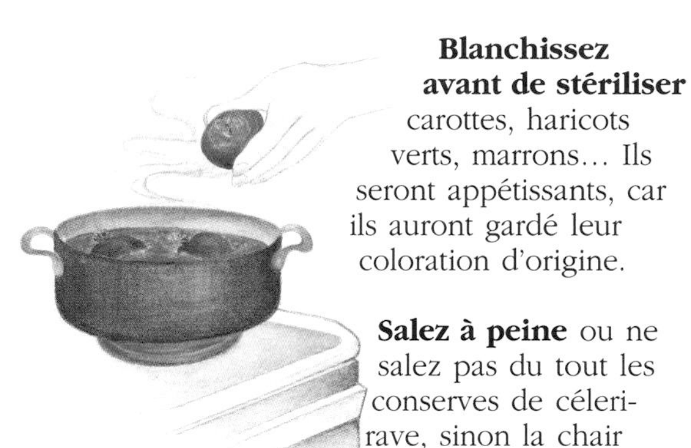

Blanchissez avant de stériliser carottes, haricots verts, marrons... Ils seront appétissants, car ils auront gardé leur coloration d'origine.

Salez à peine ou ne salez pas du tout les conserves de céleri-rave, sinon la chair rougira.

Les pickles

Détaillez en petits morceaux 1 kg de légumes : chou-fleur, cornichons, poivrons, carottes, petits oignons, tomates cerises... Pour qu'ils soient bien croquants, faites-les macérer 24 heures avec environ 100 g de gros sel. Rincez bien et égouttez. Disposez les légumes en strates successives dans les bocaux, sans oublier les aromates (grains de poivre, fenouil, estragon, sauge... à vous d'essayer !). Couvrez de vinaigre chaud mais non bouillant, et fermez. Laissez macérer de 6 à 8 semaines avant de consommer. Pour des pickles moins acides, ajoutez au vinaigre 2 ou 3 cuillerées à soupe de sucre quand vous le chauffez.

Pour peler facilement les tomates, plongez-les 1 minute dans de l'eau bouillante ou passez-les 1 minute au four à micro-ondes. La peau se détachera beaucoup mieux.

Coupez les gros cornichons en morceaux avant d'en faire des conserves, ils seront plus savoureux et se conserveront mieux.

Des cornichons bien croquants. C'est facile si vous ne les mettez pas immédiatement en bocal. Frottez-les avec une brosse ou entre eux dans un tissu avec du sel fin. Enfermez-les ensuite dans un linge, mélangés à du sel. Suspendez le linge une nuit entière pour que les cornichons dégorgent bien (placez-les au-dessus d'une cuvette ou de l'évier). Le lendemain, mettez-les en bocaux et remplissez les bocaux à ras bord de vinaigre bouilli, que vous aurez fait refroidir au préalable.

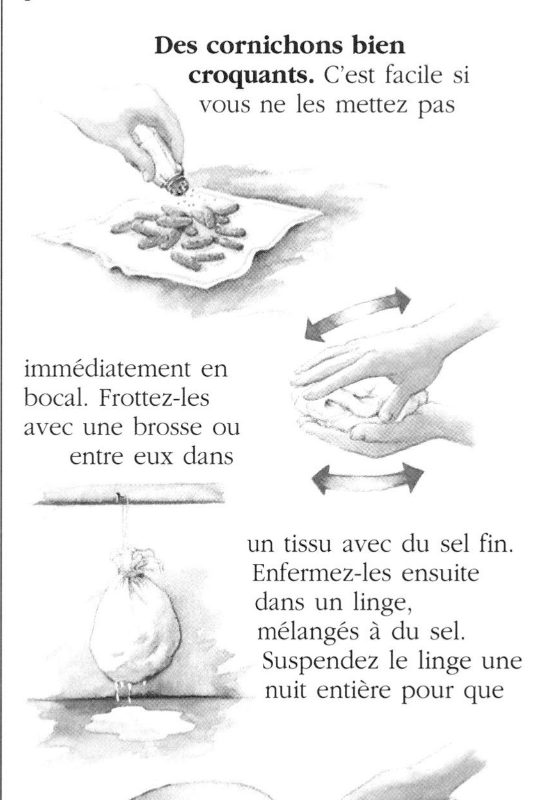

La liqueur de vieux garçon

Au fil des saisons, remplissez un grand bocal de lits successifs de fruits (fraises, framboises, cerises, groseilles, pêches....). Ajoutez à chaque fois le même poids de sucre et recouvrez d'alcool (eau-de-vie ou rhum). Conservez le bocal fermé au frais, au sec et à l'abri de la lumière. Laissez macérer encore 1 mois après le dernier ajout avant de consommer, avec modération !

Parfumez vos conserves en y ajoutant des herbes aromatiques : thym, basilic, sauge pour les tomates ; ail, laurier, thym, sauge pour les flageolets ; sarriette, estragon pour les haricots verts et les petits pois.

Essayez le chutney, compote sucrée-salée qui se marie bien avec les viandes blanches. Pour du chutney à la tomate, faites revenir 250 g d'oignons émincés, ajoutez de l'ail, un petit piment haché, des clous de girofle, puis 1 kg de tomates pelées et hachées, du basilic et du thym. Versez sur cette purée 200 g de sucre et 200 ml de vinaigre de vin. Salez et laissez cuire à feu doux pendant 45 minutes. Mettez en bocal.

FRUITS

Les fruits rouges sont trop mous. Transformez-les en coulis. Vous pourrez vous en servir pour fourrer ou napper un gâteau ou accompagner des crèmes glacées.

Fruits colorés. Ajoutez 10 g d'acide citrique par litre d'eau pour le lavage des fruits avant stérilisation. Ils garderont mieux leur couleur d'origine.

FLEURS

Comme des câpres. Cueillez des boutons floraux de pâquerettes (que vous aurez pris le soin de bien identifier) encore bien fermés et faites-les confire dans du vinaigre. Vous obtiendrez un condiment original et savoureux.

▶ **Confiture, Congélation, Conservation, Liqueur**

Cordon

Une bonne solution pour les petits espaces. Les cordons horizontaux permettent de cultiver de nombreuses espèces de pommiers dans les plus petits jardins : Plantez un arbre tous les 2 ou 3 m le long d'une allée ou autour du potager. Vous récolterez peu de fruits (entre 10 et 20 par arbre), mais ils seront de bonne qualité et faciles à cueillir.

Cueillez des fruits très rapidement. Les cordons de pommiers vendus dans le commerce possèdent un ou deux bras. Ils peuvent produire des fruits dès la première année de plantation. Leur prix est environ le double de celui d'un scion, mais il vous feront gagner 1 ou 2 ans de récolte.

Formez-les vous-même sans difficulté. Pliez lentement un jeune scion à 90°. Palissez la partie supérieure sur un fil horizontal tendu à 40 ou 80 cm du sol. Le point de greffe (bourrelet) doit être placé à l'extérieur pour éviter de le décoller. Autre méthode : coupez le scion à 40 cm, au-dessus d'un ou de deux bourgeons opposés. Un ou deux rameaux démarreront au printemps. Il vous suffira de les palisser horizontalement à l'automne suivant.

Sachez les tailler. Les cordons horizontaux de pommiers demandent une taille de fructification annuelle (en hiver) assez précise. Sur la partie horizontale du tronc, laissez de courts rameaux (15 à 20 cm) porteurs de gros bourgeons arrondis : ce seront les prochaines fleurs.

Un mur de raisins. Cultivez une treille le long de votre maison ou d'un mur en la formant en cordon vertical. Laissez monter un sarment (jusqu'à 2,50 m si vous avez la place). Il formera le tronc. Palissez-le sur des fils de fer tendus horizontalement tous les 50 cm. Chaque année, taillez très court les « branches » latérales en leur laissant 2 bourgeons. Vous pouvez planter un pied de vigne tous les mètres. Choisissez des raisins différents pour varier les plaisirs.

▶ **Palissage, Taille**

Dans un tout petit jardin, le cordon est la solution idéale pour récolter des pommes.

Cornichon

Tenez les cornichons au chaud. Semez-les à l'abri, en mars-avril, dans des petits pots remplis de bon compost. Il leur faut une température de 18 °C pour germer. Ne les sortez en plein air qu'à la fin du mois de mai, en les protégeant encore 2 semaines pendant la nuit avec des cloches.

Précautions. Les cornichons ne doivent pas manquer d'eau, aussi arrosez-les régulièrement. Mais prenez garde à ne pas mouiller leur feuillage, sensible aux maladies cryptogamiques (champignons).

Évitez arrosages et désherbages en installant un paillage de plastique qui chauffera le sol et gardera les fruits au sec et au propre. Peu esthétique au départ, le film disparaît rapidement sous la végétation. Si vous le placez assez tôt (fin avril), vous gagnerez de 1 à 3 semaines pour mettre vos plants en pleine terre. Celle-ci sera en quelque sorte préchauffée.

Une récolte assidue. Si vous voulez de petits cornichons (5 cm), cueillez tous les 2 jours ; tous les 3 jours pour des calibres plus gros (7 cm). Au-delà, ce ne seront plus des cornichons, mais des miniconcombres ! C'est dire qu'on ne part pas longtemps en vacances avec de tels pensionnaires au potager.

Ne vous baissez plus. Laissez se développer librement les tiges et palissez-les le long d'un grillage ou d'un filet à ramer haut de 1,50 m. Les

fruits seront à votre portée, bien propres, réguliers et uniformément verts.

Cueillez-les à la fraîche, avant que le soleil ne commence à chauffer. Les cornichons seront plus fermes et se conserveront mieux.

Faites le bon choix

'Blitz' : fruits sans amertume.

'Cross Country' : fruits uniformes.

'Green Spear 14' : semblable à 'Perfecto Verde'.

'Hâtif du Québec' : variété hâtive.

'Little Leaf' : plante compacte, petites feuilles.

'Perfecto Verde' : variété très productive.

'Pik Rite' : variété très prolifique.

'Pioneer' : variété hâtive.

'Score' : fruits uniformes.

▶ **Conserves, Potager**

Couleurs

Jouez la carte de la prudence. Au départ, choisissez une couleur dominante, comme le bleu ou le rose. Vous pourrez ensuite élargir la palette en jouant avec les nuances ou les couleurs complémentaires.

Harmonie d'ensemble. N'oubliez pas les couleurs de votre maison (murs, volets, portes), des allées (sable, gravillons, dalles...), de la terrasse, des clôtures... Plantez des fleurs dont les teintes se marieront bien avec.

Accentuez l'effet de profondeur en plaçant les couleurs claires au fond du jardin et les couleurs vives au premier plan.

Animez le fond du jardin, dans le cas d'un jardin tout en longueur, en faisant l'inverse : taches vives au fond, nuances douces devant.

Relevez l'ambiance d'un coin un peu triste avec un jaune vif, un orangé éclatant ou un rouge lumineux.

Donnez de la lumière à vos aménagements paysagers en plantant des végétaux de couleurs claires (feuilles ou fleurs blanches, jaunes, roses ; tiges argentées, écorce pâle...). Pensez aux treillages blancs, dallages et blocs de roche clairs, meubles de jardin blancs. Recouvrez vos allées de gravillons ou de sable blanc.

Pour obtenir un effet paisible, jouez avec les tonalités de blanc, crème, rose, bleu doux, jaune pâle ou mauve tendre.

Régime spécial rosiers. Ne jetez plus les peaux de banane, mais enterrez-les au pied de vos rosiers : on dit que cela avive la couleur des fleurs. La banane contient en effet beaucoup d'azote, de potasse et d'oligoéléments, vite assimilés par les racines.

Savant mélange. Si vous associez des couleurs vives et des nuances douces, les notes vives feront paraître les tonalités pastel beaucoup plus fades. Il est donc recommandé de séparer les genres par des zones de couleur neutre, comme des fleurs blanches ou des feuillages blancs, gris, bleutés, bruns ou noirs.

Le noir au jardin

La tulipe vraiment noire est encore un mythe... mais certaines fleurs et quelques feuillages sont tellement sombres que, sous certaines lumières, on peut les croire noirs.

Fleurs :
Pensées 'Black Magic' et 'Prince Noir', tulipe 'Queen of Night', rose trémière 'Nigra', fritillaire du Kamtchatka et iris des jardins 'Night Laughter', par exemple.

Feuillages :
Heuchera americana et 'Palace Purple', arbre à perruque 'Royal Purple', lobélie 'Queen Victoria', *Ligularia* 'Desdemona', *Cimifuga* 'Artropurpurea', sauge officinale 'Purpurascens', orpin 'Atropurpureum', érale du Japon 'Dissectum Garnet', noisetier pourpre, prunier pourpre des sables, bouleau à feuilles pourpres, ricin commun 'Carmencita', entre autres...

Égayez l'hiver. Pensez à installer devant les portes et fenêtres un maximum de feuilles persistantes, de tiges et d'écorces colorées.

Pour garder un feuillage panaché, offrez-lui beaucoup de lumière. Avec trop d'ombre, il vire au vert banal, sauf les hostas et quelques plantes couvre-sol (lamium, pervenche...).

Moteur ! Utilisez (à petite dose) votre caméscope au moment des floraisons. En revisionnant votre jardin à la mauvaise saison, vous pourrez prévoir — depuis votre fauteuil ! — les modifications à apporter pour réparer vos erreurs (trous à boucher, touffes à diviser, couleurs à séparer, coins trop sombres...).

La bonne couleur. Lorsqu'une plante est en pleine floraison ou feuillaison, nouez sur une de ses branches un fil de coton ou de laine de la couleur de ses fleurs. Lorsque vous voudrez déplacer, bouturer, diviser ce sujet à une période sans végétation, vous vous souviendrez exactement de sa teinte. Cela favorisera une association intéressante ou une mise en place sans fausse note.

▶ **Automne, Écorce, Graminées**

Couleurs

Palette des couleurs

Ce tableau permet de repérer d'un seul coup d'œil les couleurs des végétaux et de trouver les meilleures plantes à associer dans une plate-bande tout au long de l'année.
Pour chaque mois on distingue :
– dans la première colonne, les plantes herbacées (annuelles, bisannuelles, bulbes, vivaces), dont la hauteur varie de 5-10 cm à 1,50 m, voire 2 m, et qui disparaissent le plus souvent en hiver ;
– dans la deuxième colonne, les espèces ligneuses, pouvant atteindre 5, 10, 15 m et plus, puisqu'il s'agit d'arbustes ou d'arbres.
C'est, en fait, le décor de base de votre jardin qui se projette sous vos yeux.
À vous de composer votre palette en fonction de vos goûts. Attention, la couleur des plantes ne doit pas être votre unique critère de choix. Tenez compte également de leur forme, de leur hauteur et de l'emplacement que vous leur réservez au jardin. Il vous restera encore à jouer avec les subtilités propres aux variétés, qui proposent mille nuances.

AVRIL

	Plantes herbacées	Plantes ligneuses
ROSE	anémone pulsatille arabis (corbeille-d'argent) chionodoxe crocus primevère	bruyère d'hiver gaînier du Canada épigée rampante
ROUGE	anémone pulsatille crocus primevère	bruyère d'hiver
ORANGE	crocus primevère	
JAUNE	crocus draba primevère	gadelier hamamélis mollis
VERT	bergénie fougère lierre anglais pachysandre petite pervenche sagine	tous les arbustes à feuillage persis[tant] tous les conifères
BLEU	hépatique primevère	conifères au feuillage bleuté
VIOLET	anémone pulsatille chionodoxe crocus primevère	
GRIS		
BLANC	anémone pulsatille arabis (corbeille-d'argent) chionodoxe crocus draba hellébore (rose de Noël) perce-neige primevère sanguinaire	bruyère d'hiver cornouiller du Canada (quatre-temps) épigée rampante raisin-d'ours

Couleurs

	Mai – Plantes herbacées	Mai – Plantes ligneuses	Juin – Plantes herbacées	Juin – Plantes ligneuses
ROSE	colie ter de printemps gle rampant zon d'Espagne nain inthe nier myosotis phlox mousse pulmonaire sabot de Vénus saxifrage tiarelle violette	andromède aronie chèvrefeuille daphné kalmia lilas magnolia pommetier rhododendron	aster de printemps campanule digitale filipendula géranium vivace gypsophile rampante lychnide mauve pivoine	aubépine 'Toba' daphné deutzia rosé kolkwitzia aimable lilas pivoine en arbre japonaise robinier hispide spirée japonaise
ROUGE	colie briète eur-saignant vot oriental lox mousse oine xifrage trille tulipe	chèvrefeuille lilas magnolia pommetier rhododendron	astrantia benoîte cœur-saignant 'Luxuriant' gaillarde heuchère iris des jardins lupin lychnide pivoine	arbre à perruque rouge (feuillage) cognassier du Japon érable du Japon 'Bloodgood' (feuillage) lilas pivoine en arbre japonaise weigela
ORANGE	phorbe nain illaire inthe rcisse vot oriental oine trolle tulipe violette	chèvrefeuille rhododendron	achillée millefeuille benoîte capucine érigéron euphorbe 'Fire Glow' gaillarde hélénium lychnide pavot d'Islande trolle	azalée caragana orangé chèvrefeuille grimpant cognassier de Sargent potentille frutescente
JAUNE	ssum (corbeille-d'argent) colie aba imédium phorbe illaire iris nain jonquille pivoine renoncule rampante sabot jaune trolle	chèvrefeuille cytise forsythia mahonie	chrysanthème coréopsis digitale doronic énothère iris des marais lin lupin lysimaque trolle	caragana corête du Japon diervillée érable du Japon doré (feuillage) fusain ailé genêt
VERT	mes végétaux qu'en avril s plantes vivaces	mêmes végétaux qu'en avril plus arbustes et arbres à feuillage caduc	alchémille hosta rodgersia	cornouiller érable du Japon fusain
BLEU	colie er de printemps briète nnera gle rampant nain inthe mertensia myosotis pervenche phlox mousse pulmonaire violette	lilas	aster de printemps baptisia centaurée géranium vivace gentiane gloire du matin héliotrope lin méconopsis népéta pied-d'alouette pois de senteur	clématite faux indigo lilas français
VIOLET	colie er de printemps briète nain inthe vot oriental rvenche pivoine pulmonaire tulipe violette	lilas rhododendron	ail géant campanule érigéron iris versicolore julienne des jardins monnaie-du-pape polémonium pied-d'alouette prunelle	arbre à perruque 'Royal Purple' (feuillage) daphné 'Somerset' érable du Japon 'Dissectum Garnet' (feuillage) lilas commun weigela
GRIS	noise aiste elweiss nier 'Beacon Silver' ovskia (sauge russe)	argousier faux-nerprun chalef argenté olivier de Bohême	edelweiss (feuillage) lamier 'Bacon Silver' (feuillage) orpin (feuillage)	chalef argenté olivier de Bohême shepherdie
BLANC	ée colie érule odorante er de printemps gle rampant x sceau-de-Salomon gazon d'Espagne muguet myosotis narcisse pulmonaire tiarelle trille	aronie chèvrefeuille lilas magnolia pommetier rhododendron	aspérule odorante chrysanthème digitale filipendula gypsophile rampante ibéris julienne des jardins mauve monnaie-du-pape pied-d'alouette pivoine sceau-de-Salomon	aubépine ergot-de-coq catalpa cognassier 'Nivalis' deutzia marronnier d'Inde physocarpe potentille 'Abbotswood' seringat sureau

	Juillet		Août	
	Plantes herbacées	**Plantes ligneuses**	**Plantes herbacées**	**Plantes ligneuses**
ROSE	astilbe érémurus eupatoire hémérocalle hibiscus vivace incarvillée lavatère vivace liatris mauve monarde penstémon rose salicaire	clèthre 'Pink Spires' hortensia 'Bouquet Rose' hydrangée 'Preziosa' kolkwitzia aimable spirée tamarix	anémone du Japon aster d'automne eupatoire géranium vivace gypsophile lavande liatris monarde phlox paniculé physostégie renouée	bruyère d'été érable de l'Amur (fruit) hydrangée Pee Gee hydrangée 'Unique'
ROUGE	astilbe crocosmia filipendula iris japonais lis lobélie cardinale monarde phlox paniculé rose trémière	aubépine 'Toba' (fruit) ketmie de Syrie viorne trilobée (fruit)	astilbe 'Red Sentinel' cœur-saignant 'Luxuriant' crocosmia filipendula 'Venusta' glaïeul monarde phlox paniculé	érable à épis (fruit) érable de Tartarie (fruit) thé des bois (fruit)
ORANGE	asclépiade bélamcanda hémérocalle inule lis tigré phlox paniculé rudbeckie tigridia	aubépine ergot-de-coq (fruit) chèvrefeuille grimpant millepertuis sorbier (fruit)	benoîte gaillarde hémérocalle inule ligularia (sénécio) rudbeckie	olivier de Bohême (fruit) pommetier nain 'Pom'zai' (fruit) potentille frutescente
JAUNE	coréopsis héliopsis ligularia (sénécio) lysimaque rose rudbeckie tigridia	baguenaudier diervillée millepertuis	coréopsis gaillarde hémérocalle héliopsis ligularia (sénécio) rudbeckie verge d'or	potentille frutescente sureau doré thuya 'Reingold'
VERT	graminées menthe paxistima pélargonium	arbres feuillus aristoloche hydrangée grimpante	mêmes végétaux qu'en juillet	mêmes végétaux qu'en juillet
BLEU	aconit agapanthe chardon lobélie méconopsis platycodon	callicarpa hortensia 'Nikko Blue' ketmie de Syrie mahonie (fruit)	chardon gentiane géranium vivace népéta petit chardon platycodon	ketmie de Syrie pérovskia (sauge russe)
VIOLET	épilobe hosta iris japonais lavande liatris monarde penstémon platycodon polémonium salicaire	arbre à perruque pourpre arbre à perruque 'Royal Purple' mahonie (fruit)	échinacée géranium vivace lavande liatris monarde salicaire	arbre à perruque pourpre (feuillage) callicarpa (fruit) sureau (fruit)
GRIS	achillée 'Moonshine' (feuillage) népéta (feuillage) santoline thym laineux	mêmes végétaux qu'en juin	bruyère d'été 'Elsei Purnell' (feuillage) cinéraire	mêmes végétaux qu'en juillet
BLANC	astilbe érémurus gypsophile héracléum hibiscus vivace impatiens iris japonais liatris lychnide lysimaque phlox paniculé platycodon	clèthre hydrangée en arbre lilas japonais 'Ivory Silk' marronnier à petites fleurs sorbaria à feuilles de sorbier yucca filamenteux	échinacée héracléum hibiscus vivace liatris lysimaque physostégie	aralie du Japon hydrangée 'Kyushu' potentille frutescente

SEPTEMBRE		OCTOBRE		
Plantes herbacées	**Plantes ligneuses**	**Plantes herbacées**	**Plantes ligneuses**	
némone du Japon némone huppée ster d'automne hrysanthème d'automne olchique s oriental physostégie sédum d'automne	bruyère commune fusain ailé (feuillage) fusain noir (fruit)	anémone du Japon anémone huppée aster d'automne chrysanthème d'automne colchique immortelle (hélichrysum) sédum d'automne	fusain ailé (feuillage)	ROSE
ster d'automne hrysanthème d'automne ocosmia s oriental édum d'automne	aronie (fruit) bruyère commune cornouiller du Canada (fruit) physocarpe (fruit) sumac de Virginie (fruit)	chrysanthème d'automne cœur-saignant 'Luxuriant' gaillarde 'Goblin' hélénium immortelle (hélichrysum) sédum d'automne	chêne rouge (feuillage) érable de l'Amur (feuillage) érable du Japon (feuillage) érable rouge (feuillage) pommetier (fruit) stephanandra (feuillage)	ROUGE
apucine aillarde élénium gularia (sénécio) honia (tournesol mexicain) toma	argousier faux-nerprun (fruit) cotonéaster 'Coral Beauty' (fruit) diervillée chèvrefeuille (feuillage) fusain ailé (fruit) pommetier 'Everest' (fruit)	chrysanthème d'automne hélénium immortelle (hélichrysum) lanterne chinoise reine-marguerite tithonia	amélanchier aronie (feuillage et fruit) érable à sucre (feuillage) charme de Caroline noisetier américain pommetier (fruit)	ORANGE
oréopsis 'Moonbeam' élénium eliopsis dbeckie urnesol erge d'or	bruyère commune 'Gold Haze' (feuillage) frêne (feuillage) hamamélis de Virginie houblon doré noisetier commun (feuillage)	chrysanthème d'automne coréopsis 'Moonbeam' hélénium hémérocalle 'Black Eye Stella' hémérocalle 'Stella de Oro' immortelle (hélichrysum) tournesol	arbre aux quarante écus bouleau (feuillage) érable de Norvège (feuillage) érable de Pennsylvanie (feuillage) frêne (feuillage) pommetier (fruit)	JAUNE
	buis conifères houx		buis conifères houx	VERT
ter d'automne ardon liotrope ne-marguerite	cornouiller rugueux (fruit) pérovskia (sauge russe)	aster d'automne chrysanthème d'automne reine-marguerite	callicarpa (fruit)	BLEU
ysanthème d'automne chique ique liotrope ne-marguerite dum d'automne	aronie (fruit) bruyère commune chêne écarlate sureau (fruit) prunier pourpre des sables	chrysanthème d'automne colchique dahlia immortelle (hélichrysum) reine-marguerite sédum d'automne	andromède (fruit) cornouiller à feuilles alternes cornouiller à grappes érable du Japon 'Bloodgood' (feuillage) sureau (fruit)	VIOLET
mes végétaux qu'en août	mêmes végétaux qu'en juin-juillet plus : bruyère commune 'Peter Sparkes' (feuillage)	mêmes végétaux qu'en août-septembre	mêmes végétaux qu'en septembre	GRIS
émone du Japon er d'automne tonie chique oriental sostégie e-marguerite	bruyère commune cornouiller (fruit) symphorine (fruit)	anémone du Japon boltonie colchique datura reine-marguerite	cornouiller (fruit) symphorine (fruit)	BLANC

Courge

Succès garanti. Offrez-lui de la chaleur et de l'humidité : en tant que plante tropicale, elle ne demande pas mieux. Semez à l'extérieur du 15 mai au 1er juin.

Lorsque vous repiquez les jeunes plants dans un trou enrichi de bon compost, n'ayez pas peur de les enterrer profondément : des racines se formeront sur la partie de la tige qui est sous terre.

Choix du sol. Cultivez les courges dans une terre bien exposée mais pas trop riche : vous les conserverez ainsi plus longtemps en hiver.

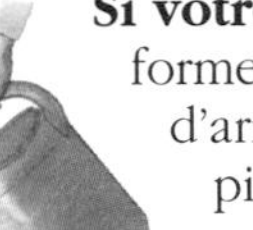

Si votre terrain est sec, formez une cuvette d'arrosage autour du pied. Elle retiendra plus facilement l'eau des arrosages. Paillez soigneusement avec des déchets broyés ou les tontes de la pelouse.

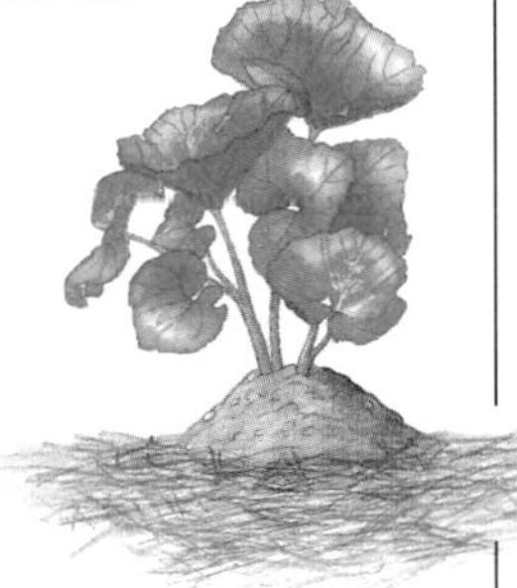

Si votre terrain (ou la saison) est humide, plantez sur une butte de 10 cm de hauteur environ. Paillez également pour éviter d'avoir trop de mauvaises herbes.

Pour gagner de la place, palissez les variétés coureuses sur des supports solides (grillage, tuteurs, ficelles robustes...). Utilisez cette technique uniquement pour les variétés à petits fruits ne dépassant pas 2 kg. Il est possible également de laisser retomber les tiges du haut d'un mur. Si les fruits sont trop lourds, pensez à les soutenir au moyen de filets individuels.

De toutes les couleurs et de toutes les formes, les courges surprennent par leur variété.

Les variétés coureuses non palissées demandent un grand espace. Prévoyez de laisser 2 à 3 m entre les rangs et 1 m entre les plants.

Des plantes compagnes telles que maïs, pois, capucines, radis et laitues sont favorables à cette culture. Évitez la proximité des pommes de terre et des choux.

Gare à l'oïdium. Si l'attaque survient avant que les fruits soient mûrs, vous risquez de perdre la récolte. Par mesure de prévention, pulvérisez un peu de fleur de soufre dès la fin du mois de juillet. Vous pouvez également pulvériser une décoction de prêle sur le feuillage.

Lorsque les fruits sont mûrs, rentrez-les avant les gelées. Nul besoin de posséder une cave obscure et fraîche. Au contraire, certaines peuvent y perdre leurs belles couleurs. N'hésitez pas à les exposer dans votre cuisine ! Veillez seulement à conserver une partie du pédoncule et à ne pas blesser la peau.

Sur pilotis, à l'abri du pourrissement. Dès le mois de juillet, isolez-les du sol au moyen d'une tuile plate ou d'une planchette elle-même posée sur 4 pots de terre mis à l'envers. Laissez ces supports jusqu'au moment de la récolte. N'attendez pas que les fruits soient trop lourds pour le faire.

Une courge-éponge. 'Luffa Cylindrica' est une courge que l'on utilise comme éponge végétale pour le bain. Récoltez-la juste avant les premiers gros gels. Séchez-la pendant 3 à 4 semaines. Puis trempez-la dans l'eau jusqu'à ce que la pelure s'enlève bien. Ôtez alors les graines et laissez sécher.

Faites le bon choix

Le monde des courges ne finira jamais de vous étonner ! Ainsi, les pâtissons sont de curieuses soucoupes blanches, jaunes ou vertes : leur chair, dense et douce, a une légère saveur d'artichaut. Goûtez 'Sweet Dumpling', une petite courge côtelée en habit vert et blanc. Un vrai régal au goût de châtaigne qui fait aussi bien office de légume que de dessert. Passez ensuite à la 'Reine de la Table' dans le groupe des courges Acorn, en forme de cœur. Vous la mangerez aussi bien crue que cuite. Enfin, pour des saveurs plus marquées, découvrez les courges musquées, dont la chair se consomme râpée, ou cuite, en purée, en frites, en beignets et même en dessert (flans, cakes...). Essayez 'Butternut' ou un hybride hâtif, 'Sundance'.

▶ Maïs, Potager

Courgette

Pour gagner du temps, semez les courgettes assez tôt, c'est-à-dire dès avril-mai, au chaud (15 °C) et à l'abri. Mettez-les en place début juin. Les premiers fruits seront mûrs 1 mois plus tard.

De l'eau quand il faut. Au début de la plantation, il n'est pas nécessaire de trop les arroser. Vous risquez de « faire du feuillage » et non des fruits. En revanche, dès que ceux-ci commencent à se former, arrosez très régulièrement pour les aider à grossir.

Si vous n'avez pas d'arrosage au goutte-à-goutte, une bonne méthode consiste à enfoncer à l'envers des bouteilles en plastique pleines d'eau au pied des plants. N'oubliez pas de percer les bouchons !

Pour plantez des courgettes (ou des potirons) en sol sableux ou pauvre, disposez les plants en rond (40 à 50 cm de diamètre). Au centre, enfoncez une grosse boîte ronde percée de nombreux trous au fond et sur les côtés. Remplissez-la de fumier ou de compost bien riche et arrosez toujours au travers de cette passoire qui diffusera des éléments nutritifs.

Cultivez-les au pied du tas de compost. Au sommet, elles trouveraient trop de nourriture (en particulier de l'azote), et feraient pousser leur feuillage au détriment des fruits. Vous pouvez en revanche faire monter les tiges des variétés coureuses, qui donneront ainsi de l'ombre à votre compost.

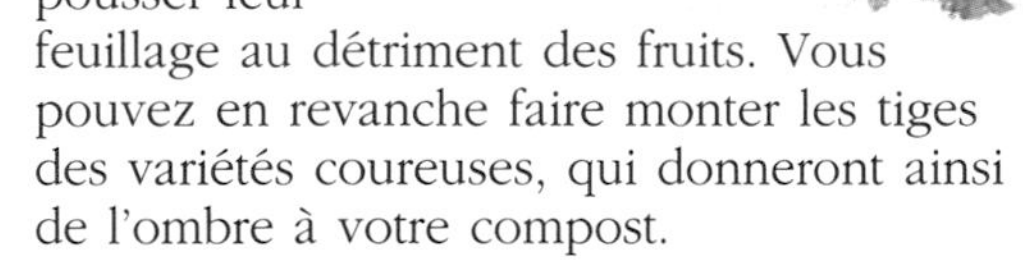

Faites le bon choix

Si vous êtes friand de courgette, optez pour 'Zucchini Elite' (variété hâtive, vert foncé) ; 'Zucchini Select' (variété hâtive, vert pâle) ; 'Zucchini Seneca' (variété très précoce, vert foncé) ; 'Zucchini Spineless Beauty' (sans épines, vert foncé).

Essayez les courgettes jaunes, comme 'Gold Rush' : elles sont très belles et délicieuses. Récoltez-les jeunes, dès que la teinte orangée apparaît.

Enfin, optez pour la variété 'Moelle Végétale' pour des fruits de couleur blanc crème, à chair tendre et savoureuse.

Cueillez les courgettes à temps, c'est-à-dire lorsqu'elles ne mesurent pas plus de 25 cm. Au-delà, leur peau durcit et leur chair, farineuse, est remplie de pépins. Sachez aussi que si vous laissez grossir une courgette vous empêcherez la formation de nouveaux fruits.

Pour conserver les courgettes plus longtemps, prélevez un morceau de pédoncule avec chaque fruit.

Des fleurs qui se mangent. Cueillez les fleurs mâles lorsqu'elles viennent de s'ouvrir, et préparez-les sans tarder car elles se fanent avant midi. Faites-en des beignets avec une pâte légère ou farcissez-les à votre goût avant de les passer au four. Vous repérerez les fleurs mâles à ce qu'elles ne montrent pas de renflement au départ du pédoncule. Ce renflement donne le fruit chez les fleurs femelles.

Pour obtenir des minicourgettes, cueillez vos légumes dès qu'ils mesurent 10 cm. La variété 'Gold Rush', dépourvue de graines et à la saveur délicate, est bien adaptée à condition de la consommer crue ou de la cuire à peine afin qu'elle reste un peu croquante. Autre possibilité, la variété 'Clarimore' donne des fruits ne dépassant pas cette taille à maturité.

▶ **Potager**

Couvre-sol (plantes)

PLANTATION

Préférez les plantations d'automne. Les plantes couvre-sol seront déjà bien établies au premier printemps et plus aptes à contrer les mauvaises herbes tout en réalisant un décor hivernal.

Désherbez parfaitement le terrain avant d'y planter des espèces couvre-sol. Arrachez en particulier les racines tenaces des mauvaises herbes vivaces comme liseron ou chiendent, qui sinon referont surface très rapidement (voir Désherbage).

Sélectionnez des plantes adaptées à la situation : exposition et sol en particulier (voir tableau page suivante). Bien choisies, les plantes couvrent efficacement le sol en 1 à 3 ans.

Sur une grande surface, associez espèces caduques et persistantes. Ajoutez de petits bulbes de printemps (crocus, perce-neige, tulipes et narcisses botaniques) parmi les caduques pour égayer cette zone dès la fin de l'hiver.

Pensez aux arbustes — les genévriers et autres conifères à port étalé ont l'avantage d'un feuillage persistant — et aux plantes grimpantes qui peuvent pousser à l'horizontale : capucines, clématites, vignes vierges, célastres, vignes sauvages, lierres de Boston… Utilisez-les sur les grandes surfaces ainsi que dans les massifs.

ENTRETIEN

Paillez le sol entre les plantes, avec du compost bien décomposé ou de l'écorce broyée. Vous éviterez ainsi la corvée de désherbage, nécessaire tant que les plantes ne couvrent pas toute la surface prévue.

Enfoncez des plaques verticales dans le sol si vous souhaitez limiter l'extension de certaines plantes trop envahissantes. Vieilles tôles ou plastique épais (seau découpé…) arrêtent les racines tout en demeurant invisibles en surface.

Toilette d'été : supprimez les fleurs fanées après chaque vague de floraison. Opérez à la cisaille sur une grande surface. Pour les petites espèces gazonnantes, essayez de passer la tondeuse, lame haute.

Protection pour l'hiver. Étalez un paillis de compost sur les couvre-sol à feuilles caduques. Il facilite la reprise au printemps et limite le développement des mauvaises herbes pendant la mauvaise saison.

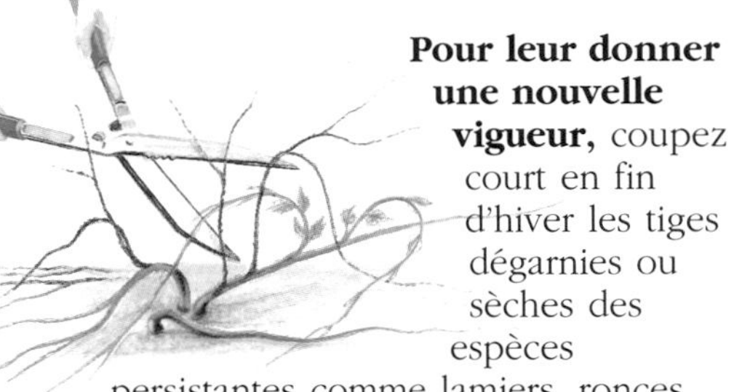

Pour leur donner une nouvelle vigueur, coupez court en fin d'hiver les tiges dégarnies ou sèches des espèces persistantes comme lamiers, ronces d'ornement…

Taillez sans pitié. Certaines espèces couvrent si efficacement le sol qu'elles risquent d'en étouffer d'autres n'ayant pas eu le temps de bien s'implanter. Ortie jaune, *Aegopodium podagraria,* céraiste, *Hypericum calycinum* sont particulièrement redoutables.

Plantes couvre-sol : faites le bon choix

	Sol sec	Sol ordinaire	Sol humide
À L'OMBRE	*Ceratostigma plumbaginoides* (mi-ombre) ortie jaune *Pachysandra terminalis* *Rubus* *Waldsteinia ternata*	aspérule odorante céraiste géranium vivace hosta lierre pervenche *Waldsteinia ternata*	*Aegopodium podograria* *Ajuga reptans* *Brunnera* consoude hosta *Omphalodes* pulmonaire
AU SOLEIL	campanule céraiste cotonéaster genévrier à port étalé hélianthème *Hypericum calycinum* sauge officinale	céraiste *Ceratostigma plumbaginoides* lamium ortie jaune *Rubus* *Stachys byzantina*	alchémille *Bergenia* callune géranium vivace *Polygonum affine*

SOUS LES ARBRES

Décidez en fonction du sol. Le choix est limité par l'ombrage de l'arbre et la présence des racines. Sur sol sec, plutôt pauvre, souvent calcaire, l'irréductible ortie jaune, les lierres, panachés ou non, la petite pervenche et *Pachysandra terminalis* donnent de jolis résultats. Sur sol frais, riche en humus, préférez consoude, *Tiarella cordifolia,* pulmonaire, petite bourrache, épimède, aspérule odorante, bruyère de printemps.

La bonne façon de les planter. Ameublissez le sol par griffage sur quelques centimètres entre les racines de l'arbre. Incorporez un peu de compost. Plantez superficiellement. Étalez ensuite un épais paillis de terreau de feuilles ou de compost.

SUR UN TALUS

Aménagez des poches de plantation soutenues par des planches ou des rondins si la pente est raide. Vous pourrez retirer ces supports quand les plantes auront colonisé tout le talus, si elles maintiennent suffisamment le sol en place (voir Pente).

Pour retenir la terre du talus le temps que les plantes soient bien ancrées, une autre solution consiste à couvrir le talus d'une toile de jute ou de fibre de coco. La toile grossière maintient le sol, puis se décompose petit à petit. Découpez les trous de plantation dans la toile.

Des plantes adaptées à la sécheresse s'imposent sur un talus : plantez lierres, pervenches, *Rubus calycinoides* s'il est ombragé ; *Hypericum calycinum, Genista pilosa,* genévriers à port rampant, *Cotoneaster salicifolia repens, C. dammeri* s'il est ensoleillé.

AU POTAGER

Installez-les au pied des grandes plantes (tomates, maïs…) ou entre leurs rangs, pour garder la fraîcheur. Vous avez le choix entre les utilitaires comme tétragone, laitue à couper, et les décoratives comme souci, capucine naine...

Plantez des fraisiers au pied des groseilliers ou des cassis. Tous apprécient un sol léger, bien enrichi en compost. Avec leur enracinement superficiel, les fraisiers ne nuisent pas aux arbustes et leur apportent de la fraîcheur.

PLANTES EN POTS

Pour limiter le dessèchement du terreau en surface, habillez le pied des grandes plantes en bacs comme fuchsia et anthémis formés sur tige, datura, laurier... Vous profiterez en plus d'un joli décor.

Pour ne pas blesser les racines de l'arbuste central, plantez les petites touffes à la périphérie du bac : verveine ou ficoïde au soleil, lobélie ou impatiens à mi-ombre.

Dans la maison, plantez de petits couvre-sol vigoureux et peu exigeants, comme misère, plectranthe, figuier rampant, hypoeste, au pied des grandes plantes vertes. Attention, associez des plantes ayant à peu près les mêmes exigences en matière de lumière et d'arrosage.

▶ **Rampantes**

Crocosmia

Bulbe annuel (ou tendre), le crocosmia, aussi appelé montbretia, est une plante ressemblant beaucoup, par la forme de son feuillage, à l'iris et au glaïeul.

Des épis attrayants aux couleurs chaudes. Le crocosmia et ses nombreux hybrides offrent des teintes chaudes comme le jaune, l'orange ou le rouge. Il produit de longs épis (hauteur de 1 m) garnis de petites fleurs à partir du mois de juillet. Sa floraison se poursuit jusqu'à l'automne.

Pour faire pousser le crocosmia dans votre jardin, choisissez des bulbes fermes,

Le crocosmia 'Lucifer', cultivé pour les coloris éclatants de ses fleurs, se plaît au soleil.

sans aucune pourriture. Plantez-les au printemps, dès que la terre est assez réchauffée pour être ameublie. Placez-les à une profondeur de 10 cm en espaçant les bulbes de 10 à 15 cm.

Pour un effet spectaculaire, plantez les crocosmias par groupe de 7 bulbes ou plus. Regroupés ainsi en massif, ils offriront un spectacle de toute beauté.

Cultivez-le pour ses fleurs coupées. Placez-le dans vos massifs près de la maison et récoltez-le pour garnir vos bouquets. Vous pouvez aussi en faire de très belles fleurs séchées, qui dégagent une odeur de safran.

Des soins pour l'hiver. Avant les premières gelées, déterrez les bulbes et les petits bulbilles qu'ils ont produit. Comme pour tous les bulbes annuels (dahlia, canna, glaïeul, tigridia...), laissez-les sécher, enlevez ensuite toute terre y adhérant encore et remisez dans un endroit frais et aéré.

Pour éviter la pourriture, remisez vos bulbes dans un sac en papier (pas de plastique : il ne permet pas l'aération), recouvrez de mousse de tourbe bien sèche et parsemez d'une poudre fongicide.

Cueillette

FLEURS

Pour ne pas broyer les tiges en les coupant, utilisez un petit sécateur très bien aiguisé.

N'abîmez pas les fleurs en les tenant à la main, mais équipez-vous d'un panier plat et long où vous pourrez les poser au fur et à mesure de votre cueillette.

La bonne heure. Cueillez vos fleurs au petit matin s'il n'y a pas de rosée susceptible de les abîmer, ou bien le soir. Évitez toute cueillette en plein soleil.

FRUITS

Délicates fraises. Ne tirez pas sur le fruit mais coupez le pédoncule en le pinçant entre pouce et index. Elles se conservent mieux ainsi.

Cueillez les fleurs à sécher au bon moment

En bouton, quand les couleurs apparaissent	*Ammobium,* immortelle, *Xeranthemum*
En début de floraison	chardons (*Echinops, Eryngium*), *Helipterum,* graminées
En pleine floraison	alchémille, carline, *Gomphrena,* statice, gypsophile, lavande
Après le plein épanouissement	achillées, *Anaphalis*, verge d'or
Peu après la floraison pour les fruits	ail d'ornement, rudbeckia
Après la formation des fruits	coqueret, digitale, monnaie-du-pape
Juste avant l'ouverture des fruits	nigelle, maïs, massette (vaporisez de la laque pour éviter la dispersion des graines)
Après l'ouverture des fruits	muflier, ancolie, pavot, molène

Cueillette sans tache. Tous les petits fruits s'écrasent facilement. Tapissez votre panier de plusieurs épaisseurs de papier absorbant ou de larges feuilles.

Libérez vos mains pour la cueillette des petits fruits en bricolant un petit sac spécial en tissu plastifié, maintenu ouvert par un fil métallique (voir Fil de fer) et équipé d'un passant pour le bras. Une bouteille en plastique au goulot coupé, suspendue au cou ou au bras par une ficelle, vous assure également une récolte efficace !

Pratique, le cueille-fruits : plus besoin de secouer les grands arbres au risque d'abîmer les fruits et les branches, ni de grimper dans les hauteurs (voir Outils). Si vous n'en avez pas, fabriquez-en un de fortune : découpez le fond d'une bouteille en plastique cannelée et fixez-la par le goulot à l'extrémité d'un long manche avec du fil métallique.

▶ **Bouquet, Conservation**

Cueillez les fruits à sécher au bon moment

ABRICOT	COING	KIWI
Il ne mûrit plus après la cueillette. Pour qu'il soit savoureux, récoltez-le bien mûr.	Cueillez-le en octobre, avant les fortes gelées, quand il est bien jaune et parfumé. Il pourra terminer sa maturation dans la maison. Ce fruit donne d'exquises gelées.	Cueillez-le lors de la chute des feuilles, toujours avant les gelées. Coupez au sécateur un petit morceau de pédoncule avec le fruit.
PÊCHE	**PETITS FRUITS**	**POIRE**
Elle est bonne à cueillir quand la chair n'est plus dure sous la pression des doigts.	Récoltez-les à point, ce qui implique un passage tous les 2 ou 3 jours, de préférence tôt le matin. Cueillez mûres et framboises quand elles se détachent toutes seules.	Elle sera farineuse si vous attendez qu'elle mûrisse complètement. Cueillez les variétés précoces dès que le fruit devient moins dur, celles de conservation quand le fruit se détache si l'on tord le pédoncule.
POMME	**PRUNE**	**RAISIN**
Récoltez les variétés précoces au fur et à mesure des besoins, quand les premiers fruits commencent à tomber, celles de conservation quand ils se détachent par torsion du pédoncule.	Cueillez celles qui sont destinées aux confitures, tartes, clafoutis... un peu avant maturité, encore un peu fermes ; elles se déferont moins à la cuisson. Pour les manger crues, attendez qu'elles soient bien mûres et juteuses.	Coupez les grappes avec un morceau de sarment au sécateur, au fur et à mesure des besoins, avant les gelées en région froide. Récoltez-les par temps sec pour limiter les risques de propagation de la pourriture grise.

Cuve

Pour la camoufler, plantez une haie d'arbustes persistants. Laissez au moins 60 cm de passage autour du réservoir.

Une solution en dur. Construisez un mur sur les 3/4 du périmètre avec de nombreuses aérations basses. La végétation courra sur l'extérieur du mur.

Sur une terrasse ou un sol artificiel, prévoyez des arbustes en bacs, montés sur roulettes. Préférez les persistants (faux cyprès, thuya, *Lonicera nitida*...).

Une cage de verdure. Entourez la cuve d'un grillage ininflammable. Garnissez-le de plantes grimpantes : lierre, chèvrefeuille...

Pour les gourmands. Montez une tonnelle ou une treille avec des plantes grimpantes comestibles : vigne, kiwi...

Connaître la loi

Toute « cuve » ou contenant de liquide inflammable ou combustible (hydrocarbures) doit être en tout temps clairement marqué comme tel, et doit être entouré d'une clôture pour empêcher l'accès de personnes non autorisées. Il est interdit de stocker plus de 50 litres d'hydrocarbures dans un garage ou dans une remise de jardin. Enfin, les hydrocarbures doivent être stockés loin des points d'accès ou de sortie de n'importe quelle sorte de bâtiment.

Dahlia

Pour profiter des premières fleurs en juin, placez dès la mi-mars les tubercules dans un endroit peu chauffé (10 à 12 °C) mais clair (véranda, châssis). Installez-les dans une caissette remplie de tourbe ou de terreau légèrement humides, où les pousses se développeront. Fin mai ou début juin, mettez-les en terre.

La bonne profondeur. Plantez les variétés les plus vigoureuses à une douzaine de centimètres de profondeur. Enterrez les dahlias nains à 8 cm seulement. Une plantation trop profonde épuise les plantes, qui fleurissent peu. Une plantation trop superficielle les fait souffrir de la sécheresse.

Les fleurs des records

Voici des variétés dont les fleurs atteignent des diamètres impressionnants (25 à 40 cm) :
- 'Alabaster' (blanc)
- 'April Love' (mauve)
- 'Mr Larry' (orange)
- 'Play Boy' (jaune)
- 'Sherwood Peach' (pêche)
- 'Zorro' (rouge)

Davantage de boutures. Faites démarrer les tubercules dans une caissette de compost placée à bonne température (15 °C). Lorsque les tiges ont atteint 15 cm, coupez-les à 2 cm de leur base et repiquez-les dans des pots remplis d'un mélange léger de sable et de compost. En 3 semaines, elles auront émis des racines, vous donnant autant de jeunes plants de dahlias.

Plantez vos boutures au jardin en juin et remettez vos tubercules en terre après le prélèvement des boutures : ils repartiront rapidement.

Pour obtenir de grosses fleurs, choisissez les dahlias cactus ou les dahlias décoratifs. Supprimez au ras du sol les tiges les plus faibles lorsqu'elles ont une dizaine de centimètres. Ne conservez que les 2 ou 3 tiges les plus fortes. Tuteurez-les avec soin. Sitôt les boutons floraux formés, laissez uniquement le capitule du sommet de la tige ; supprimez les autres. Ne négligez alors ni les arrosages ni les apports d'engrais complet de type 15/30/15.

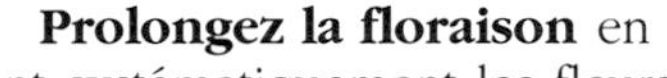

Prolongez la floraison en supprimant systématiquement les fleurs fanées. N'hésitez pas à cueillir les fleurs pour en faire des bouquets. Les variétés à petites fleurs sont capables de fleurir pendant 4 mois sans interruption.

En hiver, conservez les tubercules au sec. Grattez la terre avec un bâtonnet. Mettez-les ensuite dans une pièce aérée, à l'intérieur d'un cageot rempli de sciure ou de tourbe sèche, à une température de 8 °C.

Tuteurage discret. Dès que les tiges atteignent 50 cm, piquez profondément un, deux ou trois tuteurs de bambou de 1 m à 1,50 m. Attachez-les en deux endroits le long des tiges avec des brins de raphia assez lâches. Vérifiez les liens de temps à autre en y rattachant les tiges qui ont tendance à se pencher.

Plantés en massifs, les dahlias donnent des couleurs éclatantes au jardin à la fin de l'été et au début de l'automne.

S'il risque de geler dans la pièce où vous conservez vos tubercules de dahlias, emballez-les d'une couche de laine de verre ou de laine isolante de 15 à 20 cm d'épaisseur. Veillez à ce qu'ils soient parfaitement secs, et aérez-les dès qu'il ne gèle plus.

Pour récolter les tubercules en douceur, ne tirez pas sur les tiges. Soulevez délicatement l'ensemble de la souche avec une fourche-bêche pour ne pas les blesser. Laissez-les sécher une journée à l'air libre, de préférence au soleil, avant de les rentrer à l'abri.

Faites le bon choix

Pour cultiver des dahlias en pots, choisissez des variétés à fleurs simples. Optez pour les séries 'Roméo' (45 cm de haut, jaune, rouge, rose ou blanc) ; 'Mignon' (30 cm de haut, pourpre, rouge, rose, jaune ou blanc) ou 'Coltness' (50 cm de haut, toutes les couleurs sauf bleu).

Pour prévenir les moisissures, enrobez les racines avec un peu de soufre, de manèbe ou de thirame en poudre. Ne les entassez pas les unes sur les autres.

Un pot ou une jardinière larges de 20 cm, remplis de riche terreau et installés au soleil seront parfaits pour accueillir vos dahlias. Arrosez souvent et fertilisez chaque semaine.

▶ **Bouquet, Bulbes**

Dallage

CHOIX

Testez une dalle en la mouillant. Vous pourrez ainsi juger de ses qualités antidérapantes et observer si elle change de teinte sous la pluie.

Le bon matériau. Le choix dépend de la surface (et donc du prix !) et de l'utilisation que vous ferez de votre dallage. Essayez de trouver une harmonie avec la maison, restez dans le ton de la région.

Préférez les joints maçonnés pour le coin-repas. Ils assurent une meilleure stabilité et l'entretien est facilité. Évitez les surfaces inégales comme les pavés et les galets.

POSE

Posez le dallage selon une pente très légère dans la largeur (2-4 cm/m), pour éviter les poches d'eau. Près de la maison ou du garage, orientez bien sûr la pente vers l'extérieur.

Préparez des fondations stables pour éviter le déchaussement des éléments. Prévoyez une couche de graviers d'environ 10 cm d'épaisseur, puis une couche de sable ou de mortier de 4-5 cm, enfin l'épaisseur des dalles.

Sous climat doux et humide, à mi-ombre, réalisez des joints naturels avec sagine, helxine et mousses. Elles ne demandent pas de tonte !

L'outil indispensable. Lorque vous posez directement sur le sable les dalles lourdes, en ciment, en pierre naturelle ou reconstituée, ainsi que les autobloquants, calez-les une à une en vous aidant du niveau à bulle.

Posez sur mortier les petits éléments (briques, galets, carreaux de céramique) et les dalles légères, d'épaisseur inégale ou de forme irrégulière.

Des joints parfaits. S'il s'agit de sable, procédez par un simple balayage. Balayez dans un sens puis perpendiculairement pour bien faire pénétrer le sable dans tous les interstices.

Pour réaliser facilement des joints « en dur », remplissez-les d'un mélange de sable et de ciment, puis arrosez légèrement pour que le mélange prenne.

Pour que l'eau s'écoule mieux, creusez un peu les joints avant que le mortier ne soit sec. Pour cela, utilisez l'extrémité arrondie d'un bâton ou d'un outil. Éliminez le mortier en excès.

Des joints naturels. Remplissez les joints de votre dallage de bon terreau et semez en début de printemps ou en septembre un gazon rustique supportant le piétinement.

Pour briser la monotonie d'une grande surface, ménagez dans votre dallage, qu'il soit régulier ou non, de petits espaces où vous glisserez du bon terreau. Plantez-y aubriète, saxifrage, gazon d'Espagne, thym...

Semez en deux temps pour engazonner les joints d'un passage très fréquenté. Ensemencez la moitié de la surface, et couvrez-la d'un voile de forçage pour favoriser la levée. Circulez sur l'autre moitié jusqu'à ce que le gazon soit bien développé. Semez ensuite sur le reste de la surface.

Dallages : faites le bon choix

Matériau	Utilisations et avantages
Dalles en ciment	Ce sont les plus utilisées car les moins chères. Elles existent en grandes dimensions. Bien que lourdes, elles sont faciles à poser.
Dalles en pierre	Il en existe une grande variété de formes (régulières, irrégulières), d'aspects (lisse ou rugueux) et de prix. Choisissez une pierre de votre région.
Dalles en pierre reconstituée ou gravillons lavés	La pierre reconstituée s'intègre bien dans un jardin et s'avère relativement peu coûteuse. Elle doit se poser sur un lit de mortier.
Pavés	Ils permettent de réaliser de belles allées ou de petites surfaces, avec des joints remplis de terreau ou de mortier... Récupérez des pavés car ils coûtent cher.
Autobloquants (pavés ou briques)	Ils sont très faciles à poser. Réservez-les plutôt aux allées carrossables.
Galets pris dans le mortier	Ils sont très décoratifs mais peu agréables au pied. Réservez leur utilisation aux petites surfaces ou associez-les à des dalles plates.
Briques	Les briques de pavement résistent au gel. Il en existe de nombreux motifs. Vous pouvez les poser à plat ou sur chant.

Débroussaillants : faites le bon choix

Matières actives	Végétaux à détruire	Périodes d'utilisation	Remarques et précautions
2,4-D	Plantes ligneuses à grand développement (arbustes, ronces...). Ne détruit pas les graminées.	Agit plus rapidement par temps chaud et dans la période de croissance des plantes.	Débroussaillant systémique sélectif. Effet persistant 1 mois. Souvent associé au mecoprop et au dicamba, et présenté sous forme liquide. Modérément toxique pour les mammifères. Toxique pour les poissons.
Dicamba	Contre les mauvaises herbes (renouée, saponaire, amaranthe à racine rouge...) dans les cultures de céréales.	En été après l'émergence des cultures.	Systémique sélectif. On l'utilise en postémergence. Se décompose assez rapidement dans le sol. Peu toxique pour les mammifères et les poissons.
Glyphosate	La majorité des mauvaises herbes vivaces et annuelles.	En présemis ou en postémergence (des mauvaises herbes), au printemps ou en été.	Systémique. Se décompose rapidement dans le sol. Peut causer des irritations aux yeux et à la peau, mais très peu toxique pour les mammifères et les poissons.
Mecoprop	La majorité des graminées.	De mai à septembre.	Sélectif. En combinaison avec 2,4-D et dicamba. Peu toxique pour les mammifères et les poissons.
Diquat	Mauvaises herbes dans les champs de pommes de terre et d'avoine.	De mai à septembre.	Herbicide de contact. Peut causer des irritations de la peau, et l'inhalation peut provoquer des saignements de nez. Modérément toxique pour les mammifères. Peu toxique pour les poissons.
Chlorambene	Petite herbe à poux, renouée, stellaire, amaranthe à racine rouge... Efficace pour dicotylédones, inefficace pour graminées.	Au printemps en période de préémergence.	Absorbé principalement par les racines et qui peut circuler dans la sève. Peu toxique pour les mammifères et les poissons.
Paraquat	Nombreux végétaux dont les graminées et les dicotylédones. Inefficace pour les plantes ligneuses.	De mai à septembre.	Herbicide de contact ayant une action systémique. Peut causer une irritation des yeux et de la gorge. Modérément toxique pour les mammifères et les poissons.

ENTRETIEN

Un désherbant économique pour les joints. Au printemps, par temps humide, faites dissoudre 100 g de sel dans un arrosoir de 5 litres et arrosez les joints.

Pour éliminer mousses et lichens manuellement, frottez-les simplement avec une brosse métallique, ou utilisez un râteau scarificateur. Il faut se méfier des mousses et des lichens car, s'ils ne nuisent pas à l'esthétique, ils rendent la surface glissante avec la pluie.

Évitez de traiter la pelouse au sulfate de fer à proximité de l'allée qui la traverse. Celui-ci laisse en effet sur les dalles des taches indélébiles.

Débroussaillage

Lisez la notice. Chaque débroussaillant chimique s'utilise à une période précise indiquée sur la notice. Dans la plupart des cas, travaillez au printemps par temps doux et sec. S'il fait plus de 18 °C, attendez la fin de la journée.

Utilisez les débroussaillants systémiques. Absorbés par le feuillage et désactivés en touchant le sol, ils sont très efficaces. La sève des plantes les véhicule. Préférez-les aux produits qui pénètrent par les racines (type chlorambene), toujours difficiles à contrôler car ils restent dans le sol pendant plusieurs mois, rendant toute culture impossible. Certains produits systémiques sont même sélectifs : ils ne détruisent pas le gazon.

Un traitement local pour détruire une ronce ou une touffe de chardon isolée au milieu d'autres plantes. Commencez par rabattre l'indésirable au printemps. Laissez-la repartir, puis coiffez-la d'une bouteille de plastique sans fond. Pulvérisez le débroussaillant par le goulot et remettez le bouchon. Surveillez l'efficacité du traitement et renouvelez-le si nécessaire.

Employez la méthode de l'étouffement pour débroussailler une petite parcelle de votre terrain. Au printemps, fauchez ou tondez grossièrement les surfaces à traiter. Posez ensuite un film plastique noir en plaquant bien les bords au sol avec des planches ou encore des pierres. À la fin de l'été ou au début de l'automne, la plupart des plantes couvertes auront été asphyxiées. Bêchez pour enlever celles qui restent.

▶ **Feu**

Décoration

Trouvez le style qui s'harmonisera avec votre jardin : terre cuite naturelle (vasques, bustes...), cadrans solaires pour un jardin à la romaine, statues et fontaines classiques pour un grand jardin fortement structuré, divinité orientale dans un cadre d'azalées, de *Pieris,* de graminées.

De petits ornements au détour d'une allée ou d'un massif créeront d'agréables surprises : une mangeoire à oiseaux originale, une poterie, de petits animaux stylisés en bronze (canard, porc-épic...), des minijeux d'eau.

Pour agrandir le jardin, placez une vasque (ou une statue) légèrement décalée par rapport à l'axe principal de la pelouse. En détournant les regards, elle fera oublier la faible profondeur du terrain.

Mettez en valeur une sculpture ou une fontaine en plantant des persistants en toile de fond : lierre, haies d'ifs ou de buis, feuillage des rhododendrons, fusains 'Coloratus' et 'Sarcoxie', petits conifères...

Attention aux intempéries, et en particulier au gel : assurez-vous à l'achat que vos éléments en terre cuite sont résistants, ou bien prenez vos dispositions pour les rentrer avant l'hiver. Les objets garnis de guirlandes sont particulièrement fragiles.

Une jarre donne une belle touche classique à un coin un peu vide du jardin.

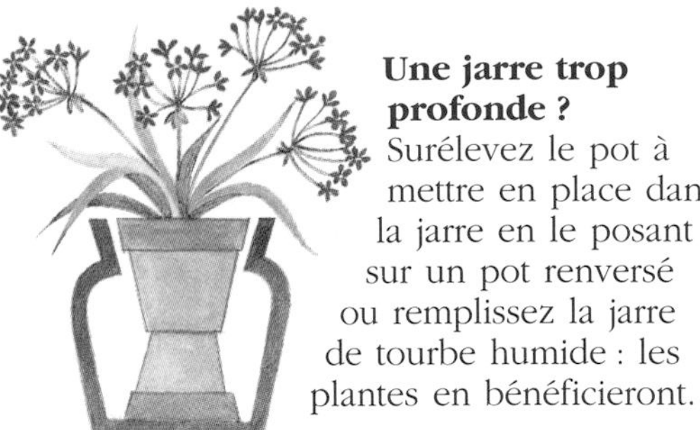

Une jarre trop profonde ? Surélevez le pot à mettre en place dans la jarre en le posant sur un pot renversé ou remplissez la jarre de tourbe humide : les plantes en bénéficieront.

Emballez en hiver les statues fragiles. Entourez-les de paille ou de feuilles sèches puis d'une housse en plastique imperméable.

Une « patine » instantanée. Installez dans un endroit frais et ombragé les moulages en béton et les ornements en pierre reconstituée que vous venez d'acheter. Les mousses s'y installeront rapidement (voir Mousse).

▶ **Banc, Fontaine, Mobilier de jardin, Porte d'entrée, Treillage**

Delphinium

CHOIX

Les plus faciles à semer sont les delphiniums annuels, à floraison rose, bleue, blanche, violette. Semez-les au printemps. Utilisez-les pour vos bouquets frais ou secs.

Essayez les espèces botaniques. Moins courantes, elles sont plus courtes et plus souples de port : *Delphinium cardinale,* rouge, 60-80 cm ; *D. grandiflora* 'Blue Butterfly', bleu antique, 30-40 cm ; *D. zalil,* jaune clair, 60-80 cm.

CULTURE

Versez l'eau au pied lors de l'arrosage, indispensable par temps sec. Proscrivez l'arrosage par aspersion, qui favorise la propagation de l'oïdium, maladie à laquelle sont particulièrement sensibles les delphiniums.

Réservez-les aux sols riches, profonds, frais mais bien drainés. N'espérez pas de floraison éblouissante sur sol sec et caillouteux ! Les delphiniums vivaces sont typiquement des plantes de climat océanique.

Faites le bon choix : les plus beaux hybrides vivaces

– Groupe des *Belladonna* (0,80-1,30 m), port ramifié, plus légers et plus faciles à intégrer dans les massifs que les hampes raides. Choisissez 'Cassa Blanca', blanc pur ; 'Cliveden Beauty', bleu clair.
– Série Magic Fountains (60-75 cm). Optez pour 'Dark Blue', bleu foncé, œil blanc ; 'Lavender', lavande, œil blanc ; 'White/Dark Bee', blanc, œil foncé.
– Série Pacific Giant, jusqu'à 1,50 m, les plus délicats aussi. Appuyez-les en fond de massif, contre un mur, une haie, des arbustes (rosiers, deutzias...). 'Astolat', rose ; 'Black Knight', violet foncé ; 'Galahad', blanc, ne vous décevront pas.

Nourrissez-les : apportez du compost en paillage ainsi qu'un engrais organique au début du printemps.

Provoquez une floraison échelonnée des grandes touffes. Coupez l'extrémité des jeunes tiges extérieures de la touffe en début de saison. Les tiges centrales fleuriront d'abord, suivies par les tiges pincées.

Regain. Pour bénéficier en septembre d'une seconde floraison, rabattez les tiges des delphiniums à 10-20 cm de hauteur, juste au-dessus des feuilles basales, dès que les fleurs sont fanées, en juillet. Arrosez copieusement et faites quelques apports d'engrais liquide au cours de l'été.

Tuteur de rigueur ! N'attendez surtout pas pour tuteurer, agissez dès mai-juin. Il n'y a guère que les espèces sauvages et les petits hybrides de *Belladonna* qui puissent se passer de soutien.

Un tuteur efficace doit atteindre la base des inflorescences. Choisissez-le donc en fonction de la taille de votre plante : de simples rames suffisent pour les formes basses ; un support spécial triangulaire ou en anneau (trépied de tuteurs en bambou avec des ficelles espacées de 15 à 20 cm) est nécessaire pour les moyennes. (Voir Tuteurage.)

Soutenez les géants à tête lourde. Fabriquez un cylindre avec du grillage à mailles larges ou des ficelles superposées.

Rajeunissez les delphiniums par division. N'attendez pas que les touffes se dénudent au centre. Déterrez les pieds tous les 3 ou 4 ans tôt au printemps, et divisez-les pour ne conserver que des éclats périphériques vigoureux portant plusieurs bourgeons et racines. Plantez ces éclats aussitôt dans un sol bien enrichi.

Bouturez-les au printemps quand les plantes entrent en croissance. Coupez de jeunes pousses au ras de la souche, si possible avec un « talon » — petit morceau de tige ligneuse de la souche. Repiquez-les sous châssis froid, dans un mélange terreau et sable, ou en pots. Mettez-les en place 2 mois plus tard ou à l'automne.

Désherbage

SUR GAZON

Une bonne préparation avant semis. Bêchez profondément le terrain pour retirer toutes les racines (bouton d'or, liseron, pissenlit...). Laissez au repos pendant 1 mois pour que les mauvaises herbes annuelles lèvent, sarclez ou binez pour éliminer celles qui ont germé. Semez votre pelouse.

Choisissez un herbicide sélectif, il respecte les graminées. Appliquez-le 1 semaine après la tonte. Pendant les 4 à 6 semaines suivant ce traitement, jetez ou brûlez les déchets de tonte, qui contiennent encore du produit. Ne les utilisez en aucun cas sur le compost ou en paillis.

Deux traitements en un. Utilisez l'engrais-désherbant à partir du mois de mai sur gazon humide, vous ne traiterez qu'une seule fois pour un double résultat.

Sur un gazon qui contient des bulbes, oubliez les désherbants pour gazon traditionnels et préférez un désherbant « de contact ». L'empoisonnement se faisant par les feuilles, le produit n'aura aucune action sur les bulbes apparents ou dormant en terre si on ne les touche pas.

Attention aux racines. Traitez au large des arbres en sachant que l'aplomb de la périphérie des branches reste la limite à ne pas franchir, et évitez les engrais-désherbants, qui pénètrent dans le sol et peuvent nuire aux racines superficielles, causant des brûlures sur les arbres.

DÉSHERBANTS TOTAUX

Au verger, n'utilisez ce type de produit que près des arbres à pépins d'au moins 4 ans, mais jamais près des arbres à noyau, plus sensibles.

Surveillez chats et chiens pendant 1 semaine après un traitement à base de désherbant total. S'ils vont gratter une zone traitée, nettoyez leurs coussinets très rapidement.

Gros sel et eau de cuisson des pommes de terre ont des vertus désherbantes. Utilisez-les pour combattre ronces et orties éloignées des cultures, en taches dans les coins sauvages, sur une allée gravillonnée ou sablée, sur briques ou dallages. Jetez une poignée de sel au centre de la touffe.

Chlorate de soude : mode d'emploi. Son avantage est d'être économique, mais, attention, il est facilement véhiculé par l'eau de pluie ou d'arrosage. Ne l'utilisez donc pas sur un terrain en pente ou près de plantations. Ne fumez pas en traitant, car il est très inflammable. Lavez gants, bottes, arrosoir ou pulvérisateur après traitement. Réservez-lui un arrosoir.

Mauvaises herbes en rosette, comme chardons, pissenlits, pâquerettes..., s'éliminent en les badigeonnant au pinceau d'un désherbant de contact.

Spécial chiendent. Luttez de manière naturelle mais efficace... avec des capucines grimpantes. Plantez-en pendant 3 années consécutives et laissez-les ramper au sol. Le chiendent, privé d'air et de lumière, s'essoufflera et mourra.

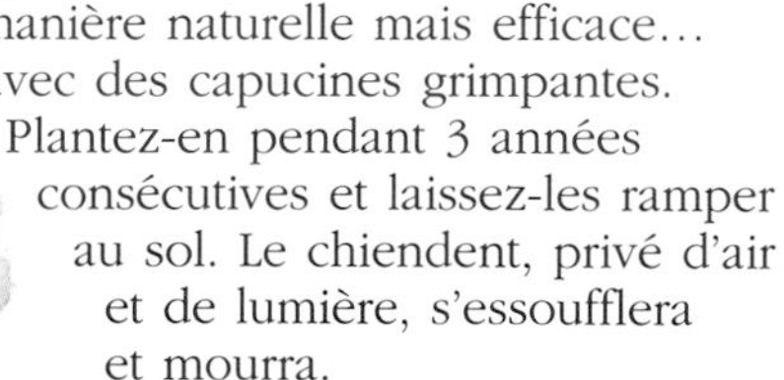

DÉSHERBAGE MANUEL

Arrosez la veille d'un désherbage : les racines seront plus faciles à extirper et vous dérangerez moins les plantes voisines qui restent en terre.

À pleine main. Arrachez les petits chardons en vous protégeant la main et l'avant-bras avec un sac en plastique assez épais (sac poubelle).

Récupérez pour le compost toutes les mauvaises herbes non traitées, non montées en graines, ni fleuries.

Le moment opportun. Si les mauvaises graines ont germé, sarclez juste après une pluie ou un arrosage, c'est à ce stade qu'il est plus facile de s'en débarrasser. Les désherbants en poudre ou granulés agissent mieux par temps humide. Arrosez 2 ou 3 jours après application s'il ne pleut pas.

Ajoutez un produit mouillant, qui rend le traitement bien plus efficace. Vous pouvez remplacer celui vendu dans le commerce par du lait, de l'huile pour assaisonnement, de l'eau savonneuse (savon de Marseille)…

SUR LES ALLÉES

Quand agir ? Avec un produit chimique, traitez préventivement dès avril-mai ; avec un traitement manuel, attendez la levée, c'est-à-dire mai-juin. L'action chimique est d'autant plus rapide que le sol est humide.

Pour protéger vos bordures d'œillets mignardises ou de buis avant un désherbage, élevez un monticule de graviers autour des tiges et n'y touchez plus.

Pour ne pas endommager les arbustes proches, choisissez un produit peu soluble (dichlobénil) ou qui ne reste pas dans le sol (glyphosate), et ne binez jamais après application pour ne pas mener le produit au niveau des racines voisines.

Distances réglementaires. Ne traitez jamais à moins de 2 m d'un tronc d'arbre (à 3-4 m pour un gros sujet) ; comptez 15-20 cm (la largeur du pied) le long des plates-bandes de fleurs.

Que faire en cas d'erreur ? Arrosez le plus rapidement possible la plante victime et renouvelez l'opération pendant une bonne semaine ; vous limiterez ainsi les dégâts, qui varieront selon le type de produit et la sensibilité des plantes.

Prévention. Pour limiter le désherbage manuel, pulvérisez un désherbant avec une rampe sur l'arrosoir ou un cache au bout du pulvérisateur. Autre solution : les granulés. Plus faciles d'emploi, ils coûtent plus cher.

▶ **Herbes, Liseron, Pulvérisateur, Ronce, Sarclage**

Division

Multipliez sans crainte toutes les plantes herbacées qui s'étoffent en largeur par formation de nouvelles tiges et racines. La division consiste simplement à séparer une grosse motte en plusieurs petites mottes portant chacune quelques bourgeons et racines. Ce type de multiplication convient à de très nombreuses vivaces ainsi qu'à nombre de fougères, graminées et plantes aromatiques.

Faites coup double en divisant les plantes. D'une part, vous rajeunissez les grosses touffes, qui, avec le temps, se dégarnissent au centre et deviennent moins florifères ; d'autre part, vous multipliez votre stock de plantes. Profitez-en pour étoffer et recomposer vos massifs.

Préférez le début du printemps pour diviser les vivaces qui fleurissent en milieu ou fin d'été : asters, chrysanthèmes, rudbeckias, soleils, pavots...

Divisez à l'automne (septembre-octobre) les vivaces qui fleurissent au printemps, comme pivoines, ancolies, euphorbes, cœurs-de-Marie, doronics, géraniums vivaces…

Divisez juste après la floraison les touffes trop denses de bulbes de printemps (narcisses, perce-neige, crocus...) dont la floraison s'essouffle. Séparez délicatement les bulbes et replantez-les aussitôt à la même profondeur. Éliminez les plus petits, qui ne sont pas aptes à fleurir, ou plantez-les en pépinière pour qu'ils se développent avant de les mettre en place en massif.

Profitez-en pour enrichir le sol. Incorporez-y une bonne quantité de compost ou de fumier bien décomposés, ainsi qu'un peu d'engrais organique à action lente comme la poudre d'os. Les plantes y gagneront en vigueur.

Inutile d'arracher toute la plante si vous voulez seulement prélever un ou deux éclats pour les replanter ailleurs. Dégagez tiges et racines sur un côté (discret, vers le fond du massif), coupez proprement les éclats puis remettez la terre en place autour des racines restantes.

Des bordures impeccables. Au potager, refaites tous les 3 ans au début du printemps vos bordures d'oseille et de ciboulette pour qu'elles demeurent bien nettes. Arrachez les touffes et divisez chacune en 3 ou 4 éclats, que vous planterez à 30 cm d'intervalle. Prolongez les bordures avec le surplus !

Pour séparer les éclats, utilisez un couteau tranchant, un greffoir, voire la bêche. Il faut en effet couper proprement les racines rhizomateuses épaisses, comme celles de *Bergenia,* ou encore les rhizomes des iris de jardin.

Dégagez les plantes à rajeunir en prenant soin d'extraire toute la motte de racines. Utilisez la fourche-bêche pour les grosses plantes. Le transplantoir suffit pour les plus petites.

Ne conservez que les éclats périphériques des plantes déjà anciennes. Ce sont les parties les plus vigoureuses. Éliminez le cœur lignifié ou fibreux, qui donnerait peu ou pas de bourgeons.

Pas trop petits. Pour une croissance vigoureuse des jeunes plantes divisées, contentez-vous de 3 ou 4 éclats pour une belle touffe. Si vous l'éclatez en 10-12 petits éclats, ceux-ci risquent de manquer de vigueur et de disparaître simplement dans le massif, étouffés par des plantes plus vigoureuses !

Par simple pression des mains, divisez les petites plantes aux nombreuses racines fines comme les campanules, géraniums vivaces...

Adossez deux fourches-bêches pour diviser une grosse motte aux racines charnues et enchevêtrées. Faites levier pour séparer progressivement la motte en deux. Renouvelez l'opération, en fonction de la taille des éclats à obtenir.

Lavez la souche en la plongeant dans un seau d'eau si vous avez du mal à distinguer les bourgeons. Une fois la terre enlevée, coupez au greffoir les portions voulues.

Nettoyez les portions de touffe avant de les replanter. Supprimez feuilles sèches, tiges cassées, racines mortes, pourries ou abîmées.

Replantez aussitôt et arrosez régulièrement pour assurer une bonne reprise. Mettez en jauge les petits éclats que vous ne savez où planter. Rempotez grossièrement ceux que vous donnerez et veillez à ce que leurs racines restent humides.

Les plantes d'intérieur aussi. N'hésitez pas à diviser les touffes denses de : aglaonéma, asparagus, clivia, maranta, papyrus, ptéris, saintpaulia, spathiphyllum.

Drainage

En panne de couche drainante pour vos pots, bacs ou jardinières ? Pensez à utiliser des coquillages vides bien lavés (coques, huîtres, moules, Saint-Jacques...), des capsules de bouteilles d'eau ou de bière, des morceaux de polystyrène, des épluchures de cacahuète ou de pistache, coques de noix ou de noisette, des morceaux de bouchon de liège, des boulettes d'aluminium ménager...

Solution pour un petit jardin. Surélevez le niveau du sol avec de la bonne terre bien drainante. Apportez-y une grosse dose d'humus (compost, terreau, tourbe...). Si la surélévation générale est impossible, limitez-vous aux massifs et retenez la terre par une bordure haute (en briques, rondins de bois, pierres...).

Un système de drainage durable. Posez des drains en terre cuite ou en plastique ou creusez des minifossés collecteurs, disposés en arête de poisson, du point le plus haut au point le plus bas du jardin. Remplissez les vides par des cailloux, des petits galets, des morceaux de brique, du mâchefer... Au point le plus bas, creusez un puisard jusqu'à 1,20-1,50 m de profondeur pour que le système soit efficace par temps d'orage. Procédez par petites surfaces. Si votre terrain est vraiment grand, envisagez la location d'une pelleteuse.

Votre terrain demande-t-il un drainage ?

Faites ce test : creusez un trou de 50 cm de large et de profondeur au point le plus bas de votre jardin. Surveillez le fond du trou après une forte pluie.
— 1 heure après la pluie, il n'y a déjà plus d'eau : drainage excessif.
— 2 ou 3 jours après la pluie, il n'y a plus d'eau au fond du trou : drainage correct.
— 5 à 6 jours après la pluie, il reste de l'eau au fond du trou : drainage insuffisant.
— Plus de 1 semaine après la pluie, il reste beaucoup d'eau dans le trou : traitement impératif avec drains...

Pour drainer arbres ou arbustes qui poussent mal dans un sol lourd, creusez un sillon d'une largeur de bêche tout autour de l'arbre, à l'aplomb de l'extrémité du feuillage. Remplissez ce vide circulaire de gravillons et de sable grossier puis de terre nutritive, riche en humus.

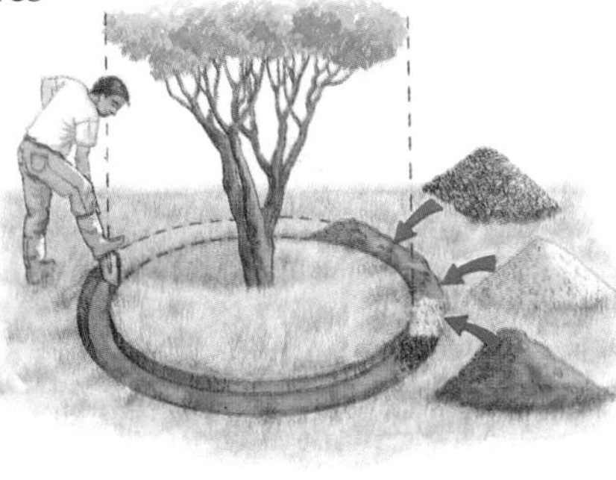

Pour combattre un excès d'argile en surface, qui signale un mauvais drainage, bêchez profondément la surface en y incorporant du sable de rivière. Laissez les mottes entières sur place, l'action gel-dégel les délitera pendant l'hiver.

Eau

RÉCUPÉRATION

De l'eau de pluie dans la serre. Récupérez-la en reliant une canalisation à la gouttière extérieure. Enterrez le réservoir, l'eau aura ainsi le temps de se réchauffer. Utilisez-la en priorité pour les plantes fragiles : orchidées, azalées, gardénias, palmiers...

Si vous jardinez sur un grand balcon ou une terrasse d'immeuble et que vous soyez propriétaire, vous pouvez envisager l'installation d'un bac de récupération. En bois il sera plus esthétique. Dans ce cas, demandez l'autorisation du syndicat des copropriétaires avant d'installer une dérivation sur une descente des eaux du toit.

Aménagez des réservoirs d'eau de pluie reliés aux descentes des gouttières dans votre jardin. Choisissez un matériau opaque pour limiter la formation d'algues. Pour pouvoir les vider et les nettoyer, prévoyez une ouverture à la base.

Le meilleur de l'eau. Lorsqu'une pluie provient après une période sèche, elle contient dans les premières minutes toutes les substances polluantes présentes dans l'air et les poussières du toit. Déviez-la vers le sol : installez une petite canalisation en dérivation, et placez une bouteille en plastique à son extrémité. Réglez l'ensemble de façon à ce que le poids de la bouteille pleine fasse levier. L'eau la plus sale tombera dans la bouteille, le reste sera récupéré dans le réservoir.

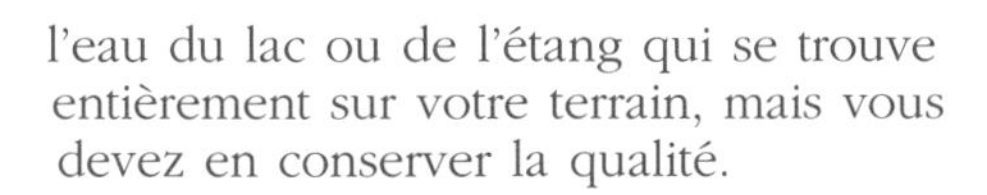

EAUX USÉES

Ne lavez pas votre voiture avec du détergent dans la cour ou dans la rue. C'est une source de pollution de la nappe phréatique. Préférez les stations de lavage.

Si vous faites la vidange de votre voiture ou de votre tondeuse, ne versez jamais d'huile dans le réseau des eaux usées. Mettez-la dans un bidon et portez-la dans un garage, ou bien renseignez-vous auprès de votre municipalité pour savoir comment vous en débarrasser.

BASSIN, ÉTANG, COURS D'EAU...

Vous voulez creuser un bassin ou un étang ? Renseignez-vous avant de commencer. Selon l'importance des travaux que vous voulez entreprendre, la municipalité peut exiger que vous soumettiez vos plans et que vous obteniez un permis. S'il s'agit d'un étang profond, il faudra peut-être le clôturer.

Vous ne pouvez assécher l'étang naturel qui existe dans votre jardin que si ses eaux sont privées, c'est-à-dire s'il s'agit d'eau de pluie ou d'une source située sur votre terrain. Si l'étang est alimenté par un cours d'eau, vous devez laisser l'eau couler. Vous pouvez aussi, pour vos besoins, user de l'eau du lac ou de l'étang qui se trouve entièrement sur votre terrain, mais vous devez en conserver la qualité.

Si un lac ou un cours d'eau navigable borde ou traverse votre jardin, le lit de ces eaux est, jusqu'à la limite des hautes eaux, la propriété de l'État.

Si vous avez l'usage d'une source, d'un lac ou d'une eau courante, vous pouvez exiger la destruction ou la modification de toute construction qui pollue ou épuise l'eau, à moins que cela ne soit contraire à l'intérêt général. La loi considère l'eau comme une chose d'usage commun.

▶ **Arrosage, Bassin**

Une source dans le jardin, propriétaire ou pas ?

Si une source jaillit dans votre jardin, elle est votre propriété. Vous avez le droit d'user de cette source et d'en disposer.

Si cette source est tête d'un cours d'eau, vous devez, à la sortie de votre terrain, rendre ses eaux à leur cours naturel, sans avoir modifié la qualité ou la quantité de l'eau.

Ébourgeonnage

Si vous voulez obtenir de grosses fleurs de chrysanthème et de dahlia, supprimez certains boutons floraux. Enlevez à la main les boutons latéraux au fur et à mesure qu'ils se forment. Ne touchez pas au bouton central, le plus haut. Vous pourrez cueillir des fleurs de grande taille pour vos bouquets.

Ébourgeonnez les troncs des rosiers tiges. Greffés en tête, ils risquent de développer des rameaux le long du tronc. Supprimez-les au ras du tronc alors qu'ils sont encore en bourgeons.

Pour formez la charpente de vos arbres fruitiers, supprimez les bourgeons qui donneraient naissance à des branches inutiles. Faites cet éborgnage sur les troncs des jeunes arbres à noyaux (pruniers, cerisiers). Coupez avec un bon couteau, au ras de l'écorce, tous les bourgeons situés sous les branches charpentières. Opérez de même sur les troncs des groseilliers et des cassis conduits sur tige.

> **La bourgeonnette**
> Cette liqueur très parfumée se confectionne à partir de bourgeons de cassis, riches en arômes et en huiles essentielles. À la fin de l'hiver, après avoir taillé vos arbustes, récupérez tous les bourgeons. Mettez-les à macérer dans de l'alcool à fruits. Les meilleures variétés de cassis pour cette recette sont 'Andega', qui donne par ailleurs de très bons fruits, ou 'Bigrou' et 'Bali'.

Aubergines et poivrons : comptez les fleurs. Ces plantes potagères produisent souvent beaucoup de fleurs. Il est impossible qu'elles donnent autant de fruits. Pour obtenir de beaux fruits, ne gardez que 6 à 8 fleurs par pied. Supprimez les boutons floraux qui se forment par la suite d'un simple coup de ciseaux ou de sécateur.

▶ **Pincement**

Échalote

Le meilleur moment pour planter l'échalote se situe entre avril et mai, car sa végétation démarre de bonne heure. Repiquez les autres variétés au début du mois de juin, voire fin juin s'il fait très froid dans votre région.

Si votre terre est trop humide ou un peu lourde, formez des petites buttes de terre sur une dizaine de centimètres de hauteur et sur toute la longueur du rang. Repiquez les échalotes au sommet de la butte : elles auront le pied plus au sec.

Placez les bulbes rapprochés les uns des autres en rang. Récoltez les tiges blanches d'échalotes (oignons verts) après environ 40 jours en laissant un bulbe tous les 4 cm (que vous récolterez plus tard dans la saison, gros et matures).

En cas de forte pluie, déchaussez les échalotes avec une petite binette pour les maintenir au sec.

Chaque été, récupérez les bulbes trop petits pour être consommés, pour les repiquer l'année suivante. Les principaux types, comme 'Cuisse de poulet' et le fameux 'Oignon-Échalote de Jersey', ainsi que l'hybride F1 'Création' donnent de bons résultats.

Récoltez les échalotes lorsque leur feuillage se dessèche, à l'automne, selon la variété. Attendez une belle journée ensoleillée, et laissez bien sécher les bulbes au soleil 1 jour ou 2. Ils se conserveront mieux. Ensuite, rentrez-les à l'abri.

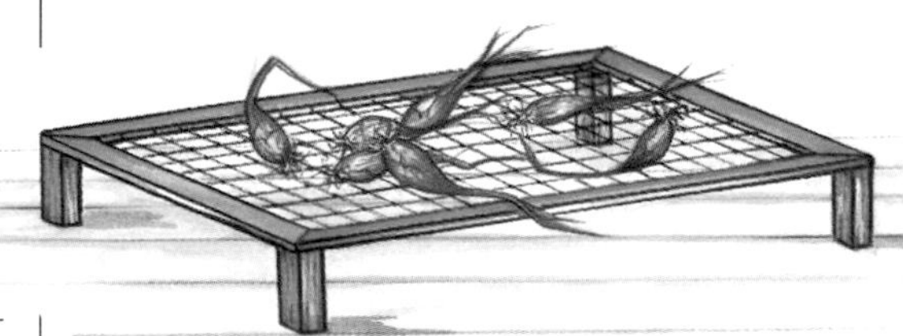

Un séchoir simple et efficace. Fixez sur des pieds de 50 cm de haut un grillage léger, de 0,70 × 1 m. Déposez-y les échalotes (ou les oignons, les haricots, le maïs...), elles sécheront plus vite.

Herbe aromatique. Tendres et très parfumées, les feuilles vertes remplacent avantageusement les tiges de ciboulette. Dès le mois de juin, prélevez quelques feuilles sur chaque pied, sans toutefois les dégarnir complètement. Elles repousseront rapidement.

Conservez les semences dans de bonnes conditions dans un local sec et aéré. Saupoudrez-les de soufre ou d'un fongicide à base de thirame pour les empêcher de moisir. Pour bien répartir la poudre, mettez-la avec les échalotes dans un sac en plastique et secouez fortement de manière à enrober chaque bulbe.

> **Faites le bon choix**
> Les plus grosses échalotes ont une forme allongée : 'White Lisbon', 'Long White Summer Bunching', 'Ishikura', 'Emerald Isle', 'Tokyo Long White', 'Hardy White Bunching', 'Southport White', 'Kincho'. Certaines ont des bulbes ronds : 'Southport White Globe'.
> Essayez aussi l'échalote française : cueillez les petits bulbes, de couleur rougeâtre, à l'automne, en laissant de côté les tiges, qui ont un goût trop prononcé.

Tressez les échalotes pour décorer la cuisine. En les récoltant, conservez le feuillage et faites-les sécher au soleil quelques jours. Prenez les bulbes un par un et montez une tresse à trois torons à l'aide des tiges. Terminez avec un petit lien de raphia.

▶ **Aromatiques, Potager**

Échelle

Métalliques. Elles sont solides et légères (aluminium) ; pratiques, elles se déplient très en hauteur ; mais attention au contact avec une ligne électrique : il y a danger d'électrocution.

Sur terrain meuble, veillez à caler le pied de l'échelle sur une surface dure : une planche de bois sur laquelle vous clouerez un tasseau ou 4 boîtes de conserve pour une échelle double.

Question d'équilibre ! En plaçant une échelle simple, assurez-vous que son pied forme avec le sol un angle de 70° au moins. Un angle inférieur vous met en porte à faux et vous risquez de tomber.

Ouvrez largement une échelle double et fixez-y un câble de sécurité à hauteur du troisième barreau pour limiter l'ouverture.

Sur surface glissante. Là encore, calez l'échelle avec une masse inerte (sac de ciment ou de sable, gros parpaing) ou attachez-la à un objet fixe et stable (grille, barreau d'un soupirail, pieu fiché en terre...).

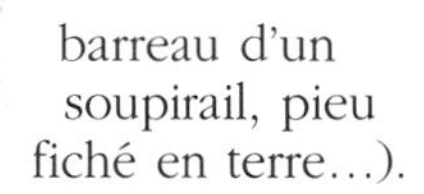

Pour nettoyer les gouttières, n'appuyez pas l'échelle directement dessus, vous risquez de tordre les gouttières ou de les casser si elles sont en plastique. Fixez sur les montants de l'échelle 2 pièces de bois en équerre, qui s'appuieront contre le mur de la maison.

Posez les pieds au bon endroit. Veillez à laisser les pieds près des montants et non au milieu d'un barreau (surtout si l'échelle est en bois et pas très neuve). Placez bien la plante des pieds, et non la voûte plantaire, sur le barreau. En cas de déséquilibre, c'est par la plante des pieds qu'on réagit rapidement.

Éclairage

Éclairez en priorité l'entrée de la maison et son accès depuis la rue ou le garage. Éclairez aussi les lieux de passage. Dans les allées et les escaliers, de simples bornes lumineuses basses suffisent pour baliser le chemin. N'oubliez pas la terrasse ni la cuisine d'été. Éclairez également le bassin, pour des raisons de sécurité.

Pensez à l'installation électrique au moment de l'aménagement du jardin. Vous pourrez passer les câbles sous les murs, le long des allées ou à travers les futurs massifs et pelouses.

Faites un plan et des photos du chantier : ce peut être utile en cas de nouveaux travaux ou pour rouvrir une tranchée afin de réparer un câble ou de changer un boîtier.

Multipliez les points lumineux. Préférez plusieurs points d'éclairage de moyenne puissance plutôt qu'un fort projecteur. Vous ne serez pas ébloui et, la nuit, votre jardin sera plus vivant. Au-dessus de 100 W, une ampoule est aveuglante et accentue les « trous noirs » des endroits restés dans l'ombre.

Prévoyez des prises électriques étanches et protégées aux endroits où vous utilisez le plus vos appareils électriques (tondeuse, tronçonneuse, etc.).

Spectaculaire : l'éclairage des arbres et des massifs. Que les projecteurs soient posés au sol ou fixés dans les branches, la lumière doit toujours être dirigée vers le haut. Pour bien souligner les massifs, prévoyez une puissance assez importante (de 500 à 1 000 W).

Pensez à l'éclairage par batteries solaires pour baliser un passage sombre dans lequel vous ne pouvez amener l'électricité. La durée d'éclairement ne dépasse cependant pas quelques heures, voire beaucoup moins pendant les périodes sans soleil. Couplé à un détecteur de présence (cellule à infrarouge), ce système vous évitera de chercher un interrupteur dans le noir et vous avertira de la présence d'un intrus.

Souple et sans danger : l'éclairage très basse tension. Rapidement installé, il marque une allée, éclaire une terrasse, un bassin, une cuisine d'été ou une pelouse. Vous pouvez le modifier à votre gré et le démonter en fin d'été. Ce type d'éclairage (12 ou 24 V) ne nécessite pas que vous enterriez les câbles, qui n'offrent aucun danger. Plantez simplement les lampes et dissimulez les câbles dans la végétation. Les branchements se font par simples clips et ne demandent aucun outillage.

Économiques : les lampes fluorescentes. Leur consommation varie de 12 à 20 W mais leur puissance d'éclairage est équivalente à celle des ampoules incandescentes. Elles coûtent plus cher à l'achat mais leur durée de vie est bien supérieure à celle d'une ampoule traditionnelle.

Préférez les lumières légèrement jaunes ou dorées, qui s'intègrent mieux à la nuit. Ne choisissez pas des lampes de couleur : elles fatiguent la vue et détruisent l'harmonie d'un jardin. Évitez également les lampes totalement blanches, dont la lumière est trop froide.

Facile et rapide à installer, l'éclairage très basse tension permet de mettre en valeur les atouts du jardin : bassin, massifs, arbres...

Isolez les câbles basse tension souterrains. Enterrez-les dans des tranchées d'environ 60 cm de profondeur le long des allées. Faites-les passer à plus de 2 m des arbres. Introduisez-les dans des gaines spéciales, très résistantes à la corrosion, avant de les placer dans une couche de sable fin (10 cm). Faites les jonctions dans des boîtiers étanches et blindés. Reliez l'installation à la terre. Avant de refermer la tranchée, placez au-dessus du câble un grillage avertisseur en polyéthylène de couleur rouge.

Lorsqu'il n'y a pas d'électricité, utilisez des bougies de jardin ou des photophores. Ils diffusent une lumière douce et créent une ambiance chaleureuse.

Pour protéger vos bougies du vent, mettez-les à l'abri, dans un bocal assez haut. Si vous n'en possédez pas, coupez le haut d'une bouteille en plastique, lestez-la d'une pierre plate et fixez la bougie au fond.

Éclaircissage

DES FRUITS

La « chute physiologique ». Une fois que les petits fruits sont formés, un certain nombre d'entre eux tombent à terre. Il s'agit de fruits mal attachés, mal formés, véreux, malades... C'est un éclaircissage naturel.

Aidez la nature. Si, après cette épuration naturelle, il reste encore trop de promesses sur les branches, c'est à vous d'intervenir pour éviter une énorme production de fruits minuscules ou des branches qui cassent sous le poids des fruits.

Sur le poirier. Ne conservez que les deux fruits des extrémités de chaque petit bouquet.

Sur le pommier. Conservez plutôt le fruit central du bouquet ; mais, s'il n'est pas le plus beau, choisissez le plus central de ceux qui restent.

Sur le pêcher. Supprimez les fruits réunis, serrés par deux ou trois, pour n'en garder qu'un. Les fruits doivent s'échelonner au long des branches.

Pour ne pas épuiser l'arbre, n'hésitez pas à faire un deuxième éclaircissage. S'il reste encore trop de fruits au risque de devoir placer ultérieurement des étais, résistez à la tentation de battre vos records et éliminez à nouveau les excédents.

DES PLANTS

Facilitez-vous le travail. Que le semis soit en pleine terre, sous châssis, en terrine..., arrosez toujours les racines avant l'éclaircissage. Laissez les plantules boire une bonne heure avant d'effectuer ce travail délicat.

Besoin d'espace ! Légume, fleur, petit plant..., chacun doit recevoir assez de lumière, d'air, d'eau et de place pour grandir. Un premier éclaircissage laissera de 5 à 7 cm entre les plants (longueur d'un index), un second éclaircissage peut être nécessaire pour un bon épanouissement définitif.

Anticipation. Évitez au maximum l'éclaircissage en semant très lâche (voir Semis) ou en utilisant des graines sur ruban.

Pour pouvoir récupérer les plantules éliminées et les repiquer, arrachez-les le plus délicatement possible dès que vous pouvez les manipuler (1 à 3 feuilles). Pour cela utilisez une languette de bois avec encoche ou un vieux stylo à bille. Attention, les radis, les betteraves et les autres légumes-racines sont difficiles à faire repartir.

En douceur. Ne tirez pas sur les tiges à éliminer, mais coupez-les tout simplement avec une paire de ciseaux pointus bien aiguisés. C'est très rapide et cela évite d'ébranler les plantes restant en place.

Écorce

Posez un manchon protecteur à la base des jeunes troncs. Il peut être en plastique perforé ou en grillage à mailles fines. Si le tronc n'est pas trop gros, vous pouvez simplement fendre une bouteille en plastique dans le sens de la longueur. L'écorce sera ainsi protégée des petits rongeurs mais aussi des coups de tondeuse malencontreux.

Végétaux à rabattre chaque année pour obtenir de belles écorces

Espèce ou variété	Aspect des jeunes tiges
cornouiller blanc 'Sibirica'	Rouge corail
Cornus stolonifera 'Flaviramea'	Jaune-vert
saule drapé	Brun rouge
saule Marsault	Rouge
saule blanc 'Vitellina'	Jaune-vert
saule de Bebb	Rouge pourpre
saule arctique nain	Pourpre

Pour obtenir des tiges colorées, pratiquez la taille en cépée : certaines espèces (voir ci-dessus) d'arbustes ou de petits arbres rabattus chaque année en fin d'hiver au niveau de la souche émettent de jeunes tiges très décoratives. Plantez-les en petits groupes (3-5 ou plus) pour plus d'effet. Associez deux espèces ou variétés de couleurs différentes.

Les plus belles écorces d'arbre

Espèce ou variété	Aspect de l'écorce
Acer griseum	Orangé acajou, s'exfoliant
Acer pennsylvanicum	Vert rayé de blanc, très décorative en hiver
Betula albo-sinensis var. *septentrionalis*	Rose cuivré
Betula alleghaniensis	Brun rougeâtre-jaunâtre
Betula ermanii	Blanc rosé brillant, lisse
Betula lenta	Brun-rouge, lisse
bouleau à papier	Blanche
caryer à noix douces	Gris foncé, se détachant aux extrémités
charme de Caroline	Gris bleuâtre
liquidambar d'Amérique	Rouge-brun, liégeuse
Prunus maackii	Jaune-brun, lisse, s'exfoliant
Prunus sargentii	Rouge
Salix fragilis	Vert clair

Économisez le paillage d'écorce broyée. Sur un massif d'arbustes où les interventions pour des plantations ultérieures sont rares, limitez l'épaisseur et donc le coût de ce paillage décoratif : posez un film plastique noir perforé et couvrez-le d'une couche de 3 cm d'écorce. Sans film plastique, il faut compter une épaisseur de 6 à 8 cm d'écorce pour une bonne efficacité contre les mauvaises herbes (voir Paillage).

Frottez l'écorce des arbres fruitiers envahie de mousses et de lichens avec une brosse dure trempée dans une solution de lessive au pin. Sans être néfastes pour l'arbre, mousses et lichens peuvent abriter des parasites.

Protégez un tronc à l'écorce partiellement arrachée en passant sur la plaie une solution à base de sulfate de fer (20 g pour 1 litre d'eau). La cicatrisation sera facilitée. (Voir Blessure.)

Découvrez des érables à tiges décoratives : c'est le cas de *Acer ginnala,* aux rameaux pourpres très décoratifs en hiver ; de *A. palmatum* 'Dissectum Garnet', aux tiges tortueuses ; ou de *A. p.* 'Inaba Shidare', dont le port pleureur reste remarquable en toutes saisons.

▶ **Couleurs**

Élagage

La meilleure époque pour élaguer les arbres à feuilles caduques est idéalement la fin de l'hiver et le début du printemps (fin février à avril), c'est-à-dire en période de dormance. De plus, à cette période, la ramure est bien dégagée, offrant une bonne visibilité des branches à tailler.

Les arbres qui craignent la taille printanière : ceux qui ont une circulation intense de sève au printemps — érable, bouleau, marronnier et peuplier — ne doivent pas être taillés en période de dormance car ils cicatrisent trop lentement lors de cette montée de sève. Effectuez la taille de ces essences immédiatement après la sortie des bourgeons.

Élaguez lorsqu'un arbre occupe trop de place ou que sa ramure devient gênante ou menaçante, aussi bien pour vous que pour le voisinage. Élaguez aussi les arbres âgés s'ils ont des branches mortes ou attaquées par des parasites. L'élagage permet d'éclairer l'intérieur de la ramure ou de la rééquilibrer.

Rehaussez la couronne d'un arbre dont les branches vous gênent pour circuler. Supprimez simplement au ras du tronc les branches les plus basses. Sur un arbre âgé, étalez le travail sur 2 ou 3 années, en supprimant un tiers des branches gênantes à chaque opération. Si les coupes sont importantes, consultez un professionnel...

Une tronçonneuse manuelle légère et silencieuse. Cette chaîne pèse moins de 200 g. On la manie à l'aide des deux poignées. Vous pourrez couper de grosses branches (10 cm de diamètre) situées assez haut sans avoir besoin de grimper dans la ramure.

L'importance des tire-sève. Au-dessus de chaque coupe, laissez un rameau intact, qui permettra à la sève de circuler. L'écorce autour de la coupe sera bien irriguée et permettra une cicatrisation plus rapide. Une taille non traumatisante se fait toujours au niveau d'une fourche.

Préférez l'élagage doux à la taille radicale, qui défigure un arbre. En supprimant seulement une partie des branches, vous conserverez la silhouette de l'arbre : le vent et la lumière passeront mieux et l'arbre risquera moins d'être arraché par les tempêtes.

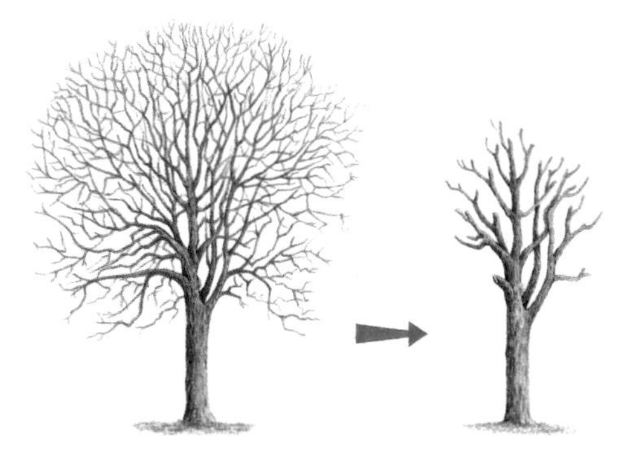

Connaître la loi

Si les branches de vos arbres dépassent sur la propriété voisine, vous pouvez être contraint de les élaguer. Réciproquement, vous pouvez exiger que votre voisin élague les branches de ses arbres, même s'ils sont plantés à la distance légale. Vous n'avez pas le droit de les couper vous-même, mais devez lui demander de le faire. Avant d'entamer une procédure, qu'il s'agisse de vos arbres ou des siens, parlez-en avec lui. Intervenez rapidement et ne laissez pas se développer inutilement des branches qu'il sera difficile, voire dangereux et coûteux, d'élaguer plus tard. De la même manière, vous pouvez être contraint d'élaguer les arbres gênant le passage ou les lignes électriques et téléphoniques. Dans le cas d'une haie mitoyenne, les frais d'entretien sont partagés.

Élaguez les grosses branches au ras du tronc. Coupez-les en plusieurs portions en préparant toujours la coupe par un trait de scie au-dessous. Coupez le dernier tronçon en une seule fois. Laissez 2 à 3 cm afin de préserver les rides de l'écorce de cicatrisation.

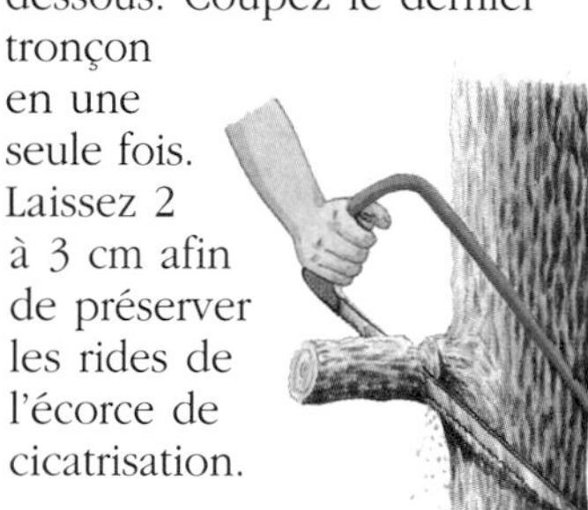

Évitez les coupes horizontales : elles ne permettent pas à l'eau de pluie de s'écouler et retiennent les germes pathogènes. Une coupe oblique est mieux protégée.

Arrimez les plus grosses branches avec une corde afin de les faire tomber en douceur, surtout si vous travaillez au-dessus d'une zone à protéger (toiture, rue, bassin...).

Travaillez de préférence à deux. L'un dans l'arbre pour élaguer, l'autre au sol pour guider, aider au débardage des branches tombées et surveiller l'opération. Attachez votre échelle et équipez-vous de vêtements solides qui ne flottent pas. Placez-vous toujours au-dessus de la branche qui va tomber.

Endive

Des endives dans votre cave. Une fois récoltées, les nouvelles variétés peuvent être forcées sans couverture de

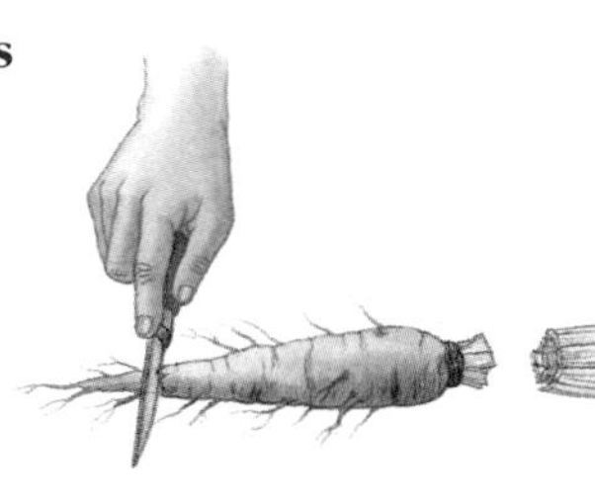

terre. En automne, arrachez les racines et coupez le feuillage au-dessus du collet. Installez-les côte à côte dans une caisse remplie de terre ou de terreau humides, dans une cave obscure. Avec une température de 18 °C, vous récolterez des endives toutes propres et bien fermes au bout de 3 à 4 semaines.

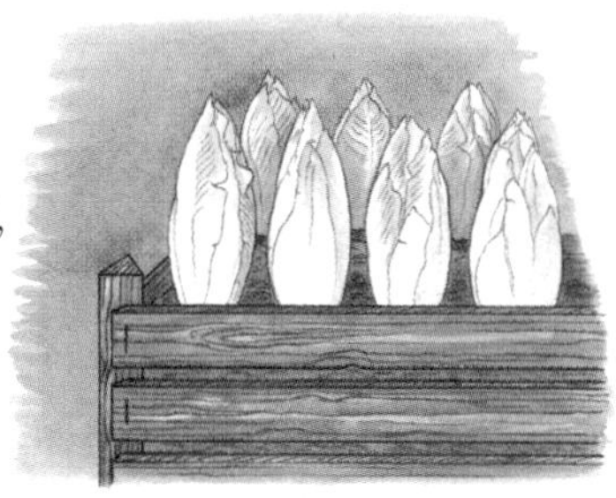

Des endives pendant plusieurs mois. C'est possible, à condition de ne pas arracher toutes les racines en même temps. Préparez une caisse tous les 15 jours. Au jardin, prenez la précaution de protéger du gel les racines restées en terre en attendant de les rentrer pour les forcer.

Découvrez les endives rouges. Ces nouveaux hybrides ressemblent à des endives dont les feuilles sont plus ou moins ourlées de rouge. Leur saveur est souvent plus douce que celle des endives blanches. Utilisez-les crues pour colorer vos salades. Choisissez 'Red Treviso' ou 'Red Verona', deux variétés faciles à cultiver.

Si vous n'avez pas de cave, installez votre caisse à l'abri et recouvrez-la hermétiquement avec du plastique noir. Les chicons se formeront aussi bien.

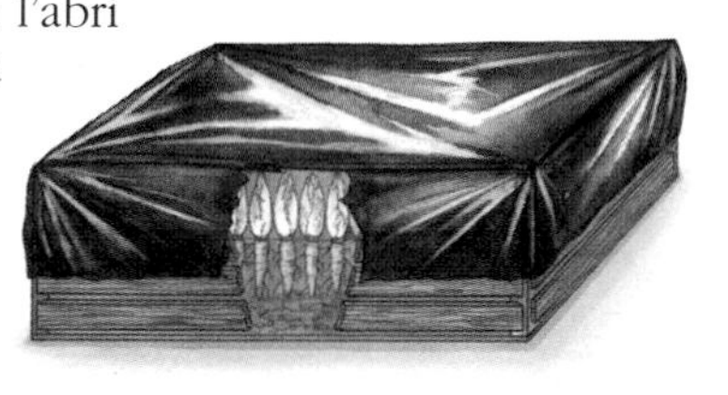

Faites le bon choix

Optez pour les variétés d'endives qui proviennent de Belgique :

'Flash', 'Turbo', 'Witloof Zoom' ou encore 'Hybride Bea'.

Dans le tas de compost. Choisissez des variétés classiques ('Witloof Zoom', 'Flash', 'Pain de sucre') ayant besoin d'une couverture de terre pour bien pommer. Creusez une tranchée (25 cm en tous sens) dans votre tas de compost. Déposez côte à côte les racines préparées. Recouvrez de terreau. N'arrosez pas et protégez de la pluie à l'aide d'un film plastique ou d'une planche. Vous récolterez les premières endives 2 mois après, en enlevant le compost qui les recouvre.

Après la récolte, conservez les endives au frais et dans l'obscurité. Nées dans le noir, elles ne supportent pas de voir la lumière avant d'être dans votre assiette : elles risquent de prendre des couleurs vertes et de devenir dures et amères.

Enfants

Un tunnel ou un tipi d'annuelles grimpantes offrent une délicieuse cachette en même temps qu'une initiation au jardinage. Ancrez solidement des arceaux pour un tunnel ou bien des tuteurs en bambou pour un tipi. Choisissez des plantes faciles (voir encadré). Faites participer vos enfants au semis puis à l'arrosage.

Offrez-leur un minijardin. Délimitez-leur un espace dans un coin de votre jardin. Ils y feront leurs semis, plantations et expériences en tous genres ! Aménagez-le ensemble : tracez une ou plusieurs petites allées, posez une petite barrière…

Repeignez le portique de gymnastique en vert foncé, même s'il est neuf. Il s'intégrera beaucoup mieux dans votre jardin qu'avec sa teinte d'origine, rouge, jaune ou autre !

Les enfants aiment souvent jardiner. Réservez-leur certains petits travaux faciles.

Suspendez la balançoire à une branche basse, solide, d'un arbre du jardin. L'effet en sera beaucoup plus discret, et le résultat moins coûteux, que l'installation d'un portique classique.

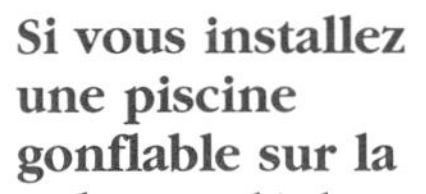

Si vous installez une piscine gonflable sur la pelouse, déplacez-la régulièrement. Arrosez abondamment la tache aplatie et parfois jaunie pour que le gazon reverdisse à cet endroit. Si vous laissez la piscine en place plusieurs semaines, la pelouse sera irrémédiablement grillée.

Aménagez un emplacement pour la piscine gonflable hors de la pelouse. Choisissez une aire plane que vous couvrirez d'une couche de sable (5 cm) pour éviter les déchirures (voir Piscine).

Transformez un vieux tronc tortueux (non pourri) en structure que vos enfants se feront un plaisir d'escalader. Installez-le sur une surface plane et veillez à ce qu'il ne roule pas. Éliminez les aspérités avec une brosse métallique. Agrémentez-le de quelques planches et cordes pour créer une passerelle, une balançoire, etc.

> **Les plantes des enfants**
>
> **Fleurs :** belle-de-jour, capucine, cobée, cosmos, ipomée, nigelle, œillet d'Inde, souci, tournesol, zinnia.
>
> **Bulbes :** crocus, muscari, narcisse, perce-neige, tulipe.
>
> **Légumes :** citrouille, coloquinte, courgette, haricot, pois mange-tout, pomme de terre, radis, salade, tomate.

Fabriquez vous-même un bac à sable avec des planches en bois traité, des briques ou des dalles. Prévoyez une couche de drainage : gravillons et dalles ou planches tapissant le fond du bac à joints ouverts, pour permettre l'écoulement de l'eau. Fabriquez également un couvercle aux mêmes dimensions. Il protégera le sable des intempéries et des visites des animaux.

Recyclez le bac à sable quand les enfants grandissent. Réservez-le aux plantes aromatiques ou bien remplissez-le de terre de bruyère pour accueillir quelques azalées sur sol calcaire. Vous pouvez aussi en faire un petit bassin en le doublant de plastique épais et étanche.

L'outillage qui leur est destiné est souvent de médiocre qualité, il casse vite et décourage même les meilleures volontés. Éliminez tout ce qui est en plastique et réservez-le pour la plage. Offrez aux apprentis jardiniers de vrais outils solides, en regardant par exemple parmi ceux adaptés pour les rocailles, bonsaïs, ou ceux plus légers, réservés aux femmes. Veillez ensuite à adapter les manches à leur taille. Leurs préférés : pelle, râteau, brouette, chariot, semoir…

Engrais

Pour donner de l'engrais à un arbre, percez des trous à l'aplomb de l'extrémité des branches de l'arbre, et versez-y l'engrais. On compte 1 kg d'engrais à décomposition lente pour un jeune arbre alors qu'il en faut 10 kg pour un sujet adulte. Si la terre est meuble, un épandage suffit, les pluies feront le reste.

Engrais pour plantes d'intérieur. Offrez de l'engrais aux plantes de la maison à la reprise de la végétation. Divisez les doses par 2 par rapport aux conseils du fabricant en début et en fin de saison (mars et septembre). Arrosez pour mouiller la terre si la motte est sèche. (Voir Intérieur.)

Engrais : faites le bon choix

Engrais complet

Propose les 3 éléments N-P-K.
Jouer sur le pourcentage de ces 3 éléments selon le type de culture. Certains sont déjà équilibrés pour des usages précis : gazon, plantes à fleurs, tomates, fraisiers…, complément à la fumure de base.

Engrais minéral

Son action est immédiate et fugace, c'est l'engrais coup de fouet à associer à d'autres types d'engrais.

Engrais organique

Son action est plus lente mais plus durable, moins fortement dosé que le précédent, plus souple à manier, il améliore la structure du sol en plus des apports nutritifs.

Fumure de fond

Reconstitue la base alimentaire, à offrir tous les 2 à 3 ans lors du labour.

Fumure d'entretien

S'adapte aux différentes cultures selon les besoins du moment. À placer le plus près possible des racines (entre les rangs au potager, aux racines des arbres…). Arroser pour permettre l'assimilation.

Engrais foliaire

Passe directement de la végétation dans la sève, même si les conditions de culture sont mauvaises et si le sol ne retient rien (trop sableux, trop acide, trop humide…).
Redonne du tonus aux plantes fatiguées qui ont encore assez de feuilles. À pulvériser par temps sec. On peut lui ajouter un insecticide en cas d'attaque de ravageurs.

Principaux éléments fertilisants des engrais

	Pour quelles plantes ?	Réaction dans le sol	Carences
AZOTE (N)	– À feuillage (arbres, arbustes, légumes-feuilles, plants au stade feuillé, gazon, haies). – L'azote aide à la structure des tiges.	– Vite lessivé par les pluies, arrosages surtout en sol sableux et humide.	– Pousses chétives. – Feuilles jaunes ou décolorées. – Tiges faibles, molles.
	► À donner sous forme d'engrais de fond à la plantation, lors des semis, en surfaçage printanier et estival.		
PHOSPHATE (P)	– Concerne toutes les racines et en conséquence la santé générale de toutes les plantes (jeunes plantes, plantes à fruits et graines, légumes-racines)	– Renouveler les apports régulièrement, surtout en sol sableux, qui retient mal les éléments	– Tiges et racines faibles. – Attaques de parasites. – Mauvaises floraisons et récoltes. – Feuilles couleur bleu-pourpre.
	► À incorporer à chaque plantation en profondeur et en surface en période de croissance.		
POTASSE (K)	– Toutes plantes à tubercules, à bulbes, à fleurs et à fruits (tomates, fraises…). – La potasse agit sur la taille et la couleur des fleurs et des fruits.	– Renouveler les apports, surtout en sol sableux, qui retient mal les éléments	– Plans malades. – Bord des feuilles coloré de jaune ou de brun. – Fleurs trop pâles, fruits mal colorés et peu nombreux (chute prématurée).
	► À offrir en engrais de fond lors des plantations ou semis. À ajouter à nouveau en surfaçage en cours de végétation.		

Pour vos plantes en pots, préférez l'engrais liquide, qui se répartit mieux dans la terre, aux bâtonnets, qui ne nourrissent qu'un endroit limité du volume de terre et peuvent causer des brûlures aux racines si vous n'arrosez pas assez. Il en existe plusieurs formules : pour plantes à fleurs, pour plantes vertes, pour bonsaïs…

Les six façons de donner de l'engrais

Sur gazon avec aération.

Engrais minéral coup de fouet pour fertiliser.

Lors de la plantation d'un arbre, d'un arbuste…

Fumure de fond, au béchage.

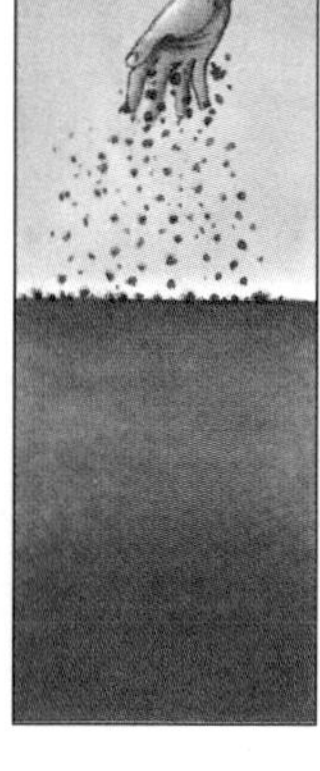

Fumure d'entretien. directement sur le sol.

Engrais foliaire en arrosage.

Dosez bien l'engrais. Offrez deux passages croisés à mi-dose. Si vous hésitez, percez une boîte de conserve vide et utilisez-la comme un tamis à engrais en respectant les doses conseillées sur l'emballage du produit.

L'eau de l'aquarium est riche en éléments nutritifs ; offrez-la aux plantes, tout comme le fond des bouteilles de vin et de bière ou des théières froides. Lors du rempotage, incorporez un peu de marc de café ou de feuilles de thé, et même des petits tronçons de peau de banane, riches en tanin, magnésie, potasse, soufre, sodium, silice… Attendez un bon mois avant de donner la première dose d'engrais.

Le jus de consoude. Faites macérer 150 g de feuilles fanées de consoude par litre d'eau pendant 1 mois, vous obtiendrez un engrais riche en potasse et autres éléments. La plante se ramasse à l'état sauvage ou se cultive facilement dans le jardin à partir de graines ou d'éclats.

▶ **Épinard, Fumier, Os, Sang desséché**

Environnement (protection de l')

Halte au bruit ! Le bruit est la première nuisance reconnue comme telle par de nombreux peuples occidentaux. Choisissez une tondeuse à gazon de faible niveau sonore (moteur électrique ou à 4 temps). Vérifiez le bon état du pot d'échappement. Enfin, respectez toute réglementation municipale sur les heures d'utilisation de ces appareils bruyants.

Pas de feu, pas de fumée. Rien de plus désagréable, quand on veut profiter du grand air, que d'avoir les narines agressées par une âcre fumée. Sachez qu'il est généralement interdit d'incinérer tout déchet. Les feux de jardin ne sont donc que tolérés. Par ailleurs, beaucoup de municipalités ramassent maintenant les feuilles mortes. Alors, évitez de brûler des matériaux humides (herbes, bois de taille) et, surtout, des matières plastiques. La combustion du PVC dégage du chlore, très toxique.

Déchets verts. L'élimination des tontes de gazon, bois de taille et autres déchets de jardin coûte cher à la collectivité et cause des nuisances. Il vaut mieux régler le problème à la source. Équipez-vous de 1 ou 2 silos à compost et, si possible, d'un broyeur, pour transformer vos déchets en terreau. Et soyez prévoyant : limitez les surfaces de gazon et la longueur des haies taillées au profit des plantes couvre-sol et des arbustes fleuris.

Quand faut-il appliquer de l'engrais ?

<table>
<tr><th></th><th>janv.</th><th>févr.</th><th>mars</th><th>avril</th><th>mai</th><th>juin</th><th>juill.</th><th>août</th><th>sept.</th><th>oct.</th><th>nov.</th><th>déc.</th></tr>
<tr><td>Arbres et fruitiers</td><td></td><td></td><td></td><td colspan="3">* engrais spécifique</td><td></td><td></td><td></td><td colspan="2">* engrais de fond</td><td></td></tr>
<tr><td>Arbustes et rosiers</td><td></td><td></td><td></td><td></td><td colspan="2">* engrais spécifique</td><td></td><td></td><td></td><td colspan="2">* engrais de fond</td><td></td></tr>
<tr><td>Fleurs</td><td></td><td></td><td></td><td></td><td colspan="4">* engrais liquide ou foliaire</td><td></td><td colspan="2">* engrais de fond pour les vivaces</td><td></td></tr>
<tr><td>Gazon</td><td></td><td></td><td></td><td colspan="2">* engrais coup de fouet</td><td></td><td></td><td></td><td>* engrais spécifique</td><td colspan="2">* engrais de fond pour nouvelles pelouses</td><td></td></tr>
<tr><td>Légumes</td><td></td><td></td><td></td><td></td><td>* engrais coup de fouet</td><td></td><td></td><td></td><td></td><td colspan="2">* engrais de fond</td><td></td></tr>
<tr><td>Plantes d'intérieur</td><td></td><td></td><td colspan="6">** engrais liquide ou foliaire</td><td></td><td></td><td></td><td></td></tr>
</table>

* = 1 application par mois ; ** = 2 applications par mois

Faites le bon choix

Les produits et les « matières actives » ci-dessous sont peu nocives pour l'environnement. Elles entrent dans la composition des produits de traitement utilisés en jardinage. Lisez systématiquement les indications portées sur les emballages.

Contre les insectes : Ambush (produit à base de perméthrine), *Bacillus thuringiensis*, carbaryl, dicofol, huile de paraffine, Malathion, methoxychlore, nicotine, phosphure de zinc, pyrèthre naturel, pyrimicarbe, roténone, savon insecticide de Safers (produit à base de sel de potassium d'acide gras).

Contre les maladies : Benlate (produit à base de benomyl), captane, bouillie bordelaise, manebe, oxychlorure de cuivre et autres dérivés du cuivre, soufre, triophanate-méthyl, thirame.

Contre les mauvaises herbes : 2,4-D, bromacil, chlorambene, dalapon, dicamba, glyphosate, Gramaxone (produit à base de Paraquat), mecoprop.

Pour vos produits, préférez les gammes « environnement ». Signalées par des étiquettes très explicites, elles comprennent des engrais naturels et des insecticides (et fongicides) peu nocifs pour l'environnement.

Épices

Récoltez votre propre coriandre. Toutes les parties de cette herbe aromatique annuelle, facile de culture, sont bonnes à consommer. Ses feuilles, qui rappellent le persil, possèdent un léger goût d'anis, tout comme sa racine, utilisée couramment dans la cuisine sud-asiatique. Les graines de coriandre entrent dans la composition de mélanges d'épices, comme le cari.

Découvrez le carvi, dont les graines sont utilisées dans la cuisine scandinave pour parfumer pains, gâteaux, fromages et choux. Après un semis d'automne dans un petit coin du potager, la plante forme des feuilles la première année (ajoutez-en quelques-unes dans vos soupes), puis fleurit la seconde. Coupez les ombelles de graines juste avant maturité et suspendez-les au-dessus d'une mousseline sur laquelle tomberont les graines. Croquez-en après avoir mangé de l'ail pour avoir l'haleine fraîche.

Essayez la poivrette ou cumin noir. Cette nigelle cultivée (*Nigella sativa*) est proche de la nigelle de Damas, une annuelle ornementale, et presque aussi jolie ! Semez-la au printemps. Récoltez les fruits renflés dès qu'ils sont secs et ouvrez-les pour libérer les graines. Conservez celles-ci au sec. Leur goût piquant, très aromatique, en a fait autrefois un substitut du poivre ou du cumin. Broyez-les pour les ajouter à vos plats cuisinés ou saupoudrez-en pains et brioches.

Petite histoire

Au Moyen Âge puis aux siècles suivants, les Européens consommaient les épices en quantité. Elles servaient notamment à la conservation des viandes. C'est cette forte consommation dans les classes fortunées de la société qui fit toute l'importance du commerce des épices. Importées d'Orient dans un premier temps, connaissant un nouveau développement au moment des croisades, les épices ont été plus tard l'un des arguments pour la quête de nouvelles terres par les grands navigateurs, portugais et espagnols en particulier, soucieux de mettre fin au monopole vénitien.

Pour le pain d'épices, semez l'anis en situation chaude et abritée. Ajoutez quelques feuilles, très parfumées également, dans vos salades. Coupez les ombelles quand le feuillage commence à jaunir puis égrenez-les soigneusement quand elles sont bien sèches. Broyez les grains pour les incorporer au pain d'épices, mais aussi mettez-en dans vos salades de fruits ou vos curries à l'indienne.

Épinard

Prenez garde à la chaleur. L'épinard ne l'aime pas car elle le fait fleurir. Évitez d'en semer en été. Si vous ne pouvez pas faire autrement, cultivez-le à l'ombre, bien à l'abri des haricots à rames ou du maïs. Installez même une ombrière qui laisse, cependant, circuler l'air. Dans tous les cas, offrez à l'épinard une terre riche et fraîche au potager.

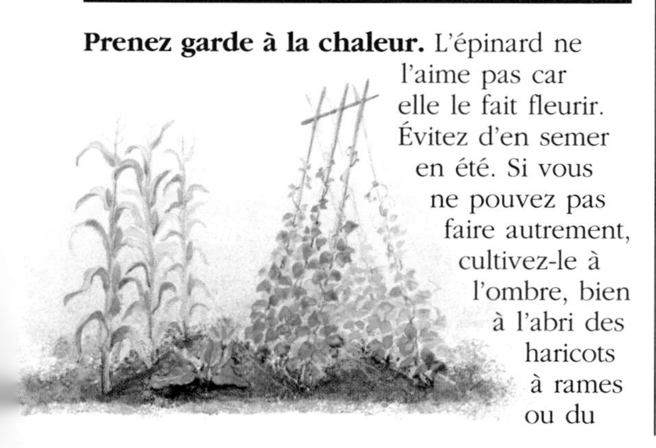

Les meilleures périodes pour le semer. Prévoyez des cultures de printemps et d'automne en semant dès le mois de mai, puis vers la fin du mois d'août. Semez des rangs de 30 cm de distance et éclaircissez les plants à 15 cm de distance.

Récoltez des épinards pendant plusieurs mois en les semant toutes les 3 semaines à partir du mois d'août et jusqu'en octobre. Récoltez les premières feuilles en octobre. Protégez vos derniers semis avec un châssis. Reprenez les récoltes au printemps, en même temps que les semis. L'épinard est rustique jusqu'à –7 °C.

Un bon engrais vert pour piéger les nitrates. Semez des épinards en fin d'été, sur les plates-bandes vides du potager.

Laissez-les pousser sans vous en occuper. Comptez environ 30 g de semences pour 10 m². Au printemps, coupez-les au ras du sol avant de les enfouir légèrement. L'azote, piégé, n'est pas entraîné dans le sol, sous forme de nitrates, avec les pluies d'hiver. Vous ferez des économies d'engrais.

Des épinards qui n'en sont pas !

Ils ne font pas partie de la famille, mais vous les rencontrerez dans les catalogues. L'oseille-épinard (épinard perpétuel) est une oseille à saveur douce. L'épinard sauvage désigne une arroche, le chénopode bon-henri. L'épinard-fraise est un autre chénopode dont les graines forment de petites boules rouges évoquant des fraises. La bette-épinard est une poirée de petite taille ne formant pratiquement pas de côtes. Quant à l'épinard de Nouvelle-Zélande (tétragone cornue ou épinard d'été), il résiste bien à la chaleur, mais ses feuilles sont beaucoup plus charnues que celles de nos épinards.

Faites le bon choix

Choisissez des épinards lents à monter en graine. Optez pour les variétés hybrides F1 : 'Marathon' (feuillage vert foncé, plant vigoureux), 'Mélodie' (variété très lente à monter en graine), 'Space' (feuille arrondie, vert très foncé), 'Tyee' (feuille épaisse, vert foncé, résistant à la montée en graine).

Les feuilles d'épinard : un bon indice de teneur en nitrates. Si elles sont vert sombre et fortement cloquées, c'est à coup sûr parce qu'elles sont riches en nitrates. Réduisez les apports d'azote et cultivez les épinards davantage au soleil. Si elles sont vert pâle et lisses, le taux est faible. Mais, dans tous les cas, mangez-les sans attendre, pour que ces nitrates ne se transforment pas en nitrites, substances toxiques.

▶ Potager

Épouvantail

Éloignez les oiseaux en fin d'hiver. Ils sont attirés par les bourgeons qui gonflent, en particulier ceux des groseilliers et des cerisiers. Fixez aux branches des bandelettes (40 × 4 cm environ) d'aluminium ménager ou de plastique jaune vif. Vous pouvez ainsi recycler les sacs de tourbe.

Un transistor dans le cerisier. Réglé à plein volume, il ne manquera pas d'éloigner les merles mais sera sans doute peu apprécié des voisins ! Réservez-le à l'urgence, le temps de terminer la cueillette des précieuses cerises.

Confectionnez un bel épouvantail avec les enfants : vêtements colorés, chapeau de paille, râteau, ou autres attributs jardiniers. Les enfants seront ravis, même si les oiseaux ne sont pas effrayés longtemps ! Pour plus d'efficacité, déplacez-le souvent et changez sa tenue.

L'érable à sucre, une richesse bien à nous

Bien que l'on retrouve environ 150 espèces d'érables dans le monde, l'érable à sucre (*Acer saccharum*), quant à lui, ne se trouve qu'en Amérique du Nord.
Au Canada, son aire de distribution s'étend du sud-est du Manitoba en passant par le sud de l'Ontario et du Québec jusqu'en Nouvelle-Écosse.
L'érable à sucre est sans aucun doute l'un des plus beaux arbres de nos forêts : sa silhouette majestueuse, sa coloration automnale aux teintes vives orangées sont uniques à notre paysage. Son bois, très dur, est utilisé pour l'ébénisterie, les planchers, le contreplaqué, les manches d'outils, les traverses de chemin de fer. Quant à sa sève printanière avec laquelle on obtient notre « fameux » sirop d'érable... c'est le produit qui, sans contredit, a fait de l'érable à sucre et de nos érablières une réputation à travers le monde.
À l'automne, l'érable contribue à créer un décor de charme. Souvent présent dans nos forêts mixtes, ses rouges et ses oranges sont éclatants, surtout lorsqu'ils sont en association avec les jaunes des bouleaux et des peupliers, ainsi qu'avec les verts des conifères. Un spectacle dont il faut profiter avant la venue de l'hiver !

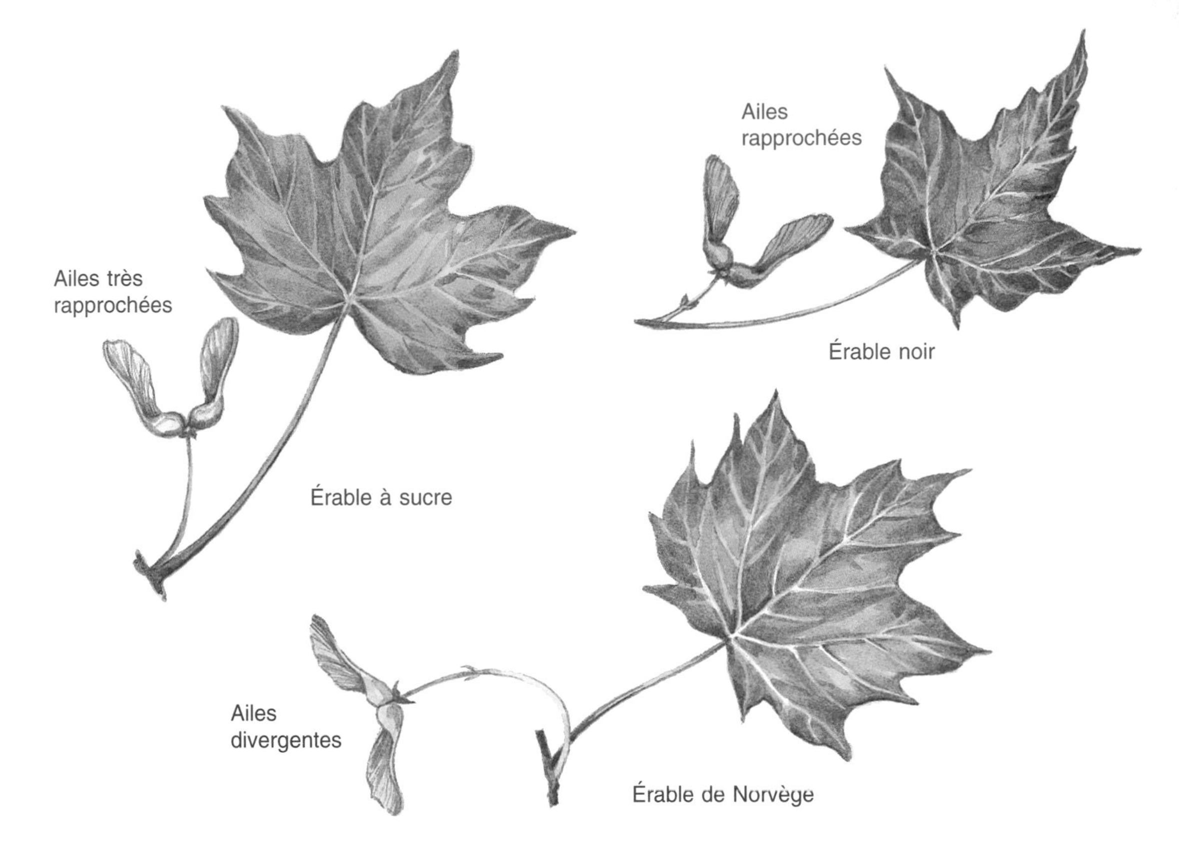

Lequel est l'arbre à sucre ?

Pour fabriquer du sirop et du sucre, on utilise surtout la sève de l'érable à sucre et de l'érable noir, ainsi que celle de l'érable de Norvège. D'autres variétés pourraient aussi être utilisées, mais leur rendement est très inférieur. L'écorce gris foncé de l'érable à sucre est écailleuse. Celle de l'érable noir est grise et lisse quand l'arbre est jeune et devient foncée et écailleuse quand l'arbre vieillit.

Une cabane à sucre typique de nos érablières ainsi que les deux sortes d'entailles pratiquées : entaille avec chalumeau, qui est la méthode traditionnelle, et entaille avec tubulure, qui permet de transporter la sève directement de l'arbre à la cabane à sucre.

Comment faire votre sirop d'érable à la maison

L'évaporation de la sève pour l'obtention de sirop n'est pas chose compliquée… Elle nécessite surtout du temps et du combustible.

Vous pouvez procéder sur votre cuisinière, à condition d'avoir au-dessus de celle-ci une hotte aspirante, à défaut de quoi vous retrouveriez des dépôts de sucre sur les murs, les plafonds, les meubles et les planchers.

Vous pouvez aussi faire bouillir votre sève d'érable à l'extérieur, sur un feu de bois, un poêle au kérosène ou au gaz. Vous la transporterez sur votre cuisinière à la dernière étape du processus d'évaporation, c'est-à-dire après la première filtration (voir détails dans « Comment procéder »).

Matériel requis

– 1 bac ou grande marmite pouvant contenir 20 à 30 litres de liquide
– 1 marmite pouvant contenir 5 à 10 litres de liquide
– 1 cuiller
– 1 thermomètre à bonbons
– 1 passoire
– linge épais ou papier essuie-tout

Comment procéder

1. Dans la grande marmite, verser la sève jusqu'à ce que le récipient soit rempli jusqu'à moitié. Mettre sur le feu et amener à ébullition.
2. Brasser de temps en temps avec la cuiller.
3. Avec une passoire, enlever régulièrement l'écume à la surface.
4. Ajouter un peu de sève au fur et à mesure de l'évaporation pour maintenir le niveau du liquide.
5. Lorsque le sirop atteint 103,2 °C, retirer du feu et verser le sirop dans la marmite plus petite en le filtrant dans une passoire garnie d'un linge épais ou de papier essuie-tout.
6. Remettre sur le feu (celui-ci doit être facile à contrôler lors de cette dernière étape : utilisez votre cuisinière pour celle-ci).
7. Lorsque la température atteint environ 105 °C, votre sirop est prêt.
8. Filtrer le sirop une seconde fois au moment de le verser dans les bocaux.

Si vous n'avez pas de thermomètre à bonbons, voici un petit truc pour savoir quand votre sirop est prêt : lorsque 2 gouttes sur le bord d'une cuiller de métal se réunissent en 1 seule goutte.

Les érables indigènes de nos forêts

Nom latin	Nom français	Zone de rusticité
Acer negundo	érable à Giguère	2
A. nigrum	érable noir	4
A. pensylvanicum	érable de Pennsylvanie	3
A. rubrum	érable rouge	3
A. saccharinum	érable argenté	2b
A. saccharum	érable à sucre	4
A. spicatum	érable à épis	2

Les érables introduits d'Europe, de Russie ou d'Asie

Nom latin	Nom français	Zone de rusticité
Acer ginnala	érable de l'Amur	2b
A. mandshuricum	érable de Mandchourie	5b
A. palmatum	érable du Japon	5b
A. platanoides	érable de Norvège	4b
A. tataricum	érable de Tartarie	2b

La tire d'érable, une confiserie qui fait la joie des petits et des grands.

Installez des chats inquiétants, ennemis jurés des oiseaux, dans les arbres à protéger. Vous trouverez dans certains bazars des chats ou encore des têtes de chat noir aux yeux effrayants (billes de verre). Déplacez-les de temps à autre. Vous pouvez aussi confectionner vous-même une silhouette de chat dans du carton épais. Vos enfants se feront un plaisir de la peindre !

Protégez vos semis et jeunes plants de la voracité des oiseaux en quadrillant la surface d'un maillage de fils de coton tendus entre de petits piquets ou des tuteurs.

Sur vos semis en ligne, vous pouvez aussi poser temporairement un minitunnel en grillage plastifié à mailles fines.

▶ **Filet de protection, Oiseaux**

Escalier

Testez votre escalier de jardin. Si vous pouvez le monter ou le descendre en courant, c'est signe que les marches sont aux bonnes dimensions, soit en moyenne 15 à 20 cm de hauteur et 35 à 40 cm de profondeur (le giron). Plus une marche est profonde, moins elle sera haute. L'ensemble des deux mesures (hauteur + profondeur) ne doit pas dépasser la longueur moyenne d'un pas (60 cm).

Construisez un escalier du bas vers le haut et non le contraire. Vous travaillerez plus commodément. Montez la terre à mesure que vous creusez les marches, et calez-les les unes sur les autres. Faites un rapide calcul des dimensions des marches avant de commencer.

Si la pente est abrupte, tracez votre escalier de biais, en évitant de le construire de front. Il serpentera comme une route de montagne. Moins fatigant, il sera mieux intégré à la pente.

Simple et économique. Découpez simplement les marches dans la terre en la tassant bien. Recouvrez-les d'un matériau qui les stabilisera : gravillons, rondins, dalles ou briques non scellées, ardoises pilées. Prévoyez des contremarches en rondins de bois pour retenir la terre.

Si la pente est longue, prévoyez plusieurs volées de 7 ou 8 marches au maximum, reliées par des paliers qui doivent faire au minimum la longueur de 3 marches.

Les meilleures marches sont faites avec des pierres plates (naturelles ou reconstituées). Assurez leur stabilité avec du sable et de grosses pierres en contremarche. Prévoyez un recouvrement partiel par la dalle supérieure pour qu'aucune marche ne puisse basculer. Inclinez-les très légèrement afin que la pluie s'écoule.

Faciles à monter, les briques. Assemblez-les sur un sol bien ferme ou sur un béton maigre. Leurs dimensions permettent de construire des marches de toutes les tailles.

Des matériaux à risque. Rondins et pierres (ardoise, marbre) peuvent devenir glissants lorsqu'il pleut ou qu'il gèle. Choisissez des matériaux un peu rugueux. Les pierres trop sombres (ardoise), placées en plein soleil, sont brûlantes en été. Pensez à des matériaux clairs.

Un escalier vert avec des dalles de ciment alvéolées. Grâce à leur poids et à leurs grandes dimensions, les marches faites avec des dalles seront très stables. Remplissez-les de terre et plantez du gazon ou des plantes tapissantes (thym serpollet, acaena, sagine, phlox mousse). Entretenez-les manuellement (taille, tonte...).

Un escalier dans une rocaille en facilite l'entretien. Donnez-lui l'allure naturelle et irrégulière d'un sentier pour les chèvres, avec des petits paliers pour s'arrêter. Choisissez des matériaux discrets qui s'intégreront bien (pierre, bois).

Aménagez un pas-d'âne dans une pente très faible (5 à 7 %). Creusez une série de marches peu élevées (10 cm) mais profondes : au moins trois pas (1,80 m), pour attaquer la suivante de l'autre pied à chaque fois. Dans une pelouse, modelez simplement le pas-d'âne avec la terre et le gazon, sans autres matériaux.

Les traverses de voies ferrées font d'excellents nez de marches en bois très résistants. Leur épaisseur (15 cm) permet de faire directement des marches de la bonne hauteur. Longues d'environ 2,50 m, elles peuvent être sciées en 2 ou 3 morceaux selon la largeur désirée. On peut s'en procurer dans les cours à bois et dans les jardineries.

Camoufler un escalier en béton. De part et d'autre des marches, placez de grandes jardinières, que vous garnirez de fleurs annuelles ou vivaces.

Pour rétrécir un escalier trop large, faites pousser aux extrémités des marches des plantes grimpantes peu exigeantes (lierre, vigne vierge) ou d'autres plus vigoureuses et très couvrantes, que vous guiderez le long des marches et des rambardes : cotonéaster de Dammer, aristoloche, chèvrefeuille, *Clematis macropetala* et *C. alpina*.

Créez un escalier fleuri. Prévoyez des poches de terre sur les bords ou dans les marches. Traitez cet escalier comme une rocaille. Repiquez des plantes vivaces de petite taille (aspérules, orpins, lierre, pervenches, saxifrages, géraniums vivaces, lavande).

Une rampe pour votre brouette. Si votre escalier est assez large (plus de 1 m) et pas trop raide

(marches de 15 cm de hauteur au maximum), vous pouvez prévoir une rampe pour faire rouler une brouette ou une bicyclette. Utilisez une traverse de chemin de fer ou une poutrelle de béton, que vous installerez au milieu de l'escalier, de manière à ce qu'elles affleurent le nez des marches.

▶ **Pente**

Escargot, limace

Connaître l'ennemi. Cette gentille créature qui se déplace lentement sur son pied baveux et sa cousine sans coquille peuvent rendre la vie infernale au jardinier. Ils dévorent nuitamment feuilles d'hosta, pousses de dahlia, de lupin, de delphinium et, au potager, se gavent des feuilles les plus tendres : jeunes semis, petits plants ou cœurs de chou… À raison de quelque 500 descendants par saison pour chaque gastéropode hermaphrodite, il est impératif de commencer la lutte tôt au printemps.

Prédateurs naturels. Invitez au jardin le porc-épic, les grenouilles et les crapauds, ainsi que les oiseaux à gros bec (merles…). Dans un jardin très fréquenté, ne bêchez pas en automne, saison de la ponte, attendez plus tard.

MESURES DÉFENSIVES

Lutte biologique. Les escargots n'aiment pas l'odeur du fenouil : semez-en en différents points du jardin ou fichez en terre, près des cultures à protéger, quelques bâtons secs prélevés sur les plantes les plus odoriférantes.

Ils ne passeront pas si les plants les plus exposés sont entourés d'une collerette rugueuse, comme un disque usagé de ponceuse ou un carré de papier de verre…

Un rempart pulvérulent. Répandez autour des touffes à protéger coquilles d'œufs, sciure, marc de café, sable, écorces finement broyées, cendres…

Protégez vos jeunes plants en les entourant d'une collerette en plastique enfoncée dans le sol. Utilisez le cylindre du corps d'une bouteille plastique transparent.

Qui s'y frotte s'y pique. Couchez des branches épineuses sur le sol : taille de haies défensives, épine-vinette, ajonc…

PIÈGES MORTELS

Gourmandise… Les limaces et les escargots seront irrésistiblement attirés par un verre rempli de bière, même éventée, ou d'eau sucrée. Le récipient doit être assez profondément maintenu en terre pour qu'ils s'y noient. Renouvelez le contenu tous les 3 jours.

Conservez les peaux des demi-pamplemousses. Faites une encoche dedans, comme une porte d'igloo, pour laisser passer sans encombre un escargot. Placez un appât sous ce piège bien visible pour le jardinier, facile à remplacer, et même compostable.

Guet-apens. Percez 3 ou 4 beaux trous (2 cm au moins) dans une canette métallique, de telle façon que le métal défoncé se dirige vers l'intérieur de la boîte : il formera une sorte de toboggan pour les gastéropodes. Placez dans la boîte le mélange suivant : 1 cuil. de confiture, 2 cuil. de sucre, 1 cuil. de jus de citron, pour un grand verre d'eau ; tout cela bien dissous et en quantité suffisante pour une noyade en douceur.

Protégez les animaux domestiques. Si votre jardin est fréquenté par les chats, les chiens ou les hérissons, achetez un produit répulsif et inoffensif pour les animaux domestiques. De plus, placez vos appâts pour escargots dans le cylindre couché d'une bouteille en plastique sans fond ni goulot ou sous une tuile.

Ramassage. Se débarrasser des cadavres n'a rien de bien agréable. Pour le faire vite et bien, utilisez des pincettes ou des baguettes.

Espalier

Un verger vertical. Cultivez vos arbres fruitiers en leur donnant une forme aplatie et régulière le long des murs. Ils bénéficieront d'un abri contre le froid et le vent, et vous gagnerez de la place. Cultivez en priorité la vigne, les poiriers et les pommiers, qui sont les plus « malléables », avant les abricotiers et les pêchers. Cerisiers et pruniers se forment plus difficilement en espalier.

La bonne hauteur. Si vos murs atteignent 2,50 m de hauteur, vous n'aurez pas de problèmes pour y planter un arbre fruitier en espalier. S'ils sont plus bas, plantez les arbres en inclinant le tronc à 45° et formez des cordons obliques. Choisissez également des porte-greffe peu vigoureux.

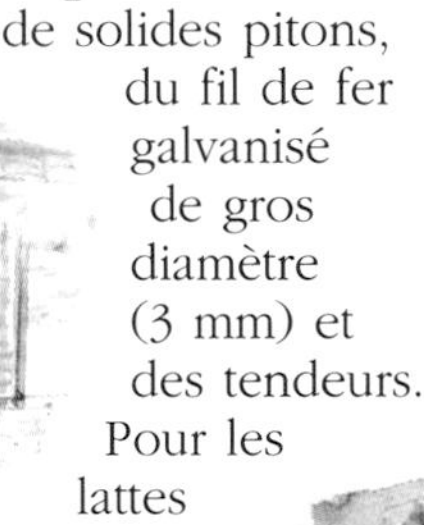

Les bons supports d'un espalier. Utilisez de solides pitons, du fil de fer galvanisé de gros diamètre (3 mm) et des tendeurs. Pour les lattes verticales, choisissez du bois : bambou, cèdre ou pin, que vous pourrez peindre ou non. Les mailles de ce quadrillage doivent former des carrés de 50 cm de côté.

Des espaliers décoratifs. De nombreux arbustes d'ornement peuvent former de magnifiques espaliers décoratifs : céanothes, cognassiers du Japon, forsythias, glycines, magnolias ou pyracanthas. Partez d'un jeune plant pour lui donner, au fil des années, une charpente équilibrée.

▶ **Loi, Palmette**

Estragon

Gare à l'humidité. L'estragon est rustique à condition de pousser dans une terre bien drainée. Si votre sol est compact, apportez une bonne pelletée de sable et une autre de terreau dans le trou de culture : vous garderez ainsi votre plant de nombreuses années.

N'achetez pas de graines. L'estragon digne de ce nom fleurit mais ne fructifie pas sous nos climats. Il se multiplie obligatoirement par éclats de touffes que vous trouverez en jardinerie ou chez votre voisin. Les graines proposées dans le commerce (estragon de Russie) donnent des plantes très peu parfumées.

Un aromate plein de saveur. Utilisez l'estragon pour assaisonner les préparations au vinaigre (cornichons, pickles…), dont il neutralise l'acidité. Haché, il rivalise avec des épices très parfumées et donne du relief aux plats les plus insipides, rendant plus faciles les régimes sans sel (voir Conserves).

▶ **Aromatiques**

Étiquetage

Sachet utile. Au potager ou dans les massifs d'annuelles, conservez le sachet des graines. Fixez-le replié sur un bâtonnet fiché en terre, mais recouvrez-le d'un sac en plastique transparent et étanche pour le protéger des intempéries. Si le paquet de graines n'est qu'entamé, faites une étiquette indépendante.

Aide-mémoire. Utilisez un feutre indélébile (celui du congélateur est parfait) pour marquer sur l'étiquette le nom, la variété et la couleur des plantes récupérables d'une année sur l'autre. Ajoutez au dos la provenance (pépinière, jardinerie, cadeau d'un ami…) et la date du semis ou de la plantation, car vous serez surpris d'avoir la mémoire si courte !

Dahlia parlant. Sur les tubercules bien secs rentrés au début de l'automne, inscrivez directement au feutre le nom et la couleur de la variété : tout ira plus vite lors de la mise en place, au printemps suivant.

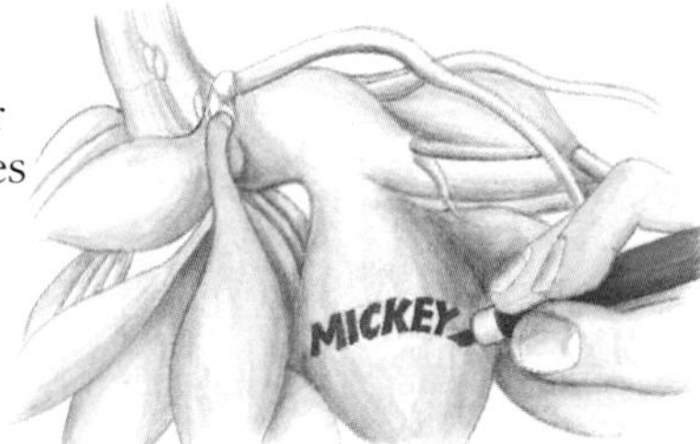

Découpez, récupérez. De nombreux emballages vides en plastique ou en carton (pots de crème, de yogourt, d'aliments en poudre…) peuvent devenir, après quelques coups de ciseaux, des étiquettes pratiques, résistantes et économiques.

En harmonie avec la végétation et qui durent très longtemps : les étiquettes en bambou. Coupez un bambou en deux dans le sens de la longueur, et taillez en biseau de petites étiquettes dedans. Écrivez dessus au feutre indélébile.

Lecture rapide. Choisissez une couleur par type de plante, vous vous y retrouverez plus facilement : par exemple, le jaune pour les bulbes, le blanc pour les vivaces…

Des étiquettes en bois. Coupez en biseau des branches de 4-5 cm de diamètre. Perforez les rondelles pour y glisser une attache. Lissez-les au papier de verre et peignez-y vos inscriptions.

Galets informatifs. Rapportez de la plage ou du lit d'un torrent des galets plats de bonne taille. Peignez-y le nom des plantes et posez-les à leur pied : fidélité et discrétion assurées. S'ils viennent de la plage, lavez-les à grande eau avant utilisation.

Fenouil

Mariez le feuillage léger et décoratif du fenouil avec des plantes ornementales (rosier, lavande…). Il existe des variétés de

couleur bronze formant de belles touffes hautes de 1,50 m. Il se ressème facilement : vous retrouverez chaque année de jeunes plants à repiquer.

Semez-le au bon moment. Effectuez vos semis tôt au printemps pour le récolter tôt à l'automne. Il atteint sa maturité environ 90 jours après le semis. Savourez-le cru ou cuit.

Pour obtenir des bulbes parfaitement blancs et tendres, enterrez le collet des jeunes plants de 4 ou 5 cm en les repiquant. Arrosez régulièrement. Dès que le bulbe commence à se former, recouvrez-le de terre sur une hauteur de 10 à 15 cm. Vous pouvez commencer la récolte au bout de 3 semaines.

Parfum anisé. Découvrez le fenouil condimentaire, *Foeniculum vulgare.* C'est une plante annuelle qui ne forme pas de bulbe. Installez-le en plein soleil. Ne tardez pas pour cueillir les feuilles et les jeunes pousses : il faut qu'elles soient encore tendres pour aromatiser vos plats. Récoltez donc les feuilles avant la floraison. À l'automne, récoltez les graines contenues dans les ombelles.

▶ **Aromatiques**

Faites le bon choix

Sélectionnez des variétés adaptées à notre climat :

- 'Fenouil de Florence'
- 'Fenouil Zefa Fino'
- 'Fenouil Zefa Tardo'

Feu

Brûlez les déchets végétaux interdits de séjour sur le tas de compost : plantes malades, feuilles d'arbres fruitiers, mauvaises herbes vivaces, déchets de taille si vous ne disposez pas d'un broyeur pour les hacher menu…

Vous pouvez préférer un bon feu de jardin pour éliminer les déchets végétaux plutôt qu'une mise en sac qui ira augmenter encore le volume des ordures ménagères. Mais n'oubliez pas : de nombreuses municipalités distribuent des sacs de papier recyclable à l'automne pour le ramassage des feuilles mortes.

Débroussaillez autour de la maison. C'est une bonne idée dans les régions où les risques de feux de forêt sont importants, même en zone urbaine et sur les terrains non bâtis. Éliminez les broussailles, c'est-à-dire tous les végétaux ligneux et herbacés qui ne sont ni de futurs arbres d'au moins 5 m de haut ni des plantes d'agrément ou d'utilité régulièrement entretenues.

Savoir-vivre. Choisissez un jour sans vent, avec un ciel couvert, plutôt qu'une journée où tous les voisins mangent dehors !

Prenez vos distances. Avant d'allumer votre feu, choisissez avec soin l'emplacement. Il doit être dégagé non seulement au sol, mais aussi en hauteur. Les flammes peuvent atteindre près de 2 m, et la chaleur dégagée « grille » rapidement le feuillage des arbres situés au-dessus ! Respectez un éloignement de plusieurs mètres par rapport à toute

construction, et ne laissez jamais un feu dormant sans surveillance.

Renseignez-vous auprès de votre mairie pour savoir s'il existe des arrêtés municipaux interdisant les feux de jardin à certaines périodes de l'année ou imposant des jours et des heures pour ne pas gêner le voisinage. Sachez qu'il est interdit de brûler des ordures ménagères en plein air.

▶ **Barbecue, Cendres**

Feu bactérien

Les grands moyens. Cette maladie très grave provoquée par une bactérie se développe rapidement et entraîne des destructions catastrophiques dans les vergers (surtout sur les poiriers, mais aussi sur les pommiers et cognassiers). Pousses et bouquets floraux se dessèchent en se recourbant en crosses caractéristiques. Le feuillage atteint semble brûlé. Dès l'apparition de cette maladie, réagissez rapidement car elle se propagera très vite dans vos plantations. Brûlez tous les arbres infectés et nettoyez les outils de taille à l'alcool.

Mesure préventive. Pour éviter la dissémination de cette maladie, des plantes ornementales ont été interdites à la culture ces dernières années dans certains pays. Il s'agit des aubépines, de plusieurs espèces de cotonéasters *(Cotoneaster bullatus, C. congestus, C. salicifolius, C.* × *watereri…)* et de quelques cultivars de pyracantha. En attendant que les chercheurs trouvent des variétés résistantes, remplacez ces végétaux par des épines-vinettes, fusains, troènes, houx, spirées, viornes…, qui ne sont pas porteurs de la maladie.

Feuilles mortes

Une protection contre le froid. Ramassez-les et épandez-les sur les racines ou autour des tiges des plantes fragiles. Au besoin, aidez-vous d'un corset de fil de fer.

À l'automne, inspectez régulièrement les gouttières et autres tuyaux à l'air libre. En récupérant à la main (avec un gant de jardinier ou à l'aide d'une petite pelle) toutes les feuilles qui s'y sont amoncelées, vous éviterez les mauvais écoulements et les débordements.

Gain de temps. Le balai et la brouette, l'aspirateur, le râteau, la balayeuse sont tous efficaces pour le ramassage des feuilles ; mais pourquoi, là où elle passe bien, n'utiliseriez-vous pas la tondeuse, qui ramasse et broie en une seule opération ?

Compostage accéléré. Certaines feuilles mettent longtemps à se décomposer. Celles du platane demandent jusqu'à 5 ans, celles du chêne jusqu'à 3 ans. Jetez quelques grosses poignées de feuilles dans une grande poubelle et broyez-les au coupe-bordures à fil. Lorsqu'elles sont déchiquetées, ajoutez-en d'autres, et ainsi de suite. Compostez par fines couches en intercalant avec des débris, de la terre… (voir Compost).

Traitement spécial. Ramassez à part et brûlez aussitôt les feuilles attaquées par la tavelure ou tachées : la maladie hiverne dans les feuilles. En revanche, vous pouvez récupérer les cendres sans risque.

Ramassez les feuilles de chêne et stockez-les dans des sacs bien à l'abri de l'humidité. Vous pourrez les utiliser pour faire des

Les feuilles mortes n'ont pas que des inconvénients : elles forment d'excellents paillis. Ramassez-les et étendez-les au pied des plantes sensibles au froid, ou compostez-les.

fumigations dans les serres. C'est un traitement efficace contre pucerons, fourmis, aleurodes et autres pestes des lieux clos (voir Aleurodes).

Pour récupérer les feuilles tombées dans le bassin, utilisez une fourche sur les dents de laquelle vous aurez fixé un grillage à mailles plus ou moins fines suivant le type de feuilles. Une épuisette de plage ou une vieille raquette de tennis peuvent également convenir pour une petite surface.

Feutre de jardin

Un matériau nouveau. Pratique, intelligent... et mal mis en valeur, ce feutre spécial, vendu au mètre comme le tissu ou la moquette, rend de grands services. S'il est sale (terre, mousse, algues...), secouez-le bien et passez-le en machine à laver à 40 °C, il ressortira impeccable.

Étalez-le sur les tablettes de serre. Vous l'arroserez, il retiendra l'eau et la restituera aux plantes tout en augmentant le taux d'humidité de l'atmosphère ambiante. Pensez aussi à l'utiliser dans les châssis, dans les miniserres...

Au moment de l'aménagement du jardin, placez-le sous les allées de gravillons (voir Allée).

Lorsque vous remplissez une jardinière, un bac, un pot..., mettez-le entre la couche drainante et la terre (voir Bac).

Découpez-le en minces bandes, vous obtiendrez des mèches très pratiques pour donner de l'eau à vos plantes en pots pendant votre absence. Il vous suffit de plonger une extrémité dans un récipient plein d'eau et de planter l'autre dans la terre.

Vous n'avez pas de feutre de jardin ? Utilisez du molleton polyester, vendu au mètre dans les magasins de tissus.

Fève

Le meilleur moment pour semer. La fève des marais, ou gourgane, doit être semée tôt au printemps, dès que le sol peut être ameubli, car elle croît dans un sol frais. À l'encontre de la gourgane, la fève de Lima doit être semée dans un sol bien réchauffé, aux environs du mois de juin car cette plante d'origine tropicale affectionne tout particulièrement la chaleur.

Quand récolter ? Lorsque les gousses atteignent 6 à 8 cm de long. Faites alors cuire les fèves avec la gousse comme des pois gourmands. Si vous préférez les écosser, attendez que les fèves soient visibles à travers les gousses, mais récoltez-les avant que le hile (cicatrice sur la graine) ne se colore : il doit être encore blanc ou vert, jamais brun ou noir. Cueillez chaque gousse en la tordant vers le bas.

Une bonne conservation. Laissez les fèves mûrir sur pied. Après arrachage, suspendez les pieds tête en bas, ou stockez les gousses sèches dans un filet à mailles ou dans du papier journal (protection contre les parasites et la poussière). Écossez la quantité désirée au moment de les manger.

Deux façons d'organiser vos semis. Espacez tous vos sillons de 35 cm ; ou semez les graines sur 2 rangs parallèles distants de 20 cm, et placez chaque double rang à 50 cm du suivant. Dans les deux cas, espacez les graines de 15 cm et creusez des sillons de 4 cm de profondeur.

Pour une récolte moyenne de 10 kg de gousses, prévoyez 30 graines, qui garniront 3 m linéaires.

Congelez les fèves fraîches après les avoir épluchées et plongées pendant 1 à 2 minutes dans l'eau bouillante. Faites des petits sachets, plus pratiques qu'un grand sac. Consommez-les dans les 12 mois.

Éliminez les pucerons en pinçant les tiges au-dessus du 4e bouquet de fleurs. Ils aiment les pousses tendres et ne migreront pas sur les tiges âgées. De plus, la sève irriguera mieux les gousses, qui n'en seront que plus belles.

Vous n'avez pas d'insecticide... et vos plants de fève sont subitement attaqués par les pucerons (en début de végétation principalement) ? Pulvérisez dessus une solution de savon, tel le Green Earth.

Faites le bon choix

Pour la fève des marais, optez pour : 'Major', 'Primo', 'Vainqueur Conqueror', 'Windsor Jubilee'. Pour la fève de Lima, préférez : 'King of the Garden', 'Limelight, 'Prizetaker'.

Figuier

Le figuier est très peu cultivé ici, dans le nord-est du continent, car il craint beaucoup les hivers rigoureux. Certaines variétés sont disponibles sur le marché, mais même en zone 5b leur culture reste délicate.

Pensez au figuier si votre terrain est sec et calcaire. Une fois installé, le figuier pousse sans trop de difficulté dans les sols les plus ingrats. De plus, son système radiculaire puissant retient bien la terre.

Vous manquez de place ou les hivers sont froids ? Palissez-le le long d'un mur bien exposé. Il sera plus facile à protéger du froid. Sinon, cultivez-le en buisson.

Le meilleur moment pour le planter se situe au début du printemps (mai), lorsque les risques de fortes gelées sont passés. Faites un trou bien profond. Arrosez copieusement votre arbre pendant le premier été. En climats méditerranéen et subtropical, on peut installer les jeunes arbres en automne.

Si votre figuier a gelé, ne désespérez pas et patientez : vous avez toutes les chances de le voir repartir dès le mois de mai. La souche émettra de vigoureux rameaux. Coupez alors tous les rameaux gelés.

Facile à multiplier. Prélevez des boutures longues de 20 à 30 cm sur une variété qui donne de bons résultats dans votre région. Enfoncez-les en terre sur une profondeur de 10 cm. Elles formeront des racines en quelques mois. Repiquez-les au printemps en les protégeant du gel.

Enfilez des gants si vous devez cueillir beaucoup de figues ou travailler dans l'arbre. Le suc laiteux du pédoncule des fruits est caustique pour la peau et très irritant pour les muqueuses. Pourtant, en médecine alternative, on l'utilise parfois pour traiter les cors et les verrues. Les feuilles sont également irritantes.

Faites cailler du lait avec le latex qui sort des pédoncules des figues. Quelques gouttes suffisent.

Feuilles pour récurer. Nettoyez les parois d'une casserole très sale avec une poignée de feuilles de figuier. Rincez abondamment à l'eau claire.

Fil de fer

Bouquet sec. Procurez-vous du fil de fer vert de fleuriste pour tiger les fleurs cassantes. Souple et discret, il vous rendra bien d'autres services pour vos compositions florales.

Faites un arceau et fichez-le en terre sur des boutures en pots, sur de jeunes plantations. Couvrez-le d'une toile à ombrer (ombrière), d'un voile de forçage ou tout simplement d'un sac en plastique transparent (recyclez ainsi les sacs du nettoyeur). Vous obtiendrez une bonne protection contre le soleil ou le froid.

Un bras plus long. Faites un crochet de fil de fer et fixez-le à l'extrémité d'un manche à balai ou d'une longue perche. Vous pourrez attraper les branches habituellement hors d'atteinte.

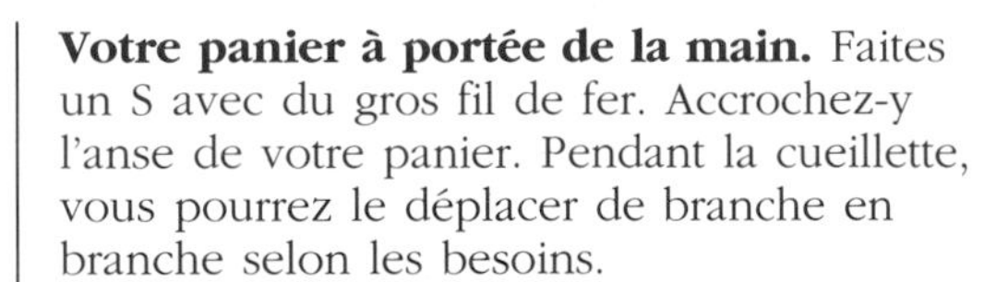

Votre panier à portée de la main. Faites un S avec du gros fil de fer. Accrochez-y l'anse de votre panier. Pendant la cueillette, vous pourrez le déplacer de branche en branche selon les besoins.

Filet de protection

Hérons, butors, mouettes et goélands viennent pêcher dans votre bassin ? Dissuadez-les en posant dessus un filet à larges mailles. Maintenez-le en place avec quelques petits flotteurs (bouchons de liège, balles ou bouteilles en plastique). Ce dispositif aura en plus l'avantage de récupérer les feuilles mortes.

Antichutes. Si vous avez de jeunes enfants, posez un filet de pêche — assez solide pour retenir le poids d'un enfant — légèrement au-dessus de l'eau. Tendez-le bien pour qu'il ne gêne pas la croissance des plantes.

Pour que les oiseaux ne mangent pas les fraises de votre potager avant vous, tendez des filets de protection dès que les fruits commencent à mûrir.

Protégez vos fraises lorsque arrive le temps de la cueillette. Choisissez un filet anti-oiseaux aux mailles de 2 cm. Posez-le sur des arceaux et maintenez-le au sol avec des briques ou des pierres pour qu'il ne se transforme pas en piège.

Une cage pour vos petits fruits. Vous pourrez y entrer et rester debout pour y travailler. Plus robuste, ce dispositif vous servira plusieurs années. Fixez un ou deux filets anti-oiseaux de grandes dimensions (6 m × 4 m) sur une structure de bois ou de métal. Prévoyez une porte étanche.

▶ **Bord de mer**

Fleurs

Des massifs soignés. À la fin du printemps et au début de l'été, inspectez-les presque quotidiennement. Repérez les plantes assoiffées, soutenez par un léger tuteur les tiges qui montrent des signes de faiblesse, coupez les fleurs fanées. Ayez toujours avec vous un panier et un sécateur !

Pour prolonger les floraisons, sachez couper les fleurs fanées. Si la tige est nue, sectionnez-la à la base. Si la tige porte des feuilles, coupez-la par un léger mouvement de torsion entre le pouce et l'index sous la fleur juste au-dessus d'une feuille. La plante, privée de ses fleurs et donc des graines qui assurent sa survie, en formera d'autres pour les remplacer.

Faites un apport d'engrais complet après la première vague de floraison et arrosez régulièrement par temps sec. Vous favoriserez ainsi la formation de nouvelles fleurs en abondance.

Pour obtenir des fleurs en quelques semaines, plantez en avril-mai la renoncule des fleuristes à mi-ombre, le freesia au soleil. Faites tremper les bulbes dans l'eau la veille de la plantation, ils démarreront plus vite.

Préparez les récoltes de graines en laissant ici et là quelques fleurs faner et former des graines. Récoltez-les à maturité.

Semis naturel sous arbustes. Ameublissez le sol afin de faciliter la germination. Suspendez aux branches des arbustes quelques bouquets de fleurs fanées quand les graines sont presque à maturité. Elles tomberont toutes seules avec le vent. Vous obtiendrez de bons résultats avec nigelle, myosotis, pavot, œillet bisannuel, cheiranthus, digitale...

▶ **Bouquet, Cueillette, Naturalisées, Séchage**

Un décor pour chaque mois

Chaque plante de votre jardin connaît son heure de gloire : elle s'épanouit alors en une floraison majestueuse, se distingue par un feuillage coloré ou persistant, ou encore porte des fruits aux nuances vives ou inattendues.
Le tableau qui suit répertorie les principales espèces au moment où elles sont le plus en valeur. Elles sont classées par grandes familles réunies au jardin : fleurs annuelles (à planter au printemps), fleurs bisannuelles (à planter à l'automne ou au printemps), bulbes (à planter à l'automne ou au printemps), puis vivaces, arbustes et arbres (à planter en début de saison ou hors saison en conteneur). La liste pourrait être beaucoup plus longue, mais nous avons sélectionné les espèces les plus résistantes, celles qui offriront le plus de satisfaction au jardinier amateur. À vous de faire votre choix en tenant compte de vos préférences, du climat, du style de votre jardin, de son aménagement. Annuelles, bisannuelles et bulbes fleurissent quelques semaines après la mise en place puis s'effacent devant d'autres plantes. Les vivaces, arbustes et arbres sont installés pour de longues années, ils prendront ampleur et beauté avec l'âge.

	Avril-Mai	Juin
Annuelles bisannuelles	myosotis pensée primevère	anthémis benoîte campanule à grosses cloches digitale gazania œillet de poète pavot d'Islande
Bulbes	chionodoxa cœur-saignant crocus érythrone fritillaire ixia jacinthe muguet muscari narcisse perce-neige scille tulipe	ail d'ornement anémone arum érémurus freesia lis ornithogale renoncule
Vivaces	ancolie arabis aster nain aubriète auricule *Caltha* corbeille-d'or doronic iris nain phlox mousse pivoine	achillée alchémille buglosse géranium hélianthème hémérocalle iris lysimaque œillet mignardise pavot pervenche primevère pyrèthre
Arbustes	amélanchier azalée clématite à petites fleurs cytise daphné forsythia genêt kalmia lilas commun magnolia de Soulange magnolia étoilé *Pieris* prunus rhododendron	aubépine chèvrefeuille clématite à grandes feuilles cognassier deutzia genêt lilas pivoine japonaise seringat sureau weigela
Arbres	magnolia pommetier prunus	aubépine *Catalpa* robinier sorbier tilleul européen

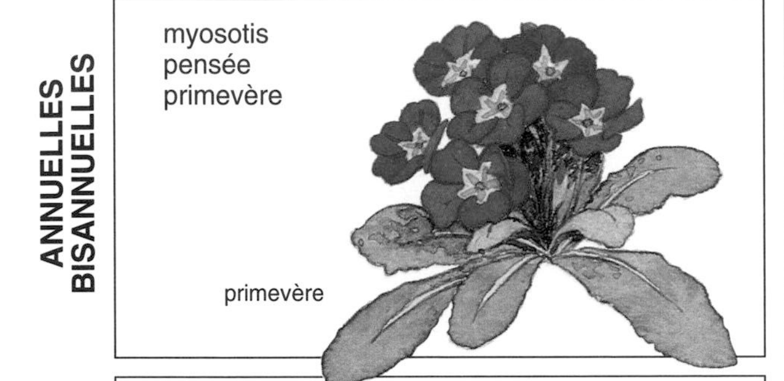
primevère

jacinthe

campanule à grosses

pavot

pommetier

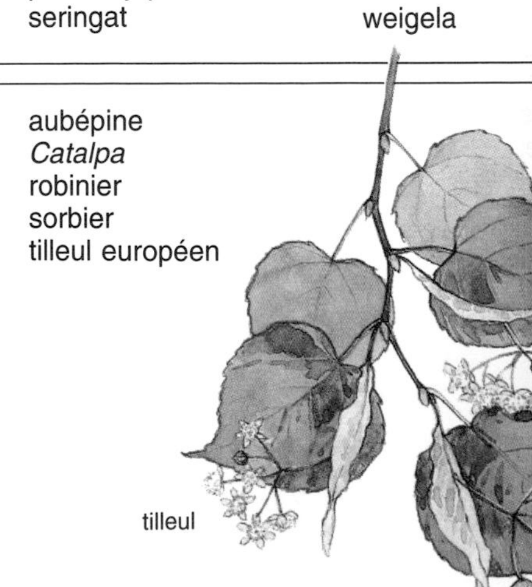
tilleul

	Juillet	Août	Septembre-Octobre
Annuelles Bisannuelles	capucine centaurée clarkia coloquinte coquelicot digitale eschscholzia uchsia éranium obélie nigelle sauge souci	ageratum bégonia coléus cosmos fuchsia lavatère nicotine œillet d'Inde pétunia pois de senteur rose-trémière tournesol zinnia	ageratum amarante anthémis célosie coloquinte immortelle impatiens reine-marguerite souci tournesol verveine zinnia
Bulbes	acidanthera agapanthe rum égonia tubéreux is de Saint-Jacques xalis	agapanthe alstroemère bégonia tubéreux crocosmia dahlia glaïeul gloriosa lis	colchique crocosmia crocus d'automne dahlia gaura tigridia
Vivaces	chillée sclépiade ster stilbe ampanule hardon bleu oréopsis elphinium pilobe aillarde hélénie lupin orpin phlox scabieuse	aconit aster graminées gypsophile hélénie heliopsis monarde œillet phlox sidalcea	anémone du Japon aster chrysanthème d'automne graminées gypsophile rudbeckia sédum d'automne tritoma verge-d'or
Arbustes	uddléia éanothus rête du Japon rtensia illepertuis sier remontant rbaria rbier irée d'été tamarix à petites feuilles	aralie japonaise buddléia callicarpa caryoptéris hortensia hydrangée pérovskia potentille rosier tamarix de Russie	aronie bruyère hortensia hydrangée Pee Gee millepertuis rosier sujets à baies à feuillage persistant sumac de Virginie (vinaigrier) sureau
Arbres	as japonais eul d'Amérique	olivier de Bohême pommetier sorbier	bouleau chêne érable érable du Japon frêne ginkgo liquidambar mélèze peuplier sorbier

lis de Saint-Jacques

lavatère

tournesol

immortelle

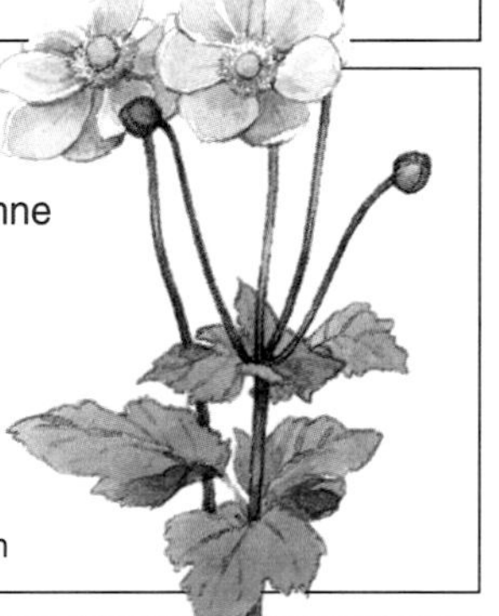
anémone du Japon

potentille

buddléia

sorbier

liquidambar

Des fleurs toute la saison

Fongicide

Ce n'est pas un produit polyvalent. Ne l'utilisez pas dès qu'une plante semble déprimée ou se couvre de petites taches. Le fongicide ne traite que les maladies cryptogamiques, c'est-à-dire liées à l'attaque d'un champignon. Aux premiers produits utilisés — la bouillie bordelaise, à base de cuivre, puis le soufre employé contre l'oïdium, appelé communément le blanc — se sont aujourd'hui ajoutés captane, zinèbe, thirame...

Produit « 2 en 1 ». N'ayez recours aux associations fongicide-insecticide que si c'est indispensable, pour traiter par exemple pucerons, cochenilles... et fumagine, puisque ce sont les insectes qui génèrent la maladie cryptogamique.

Une overdose peut être fatale à la plante. Respectez les consignes du fabricant, tenez les bombes aérosols à bout de bras et commencez le traitement par le bas d'une plante pour remonter doucement en insistant sur le dessous des feuilles, où se cachent les coupables.

Six conseils pour limiter l'usage des fongicides

- Choisissez des variétés résistantes aux maladies cryptogamiques (oïdium, rouille mosaïque...).
- Semez des graines traitées contre la fonte des semis.
- Offrez aux plantes de bonnes conditions de culture : assez de lumière, espacement suffisant, terre franche, nourriture.
- Respectez la rotation des cultures dans le potager.
- Combinez des associations végétales qui s'harmonisent et se soutiennent bien (voir Potager).
- Maintenez une bonne hygiène au jardin : ramassez feuilles et fruits malades et brûlez-les, désherbez.

Si vous repérez les premières taches de rouille, d'oïdium... sur une plante, neutralisez l'envahissement rapide par temps humide et chaud en badigeonnant feuilles et tiges atteintes avec de l'huile de cuisine (arachide, tournesol...). Il semblerait que la maladie ne puisse plus se propager, les spores étant étouffées sous la couche d'huile, imperméable.

▶ **Insecticide**

Fontaine

Son et lumière. Dans un bassin de style classique, ajoutez une note raffinée sous forme de fontaine lumineuse, associant petit jet d'eau et éclairage immergé. Le mouvement de l'eau est ainsi bien mis en valeur le soir. Évitez cependant les filtres colorés, dont l'effet est rarement réussi. Veillez bien sûr à respecter toutes les normes de sécurité pour cette installation électrique (faible voltage, parfaite étanchéité).

Attention aux plantes aquatiques. Si votre bassin est peuplé de plantes aquatiques, préférez une petite fontaine à un jet d'eau puissant. Les mouvements d'eau contribuent à une bonne oxygénation, mais les plantes aquatiques n'aiment guère être malmenées. Installez la pompe à l'écart des plantes délicates, les nénuphars en particulier.

Pour éviter les pertes d'eau sur les bords du bassin ou du réservoir, n'installez pas un jet trop haut. Le diamètre du bassin doit faire au moins le double de la hauteur du jet d'eau. Choisissez une pompe à débit réglable.

Surélevez la pompe en la posant sur des briques s'il y a des plantes dans le bassin. Vous éviterez ainsi le perpétuel engorgement du filtre par les dépôts de matière organique.

Sobriété et simplicité. Dans un cadre de feuillage (petite cour, coin du jardin, terrasse...), aménagez une petite fontaine toute simple de style oriental. Il suffit d'une petite pompe immergée placée au fond d'une vasque, d'un bambou creux taillé en biseau à son extrémité et d'un tuyau raccordant les deux. Réglez la pompe sur un faible débit.

En toute sécurité. L'eau est toujours un danger potentiel pour les jeunes enfants. Vous pouvez cependant concilier l'attrait des jeux d'eau et la sécurité des petits en installant une fontaine bouillonnante à réservoir enterré. L'eau jaillit au centre d'une meule en pierre (ou béton) et ruisselle dessus avant de retomber dans le réservoir enterré. Placez la pompe dans le réservoir et protégez celui-ci par une grille que vous masquerez par exemple en disposant de jolis galets autour de la meule.

Une fontaine bouillonnante apporte de la vie au jardin. Elle est sans danger pour les enfants.

▶ **Aquatiques, Bassin, Électricité**

Forçage

Pour faire s'épanouir dans la maison des rameaux d'arbustes à fleurs, choisissez toujours des tiges souples aux bourgeons bien formés, gonflés, avec une pointe de couleur, sans quoi les boutons ne s'ouvriront pas. Forcez dès mars forsythia, bois gentil, hamamélis parfumé, cognassier du Japon ; puis, un peu plus tard, pruniers, cerisiers et groseilliers à fleurs. Mettez le vase en situation lumineuse, pas trop chaude (16 à 18 °C). Renouvelez l'eau régulièrement.

Un poinsettia pour Noël. Pour fleurir, il a besoin d'une longue période de « jours courts », soit environ 8 semaines avec moins de 10 heures de lumière par jour (sans éclairage artificiel !). À partir de fin octobre, coiffez-le tous les jours de 17 heures à 8 heures d'un grand carton ou d'un sac en plastique noir soutenu par un arceau. Cessez quand les boutons floraux sont bien formés.

BULBES

Résultat assuré si vous achetez des bulbes préparés, spécialement destinés au forçage. Vous trouverez ainsi des bulbes de jacinthe, narcisse, tulipe hâtive, crocus, et même de muscari.

Essayez la culture sur cailloux avec les narcisses *tazetta* comme 'Paper White', aux petites fleurs parfumées. Garnissez le fond d'un vase transparent d'une couche de sable, recouvrez d'un lit de terreau. Posez les bulbes assez serrés (laissez 1 à 2 cm entre eux). Recouvrez de gravier ou de billes d'argile expansée. Veillez à ce que les bulbes soient bien ancrés car les tiges longues peuvent les déstabiliser. Versez de l'eau jusqu'à 2 à 3 mm sous la base des bulbes. Laissez le récipient 8 à 10 jours dans l'obscurité et au frais, puis placez-le en situation lumineuse dans la maison. Racines et tiges se développeront rapidement.

Forcez au froid les bulbes de printemps. Plantez-les serrés dans une large coupe remplie d'un mélange de terreau ordinaire et de sable. Laissez dépasser l'extrémité des bulbes. Arrosez bien. Mettez la coupe dans l'obscurité et au frais (4 à 10 °C). Maintenez le mélange humide pendant 2 mois environ. Rapportez la coupe dans la maison quand les pousses atteignent 2 à 5 cm.

Pour un effet plus décoratif encore, choisissez un récipient en verre. Remplissez-le de sable, billes, terreau, gravillons de calibres différents, jolis galets... Les différentes strates seront du meilleur effet.

Acclimatation en douceur. Pour faire entrer les potées de bulbes dans la maison, procédez par paliers de température : déposez-les d'abord quelques jours dans une pièce à 10-15 °C, puis mettez-les à l'endroit voulu, à condition qu'il soit toujours bien éclairé.

Pour prolonger la floraison des crocus et des muscaris, transportez les potées dans une pièce fraîche ou dans la véranda pour la nuit.

Obscurité complète pendant l'enracinement. Placez tous les pots dans une caisse et enveloppez le tout d'un plastique noir. Rangez votre caisse dans la véranda, contre un mur de la maison.

Autre solution : enfouissez les pots sous une bonne couche de tourbe.

▶ **Aluminium**

Fougère

Économie de temps et d'eau. Chaque année, en fin d'hiver, étalez au pied de chaque touffe 3 à 5 cm de terreau de feuilles ou de compost. Ce paillis gardera l'humidité du sol et vous n'aurez à arroser qu'en période sèche.

Votre touffe de fougère a pris trop d'ampleur ? Faites-en plusieurs petites. Au début du printemps, dégagez la touffe puis, à la main ou à la bêche selon la taille, divisez-la en deux ou trois éclats, que vous replanterez séparément. Si la souche est rhizomateuse, utilisez un couteau ou un greffoir pour faire une coupe nette.

Attendez le printemps pour nettoyer les touffes. Les frondes (feuilles) sèches des espèces caduques protègent la souche en hiver. Coupez-les à la base au sécateur quand de nouvelles pousses apparaissent.

Fougère

Dans la maison, optez pour les plus robustes : fougère nid-d'oiseau, *Nephrolepis exaltata, Pellaea rotundifolia, Phlebodium aureum, Pteris cretica* supportent un air assez sec.

Pour récolter les spores, coupez une fronde bien garnie et faites-la sécher sur une feuille de papier. Les spores vont tomber sur le papier en fine poussière. Il vous suffira alors d'enlever la fronde et de plier la feuille en gouttière pour les semer.

Essayez le semis de spores. Saupoudrez-les dans une coupe remplie de mousse maintenue constamment humide. En quelques mois, vous allez voir se développer des prothalles en forme de cœur et ressemblant un peu à du lichen. Détachez des petites touffes à l'aide d'un petit

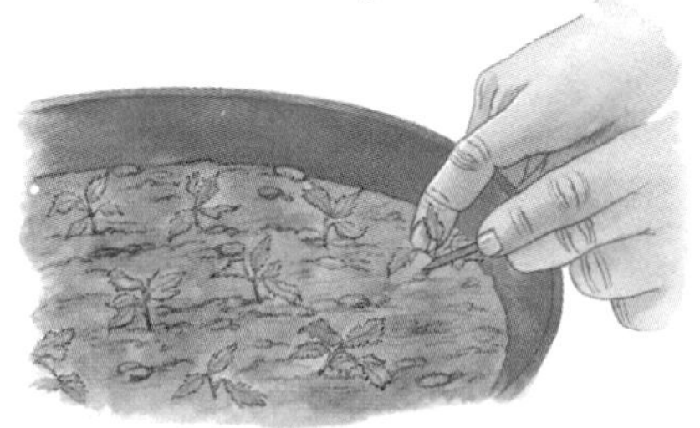

transplantoir ou d'un couteau. Repiquez-les dans des pots remplis de terreau humide en tassant bien avec les doigts.

Bain hebdomadaire pour la fougère corne-de-cerf. Si elle est fixée sur un morceau d'écorce, plongez-la dans une cuvette remplie d'eau douce et tiède pendant 20 à 30 minutes. Laissez-la s'égoutter avant de la remettre en place.

Ces touffes de Matteucia struthiopteris *(fougère-à-l'autruche) prospèrent en sol frais, riche en humus. Leur vert tendre égaie un coin à l'ombre.*

Ambiance humide. Posez vos fougères exotiques sur un lit de gravillons ou de billes d'argile trempant dans un peu d'eau (l'eau ne doit pas atteindre la base des pots). Arrosez-les toujours à l'eau douce et effectuez de fréquentes vaporisations d'eau tiède sur le feuillage.

Fougères : faites le bon choix

Les fougères ne sont pas seulement des plantes d'ombre et de terrain frais. Il y en a pour toutes les situations, même la rocaille ou les murets de pierres sèches.

Espèce	Hauteur	Type de sol	Exposition	Remarques
Adiantum pedatum	60 cm	humide et frais	mi-ombre ou ombre	
Athyrium filix-femina	60 à 80 cm	ordinaire, plutôt frais	ombre ou mi-ombre	très robuste
Athyrium niponicum 'Pictum'	30 à 45 cm	humide et frais	ombre ou mi-ombre	espèce plus basse
Dennstaedia punctilobula	60 à 80 cm	humide et frais	soleil ou ombre	
Dryopteris filix-mas	60 à 90 cm	ordinaire et frais	ombre ou mi-ombre	très robuste
Dryopteris marginalis	60 à 80 cm	humide et frais	ombre ou mi-ombre	feuillage persistant
Matteucia struthiopteris	100 à 120 cm	frais, riche en humus	soleil ou ombre	
Onoclea sensibilis	40 à 60 cm	toujours humide	soleil ou ombre	
Osmunda regalis	120 à 150 cm	tourbeux, humide ; bord des eaux	ombre ou mi-ombre	imposante avec l'âge
Polypodium vulgare	20 à 30 cm	sec à frais, non calcaire	ombre ou mi-ombre	muret, rocaille
Polystichum acrostichoides	30 à 50 cm	humide et frais	ombre ou mi-ombre	feuillage persistant

À noter : toutes les fougères mentionnées ici sont de zones 2 et 3.

Fourmis

Remède simple et rapide. Étalez du jus de citron au pinceau sur la plante envahie.

Fabriquez-vous un formicide maison. Mélangez 100 g de borate en poudre à 100 g de sucre en poudre et répandez-le sur la route des fourmis.

Pour les empêcher de monter aux arbres lorsque les fruits sont presque mûrs, enroulez autour des troncs des bandes de papier enduites de glu.

Vos armes végétales. Les fourmis semblent détester la présence et l'odeur des plantes suivantes : œillets d'Inde, menthe, absinthe et autres armoises, tanaisie, lavande, marjolaine, herbe-aux-chats, ciboulette, cresson, ail. Formez-en des bordures, des massifs couvre-sol, des potées…

À l'assaut d'une fourmilière. Posez dessus un gros pot de fleurs retourné. Bouchez le trou de drainage avec un bouchon de liège ou de paille.

Préparez un seau d'eau bouillante. Arrosez la terre environnante ; les fourmis chercheront refuge en remontant dans le pot. Attendez un peu que la panique ait réuni la plus grande partie de la population dans le pot… Retournez-le et remplissez-le aussitôt d'eau bouillante.

Fraisier

ACHAT

Le bon nombre. Comptez environ 50 pieds de fraisier pour une famille de 4 personnes, dont 25 pieds non remontants et 25 remontants. Si vous faites des confitures, des sorbets, des crèmes glacées, des coulis…, ajoutez 25 pieds supplémentaires.

Pieds en godets. Regardez surtout la grosseur du collet et non l'état des feuilles. C'est là que se cachent les ébauches de boutons à fleurs… donc de fruits.

> **Petite histoire**
>
> Jusqu'au XVIIIe siècle, la fraise avait la taille d'une fraise des bois. En 1712, un navigateur-géographe français, un peu espion, prend la mer à Saint-Malo et visite les côtes du Chili. Son nom est bien facile à retenir : Amédée-François Frézier, signe du destin ! En 1714, Frézier débarque à Marseille : il rapporte dans ses bagages un fraisier chilien au fruit de la taille d'une noix. Il est reçu à la cour de Louis XIV, qui le félicite et le récompense de 1 000 écus. C'est cette fraise, hybridée par Antoine-Nicolas Duchesne, qui est à l'origine de celles que nous dégustons actuellement.

PLANTATION

Replantez les fraisiers le plus vite possible en terre bêchée, totalement désherbée et bien meuble. Pour aider chaque pied à installer ses puissantes racines, creusez un trou à la bêche, formez une minibutte de terre meuble, étalez-y les racines bien régulièrement. Si elles sont trop longues, mieux vaut les recouper.

Installez les jeunes plants à la même profondeur que précédemment (godets, pleine terre). Si vous plantez trop profond, il y a risque de pourriture. Si vous plantez trop superficiellement, les plants risquent de se déchausser et de souffrir de la sécheresse.

Empêchez la croissance des mauvaises herbes en étalant un film plastique noir avant plantation. Pour bien le maintenir en place, enterrez les bords. Avec un couteau tranchant, incisez le film en croix à l'emplacement de chaque fraisier.

En sol lourd, plantez sur une plate-bande légèrement surélevée en rangs doubles écartés de 30 cm. Faites des apports de sable pour un bon drainage.

Plante gourmande. Pour avoir de belles fraises, offrez à vos fraisiers beaucoup de compost et de fumier bien mûr.

Sur balcon et terrasse, plantez vos fraisiers dans de gros bacs ou, plus élégant, dans des tonneaux, des tonneaux avec trous latéraux ou des pots à alvéoles (voir Arrosage).

ENTRETIEN

Arrosez uniquement le matin pour un ressuyage rapide du sol.

Pour un sol frais et des fruits propres, épandez dès la fin de la floraison une couche de paille (non traitée aux herbicides), d'écorces de pin (5 cm), d'aiguilles de pin ou autres conifères.

Fertilisez le sol en été afin d'assurer une bonne récolte pour l'année suivante. Choisissez un engrais riche en potasse. Apportez au sol bêché l'équivalent d'une brouette de compost enrichi de sang desséché ou de corne torréfiée pour 10 m².

Coupez les stolons inutiles entre juin et septembre ; récupérez ceux qui combleront les vides mais ne pensez pas renouveler totalement votre culture grâce à eux : ils sont vite virosés.

Pour faciliter l'enracinement des jeunes plants issus de stolons, maintenez ces derniers contre le sol grâce à des morceaux de fil de fer de 10 à 12 cm de long repliés en épingle à cheveux.

Renouvelez les cultures. En vieillissant, les pieds sont attaqués par des pucerons vecteurs de viroses, d'où feuilles tordues ou panachées, fleurs moins nombreuses et stériles… Chaque année, arrachez et brûlez les plus vieux pieds et replantez-en le même nombre. En cas de mauvaise récolte, choisissez un autre endroit pour vos prochains fraisiers.

Récoltez des fraises 2 semaines plus tôt en couvrant la planche de fraisiers d'un petit tunnel de plastique de la mi-avril à la mi-mai.

Effrayez les oiseaux en tendant des fils qui « bourdonnent » juste au-dessus des cultures au moment où les fruits changent de couleur. Tordez légèrement les fils pour augmenter les vibrations faites par le vent (voir Filet de protection, Oiseaux).

Fraisiers : faites le bon choix

Variétés non remontantes
'Bounty' (très grosse fraise, variété tardive).
'Chambly' (variété originaire du Québec, fruit très sucré).
'Mara des bois' (fruit dont le goût rappelle la fraise sauvage).
'Sparkle' (gros fruit, variété tardive).

Autres options
'Kent', 'Red Coat', 'Serenata' ou 'Veestar'.
Par ailleurs, choisissez 'Fort Laramie' pour une variété non remontante.
Enfin, notez que les fraisiers peuvent être cultivés, même dans nos régions très froides, à partir de la zone 3.

Trompez l'ennemi. Plantez des fraises des bois jaunes ou des variétés à fruits roses. Les oiseaux les verront moins et penseront qu'elles ne sont pas mûres.

Feuilles rouges. C'est joli, mais ce n'est pas bon signe ! Vous êtes face à une invasion d'acariens — traitez avec un acaricide —, ou à une carence en magnésie ou en phosphore — apportez une fumure équilibrée et riche en ces deux éléments.

Petit secret pour les fraisiers remontants. Supprimez systématiquement les premières hampes florales fleuries. Cela fend le cœur, mais vous obtiendrez une production plus abondante, plus régulière et prolongée.

Pour que vos fruits conservent leur parfum, ne les équeutez jamais avant de les laver.

▶ **Potager**

Framboisier

À la plantation, coupez la canne (la tige) à ras de terre pour éviter que la plante ne fasse du feuillage, car elle doit d'abord bien s'enraciner. Elle fructifiera seulement l'année suivante.

Plantez superficiellement, 5 cm suffisent. Plus tard, travaillez le sol avec précaution : si vous blessez les racines, il y aura production de rejets.

Avis aux gourmands. Plantez des variétés remontantes : vous profiterez d'une première petite production en juin-juillet et d'une grosse production d'août à septembre.

Si vous vous absentez en début d'été, coupez dès avril les tiges qui vont fleurir à ras du sol, vous sauvegarderez la sève et l'énergie de la plante pour une plus belle récolte de fin d'été (août-septembre).

Chasse aux insectes. Ouvrez un parapluie, posez-le à l'envers sous l'arbuste et secouez les branches fleuries. Si vous récoltez de nombreux insectes, traitez préventivement contre la mouche des framboises, qui laisse des larves dans les fruits.

Pour obtenir des haies défensives et productives, plantez quelques framboisiers remontants et non remontants ; n'hésitez pas à essayer des variétés de framboisiers qui donnent des fruits jaunes ou des fruits pourpres. Ces haies sont toutes épineuses, et infranchissables mais n'en permettent pas moins de remplir le congélateur et de faire des confitures.

Palissage strict. Tendez sur des poteaux solides un double rang de fil de fer, l'un à hauteur du genou, l'autre à hauteur de la poitrine. Maintenez les plantes à l'intérieur de cette limite ; arrachez tout ce qui dépasse.

Contre l'anthracnose, épandez de la fleur de soufre sur le sol au printemps et binez très légèrement pour l'incorporer à la terre.

À la fin de l'hiver, éliminez toutes les tiges mortes des framboisiers pour réduire les risques de maladies et supprimer d'éventuelles cachettes pour les ravageurs.

Dans un petit jardin, palissez les framboisiers autour d'un poteau de 1,30 m de haut. Rassemblez les tiges avec du raphia sans trop serrer.

Sachez tailler les framboisiers. Sur les variétés non remontantes, coupez entre août et octobre les branches ayant fructifié et commençant à sécher. Sur les variétés remontantes, épointez en novembre ou en mars les tiges ayant fructifié en automne. Laissez en place les cannes qui n'ont pas fleuri, leurs futures fleurs donneront les framboises de l'année suivante. Supprimez tout le bois mort (cannes plus foncées, cassantes).

Lors de la taille, arquez les rameaux les plus longs et attachez-les sur les fils de fer. Ils fleuriront et fructifieront avant les autres.

Déchets de taille. C'est du bon petit bois sec. Muni de gants solides, faites-en des fagots (pas trop gros pour qu'ils puissent entrer dans votre cheminée), qui seront autant d'allume-feu en hiver.

Pour récolter de gros fruits, faites un bon arrosage la veille au soir en période de sécheresse.

Confectionnez-vous un cueille-fruits. Très pratique, il permet d'avancer vite entre les plants sans avoir à revenir au panier à chaque instant. Découpez la forme ci-contre dans un tissu plastifié. Pliez les deux parties et cousez-les. Fixez une bande élastique pour glisser la main et un fil de fer qui maintiendra le cueille-fruits ouvert.

Framboisiers : faites le bon choix

Variétés à fruits jaunes
'Fall Gold', 'Goldie' et 'Royalty'.

Variétés à fruits pourpres
'Brandywine'.

Variétés à fruits rouges
'Anelma' (variété tardive).
'Festival' (variété de mi-saison).
'Killarney' (variété très rustique, zone 2).
'Mada Waska' (variété hâtive).
'Newburg' (gros fruits).
'Pathfinder' (variété de mi-saison, à fruits sucrés).
'Titan' (variété hâtive, à très gros fruits).
'Tulameen' (fruits rouges et sucrés).

À noter : les variétés remontantes de framboisiers ne sont rustiques qu'à partir de la zone 7.

▶ **Liqueur**

Froid

Protection d'automne. Repérez les plantes du jardin qui présentent des risques de gel (érable du Japon, hortensia 'Nikko Blue', *Hibiscus syriacus,* hamamélis velouté, noisetier contorté, entre autres) et protégez-les en les entourant de feuilles mortes, de fougères sèches, de sciure, de paille, de vieux chiffons, de plastique à bulles, de vieux journaux, etc., maintenus par des pots ou des cageots retournés, des liens...

Arbustes à feuillage persistant. Il est bon de donner une protection aux arbustes à feuillage persistant (fusain argenté, rhododendron...) pendant les premières années. Buttez-les à leur base, puis entourez-les d'une clôture à neige que vous aurez préalablement recouverte d'une toile de jute.

Arbustes à feuillage caduc. Il est également recommandé de les protéger les premières années suivant la plantation. À l'automne, lorsque leurs feuilles sont tombées, attachez simplement leurs branches entre elles avec une cordelette.

En hiver, laissez le maximum de feuilles sur les plantes fragiles (amandier du Japon, cytise...). En tombant sous l'effet du gel, elles protégeront la souche. Vous ferez le nettoyage au printemps.

Entourez la plante à protéger du grésil ou de la grêle de quelques grosses pierres, de briques ou de blocs de ciment superposés et placez une plaque de verre maintenue par un poids (brique, roche, tuile, demi-bloc de ciment).

Dans une serre ou dans une véranda, isolez l'intérieur des vitres — même si elles sont faites d'un double vitrage — par un écran de plastique à bulles en cas de gel sévère. Veillez surtout à ce qu'aucune feuille de plante ne touche la paroi des vitres.

Les bons côtés du froid

Surtout redouté pour ses méfaits, le froid est cependant un allié pour...
– les bulbes à floraison printanière : c'est lui qui fait démarrer leur végétation (on dit « lever leur dormance »). Ne les protégez pas une fois plantés, sauf lorsque les pousses montrent leurs feuilles.
– les fleurs des arbres fruitiers : le givre et la glace protègent les bourgeons d'un coup de froid brutal suivi d'un réchauffement rapide s'il y a du soleil dans la journée. Les professionnels vont jusqu'à pulvériser de l'eau sur les bourgeons des arbres fruitiers en cas de menace de gel pour la floraison future.
– les labours et bêchages : l'action gel-dégel délite rapidement les grosses mottes des labours d'automne. Au printemps, il ne reste plus qu'à niveler et semer.
– la santé des plantes : le froid vif élimine une bonne partie des parasites et insectes nuisibles du jardin.

▶ **Alpines, Gel, Neige, Protection hivernale**

Fruits décoratifs
(arbres et arbustes à)

Mélangez les sexes pour obtenir des fruits. Cela est indispensable pour les espèces dioïques, c'est-à-dire dont les fleurs mâles et femelles sont portées par des plantes différentes. C'est le cas des argousiers, des houx verticillés, des skimmias... Plantez un sujet mâle pour 2 à 5 sujets femelles, la pollinisation sera assurée.

Cotoneaster lacteus *offre un double intérêt : il se couvre de fleurs blanches en été et de bouquets de fruits rouges en automne et en hiver.*

Pour en profiter, plantez vos arbres et arbustes à fruits décoratifs le plus près possible de la maison, par exemple dans l'axe des ouvertures principales, en bordure de terrasse... Vérifiez que le terrain convient à l'espèce choisie et prévoyez dès la plantation l'ampleur qu'elle prendra.

Si votre jardin est petit, sélectionnez un arbre qui offre un intérêt décoratif renouvelé au fil des saisons : feuillage et teintes d'automne, floraison, fruits, éventuellement écorce et silhouette en hiver. Parmi les espèces à feuilles caduques qui ne dépassent pas 10 m de hauteur en 15 à 20 ans, plantez les pommiers d'ornement, intéressants pour leurs fleurs rouges, rose pâle puis blanches et pour leurs fruits orange vif teinté de rouge. L'amélanchier, les sorbiers, les viornes sont également très décoratifs. Parmi les persistants qui changent au gré des saisons, optez pour l'andromède du Japon. (Voir Automne, Écorce.)

Sur votre balcon, découvrez le pommier d'ornement nain *Malus* 'Pom'zai Courtabri', idéal pour la culture en bac. Vous profiterez au printemps de sa floraison rouge virant au blanc, puis, de l'été à l'hiver, de ses grappes de fruits orangés.

Rosiers botaniques à fruits décoratifs : faites le bon choix

Espèce	Fruits
Rosa acicularis	en forme de petite poire, rouge foncé
Rosa nitida	petits, rouge foncé
Rosa rubrifolia	rouges, feuillage également rouge
Rosa rugosa	gros, globuleux, rouge orangé
Rosa spinosissima	globuleux, pourpre foncé

Pour mettre en valeur les fruits colorés, intégrez les arbustes à fruits décoratifs dans des haies libres, ou bien palissez-les contre un mur. Autre solution : plantez-les devant un fond d'arbustes persistants ou de conifères de couleur foncée.

Ne placez pas l'amélanchier près d'une allée dallée ou de la terrasse. En tombant, les baies laissent des taches tenaces !

Plantez des rosiers botaniques pour obtenir des cynorhodons. Ils apparaissent en été et persistent longtemps par temps doux. Leur pulpe est comestible. Vous pouvez en faire de la tisane ou de la confiture, si vous avez le courage de retirer le « poil à gratter » qui tapisse l'intérieur du fruit ! Il suffit, pour cela, de passer les fruits au moulin à légumes après les avoir fait éclater dans de l'eau à feu vif.

Si vous avez de jeunes enfants, proscrivez les arbustes à fruits toxiques comme bois gentil, cerisier de Jérusalem, if, symphorine...

Pour faire des marmelades et des liqueurs originales, plantez des pommiers d'ornement (préférez les variétés à fruits relativement gros, comme 'Dolgo'), sureaux, sorbiers, mahonias, rosiers... Cueillez les fruits bien mûrs, voire blets.

Fuchsia

À chaque exposition sa couleur. Les coloris blanc et violet ne supportent pas le soleil, tandis que les mêmes couleurs nuancées d'un peu d'orange et de rouge acceptent un léger ensoleillement. Pour le plein soleil, préférez les fleurs orangées, étroites, en tube fin.

NON RUSTIQUES

Taillez les fuchsias avant de les rentrer pour supprimer tous les boutons et fleurs qui risqueraient de pourrir pendant l'hivernage.

Pour renouveler vos potées ou composer de nouvelles suspensions, coupez des boutures dites herbacées en début d'été, des boutures dites semi-ligneuses (tiges plus dures) en fin d'été.

Un hivernage réussi

Adaptez l'entretien et le choix de l'emplacement de vos fuchsias en fonction de la température, sachant que l'idéal est une situation fraîche sous serre.

– De 0 à 3 °C : une lumière faible suffit ; stoppez quasiment les arrosages.

– À 5 °C : procurez-leur une lumière moyenne ; arrosez toutes les 3 à 4 semaines.

– À 8 °C : offrez-leur une lumière vive ; arrosez tous les 10 jours.

– De 10 à 12 °C : une lumière vive est indispensable ; arrosez régulièrement, aérez par temps doux.

Préparez le printemps. Pour une croissance vigoureuse, commencez dès février-mars les soins de sortie d'hivernage. Rempotez ou renouvelez le terreau en surface des pots, éliminez les pousses faibles, étiolées, mal placées. Taillez sévèrement les sujets âgés ainsi que les variétés les plus vigoureuses. Installez les pots à 15 ou 16 °C à la lumière vive.

Si vous ne disposez pas d'une pièce fraîche pour l'hivernage, creusez une tranchée de 80 à 90 cm de profondeur dans un coin du jardin. Éliminez fleurs et feuilles, rabattez les tiges jusqu'au bois pour éviter tout risque de pourriture. Dépotez les fuchsias et posez-les sur un lit de feuilles sèches à décomposition lente (comme hêtre ou chêne). Placez les plus grands en dessous, en les « emballant » bien à l'aide de feuilles. Couvrez la tranchée de planches puis d'une couche de terre et d'une bâche en plastique.

Pour réussir vos boutures, choisissez des pousses terminales de 6 à 8 cm, avec 2 ou 3 paires de feuilles. Supprimez les feuilles basales et trempez la pousse dans une poudre d'hormone à enracinement. Repiquez les boutures dans une terrine remplie d'un mélange de tourbe et de sable. Couvrez de verre ou de plastique pour maintenir une ambiance humide. Elles s'enracineront en quelques semaines.

RUSTIQUES

Plantez vos fuchsias au printemps dans les régions où c'est possible. Ils résisteront mieux au froid du premier hiver, car ils auront eu tout le temps pour s'enraciner.

Protégez la souche en hiver. Amassez de la terre ou des feuilles sèches à la base des tiges. À l'apparition des nouvelles pousses, au printemps, coupez à ras les tiges qui ont souffert du froid, au-dessus du premier ou du deuxième bourgeon.

Taillez après l'hiver en région côtière. Si les plantes n'ont pas gelé, raccourcissez légèrement les tiges principales et coupez les tiges secondaires au-dessus du premier ou du deuxième bourgeon.

Pour les multiplier, coupez en automne quelques rameaux défleuris. Supprimez les feuilles en laissant leur pétiole (queue). Couchez ces tiges horizontalement, soit dans une boîte en plastique remplie de sable humide et conservée en serre froide, soit sous châssis en les couvrant de 2 cm d'un mélange de terreau et de sable grossier. Au printemps, dégagez les tiges : de jeunes pousses racinées se forment au niveau du point d'attache des feuilles sur la tige. Rempotez-les séparément quand elles atteignent 5 à 7 cm.

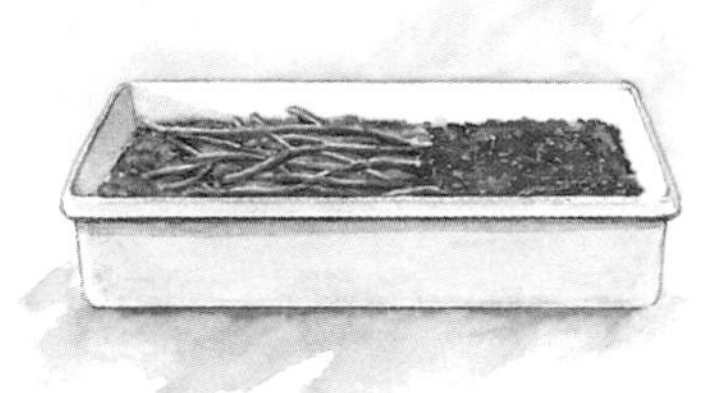

Faites le bon choix

Les fuchsias ne sont pas rustiques sous notre climat froid. Inutile d'y penser au Québec. On pourra s'essayer en Colombie-Britannique. *Fuchsia magellanica* et ses variétés, notamment 'Tricolor' et 'Riccartonii', sont les plus rustiques. On tentera également 'Champion', 'Corallina', 'Lena', 'Madame Cornelissen', 'Tom Thumb'.

Fumier

Les meilleurs fumiers proviennent d'animaux élevés et nourris le plus naturellement possible. N'hésitez pas à contacter un éleveur (chevaux, vaches) pour vous faire livrer du fumier en vrac. C'est beaucoup plus économique.

Pour une bonne décomposition, un fumier frais qui fermente doit monter rapidement au-delà de 50 °C. Mesurez la température avec un thermomètre de couche. Si elle n'est pas suffisante, arrosez le tas à l'eau sucrée additionnée de levure de boulanger. Attendez que la température soit redescendue pour utiliser votre fumier.

Compostez-le 1 année entière. Vous obtiendrez ainsi ce fameux « beurre noir » qui fera des merveilles dans votre jardin. Montez le fumier frais en tas. Arrosez-le pour qu'il se décompose bien. En été, protégez-le du soleil. Retournez-le une fois au bout de 6 mois pour bien le mélanger.

N'hésitez pas à enrichir votre fumier. Mélangez-le à de la sciure de bois, des déchets broyés, des feuilles mortes. Ajoutez également des cendres pour l'enrichir en phosphore et en potasse. Des fientes de poule, de la corne broyée ou du sang desséché apporteront de l'azote.

Si votre sol est acide, il aura du mal à décomposer le fumier frais. Prévoyez un amendement calcaire en automne et un apport de fumier bien mûr au printemps.

L'automne est la meilleure saison pour l'apporter. N'enterrez pas le fumier frais avant le printemps pour qu'il ait le temps de se décomposer. S'il est bien mûr, vous pouvez le déposer au début du printemps, quelques semaines avant les premiers semis. Faites des apports légers mais réguliers.

Pour bien l'épandre. S'il est bien décomposé, déposez-le à la surface du sol et incorporez-le sur quelques centimètres de profondeur avec une griffe ou un motoculteur. S'il est très pailleux, répandez-le à la surface du sol. Attendez 1 à 2 mois avant de l'enfouir à une vingtaine de centimètres de profondeur.

Une fumure tous les 3 ans au potager. Découpez votre potager en 3 parties. Apportez du fumier sur un tiers seulement. La première année, cultivez à l'endroit fumé les légumes les plus gourmands (aubergines, céleris, choux, courgettes, épinards, poireaux, tomates…). La deuxième année, installez-y les légumes-racines, les laitues et les haricots. La troisième année, plantez-y l'ail, l'échalote, les endives, les navets, les oignons et les radis.

Le fumier de champignonnière est disponible en grandes quantités dans certaines régions. Il ne coûte pas très cher, à condition d'aller le chercher sur place. Il est assez pauvre en éléments fertilisants, mais apporte une bonne quantité d'humus et de calcaire. Considérez-le comme un amendement efficace en sol lourd, sableux ou acide.

Fabriquez du « fumier liquide » en mélangeant dans un fût rempli d'eau du guano (ou des fientes de volaille), des orties fraîches et de la consoude. Laissez macérer 2 semaines en recouvrant pour limiter les odeurs. Utilisez-le dilué à 10 % pour arroser les légumes et les fleurs.

▶ **Compost, Engrais**

Fumiers : faites le bon choix

Type	Qualités	Quantité à utiliser pour 1 m²	Remarques
BOVINS (frais)	Améliore les terres légères. Chauffe peu lorsqu'on le composte.	5 kg	Riche en matières organiques. Ne l'enfouissez pas lorsqu'il est frais.
CHEVAL (frais)	Bon équilibre entre matières nutritives et matières sèches. Utilisez-le en terrain lourd. Chauffe facilement lorsqu'on le composte.	5 kg	Riche en matières organiques.
MOUTON ET CHÈVRE (frais)	Bien adapté aux terrains lourds.	5 kg	Le plus riche en matières organiques.
VOLAILLE	Riche en azote. Attention aux risques de brûlure des plantes.	Mélangez-le au compost (10 % maximum)	Utilisez-le plutôt comme un engrais.
FUMIERS COMPOSTÉS (en sac)	En général bien équilibrés. Souvent mélangés à d'autres composants (algues, écorces broyées, compost).	1 kg	Prêts à l'emploi. Vous pouvez les enfouir directement. Disponibles toute l'année. Prix de revient élevé.
FUMIERS DÉSHYDRATÉS (granulés ou poudre)	Prêts à l'emploi, mais apportent peu d'humus dans le sol.	200 à 300 g	Faciles à utiliser et plus économiques. Complétez par un apport d'humus (terreau, compost, engrais vert) en sol léger.

Garage

Masquez un accès de plain-pied par une haie (1,20 à 1,60 m) constituée d'arbustes variés sans épines. Vous maintiendrez sa largeur par une taille en fin de printemps.

Plus originale, la pergola encadrant l'accès au garage. Vous y ferez grimper des rosiers lianes, des clématites, des chèvrefeuilles ou même de la vigne (voir Pergola).

Un jardin sur le toit du garage. C'est possible, à condition que la dalle soit assez solide pour le supporter (renseignez-vous sur le poids autorisé et faites éventuellement renforcer la dalle par des professionnels). Installez à l'aplomb des murs de grandes jardinières qui accueilleront des plantes vivaces ou annuelles ou des arbustes.
Ou bien optez pour une couverture végétale. Avec une épaisseur de 5 cm de terre, vous pourrez faire pousser de nombreuses plantes grasses (sédums, joubarbes), des iris de bordure, certaines graminées, ou des fines herbes comme le thym.

Et pourquoi pas un jeu d'eau ? Profitez des pentes pour aménager une petite cascade ou un bassin intégré dans une rocaille. Pour l'alimenter en eau, dérivez une gouttière qui recueillera l'eau de pluie, ou installez une petite pompe qui fera courir l'eau en circuit fermé.

> **Faites le bon choix**
> Le long de la descente du garage, plantez quelques arbustes couvre-sol faciles à vivre et particulièrement efficaces : des genévriers rampants ('Bar Harbor', 'Prince of Wales', 'Wiltonii'), des bruyères ou des cotonéasters. Si vous aimez les rosiers, choisissez des variétés basses, comme *Rosa floribunda* 'Europeana' (50 cm), ou les rosiers miniatures (45 cm).

Créez une rocaille sur les pentes qui encadrent la descente du garage. Dégagez d'abord des courbes de niveau sous forme de grandes marches avant de poser les grosses pierres. Prévoyez un discret sentier de chèvres pour y accéder facilement.

Pour réussir votre rocaille, pensez à bien nettoyer le terrain préalablement avec un désherbant systémique et à répandre une couche d'écorces de pin ou de gros gravillons. (Voir Désherbage.)

Gazon

Semoir maison. Faites des trous dans une grosse boîte de conserve propre. Calculez le calibre des trous en fonction des plus grosses graines que vous aurez à semer. Ce semoir de fortune vous servira également à épandre de l'engrais en poudre, des granulés de traitement, du sable, de la chaux sur sol acide.

Quelle quantité de gazon ? Semez 30 g de graines par mètre carré, en insistant un peu plus sur tout le périmètre, qui doit être plus dense. Si vous ne visualisez pas le rendu, délimitez 1 m², pesez 30 g de graines et semez en deux passages croisés pour augmenter les chances d'une meilleure répartition. Utilisez un semoir pour les grandes surfaces.

Préférez des arrosages longs et espacés, qui permettent au gazon de développer ses racines plus profondément. Arrosez de préférence le soir, pour diminuer la déperdition d'eau par évaporation.

Lorsque vous appliquerez un engrais riche en azote, spécial pour gazon, procédez toujours sur sol humide (un apport sur sol sec risque de brûler les racines). L'engrais peut aussi contenir du désherbant, ce qui évite un épandage supplémentaire… Mais sachez que des tontes rases répétées éliminent aussi bien les herbes indésirables autres que les graminées. (Voir Mousse.)

Oubliez le gazon dans le cas d'une ombre forte : ayez recours aux plantes couvre-sol comme les pervenches, lierres, millepertuis, *Lamium, Pachysandra*… En ombre légère, en revanche, un mélange « pour ombre » vous donnera une verdure honnête à ne pas trop piétiner.

Bouturage facile. Prélevez une tige vigoureuse, si possible non fleurie. Supprimez toutes les stipules. Coupez-la si nécessaire en tronçons en tranchant chaque base sous un nœud. Supprimez les rares fleurs. Laissez 1 à 3 feuilles par tronçon, retirez les autres. Trempez les boutures dans une poudre d'hormones et repiquez-les, nœud vers le bas, dans du sable ou une terre bien drainée, maintenus humides.

Pour conserver vos potées de géraniums d'une année sur l'autre, regroupez les plantes, rabattez les tiges, placez ces pots dans un local hors gel aéré et lumineux (garage, atelier, chaufferie…) ou, mieux, dans une serre, si vous en possédez une. Arrosez peu pour ne pas faire démarrer la végétation (1 verre d'eau par quinzaine) et tournez régulièrement les pots d'un demi-tour pour une croissance plus harmonieuse face à la source lumineuse. En mars-avril, reprenez les arrosages et supprimez les tiges étiolées.

Si votre cave est humide, essayez de conserver vos géraniums suspendus tête en bas. En pot et au sol, ils ont toutes chances de pourrir. Sortez les mottes de leur pot et laissez-les telles quelles, ou bien enveloppez-les dans du papier journal (isolant). Suspendez-les individuellement, bien espacées les unes des autres pour une bonne circulation d'air.

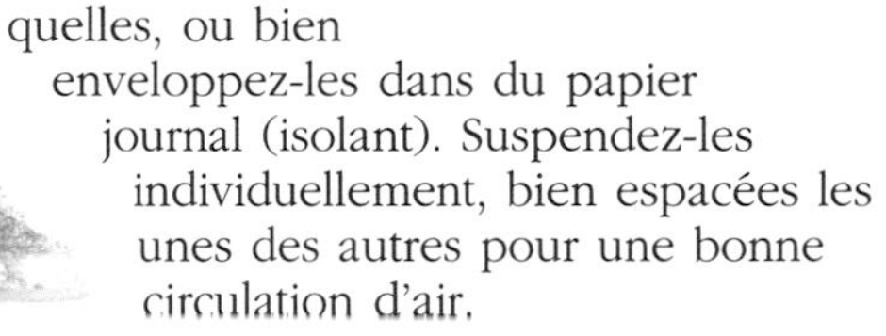

Géranium et vacances. Juste avant votre départ, vos géraniums le font exprès : ils sont magnifiques. Armez-vous d'un sécateur et supprimez non seulement toutes les fleurs épanouies mais aussi tous les boutons floraux en formation. Arrosez, paillez et partez. Le temps de votre absence est juste celui de la remontée d'une floraison (3 semaines). Si vous ne partez que 15 jours, laissez les plus petits boutons à fleurs.

Chaleur antirouille. Si vous constatez quelques points de rouille sur les feuilles, placez le pot sous un tunnel (ou un grand sac plastique transparent) en plein soleil en arrosant la terre. Le champignon responsable de cette maladie est détruit à 38 °C, température vite atteinte dans de telles conditions.

Un malentendu qui dure

Les vrais géraniums ne sont pas ceux qui ornent vos balcons en été. Ils sont vivaces, refleurissent tous les ans en été, offrent une palette exceptionnelle de couleurs, de hauteurs, de végétations et s'appellent *Geranium cinereum, G. dalmaticum, G. endressii, G. sanguineum…* Vous les planterez dans des plates-bandes herbacées riches en humus, au soleil ou à mi-ombre. Ils se reproduisent facilement par semis.

Les « faux géraniums », qui s'achètent au printemps et au début de l'été, s'appellent en réalité pélargoniums. Originaires d'Afrique du Sud, les pélargoniums ne sont pas rustiques, on doit les abriter du gel hivernal. Il en existe 4 groupes :

– *Pelargonium zonale,* à port dressé, fleurs simples ou doubles ;

– *Pelargonium peltatum,* le géranium-lierre à port retombant ;

– les pélargoniums des fleuristes, vendus en potées, comme *Pelargonium grandiflorum ;*

– les pélargoniums à feuilles décoratives et/ou parfumées (à la menthe, au citron, à l'eucalyptus, à la pomme, à la rose, à la carotte…).

Les géraniums de nos balcons sont en réalité des pélargoniums ! Le vrai géranium est bien différent. Vivace, il est idéal pour apporter de la couleur aux plates-bandes estivales. Ici, le 'Johnson Blue'.

Pélargoniums : faites le bon choix

À port dressé *(Pelargonium zonale)*

Fleurs simples
'Kardinal', lilas à œil rouge
'Rio', rose à œil rouge
'Swing', carmin lilas
'Walz', rouge orangé foncé

Fleurs doubles
'Alba', blanc, semi-double
'Blues', rose lilas clair, semi-double
'Flirtpel', rose lilas
'Jazz', lilas carmin semi-double
'Merkur', rouge orangé
'Rokoko', saumon clair, semi-double

À port retombant (géranium-lierre)

Fleurs simples
'Balcon imperial', rouge vif
'Balcon lilas', mauve
'Balcon rose', rose
'Balcon rouge', rouge saumoné

Fleurs doubles
'Barbe bleue', violet-noir
'Butterfly', lilas clair
'Loulou', mauve
'Super Alice', mauve clair
'Super Émeraude', rose vif
'Tavira', rouge vif

À feuillage parfumé

carotte : 'Scarlet Unique'

citron : 'Mabel Grey', 'Lemon fancy', *P. crispum* 'Major'

citronnelle : *P. denticulatum*

épices diverses : 'Clorinda', *P. quercifolium,* 'Patton's Unique', 'Purple Unique', 'Unique violet'

eucalyptus : *P. fragrans*

menthe : *P. tomentosum*

pomme : *P. odoratissimum*

rose : géranium rosat, 'Lady Plymouth'

À feuillage coloré

de jaune : 'Mistress Pollock', 'Mistress Quilter'

veiné , réticulé : 'Crocodile', 'White Mesch'

bordé blanc : 'Dolly Vardon', 'Duc d'Anjou', 'Manglesci', 'Mistress Parker', 'William Languth'

bordé plus sombre : 'Distinction', 'Gold Papa', 'Happy Touch', 'Soleil couchant'

Les variétés à fleurs simples résistent mieux à la pluie que les variétés à fleurs doubles. Dans le nord, préférez des variétés à feuilles vert foncé, riches en chlorophylle, ce qui a moins d'importance dans les régions plus chaudes.

Enlevez systématiquement les fleurs fanées. Pas besoin d'outil, rabattez la tige vers le sol, elle cède immédiatement. Vous soulagerez la plante en lui évitant de former des graines inutiles, elle restera propre et saine.

Dès février-mars, ramenez en situation plus chaude (18-20 °C), très lumineuse, les boutures prélevées l'été dernier. Augmentez progressivement les arrosages pour les inciter à entrer en croissance. Elles seront ainsi bien étoffées quand vous les mettrez en place dehors. En mai, étêtez au besoin les sujets trop grands et rempotez-les.

Essayez le semis de variétés F1 si vous ne conservez pas vos géraniums d'une année sur l'autre. Semez-les au chaud dès février pour une floraison à partir de début juin. Faites germer les graines à 20-22 °C, par exemple sur une tablette de radiateur. Gardez ensuite les semis en situation très lumineuse, à 16-18 °C. Repiquez les plants en godets au bout de 4 à 6 semaines. Une température d'environ 15 °C leur suffit ensuite jusqu'à la mise en place en mai ou en juin.

Petite histoire

Les géraniums vivaces de nos jardins sont issus de croisements entre différentes espèces endémiques d'Europe, dont la célèbre herbe à Robert *(G. robertianum).* Au Moyen Âge, *Herba ruperti* entrait dans la pharmacopée. Elle aurait été ainsi nommée en l'honneur de saint Robert, premier évêque de Salzbourg, qui aurait enseigné les propriétés thérapeutiques de la plante à ses concitoyens.

Grillage

Protection antichats. Couvrez vos semis ou jeunes plantations d'un arceau de grillage protecteur, même rouillé : il se voit peu sur fond de terre.

Plantations sur talus. Dans le cas d'un talus assez raide, plantez les espèces couvre-sol dans les mailles d'un grillage de plastique fixé préalablement sur le sol. La terre sera stabilisée, retenue en cas de pluie, et les plantes s'enracineront plus vite.

Protection en place. Si vous recouvrez une touffe fragile de feuilles mortes contre le froid de l'hiver, placez par-dessus un grillage maintenu par de petits piquets pour que le vent ne soulève pas les feuilles à chaque bourrasque.

Grillage antivol. Pour protéger vos bulbes des écureuils qui en raffolent et vont souvent les déterrer à l'automne, placez un grillage au-dessus, et recouvrez-le d'un peu de terre pour un aspect plus esthétique.

Grillage invisible. Si vous cachez votre grillage par une haie, laissez pousser la végétation de quelques centimètres côté rue, le grillage sera inclus dans la haie.

Des bulbes vite arrachés. Découpez des plaques de grillage que vous étalerez au fond d'un trou large où vous disposerez les bulbes. Ramenez ensuite les bords du grillage vers la surface du sol. Lorsque vous souhaiterez arracher les bulbes, vous n'aurez qu'à soulever deux bords adjacents du grillage d'un coup sec.

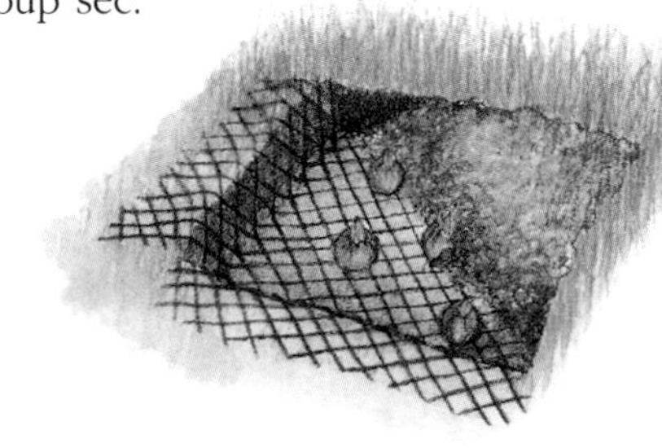

Grimpantes (plantes)

Plantation contre un mur. Ombrez la souche de la plante avec un petit arbuste persistant bas et couvrez la surface des racines d'un épais paillis qui maintiendra le sol frais.

Sur sol sec, placez lors de la mise en terre un morceau de drain en plastique, qui conduira l'eau d'arrosage directement aux racines.

Pour guider une plante grimpante sur une surface haute et étroite, montez un treillis à vos mesures avec des baguettes de bois traitées contre les intempéries et les ravageurs du bois.

L'hydrangée grimpante. Elle rend de grands services pour garnir les murs orientés au nord, à l'est ou situés à mi-ombre. Elle prend du temps pour installer ses racines mais, après 3 ou 4 ans de végétation, se lance fébrilement à l'assaut de tout support, auquel elle s'accroche alors toute seule. Floraison blanc immaculé en juin.

Seul bulbe grimpant pour le soleil : *Gloriosa*. Il aime la chaleur forte et régulière. Au Canada, on doit le cultiver en gros pots en plaçant 3 bulbes-racines en biais par pot, dans une terre très riche en humus. Faites-le démarrer au chaud dans la maison. Comme pour tous les bulbes, assurez un bon drainage et formez un paillis de charbon de bois écrasé en surface du pot pour capter les rayons solaires en surface.

Plantation contre un arbre. Veillez à bien disposer les racines de la plante grimpante à bonne distance de celles de l'arbre. Donnez beaucoup de bonne terre, riche en humus. Attendez 15 jours que la terre se soit tassée pour palisser les tiges, sinon les tiges qui sont fragiles risquent de se casser.

En région méditerranéenne, le bougainvillée est idéal pour couvrir un mur de fleurs éclatantes. Cultivez-le dans un sol bien drainé et en pleine lumière.

Décollez du mur le support que vous avez choisi pour éviter les brûlures liées à une trop forte réverbération. Veillez ensuite à ce que toutes les pousses soient palissées devant le support et ne passent pas derrière.

ACHAT

N'achetez jamais une plante grimpante à racines nues, car il y a de fortes chances pour qu'elle ait souffert, que les racines aient séché et que la reprise soit difficile.

Pour garnir rapidement une grande surface (façade de maison, abri de jardin, mur, vieux puits...) avec des plantes grimpantes, installez 2 ou 3 sujets identiques à 25-50 cm d'écart.

Les différences de prix pour une même espèce grimpante s'expliquent : le prix varie selon l'âge de la plante, le nombre de ses tiges, sa force, le volume de terre aux racines... Certaines variétés sont greffées (clématites, glycines...) et ce travail délicat se paie toujours. Vous aurez alors une plante qui vous offrira une mise à fleur rapide et vous serez certain de son identité, ce qui n'est pas toujours le cas pour les végétaux issus de semis.

▶ **Pergola**

Un treillis amovible.
Si vous repeignez régulièrement le mur sur lequel vous installez une plante grimpante, montez le treillis sur des pitons, vous le déplacerez facilement le temps des travaux.

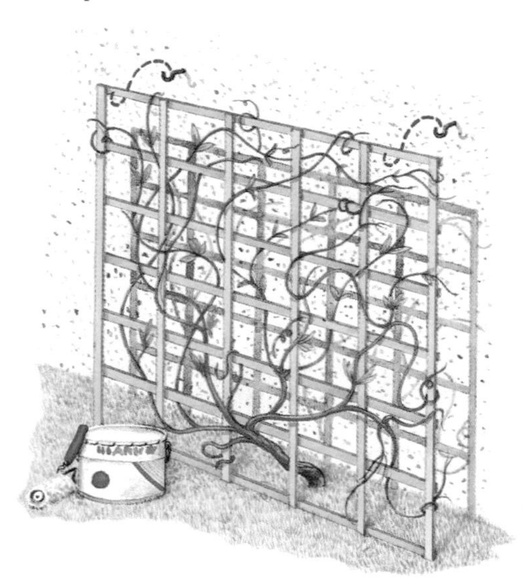

Plantes grimpantes : faites le bon choix

	SOLEIL	MI-OMBRE	À CULTIVER EN POTS
Annuelles	capucine cobée coloquinte dolique *Eccremocarpus* haricot d'Espagne ipomée *Mina lobata* pois de senteur thunbergie	houblon	
Vivaces	pois vivace (gesse)	houblon doré	
Bulbes	*Gloriosa*	*Boussingaultia*	
Arbustes lianes	*Ampelopsis* aristoloche *Campsis* chèvrefeuille clématite glycine	chèvrefeuille hydrangée grimpante lierre renouée vigne vierge	bougainvillée *Ficus pumila* jasmin blanc jasmin de Caroline passiflore plumbago du Cap *Trachelospermum* vignes à raisin

Groseillier

Lorsque vous les mettez en terre, plantez les groseilliers de 5 à 10 cm plus profondément que dans leur conteneur ou pépinière d'origine. Ainsi, ils produiront de nombreux rejets. Tassez bien le sol et terminez par un bon arrosage.

Détournez l'attention des oiseaux en choisissant des variétés à fruits roses ('Pixwell') ou jaunes ('Champion'), qui offrent moins d'attrait que les variétés à fruits rouges.

Découragez les oiseaux amateurs de bourgeons grâce aux boîtes de conserve. Piquez des tuteurs parmi vos buissons et posez-y les boîtes vides à l'envers. Leur tintement au moindre souffle de vent suffira à les éloigner. Agissez à la fin de l'hiver (avril), dès que les bourgeons gonflent, et jusqu'à l'apparition des premières feuilles.

Pour la santé de vos groseilliers, luttez contre la sésie, indélicat parasite qui creuse des galeries dans les tiges. La méthode est simple : repérez en automne les brindilles fripées et sèches, coupez-les et brûlez-les. Ce faisant, vous détruirez les insectes dormant dans leur cocon douillet.

Après la plantation, rabattez les tiges aux deux tiers de leur longueur. Cette taille stimule une croissance vigoureuse. Coupez toujours les tiges au-dessus d'un bourgeon orienté vers l'extérieur.

Hibernation. Si des gelées précoces vous empêchent de planter les groseilliers à l'automne, mettez-les en jauge dans un coin abrité du jardin et attendez le printemps. Tracez un sillon profond, glissez-y les plantes, et couvrez les racines de terre légère et riche en humus. Arrosez et protégez du gel par une couverture de branchages ou de paille.

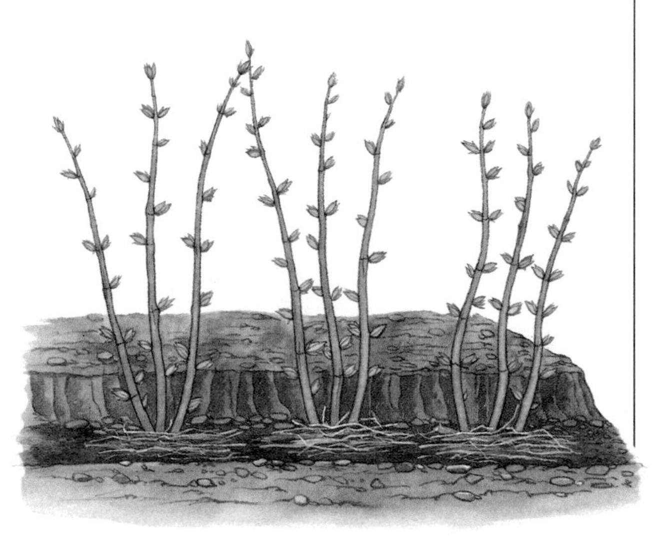

Faites le bon choix

Pour avoir des fruits frais le plus longtemps possible en cours de saison, plantez des variétés de mi-saison : 'Pixwell' (fruit rosé), 'Captivator' (fruit rouge, plant sans épines). Dans les variétés plus tardives : 'Champion' (fruit jaune), 'Dakota' (fruit rouge), 'Hinnonmaeki' (fruit jaune à rouge). Vous obtiendrez ainsi des fruits de la mi-juillet à la fin août.

▶ Confitures

Guêpes, frelons

Des pièges vite réalisés. Découpez la partie supérieure d'une bouteille en plastique. Renversez l'entonnoir ainsi obtenu et emboîtez-le dans la partie inférieure. Ajoutez un fond d'eau sucrée — du sirop de fruit, par exemple — et placez l'ensemble en un point stratégique, où les guêpes sont abondantes. Léger et facile à percer, ce système s'accroche aisément dans les fruitiers à protéger.

Le simple papier tue-mouches, saupoudré de sucre granulé servant d'appât, donne également de bons résultats dans les arbres.

Gui

Pour vous débarrasser de cet intrus, qui se nourrit aux dépens de la sève de l'arbre, arrachez et éliminez ses puissants suçoirs le plus tôt possible en curant une partie de l'écorce. Mastiquez ensuite la plaie pour qu'elle cicatrise.

Si vous voulez une boule de gui à suspendre, ramassez des graines de gui mûres sur un arbre identique à celui qui vous servira de plante hôte. Creusez un petit trou dans l'écorce de l'arbre, à un endroit qui sera bien arrosé naturellement, et placez-y les graines. L'arbre doit avoir au moins 20 ans et la branche être à 1,50 m du sol au moins avec un diamètre de 10 à 15 cm.

Habillage

Drôle de nom ! Lorsque vous plantez un arbuste à racines nues, le volume des racines et celui des tiges doivent s'équilibrer. Retaillez donc l'ensemble assez court. Cette opération porte curieusement le nom d'habillage, alors qu'il s'agit plutôt d'un... déshabillage ! Pour vous guider, sachez que la silhouette de l'arbuste, une fois raccourci, doit évoquer un sablier dont le centre est le tronc.

Faites subir un habillage à vos boutures. Dénuées de racines, en effet, elles ne peuvent alimenter le feuillage, surtout s'il est important. Toutefois, ne le supprimez pas totalement, car il continue à nourrir le plant, qui ne s'enracinera que mieux. Retirez donc les pousses tendres terminales et deux feuilles sur trois. Si les feuilles restantes sont tendres et de grande taille (hortensia), coupez-les en deux. La repousse est rapide dès l'enracinement.

Haie

Plantation antifatigue. Pour mettre tous les atouts de votre côté, procédez en automne, quand la terre est encore chaude. Creusez une fosse de 50 × 50 cm après 1 jour de pluie ou un bon arrosage : la terre sera plus souple. Drainez (sol argileux), amendez (sol acide ou calcaire), fertilisez (tous les sols). Rebouchez grossièrement la fosse pour que les éléments reprennent leur place. Trois semaines plus tard, creusez un trou juste égal au volume de la motte ou des racines, tassez, arrosez.

Ménagez-vous un passage (50 cm au minimum) pour circuler entre haie et fleurs, sinon vous écraserez vos massifs à chaque taille avec l'échelle et vos pieds.

Pas de haie dans un petit jardin, elle prendrait trop de place. Préférez planter le long de la clôture des plantes grimpantes ou des espèces palissées (cognassier du Japon, viorne, chèvrefeuille, céanothe, *Kerria*...).

Une bonne haie brise-vent. Plantez en quinconce conifères et feuillus. Choisissez pour une haie haute pin noir d'Autriche, épinette de Norvège, épinette du Colorado, frêne, peuplier, chêne, érable ; pour une haie moyenne troène, seringat, chalef argenté, tamaris, sureau ou genévrier érigé, cèdre doré ; pour une haie basse rosier rugueux, genêt, forsythia, viorne, if, buis, cotonéaster.

HAIE DE CADUCS

Matelas antibruit. Laissez les feuilles mortes en place à l'automne, elles absorberont une partie du bruit venant de la rue (voir Bruit). Au printemps, recouvrez ce futur humus d'une couche de terreau décomposé, de compost ou de tourbe pour accentuer l'isolation phonique. Cette couche humifère aura comme autre intérêt de favoriser la vie des micro-organismes et des vers de terre (très appréciés des merles d'Amérique).

Pour clore de façon rustique les bords de l'eau ou les sols restant frais, rien ne vaut le saule ou le peuplier. Plantez des boutures allant de la taille d'un crayon à celle d'un manche à balai. Disposez-les en double rang ou en quinconce. Cette solution est rapide, efficace et économique.

Une haie libre, pleine de fleurs et d'oiseaux. Oubliez les sinistres haies uniformes de conifères : plantez une grande diversité d'espèces, vous obtiendrez une haie colorée, parfumée, changeante au fil des saisons. Chaque espèce aura son rôle à jouer : floraison attirant les insectes (utiles pour la pollinisation des fleurs, fruits, légumes et la nourriture des oiseaux) ;

ramification des branches pour la nidification ; production de fruits ou de baies de l'été à la fin de l'hiver. Pour faire le bon choix, regardez ce qui s'est toujours planté dans votre région, ce sera votre base. Plantez sur deux rangs plus ou moins parallèles, en quinconce et avec un espacement de 1 à 1,20 m entre les plants et les rangs. Tenez compte de la réglementation municipale pour la distance de votre haie par rapport à la rue.

Séparez le potager du reste du jardin en palissant des mûriers à fruits ou des framboisiers sur des fils de fer. Si vous préférez les fleurs, semez des tournesols ou du maïs et agrémentez-les de quelques annuelles grimpantes.

La plus impénétrable est incontestablement l'aubépine. Décorative et parfumée au printemps, remplie à l'automne de boules rouges accueillantes pour les oiseaux, elle est également facile à tailler. Épinevinette, rosier rugueux, groseillier à maquereau, olivier de Bohême, pyracantha... permettent également d'obtenir de bonnes haies défensives.

Antivisiteurs. Placez 3 rangs de fil de fer, barbelé ou non, à 30 cm d'écart les uns au-dessus des autres et plantez des végétaux devant et derrière cette ligne d'arrêt. C'est efficace tout en restant joli.

Pied propre. Si vous laissez les mauvaises herbes envahir le pied des haies, les végétaux risquent de se dégarnir rapidement de la base. Pour éviter les binages peu pratiques, plantez les arbustes sur du film plastique opaque. Pour le cacher, au début, recouvrez-le d'écorces broyées. Feuilles mortes et terreau viendront ensuite le masquer. Ce paillage aura en outre l'avantage de protéger les racines du froid et il limitera l'évaporation de l'humidité en été.

Profitez de l'hiver, lorsque les feuilles ont disparu, pour nettoyer le cœur de la haie. Coupez à ras les branches mortes, mal placées, arrachez les ronces, les orties et autres semis sauvages qui ont tendance à envahir la base. En revanche, laissez en place les feuilles mortes et débris légers accumulés sur le sol... Et, même, rajoutez-en : c'est la meilleure protection contre la sécheresse en été. Si vous rencontrez un nid, n'y touchez pas, le propriétaire reviendra peut-être y loger dès les premiers beaux jours.

HAIE DE PERSISTANTS

Attention aux arbres à croissance rapide. Vous serez plus vite chez vous, certes... mais ultérieurement la vigueur de la pousse vous forcera à des tailles bisannuelles.

Taille douce pour les lauriers-cerises. Brillant et toujours vert, le laurier-cerise remplit vite son rôle de haie opaque persistante. (À noter que les lauriers-cerises ne se cultivent pas dans nos régions.) Une taille à la cisaille ou au taille-haie « hache » les grosses feuilles qui font tout son charme et traumatise la plante. Aussi, utilisez le sécateur — et lui seul — et coupez une à une les tiges à la longueur voulue pour faire tomber l'épaisseur en trop.

Pour votre haie : faites le bon choix

	Zones de rusticité 1 à 3	Zones de rusticité 4 et 5
Feuillage caduc	argousier faux-nerprun (zone 3) caraganier de Sibérie (zone 2) chalef argenté (zone 2) charme de Caroline (zone 3) chêne rouge (zone 3) comptonie voyageuse (zone 2) cornouiller panaché (zone 2) diervillée chèvrefeuille (zone 3) érable de l'Amur (zone 2b) frêne rouge ou noir (zone 2b) fusain ailé (zone 3) olivier de Bohême (zone 2b) peuplier deltoïde (zone 2b) pimbina (zone 2) viorne obier (zone 3)	Toutes les plantes de la première colonne, plus : arbre à perruque (zone 4b) aronie (zone 4) baguenaudier commun (zone 5) chêne rouge (zone 4) corête du Japon (zone 4b) cytise précoce (zone 5b) deutzia à petites fleurs (zone 4) forsythia (zones 4 et 5) hamamélis de Virginie (zone 4b) seringat (zones 4 et 5) sureau (zones 4 et 5) tamarix (zones 4 et 5) troène (zones 4 et 5)
Feuillage persistant	épinette blanche (zone 1) épinette du Colorado (zone 2) genévrier des Rocheuses (zone 2) if du Canada (zone 3) pin blanc ou pin rouge (zone 2b) pin sylvestre (zone 2) sapin baumier (zone 1) thuya occidental (zones 2 et 3)	buis (zone 5) genévrier commun (zone 4) if du Japon (zone 4) pin noir d'Autriche (zone 4) pruche de l'Est (zone 4) sapin du Colorado (zone 4)
Fleurs	amélanchier du Canada (zone 2b) aubépine (zones 2 et 3) chèvrefeuille du Canada (zone 3) genêt des teinturiers (zone 3) hydrangée en arbre (zone 3) lilas commun (zone 2b) spirée 'Anthony Waterer' (zone 2b)	cognassier du Japon (zone 4b) genêt pileux (zone 4b) hortensia 'Nikko Blue' (zone 5b) kolkwitzia aimable (zone 4) millepertuis de Kalm (zone 4) weigela (zones 4 et 5)

Pas de boules pour le houx en haie. Décoratif grâce à ses nombreuses variétés panachées, défensif avec ses feuilles à aiguillons, le houx est une valeur sûre. Mais les tailles répétées vont supprimer une bonne partie des floraisons, ce qui veut dire que les boules rouges seront éparses sur les sujets femelles. Mieux vaut le savoir avant de le planter, pour éviter toute déception !

HAIE DE CONIFÈRES

Pour obtenir une jolie silhouette, régularisez-la durant l'été qui suit la plantation (août-septembre). Coupez la pointe des pousses au sécateur. Conservez une base nettement plus large que le haut. Prenez quelques pas de recul pour juger du travail effectué. La deuxième année, réduisez de moitié les jeunes pousses vert tendre.

Pas trop haut. Ne laissez pas pousser votre haie — sauf cas particulier — à plus de 2 m de hauteur. Au-delà de cette taille, il est difficile d'en entretenir le sommet. Une belle haie s'établit de façon progressive. N'attendez pas que les sujets aient atteint leur hauteur définitive pour leur couper la tête, il serait trop tard.

Pour tailler droit, plantez un piquet à chaque extrémité de la haie, et tendez une corde à la hauteur souhaitée. Vous n'aurez plus qu'à la suivre. En tendant deux cordes à deux niveaux, vous dessinerez facilement des « créneaux ». Pour vous protéger, portez gants, lunettes et chaussures solides, surtout si vous travaillez avec du matériel électrique.

Le bon moment. Taillez entre fin avril et fin septembre, si possible avant que les branches lignifiées soient devenues trop dures sous la lame. Au printemps, faites attention aux nids habités, décalez votre travail en cas de nichées et attendez le départ de vos amis ailés.

Rafraîchissez les conifères chaque année. Retaillez les jeunes pousses en ne conservant au maximum que 2 à 5 cm de longueur nouvelle. Utilisez la cisaille ou le taille-haie à moteur.

Pour que votre haie reste belle et bien garnie du pied, taillez-la légèrement en biais, le sommet un peu plus étroit que la base (on dit qu'elle « a du fruit »). La lumière, l'air, les produits de traitement circuleront mieux. Pour éviter les erreurs, faites-vous un gabarit en bois, à hauteur et inclinaison réglables.

▶ Loi, Taille-haie

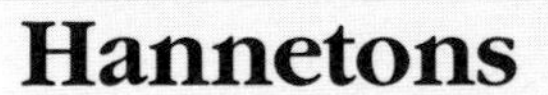

Hannetons

Votre jardin sous protection odorante. Aux endroits sensibles aux dégâts des vers blancs (potager, plates-bandes de fleurs, pied des arbustes), placez des boules de naphtaline. La dose idéale est de 30 g par mètre carré. La forte odeur de l'antimite bien connu empêcherait les hannetons femelles de pondre. Pour être efficace, ce traitement doit avoir lieu lors du vol des hannetons, soit 1 année sur 3.

Si des larves suspectes envahissent votre tas de terreau, n'accusez pas aussitôt le hanneton, car il est aujourd'hui beaucoup plus rare qu'autrefois. Il s'agit sans doute de larves de ces jolies cétoines aux reflets cuivrés que l'on découvre parfois au cœur d'une fleur. Ces « vers blancs » ne causent aucun dégât, mais si leur présence vous déplaît, étalez le terreau pour permettre aux oiseaux de les dévorer.

Quand un mal en remplace un autre

Les grandes invasions de hannetons, c'est bien fini. Les insecticides y sont sans doute pour quelque chose, mais certains spécialistes avancent une autre explication. Les taupes sont nombreuses et, comme elles font une grande consommation de vers blancs (larves de hanneton), cela peut expliquer la régression du gros coléoptère.

Haricot

HARICOTS NAINS

Ils aiment la chaleur. Inutile de semer les haricots si la terre n'a pas atteint 16 à 18 °C. Vous saurez que la température est suffisante si vous pouvez marcher pieds nus sans ressentir le froid.

Pour une levée rapide, faites tremper les graines 1 nuit dans l'eau tiède et semez-les sur sol humide. Ne les plantez pas trop profond, on dit que « le haricot doit voir partir le jardinier » !

Haricots : faites le bon choix

Le haricot est sûrement un légume qui, de nos jours, offre une panoplie incroyable de cultivars. À travers la centaine de variétés et plus qui vous sont proposées, voici notre sélection.

Haricots nains :

'Sugar Ann', 'Snowflake', 'Roma II'.

Haricots verts :

'Decibel', 'Derby', 'Emerite', 'Bush Blue Lake', 'Hialeah', 'Tendergreen Stringless Vert', 'Labrador', 'Strike', 'Mirada', 'Greencop', 'Primel', 'Seville', 'Jumbo', 'Vilbel'.

Haricots jaunes :

'Dorabel', 'Slenderwax', 'Rodcor', 'Sinclair doré', 'Goldcrop', 'Eureka', 'Goldrush', 'Minidor', 'Goldmarie', 'Golden Sands'.

Haricots à écosser :

'French Horticole', 'Michelite', 'Kidney Rouge'.

Petite histoire

Le haricot est arrivé en France dans la corbeille de mariée de Catherine de Médicis. Les tout premiers phaséoles (*Phaseolus* en latin) devinrent *fasoles* puis *fayols* et, bien entendu, « fayots » ; ils poussèrent sur les bords de Loire dans le potager du château de Blois.

L'expression populaire « la fin des haricots », qui signifie la fin des fins, date du XIXe siècle. À cette époque, on servait des haricots dans les pensions, les collèges, les séminaires ou les casernes lorsque les provisions touchaient à leur fin.

Le secret d'une longue production. Le haricot aime la compagnie : un haricot à filets doit être ramassé, une fois entré en production, tous les 2 jours. Le mangetout, plus rustique, souhaite votre visite au moins une fois — mais deux, c'est mieux — par semaine. Les plants veulent assurer leur reproduction : si vous les privez des gousses, ils se sentent obligés de faire encore des fleurs, qui donneront encore des gousses... À vous de jouer à ce petit jeu le plus longtemps possible. Pour aider la plante, arrosez et apportez un engrais pour légumes-fruits, riche en potasse et en phosphore (voir Engrais).

Potager propre. De bonnes variétés de haricots nains couvriront tellement le sol qu'elles supprimeront les mauvaises herbes : le haricot a un pouvoir aussi nettoyant que la pomme de terre.

Bien verts à la cuisson. Plongez-les dans de l'eau bouillante bien salée, laissez cuire à découvert. Autre solution : ajoutez à l'eau de cuisson une pincée de bicarbonate de soude, qui, de plus, corrige l'excès de calcaire de l'eau.

Un arrosage-noyade. Les haricots nains ont les fleurs très près des feuilles et un arrosage au jet ou à l'arrosoir est néfaste pour les corolles. Pour apporter de l'eau sans dommages pour les futures récoltes, mouillez la terre en profondeur en laissant s'écouler l'eau d'un tuyau placé entre deux lignes. Mettez un pot de fleur vide sur le jet pour en briser la force. Ou bien employez un tuyau perforé retourné vers le sol. Les haricots grimpants ne posent pas ce problème, puisque les fleurs sont placées nettement plus haut.

HARICOTS GRIMPANTS

Un haricot aussi décoratif que bon : le haricot d'Espagne. Cueillez ses jeunes gousses, il refleurira de plus belle. Pour vous régaler, coupez sa large gousse en biseau pour former de petits morceaux et mangez-le froid.

Une association judicieuse. Plantez quelques touffes de pois de senteur grimpants près de vos haricots à rames : fleurs et légumes pousseront ensemble autour des mêmes tuteurs. Les insectes pollinisateurs attirés par les pois de senteur visiteront plus de fleurs de haricot, et la production en sera augmentée. Pour accélérer la germination, faites tremper les graines coriaces des pois de senteur avant semis ou, mieux, installez des plants élevés en godets.

Aussi décoratif que productif. Lors des semis, mélangez les variétés : à gousses violettes, à gousses jaunes, à gousses vertes ; et aussi les variétés à fleurs blanches et celles à fleurs rouges.

Des gousses de 1 m de long, c'est possible avec le haricot-kilomètre, ou haricot-asperge, ou pois-ruban *(Dolichos sesquipedalis...).* Cela reste cependant assez exceptionnel, la mesure la plus commune étant de 50 cm.

Dans un petit jardin, préférez les haricots à rames. Ils prennent moins de place et jouent un rôle décoratif en créant des lignes verticales au potager, souvent plat. Autres avantages : les haricots sont presque partout à portée de main et toujours propres. De plus, si vous en cueillez régulièrement, la production sera longue et plus généreuse qu'avec des variétés naines.

Nettoyage facile. Installez vos haricots à rames sur du grillage métallique tendu entre deux poteaux. Après la saison, vous n'aurez qu'à rouler le grillage et à le passer au feu pour brûler toute la végétation sèche accrochée aux mailles.

Jolis effets. Installez vos haricots à rames entre mai et juin. Plantez 3 ou 5 rames en rond : vous obtiendrez une jolie tente d'Indien qui fera la joie des enfants. Pour un mur de verdure fleuri et productif, fichez en terre deux poteaux sur lesquels vous accrocherez un filet.

Une tente canadienne. Plantez en terre, à 2 m de distance, deux couples de piquets disposés en croix. Le haut du X recevra la traverse horizontale, qui soutiendra les rames. Attachez cet ensemble (en bois, bambou, plastique...) avec un lien solide ou du fil gainé. Lorsque les plants atteindront 15 à 20 cm, soit environ 2 semaines plus tard, posez les rames devant chaque pied.

Si vous n'avez pas de rames, utilisez de la ficelle solide passée par-dessus la traverse horizontale et fixez-la des deux côtés par de petits piquets fichés dans le sol.

Pour tester les haricots secs lors de l'achat, croquez un grain de cette « viande du pauvre ». S'il casse net, c'est qu'il est vieux, cuira difficilement et restera dur. S'il cède sous la dent, il est de la dernière récolte et sera délicieux.

▶ **Maïs, Potager**

Herbe à poux

On retrouve deux espèces d'herbe à poux dans l'est du Canada : la petite herbe à poux (*Ambrosia artemisifolia*) et la grande herbe à poux (*A. trifida*), la principale responsable du rhume des foins. En effet, ses grappes de fleurs, en août et en septembre, dispersent dans le vent des milliards de grains de pollen.

Des grains de pollen microscopiques, comme de fines aiguilles... Quelques-uns de ces grains suffisent à déclencher une allergie. On peut donc comprendre que de nombreuses personnes soient affectées par cette plante.

Afin d'éradiquer l'herbe à poux, l'arrachage à la main est tout indiqué et facile, car cette plante annuelle se reproduit par les graines. Il faut donc simplement l'arracher avant la floraison.

Herbe à puce

L'herbe à puce (*Rhus radicans*) est répandue dans tout l'est du Canada. Elle a la particularité de se présenter sous diverses formes : arbustive, buissonnante et même grimpante.

Toujours au nombre de trois. Quoique souvent d'aspect irrégulier, ses feuilles sont toujours au nombre de trois.

Une plante vénéneuse. Au moindre contact de la peau sur cette plante apparaissent des irritations cutanées suivies de démangeaisons douloureuses.

Une huile non volatile, que l'on retrouve dans toutes les parties de la plante, est le poison responsable de ces irritations. Un seul contact suffit pour que cette huile nous touche.

Le degré de sensibilité à ce poison, toutefois, est variable selon les personnes... Certaines gens peuvent arracher l'herbe à puce et ne pas en avoir de séquelles !

Herbes (mauvaises)

Barrière naturelle. Encadrez les plates-bandes du potager d'œillets et de roses d'Inde ou de soucis. Il semble que ces plantes émettent des substances empêchant le développement de mauvaises herbes envahissantes, notamment chiendent et prêle. Ces fleurs colorées repoussent également certains parasites.

Plantez des pommes de terre en début de saison. Elles nettoient le potager des mauvaises herbes à une époque où celles-ci foisonnent. Le feuillage abondant limite leur développement tandis que binage, buttage puis arrachage facilitent le désherbage.

Récupérez l'eau de cuisson des pommes de terre et arrosez-en les joints de vos dallages (terrasses, allées). Son effet herbicide est encore plus notable quand elle est bouillante.

Pas toujours si mauvaise ! Laissez pousser quelques touffes d'ortie au potager, par exemple aux côtés des groseilliers, mais gardez-les « sous contrôle » ! Cette indésirable aurait une influence positive sur la vigueur et la résistance aux maladies des plantes voisines, en particulier légumes et arbustes à petits fruits.

Pour limiter le développement du pissenlit et des autres mauvaises herbes vivaces à racines charnues, laissez-les se développer jusque peu avant la floraison, puis coupez-les à ras et paillez le sol au-dessus des racines avec le feuillage coupé, en tassant bien.

Semez un engrais vert dans les plates-bandes libres du potager : vesce ou phacélie au printemps, moutarde en été. Ces plantes à croissance rapide étouffent les mauvaises herbes tout en apportant des éléments nutritifs au sol. Fauchez l'engrais vert 2 semaines avant de faire les nouveaux semis ou plantations, laissez-le sécher un peu, puis incorporez-le superficiellement dans le sol.

Attention, danger !

Soyez très vigilant pour l'achat comme pour l'emploi des herbicides ou désherbants. Choisissez le produit avec soin : désherbant sélectif (détruit certaines plantes) ou total, de contact (agit sur le feuillage traité) ou systémique (véhiculé par la sève), en tenant compte de la surface à désherber et des plantes qui y sont cultivées.

Pour votre sécurité :

– respectez toujours scrupuleusement les doses et précautions d'emploi spécifiées par le fabricant ;
– portez des gants pour doser et épandre le désherbant ;
– réservez un arrosoir aux traitements herbicides pour ne pas risquer d'empoisonner ensuite les plantes que vous arroserez ;
– appliquez le désherbant quand il n'y a pas de vent, pour éviter les risques de projection sur les plantes voisines ;
– conservez toujours les désherbants dans leur conditionnement d'origine et assurez-vous que les conseils de dosage et d'utilisation restent bien lisibles ;
– comme tous les produits dangereux, gardez-les hors de portée des enfants et des animaux domestiques.

Paillage économique. Plutôt que de brûler les mauvaises herbes, étalez-les en couche de 5 à 6 cm d'épaisseur, en tassant un peu, au pied des légumes ou entre les rangs du potager. Attention, ce recyclage ne convient qu'aux mauvaises herbes arrachées avant floraison, sans quoi elles risquent de se ressemer.

▶ **Désherbage, Liseron, Ortie, Pissenlit, Sarclage**

Herbier

Plus original qu'un album de photos. De retour de vacances, composez un herbier avec toutes les plantes que vous avez ramassées au hasard de vos promenades. Agrémentez-le de photos des paysages où les plantes ont été prélevées. Si vous ne partez pas, composez un herbier avec les plus belles fleurs de votre propre jardin.

Préservez la nature. Ne cueillez pas de plantes protégées. Contentez-vous de les photographier. Quant à celles qui ne sont pas protégées officiellement, inutile d'en cueillir de pleines poignées, un ou deux spécimens suffisent.

Le bon équipement. Emportez un couteau, un sécateur (pour les rameaux d'arbres et arbustes), un carnet, un crayon, un sac plastique pour rapporter vos échantillons, du papier journal pour isoler les plantes, une loupe et, si vous avez de la place, une petite flore.

La clé de la réussite : le séchage. Éliminez toute trace de terre, étalez bien fleurs et feuilles, et placez la plante entre des feuilles de papier journal si possible doublé de papier buvard. Mettez sous presse (presse à fleurs ou gros livres, dalle…). Changez le papier chaque jour jusqu'à ce que les plantes soient bien sèches.

N'attendez pas pour composer votre herbier car les plantes risquent de s'« effriter ». Réservez une double page par plante de façon à coller l'échantillon d'un côté et à indiquer de l'autre l'identité de la plante, les date et lieu de cueillette, et ajouter une photo. Fixez les plantes par des points de colle au latex ou par des morceaux de ruban adhésif discrets.

Faites des tableaux des plus belles fleurs de votre jardin. Après séchage, collez-les sur du papier cartonné, éventuellement aux côtés de photos, aquarelles… Soulignez vos collages d'une bordure colorée puis mettez sous verre. Une idée de cadeau original pour vos amis !

Jeu d'enfants. Aidez vos enfants à tenir un journal de leurs vacances (excellente occupation pour les jours de pluie !). Ils y noteront et dessineront ce qu'ils ont vu dans la journée, y colleront fleurs, feuilles, plumes d'oiseaux ramassées dans les bois, en montagne, ou dans le jardin.

Hormone

Pour un bouturage facile, recourez aux hormones spécialisées, qui favorisent grandement la formation d'un cal, porteur de racines. Elles sont naturellement présentes dans tous les végétaux, mais plus ou moins abondantes. Quand elles sont rares, l'enracinement reste paresseux. Cette petite tricherie rétablira l'équilibre. Mais conservez bien les produits au sec et au frais, et sachez qu'ils ne durent jamais plus de 1 an.

Ayez la main légère. Le mieux est l'ennemi du bien et un excédent de poudre d'hormone produit des pourritures. Pour les éviter, plongez la base de vos boutures dans la poudre, puis tapez-les d'un coup sec du doigt, comme pour faire tomber la cendre d'une cigarette. La dose restante sera parfaitement suffisante.

Si vous avez connu des échecs successifs avec une espèce déterminée, c'est qu'il s'agit d'une plante à la fois d'enracinement délicat et sensible à l'excès d'hormones. Nombre de rhododendrons sont dans ce cas. Les racines se forment sous l'écorce puis sont arrêtées par la couche d'hormones. Pour réussir le dosage parfait, formez un onglet au couteau à greffer, en levant une languette d'écorce sur un côté de la bouture, dont vous ne traiterez que la base aux hormones. Les racines se développeront abondamment.

Faites vous-même votre hormone d'enracinement. Le saule a la propriété de libérer de l'acide indolbutyrique — un produit naturel qui remplace les hormones d'enracinement. Aussi, laissez tremper pendant 2 jours des morceaux de tiges de saule dans de l'eau de pluie et arrosez vos boutures avec cette préparation. Renouvelez souvent l'opération, car l'eau hormonée ne se conserve pas longtemps.

Hortensia

Bleu, blanc, rose. La couleur des fleurs traduit la chimie de votre sol. Le bleu signifie un sol acide (pH 4,5 à 5,5), le rose une tendance à l'alcalinité (pH 6 à 7,5). Si les variétés blanches restent toujours blanches, en revanche, vous pouvez nuancer les bleues et les roses. Pour obtenir des fleurs plus bleues, faites des apports d'ardoise pilée, de sulfate de fer, d'alun de potassium ou de produit spécial vendu pour le « bleuissement ». Pour des fleurs plus roses, alcalinisez votre sol acide (voir Acide).

Des couleurs plus vives. Arrosez les racines de chaque hortensia avec l'eau d'un arrosoir où vous aurez dilué 25 à 30 g de sang desséché (pour 10 litres d'eau). Renouvelez l'opération 1 mois après le premier arrosage.

Un ennemi mortel. Tous les hortensias et une bonne partie des autres *Hydrangea* ont un point commun : ils ne supportent pas le calcaire. Si l'eau de votre ville est calcaire, arrosez-les à l'eau de pluie ou acidifiez votre eau (voir Arrosage). Plantez-les en sol acide ou acidifiez votre terre avec un apport massif de terre de bruyère. Ou évitez le choix de ces espèces en terrain calcaire et, si vous rêvez d'hortensias, plantez-les en gros pots remplis de terre acide additionnée de compost nutritif ou en massif surélevé (voir Calcaire).

Petite histoire

Le mot hortensia fut forgé par Philibert de Commerson au XVIIIe siècle. On ne sait si ce fut pour honorer la reine Hortense de Beauharnais, Hortense de Nassau ou l'épouse d'un horloger célèbre à l'époque et ami du naturaliste.

Dès 1736 l'hortensia de Virginie ou hydrangée arborescente *(Hydrangea arborescens),* à petites fleurs blanches, avait été importé d'Amérique du Nord mais l'engouement pour l'hortensia atteignit son paroxysme avec l'arrivée en 1790 de l'*Hydrangea macrophylla,* découvert en Chine par sir Joseph Banks.

Hortensias (hydrangées) : faites le bon choix

À TÊTES EN BOULE

Hydrangea macrophylla **(hortensia commun) :** Si l'on vous en offre un pot, vous pouvez le replanter au jardin après avoir rabattu les branches ayant fleuri. S'il a été forcé, il risque de ne rien vous donner l'année suivante, mais soyez patient : les fleurs seront pour l'été d'après.
'Sœur Thérèse' : blanc pur, résiste bien au froid
'Yola' : rose clair
'Merveille' : rose vif foncé
'Chaperon rouge' : rouge carmin
'Bodensee' : bleu intense

Hydrangea serrata, à têtes plus petites, est plus rustique. Il possède de nombreux rameaux.
'Preziosa' : rose tendre à rouge brique
'Nikko Blue' : de petite taille, rose, est le seul qui peut bleuir

Hydrangea arborescens convient bien aux régions plus froides : comme il fleurit sur les pousses de l'année, le gel n'est pas à craindre. À tailler sévèrement en mars. À tuteurer.
'Annabelle' : grosses boules blanches devenant vertes avec l'âge

À TÊTES PLATES

La tête est composée d'une couronne de fleurs stériles entourant un plateau de fleurs fertiles. Ces hortensias sont bien en terre de bruyère, en complément estival des azalées, rhododendrons… Ils sont superbes devant un plan d'eau.

Hydrangea macrophylla
'White Wave', 'Lanarth White', 'Libelle' : blancs
'Mariesii', 'Mousmée' : roses

Hydrangea serrata
'Blue Bird' : bleu ou rose
'Graywood' : blanc, puis rosé, puis pigmenté de rouge
'Rosalba' : 60 cm, nain, le meilleur en pot, toujours rose

À TIGES QUI GRIMPENT

Hydrangea petiolaris démarre lentement puis devient envahissant. Il accepte l'ombre dense, l'exposition nord, et peut garnir un arbre mort ou dégarni ; s'accroche seul par de petits crampons. Floraison blanche en juin-juillet.

Schizophragma hydrangeoides **et *S. integrifolia*** portent de plus grandes bractées, blanc pur.

À TÊTES EN POINTE

Hydrangea paniculata (paniculé) n'exige ni ombre ni sol acide. Il fleurit sur les pousses de l'année, donc ne craint pas les gelées. Croissance rapide (2 m et plus). À tailler sévèrement en mars pour limiter son développement. Nombreuses variétés blanc crème.
'Praecox' : fleurit dès juin
'Floribunda' : très pointu
'Grandiflora' : arrondi
'Unique' : énormes inflorescences
'Kyushu' et 'Tardiva' : plus nouveaux

À FEUILLES DE CHÊNE

Hydrangea quercifolia est un arbuste qui dépasse rarement 1,80 m de haut. Il porte de longues inflorescences neigeuses en août-septembre. 'Snowqueen' est une amélioration.

LES BOTANIQUES

Hydrangea aspera (ou *H. villosa*) a des feuilles velues et des fleurs mauves.

H. sargentiana peut dépasser 2,50 m et aime un mélange d'ombre légère et d'un peu de soleil.

H. involucrata passe du rose bleuté au bleu. Il aime plus de soleil et fleurit sur les pousses de l'année. Il ne craint donc pas les gelées tardives.

Conservez les fleurs fanées en fin d'été. Au cœur de l'hiver, elles vont se parer de givre ou de neige. C'est joli… mais c'est en plus une bonne protection pour les jeunes bourgeons. Au printemps, taillez les tiges juste au-dessus de gros bourgeons gonflés de sève.

Jolis bouquets secs. Cueillez quelques inflorescences d'hortensia en pleine floraison. Faites-les sécher à l'ombre, dans un local aéré, à l'abri de la poussière. Autre solution : cueillez les inflorescences en octobre ; placez-les dans l'eau d'un vase et laissez celle-ci s'évaporer ou traitez-les à l'aniline, à la vaseline ou aux « dessiccants ».

Zones de rusticité. Il faut noter que les hortensias (*Hydrangea macrophylla*) ne peuvent être cultivés qu'en zone 5, de même que *H. serrata, H. quercifolia* et *H. petiolaris*. Dans les régions de zone 3, on peut opter pour : l'hydrangée arborescente (*H. arborescens*) et ses cultivars, tels 'Annabelle' et 'Grandiflora' ; et l'hydrangée paniculée (*H. paniculata*) et ses nombreux cultivars, dont 'Floribunda', 'Grandiflora', 'Kyushu' ou 'Unique'.

Idéal pour un jardin d'été. L'hortensia et tous les *Hydrangea* proposent une longue floraison suivie d'un décor de bractées qui sèchent peu à peu, traversant l'hiver sans tomber. Dans un jardin de vacances, plantez-les sur un tapis de bruyère, de lamium, d'astilbes… Vous serez tranquille, à condition de leur donner une terre acide et de la fraîcheur aux racines.

Houx

Pour obtenir beaucoup de boules rouges, plantez un pied femelle et un pied mâle tels les houx hybrides 'Blue Prince' et 'Blue Princess' aux tiges bleutées. Leur feuillage persistant devient bronzé en hiver.

Des bouquets qui durent longtemps. Traitez le houx coupé pour les fêtes avec un lustrant en bombe destiné à faire briller les feuilles des plantes d'intérieur. La différence d'éclat sera peu perceptible, le houx étant naturellement luisant, mais le produit le protégera d'une dessiccation trop rapide, à laquelle il est sujet, même dans l'eau d'un vase.

Une espèce à feuillage caduc. Le houx verticillé (*Ilex verticillata*) est le plus rustique que l'on puisse cultiver (zone 3b). Ses feuilles, caduques, prennent une teinte jaune à l'automne, mais ses fruits rouges persistent tout l'hiver.

Choisissez votre houx en fonction de la taille des feuilles, épineuses ou non, de leurs panachures et de l'abondance des fruits. Ici, un Ilex altaclerensis *'Variegata', joliment taillé.*

▶ **Haie**

Hybridation

Si vous voulez ressemer vos propres graines, il vous faut éviter que la variété désirée ne dégénère par hybridation (croisement) avec d'autres. Ne cultivez donc chaque saison qu'une variété de l'espèce concernée si elle s'hybride facilement (courgette, concombre, cornichon, potiron). Tomate, haricot et pois dégénèrent peu. Une variété dite F1 ne peut être reproduite.

Hydrangée

Voir Hortensia

Hydroculture

Des plantes sans terre. Si vous voulez jardiner « propre » dans la maison, si vous avez peu de temps à consacrer à vos plantes d'intérieur, l'hydroculture est pour vous ! Les plantes sont cultivées dans un récipient étanche rempli d'eau et de billes d'argile expansée ou de gravillons, assurant l'ancrage des racines. Il vous suffira d'arroser toutes les 2 à 3 semaines, et d'apporter de l'engrais toutes les 6 à 8 semaines.

Faites le bon choix

Les plantes suivantes se prêtent très bien à l'hydroculture.

Plantes vertes : aspidistra, papyrus, ficus, dieffenbachia, lierre, monstéra, philodendron grimpant, misère.

Plantes fleuries : *Aechmea fasciata,* hoya, impatiens, saintpaulia, *Spathiphyllum wallisii.*

Bouturez dans l'eau vos plantes d'intérieur (misère, cissus, hypoestes…). Elles développeront ainsi des racines adaptées à l'hydroculture et vous disposerez à peu de frais de matériel de départ. Les racines formées dans un mélange terreux ont une anatomie légèrement différente et le passage à l'hydroculture est alors plus délicat.

Rincez bien les racines à l'eau claire pour éliminer toute trace de terre si vous voulez faire passer une plante d'un mélange terreux ordinaire à l'hydroculture. Recoupez les racines abîmées et taillez au besoin les tiges pour conserver un certain équilibre entre racines et parties aériennes.

Le bon engrais. Veillez à vous procurer une solution nutritive spécialement conçue pour l'hydroculture. Les engrais ordinaires ne conviennent pas.

Hygrométrie

Maintenez une bonne hygrométrie auprès des plantes d'intérieur sensibles à la sécheresse atmosphérique en les regroupant, du moins dès que le chauffage fonctionne. Elles formeront à elles toutes seules un microclimat.

Pour quelques plantes de petite taille, le regroupement est inefficace. Posez-les sur un plateau étanche rempli de gravier maintenu frais : l'évaporation qui s'en dégage suffit à maintenir les végétaux les plus fragiles.

▶ **Bassinage, Intérieur**

Impatiens

Colorez vos plates-bandes situées à l'ombre avec des impatiens hybrides qui poussent et fleurissent vite. Un semis effectué en mars (contre janvier-février autrefois) permet d'avoir des plantes en fleurs en juin, ce qui fait gagner de la place dans l'abri chauffé (18 °C) qu'elles exigent. Pour être sûr de la réussite, n'enfouissez pas les graines : il faut qu'elles voient le jour, faute de quoi elles ne germent pas.

Pour bouturer vos impatiens tropicales ou hybrides dans l'eau, coupez toujours la tige au-dessous d'un renflement. Les tronçons qui ont été coupés entre deux nœuds ont tendance à pourrir facilement et à corrompre l'eau. Retirez l'extrémité des feuilles du bas et placez l'ensemble en pleine lumière.

Amusez les enfants en installant dans un coin du jardin une belle touffe d'*Impatiens balfouri*. Cette himalayenne bien rustique, épanouie de juin aux gelées, fournit en abondance des capsules gonflées qui éclatent au moindre contact, envoyant leurs graines à l'aventure. Avec un seul semis, vous en aurez toujours, d'autant qu'elles s'accommodent de tous les sols et de toutes les expositions. Le succès de ce jeu naturel est assuré.

À l'ombre, pensez aux impatiens pour colorer une plate-bande. Elles forment des bordures éclatantes. Semez-les sous abri ou achetez-les en godets pour un résultat plus rapide.

Vous obtiendrez des plantes courtes, mais très ramifiées, qui disparaîtront sous les fleurs si vous pincez vos impatiens (même les variétés trapues) dès la plantation (ou, mieux, avant). Pour ne pas vous priver au départ de trop de fleurs, pincez un pied sur deux, et alternez une quinzaine de jours plus tard. Rien ne vous empêche de bouturer dans l'eau les chutes, qui viendront à leur tour épaissir les massifs une fois bien racinées.

Une annuelle extrêmement populaire. L'impatiens est sans doute l'annuelle la plus appréciée des jardiniers. Elle se caractérise par de nombreux coloris, très lumineux, et produit une multitude de fleurs jusqu'à l'automne. De plus, elle croît aussi bien à l'ombre qu'au soleil. Son effet est toujours spectaculaire. Par ailleurs, on retrouve sur le marché une grande panoplie d'hybrides et de variétés : impatiens Nouvelle-Guinée, impatiens walleriana, série Accent, série Super Elfin et série Déco Hybride, entre autres.

Insecticide

Récupérez la suie. Toutes les suies, sauf celle du mazout, peuvent se révéler de bons insecticides. Utilisez-les à raison de 2 grosses cuillerées à soupe pour 10 litres d'eau. Conservez la suie bien au sec.

Insecticide économique. Mélangez la même quantité de savon à vaisselle et d'huile à salade. Versez 1 à 2 cuillerées à thé de cette préparation dans une tasse d'eau. Pulvérisez cette préparation sur les plantes une fois par semaine à l'aide d'un petit brumisateur à main.

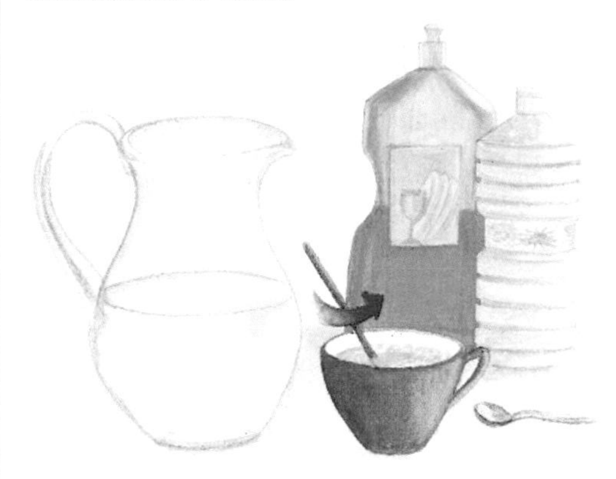

Pas de boîte poudreuse ? Remplissez un vieux bas de la poudre à épandre. Secouez-le sur et entre les tiges, en procédant le matin de bonne heure, lorsque le feuillage est encore légèrement humide de rosée. Le produit se fixera mieux et sera plus efficace.

Des alliées ailées. Si vous possédez des poules, n'hésitez pas à les utiliser comme insecticide ! Elles raffolent des larves qu'elles peuvent glaner dans le jardin. Au moment du bêchage, laissez-les pâturer sans contrainte. À la belle saison, faites de même en les surveillant du coin de l'œil, et rentrez-les au poulailler dès qu'elles font mine de s'intéresser à vos salades.

L'insecticide en 5 questions

DE QUOI SE COMPOSE-T-IL ?

Généralement, de trois éléments qui sont complémentaires :
– une ou des matières actives, qui détruisent ou limitent la pullulation d'un parasite préjudiciable au bon développement d'une plante ;
– un diluant liquide, ou une charge solide, qui facilite l'application et permet d'apporter la matière active à la dose préconisée. L'insecticide se présentera alors sous forme de liquide, poudre, bâtonnets, granulés… ;
– un additif, qui améliore les capacités du produit en favorisant sa pénétration, son adhésion ou même sa durée d'action.

COMMENT AGIT-IL ?

Pour la majorité des types, par contact direct : le produit pénètre à l'intérieur de l'insecte par inhalation ou asphyxie en le recouvrant. L'insecticide agira ensuite en perturbant le système nerveux des parasites ou en bloquant les mues nécessaires à leur développement. Certains insecticides, dits systémiques sont absorbés par le végétal et circulent dans la sève. Les parasites sont alors détruits en consommant la plante.

QUAND L'UTILISER ?

Jamais sans nécessité. Assurez-vous que le problème est bien lié à l'attaque de parasites qui perturbent la croissance de la plante. Une atteinte de vos cultures par un coup de froid, une période de sécheresse, une carence en nourriture ou une maladie provoquée par un champignon microscopique ou un virus ne justifie en aucun cas un traitement insecticide, même à titre préventif. Essayez de porter un diagnostic le plus précis possible et, en cas de doute, demandez conseil à un spécialiste de votre jardinerie ou de votre pépinière en lui apportant un échantillon de la plante attaquée.

COMMENT BIEN TRAITER ?

Choisissez un produit adapté aux différents types de parasites (insectes, acariens, cochenilles…). Lisez attentivement les conditions d'emploi et respectez les conseils du fabricant, en particulier la dose recommandée. Un surdosage de produit est inefficace et peut même se montrer dangereux pour le végétal et, bien sûr, l'environnement. Un sous-dosage conduit généralement à un traitement en pure perte. Ne traitez pas par grand vent, forte chaleur, gel vif ou pluie. Appliquez bien régulièrement la solution sur les plantes attaquées, en particulier au revers des feuilles. Il est souvent nécessaire de renouveler un traitement au bout de 8 à 10 jours afin d'éliminer une nouvelle génération de parasites, car les œufs sont rarement détruits par l'insecticide.

QUELLES PRÉCAUTIONS PRENDRE ?

Lors d'un traitement, portez des gants, des bottes et si possible un chapeau. Ne buvez pas, ne mangez pas et ne fumez pas pendant toute la durée de l'opération. En période de floraison, n'utilisez que des produits portant la mention « emploi autorisé durant la floraison », pour respecter les abeilles. Nettoyez soigneusement le matériel en fin d'utilisation et détruisez les emballages vides. Lavez-vous soigneusement mains et visage pour éliminer toute trace de traitement sur la peau, et nettoyez vos vêtements de protection.

Des insecticides au potager et au verger. Pour être sûr de la décomposition des insecticides systémiques appliqués sur les légumes ou les fruits, et donc éviter tout risque d'intoxication pour le consommateur, respectez toujours un délai entre l'application et la récolte. Cette période, généralement de 1 à 2 semaines, est indiquée sur l'emballage.

▶ **Fongicide, Ortie**

Intérieur (plantes d')

ACHAT

Ayez l'œil. Soulevez doucement les feuilles : c'est en dessous qu'il se passe le plus de choses… entre autres, la fixation des ravageurs classiques (aleurodes, cochenilles, pucerons…). Regardez sous le pot : si les racines ressortent par le trou de drainage, c'est que la plante a faim et a un besoin urgent de rempotage ; préférez une plante plus à l'aise dans un autre pot.

Temps d'adaptation. Avant d'introduire votre nouvelle protégée parmi les plantes de la maison, laissez-la en quarantaine, seule dans une pièce fraîche, une quinzaine de jours.

Aide-mémoire. Conservez toujours l'étiquette de la plante que vous venez d'acheter pour ne pas oublier son véritable nom ni les soins qu'il faut lui prodiguer.

De retour chez vous, faites boire le terreau s'asséchant vite en plongeant directement le pot de votre nouvelle plante dans un seau d'eau. Laissez-la jusqu'à ce qu'il ne remonte plus de bulles en surface. Égouttez-la bien avant de la mettre dans une soucoupe.

EXPOSITION ET LUMIÈRE

Pour savoir si vous avez placé correctement votre plante, mesurez la lumière qu'elle peut recevoir avec la cellule de votre appareil photo (voir Lumière artificielle). Vous constaterez que la luminosité chute très rapidement au fur et à mesure que l'on s'éloigne de la fenêtre. Bon à savoir : très peu de plantes résistent à une situation où vous ne pourriez pas lire le journal sans lumière.

Les gourmandes. Toutes les plantes panachées ou à feuillage coloré ainsi que les boutures et semis en pleine croissance demandent beaucoup de lumière ; il faut connaître le corollaire : plus une plante est exposée à la lumière vive, plus elle accroît son activité, plus elle demande d'humidité, de chaleur, d'engrais…

Pas de brutalité. Ne changez pas une plante de position pour lui offrir du jour au lendemain une situation radicalement différente, elle vous fera savoir son mécontentement par une mauvaise tenue

de son feuillage, puis la chute de ses feuilles, et enfin la venue de parasites. Un passage trop brusque de la pénombre à la pleine lumière entraînerait des brûlures irréversibles du feuillage.

Entretenez la beauté de vos plantes d'intérieur

– Supprimez régulièrement toutes les fleurs fanées, feuilles sèches et tiges dégarnies.
– Donnez régulièrement de l'engrais en période de croissance et de floraison, soit entre mars et septembre. Réduisez la dose de moitié par rapport aux recommandations du fabricant pour un apport d'entretien. Arrêtez tout apport à la mauvaise saison.
– Évitez les produits lustrants, qui ont un excellent rendu mais obstruent les pores des cellules ; préférez l'éponge humide ou le bassinage.
– Lorsque vous coupez les pointes brunies, laissez toujours un fin liseré brun, la coupe d'une feuille vivante entraînant automatiquement un dessèchement.

Lorsqu'une plante (camélia, gardénia, hoya, hibiscus...) émet des boutons floraux, ne la changez plus de place : ils tomberaient. Seul un demi-tour du pot sur lui-même est conseillé pour un développement harmonieux de la végétation.

Pour augmenter la luminosité l'hiver, placez vos pots devant un miroir ou une feuille d'aluminium ménager tendue sur du carton. La réverbération de la lumière naturelle aidera l'arrière des plantes à mieux vivre.

Plantes d'intérieur : faites le bon choix

Tenez compte de l'endroit où vous voulez placer le pot pour définir la taille de la plante, ses besoins en lumière et chaleur. La voulez-vous décorative toute l'année ? Optez pour une plante à feuillage. Souhaitez-vous qu'elle éclaire et égaie un meuble ? Préférez une plante à fleurs moyennes ou petites. Rêvez-vous d'une increvable ? Achetez cactée, succulente, broméliacée, fatsia, sansevieria, aspidistra, papyrus, asparagus... Aimez-vous la voir grandir, la rempoter, la soigner pour qu'elle prospère ? Partez d'une bouture racinée économique ou d'un jeune plant.

ENTRETIEN

Ne surchauffez pas votre appartement, vos plantes n'apprécieraient pas ! La température idéale tourne autour de 15 à 21 °C : plus frais est toujours meilleur que plus chaud.

Pour lutter contre la sécheresse dans les grosses potées, installez tout autour de la plante de minuscules points d'eau : utilisez, par exemple, des emballages de pellicules photo. Remplissez-les régulièrement.

Pour retirer la poussière, les fumées... donnez de temps en temps une douche d'eau tiède à toutes vos plantes déplaçables jusqu'à la salle de bains. Laissez-les sécher avant de les remettre en place.

▶ **Achat, Arrosage, Bac, Hydroculture, Lumière artificielle, Rempotage, Surfaçage, Thé**

Un décor vert à la maison

Difficile d'imaginer un intérieur chaleureux sans quelques belles plantes…
Composez donc le décor de la maison avec des « permanentes », des plantes vertes dont vous suivrez la croissance au fil des saisons et des années. Vous les agrémenterez de quelques plantes fleuries bien choisies, comme la primevère, annonciatrice du printemps, le poinsettia, qui illumine les mois d'hiver, ou l'hibiscus.
Pour que vos plantes s'épanouissent sans difficulté, il faut trouver à la fois le bon emplacement et le bon rythme d'arrosage. La lumière est déterminante. Toutes les espèces dites d'intérieur sont natives des zones tropicales et subtropicales du globe. Rares sont celles qui se contentent d'une faible luminosité ou qui supportent le soleil derrière la vitre en été !
Sachez également qu'à l'intérieur l'intensité lumineuse diminue très rapidement quand on s'éloigne de la fenêtre, ce que notre œil perçoit mal. N'oubliez pas les besoins des plantes au moment de faire votre choix.
Plein soleil : sur un appui de fenêtre donnant au sud (sauf en plein été).
Lumière vive sans soleil brûlant : derrière une fenêtre avec voilage exposée au sud, ou sur un appui de fenêtre donnant à l'est ou à l'ouest.
Mi-ombre : derrière une fenêtre au nord ou mal éclairée, ou bien jusqu'à 2 m environ d'une fenêtre recevant beaucoup de lumière.
Ombre : vers le centre d'une pièce lumineuse ou jusqu'à 1,50 m d'une fenêtre au nord.

Plantes fleuries

Plein soleil

Beloperone guttata plante-crevette

Floraison presque toute l'année, du printemps à l'automne.

2 fois par semaine en été, 1 fois par semaine en hiver. Engrais pour plantes fleuries tous les 15 jours en été, 1 fois par mois en hiver.

Conseil Pincer les tiges pour qu'elles se ramifient.

Echeveria derenbergii dame-peinte

Floraison au printemps.

1 fois par semaine en été, tous les 10 à 15 jours ou moins en hiver. Engrais pour plantes grasses tous les 15 jours en été.
Conseil Garder au frais (10 à 12 °C) en hiver.

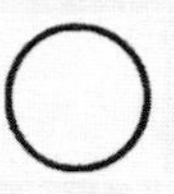

Lumière vive sans soleil brûlant

Aeschynanthus (espèces et hybrides) aeschynanthus

Floraison printemps-été.

1 fois par semaine environ. Tout excès ou manque d'eau peut entraîner la chute des fleurs. Engrais dilué tous les 15 jours.
Conseil Garder au frais (12 à 15 °C) en hiver, en l'arrosant très peu.

Euphorbia pulcherrima poinsettia

Floraison en hiver surtout.

1 ou 2 fois par semaine pendant la floraison. Engrais pour plantes fleuries toutes les 2 à 3 semaines.
Conseil Tailler au printemps.

Exacum affine exacum

Floraison entre printemps et automne.

Jusqu'à 2 ou 3 fois par semaine en été, sans laisser sécher le terreau en profondeur (chute des fleurs). Engrais pour plantes fleuries tous les 8 à 10 jours.

Mi-ombre

Aphelandra squarrosa plante-zèbre

Floraison généralement en automne ou en hiver.

1 fois par semaine, à l'eau douce. Engrais tous les 15 jours pendant la floraison.
Conseil Rabattre après la floraison pour que les tiges se ramifient. Plante difficile à faire refleurir.

Clivia miniata clivia

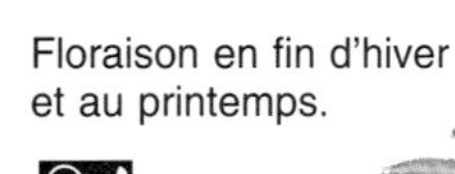

Floraison en fin d'hiver et au printemps.

2 fois par semaine jusqu'en automne. Arroser très peu en hiver avant la floraison. Engrais tous les 15 jours au printemps et en été.
Conseil Garder au frais (10 à 12 °C) en automne-hiver.

***Euphorbia milii* couronne d'épines**

Floraison entre automne et printemps.

1 fois par semaine toute l'année.
Engrais pour plantes grasses tous les 15 jours au printemps et en été.

***Hibiscus rosa-sinensis* hibiscus**

Floraison du printemps à l'automne, parfois jusqu'en hiver.

2 ou 3 fois par semaine en été, 1 fois par semaine en hiver.
Engrais pour plantes fleuries tous les 8 à 10 jours en été, 1 fois par mois en hiver.
Conseil Tailler au printemps.

***Solanum pseudocapsicum* pommier d'amour**

Fruits colorés de l'automne à la fin de l'hiver.

1 à 2 fois par semaine. Craint la sécheresse comme l'excès d'eau.
Engrais 1 fois par mois.
Conseil L'installer dehors en été pour favoriser une nouvelle fructification.

***Phalaenopsis* hybrides orchidée-papillon**

Plusieurs floraisons dans l'année.

1 ou 2 fois par semaine, à l'eau douce.
Engrais très dilué toutes les 2 à 3 semaines au printemps et en été.
Conseil Rempoter dans un terreau fibreux pour orchidées.

***Rhododendron simsii* azalée**

Floraison en hiver ou au printemps.

1 ou 2 fois par semaine selon la température, toujours à l'eau douce. Tout excès ou manque d'eau se traduit par la chute des fleurs.
Engrais pour plantes fleuries toutes les 2 à 3 semaines.

***Saintpaulia ionantha* saintpaulia**

Floraison entre printemps et automne.

1 ou 2 fois par semaine en été, moins en hiver, en versant l'eau dans la soucoupe.
Engrais tous les 15 jours en été, une fois par mois en hiver.

***Streptocarpus* hybrides streptocarpus**

Floraison entre printemps et automne.

1 ou 2 fois par semaine en été à l'eau douce, tous les 10 jours en hiver.
Engrais pour plantes fleuries tous les 15 jours en été.

***:piphyllum* hybrides :actus-orchidée**

'loraison au printemps ·t en été.

2 fois par semaine ·endant la floraison, à ·eau douce, moins ·n hiver.
:ngrais pour plantes ·euries au printemps et ·n été, tous les 15 jours.
:onseil Garder au frais ·n hiver (12 à 15 °C) ·our favoriser · floraison.

***Primula malacoides* primevère malacoïde**

Floraison en fin d'hiver-début de printemps.

1 fois par semaine environ, à température fraîche, sans mouiller les feuilles.
Engrais pour plantes fleuries 1 ou 2 fois par mois.
Conseil La floraison est plus durable à 10-15 °C.

***Spathiphyllum wallisii* spathiphyllum**

Floraison entre printemps et automne, parfois en hiver.

2 fois par semaine en été, à l'eau douce ; moins en hiver.
Engrais dilué tous les 15 jours au printemps et en été.
Conseil Bassiner le feuillage.

Plantes vertes

Plein soleil

Aeonium arboreum

1 fois par semaine en été, tous les 10 à 15 jours en hiver.
Engrais pour plantes grasses toutes les 2 à 3 semaines en été.
Conseils Préfère la fraîcheur en hiver (15 °C environ) mais supporte aussi d'être dans une pièce normalement chauffée. Rempoter tous les 2 à 3 ans dans un terreau additionné de sable ou de terreau pour plantes grasses.

***Beaucarnea recurvata* pied-d'éléphant**

1 fois par semaine, du printemps à l'automne, très peu en hiver.
Engrais dilué, toutes les 3 à 4 semaines en été.
Conseils Garder au frais en hiver (15-18 °C). Rempoter dans un terreau enrichi en sable ou pour plantes grasses.

Cactus miniatures (*Lobivia, Mammilaria, Rebutia...*)

1 fois par semaine en été, en laissar le terreau sécher presque complètement entre les arrosages ; très peu en hiver.
Engrais pour cactées toutes les 2 à 3 semaines en été.
Conseil Garder au frais en hiver (5-10 °C) et à la lumière vive pour favoriser la floraison.

Lumière vive sans soleil brûlant

***Codiaeum variegatum pictum* croton**

1 fois par semaine environ au printemps et en été, un peu moins en hiver.
Engrais tous les 15 jours en été.
Conseils Garder au chaud en hiver et bassiner fréquemment le feuillage.

***Cyperus alternifolius* (ou autre) papyrus**

Fréquents, pour que le terreau soit humide en permanence, même avec de l'eau dans la soucoupe.
Engrais dilué tous les 15 jours au printemps et en été.
Conseil Bassiner le feuillage en hiver à température élevée.

Mi-ombre

***Asparagus densiflorus* asparagus**

Jusqu'à 2 fois par semaine en été, tous les 8 à 10 jours en hiver, à température fraîche (15 à 18 °C).
Engrais tous les 15 jours au printemps et en été.
Conseils Rempoter dans un pot assez large. Apprécie la fraîcheur en hiver.

***Brassaia actinophylla* schefflera**

1 ou 2 fois par semaine, moins en hiver, surtout dans une pièce fraîche.
Engrais tous les 15 jours au printemps et en été.
Conseils Rabattre les tiges au printemps pour obtenir une plante plus étoffée. Peut passer l'été dehors en situation abritée. Rempoter chaque année les jeunes sujets.

***Epipremnum pinnatum* 'Aureum' pothos**

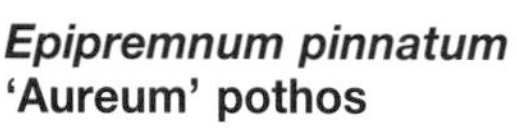

Jusqu'à 2 fois par semaine en été, 1 fois par semaine en hiver.
Engrais tous les 15 jours au printemps et en été.
Conseils Lui donner plus de lumière si les feuilles verdissent. Raccourcir les tiges dégarnies ou trop longues.

Ombre

***Adiantum raddianum* capillaire**

Jusqu'à 3 fois par semaine en été, à l'eau douce ; 1 ou 2 fois par semaine en hiver.
Engrais dilué toutes les 3 semaines en été.
Conseils Bassiner quotidiennement le feuillage en période de chauffage. Peut passer l'été dehors, à l'ombre.

***Cissus rhombifolia* cissus**

1 ou 2 fois par semaine en été, tous les 8 à 10 jours en hiver dans une pièce assez fraîche.
Engrais tous les 15 jours au printemps et en été.
Conseil Tailler les tiges trop longues ou dégarnies.

× *Fatshedera lizei* fatshedera

1 ou 2 fois par semaine en été, tous les 8 à 10 jours en hiver.
Engrais tous les 15 jours au printemps et en été.
Conseils Tailler les tiges au printemps pour qu'elles se ramifient. Préfère la fraîcheur en hiver (10 à 15 °C) ; en situation chaude, faire de fréquentes vaporisations d'eau tiède sur le feuillage. Attention, la variété panachée est plus exigeante en lumière. Rabattre les tiges d'environ 1/4, ou plus, pour que la plante demeure buissonnante.

***Ceropegia woodii* chaîne-des-cœurs**

1 fois par semaine en été, tous les 10 à 15 jours en hiver, selon la température.
Engrais dilué 1 fois par mois en été.
Conseils Préfère un peu de fraîcheur en hiver (15 à 18 °C). Multiplier par les bulbilles qui se forment sur les tiges en été.

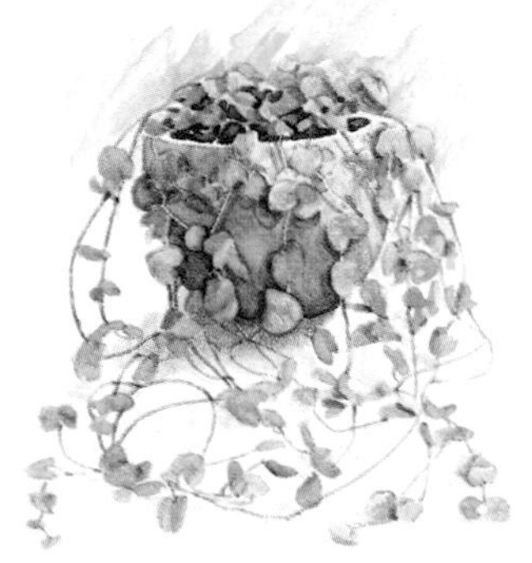

***Cordyline australis* cordyline**

1 fois par semaine en été, moins en hiver.
Engrais dilué toutes les 2 à 3 semaines au printemps et en été.
Conseils Préfère un peu de fraîcheur en hiver (10 à 15 °C) ; sinon, bassiner fréquemment le feuillage. Apprécie de passer l'été dehors. Attention, plante sensible aux araignées rouges et aux cochenilles en atmosphère chaude et sèche.

***Crassula ovata* crassula**

1 fois par semaine en été, tous les 10 à 15 jours en hiver.
Engrais dilué toutes les 2 à 3 semaines en été.
Conseils Préfère la fraîcheur en hiver (10 à 15 °C). Rempoter dans un terreau enrichi en sable, dans un pot large pour une bonne stabilité. Plante facile à bouturer : laisser sécher 2 à 3 jours les pousses terminales prélevées sur la plante puis les repiquer dans un mélange de tourbe et de sable maintenu à peine humide.

***Dieffenbachia* dieffenbachia**

Jusqu'à 2 fois par semaine en été, 1 fois par semaine en hiver.
Engrais tous les 15 jours au printemps et en été.
Conseil Bassiner fréquemment le feuillage dans une pièce chaude. Attention, c'est une plante toxique !

***Hypoestes phyllostachya* hypœste**

2 fois par semaine en été, 1 fois par semaine en hiver.
Engrais dilué tous les 15 jours au printemps et en été.
Conseils Tailler régulièrement les tiges pour garder un port buissonnant. Poser le pot sur des gravillons humides.

***Nephrolepsis exaltata* fougère de Boston**

2 fois par semaine ou plus à température élevée, 1 fois par semaine en hiver.
Engrais dilué toutes les 2 à 3 semaines en été.
Conseils Bassiner fréquemment le feuillage, amateur d'humidité. N'utiliser ni lustrant ni insecticide.

***Sparmannia african* tilleul d'appartement**

1 ou 2 fois par semaine en été, tous les 8 à 10 jours en hiver.
Engrais tous les 15 jours au printemps et en été, tous les 2 mois en hiver, en situation lumineuse.
Conseils Apprécie une température fraîche (15-16 °C). Rempoter dans un pot large, dans un terreau riche en éléments nutritifs.

***Syngonium podophyllum* syngonium**

2 fois par semaine en été, moins en hiver à température fraîche.
Engrais tous les 15 jours au printemps et en été.
Conseil Bassiner fréquemment le feuillage ou poser le pot sur des gravillons humides pour augmenter l'humidité de l'air.

***Philodendron scandens* philodendron grimpant**

2 fois par semaine en été, 1 fois par semaine en hiver. Maintenir le mélange légèrement humide en permanence.
Engrais tous les 15 jours au printemps et en été.
Conseils À palisser de préférence sur un tuteur, treillage ou, mieux, sur une colonne de mousse régulièrement humidifiée. Tailler les tiges dégarnies ou trop longues. Bassiner le feuillage dans une pièce chaude, surtout lors de la reprise de croissance.

***Platycerium bifurcatum* corne-d'élan**

1 ou 2 fois par semaine, à l'eau douce, de préférence en immergeant le pot ou l'écorce pendant 20 à 30 minutes.
Engrais dilué toutes les 3 semaines en été.
Conseil Rempoter dans un terreau fibreux, à base de tourbe et de mousse de sphaigne.

Tolmiea menziesii

2 ou 3 fois par semaine en été, 1 fois par semaine en hiver.
Engrais toutes les 2 à 3 semaines au printemps et en été.
Conseils Garder au frais (10-15 °C) en hiver, éventuellement dehors, à l'ombre, pour l'été. Attention, la variété panachée exige davantage de lumière que l'espèce verte.

Iris

Toujours en groupes d'une même variété : c'est une règle d'or à respecter pour la plantation des iris, quels qu'ils soient. Préférez les larges taches, voire les effets de masse pour les grands iris.

IRIS DES JARDINS OU IRIS BARBUS

Reprise assurée. Veillez à ce que la partie supérieure du rhizome demeure exposée et non enfouie. Recoupez les feuilles d'environ la moitié de leur longueur.

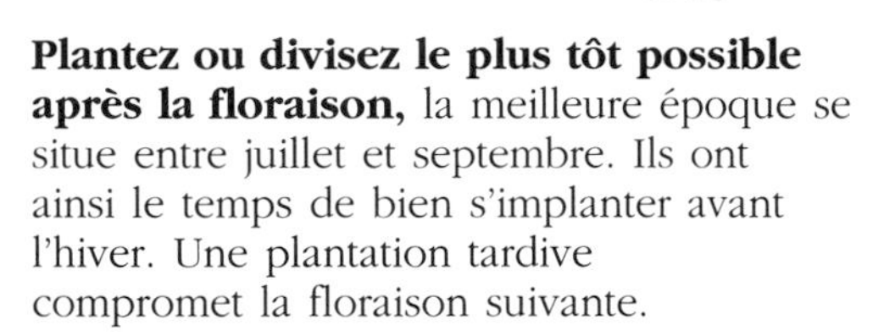

Plantez ou divisez le plus tôt possible après la floraison, la meilleure époque se situe entre juillet et septembre. Ils ont ainsi le temps de bien s'implanter avant l'hiver. Une plantation tardive compromet la floraison suivante.

Orientez le rhizome vers le sud — surtout en climat humide — et les feuilles vers le nord, et non l'inverse, pour éviter que les feuilles ne fassent de l'ombre au rhizome, très sensible à l'humidité.

Pour éviter la pourriture du collet en sol humide, ménagez une petite butte de terre additionnée de sable grossier et plantez-y les rhizomes. Vous serez ainsi assuré que l'eau n'y stagnera pas.

Pas d'engrais complet : les iris des jardins ne demandent pour prospérer que du soleil, un sol bien drainé (même un talus sec), plutôt calcaire.

Buttez les rhizomes si le gel les a soulevés. Constituez une petite butte de terre bien drainée ou même de sable grossier autour du rhizome, mais ne les renfoncez pas en terre. Supprimez également les feuilles sèches ou abîmées en tirant d'un coup sec et le plus horizontalement possible.

Désherbez en douceur au pied des iris : rhizomes à fleur de terre et racines fragiles impliquent un travail manuel soigné, sans coup de binette malencontreux. Faites toujours un désherbage en profondeur avant plantation.

Divisez les rhizomes tous les 3 à 5 ans, avant qu'ils ne soient trop serrés et que la floraison ne s'en ressente. Ne conservez que les portions externes de rhizome et replantez-les à 30 ou 40 cm de distance.

Si les feuilles portent de petites taches poudreuses rougeâtres ou brunâtres, traitez avec un fongicide à base de cuivre ou de carbendazime pour lutter contre cette rouille avant que le feuillage ne jaunisse.

IRIS D'EAU OU DE TERRAIN HUMIDE

Enterrez les rhizomes de 5 cm à la plantation, entre mai et septembre. Tous apprécient des sols bien enrichis en compost et plutôt acides.

Pour vos bouquets, préférez les iris de Sibérie. Très florifères, ce sont aussi ceux dont les fleurs tiennent le mieux en vase.

Des iris du Japon en région froide, c'est possible, à condition de leur donner un minimum de 6 heures d'ensoleillement. Il existe un cultivar à feuilles panachées de vert et de blanc et à fleurs bleues : *Iris kaempferi* 'Variegata'.

Paillez généreusement le pied des iris d'eau au printemps avec de la tourbe ou du compost. Triple avantage : ce paillis limite la pousse des mauvaises herbes, favorise la rétention d'humidité et nourrit ces plantes plutôt gourmandes !

Pour un petit bassin, préférez comme iris d'eau *Iris laevigata* et *I. versicolor* à l'iris des marais, plutôt envahissant.

Recherchez le cultivar 'Variegata' de l'iris des marais (*Iris pseudacorus* 'Variegata'). Son feuillage se pare de barres jaunes à chaque printemps, au moment de sa floraison jaune, puis redevient vert pendant l'été.

IRIS BULBEUX

Pour éviter qu'ils ne dépérissent, ne les plantez pas dans un sol où ont été cultivées des tulipes l'année précédente.

Attention à l'encre. Cette maladie se traduit par le noircissement des bulbes et des feuilles et le dépérissement rapide des touffes. Pour l'éviter, plantez les iris à l'automne, en sol parfaitement drainé, sec en été, jamais acide. Ne faites aucun apport d'engrais.

Arrachez en fin d'été les bulbes des iris de Hollande si vous êtes dans une région froide, avec un sol plutôt humide en hiver. Gardez-les au sec, hors gel, et plantez-les à nouveau au printemps ; cela leur évitera de disparaître rapidement de vos massifs !

Quand le feuillage jaunit et sèche, divisez les touffes trop serrées. Arrachez-les délicatement, ôtez la terre et séparez les bulbes en veillant à ne pas casser les racines fragiles. Coupez la moitié du feuillage et replantez séparément les petits bulbes.

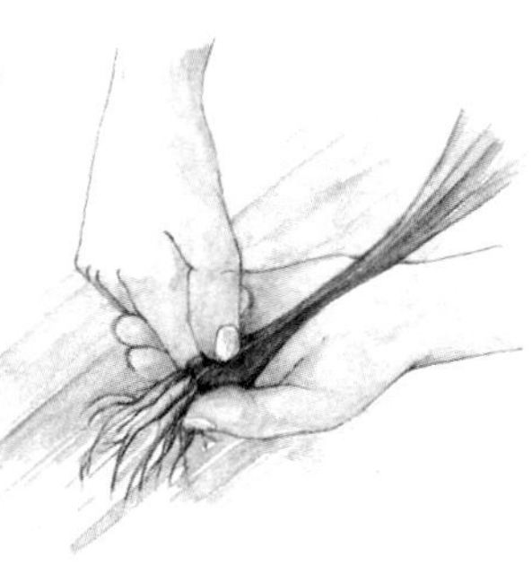

Un iris parfumé

L'iris de Florence, aux grandes fleurs mauves très parfumées, a surtout été utilisé depuis des siècles pour son rhizome odorant. Séché, celui-ci dégage un parfum de violette extrêmement durable. L'essence d'iris est utilisée en parfumerie. Le rhizome en poudre (« poudre d'Iris de Florence ») était autrefois ajouté à l'eau de rinçage du linge pour le parfumer. C'est également un fixateur de parfum très efficace, aussi l'utilise-t-on toujours dans les pots-pourris. On le trouve dans les herboristeries et dans certaines pharmacies.

Jacinthe

Achetez utile. Choisissez des bulbes de jacinthe de — relativement — petit calibre. Ils sont infiniment moins coûteux que les plus gros et s'avèrent particulièrement efficaces pour les plantations à l'extérieur, en pleine terre : les hampes qu'ils produisent sont parfaitement garnies et régulières, quoiqu'un peu moins grosses. C'est un avantage, car elles pèsent moins lourd que leurs sœurs de première qualité et s'avèrent donc moins sensibles aux intempéries.

Pour avoir des fleurs à Noël, procurez-vous très tôt (début octobre) des bulbes spécialement préparés. Un peu plus chers que les autres, ils ont subi un traitement qui a fait se développer le bourgeon floral à l'intérieur. Le travail est alors à moitié fait et le temps entre la plantation et la floraison est raccourci.

En plaçant vos jacinthes sur l'eau, laissez toujours l'épaisseur d'un doigt au moins entre la base des bulbes et le liquide. L'hygrométrie de la couche d'air ainsi formée est parfaitement suffisante pour le bon développement des racines, et vous éviterez les pourritures intempestives, qui ne manquent pas d'apparaître quand le bulbe touche l'eau.

Plantez vos jacinthes à forcer dès leur acquisition. Si vous les laissez attendre au chaud, vous perdrez le bénéfice de la préparation spéciale qu'elles ont subie. Vous devez les faire attendre ? Placez-les au réfrigérateur, dans le bac à légumes, où elles prendront patience une quinzaine de jours. Enveloppez-les soigneusement dans du papier pour éviter que leurs enveloppes, irritantes, ne contaminent le bac.

Ne jetez plus les jacinthes forcées après leur floraison. Quoi qu'on prétende, elles refleurissent fort bien au jardin. Après le gros effort qu'elles ont fourni dans des conditions extrêmes, il leur faut un peu de temps pour se refaire une beauté. Ne vous étonnez donc pas de n'avoir que quelques clochettes l'année suivante. Les hampes épaissiront d'année en année pour devenir presque aussi belles que la première fois, et ce dans toute bonne terre de jardin.

Vous avez abîmé des bulbes en les déterrant à la bêche ou au transplantoir ? Ne vous inquiétez pas. Si la blessure est superficielle, un peu de cendre ou du sable fin et quelques heures au sec suffiront à réparer les dégâts. Si la blessure est profonde, voire si le bulbe a été coupé en deux, conservez les morceaux, coupe vers le haut, dans un lieu frais et sec. Des petits bulbes apparaîtront, qui donneront après plantation normale, en automne, des plants florifères en 3 à 4 ans.

Parfumez votre jardin au printemps en plantant des jacinthes. Leur hampe fleurie se marie très bien avec les tulipes. À vous de jouer avec les couleurs.

Petite histoire

Dans la mythologie grecque, Hyacinthe, dont nous avons fait jacinthe, était un très bel éphèbe dont s'était épris Apollon. Les deux amis ne se quittaient pas. Mais un jour, Zéphyr, dieu des vents, tomba amoureux du trop bel adolescent, qui ne répondit pas à ses avances. Un jour que Hyacinthe jouait au disque avec le dieu du soleil, Zéphyr fit souffler un vent violent qui détourna le projectile et vint frapper de plein fouet le séduisant jeune homme. Hyacinthe s'écroula. Inconsolable, Apollon le changea en une fleur au parfum délicat qui depuis décore et embaume clairières et jardins.

▶ **Aluminium, Bulbes**

Trouver son style

Votre jardin est-il fait pour accueillir les jeux des enfants ? Pour s'y promener, y réfléchir ou s'y reposer, sans se soucier de son entretien ? Pour y respirer les meilleurs parfums, y cueillir toutes sortes de fruits et de légumes ? S'isoler du voisinage, y cultiver une collection de plantes alpines ? Y semer des fleurs pour vos bouquets ou vos aquarelles ? Y observer la nature et accueillir des animaux de toutes sortes... ? Lorsque vous aurez répondu à ces questions, vous aurez tout simplement défini, en théorie, le style de jardin qui vous convient. Le reste ne sera plus qu'une question d'aménagement et de composition aux mille variantes possibles, compte tenu, bien sûr, de votre terrain, du temps dont vous disposez et de votre budget. Qu'il évoque l'art de vivre au Japon ou en Toscane ; qu'il soit classique ou romantique, ouvert sur le monde ou secret comme un labyrinthe ; qu'il soit consacré à l'eau ou à la pierre sous toutes ses formes... ou qu'il soit un peu tout cela à la fois, c'est-à-dire éclectique, votre jardin aura un style, celui que vous aurez su lui imprimer, parfois sans même vous en rendre compte. Il portera la griffe de son propriétaire et dégagera une ambiance unique.

Quelle que soit la taille de votre domaine, les possibilités sont multiples. Et, si son aspect venait un jour à vous lasser, rassurez-vous : un jardin n'est jamais achevé. Mieux, il ne vit que par celui qui le regarde et s'en occupe.

Voici quelques repères qui vous aideront à trouver votre style.

Le jardin paysager

Il reprend, à plus petite échelle et de manière artificielle, les paysages offerts en modèle par la nature : un lac, une forêt, une prairie... Cela demande en général de grands espaces, rarement disponibles en pleine ville, et l'on songe aux grands parcs anglais... Les jardins de Métis, par exemple, au Québec, sont divisés en six tableaux ou ensembles ornementaux : le massif floral, les rocailles, le jardin des rhododendrons, l'allée royale (un jardin à l'anglaise), le jardin des pommetiers et le jardin des primevères. Le jardin paysager demande une bonne conception dès le départ. Il est difficile d'improviser avec les arbres qui, une fois plantés, ne pourront plus être déplacés. À échelle modeste, réalisez ce type de jardin à l'aide de petits arbres et d'arbustes soigneusement choisis. Disposez-les autour d'une pelouse-clairière agrémentée de quelques éléments bien placés : bassin, pergola, banc..., en donnant à chaque élément de justes proportions.

Le jardin sauvage

Si vous avez décidé de faire de votre jardin une niche écologique et de le partager avec les animaux, adoptez un style naturel. Un peu secret, d'apparence désordonnée, il abritera un monde vivant à découvrir au fil des saisons.

Ce n'est pas un jardin abandonné ni une simple friche. Au contraire, c'est un jardin dont la flore et la faune, bien adaptées, riches et respectées, forment un tout. La présence du jardinier s'y fait discrète. La haie de thuya laisse place à la haie champêtre aux nombreuses essences, la pelouse est une prairie fauchée deux fois par an et le bassin devient une mare pleine de vie.

La différence entre bonnes et mauvaises herbes s'estompe. Tout en semant ses fleurs préférées, le jardinier supporte les orties, les ronces aussi bien que l'arbre mort qui abrite l'écureuil et le tas de pierres où niche le serpent. Pour circuler dans ce jardin, rien ne vaut un chemin vert tracé par la tondeuse. Et si vous ne souhaitez pas consacrer tout votre domaine à ce style de jardin, rien ne vous empêche d'en réserver une partie à cet effet.

La haie multicolore, l'herbe de la pampa, le bassin à la bordure sauvage donnent à ce jardin son style naturel.

Le jardin clos

Qu'on le nomme jardin de ville, de curé, de grand-mère ou de cottage, le jardin clos forme un univers qui convient particulièrement bien aux petits espaces: 200 à 400 m² suffisent. La tradition remonte aux clos médiévaux où l'on cultivait les plantes médicinales et aromatiques, en planches carrées, à l'abri de murs ou de palissades. Que ce jardin soit très soigné ou un peu sauvage, c'est avant tout son ambiance chaleureuse et protégée qui domine. On s'y sent bien à l'abri, mais sans étouffer : une haie dense ou un mur assez haut (2 m) protège des regards aussi bien que du vent et capte la chaleur du soleil. Dans ce domaine réservé, vous pourrez abriter un potager fleuri ou une collection de plantes alpines ; ou vous adonner à votre passion pour les jardins japonais et les bonsaïs. C'est également l'endroit idéal pour créer une petite roseraie ou un verger d'arbres soigneusement palissés.

.e jardin clos abrite un bien joli potager.

Le jardin formel : symétrie et raffinement.

Le jardin formel

Seul un exercice de style assez rigoureux permet de réaliser un jardin formel, symétrique ou non. De petite ou moyenne taille, il peut être moderne ou classique. Il peut également s'inspirer de pays et d'époques très variés : Japon, Espagne, Renaissance... Ce jardin régulier fait la part belle à la géométrie et aux éléments d'architecture : escaliers, balustrades, bassins, statues.
Il se laisse lire d'emblée à partir d'un seul point de vue (entrée, terrasse...). Il a de toute évidence été conçu sur le papier puis tracé sur le sol. Il accueille aisément des plantes variées et raffinées, mais se contente aussi de longues perspectives de haies basses et d'allées soigneusement entretenues.
Le jardin formel est un classique peu soucieux des effets de mode.

Le jardin de loisirs

Si vous n'avez ni le temps ni l'envie de vous consacrer à votre jardin tout en souhaitant en profiter largement, prévoyez d'emblée l'aménagement qui vous procurera le moins de travail. Ce jardin au plan, libre dans son plan, devra comporter des passages simples reliant les surfaces aménagées pour les jeux (les vôtres ou ceux des enfants), le coin-repas et la cuisine d'été, l'espace destiné au repos ou à la conversation entre amis. Dégagez de grands espaces ouverts (type pelouse) et surtout optez pour des gazons faciles à entretenir. Côté plantes, misez sur les vivaces et les arbustes à fleurs qui ne demandent pas beaucoup d'entretien mais vous offriront l'ambiance d'un vrai jardin. Enfin, rien ne vous empêche de planter un pommier bien rustique pour vous assoupir sous son ombre en attendant que les fruits mûrissent !

Jardinière

Donnez-lui du poids. Légère, la jardinière, surtout plantée d'un sujet vigoureux et vertical, est souvent renversée par le vent. Prévenez l'incident en plaçant au fond quelques gros galets ou de vieux boulons en fonte... avant de mettre la terre.

Récupération. Ne jetez pas trop vite les matériaux de construction usagés : certains peuvent faire de belles jardinières. Il suffit de les habiller de plantes pour faire oublier leur origine : tuyau et conduits de cheminée (poteries), buses de béton, drains de grand diamètre. Vous pouvez aussi les peindre ou les recouvrir de rondins de bois. Si vos bacs n'ont pas de trous de drainage et si vous ne pouvez en percer, garnissez-les de plantes aquatiques aux allures rafraîchissantes en été.

Sur les balcons et les terrasses très ventés, placez des annuelles touffues telles *Kochia scoparia, Lagurus ovatus,* pennisétum annuel, tagète à grosses fleurs au fond des jardinières, face au vent, pour abriter les fleurs et les plantes plus fragiles placées devant.

Les jardinières en bois doivent être traitées contre la pourriture. Mais, attention, la plupart des produits de traitement sont nuisibles aux plantes, à l'exception de ceux à base de cuivre, que vous devez exiger pour cet emploi. Autre solution : glissez dans la jardinière un récipient de taille inférieure et doublez le vide par une épaisseur de tourbe, qui aura en plus l'avantage d'isoler les racines de la chaleur et du froid. Placez toujours ce type de contenant sur cale (morceau de bois ou briques) pour que l'air circule.

Un vieil évier sort de votre cuisine, un vieux lavoir, même fissuré, va être cassé : transformez-les en jardinières de grand volume et habillez-les de plantes de rocaille, retombantes, cascadantes...

Question d'organisation. Mieux vaut installer plusieurs jardinières (3 ou 5 : les chiffres impairs donnent un effet plus naturel) de tailles différentes côte à côte que d'avoir un énorme pot difficile à déplacer. Cela permet aussi d'éliminer une jardinière défleurie et de la remplacer immédiatement par une autre, sans perturber toutes les plantations.

De belles jardinières à l'ombre et au nord. Pensez à associer ces quelques espèces. Au printemps : primevères, crocus, narcisses, tulipes, anémones, pervenches, lierre... En été : bégonias tubéreux et annuels, lobélies, thunbergies, capucines, pétunias, fuchsias, impatiens, schizanthus, étoiles de Bethléem (*Solanum jasminoides*), mimulus, bégonias, verveines, *Asparagus sprengeri,* fougères, graminées, lantanas, bougainvillées...

Vos jardinières sont difficiles d'accès ? Optez pour des fleurs autonettoyantes : il s'agit tout simplement de fleurs qui tombent d'elles-mêmes une fois fanées, ce qui évite le toilettage régulier. C'est le cas de certaines variétés de géranium lierre (hybrides 'Cascade'), des impatiens, et des capucines.

Pour marier des espèces incompatibles entre elles au jardin, plantez-les dans des jardinières. Regroupez celles-ci à des endroits stratégiques et renouvelez-les au fil des saisons. C'est la seule solution pour voir se côtoyer des plantes acidophiles et des plantes calcifuges comme des primevères et des lavandes.

Jardinières pour gourmands. Une jardinière de fleurs peut facilement accueillir une ou deux touffes de plantes aromatiques comme le thym, la ciboulette, le persil, l'oseille... (voir Aromatiques). Gardez-la à proximité de la cuisine. Vous pouvez aussi planter, dans une profondeur importante de terre (40 cm au minimum), des tomates-cerises, des salades, des poivrons... avec beaucoup de soleil, d'arrosages et d'apports de nourriture (voir Nains).

Pour boucher un trou au jardin en plein été, osez une plante fragile, presque tropicale : laurier-rose, bananier, hibiscus, abutilon (érable de maison)... Enfoncez son pot en terre jusqu'à ce qu'on ne le voie plus. Déterrez-le avant l'arrivée du froid pour le mettre à l'abri.

▶ **Bac, Balcon, Panier suspendu, Pot**

Jardin japonais

Des végétaux judicieusement choisis, des pierres élégamment disposées, des gravillons soigneusement ratissés sont les clés de la réussite de ce joli jardin japonais.

Idéal pour les petits espaces clos. Si vous disposez d'une cour, d'un patio ou d'une terrasse dont la surface mesure entre 50 et 200 m², aménagez-le en jardin d'inspiration japonaise. Il sera agréable à regarder toute l'année sans exiger beaucoup d'entretien. Il est possible de l'adapter à tous nos climats, en choisissant bien les plantes.

Un coin japonais. Vous ne souhaitez pas transformer votre jardin en jardin japonais mais appréciez ce style ? Pourquoi ne pas en aménager seulement une partie en l'isolant d'une haie ou d'une clôture de bambou ? Pensez-y notamment pour occuper un coin difficile et ingrat.

> **Faites le bon choix pour votre jardin japonais**
>
> **Arbres et arbustes :** amélanchier, bouleau, buis, *Cercidiphyllum japonicum* (arbre de Katsura), cerisier ou pommier à fleurs, cognassier du Japon, conifères nains, cotonéaster, érable du Japon, *Ginkgo biloba* (arbre aux quarante écus), glycine, *Magnolia stellata* (magnolia étoilé), pyracantha.
> **Fleurs :** anémone, azalée, crocus, iris japonais, primevère, pivoine en arbre, spirée.
> **Autres :** fougère, graminées ornementales, hosta, mousse, pelouse rase, plantes en pots conduites en bonsaïs, sagine.

Pour ne pas surcharger votre jardin japonais, faites une sélection de plantes restreinte. Installez d'abord un décor de plantes à feuillage intéressant. Choisissez ensuite quelques fleurs pour ponctuer les saisons.

Un élément indispensable. Qu'elle soit courante ou stagnante, un jardin japonais abrite toujours de l'eau, que vous maintiendrez particulièrement propre : une simple vasque de type bain d'oiseau, une fontaine, un tout petit bassin peu profond avec quelques poissons rouges seront du meilleur effet.

Structurez le décor avec des pierres. Elles doivent être assez grandes et très bien choisies : blocs de roche à la silhouette originale, pierres plates en forme de table ou dalles sur le sol (pas japonais)... Vous pouvez ajouter aussi des galets ou des gravillons de rivière, faciles à entretenir.

Un mobilier approprié. Pour ne pas gâcher votre décor végétal, évitez les meubles de jardin en matière plastique. Optez pour un mobilier en bambou, en rotin ou en bois, qui s'intégrera dans le style.

Jauge

Soyez prévoyant. Si vous recevez des végétaux à racines nues tard à l'automne et qu'il gèle, vous ne pourrez les planter. Pour attendre des jours meilleurs, rien de plus efficace que la jauge. À l'automne, creusez dans un coin discret du jardin une tranchée ou une fosse, assez vaste pour contenir les racines des plantes sans les comprimer. Lorsque vous installerez vos nouvelles protégées, vous n'aurez plus qu'à combler le trou d'un mélange très léger (tourbe et sable, par exemple). Les racines resteront au frais et seront faciles à extraire au moment opportun.

Attention aux arbres, ils ne peuvent s'ancrer dans la tourbe et le sable de la jauge et sont couchés par le vent. Prévenez cet accident en inclinant vos pensionnaires avant d'en recouvrir les racines.

Le sol est déjà fortement gelé et vous n'avez pas prévu de jauge ? Remplacez-la par une grande caisse dans un cellier, un abri de jardin, une cave ou un garage non chauffé.

Javel (eau de)

Lavez pots de fleurs, jardinières et tuteurs usagés à l'eau chaude javellisée ; frottez bien avec une brosse dure pour retirer les débris. Laissez-les tremper toute une nuit avant de les rincer et faites-les sécher 1 semaine avant de les utiliser.

Pour nettoyer à fond poubelles, bacs à chat, cages, écuelles des animaux, passez-les à l'eau javellisée, laissez agir 10 minutes puis rincez à grande eau.

Une nouvelle jeunesse. Reblanchissez vos paniers ou vos meubles de jardin en rotin, en jonc ou en osier en les brossant avec une tasse d'eau de Javel diluée dans 1 litre d'eau.

Éliminez les taches de verdissement et les mousses sur la pierre ou les dalles en les frottant avec un mélange de 50 % d'eau pour 50 % d'eau de Javel.

Contre le puceron lanigère du pommier. En début d'automne, dégagez le collet de l'arbre, badigeonnez-le à l'eau de Javel diluée (ou au pétrole). Replacez la terre et renouvelez l'opération 1 mois plus tard.

Prolongez la vie des fleurs coupées en versant quelques gouttes d'eau de Javel dans l'eau du vase : vous empêcherez ainsi la formation d'algues.

Si vous n'avez pas d'antiseptique, un tampon imprégné d'une solution de Javel désinfecte une plaie due à la griffure, la morsure d'un animal ou la piqûre d'un insecte. Elle calme aussi la douleur et évite le gonflement.

Après la taille, passez les lames des outils à l'eau de Javel pure : désinfectés, ils seront prêts pour un autre usage.

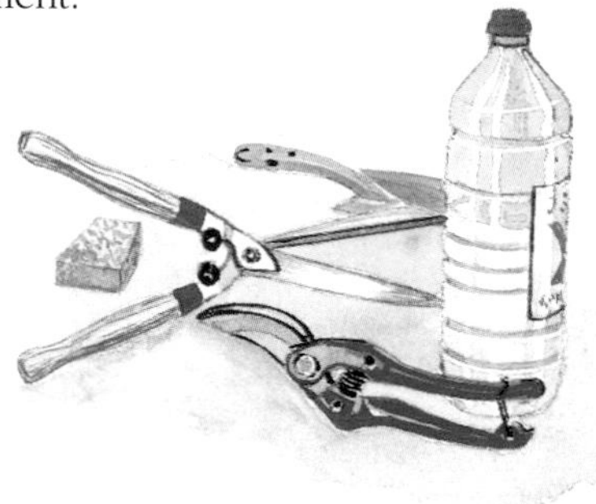

Kaki

Le bon endroit. Le plaqueminier du Japon (arbre qui donne les kakis) fructifie en abondance dans les régions circum-méditerranéennes, et en climat tempéré à condition d'avoir été planté en situation bien abritée. Mais la culture du kaki n'est pas possible dans l'est du Canada. L'arbre n'aime guère le calcaire ; il préfère un sol acide. Il faut le planter isolément. On profitera en été de son feuillage vernissé, très décoratif, et, en début d'hiver, après la chute des feuilles, de ses innombrables fruits orange. Attention, ces derniers tombent lorsqu'ils sont mûrs. Gare aux voitures si elles sont garées dessous !

Pas de taille. Le plaqueminier édifie de lui-même une belle couronne analogue à celle d'un pommier en haute tige. Inutile de le tailler, puisqu'il met à fruit spontanément sur des rameaux de l'année. On se contente de couper les branches mortes ou mal placées.

Un arbre méconnu

Imaginez, sous un ciel bleu d'hiver, un arbre privé de ses feuilles mais couvert de grosses tomates orange vif. C'est le merveilleux spectacle qu'offre le plaqueminier en novembre et en décembre, au moment de la maturité de ses fruits, appelés kakis. Il s'agit d'un arbre essentiellement exotique, dont une espèce, le plaqueminier de Virginie (arbre ornemental, à fruits petits mais parfumés), est d'origine américaine. Deux autres espèces, le plaqueminier faux lotier (arbre ornemental, à fruits non consommables) et le plaqueminier du Japon (l'espèce fruitière, c'est-à-dire le kaki proprement dit) sont asiatiques.

Le kaki se mange blet, c'est-à-dire après que les premières gelées en ont amolli la chair et adouci le goût. Sans cela, il est immangeable tellement il est astringent. On peut le cueillir encore ferme et le laisser mûrir dans des cageots placés au frais. À point, ce fruit est doux, sucré et tendre comme une confiture d'abricots.

Kiwi

Au Québec, la culture du kiwi ne peut se faire qu'en serre. Plantez au minimum un mâle et une femelle... mais on peut proposer au même mâle jusqu'à 7 femelles. La pollinisation s'effectue par les insectes, plus spécialement par les abeilles. Chaque plante porte une étiquette indiquant si c'est un sujet mâle ou femelle : ne vous trompez pas. Une bonne femelle peut offrir entre 20 et 40 kg de fruits par an, mais il faut attendre 3 à 5 ans avant d'obtenir une récolte digne de ce nom.

Drôles de noms

Le kiwi *(Actinidia deliciosa)* s'appelle aussi groseille de Chine ou souris végétale. Un surnom dû à sa peau velue, brun clair. Il est né en Chine mais a été cultivé commercialement en Nouvelle-Zélande, qui lui a donné le nom de son oiseau fétiche.

Une liane géante. La plante émet de longues tiges de plusieurs mètres par an. Elle a besoin d'un support : arceau, pergola, treille. Attention, de petits fils de fer sont insuffisants, les larges feuilles rondes pèsent lourd, le soutien doit être très solide. En pergola, la plante forme un abri ombragé très agréable en été.

Entretien facile. On ne connaît pas d'ennemis à cette liane, qui n'exige aucun traitement. Seule une taille entre décembre et février est nécessaire pour supprimer les tiges en excès et le bois mort.

Pour bien conserver votre récolte, rangez vos kiwis dans le bac à légumes du réfrigérateur ou stockez-les dans un lieu frais, non humide et hors gel (garage, grenier...), sur un lit de paille ou dans des cagettes. La durée de conservation est fonction de la température : 3 à 4 mois environ entre 3 et 4 °C, nettement moins à température plus élevée. Mangez les derniers fruits en mars.

À protéger des chats. Tous les kiwis semblent attirer les matous, qui viennent se frotter sur leurs branches basses. Protégez les très jeunes plants par un demi-cercle de grillage ou quelques rameaux épineux, qui décourageront les félins en attendant que la plante ait grandi et que son bois se soit lignifié.

La meilleure façon de le peler. S'il est peu mûr, encore vert et acide, utilisez un couteau-éplucheur. Un kiwi bien mûr s'épluche facilement au couteau. On aime aussi le manger à la coque, comme un œuf.

Pour donner un meilleur goût à vos compotes et confitures de kiwis, relevez-les d'un peu de rhum et de vanille, ou ajoutez du citron vert.

Pour ne pas perdre l'excédent de récolte, en fin de saison, épluchez, passez au mixeur avec un peu de sucre et un jus de citron les fruits qui restent. Congelez cette purée en petites portions : c'est un superbe coulis à proposer en saucière tout le reste de l'année.

Un kiwi pour le plein été. Nouveau, encore peu répandu, il s'appelle kiwai *(Actinidia arguta)*. Originaire de Corée et du Japon, il fructifie en juin-juillet-août (selon la région). Il propose des fruits vert clair, de la taille d'une grosse groseille, très rafraîchissants et sans poils, ce qui veut dire qu'il n'a pas besoin d'épluchage. Pensez-y si vous avez un jardin de vacances.

Laitue

Rapides et faciles : les laitues-feuilles, ou laitues à couper, produisent des feuilles mais pas de pommes. Récoltez-les pendant toute la belle saison en coupant seulement le feuillage. Il repoussera pour donner une nouvelle récolte 2 semaines plus tard. Les meilleures variétés sont 'Feuille de chêne' (rouge ou verte), 'Grand Rapids', 'Fanfare', 'Lollo Rosa' ou 'Garnet'. Cultivez-les à mi-ombre et dans une terre bien fraîche, vous en aurez sous la main pendant de longs mois.

La laitue de Saint-Antoine

Ne la demandez pas en jardinerie, car ce n'est pas une espèce particulière. C'est une laitue que l'on semait traditionnellement en France le jour de la Saint-Antoine, autrefois le 17 janvier. Même s'il neige, vous pouvez essayer ce semis d'hiver. Déposez les graines dans un petit sillon en les recouvrant à peine. N'arrosez pas. Les graines germeront dès que la terre atteindra 10 °C. Pour un tel semis, choisissez les variétés 'Reine de mai', 'Florian', 'Appia', 'Perlane', 'Merveille des quatre saisons' ou la laitue 'Du Bon Jardinier'.

Pratiques : les plants en mottes. Vous les trouverez en jardinerie ou sur les marchés. Repiquez-les tous les 20 cm (calculez avec votre main), dans une terre finement travaillée et bien fraîche de façon que le haut de la motte affleure. Arrosez copieusement et laissez reprendre vos laitues sans autres soins. Vous gagnerez ainsi au moins 3 semaines.

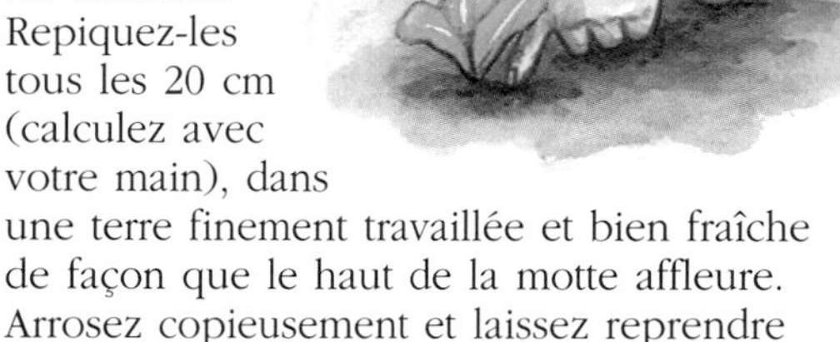

Des laitues pour tous les goûts

Laitue Boston :	'Capitan', 'Buttercrunch', 'Rigoletto', 'Sangria' (rouge), 'Vista'
Laitue frisée :	'Fanfare', 'Feuille de chêne', 'Lollo Rosa' (rouge), 'Prizehead', 'Red Sails' (rouge)
Laitue pommée :	'Commander', 'Ithaca', 'Mini Green', 'Summertime'
Laitue romaine :	'Guzmaine', 'Majestic Red Cos' (rouge et verte), 'Parris Island Cos', 'Rosalita' (rouge foncé)

Pour empêcher une laitue de monter, apportez-lui de l'ombre, de la fraîcheur, et coupez la racine avec une bêche étroite et bien affûtée. Enfoncez l'outil en biais dans la terre.

Conservez des laitues mûres en les récoltant avec un tronçon de racine. Installez-les au pied d'un mur ombragé, dans une terre fraîche. Vous pourrez les garder plusieurs jours avant de les manger.

Dans les régions plus chaudes, prenez des variétés qui résistent à la chaleur et ne craignent pas un peu de sécheresse. Optez pour les laitues frisées 'Prizehead' ou 'Red Sails', les laitues pommées 'Summertime' ou 'Vista', ou les laitues romaines, qui supportent bien la chaleur.

▶ **Potager, Salade**

Langage des fleurs

Dites-le avec des fleurs

Au siècle dernier, les grandes dames offraient et recevaient de petits bouquets ronds porteurs d'un message secret exprimé dans le langage poétique des fleurs. Pourquoi ne pas retrouver ce langage lorsque vous composez des bouquets ?

anémone	persévérance
azalée	joie d'aimer, tempérance
bégonia	cordialité
bleuet	timidité
chrysanthème	longévité
colchique d'automne	beaux jours passés
dahlia	reconnaissance
freesia	résistance
glaïeul	réussite, rendez-vous
gypsophile	légèreté, élégance
immortelle	souvenir
iris	bonnes nouvelles
jonquille	affection
laurier	gloire, triomphe
lavande	silence, tendresse, loyauté
lilas	première émotion
lis	majesté, pureté
marguerite	simplicité
muguet	fin des peines, retour au bonheur
myosotis	souvenir fidèle
narcisse	égoïsme, indifférence
œillet	caprice
olivier	paix
oranger	virginité (utilisé jadis dans les couronnes de mariée)
orchidée	ferveur, raffinement
pavot	sommeil
pensée	souvenir affectueux
primevère	jeunesse
rose	amour
souci	chagrin
tulipe	inconstance
violette	modestie

Apprenez le code des couleurs lorsque vous composez vos bouquets de fleurs. Le rouge est bien sûr l'emblème de la passion, nuancée de jalousie pour les rouges sombres, de caprice pour les rouges pâles ! Les autres couleurs sont également symboliques. Bleu : tendresse ; rose : amour tendre, romantisme ; violet : douleur ; vert : espérance ; jaune : joie ; noir : deuil ; gris : mélancolie ; blanc : pureté, innocence.

Question d'intensité. Dans le langage des fleurs et des sentiments, ces derniers sont d'autant plus ardents que les couleurs sont vives et les parfums capiteux. À l'inverse, les teintes claires, les parfums légers sont synonymes de modestie, de respect ou de douleur.

Lapin

Il vit dans un clapier ? Plantez des pieds de menthe tout à côté pour écarter les mouches en été.

Semi-liberté. Lorsqu'il fait beau, sortez-le de son clapier et offrez-lui quelques heures de vacances sur la pelouse du jardin. Pour ne pas qu'il s'échappe, placez-le sous une cage grillagée sans fond. Dès qu'il a tondu sa parcelle, déplacez la cage vers un autre carré d'herbe verte.

Conservez ses déjections pour les offrir à vos plantes gourmandes d'azote. Faites-les tremper dans l'eau avant utilisation, à raison de 50 g pour 10 litres d'eau.

Si c'est le compagnon de jeux de vos enfants, construisez-lui une jolie maisonnette en bois solide ; n'oubliez pas de l'exposer bien au chaud, dans un endroit abrité du jardin, car les lapins sont frileux.

MESURES DÉFENSIVES

Pour interdire l'accès de votre jardin aux lapins, enfoncez un grillage ou un filet très solide de 20 à 30 cm dans le sol, sinon ils passeront en dessous en creusant une galerie.

Protégez les plantes à risque (légumes, tendres pousses, écorces de jeunes arbres...) en les saupoudrant de poivre noir, de poudre de chaux, ou en pulvérisant une solution composée de 1 litre d'eau et de 2 à 4 piments forts et 3 à 5 gousses d'ail passées au mixeur. Cette préparation chassera aussi les sauterelles, pucerons et thrips. N'oubliez pas de laver abondamment les feuilles des légumes traités de cette façon avant de les servir à table !

Semez un bel espace en trèfle autour du jardin, c'est l'herbe que le lapin préfère et il ne viendra plus voir les légumes. Ou bordez votre potager de plantes qu'il déteste ou dédaigne : asters, échinops, népéta, pavots, lupins, rudbeckias.

Négligences volontaires. Laissez traîner des morceaux de vieux tuyau d'arrosage entre choux et salades (les lapins peuvent penser un temps qu'il s'agit de serpents...) ou une paire de vieilles chaussures bien imprégnées d'odeur humaine. Mais changez vos leurres de place assez souvent pour qu'ils restent vraiment répulsifs.

À la campagne, récupérez l'huile de vidange des tracteurs et autres engins à moteur. Mélangez-la à une poignée de sulfate de fer et badigeonnez-en la base des troncs (arbres fruitiers, peupliers...) pour éviter que les lapins ne les rongent.

Protégez les choux en installant entre les plants tous les membres de la famille des oignons (échalotes, oignons, poireaux, ail...) ; mais aussi de la cendre ou quelques pincées de poivre de Cayenne.

Utilisez les odeurs que le lapin déteste : celle du sang séché, un engrais excellent, celle de la litière du chat ou du chien, ses ennemis de toujours.

Les grands moyens répulsifs. Utilisez en badigeon, trempage ou pulvérisation des fongicides à base de thirame comme Pomarsol (Bayer) ou Tersan et Thylate (Dupont), peu toxiques. Si vous ajoutez un mouillant ou un peu de lait cru, l'adhérence du produit sera meilleure.

Remplissez d'eau de grosses bouteilles en verre et disposez-les parmi les plantes-friandises. Les bouteilles réfléchissent la lumière solaire et chauffent le jour, ce qui indispose l'animal.

Si l'écorce d'un arbre est mâchée, avivez la plaie au greffoir jusqu'à la rendre lisse et badigeonnez-la avec une solution de sulfate de cuivre à 3 % ou une bouillie bordelaise à 5 %, puis recouvrez avec du mastic à greffer.
▶ **Écorce**

Latin

Petite histoire

L'utilisation du latin en botanique semble compliquer la vie de l'amateur jardinier. En fait, c'est une grande simplification qui permet à tous les amoureux des plantes de communiquer sans aucune équivoque. Voici un peu comment on en est arrivé là.
Il y a plus de 2 000 ans, Théophraste, un philosophe de la Grèce antique, avait établi une liste de quelque 450 noms de plantes. Au cours des siècles suivants, on ajouta à cette liste des centaines de noms et de descriptions. Certaines descriptions ne tenaient pas dans une seule page, et la mémoire humaine dut capituler... jusqu'à ce que le génie de la botanique y mette de l'ordre. En 1753, le Suédois Carl von Linné (1707-1778) publie en effet son œuvre maîtresse, *Species Plantarum,* où il explique comment et pourquoi il classe toutes les plantes connues scientifiquement. Il oublie toutes les descriptions compliquées pour ne conserver qu'une appellation binominale : le nom de genre (le nom de famille pour un humain) et le nom d'espèce (le prénom humain). C'est tout, et c'est révolutionnaire ! Les noms retenus sont souvent des mots grecs latinisés (exemple : *Cryptanthus,* qui signifie fleur cachée), ou des noms de botanistes et de scientifiques, de « sponsors » de la botanique, de propriétaires de jardins... (exemple : Michel Bégon, gouverneur de Saint-Domingue, a laissé le mot bégonia). On trouve aussi des noms locaux : *Ananas, Yucca...* Ces noms peuvent évoluer et changer en fonction des décisions des botanistes modernes. Ainsi, récemment, *Scindapsus* s'est vu transformer en *Epipremnum.*
Ensuite, au fur et à mesure des recherches, hybridations, découvertes fortuites ou génétiques, on a donné un nom de variété (à une plante trouvée dans un champ, un jardin...) ou de cultivar (à une plante obtenue par l'homme), c'est le cas pour les roses, iris, camélias... Le nom commun ou populaire est toujours employé, mais il peut provoquer des quiproquos. Ainsi on appelle « misère commune » aussi bien *Zebrina pendula* que *Tradescantia fluminensis.* Seul le latin offre une certitude scientifique et une détermination exacte dans tous les pays du monde.

Laurier

Un frileux. Le laurier se plaît à exposition chaude ; dans les régions froides, comme au Québec, où il risque de geler, plantez-le en bac ou en pot et donnez-lui une forme : boule, cône, spirale, boule sur tronc...
En hiver, n'oubliez pas de le rentrer à l'abri dans une pièce éclairée (garage, véranda fraîche, cellier lumineux...). Autre solution : palissez-le sur un mur exposé plein sud.

Si vous en faites des haies, dans les régions à climat doux, taillez ses tiges au sécateur et non pas à la cisaille, qui laisse de grandes marques jaunes ou brunes sur les feuilles tranchées.

Précautions là où on peut lui faire passer l'hiver. À l'automne, arrosez beaucoup ses racines. Il va continuer d'assimiler et aura besoin d'eau, même quand vous le croirez au repos. De nombreuses morts hivernales sont dues au manque d'eau et non au froid. En cas d'annonce de grand froid, entourez le feuillage d'une bâche ou d'un grand paillasson et recouvrez la surface des racines de feuilles mortes, d'un tapis de paille...

Petite histoire

De tout temps, le laurier a été vénéré. Les Grecs le plantaient près des temples et le brûlaient pendant les rites sacrificiels : c'était le symbole de la puissance solaire. Les Romains en couronnaient les rois et les empereurs.
Depuis l'Antiquité, le laurier-sauce est utilisé comme plante médicinale (Pythagore, Pline, Dioscoride)... Les Arabes l'ont ajouté à de nombreuses préparations médicinales et cosmétiques. Ses feuilles contiennent en effet de nombreux principes actifs comme l'eucalyptol, l'eugénol, le géraniol, le terpénol... Il est reconnu comme expectorant, digestif, diurétique, calmant...

Il a gelé. S'il a subi un grand choc, votre laurier va perdre ses feuilles. Coupez alors les tiges dénudées et attendez patiemment ; en effet, on peut voir des rejets repartir de la base ou sur le tronc 2 ans après.

Contre les insectes parasites. Glissez quelques feuilles de laurier-sauce dans les provisions de céréales, légumes secs, riz...

Sel aromatique. Parfumez du gros sel en le stockant dans des bocaux à fermeture hermétique avec quelques feuilles de laurier. Vous pouvez aussi passer les feuilles au mixeur, vous obtiendrez un hachis sec dont saupoudrer les grillades, poissons, potages...

▶ Aromatiques

Lavande

Offrez-lui un coin sec, caillouteux — calcaire ou non. La lavande aime être caressée par le soleil au moins 5 heures par jour. L'humidité est sa grande ennemie.
En cas de sol lourd, plantez la lavande sur un épais lit de tessons de pots en terre ou de cailloux. Ses racines savent retenir la terre et aller chercher l'eau très loin dans le sol.

Raffinement. Fabriquez un sachet de lavande bien solide et ajoutez-le à votre linge avant de le mettre dans le sèche-linge. Vos affaires seront délicatement parfumées.

La lavande se prête à tous les décors. Ici, une très grosse touffe transforme un classique muret de pierres sèches.

Fleurs séchées. N'attendez pas le complet épanouissement des fleurs pour les cueillir. Coupez-les en juillet, juste au-dessus du feuillage, et suspendez les tiges fleuries tête en bas, à l'ombre et au sec.

Conservez les tiges sèches et brûlez-les dans la cheminée, le feu dégagera un subtil parfum de lavande.

Lavandes : faites le bon choix

'Hidcote', 45 cm, reste basse, trapue et porte de jolis épis violets. 'Alba', aux fleurs blanches, peut créer un joli contraste. 'Nana Compacta', 30 cm, a de très beaux épis bleu... lavande. 'Rosea', 50 cm, est rose lilacé. 'Dutch Lavender', 60 cm, a un feuillage très gris. On trouve depuis peu la lavande 'Papillon', très décorative, mais beaucoup moins parfumée. Elle remonte peu : la floraison plus la tenue des bractées vous donneront un décor durant 6 semaines environ.

Taille. Si vous profitez des fleurs tout l'été, nettoyez les touffes dès septembre, en coupant au-dessus du premier beau bourgeon. Si les plantes ont besoin d'un rééquilibrage, taillez à nouveau en mai, pour conserver une jolie silhouette. Évitez d'attaquer le vieux bois, car les jeunes pousses repercent très mal dessus.

Sommeil parfumé. Un joli petit sachet de lavande séchée glissé entre l'oreiller et la taie parfume le lit et aide à dormir. Emplissez les sachets une fois les fleurs bien sèches. Le nylon extensible des bas ou collants permet diverses formes que vous pouvez habiller ensuite de jolis tissus et rubans.

Chassez les mauvaises odeurs. Mettez des fleurs dans une bouteille ou un petit flacon, que vous remplirez d'alcool. Laissez macérer plusieurs semaines. Pour embaumer votre intérieur, versez quelques gouttes de cette préparation sur les ampoules électriques froides ou sur le chiffon de ménage.

Antiparasites. La lavande chasse les mites et les souris. Placez des sachets de fleurs dans les tiroirs et les placards remplis de linge, n'hésitez pas à les ranger entre les pulls et glissez des épis fleuris sous les tapis de laine.

Pour un mariage heureux. Au lieu de lancer sur les jeunes mariés la traditionnelle poignée de riz, préparez le mélange suivant : feuilles de romarin pour le souvenir, pétales de rose pour l'amour, fleurs de lavande pour la loyauté du cœur.

▶ **Pot-pourri**

Lichen

Pour vous débarrasser des lichens qui tapissent le tronc des arbres, badigeonnez-les en hiver avec des « huiles jaunes ». Le résultat est assuré. Si les lichens en eux-mêmes ne présentent guère de danger, ils abritent quantité de parasites divers particulièrement nuisibles sur les fruitiers.

Éliminez-les écologiquement, si la chimie vous rebute, à l'aide d'une brosse dure ou, si vous en trouvez encore, d'un gant souple en mailles métalliques. À défaut, une bonne paille de fer manipulée à l'aide d'un gros gant de cuir fera l'affaire.

Lutte préventive. Bouchonnez le tronc des arbres à l'aide de poignées de prêles. S'il n'est pas définitif, ce traitement décourage du moins vivement l'installation de ces organismes.

De l'utilité des lichens. Les espèces ramifiées sont d'excellents conservateurs pour transporter des boutures. Souples, légers, se desséchant et se réhumidifiant à volonté comme des éponges, les lichens sont la providence du jardinier qui voyage. Emballez-les dans du journal, puis dans un plastique.

Sur un support inerte, tel que dallages, murs, tuiles, les lichens seront aisément détruits à l'aide d'un algicide spécifique. À défaut, l'eau de Javel passée à la brosse remplit le même office. Prenez bien garde au ruissellement pour que ces produits n'atteignent pas les plantes, ni le bassin de récupération de l'eau de pluie.

Les lichens fins donnent une élégante patine dans les tons bleutés ou dorés à des murs trop neufs. Pour hâter leur installation, badigeonnez le support de petit-lait.

Lierre

On ne retrouve qu'une seule espèce de lierre au Québec, *Hedera helix* (zone 5). D'une hauteur de 10 à 15 cm, on le cultive comme couvre-sol.

Pour obtenir une haie basse (1,50 m), facile d'entretien et compacte, bouturez le lierre. Ne prenez pas les rameaux rampants munis de crampons, mais les rameaux florifères, sans crampons et branchus. Placez-les en été dans des petits pots remplis d'un mélange sableux, pour les repiquer 1 an plus tard. L'effet est très heureux avec les variétés panachées.

Limitez la fructification en taillant les lierres au bon moment, c'est-à-dire lorsque les fleurs sont fanées mais juste avant que les fruits ne se colorent (en général en décembre).

Servez-vous des baies noir bleuté, si vous les avez laissées se former, pour faire de ravissants bouquets. Elles contrastent somptueusement, en particulier avec les fleurs rose tendre (roses, œillets, tulipes...) et sont disponibles en plein hiver. Ne les cueillez pas au-delà de début mars : elles seraient trop mûres et tomberaient aussitôt.

Utilisez les qualités d'isolant du lierre en le laissant garnir un mur, en particulier s'il est orienté au nord ou à l'est. Il le protégera de la pluie et des brusques variations de température. Contrairement à une légende tenace, le lierre n'est pas destructeur si le mur est sain. Mais s'il est fissuré ou jointoyé à l'ancienne (chaux, sable et terre), le lierre s'y infiltrera. Faites alors restaurer la surface avant toute plantation.

Ne laissez pas le lierre envahir vos arbres. C'est peut-être très joli, surtout avec un lierre panaché, mais c'est lui qui prendra le pas sur son hôte, couvrant et étouffant ses branches en leur ôtant toute lumière. Tout au plus, laissez-le grimper jusqu'à la première fourche. Il peut alors former une « chaussette » décorative sur les troncs disgracieux.

Attention au toit. Pour empêcher le lierre d'envahir solins et tuiles, taillez-le une fois l'an, en été, à 2 m en dessous de la gouttière. Pour vous faciliter la tâche, faites poser à ce niveau une bande large de 10 cm de ciment bien lisse, séparée en son milieu d'une rigole de 3 à 4 cm de profondeur. La lame de la cisaille s'y glissera toute seule et la surface lisse permettra d'arracher la liane sans effort.

Faites un tapis vert à l'aide de lierres bien choisis. Robustes, ils poussent là où rien d'autre n'accepte de s'installer (voir encadré page suivante). Pour une couverture très rapide (1 à 2 ans), comptez un plant au mètre carré, mais un pour cinq mètres suffit amplement si vous êtes moins pressé.

Le lierre est un couvre-sol incomparable pour habiller un coin ingrat du jardin.

Lierres : faites le bon choix

À port compact

– *Hedera helix* 'Conglomerata' : branches en candélabre, 1 m de haut

– *Hedera helix* 'Little Diamond' : port en boule, feuillage jaspé de blanc pur

– *Hedera helix* 'Ivalace' : feuillage frisé, végétation réduite

Couvre-sol

– *Hedera colchica* 'Dentata' : large feuillage vert brillant, forte végétation

– *Hedera helix* 'Cavendishii' : petit feuillage jaspé de blanc, végétation moyenne

Grimpants

– *Hedera algeriensis* 'Gloire de Marengo' : feuillage gris-vert marqué de blanc

– *Hedera colchica* 'Dentata Variegata' : larges feuilles un peu molles bordées d'or

– *Hedera helix* 'Goldheart' : petit feuillage vert à cœur d'or.

– *Hedera helix* 'Buttercup' : feuillage jaune d'or virant lentement au vert

– *Hedera helix* 'Sagittifolia' : feuilles très découpées à longue pointe centrale

Topiaire express. Garnissez de lierre une forme de votre choix (pyramide, cylindre, boule, cône…). Fabriquez-la simplement avec un gabarit grossier de fil de fer, maintenu par quelques tuteurs en bois et doublé d'une nappe de grillage triple torsion (du grillage pour poulailler, par exemple). Taillez les lierres une fois seulement chaque année, au printemps, pour conserver une forme bien nette.

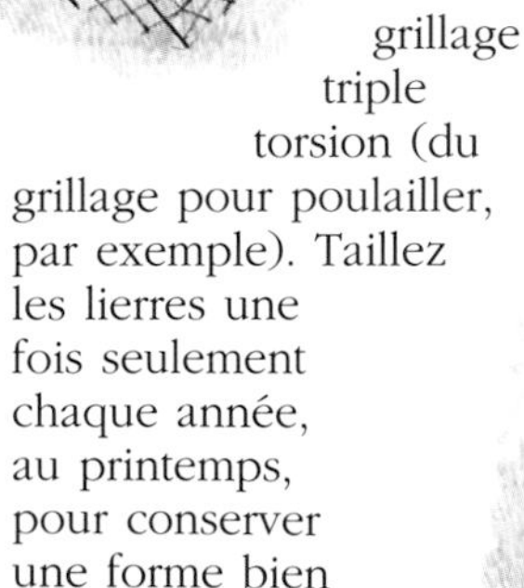

▶ **Tronc mort**

Lilas

Propagez les plus beaux lilas. Il vous suffit de pratiquer la greffe-bouture en automne, sur de jeunes tiges de troène de la taille d'un gros crayon. Faites une greffe en fente (voir Greffage), en tête, avec un greffon à deux yeux. Ligaturez et mastiquez bien le tout, enterrez jusqu'au point de greffe à mi-ombre et à l'abri des vents froids. La reprise, rapide, a lieu à 70 %.

Affranchissez rapidement vos arbustes greffés en enterrant le point de greffe généreusement. Sans cette précaution, ils mourront au bout de quelques années s'ils sont greffés sur troène ou frêne. Et, s'ils sont greffés sur lilas commun, c'est celui-ci qui drageonnera en produisant des sujets sans intérêt à fleurs pâles.

Taillez abondamment en faisant des bouquets. Rabattus ainsi tôt en saison, les lilas, à pousse relativement lente par nature, auront le temps de reformer dans la saison des rameaux qui fleuriront l'année suivante.

Supprimez toutes les brindilles, même si elles fleurissent bien cette année. Coupez-les au ras du tronc et ne laissez se développer que les branches vigoureuses, sans quoi vous obtiendrez vite un fagot enchevêtré au lieu d'un bel arbuste.

Donnez-leur une seconde chance de briller dans la saison en les associant à une petite plante grimpante estivale. Un pois de senteur vivace, à ravissantes fleurs roses, une clématite 'Prince Charles' ou des ipomées seront parfaits. Vous ferez ainsi oublier l'aspect un peu terne des lilas après la floraison, sans les surcharger pour autant d'hôtes envahissants.

La greffe en écusson est un jeu d'enfant. Procédez en juillet sur de jeunes rejets de lilas communs en y greffant, aussi bas que possible, un bel œil de la variété choisie. Vous retaillerez le porte-greffe l'année suivante, à deux yeux, et vous le rabattrez au ras de la greffe au moment de la plantation, en automne. Si vous craignez que le lilas commun ne rejette et ne prenne le pas sur la variété intéressante, greffez sur troène ou sur frêne. (Voir Greffage.)

Petite histoire

Né en Asie Mineure et en Europe orientale, le lilas commun a été introduit en Italie et en Bohême en 1562 par Augier de Busbeck, ambassadeur de Ferdinand Ier auprès de Soliman II de Constantinople, celui-là même qui mentionna le premier la tulipe dans un rapport. En 1565, le naturaliste italien Mattioli donne quelques précisions sur la plante.

Le lilas de Perse, répandu de la Perse à la Chine, n'arriva en Occident qu'en 1640. Moins précoce et moins rustique, il a servi à de nombreuses hybridations.

Si les feuilles sont ornées de découpes bien rondes sur les bords, cela est dû à une petite abeille tapissière, la mégachile. Rassurez-vous, ce n'est pas dangereux. Pour repousser aisément cette dentellière, pulvérisez une décoction de n'importe quelle armoise. Une bonne poignée de cette herbe mise à tremper 24 heures dans un seau d'eau, et votre répulsif est prêt.

Le dessèchement brutal des pousses terminales, voire de branches entières, est dû aux dégâts de la terrible zeuzère. Les larves de cette pique-assiette creusent des galeries dans la moelle des tiges et les vident de leur substance. Coupez et

brûlez les branches atteintes, puis appliquez une fois par mois un traitement systémique à base d'endosulfan d'avril à juillet.

Faites durer vos bouquets de lilas en écrasant le bout des tiges avec un marteau, ou à défaut avec une paire de pinces puissantes.

Évitez les branches trop coudées pour la mise en vase : au-delà de deux angles nets, l'eau ne parvient plus à la fleur. La taille vous aidera en favorisant l'apparition de branches droites et vigoureuses.

Lilas : faites le bon choix

– 'Madame Lemoine' : blanc, double, floraison abondante
– 'Mrs Edward Harding' : violet virant au rose, double
– 'Belle de Nancy' et 'Charles Joly' : rouge pourpre
– 'Katherine Havemeyer' : bleu lavande foncé virant au bleu lavande rosé, double
– 'Miss Ellen Willmott' : blanc, double, floraison tardive
– 'Monge' : rouge pourpre foncé, floraison abondante
– 'Olivier de Serres' : bleu pourpre
– 'Président Lincoln' : bleu clair, floraison hâtive
– 'Sensation' : rouge pourpre, bord des pétales blanc
– *Syringa vulgaris* (lilas commun) : fleurs lilas, odoriférantes, floraison hâtive
– *Syringa reticulata* (lilas du Japon) : fleurs blanc crème, en juillet

Liqueur

Égrenez rapidement vos petits fruits à liqueur (groseilles, cassis...), sans les écraser, en utilisant tout simplement une fourchette. Mettez-vous au-dessus d'un bol, coincez la tige entre les dents de la fourchette et tirez.

Pour donner un léger goût acidulé à la liqueur de framboise, ajoutez une poignée de groseilles égrenées à vos fruits.

Filtrez vite le mélange alcool-purée de fruits avec un filtre à café posé sur un entonnoir. Changez le filtre si nécessaire.

Tour de main. Pour réussir le mélange alcool-sirop de sucre de vos liqueurs, versez toujours l'alcool dans le sirop et non l'inverse. Attention : laissez bien refroidir le sirop de sucre avant d'ajouter l'alcool.

Liqueur de cassis ou de framboise. Cueillez 500 à 800 g de fruits pour 1 litre de liqueur. Lavez-les, égrenez-les. Placez-les dans un bocal à large ouverture et couvrez-les d'alcool de fruits à 45°. Vous pouvez ajouter des fruits au fur et à mesure de la récolte, à condition qu'ils soient toujours recouverts d'alcool. Laissez macérer au moins 2 mois. Versez le contenu du bocal dans un tamis, écrasez les fruits au moulin à légumes ou au travers d'une mousseline, filtrez le liquide une ou deux fois. Ajoutez un sirop de sucre préparé avec 300 g de sucre pour 100 ml d'eau.

Liqueur de poire. Cueillez une grosse poire 'William's' à point, c'est la variété la plus parfumée pour cet usage. Placez-la dans un bocal à large ouverture, recouvrez-la de 1 litre d'alcool à 45°. Laissez macérer au soleil. Après 3 ou 4 mois, filtrez le liquide et ajoutez un sirop de sucre composé de 300 g de sucre pour 100 ml d'eau.

Liqueur de noix. Récoltez 20 à 25 petites noix vertes entre la Saint-Jean (24 juin) et le 14 juillet. Coupez les noix en morceaux et placez-les dans un bocal avec 1 litre d'eau-de-vie de fruits à 45°. Ajoutez 5 clous de girofle, 1 pincée de muscade râpée. Laissez macérer au moins 1 mois. Filtrez la préparation. Ajoutez un sirop de sucre préparé avec 300 g de sucre pour 100 ml d'eau.

Liqueur de menthe. Cueillez environ 250 g de menthe poivrée. Placez aussitôt les feuilles dans 1 litre d'alcool de fruits à 45° et laissez macérer 3 semaines. Filtrez ensuite le liquide et ajoutez un sirop de sucre composé de 400 g de sucre pour 200 ml d'eau.

Une liqueur trop pâle ? Pour rendre votre liqueur de menthe plus alléchante, ajoutez-lui quelques gouttes de colorant alimentaire vert en fin de préparation.

Liqueur de verveine. Procédez comme pour la liqueur de menthe avec 60 g de feuilles de verveine que vous laisserez macérer au moins 1 mois. Faites un sirop de sucre légèrement moins sucré — 300 g de sucre et 100 ml d'eau suffisent.

Renforcez le parfum de vos liqueurs en versant 100 ml d'alcool du fruit correspondant à la préparation. Vous pouvez également leur apporter une note originale en faisant macérer avec les fruits une gousse de vanille ou un bâton de cannelle.

Lis

ACHAT

Des bulbes fragiles : ils ne doivent jamais sécher complètement. Si vous les achetez en vrac, assurez-vous qu'ils sont conservés dans de la tourbe ou du sable humide. Proscrivez absolument les bulbes aux écailles sèches et cassantes ou au contraire trop molles.

Si vous achetez un lot de fin de saison, aux bulbes un petit peu secs, laissez-les se remettre quelques jours, enfouis dans de la tourbe humide, avant de les planter.

PLANTATION

En sol léger, calcaire, ajoutez terreau de feuilles ou compost ainsi qu'un peu d'engrais organique à décomposition lente (poudre d'os, corne torréfiée), car les lis sont gourmands.

En sol lourd et humide, ajoutez du sable grossier sous et autour de chaque bulbe. Si les lis ne se plaisent guère en sol sec, ils sont très sensibles également à l'excès d'humidité.

Plantez-les tôt au printemps. Dès que le sol est réchauffé et asséché, plantez les lis dans un coin ensoleillé du jardin (il leur faut au moins 6 heures d'ensoleillement). Tout comme les clématites, ils croissent bien la tête au soleil et les pieds à l'ombre. Protégez donc leur base d'un paillis ou d'un couvre-sol.

N'ayez pas peur de bien enterrer les bulbes des lis — en particulier ceux des espèces qui émettent des racines dites adventives sur la partie enterrée de la tige —, sinon leur floraison sera décevante. En général, on recouvre le bulbe de 10 à 15 cm de terre. La distance de plantation varie de 15 à 20 cm selon la hauteur des espèces.

ENTRETIEN

Attention : les lis épuisent le sol en quelques années. Aussi, dégagez délicatement le dessus et la périphérie des bulbes tous les 3 ou 4 ans environ, en automne. Remplacez la terre par un mélange riche, composé pour moitié de bonne terre de jardin et de terreau de feuilles ou de compost. Sur sol lourd, versez d'abord quelques poignées de sable directement sur le bulbe.

En automne, brûlez les tiges sèches coupées à la base plutôt que de les mettre sur le tas de compost. Il y a en effet des risques de transmission de viroses, assez fréquentes chez les lis.

Port droit. Tuteurez dès le printemps les plus grandes variétés de lis, dépassant 1 m voire 1,20 m. Choisissez des tuteurs assez longs, de façon que leur extrémité soit de 20 à 30 cm sous les fleurs.

Surveillez les criocères. Les larves de ces petits scarabées rouge vif dévorent les feuilles des lis. Elles apparaissent au printemps sous des déjections noirâtres. Au moindre signe, intervenez avec un insecticide approprié, à base de roténone ou de pyréthrine, par exemple.

Pour faire des bouquets, attendez que les lis de votre jardin forment des touffes importantes, avec de nombreuses tiges. Chaque tige coupée bas compromet en effet la survie du bulbe.

Avec leurs fleurs largement épanouies, les lis permettent de composer des massifs spectaculaires. La splendide couleur orangée de Lilium *'Brandywine' est mise en valeur ici sur un fond de verdure.*

Coupez les étamines des lis de vos bouquets dès que les fleurs s'ouvrent. La floraison en sera prolongée et, surtout, vous éviterez que le pollen ne se répande en taches tenaces sur les meubles ou le revêment de sol.

PLANTES EN POTS

Ne plantez toujours qu'une seule espèce ou variété de lis par potée : c'est beaucoup plus joli et moins risqué quant à la concordance des floraisons !

Placez les bulbes assez serrés (3 à 4 cm de distance), dans de grands pots d'au moins 20 cm de profondeur et de diamètre. Gardez les pots à l'abri du gel, avec un terreau légèrement humide, puis sortez-les sur la terrasse au printemps, en situation abritée et ensoleillée.

Forcez les lis sous serre. Choisissez des variétés hâtives que vous planterez en automne. Enfouissez les pots au froid sous 15 à 20 cm de terre ou sable, puis couvrez d'un paillis de feuilles. Rentrez les pots sous serre en février et augmentez la température peu à peu pour passer de 5 à 20 °C. Augmentez également les arrosages.

MULTIPLICATION

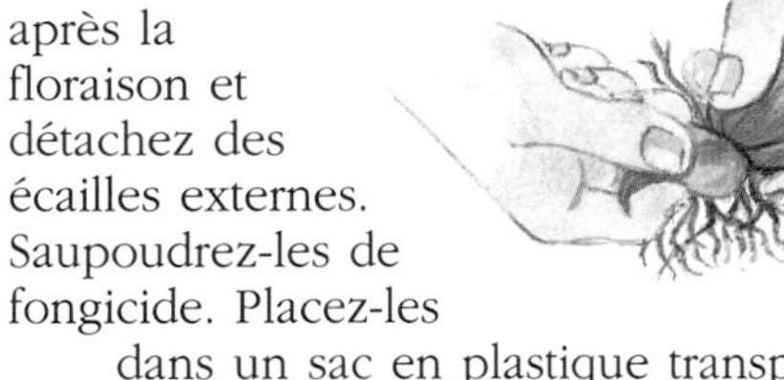

Essayez le bouturage des lis. Arrachez ou dégagez les bulbes après la floraison et détachez des écailles externes. Saupoudrez-les de fongicide. Placez-les dans un sac en plastique transparent rempli de tourbe bien humide. Gonflez le sac d'air, fermez-le et gardez-le dans la maison (18 à 20 °C). Au bout de 6 à 10 semaines, de petits bulbes se développeront à la base des écailles. Repiquez les écailles dans des pots en les laissant dépasser de 1 à 2 cm.

Laissez les pots 2 à 3 mois au frais (à 5 °C, par exemple dans le bac à légumes du réfrigérateur), puis ramenez les plants plus au chaud au printemps pour qu'ils entrent en croissance. Ils fleuriront après 2 à 5 ans.

> **Lis : faites le bon choix**
>
> Les plus parfumés sont le lis doré du Japon, le lis de la Madone, le lis royal, *Lilium speciosum,* ainsi que les hybrides asiatiques à fleurs en trompette et les délicats hybrides orientaux. Sur sol calcaire, optez pour le lis de la Madone, *L. henryi,* le lis martagon et ses variétés. Essayez également les hybrides asiatiques, accommodants.
>
> Sur sol acide et frais, préférez le lis doré du Japon, *L. speciosum,* les espèces et les hybrides américains, les hybrides orientaux. Attention, les hybrides orientaux sont plutôt à réserver aux climats doux et humides.
>
> En pots, choisissez des espèces et variétés pas trop hautes, comme le lis royal et ses variétés, *L. speciosum* et ses variétés ('Rubrum', 'Stargazer'), les hybrides comme 'Connecticut King' et 'Enchantment'.

> **Petite histoire**
>
> La fleur de lis (ou de lys), emblème des rois de France depuis le XIIe siècle, fut adoptée par Clovis pour orner sa bannière au Ve siècle. Il s'agissait vraisemblablement de la représentation, non d'un lis, mais de l'iris des marais, *Iris pseudacorus.*
> En revanche, c'est bien le lis blanc qui joue un rôle important pour la chrétienté. Représenté entre les mains de l'ange de l'Annonciation, il symbolise la pureté de la Vierge Marie. Plus loin encore, chez les Romains, le lis était associé à Junon, l'épouse de Jupiter.

Prélevez les petits bulbes sur les tiges des hybrides asiatiques et auréliens, et du lis tigré. Ils se détachent facilement en fin de saison, quand le feuillage commence à jaunir. Sélectionnez ceux qui ont déjà de petites racines, plantez-les dans une caissette de semis, à 2 ou 3 cm de profondeur, et placez-les sous châssis froid pour l'hiver. Vous les planterez à l'automne suivant.
Si vous préférez les planter directement, protégez-les le premier hiver par un bon paillis. Faites de même avec les petits bulbes souterrains qui se forment sur la partie enterrée de la tige de certaines espèces, à racines adventives.

Le lis de la Madone (*Lilium candidum*). Il est parfois appelé lis de Pâques ou lis blanc. Sa culture est très difficile au Québec car sa rusticité n'y est pas appropriée.

▶ **Bulbes**

Liseron

Sur une parcelle cultivée, où le désherbage est malaisé, tirez soigneusement les tiges rampantes et faites-les tremper dans un récipient bas rempli d'un désherbant systémique (produit à base de glyphosate). L'effet est radical. Attention, n'oubliez pas de couvrir le récipient d'un couvercle pour éviter tant les éclaboussures que la dilution par les pluies (une vieille casserole avec un couvercle de cuisine lesté fera très bien l'affaire).

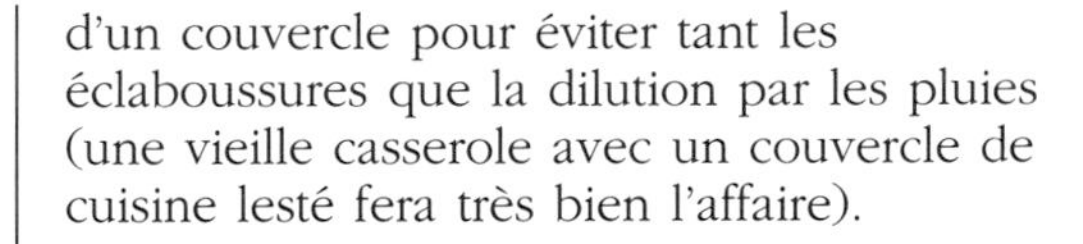

Au potager, utilisez la technique du faux semis pour faire disparaître les liserons de vos parcelles. Après une culture, laissez ces indésirables se développer à l'aise, pour les attaquer en pleine force à l'aide d'un désherbant systémique. Répétez l'opération après la culture suivante pour éliminer les plus coriaces.

Dans un massif touffu, le liseron s'enchevêtre dans les plantes voisines, rendant impossible tout traitement. Pour en venir à bout, plantez des tuteurs, ramifiés de préférence, qu'il s'empressera de coloniser. Le liseron ainsi isolé, vous aurez tout le loisir de le badigeonner, au pinceau ou à l'éponge, d'un désherbant systémique.

Après arrachage des rhizomes, ne les mêlez surtout pas au compost, mais brûlez-les. Le moindre bout de racine, même à demi sec, est encore capable de produire une plante vigoureuse. Faites subir le même sort, dès la floraison, aux tiges porteuses de graines.

▶ **Désherbage, Herbes, Motoculture**

Loi

VOISINAGE

Fruits défendus. Si des branches d'un arbre fruitier de votre voisin donnent dans votre jardin, vous ne pouvez en cueillir les fruits ; et ceux qui tombent d'une branche appartiennent aussi au propriétaire de l'arbre. Voilà pour le droit, mais rien ne vous empêche de vous arranger à l'amiable avec votre voisin !

Si les branches ou les racines des arbres de votre voisin dépassent chez vous et qu'elles vous nuisent sérieusement, vous pouvez demander à votre voisin de les couper. S'il refuse, la loi prévoit que vous pouvez le contraindre à s'exécuter. De même, si un arbre appartenant à votre voisin menace de tomber dans votre jardin ou sur votre maison, vous pouvez l'obliger à l'abattre ou à le redresser. La loi protège cependant les arbres et interdit leur coupe injustifiée.

Entretien. La loi vous accorde le droit de vous rendre chez votre voisin pour procéder à une construction ou à une plantation, ou pour entretenir l'une et l'autre ; vous devez cependant aviser votre voisin de votre intention. Si vous êtes en bons termes avec lui, un simple avis verbal suffira.

Clôtures. Chacun peut clôturer sa propriété, mais ce n'est pas une obligation. Vous pouvez également obliger votre voisin à faire et à participer pour moitié aux frais d'une clôture sur la ligne séparative de vos propriétés. Le choix des matériaux et le type de construction doivent cependant tenir compte de la situation et de l'usage des lieux ; vous ne pouvez pas, par exemple, obliger votre voisin à participer aux frais d'une clôture de pierre si toutes les clôtures de votre voisinage sont en bois. L'entretien de clôtures mitoyennes est également à la charge des deux propriétaires.

Vues. Si votre voisin a le droit de construire ce que bon lui semble sur sa propriété, il doit cependant respecter vos propres droits. Il ne pourra, par exemple, édifier son abri de jardin de façon à vous bloquer la vue sur la rivière. La loi exige la bonne foi de la part de toute personne qui exerce un droit.

Tolérance. Les voisins se doivent tolérance mutuelle des inconvénients normaux reliés à tout voisinage. Votre voisin ne peut, par exemple, se plaindre du bruit de votre tondeuse si vous l'utilisez à des heures raisonnables et si vous respectez les règlements municipaux à ce sujet, le cas échéant.

Visiteurs indésirables. Vous avez le droit de chasser de votre jardin les visiteurs indésirables, mais pas de n'importe quelle façon. Vous ne pouvez pas utiliser la force, sauf si les intrus sont menaçants, et même dans ce cas, vous ne devez utiliser que la force nécessaire.

RÈGLEMENTS MUNICIPAUX

Clôture et piscine. Vous n'avez en général pas besoin de permis pour construire une clôture bordant votre propriété, mais sa hauteur maximale est déterminée par les règlements municipaux. Dans le cas d'une piscine, non seulement devrez-vous obtenir un permis, mais la municipalité exigera probablement que vous la clôturiez.

Construction. Chaque municipalité a ses propres règlements concernant la construction ou la démolition d'ouvrages comme un cabanon de jardin, une serre ou un patio. Si vous habitez au bord de l'eau, toute modification aux berges doit respecter l'environnement et nécessitera un permis de la municipalité régionale de comté.

Les arrosages et l'utilisation de pesticides font l'objet de restrictions dans plusieurs municipalités. Les règlements prévoient parfois des exceptions dans le cas d'une infestation grave et incontrôlable, mais il vous faut alors obtenir un permis spécial.

L'herbe à poux. Certaines municipalités imposent à tous les propriétaires de se débarrasser de leur herbe à poux avant le 1er août de chaque année. C'est le cas notamment de la ville de Montréal. Les contrevenants sont passibles d'une amende minimale de 100 dollars.

Pelouses et trottoirs. Vous devez entretenir votre pelouse convenablement et ne pas laisser vos arbres envahir la rue ou les trottoirs publics. Vous pouvez être tenu responsable de tout dommage qui survient à la suite de la chute d'un arbre ou d'une branche qui vous appartient. Les allées et les sentiers de votre jardin doivent être entretenus et réparés ; par exemple, un visiteur qui fait une chute sur votre trottoir de pierres mal aplanies peut vous tenir responsable de ses dommages.

Sécurité. Vous avez le devoir de vous assurer que votre famille, vos invités et même les intrus — si ce sont des enfants — puissent fréquenter votre jardin et ses aménagements en toute sécurité. Vous devez donc entretenir votre abri de jardin, votre piscine, votre clôture, votre terrain ou votre balancelle de telle sorte qu'ils ne présentent aucun danger pour les utilisateurs. Par ailleurs, votre compagnie d'assurances peut exiger que vous fassiez toutes les réparations nécessaires pour assurer la sécurité de vos aménagements paysagers ; elle peut, par exemple, vous demander d'installer un garde-fou à votre patio ou de remplacer les planches pourries.

▶ **Aménagement, Balcon, Cuve, Débroussaillage, Eau, Feu**

Lumière artificielle

Mesurez la luminosité dont disposent vos plantes d'intérieur à l'aide d'un appareil-photo avec cellule incorporée. Pour une pellicule de 200 ASA, avec une fermeture à 16 et une vitesse de 1/250, vous êtes en pleine lumière et pouvez vous permettre toutes les plantes à fleurs et les cactées. Les plantes de sous-bois tropicaux accepteront une lumière donnant une fermeture à 11 et une vitesse de 1/30. Au-delà, seules résistent les plantes d'ombre avec une vitesse de 1/2 seconde et une fermeture à 5,6. Faites vos mesures à midi un jour très ensoleillé.

Ajoutez de la lumière en plaçant un écran clair (paravent) juste derrière vos plantes ou bien tapissez ou peignez la pièce en blanc. Ce supplément sera particulièrement apprécié de vos pensionnaires en hiver (voir Intérieur).

N'éloignez pas vos plantes des ouvertures (fenêtres, portes-fenêtres). Quoi qu'on en pense, en effet, un appartement jugé lumineux l'est moins qu'un sous-bois clair, et la lumière baisse beaucoup dès qu'on s'éloigne de sa source de plus de 1 m.

À la mauvaise saison, les jours courts et la faible luminosité justifient un appoint. Toutes les sources lumineuses (même votre lampadaire) sont bonnes à prendre. Mais la meilleure reste le tube au néon de type « lumière du jour », à placer en batterie (trois tubes) le plus près possible des plantes. Comme ces tubes ne chauffent pas, vos plantes ne risquent pas de brûler.

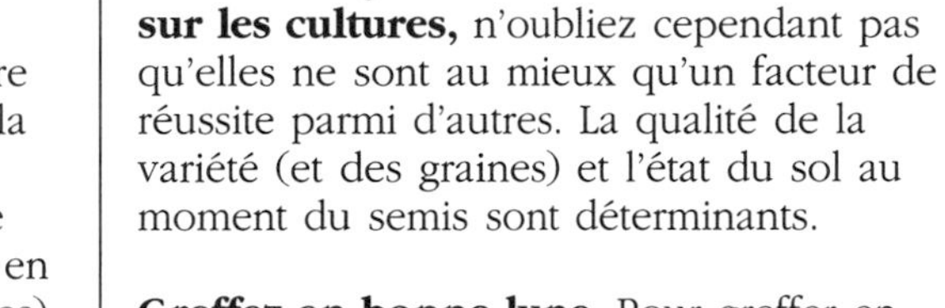

Éclairage nocturne. Recourez à un programmateur pour déclencher l'allumage et l'extinction de vos tubes au néon pendant votre sommeil. 2 heures d'appoint suffiront pour maintenir vos plantes en forme.

Lune

Y croire ou pas

Jardiner « avec la lune » est une affaire de croyance, car la science n'a pu démontrer l'influence de notre satellite sur les cultures. Dans l'Antiquité, Virgile, dans ses *Géorgiques,* reconnaissait que « la lune a mis dans son cours les jours favorables à tels ou tels travaux ». En l'an 1600, Olivier de Serres, le premier des agronomes modernes, se montrait déjà plus sceptique :

« L'homme qui est par trop lunier

De fruits ne remplit son panier. »

À chaque jardinier de se faire une opinion !

Si vous croyez aux influences de la lune sur les cultures, n'oubliez cependant pas qu'elles ne sont au mieux qu'un facteur de réussite parmi d'autres. La qualité de la variété (et des graines) et l'état du sol au moment du semis sont déterminants.

Greffez en bonne lune. Pour greffer en fente (voir Greffage) vos arbres fruitiers, en fin d'hiver, choisissez de préférence un jour de nouvelle lune. La période de lune croissante qui suivra stimulera la circulation de la sève et augmentera la vigueur des bourgeons. Pour l'écussonnage, qui a lieu en été, la soudure s'effectuera mieux s'il a lieu en décours (entre pleine lune et nouvelle lune).

Taillez en décours. La taille qu'on effectue en avril sur les arbres fruitiers a pour effet de réveiller les bourgeons, rendant ceux-ci sensibles au gel. En taillant en décours (lune décroissante), vous corrigerez quelque peu cette tendance. Ce conseil — comme le précédent — était déjà donné vers 1650 par Robert Arnauld d'Antilly, grand spécialiste des arbres.

Semez et plantez en bonne lune. La tradition recommande de semer ou de planter la plupart des légumes alors que la lune croît (entre nouvelle lune et pleine lune). Seules font exception les cultures devant former une pomme — laitue, chou pommé, échalote, ail, oignon... —, qui risquent de monter prématurément en graine. Mettez-les en terre en lune décroissante.

Lune rousse : pas de mystère !

Terreur de bien des jardiniers, la lune rousse est soupçonnée de griller les jeunes pousses au printemps. En réalité, notre satellite n'est pour rien dans ce minicataclysme qui affecte parfois les bourgeons des arbres fruitiers, les feuilles de pomme de terre et autres végétations délicates ; seul le gel est responsable. Ce qu'on appelle lune rousse, c'est la période qui commence à la nouvelle lune suivant Pâques et se termine à la nouvelle lune suivante.

À cette époque de l'année, les températures nocturnes sont encore bien basses. Il suffit que le ciel se dégage pour que le sol perde par rayonnement 7 à 8 °C par rapport à l'atmosphère environnante, au grand dam de nos cultures. Et lorsque le ciel se dégage, bien sûr, on voit la lune. D'où l'accusation qui frappe la blonde (et non pas la rousse !) Séléné.

C'est à tort que l'on accuse la lune rousse de griller pousses et bourgeons printaniers. Ceux-ci sont en fait victimes du gel nocturne.

Mâche

La meilleure façon de semer. Mouillez bien le sol et griffez-le en retirant toutes les mauvaises herbes. Les graines étant très fines (2 000 au gramme), mieux vaut les mélanger avec du sable. Cette technique vous permettra, d'une part, de mieux espacer les semis et, d'autre part, de repérer l'espace déjà ensemencé. Semez en ligne ou à la volée, en enfouissant les graines d'un coup de râteau. Arrosez ensuite le sol en utilisant la pomme fine de l'arrosoir.

Un légume facile. La mâche est exempte de mildiou et elle est très résistante au froid. En salade ou cuite à l'étuvée, découvrez sa saveur délicieuse, unique...

Une production échelonnée. Sa résistance au froid en fait un choix judicieux pour une récolte d'automne. Semez-la tôt au printemps, puis au milieu de l'été et encore en août. Optez pour les variétés 'Valgros à grandes feuilles' (petit goût de menthe), 'Coquille de louviers', 'Gala' ou 'Ravella'.

Le semis est trop dense ? Éclaircissez les premières rosettes de façon à laisser de l'espace à celles qui resteront en place. Vous pouvez repiquer les plus jeunes pour reboucher des trous.

▶ **Potager**

Magnolia

Préférez une plantation au printemps. Les racines meurtries par l'arrachage ne pourriront pas. Assurez un excellent drainage en plaçant quelques poignées de gravillons au fond d'un grand trou (1 m de diamètre).

Magnolia : faites le bon choix

Zone 4b	*Magnolia kobus*, fleur blanche (6 m) *M. stellata*, fleur blanche (3 m) *M. stellata* 'Pink Star', fleur rose pâle (2 m) *M. stellata* 'Water Lily', bouton floral rose, fleur rose ou blanche (2 m)
Zone 5	*Magnolia* x *loebneri*, fleur blanche (5 m) *M.* x *loebneri* 'Merrill', fleur blanche (5 m)
Zone 5b	*Magnolia* x *soulangeana*, bouton floral rose, blanc rosé à l'éclosion (3 m) *M.* x *soulangeana* 'Rustica Rubra', pétales blancs, cœur rouge pourpré (3 m)

Les magnolias fleurissent au printemps, avant leur feuillaison. Leurs fleurs sont odoriférantes. Ici un M. × soulangeana.

Arrosez régulièrement votre nouvel arbre. Il ne doit surtout pas manquer d'eau pendant ses 3 premières années.

Attention aux lapins ! Entourez le tronc d'un manchon de grillage ou d'une bouteille en plastique découpée (voir Lapin).

Espace et protection. Plantez-le au moins à 5 m de la maison, de la clôture, d'un autre arbre. Pour une floraison abondante, il doit être à l'abri des vents dominants d'hiver.

Maïs

Plantez-le en carré et non en ligne, pour assurer une meilleure pollinisation par le vent. Secouez les hauts plumets des fleurs mâles sur les femelles pour augmenter vos chances.

En bonne compagnie. Pour gagner de la place et augmenter la production, faites voisiner le maïs avec des haricots grimpants, qui s'enrouleront sur ses hautes tiges. Attendez que le maïs ait 30 à 40 cm de haut pour semer les haricots. L'azote fixé par le haricot profite au maïs. Vous pouvez aussi planter des courges, des concombres, voire des poivrons entre les rangs si vous espacez bien vos maïs (laissez 1 m entre les rangs

et 20 cm entre les plants). Les feuilles de ces plants ombrent le sol et remplacent le paillis.

Semez le maïs en plusieurs fois pour assurer une longue production d'épis. Commencez en mai et répétez aux 2 semaines. Changez la place du maïs chaque année, car il épuise le sol.

Pour vérifier la maturité d'un épi de maïs, enfoncez l'ongle du pouce dedans : si le jus est aqueux et clair, c'est trop tôt ; s'il est crémeux, cueillez l'épi et mangez-le aussitôt. Ce stade idéal dure quelques jours par temps sec, et une bonne semaine en arrière-saison. Et n'oubliez pas le dicton américain : « Marche doucement pour le cueillir, et cours vite pour le faire cuire. »

Cueillez le maïs en fin d'après-midi. Comme les sucres se constituent à la lumière solaire, vos épis seront à point pour le repas du soir. Le moment idéal se situe environ 18 à 20 jours après l'apparition des soies.

S'il vous reste des graines de maïs de l'année précédente, semez plus serré car, la faculté germinative s'étant émoussée, vous aurez de moins bons résultats à la levée.

Le maïs sera bien meilleur si vous le faites pocher 6 à 10 minutes, selon la tendreté de l'épi, dans de l'eau sucrée coupée de lait avant de le griller. Ne salez pas, vous feriez durcir l'épi.

Un chronomètre pour la fondue. Jetez 3 ou 4 grains de maïs dans l'huile bouillante. S'ils éclatent comme du pop-corn, la température oscille entre 160 et 180 °C et c'est le moment de passer à table.

▶ Potager

Marcottage

Ne marcottez que des tiges nettes. Dépouillez la partie enterrée de toutes ses feuilles, faute de quoi celles-ci pourriront, ce qui aura pour effet de retarder, voire d'empêcher la formation des racines.

Faites plusieurs plantes d'un coup. De nombreuses espèces présentent, sur leurs bois jeunes, des ramilles secondaires, toutes dirigées dans le même sens. Sachez en profiter en enterrant toute la tige principale pour ne laisser dépasser que les deux tiers des ramilles. Maintenez celles-ci au sol avec des pierres. Après enracinement, elles formeront autant de nouveaux sujets.

Si les branches à marcotter sont souples et résistantes, elles risquent de se déterrer en faisant ressort. Lestez-les de gros cailloux.

Donnez un milieu aéré à la tige enfouie. Elle s'enracinera beaucoup plus vite, les racines seront nombreuses et denses. Creusez un sillon de la profondeur voulue en fonction de la taille de la tige et de 15 cm de large, et emplissez-le d'un mélange à parts égales de terre d'origine, tourbe ou terreau et sable grossier.

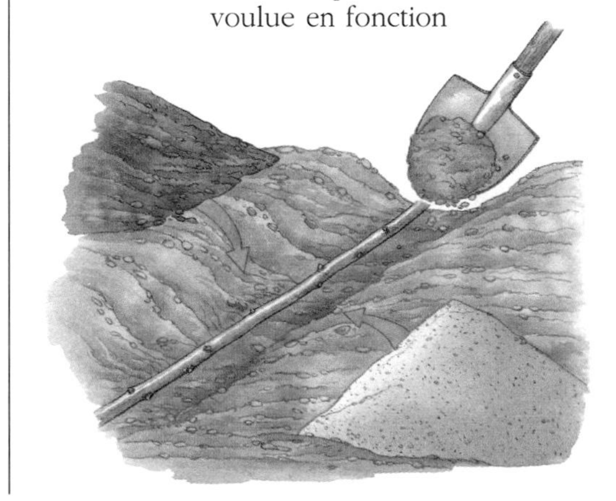

Ne choisissez pas n'importe quelle branche pour le marcottage. Elle doit non seulement être saine et conforme aux caractères de l'arbuste, mais ne pas être âgée de plus de 2 ans. Au-delà, en effet, les racines ont de la peine à se frayer un chemin à travers l'écorce épaisse.

Innovez ! Si une de vos plantes présente une tige différente du reste et dotée de caractères intéressants (couleur, forme, panachure...), marcottez-la pour isoler cette nouvelle création.

Coup de pouce aux arbustes qui s'enracinent difficilement. Pratiquez le marcottage « étranglé ». Il suffit de poser un lien imputrescible (fil de fer, fil de nylon) serré autour de la tige, au niveau de la section qui sera enterrée. La croissance provoquera un bourrelet où s'accumuleront les hormones naturelles d'enracinement. Celui-ci a lieu alors en 2 ou 3 mois.

Pour une reprise rapide, ne laissez pas vos marcottes trop longtemps attachées au pied mère. Si elles sont en pleine terre, elles prendront trop d'indépendance et il vous sera difficile de les déterrer sans les abîmer. Si elles sont aériennes, les racines à l'étroit dans un milieu pauvre se dessécheront. Sevrez les marcottes effectuées au printemps dès octobre, et comptez 3 mois pour des marcottes aériennes.

Le marcottage en noyade est idéal pour les bruyères, les véroniques et le thym. Taillez un plant bien constitué aussi court que possible. Au printemps suivant, arrachez-le, puis enfouissez-le dans une fosse remplie de terre légère additionnée de sable, en ne laissant dépasser que 10 cm des pousses terminales. À l'automne, chacune d'elles sera devenue un nouveau plant, bien enraciné, qu'il ne vous restera qu'à détacher.

Si vous ne pouvez pas amener les tiges au sol pour réaliser un marcottage classique, apportez le sol aux tiges en pratiquant un marcottage aérien. Pratiquez une incision sur l'écorce et glissez une allumette pour que la plaie reste ouverte. Entourez la branche d'un manchon de plastique dont vous ligaturerez la base. Bourrez cette poche d'un mélange léger et frais (mousse et terreau ; tourbe et vermiculite...) avant de refermer le haut. Vérifiez régulièrement l'avancement de la reprise et sevrez l'ensemble dès que les racines tapissent le plastique. Cette technique est particulièrement utile avec les plantes en pots.

Attention : si la tige marcottée est exposée au soleil, rajoutez une feuille d'aluminium ménager autour du mélange avant d'entourer le tout du manchon de plastique.

Avec les végétaux aux rameaux très souples (les chèvrefeuilles, les clématites...) appliquez la technique du marcottage en serpenteau. Vous obtiendrez plusieurs plantes à la fois. Disposez la tige de façon qu'elle plonge en terre et ressorte plusieurs fois. Chaque partie enterrée s'enracinera. Quelques coups de sécateur, et les plants seront indépendants.

Marcottez en pots les végétaux difficiles à transplanter. Les conteneurs en plastique facilitent grandement cette technique : fendez-en un sur 10 cm de haut avec des ciseaux ou un bon couteau, insérez-y la tige que vous laisserez ressortir et remplissez d'un mélange terreux riche et léger. Après

l'enracinement, vous serez assuré de pouvoir transplanter sans heurt votre nouvelle pensionnaire.

Massif (plantes à)

Comme leur nom l'indique, ce sont des plantes destinées aux massifs saisonniers, et surtout au fleurissement estival. Achetez-les en plants au printemps pour garnir parterres et jardinières. Vous les supprimerez en fin de saison lorsqu'elles auront été abîmées par les premières gelées.

Les balisiers donnent une dimension verticale aux massifs. Ils se marient ici avec bégonias, rudbeckias, cinéraires maritimes, agératums, abutilons, coléus..., au port beaucoup plus petit.

À la classique sauge rouge, souvent criarde dans les massifs, préférez d'autres sauges, comme *Salvia coccinea,* beaucoup plus légère, ou *S. splendens, S. farinacea,* dans les tons de bleu.

Utilisez les feuillages pour donner de la hauteur (*Kochia,* ricin) ou pour adoucir les teintes vives (cinéraire, plectranthe, hélichrysum). Pour atténuer les contrastes, pensez aux floraisons blanches (impatiens, pétunia, géranium, tabac...).

Essayez les nouveautés en petit nombre, dans une potée, après vous être renseigné sur leurs exigences. Vous pourrez les adopter à plus grande échelle l'année suivante, en toute connaissance de cause.

Jolis mariages de couleurs pour la mi-ombre. Plantez ensemble lobélie bleu foncé, *Begonia semperflorens* blanc et impatiens blanche ou héliotrope violet foncé, tabac nain jaune et verveine violette ; ou encore *Scaevola* mauve, *Surfinia* blanc et verveine violette...

> **Faites le bon choix**
> **Pour l'ombre légère :** *Begonia semperflorens,* fuchsia, gaillarde, impatiens, lobélie, *Sanvitalia procumbens.*
> **Les feuillages :** cinéraire maritime, coléus, dracena, *Kochia scoparia, Perilla,* ricin.
> **Les plus grandes :** abutilon, amarante, balisier, fuchsia, *Kochia, Nicotiana sylvestris,* ricin.
> **Pour les bacs et jardinières :** anthémis, brachycome, *Centaurea cyanus,* fuchsia, héliotrope, *Scabiosa stellata, Scaevola, Solanum jasminoides, Surfinia,* verveine.

ACHAT

Demandez les noms des variétés s'ils ne sont pas indiqués, en particulier pour les plantes à massif existant dans de très nombreuses variétés, comme géraniums, pétunias, œillets d'Inde... Notez-les pour vous en souvenir l'année d'après : vous pourrez affiner votre choix en excluant les plantes qui vous auront déplu.

Ne vous laissez pas tenter trop tôt. Les plants, souvent forcés à la chaleur, ne supporteraient pas la gelée. Attendez que les derniers risques de gel soient passés ; ceux-ci peuvent survenir jusqu'à la fin mai, selon la région où vos habitez.

Sagesse. Préférez toujours les plants non fleuris, la floraison sera plus longue chez vous. Si vous avez acheté quelques plants portant déjà des fleurs, raccourcissez leur tige, ils reprendront mieux.

Si vous êtes pressé et néophyte, composez le décor de votre balcon grâce aux jardinières « prêtes à l'emploi » : jardinière, terreau et assortiment de plantes à massif, tout est prévu. Si vous avez déjà les jardinières, il existe des associations de plants prêts à planter.

Vérifiez le coloris exact des fleurs en examinant les boutons floraux. Les coloris indiqués sur les étiquettes sont parfois fantaisistes !

Le bon plant. Recherchez un feuillage bien vert, des tiges courtes et bien ramifiées, un terreau légèrement humide, un bon enracinement. Évitez les feuillages jaunis, les plants étiolés, les touffes de racines « coincées » dans les trous de drainage, un terreau desséché, rétracté sur les bords ou couvert d'algues ou de mauvaises herbes.

PLANTATION

Faites un plan si votre massif est étendu. Tenez compte de l'étalement et de la hauteur de chaque plante. Coloriez votre plan pour vous faire une bonne idée de l'effet d'ensemble.

Préférez les plants en godets de carton ou de tourbe pressée, biodégradables. Plantez-les tels quels après les avoir bien arrosés. Le mieux est de les laisser tremper un moment dans une cuvette d'eau pour bien imbiber la terre. La reprise sera meilleure.

Améliorez le terreau de plantation du commerce. Ajoutez un peu de sable grossier, une bonne quantité de compost bien décomposé et un engrais à action lente. Le mélange séchera moins vite et sera plus riche.

Période d'acclimatation. Gardez potées et jardinières 8 à 10 jours en situation abritée, à mi-ombre, avant de les installer à leur emplacement définitif.

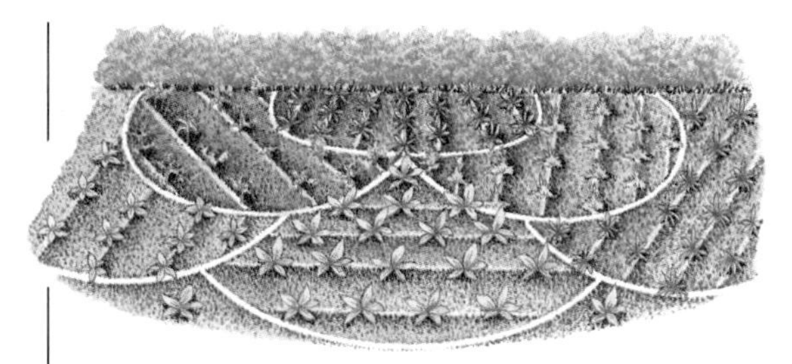

Une organisation harmonieuse. N'installez pas vos plantes en ligne, mais plutôt en quinconce ou, mieux, sur des courbes ayant des orientations différentes, ou encore par taches.

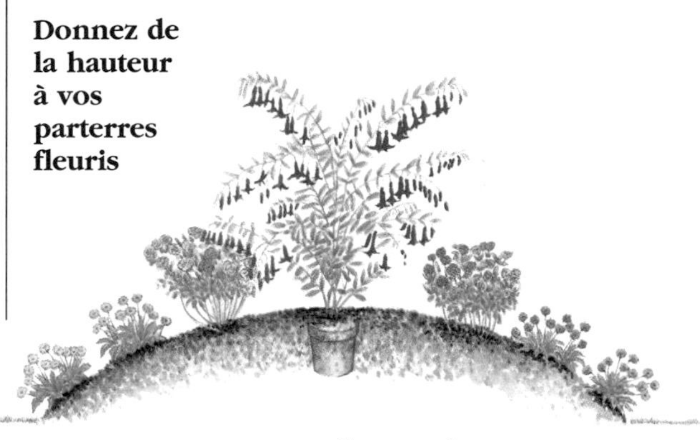

Donnez de la hauteur à vos parterres fleuris en y installant quelques grandes plantes de serre ou de véranda comme les fuchsias, daturas, lauriers-roses ou lantanas formés sur tige... Enterrez les pots au centre ou au fond du massif. Vous pouvez également mettre la motte en pleine terre et la rempoter à l'automne.

ENTRETIEN

Si vous produisez vos propres plants, endurcissez-les avant la mise en place en massif. S'ils sont dans la maison, sortez-les chaque jour par temps doux. S'ils sont sous châssis, ouvrez le châssis dès que possible, de plus en plus longtemps.

Un arrosage quotidien est nécessaire jusqu'à ce que les plants reprennent une croissance active et forment de nouvelles feuilles. Un ou deux arrosages par semaine, selon le temps, suffisent ensuite.

Stimulez la floraison par des apports d'engrais liquide faiblement dosé, toutes les 2 à 3 semaines pour les massifs, tous les 8 à 10 jours pour les potées.

▶ **Annuelles, Bisannuelles, Plate-bande, Repiquage, Semis**

Méditerranéennes (plantes)

La culture des plantes méditerranéennes ne peut se faire, sous notre climat, qu'en serre. Si toutefois vous avez la chance de jardiner sous des cieux plus cléments, les conseils suivants vous seront utiles.

Distinguez les nuances du climat méditerranéen. Pour les plantes, les températures minimales hivernales sont généralement le facteur limitant. Les citronniers, bien représentatifs des plantes les plus frileuses, ne prospèrent que dans les pays chauds. Les orangers ont une aire de répartition un peu plus large. La zone de l'olivier peut connaître des gelées assez fortes, jusque –10, –12 °C.

Des méditerranéennes sous d'autres climats ? Choisissez les espèces les plus rustiques et plantez-les dans un terrain aride, très sec en été. Sur sol bien drainé, installez en situation abritée et ensoleillée arbousier, ballote, lavande, romarin, *Senecio greyi,* sauge de Jérusalem... À l'abri du vent du nord, vous cultiverez l'oranger du Mexique, le feijoa, peut-être même le grenadier. À la limite de leur rusticité, plantez à l'abri d'un mur, au sud, l'oranger ou le laurier-rose.

Si vous venez d'acquérir un terrain dans une région qui ne vous est pas familière, observez les jardins alentour, la végétation spontanée. Questionnez vos voisins avant d'entreprendre des plantations. Ils sauront vous dire quelles plantes résistent aux hivers « normaux ». Adressez-vous également à des pépiniéristes locaux. Ils vous conseilleront dans le choix des espèces et variétés.

Choisissez votre mimosa en fonction du sol de votre jardin. Le traditionnel mimosa de Nice exige un sol acide. Sur sol calcaire, plantez le mimosa des quatre saisons, dont la floraison s'étale sur presque toute l'année, ou un mimosa greffé sur ce dernier.

En automne, paillez le pied des arbustes méditerranéens s'il y a risque de gel au sol. À la base des tiges, amassez feuilles sèches, branchages de conifère...

Rabattez sans pitié au printemps les plantes qui ont souffert du froid. Elles repartent bien souvent du pied.

Pour contrer des vents comme le mistral, plantez des brise-vent et prévoyez une haie compacte de feuillage persistant. Les cyprès conviennent particulièrement bien. Vous avez le choix entre le cyprès pyramidal traditionnel, le cyprès de l'Arizona et le cyprès de Leyland. (Voir Vent.)

PLANTES EN BACS

Plantez en bacs les beaux arbustes et les plantes grimpantes du Midi, non rustiques en région froide. Vous les cultiverez comme des plantes de véranda ou d'orangerie.

Ne rentrez pas vos bacs trop tôt. La fraîcheur du début de l'automne favorise la lignification (le durcissement) des tiges et une entrée progressive en repos végétatif. Attendez que les premières gelées menacent, soit souvent vers la mi-octobre.

Pour les aider à passer l'hiver, gardez le terreau de vos bacs presque sec. Arrosez d'autant moins que la température et la lumière sont faibles, pour les inciter au repos végétatif.

Faites le bon choix parmi les plantes méditerranéennes

Arbres
arbousier
arbre de soie
camphrier
citronnier
cyprès
mimosa
néflier du Japon
olivier
oranger
pin parasol
tamaris

Arbustes
Ballota pseudodictamnus
callistemon
cestrum
ciste
Convolvulus cneorum
grenadier
laurier-rose
myrte
pistachier
Pittosporum
romarin

Vivaces
acanthe
agave
aloès
Dimorphoteca
Euphorbia characias
Gazania
lavatère
Romneya coulteri
sauge de Jérusalem
vipérine

Grimpantes
bignone
bougainvillée
figuier rampant
jasmin étoilé
passiflore
plumbago du Cap

Bulbeuses
agapanthe
Amaryllis belladonna
iris
scille du Pérou
Zantedeschia

Couvre-sol
Delosperma
Erigeron mucronatus
gazon d'Espagne
Mesembryanthemum edule
oreille-d'ours
santoline
thym

Si vous ne disposez pas d'une serre ou d'une véranda, lieu idéal pour l'hivernage, conservez vos plantes d'orangerie dans une pièce aussi claire que possible, hors gel mais où la température ne dépasse pas 10 à 12 °C : sous-sol, garage, remise... En dernier recours, une pièce sombre et fraîche peut convenir à certaines plantes méditerranéennes comme anthémis, cestrum, datura, grenadier. Les espèces persistantes y perdront leurs feuilles. Taillez-les très court avant de les rentrer. Ne conservez que les tiges bien lignifiées.

N'espérez pas garder les plantes méditerranéennes dans la maison. Elles connaissent dans leur habitat naturel un hiver avec des températures basses, même s'il y gèle rarement. Aussi, elles s'étioleront et dépériront rapidement si vous les conservez dans une pièce chauffée.

▶ **Agrumes, Bord de mer, Olivier, Palmier, Rocaille**

Mélange de terre

Évitez de vous salir et de salir la maison. Pour mélanger proprement les éléments d'un bon substrat, déposez-les en douceur dans un grand sac en plastique solide et bien étanche. Remplissez-le à moitié, pas plus. Fermez-le d'une main, saisissez le fond de l'autre, et agitez le tout une dizaine de fois. Laissez reposer quelques secondes avant d'ouvrir. Vous garderez les mains et la pièce nettes.

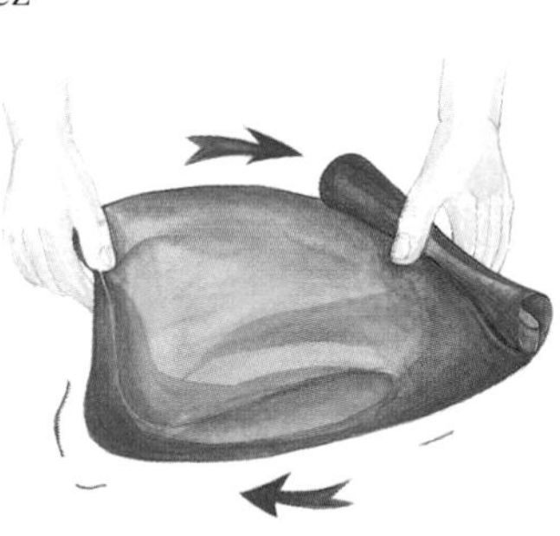

Au jardin, employez les grands moyens si vous souhaitez mélanger de grosses quantités de terre : utilisez une toupie à béton, soigneusement nettoyée. Servez-vous de la pelle de maçon et d'un seau comme éléments de mesure.

Mélanges maison

Substrat pour semis : Mélangez 2 volumes de terre de potager à 1 volume de tourbe blonde et 1 volume de sable grossier, et tamisez le tout au tamis moyen. Rajoutez une bonne pincée de superphosphate de chaux pour 5 litres de mélange, qu'il sera sage de stériliser. Ce mélange consistant mais léger plaira à la plupart des graines.

Substrat pour boutures : Mélangez par moitié de la tourbe blonde tamisée et du sable grossier ou de la perlite. Si les boutures doivent rester un certain temps en place, ajoutez 1/2 mesure de terreau et 1/2 mesure de terre de potager. Aéré mais conservant bien la fraîcheur, ce substrat permet un enracinement rapide et vigoureux.

Substrat pour rempotages : Mélangez 6 parts de terre de potager tamisée, 3 de tourbe blonde tamisée (ou finement emiettée) et 2 de sable de rivière grossier. Au moment de l'utilisation, rajoutez 1 pincée d'un bon engrais universel à diffusion lente.

Pour ne pas être pris au dépourvu, préparez à l'avance quelques litres des divers mélanges de base dont vous pouvez avoir besoin : pour semis, boutures, rempotages. Conservez chacun d'eux dans un sac en plastique soigneusement étiqueté ou marqué au feutre indélébile. Attention : ne les gardez pas plus de 6 mois ! Au-delà, ils s'asphyxient et développent des toxines.

Melon

Les graines piquées la pointe en bas germent mieux. Enfoncez trois graines à 1 cm de profondeur dans des petits godets remplis d'un mélange de compost et de terreau sableux. Vous ne garderez que le plus beau plant lors du repiquage.

Offrez aux melons le coin le plus chaud de votre jardin, car ils sont très frileux. L'idéal est de les installer au pied d'un mur exposé au sud. Abritez-les avec un châssis jusqu'à la fin du mois de mai.

Récoltez des melons de bonne heure (juillet-août) en les semant fin mars, à la maison ou dans une serre, maintenus à une température de 20 °C. Repiquez-les vers le 15 juin. Si vous voulez les récolter plus tard (août-septembre), semez-les seulement en mai, en pleine terre, en protégeant les semis avec une cloche.

Hâtez la récolte en taillant les jeunes plants en 3 temps. D'abord lorsqu'ils ont 4 grandes feuilles : coupez la tige au-dessus des 2 premières. Ensuite, pincez les nouvelles tiges au-dessus de la troisième feuille. Attendez que les premiers fruits fassent leur apparition. Comptez 2 feuilles au-dessus de chacun et coupez les pointes des tiges. Supprimez toutes les pousses qui ne portent pas de fruits.

Limitez les arrosages et les désherbages en cultivant vos melons sur une pellicule de plastique noir ou tout simplement de grandes plaques de carton ondulé. Comme vous verrez mieux les tiges, vous les taillerez plus facilement.

Pour récolter de gros fruits bien sucrés, ne laissez pas plus de 4 ou 5 fruits par plant. Une fois le compte atteint, supprimez les jeunes fruits qui se formeraient.

Un cantaloup pour une saison courte. Si vous habitez une région de l'hémisphère Nord où l'été est de courte durée, optez pour la variété 'Alaska'. Elle atteint sa maturité en seulement 65 jours.

Melons : faites le bon choix

Cantaloup : 'Alaska', 'Earlysweet', 'Iroquois', 'Nova', 'Pulsar'.

Melon d'eau : 'Cutie' (rouge ou jaune), 'Sugar Baby', 'Summer Festival'.

Isolez vos melons du sol en glissant dessous une tuile plate ou une planchette dès qu'ils atteignent la taille d'une orange. Les tuiles ont l'avantage d'accumuler la chaleur du soleil, ce qui est précieux dans les régions un peu fraîches comme les nôtres.

Pour gagner de la place, cultivez les melons en les palissant le long d'un grillage, d'un solide filet ou d'une structure de lattes de bois de 1 m de hauteur. Les vrilles des tiges s'accrocheront toutes seules aux supports. Le solide pédoncule des fruits les soutiendra sans difficulté.

Les melons sont mûrs à point dès que vous voyez une petite crevasse se former autour du pédoncule. Prenez garde à toujours les récolter avec un morceau de la tige, pour pouvoir les conserver quelques jours à la maison.

Un melon éclaté a été victime d'arrosages irréguliers. Cela peut aussi arriver après un orage. Il est sans doute très bon, mais consommez-le sans tarder avant qu'il ne se gâte.

Ne jetez pas les petits melons superflus que vous enlèverez lors de la taille. Alors qu'ils sont gros comme des noix, vous en ferez des marinades dans du vinaigre comme pour les cornichons (voir Conserves).

▶ **Potager**

Menthe

Une envahisseuse. Si vous la laissez faire, la menthe perturbera vite l'ordonnance d'un massif. Pour lui fixer des limites, plantez une touffe dans un gros pot, que vous enterrerez en laissant dépasser 5 cm de rebord.

Installez-la au bon endroit : elle apprécie l'ombre et la fraîcheur du sol. Si vous avez ce genre d'endroit à lui offrir, plantez plusieurs menthes : marocaine (utilisée pour le thé), à feuilles rondes, poivrée, des jardins, bergamote (à la bonne odeur d'orange), à feuilles longues, crispée, pouliot…

Pincez souvent les jeunes pousses pour la rendre plus touffue et lui faire émettre de nouveaux rameaux.

Pour le décor. Découvrez l'élégance de la menthe panachée vert et blanc crème *Mentha rotundifolia* 'Variegata'. Elle jette une jolie note de couleur dans un jardin d'herbes. Sachez qu'elle peut s'utiliser en tisane.

Mâchez une feuille de menthe pour avoir une bonne haleine après avoir mangé de l'ail.

Contre les insectes et les rongeurs, placez quelques tiges sèches dans les réserves de graines, haricots, lentilles, riz… et sur le tas de compost. Des pieds de menthe dans le jardin éloigneront les fourmis (insistez près des accès de la maison).

Repoussez les pucerons et les chenilles des légumes. Passez au mélangeur un verre de feuilles hachées mêlé à quatre verres d'eau. Filtrez le liquide et pulvérisez-le au potager. Renouvelez tous les 8 à 10 jours.

▶ **Aromatiques, Liqueur**

Mesures

LONGUEUR

Un râteau-mètre. Graduez le manche au feutre indélébile en dessinant un trait tous les 10 cm. Vous aurez ainsi un gabarit de plantation en couchant l'outil au sol.

HAUTEUR

Deux outils en un. Graduez la lame d'un transplantoir (dont la hauteur est généralement de 18 cm) en peignant un trait tous les 5 cm. Vous pourrez ainsi planter à la bonne profondeur sans l'aide d'un mètre. Sachez aussi qu'un fer de bêche mesure 25 à 30 cm.

Votre corps, un instrument de mesure pratique

Pensez à lui au jardin, car il peut vous permettre d'effectuer très rapidement des mesures approximatives ! Joignez l'index, l'annulaire et le majeur, vous obtenez 5 ou 6 cm à la hauteur de la 2e phalange. Votre index mesure 6 à 9 cm. En écartant la main au maximum, vous avez environ 20 cm de l'extrémité du petit doigt à celle du pouce. Faites un pas d'une démarche naturelle, vous avez parcouru 65 cm. Allongez le pas, vous obtenez 1 m. Vous préférez calculer avec vos bras ? Tendez-en un, vous avez 1 m de l'extrémité des doigts tendus à l'épaule opposée. Écartez les deux, 1,50 m sépare vos deux mains.

Pour être à l'abri des regards indiscrets, prévoyez une clôture de 1,80 m au minimum. Cette hauteur assure l'intimité.

POIDS

Poids plume. Une pincée (insecticide, engrais…) pèse environ 3 g. Une cuillerée arasée de produit en poudre pèse 12 g. Une poignée d'engrais complet pèse 50 g.

Poids lourds. Sachez que 1 m^3 de terre sèche et légère pèse 1 tonne (ce poids double si la terre est mouillée) et que 1 m^3 de pierres pèse 2 tonnes.

CAPACITÉ

Les grands classiques. Un arrosoir plein contient, selon les modèles, 8 à 12 litres. Faites attention à la contenance de celui que vous achetez. Préférez plutôt un modèle gradué à l'intérieur. Une brouette contient entre 75 et 80 litres, ce qui permet de rempoter environ 80 plantes en pots de 10 à 12 cm, ou plus de 200 plantes en pots de 8 cm.

Sortez votre vaisselle au jardin ! Avec votre batterie de casseroles, vous avez sous la main une panoplie de contenances. Connaissez leur diamètre : 12 cm = 0,5 litre, 14 cm = 1 litre, 16 cm = 1,5 litre, 18 cm = 2 litres, et 20 cm = 2,5 litres. Saviez-vous que 100 ml représentent l'équivalent de 8 cuillerées à soupe rases ? Vous pouvez aussi graduer au feutre indélébile une boîte de conserve vide.

À savoir pour bien arroser. Par temps doux, la consommation moyenne quotidienne des plantes est de 5 litres par mètre carré. Elle passe à 20 litres par mètre carré par temps sec.

SURFACE

Comptez 100 m^2 de potager par personne si vous ne mangez que des légumes du jardin (sans les pommes de terre).

Pour permettre à vos plantes de s'épanouir, évitez toute surpopulation au jardin. Le nombre de plants à installer sur un mètre carré varie : comptez de façon générale 9 ou 10 rosiers, 12 à 20 petites vivaces, 8 à 12 moyennes, 5 à 8 grandes, 3 à 5 très grandes plantes.

Météorologie

Votre mini-station météo. Un outil indispensable : le thermomètre à maximum et à minimum, qui vous indiquera, pour une période donnée, la température la plus élevée et la température la plus basse, grâce à des repères. Placez cet instrument à la hauteur de vos yeux, dans un endroit aéré, toujours à l'ombre, et situé à au moins 10 m de tout bâtiment. Fixez-le, par exemple, à un gros tronc d'arbre, côté nord. Utile également, pour savoir s'il faut arroser : un pluviomètre, que vous planterez à la verticale dans un endroit bien dégagé. N'oubliez pas de relever les mesures et de le vider régulièrement.

Il y a gel et gel...

Tout dépend de l'origine du refroidissement. Premier cas : la nuit débute fraîchement, avec une température au-dessus de 0 °C. Le ciel est parfaitement dégagé. Le sol, qui n'est pas protégé par un manteau nuageux, va se refroidir plus vite que l'air, tout comme la végétation qu'il porte. Résultat : la vapeur d'eau de l'air va geler au contact de la terre, des arbres, des brins d'herbe... C'est la « gelée blanche », fréquente à l'automne et au début du printemps, et souvent légère. Second cas : c'est l'hiver. Une masse d'air polaire envahit notre pays. Cette fois, c'est la température de l'air qui est inférieure — parfois très inférieure — à 0 °C. Gare aux dégâts ! C'est la « gelée noire ».

Téléphonez au service météo. Dans la plupart des régions, vous pouvez obtenir les prévisions météorologiques pour les 2 à 3 jours à venir. Ce service étant gratuit, n'hésitez pas à l'utiliser. Vous pouvez aussi surveiller, à la télévision, le canal spécialisé.

Miniserre

Recyclage. À l'aide d'un couteau, coupez en deux une bouteille en plastique transparent dans le sens de la longueur. Remplissez de terreau une des moitiés et semez-y tomates, poivrons, aubergines, basilic ou autres plantes frileuses. Arrosez. Utilisez la seconde moitié comme couvercle. N'oubliez pas de placer des cailloux ou des cales en bois pour éviter que la miniserre ne bascule.

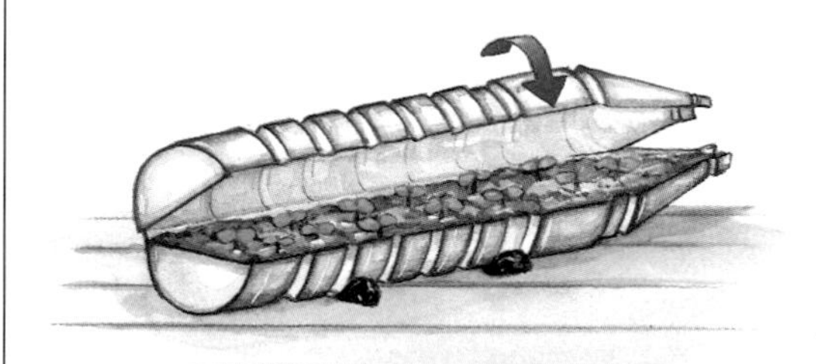

Gare à l'étiolement ! Placez votre miniserre dans un endroit chaud et très bien éclairé par la lumière du jour. Le rebord intérieur d'une fenêtre, par exemple, convient parfaitement. Si l'éclairement est insuffisant, les plants seront grêles, pâles et fragiles.

Plus de lumière en hiver. Prenez une feuille de carton rigide de format légèrement inférieur à celui du bac de la serre. Recouvrez-le, sur une face, d'aluminium ménager. Planté verticalement à l'arrière de la miniserre débarrassée de son couvercle, ce miroir réfléchira la lumière solaire.

Une miniserre économique pour vos boutures. Enfoncez dans le pot deux arceaux métalliques, placés de chaque côté, et couvrez-les d'un sachet en plastique transparent.

Mobilier de jardin

Rénovez vos vieilles chaises et tables en métal. Commencez par les décaper au chalumeau. Peaufinez ce nettoyage à la laine d'acier puis rincez bien et laissez sécher. Pour gagner du temps, utilisez une peinture ou une laque qui ne nécessite pas de couche préalable d'antirouille.

Mobilier : faites le bon choix

Sélectionnez le matériau, en fonction du coût bien sûr, mais essayez aussi de rechercher une harmonie avec le style de la maison, ou celui de votre jardin.
Bambou, rotin : Installez-les plutôt sous un abri d'été car ils sont fragiles. N'oubliez pas de les rentrer en automne.
Bois : Optez pour un bois exotique résistant bien aux intempéries (teck, iroko, nyatoh...) ou un bois traité à cœur comme le pin. S'ils sont coûteux, ils sont également très décoratifs et durables. Un investissement à long terme !
Métal : Sobre ou « à l'ancienne ». Durable s'il est entretenu régulièrement ; souvent pliant.
Plastique : Peu coûteux, léger, souvent empilable, mais le moins esthétique. On en trouve maintenant en couleur, et il peut se marier avec des tissus. Protégez-le en hiver en le couvrant d'une bâche.

Entretien du nyatoh. Une ou deux fois par an, en juillet et en fin de saison, passez au pinceau un produit d'entretien spécifique ou simplement de l'huile de lin sur ce beau bois d'Asie du Sud-Est, apte à remplacer le teck. Vous le protégerez et l'aiderez à conserver sa coloration acajou.

Sur la terrasse moderne d'une maison dans le Sud, optez pour des banquettes ou des éléments en béton, que vous couvrirez en saison de coussins ou de matelas.

Utilisez des caillebotis solides, en bois traité, pour faire des bancs ou une table. Rendez l'assise plus confortable par de simples coussins. Une bonne solution pour un balcon ou une terrasse.

Assemblez une table de pique-nique avec bancs à l'aide de planches ou de demi-rondins robustes. Choisissez un bois traité à cœur pour pouvoir laisser la table dehors en hiver.

Pensez récupération. Une vieille poutre de charpente, une traverse de chemin de fer... posées sur deux solides blocs de pierre feront un banc superbe et discret. Agrémentez-le d'un « dossier » de verdure (par exemple une haie persistante), encadrez-le de belles plantes en bacs ou habillez son pied de plantes tapissantes.

▶ **Banc, Décoration**

Motoculture

Attention aux motoculteurs polyvalents ! Acheter une machine qui sache tout faire — labourer, fraiser, faucher... — est bien séduisant, mais cela présente des inconvénients. En effet, changer d'accessoire à chaque fois que vous voudrez faire un travail différent vous prendra du temps. Vous risquez, lors de cette opération, d'introduire de la terre dans le mécanisme. Et, si la cellule motrice tombe en panne, vous ne pourrez plus rien faire... Avoir plusieurs engins spécifiques (moto-bêche, moto-faucheuse, motoculteur...) est, en général, préférable.

Préférez les dents obliques. Lors de l'achat de votre moto-bêche, choisissez une fraise dont l'extrémité des dents ne soit pas coudée à angle droit. Ainsi, vous risquerez moins de créer une « semelle de labour » (une couche de terre impénétrable par les racines) lorsque vous travaillerez votre terrain. C'est important en sol lourd.

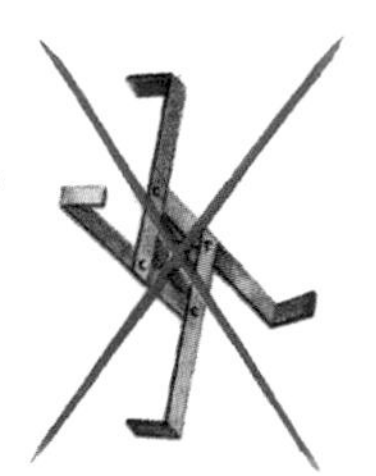

Attention aux mauvaises herbes ! Évitez de passer la fraise là où poussent le liseron, le chiendent, la prêle, le rumex et autres mauvaises herbes vivaces à tiges souterraines ou racines pivotantes. Les dents coupantes de l'outil ne peuvent, en effet, que découper ces organes souterrains en autant de boutures qui donneront chacune une nouvelle plante ! En sol sale, préférez le labour à la charrue ou le bêchage manuel.

Mousse

ÉLIMINATION

Débarrassez-en votre gazon. Traitez-la au sulfate de fer-neige lorsque la température extérieure atteint 10 °C, à raison de 50 g/m². Épandez-le à la main ou à l'épandeur d'engrais, ou en solution dans l'eau. Suivez bien les instructions de l'emballage.

Gain de temps. Sur le gazon, on peut épandre le traitement antimousse et un engrais en un seul passage (produit du commerce). Néanmoins la présence de mousse annonce clairement que la terre est mal drainée et trop tassée. Une scarification est donc nécessaire.

Un toit net. Sur les toits d'ardoise ou de bardeaux de bois qui coiffent les vieilles maisons de pierre, les mousses ont tendance à s'incruster. Les grains de terre que charrient pluies et feuilles à l'automne leur servent d'ancrage. La plante s'incruste alors dans le matériau de la toiture et risque de le rendre poreux. Il est donc très important de nettoyer votre toit au jet d'eau, en insistant sur les gouttières. Travaillez de haut en bas pour éviter de soulever les bardeaux.

Décapez les troncs avec un gant ou une brosse métallique, ou traitez en hiver avec des huiles d'anthracène.

UTILISATION

Récupérez la mousse traitée. Lorsqu'elle a noirci, ratissez-la et épandez-la au pied des plantes de terre de bruyère (camélia, rosiers...) : c'est un bon engrais acidifiant qui permet d'éviter la chlorose.

Isolant thermique. Doublez et calez un pot dans son cache-pot avec de la mousse des bois, qui protégera les racines de la chaleur et retiendra l'eau.

Couvrez de mousse la terre des gros pots, c'est plus joli et cela évite les éclaboussures lors de l'arrosage. De plus, la couleur plus claire (sec) ou plus sombre (humide) vous indiquera si la plante a besoin d'un nouvel arrosage.

Décor moussu. Ramassez de la mousse des bois au cours d'une promenade. Passez-la au mixeur avec un peu de bière et de sucre. Épandez la mixture à l'endroit voulu : sur des auges récemment fabriquées, sur des pots en pierre reconstituée flambant neufs, sur le sol, sur des rochers, sur une clôture à vieillir, sur un tronc en décomposition… Autre recette pour voir venir plus vite non seulement la mousse mais aussi les algues et les lichens : badigeonnez le support de lait et/ou de fumier de vache.

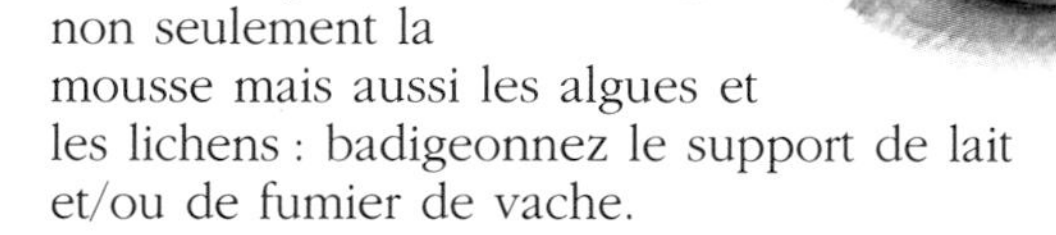

Roches fleuries. Roulez des graines dans un peu de terre. Emballez vos boulettes de terre dans de la mousse humide, et enfoncez-les dans les crevasses et interstices entre les roches d'un muret, d'une rocaille. Vaporisez souvent ou utilisez une seringue pour mouiller vos plantations. Capucine, lobélie, aubriète, myosotis, nigelle, corbeille-d'argent, œillet des montagnes… donnent de jolis résultats.

Mousse synthétique

Lorsque vous rempotez des espèces gourmandes d'eau, ajoutez au compost quelques poignées de petits morceaux de mousse synthétique préalablement humidifiés. Ils agiront comme rétenteurs d'eau et régulariseront l'apport d'humidité tout en aérant la terre. Pour les grandes assoiffées, tapissez le fond du pot de cette mousse, qui fera office d'éponge.

Immersion. Avant d'utiliser un pain de mousse pour faire un bouquet, faites-le boire copieusement en l'enfonçant sous l'eau avec un gros poids (pierre, pavé…).

Cachez le pain de mousse sous un lit de vraie mousse humide pour rendre une composition florale plus agréable à l'œil si l'on doit apercevoir le support.

Taillez la mousse afin qu'elle entre dans des vases de votre invention : seau à champagne, soupière sans couvercle… Laissez libre cours à votre imagination.

Vous n'avez plus de mousse ? Utilisez à la place des chutes de taille de feuillage pour remplir le vase (buis, if ou conifères…) et piquez dedans les tiges des fleurs de votre bouquet.

Moustiques

N'élevez pas ces insectes voraces malgré vous. Faites la chasse au moindre récipient contenant de l'eau stagnante : un fond de boîte de conserve, une gouttière mal drainée leur suffisent. Couvrez, par ailleurs, les récipients qui doivent rester pleins (citernes) et exposés en plein air.

Entravez leur cycle de reproduction en vidant et en rinçant bien une fois par semaine les réserves (soucoupes, bassines) où trempent les plantes grosses buveuses, avant de remettre une eau claire. Vous éliminerez ainsi œufs et larves en cours de développement.

Barrez l'accès à vos réserves d'eau de pluie en les couvrant d'un grillage fin ou d'une moustiquaire, que vous fixerez sur un cadre mobile. L'eau passera aisément à travers en tombant des gouttières, mais pas les moustiques.

Peuplez vos pièces d'eau de poissons. Les classiques poissons rouges conviennent parfaitement dans la lutte contre les moustiques. Évitez de mêler des poissons d'espèces différentes ou de tailles trop disproportionnées dans une même espèce, sans quoi les plus véloces et les plus voraces attaqueront les autres.

La lumière attire les moustiques, ce n'est pas un secret. Pour ne pas être réduit à dîner dehors dans le noir, disposez les éclairages électriques le plus loin possible du coin-repas, et éclairez votre table à l'aide de lampes à pétrole ou de bougies (placez celles-ci dans des photophores pour éviter qu'elles ne s'éteignent avec le vent). Les moustiques s'y brûleront les ailes.

S'il n'y a pas de moyen miracle pour éliminer les moustiques, il existe néanmoins une kyrielle de petits trucs : éliminer les arbres près de la maison ; attirer chez vous les oiseaux insectivores (voir Oiseaux) ; faire brûler des spirales chimiques du commerce ou planter des torches enduites de citronnelle pour éclairer le repas du soir.

Déroutez l'odorat subtil qui leur sert à si bien repérer leur proie (vous !). Le pétrole est très efficace, mais plutôt désagréable pour l'utilisateur. Préférez-lui la citronnelle, ou bien encore la lavande, disposée en bouquets frais ou secs à l'intérieur, en plantations denses dehors.

Des parfums en mélange. On trouve sur le marché des produits répulsifs contre les moustiques, fabriqués à base d'huiles essentielles et de résine de sapin. Appliquez-les sur votre peau : ils ont un effet immédiat et, de plus, ils sont sans danger... Ces produits sont couramment vendus dans les magasins d'aliments naturels.

Muguet

Repiquez au jardin le muguet que l'on vous a offert en pot. Installez-le dès la fin de la floraison en sol frais, à mi-ombre, par exemple sous un arbre au feuillage léger. Ajoutez quelques poignées de bon compost dans le trou de plantation. Ensuite, soyez patient, il lui faudra peut-être plusieurs années pour refleurir et prospérer !

Parfumez votre hiver. Si vous disposez d'un joli tapis de muguet en sous-bois, rempotez individuellement quelques pieds en automne, dans un mélange de bonne terre et de terreau de feuilles. Arrosez puis gardez les pots en pleine terre (sablonneuse de préférence). Recouvrez-les d'un paillis ou de feuilles mortes (épaisseur d'au moins 15 cm). Au courant de décembre, déterrez les pots et rentrez-les dans la maison, dans une pièce éclairée et chaude ou près d'une fenêtre. Pour échelonner la floraison, rentrez les pots un à un, tous les 4 ou 5 jours, pendant tout le mois de décembre.

Au printemps, remettez vos plants dans le jardin. Il leur faudra sans doute 2 ou 3 ans avant de fleurir à nouveau, mais la floraison dont vous avez profité pendant l'hiver en aura valu la peine.

Drôle de muguet. Pour varier les plaisirs, recherchez d'autres variétés que celles aux traditionnelles clochettes blanches. 'Flore pleno' a des fleurs doubles, 'Rosea', des fleurs roses. Au registre des plantes rares figurent également des variétés à feuillage panaché de crème, d'autres à fleurs jaunes ou rougeâtres.

Petite histoire

En France, on échange entre amis un brin de muguet le 1er mai. C'est une coutume qui remonte à l'Antiquité, associée à des fêtes païennes célébrant le renouveau du printemps. Pendant la Renaissance, le muguet était considéré comme la fleur porte-bonheur en Île-de-France et des fêtes lui étaient consacrées dans les villes, à Compiègne notamment. Aujourd'hui, le brin de muguet si populaire le 1er mai provient à 90 p. 100 de la région nantaise !

Mur, muret

Soignez le parement (la face extérieure) d'un mur en pierres sèches en lui réservant les plus belles pierres. La bonne épaisseur doit faire le quart ou le tiers de la hauteur. Plus il est haut, plus il sera épais.

Donnez du fruit (c'est-à-dire une base plus épaisse) à un mur qui soutient un talus ou un remblai : il sera plus efficace pour retenir la terre. Inclinez la face extérieure d'une dizaine de centimètres par mètre de hauteur.

Prenez des repères pour monter un mur rectiligne et solide.

Utilisez un cordeau tendu entre deux piquets, plus ou moins inclinés en fonction du fruit souhaité. Il vous suffira d'aligner chaque rang de pierres au fur et à mesure que vous monterez le cordeau.

Réalisez un muret fleuri en prévoyant des niches profondes lors de la construction d'un mur en pierres sèches. Disposez les niches en quinconce, tous les 50 cm. Donnez-leur une ouverture de 15 cm en tous sens. Inclinez-les vers le fond pour les remplir de bonne terre mélangée à du terreau. Si le mur est bas (moins de 1 m) et large (plus de 60 cm), considérez-le comme un petit jardin alpin. Vous pouvez jouer avec les différentes expositions (soleil/ombre) pour y cultiver des plantes sur les deux faces et le sommet.

Pour fleurir votre mur, semez ou repiquez de jeunes plantes de rocaille à l'automne ou le plus tôt possible au printemps. Pour installer les graines, mélangez-les à une boulette de terre un peu argileuse. Faites entrer cette boulette dans un creux du mur. Maintenez humide avec un petit pulvérisateur jusqu'à la germination des graines s'il ne pleut pas.

*Le charme de ce mur fleuri vient du mariage de l'aubriète (violet) et de l'*Alyssum saxatile *(jaune) qui tombent en cascade.*

Faites le bon choix

Les meilleurs matériaux sont toujours les pierres de votre région. Procurez-les-vous par l'intermédiaire d'un maçon ou directement dans une carrière, qui vous livrera. Autres solutions plus économiques :

– Les murs en blocs de béton sont faciles à réaliser. Recouvrez-les d'un toit de tuiles et d'un enduit en harmonie avec les couleurs de votre jardin. Évitez le ciment gris, trop triste et qui vieillit mal.

– Les murs de brique s'intègrent partout et vieillissent bien. Leur épaisseur varie selon le sens dans lequel vous posez les briques. Prévoyez une semelle en béton assez large (40 cm) pour les appuyer.

– Les murs de pierres sèches sont très économiques si vous disposez des matières premières. Vous pouvez les construire vous-même avec un peu de patience. Disposez les plus grosses pierres en bas. Si les pierres sont petites et qu'elles ne présentent pas des faces bien franches, liez-les à la terre argileuse.

Sélection de fleurs pour un joli muret multicolore

Muret au soleil	
alysse	érodium
aubriète	orpin
campanule des murailles	phlox
céraiste	phlox mousse
Cerastium (corbeille-d'argent)	*Saponaria ocymoides*
Corydalis lutea	*Sempervivum* (poule et ses poussins)
Dianthus deltoides	silène
Erigeron glaucus	thym laineux

Muret à l'ombre ou mi-ombre	
arabette	saxifrage
aspérule odorante	thym serpolet
campanule des murailles	véronique rampante
Corydalis flexuosa	violette
petite pervenche	

Un muret de rondins. Sciez des bûches de bois dur de 0,70 à 1 m et empilez-les en les stabilisant soigneusement. Recouvrez-les d'une couche de 10 cm de terre. À l'ombre ou dans un sous-bois, ce muret rappellera les tas de bois d'abattage. Il se couvrira rapidement d'une végétation spontanée : mousses, fougères, violettes, tiarelles...

Attention aux murs blancs, qui reflètent beaucoup de lumière : ils risquent de brûler les plantes situées aux alentours. Installez des treillages sombres pour palisser des grimpantes (vigne, clématite...) ou faites-les pousser à même le mur (lierre, vigne-vierge...). Elles atténueront la réverbération estivale.

Cachez un mur disgracieux avec un parement de bûches de 30 cm de longueur. Recouvrez avec des tuiles pour des fins esthétiques et une protection contre la pluie.

Pensez aux oiseaux en incluant dans les murs des nichoirs (au-dessus de 1,50 m). Vous pouvez vous fabriquer un modèle en terre cuite pour cet usage. Sinon, utilisez des pots de fleurs en terre en élargissant le trou de drainage (5 cm). Glissez dedans une planchette en guise de perchoir.

▶ **Clôture, Loi, Pente**

Mûre

Un écrin de verdure. Cette liane est assez vigoureuse pour couvrir rapidement un arceau ou une petite construction à claire-voie. Si la situation est ensoleillée, le sol riche et bien drainé, plantez une mûre sans épines (*Rubus canadensis*). Elle fleurit en juin et fructifie en fin d'été.

Le palissage en éventail est la meilleure solution pour bien voir les tiges et les fruits. En fin d'hiver, taillez au ras du sol les tiges ayant fructifié l'année précédente, et attachez à leur place avec des liens plastifiés les tiges vertes, souvent très vigoureuses, nées pendant la belle saison.

Le palissage en V facilite la taille. Palissez toutes les pousses d'une année sur un seul côté pour concentrer les nouvelles (et à venir) sur l'autre côté. N'oubliez pas de tourner les jeunes pousses dans le bon sens dès leur sortie de terre.

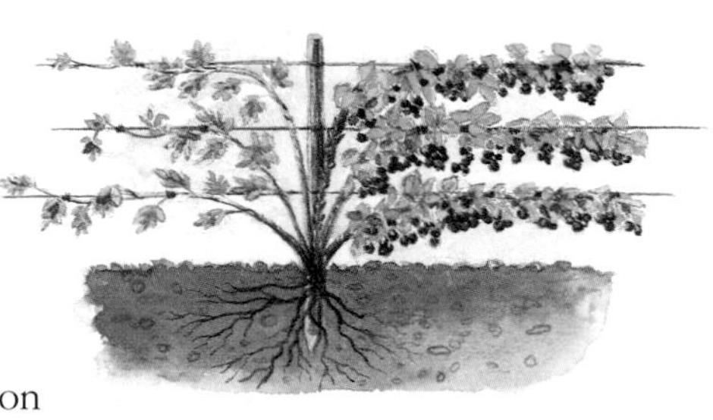

Profitez du marcottage naturel. L'extrémité d'une tige de mûrier a la faculté de s'enraciner si elle touche le sol. À vous de repérer les longues tiges et de les enterrer au bon endroit. Vous pouvez sevrer la nouvelle plante au bout de 1 an, une fois que les racines sont bien développées.

Haie défensive. Choisissez une variété épineuse, au délicieux parfum de mûre sauvage, ou optez pour les hybrides de mûre et de framboise aux très longs rameaux épineux comme la Tayberry ou la Boysenberry. La récolte peut aller jusqu'à 10 kg de fruits par plant. Plantez-en au moins deux pour assurer un meilleur rendement. Pour une haie encore plus colorée, mêlez-les à un rosier grimpant. Mettez des gants pour la cueillette.

Pour éviter la propagation de maladies, brûlez les cannes coupées lors de la taille. Ne les mettez surtout pas sur le tas de compost.

En région très froide, détachez du support les cannes de l'année et étalez-les sur le sol. Couvrez-les de paille ou de branchages de conifère pour mieux les protéger des gelées sévères.

Taille estivale. Rabattez au-dessus du 2e ou du 4e œil (bourgeon) les pousses latérales qui se sont formées prématurément sur les jeunes cannes. Supprimez également toutes les jeunes cannes en surnombre. De nouveaux bourgeons se formeront en automne à l'aisselle des feuilles conservées.

Myrtillier

Préparez le sol pour vos myrtilliers et vos bleuets ; ils ne poussent pas n'importe où. Creusez une tranchée de 50 cm de large et 60 cm de profondeur, dont vous garnirez le fond d'une pellicule de polyéthylène de 1,20 m de large, de façon à former un retour de 35 cm sur chaque côté. Garnissez cette gouttière d'un lit de graviers puis de terre fraîche et humifère. L'humidité stagnera ainsi à loisir pour ces plantes de sols asphyxiés.

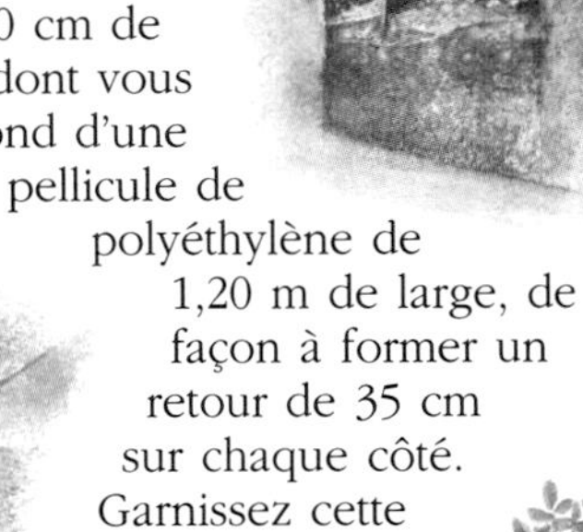

Faites des économies en plantant un tiers seulement de gros sujets, pour acheter le reste en jeunes plants. Les premiers donneront rapidement de belles récoltes, alors que les seconds ne produiront qu'au bout de 4 à 5 ans, même chez les cultivars américains à gros fruits. Consolez-vous de ce petit temps d'attente en vous disant que la production s'étale sur 20 ans.

L'utile et l'agréable. Mettez à profit votre massif de rhododendrons ou d'azalées pour y cultiver quelques pieds de myrtillier, qui s'y trouveront parfaitement à l'aise. Leur jolie floraison et leurs brillantes couleurs d'automne ne dépareront pas l'ensemble, et vous vous éviterez d'avoir à préparer un autre coin du jardin, surtout s'il est petit.

Acidifiez le sol à volonté en le couvrant de 5 cm de sciure ou de copeaux de chêne ou de pin, que vous incorporerez après 1 an de séjour en surface. Vous vous procurerez aisément ce matériau chez un marchand de bois ou dans une scierie. Il ne remplace pas tout, cependant : n'oubliez pas d'apporter de l'humus issu d'un terreau de feuilles, que vous rajouterez en paillis une fois l'an.

Marcottez vos arbustes. Les branches souples des myrtilliers se prêtent bien à cette technique. Grattez légèrement l'écorce, plutôt que de l'entailler, et enterrez une extrémité, en ne laissant ressortir qu'une dizaine de centimètres de tige. Maintenez-la au sol avec du fil de fer. Agissez au printemps et ne sevrez que 1 an après.

Aérez-les pour leur éviter le « chancre ». Supprimez les branches superflues dans les buissons touffus et espacez les arbustes, s'ils sont trop rapprochés, en les transplantant en motte, délicatement. Le chancre des myrtilles se traduit par un rougissement précoce et des taches sur le feuillage et les tiges. Ces simples précautions vous en débarrasseront.

Du soleil ! Veillez à élaguer les arbres proches, s'il s'en trouve. Contrairement à ce que l'on croit, les myrtilliers ne sont pas des arbustes d'ombre. Ils ne fructifient bien qu'en plein soleil.

Faites durer le plaisir en plantant des variétés à maturités échelonnées. 'Patriote' est une variété hâtive à gros fruits. Le relais est assuré par 'North Blue' ou 'Blue Ray', ces 2 variétés produisant des fruits à la mi-saison. Pour une production tardive, optez pour la variété 'Blue Crop'.

Fruits fragiles. Ne vous laissez pas tenter par le pittoresque « peigne à myrtilles », tout à fait inadapté aux variétés à gros fruits, qu'il abîme sans faciliter la récolte. Armez-vous de patience et cueillez à la main.

Sachez détecter les myrtilles vraiment mûres. Les baies sont arrivées à maturité environ 1 semaine après s'être colorées de bleu foncé. Elles doivent se détacher aisément à la plus légère traction. Si elles résistent, n'insistez pas !

Nains
(arbres et arbustes)

Sachez les repérer sur les étiquettes. Les variétés naines comportent souvent dans leur nom la mention 'Nana', 'Pumila' ou 'Compactum'. Ainsi, *Viburnum trilobum* 'Compactum' est une variété naine de viorne trilobée, tandis que *Picea abies* 'Pumila' est une variété naine (2 m) à feuillage vert bleuâtre de l'épinette de Norvège, l'espèce type pouvant atteindre 35 m de haut !

Méfiez-vous des faux conifères nains, qui sont en fait des variétés à croissance lente. Ils peuvent défigurer votre rocaille au bout de 10 à 15 ans et se révéler difficiles à arracher. Renseignez-vous bien avant l'achat sur la hauteur atteinte en 10, puis 20 ans.

Amuse-gueule diététiques. Pour vos apéritifs ou la décoration de vos plats, cultivez des minilégumes dans un coin du potager ou près de la cuisine. Il s'agit selon le cas de légumes cueillis très jeunes (carottes, navets) ou de véritables variétés naines (tomates-cerise, maïs, courgettes, choux…).

Vous n'avez pas de jardin ? Créez votre mini-potager au balcon ou sur un rebord de fenêtre. Tomates-cerise, mini-maïs complèteront joliment une jardinière de plantes aromatiques. Autre solution : les suspensions (voir Panier suspendu).

Arbustes nains : faites le bon choix

Vous pouvez planter ces arbres nains et ces arbustes dans la rocaille, en bacs, ou dans un jardin, pour attirer l'œil dans des plantations basses.

Feuillage persistant	Hauteur
Abies balsamea 'Nana'	60 cm
Chamaecyparis obtusa 'Nana Gracilis'	1 m
Chamaecyparis pisifera 'Filifera Nana'	1 m
épinette du Colorado 'Compacta'	2,50 m
épinette de Norvège 'Pumila'	2 m
genévrier horizontal 'Bar Harbor'	20 cm
genévrier japonais nain	30 cm
genévrier de Virginie 'Reptans'	30 cm
Ilex glabra 'Compacta'	1 m
Mahonia aquifolium 'Compacta'	60 cm
pin blanc 'Umbraculifera'	4 m
pin de montagne 'Pumilio'	1 m
Taxus cuspidata 'Nana'	1,50 m
Thuya occidentalis 'Little Giant'	60 cm
Feuillage caduc	
bouleau blanc 'Trost's Dwarf'	1 m
bouleau nain américain	2 m
caragana orangé	1 m
chèvrefeuille nain	80 cm
Euonymus alatus 'Compactus'	1 m
Euonymus nanus	50 cm
Philadelphus x 'Miniature Snowflake'	1 m
physocarpe nain	60 cm
pommetier nain 'Pom'zai'	1,50 m
Spirea japonica 'Nana'	40 cm
viorne obier 'Nanum'	60 cm
viorne trilobée 'Compactum'	1,50 m

Cultivez des fruitiers nains en pots sur votre terrasse ou votre balcon. Vous trouverez des variétés naines de groseillier, de framboisier ou de myrtillier. Installez ces arbustes fruitiers au soleil, dans des contenants isolés et profitez des douceurs de l'été. Attention, pensez à leur associer une variété pollinisatrice si la plante n'est pas autofertile, sans quoi vous n'aurez pas de fruits !

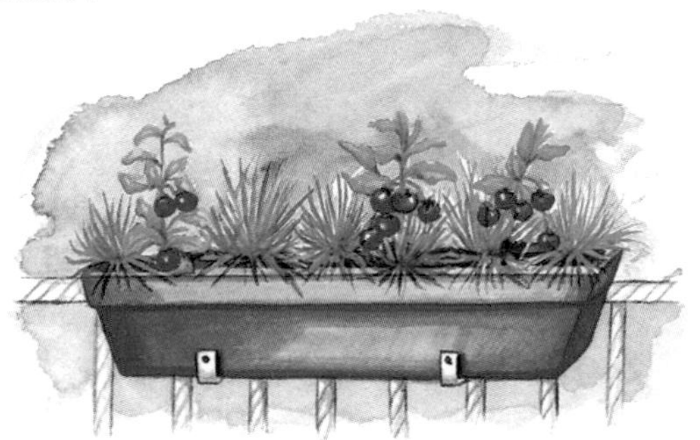

De dimension modeste, les chamaecyparis obtusa *'Nana Aurea' conviennent bien pour structurer un massif sans pour autant l'écraser. Leur teinte dorée tranche ici avec une bordure de petits bégonias.*

Votre appartement est tout petit ? Offrez-vous des formes naines de plantes d'intérieur, fleuries (azalée, rosier miniature, saintpaulia, spathyphyllum...), ou vertes (croton, fougère, palmier, pépéromia, piléa…).

Une croissance subite. Ne vous étonnez pas de voir l'hibiscus que vous aviez acheté petit et florifère il y a quelques mois donner soudain de longues tiges. Les plantes fleuries sont souvent traitées avec un nanifiant par les horticulteurs. Elles conservent ainsi un port compact et fleurissent précocement. Au bout de quelques mois, ces plantes (poinsettias, hibiscus...) reprennent une croissance normale.

▶ **Bonsaïs**

Invitez la nature dans votre jardin

Ploc ! Ploc !... à votre approche, les grenouilles vertes qui prenaient le soleil sur les feuilles du nymphéa regagnent les profondeurs de la mare. Dans l'air se poursuit le ballet bruissant des libellules. Toujours discret, le rouge-gorge traque les vermisseaux sous les arbustes. Dans le nid caché au creux du lierre l'attendent sa femelle et ses quatre petits...
Un jardin qui vit est passionnant à observer, en toutes saisons ! Demandez leur avis aux enfants : rien ne les enchante davantage que la perspective de têtards dans le bassin, de papillons partout, de tamias rayés dans le tas de bois.
Il est facile d'inviter la nature dans son jardin. En effet, les animaux sauvages — même les plus courants — manquent de plus en plus d'habitats où se cacher, se nourrir et se reproduire. Ils adopteront volontiers votre domaine si vous aménagez un petit coin en pensant à eux. Le grimpereau — un oiseau qui niche dans les creux — appréciera que vous ayez préservé ce vieil arbre au tronc tortueux. Le crapaud vous sera reconnaissant d'avoir prévu pour lui, comme refuge, une souche ou quelques pierres. Il n'y a pas meilleur chasseur de limaces que lui !
Pensez aux abeilles, bourdons, etc., et préférez toujours les espèces mellifères de fleurs, d'arbustes ou d'arbres. Et, si vous plantez un arbre à fruits persistants (par exemple un pommetier, un cerisier à grappes...), peut-être attirerez-vous dans votre jardin de beaux oiseaux rares...

1 Le vieux mur

Qu'il soit de brique ou de pierre, votre vieux mur sera le domaine des lézards et de certains oiseaux, comme le moucherolle. Pour ce dernier, s'il n'y a pas de trou naturel, placez un nichoir largement ouvert (une vieille boîte aux lettres, par exemple, fera parfaitement l'usage).
Plantes poussant dans les fissures : centranthe, orpins divers, giroflée ravenelle, muflier, *Iris germanica, Iris pumila,* alysse, arabette, *Campanula muralis, Saponaria ocymoides,* aubriète, hélianthème, *Erigeron karvinskianus...*
Exposition nord : lierre, fougères (scolopendre, polypode, etc.).
Au pied : rose trémière.

2 Le paradis des abeilles

Choisissez des fleurs pour leur caractère mellifère et l'étalement de leur floraison : elles fourniront pollen et nectar, tout au long de l'année, aux abeilles, bourdons et autres insectes.
Bons choix : phacélie, tournesol, monnaie-du-pape, arabette, sarriette, hysope, thym, lavande, verge d'or, lamier, caryopteris, *Cotoneaster horizontalis,* framboisier, sauge, romarin.

3 La mare

Indispensable à la faune, c'est un point fort du jardin. Étanchez-la avec un grand plastique (toile), du béton armé ou de l'argile. Les bords seront en pente douce et la profondeur d'au moins 80 cm

au point le plus bas. Prévoyez des paliers pour l'installation des plantes.
Faune : tritons, grenouilles, crapauds, insectes aquatiques (patineurs, notonectes, libellules, gyrins...), poissons (carassins, poissons rouges). Ces espèces consomment les larves de moustique.
Flore : nymphéa, petit nénuphar, potamots, butome, sagittaire, plantain d'eau, pesse, iris faux-acore, souci d'eau, etc. Les algues vertes régressent avec le développement de la végétation.

4 Le tas de pierres

Entassez de grosses pierres dans un coin tranquille et discret du jardin. Les anfractuosités serviront de gîte à des animaux indispensables à l'équilibre biologique et qui sont passionnants à observer. Ce sont principalement le crapaud d'Amérique, le crapaud de Fowler, le lézard, le scinque, la couleuvre rayée (inoffensive).

5 La haie écologique

La haie peut faire mieux que simplement clôturer votre jardin. Si vous choisissez bien les arbustes qui la composent, elle accueillera de nombreuses espèces de parulines, les papillons, le suisse (tamia rayé), et bien d'autres espèces animales.
Arbustes donnant des fruits (pour les oiseaux et les petits mammifères) : pommier à fleurs, prunier, sureau, sorbier, symphorine, amélanchier, noisetier, cotonéaster, pyracantha.
Arbustes à papillons et insectes butineurs : buddléia, céanothe, rosiers (à fleurs simples), chèvrefeuille, ronce.

6 Le pré fleuri

Dans un endroit bien exposé, cessez de tondre une petite surface de gazon... et observez ce qui y pousse : marguerite, trèfle, plantain, salsifis (fleur jaune), épervière (fleur orange), carotte sauvage (ombelle blanche), orchidée ne tarderont pas à poindre...
Vous pouvez également planter des narcisses, des crocus (ils nécessitent un sol bien drainé), des centaurées, etc.
Fauchez en juin puis en septembre.

Classiquement cultivé en massif, le narcisse est également très élégant en pot. Pour réussir votre potée, ne lésinez pas sur le nombre de bulbes.

Narcisse

Pour un effet spectaculaire. N'hésitez pas à faire quelques grosses taches de 50 ou 100 bulbes au lieu d'éparpiller vos fleurs. Formez des touffes serrées d'une même variété. Achetez de gros paquets à prix spéciaux, ou commandez par correspondance en profitant d'un tarif dégressif.

Plantez tôt en saison, si possible dès la mise en vente (septembre). Les bulbes développeront vite leurs racines dans la terre encore chaude de l'été. Des narcisses bien installés restent plusieurs années en place parce qu'ils ont le temps de reformer des réserves consistantes grâce à leur puissant système radiculaire.

Feuillage jauni. C'est le signe que le bulbe a terminé son cycle végétatif. Pour obtenir une belle floraison la saison suivante, il va falloir le fertiliser. Pour ce faire, vous utiliserez en alternance, tous les 10 jours, des engrais solubles comme le 10-52-10 ou le 20-20-20.

Narcisses : faites le bon choix

Les meilleurs narcisses à forcer sur gravillons (à la chinoise) sont les variétés 'Paper white' (blanc), 'Totus Albus' (blanc), 'Grand Soleil d'or' (jaune).

Un bon voisin. Vous pouvez conserver vos touffes de narcisses en place dans la rocaille ou en bordure et planter tout à côté une espèce au feuillage généreux qui cachera celui qui est en train de jaunir, puis l'emplacement nu. Les géraniums vivaces et les hémérocalles sont souverains au soleil, les hostas feront merveille à mi-ombre. Les annuelles sont une solution pratique, avec les couvre-sol comme le lierre, la pervenche, *Pachysandra,* le lamier.

Coupez les fleurs fanées d'un coup d'ongle ou de sécateur, en laissant la tige verte en place : elle aide, avec les feuilles, à l'assimilation générale, et les réserves pour l'année suivante seront plus vite stockées dans le bulbe.

Pelouse fleurie. Ouvrez la pelouse par une découpe en H, plantez, refermez et patientez jusqu'en avril, ce sera la surprise. Les variétés les plus hâtives, comme 'February Gold', 'Tête à Tête', 'Jacksnipe', 'Peeping Tom', sont les meilleures. Vous pourrez tondre dès la fin mai, tout en respectant la vie des bulbes, qui se naturalisent vite. Associez-les à des crocus, perce-neige, à *Anemone blanda...*

De la tourbe printanière. Les narcisses démarrent vite dès les premiers beaux jours et un coup de froid à ce moment-là peut griller les jeunes pousses en quelques heures. Recouvrez ce feuillage précoce d'une pelletée de tourbe sèche isolante.

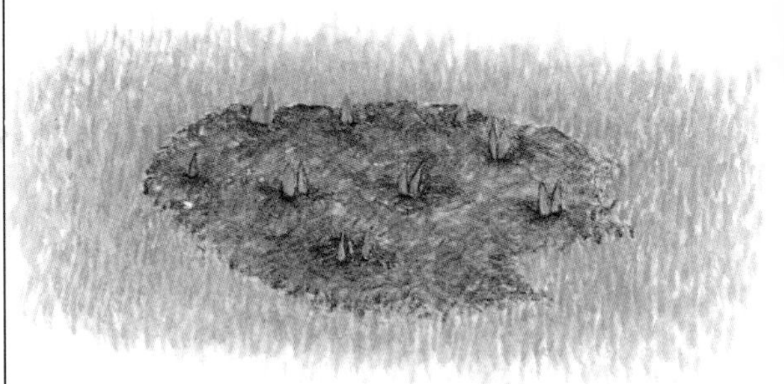

Double pot. Ne mélangez pas le narcisse avec d'autres fleurs : sa tige creuse exsude un mucilage toxique qui les fait faner. Si vous voulez absolument l'ajouter à une composition florale, trichez : mettez-le dans un pot en verre (style pot à confiture) rempli d'eau. Cachez celui-ci dans votre vase, que vous aurez choisi suffisamment grand et opaque.

▶ **Bouquet, Bulbes**

Naturalisées (plantes)

Gare au panais sauvage ! Cette belle ombellifère (*Pastinaca sativa*) à floraison estivale, que l'on retrouve un peu partout au Québec (bords de route, terres incultes...), est une plante vénéneuse. Elle peut provoquer, par simple contact, des irritations cutanées et des démangeaisons semblables à celles provoquées par l'herbe à puce. Tout comme pour cette dernière, le latex contenu à l'intérieur des feuilles et des tiges peut déclencher des allergies graves. Prudence, donc !

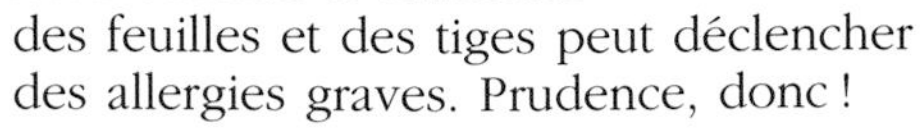

Un jardin spontané. Rêvez-vous d'un jardin où fleurs et plantes aromatiques pousseraient toutes seules ? Laissez simplement grainer toutes vos plantes à l'endroit où elles poussent. Dès le printemps suivant, en voyant celles dont les graines germent, vous saurez quelles sont les espèces qui se ressèment facilement chez vous.

Faites le bon choix

Les plantes citées ci-après se naturalisent volontiers au jardin pour peu que le sol leur soit favorable : ancolie, asclépiade, balsamine, belle-de-nuit, bourrache, capucine, centaurée, coquelicot, cosmos, datura, digitale, giroflée, gloire du matin, mélisse, monnaie-du-pape, nigelle, œillet des fleuristes, œillet de poète, rose trémière, rudbeckie, souci, verge d'or.

Navet

« À la Saint-Barnabé, sème tes navets » (c'est-à-dire le 11 juin)... mais ne semez pas le paquet d'un coup, préférez un petit semis tous les 15 jours, pour disposer de petits légumes toujours tendres.

Navet et rutabaga. Le rutabaga, aussi appelé « chou de Siam », est plus gros que le navet d'été. Il se conserve facilement tout l'hiver.

Navets: faites le bon choix

Navet d'été

'Blanc à collet violet' : racine blanche avec collet pourpre, chair blanche.
'White Lady' : chair blanche, variété hâtive (45 jours).
'Boule d'or' : petit navet, chair jaune foncé.

Rutabaga

'Laurentien nº 1' : racine ovale jaune avec collet rouge pourpre, variété très populaire.
'Laurentien Thompson nº 1' : variété semblable à 'Laurentien nº 1'.

Ménagez-vous ! Un bêchage profond n'est pas nécessaire. Faites des sillons de 1 à 2 cm de profondeur, espacés de 20 à 25 cm, dans une terre que vous aurez griffée au croc et nivelée au râteau. Espacez les graines de 3 à 4 cm pour faciliter la corvée de l'éclaircissage. Comptez 10 à 20 plantes au mètre linéaire.

Pour une levée régulière, étendez sur les semis une toile de jute que vous maintiendrez humide par des arrosages en jet fin ou à la pomme.

Un peu d'ombre. Les petits navets craignent la canicule... Semez-les à côté des tiges de

maïs, des haricots à rames, des pois ou des pieds de tomate et arrosez-les souvent, sinon la récolte sera dure et filandreuse.

Ne jetez pas les jeunes fanes. Comme celles des radis, elles sont bien tendres. Ajoutez-les à vos potages, plats de légumes verts... Elles apporteront fer, calcium et vitamines.

Des feuilles de chêne, sèches ou décomposées, disposées en épais paillis sur vos navets éloigneront les parasites et éviteront la visite des limaces et autres ravageurs à fortes mandibules.

▶ **Potager, Topinambour**

Néflier

Le néflier est un arbrisseau épineux qu'on trouve en Europe. Son fruit est la nèfle. On greffe le néflier l'été, en écusson (voir Greffage), sur une aubépine récupérée dans un taillis, ou sur un cognassier. Le semis, en effet, est hasardeux et ne maintient pas les caractères des variétés. Comme il n'est pas toujours aisé de s'en procurer en pépinière, on profite des vacances pour repérer dans un vieux jardin un arbre sur lequel on pourra prendre les greffons.

À cause de la grande résistance au froid de ces arbustes denses et trapus, ils servent souvent à border les vergers du côté nord.

Sachez récolter les nèfles. Simplement mûres, vous les trouverez immangeables tant elles sont astringentes. Attendez les premières gelées, qui les font tomber, pour les entreposer sur des claies, au cellier. Après 1 mois, leur chair vire au rouille, elles sont tendres et ont acquis leur saveur caractéristique.

Petite histoire

Les nèfles, exemptes de maladies, rustiques et tardives, ont longtemps été populaires, avant d'être détrônées par les pommes et les poires. Leur autre nom, mesles (du latin *mespilum*), a donné l'adjectif « melé », qui décrivait autrefois un fruit ou un légume fripé, sans fraîcheur, par allusion au stade avancé où l'on consomme ce fruit. Les nèfles ont d'ailleurs un surnom très descriptif, celui de « cul-de-chien ».

Là où on en fait la culture, il faut préférer les variétés horticoles à la forme sauvage. Le plus répandu, 'Néflier à gros fruits', donne des nèfles de la taille d'une grosse noix, alors que, sur la forme sauvage, elles dépassent rarement la taille d'une bille.

Les Européens utilisent ses qualités ornementales. Ses grandes fleurs printanières, roses et blanches, son large feuillage virant au cuivre et à l'acajou en automne, et son port souple lié à sa petite taille en font un arbuste décoratif de premier plan. Il mérite une place de choix au jardin pour le mettre en valeur.

Si votre région s'y prête, découvrez le néflier du Japon, nommé bibacier dans le sud de la France. C'est un persistant aux belles feuilles nervurées et à la floraison crème qui se pare d'épis odorants en novembre. Mais la récolte des fruits orange, en mai-juin, ne peut se faire que sous un climat très doux.

La neige offre l'avantage de former une couche isolante sur les végétaux qui résistent mieux au gel.

Neige

Laissez-la en place sur les plantes, c'est une excellente protection thermique contre les grands froids qui peuvent suivre. La neige est de plus un bon fertilisant, riche en éléments nutritifs assimilés par les racines dès le printemps. Ne la retirez pas non plus des vitrages des serres et châssis.

Précieuses indications. Repérez les endroits du jardin où la neige fond en premier : ce sont les coins les plus chauds. L'été, vous y mettrez les plantes qui aiment les coins chauds, comme les yuccas et les opuntias, et vous y ferez les premiers semis.

Cerclez les conifères à port pyramidal avec du fil de fer vert, solide et discret. La neige glissera au lieu d'ouvrir la plante en déformant les branches (thuya fastigié, genévrier 'Sky Rocket', if fastigié...). N'oubliez pas d'enlever cette armature à l'arrivée de la belle saison.

Épandez les cendres froides de la cheminée sur la neige, sans tasser. Les éléments nutritifs descendront en profondeur lorsque la neige fondra. Même technique avec du fumier bien décomposé.

Attention aux sujets persistants à gros feuillage (rhododendron, mahonie à feuilles de houx...) et aux conifères. Le poids de la neige, surtout s'il gèle et qu'elle ne puisse pas glisser, risque de provoquer des bris de branches irréparables. Secouez-la avec un manche à balai ou d'outil de jardin, ou encore avec le cueille-fruits à manche télescopique. Soyez particulièrement vigilant sur les rhododendrons, car les boutons déjà bien formés peuvent brûler.

Évitez le sel pour faire fondre la neige sur les allées. Il attaquerait vite les racines de vos plantes, du gazon... Épandez plutôt du sable, des gravillons, des cendres, de la sciure...

▶ **Froid, Gel**

Noisetier

Une espèce indigène au Québec. Le noisetier à long bec (*Corylus cornuta*, zone 3) se retrouve dans notre flore indigène. Son nom lui vient de l'enveloppe épineuse de ses fruits, qui se prolonge en un bec deux fois plus long que la noix. Cet arbuste peut atteindre 3 m. Ses noisettes comestibles ont toutefois peu d'importance sur le marché alimentaire : on leur préfère l'aveline, plus grosse. Le noisetier à long bec n'en reste pas moins un bon choix pour les amateurs de bons fruits, tout comme le noisetier américain (*C. americana*, zone 4), qui offre lui aussi des fruits comestibles.

Un noisetier tortueux. Le noisetier chinois ou noisetier contorté (*C. avellana* 'Contorta') est un arbuste qui se remarque en toutes saisons. Ses rameaux très tortueux offrent un spectacle unique. D'une hauteur maximale de 1,50 m, cet arbuste de zone 5 ne peut toutefois être cultivé qu'à partir de la région de Montréal.

Un noisetier différent. Le noisetier pourpre (*C. maxima* 'Purpurea', zone 5) présente un feuillage rouge pourpré qui tourne progressivement au vert très foncé pendant l'été. Sa floraison pourpre et ses fruits rougeâtres en font un choix judicieux pour créer de l'effet dans un aménagement paysager. Ses noix, toutefois, ne sont pas comestibles.

Pour bien conserver vos noisettes, débarrassez-les de leur cupule et étendez-les au soleil sur une toile tous les jours pendant 1 semaine au moins, avant de les stocker au sec. Si vous ne les faites pas sécher assez longtemps, l'humidité résiduelle des coques provoquera des moisissures qui altéreront le goût du fruit.

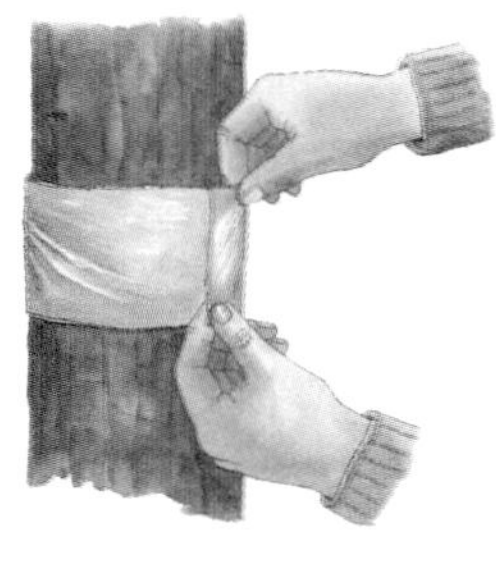

Débarrassez-vous du balanin, qui rend les noisettes « véreuses ». Ce coléoptère est un grimpeur et c'est en grimpant le long des troncs qu'il atteint l'objet de sa convoitise. Fixez donc autour de ceux-ci des bandes de papier fort enduites de glu, que vous attacherez serré et que vous changerez quand elles seront couvertes de proies.

Noyaux, pépins

Le meilleur moment pour récolter des pépins ou des noyaux à semer se situe lors de la maturité complète des fruits. Choisissez ceux des fruits les plus beaux, les plus précoces et les plus sains : vous aurez plus de chance d'obtenir des sujets de bonne qualité.

Stratifiez avant de semer. Ne semez pas les noyaux et les pépins aussitôt après la récolte. Installez-les dans un bocal rempli de sable humide. Mettez ce pot au frais (dans le bac à légumes du réfrigérateur, ou enterré dans la terre de façon qu'il ne gèle pas). En mars, semez les pépins ou les noyaux en place ou dans des terrines remplies de sable et de terreau.

Pour mettre toutes les chances de votre côté, semez toujours 3 ou 4 pépins ou noyaux en même temps : vous serez sûr d'avoir un plant. Si vous en obtenez plusieurs, vous conserverez le plus beau et supprimerez (ou repiquerez) les autres.

Des porte-greffes à bon marché. Les arbres issus de semis de pépins ou de noyaux peuvent donner d'excellents porte-greffes au bout de 1 ou 2 ans. N'hésitez pas à vous en faire une réserve si vous savez greffer les arbres fruitiers en particulier.

Fruits à noyaux ou pépins : faites le bon choix

Abricots : germent facilement, donnent des arbres à petits fruits, souvent savoureux.

Agrumes : germination facile au chaud. Vous obtiendrez de jolis arbustes épineux mais ne fructifiant pas la plupart du temps. Seuls le bigaradier et *Poncirus trifoliata* (agrume le plus rustique mais non comestible) se reproduisent fidèlement par semis.

Cerises : la plupart donnent des arbres vigoureux offrant des fruits de petit calibre mais bien sucrés.

Kakis : semez au chaud, après stratification, les pépins issus de fruits qui en possèdent.

Nèfles du Japon : germent très facilement ; les arbustes issus de semis sont beaux mais donnent des fruits médiocres.

Pêches : seules les variétés de type « pêche de vigne » et « sanguines » (chair rouge) se reproduisent assez fidèlement par semis.

Prunes : vous obtiendrez d'excellentes petites prunes en semant les noyaux de mirabelle et de reine-claude.

Poires et pommes (et nèfles vraies) : germent facilement après stratification. Donnent des arbres à petits fruits.

Amandes, châtaignes, noisettes et noix : conservez-les au frais en les stratifiant. Semez fin mars. Les arbres obtenus sont vigoureux mais ont une production peu homogène.

Des confitures toujours réussies. Conservez les pépins de pomme, de poire et d'agrumes et faites-les sécher : ils apporteront la pectine nécessaire aux confitures qui en ont besoin pour prendre : fraises, prunes, cerises, pêches...

▶ **Verger**

Noyer

Évitez que les noix ne s'altèrent en quelques mois en les mettant « au sel ». Pour ce faire, il suffit d'alterner des couches de noix et des couches de gros sel dans une jarre étanche ou un tonneau, en tassant au fur et à mesure. La conservation de ces fruits se prolongera au-delà de 1 an dans ces conditions.

Les deux espèces de noyers indigènes que l'on retrouve dans le nord-est du continent sont le noyer noir (*Juglans nigra*) et le noyer cendré (*J. cinerea*). Elles ne produisent pas, comme d'autres noyers, de noix comestibles.

La noix la plus couramment vendue sur le marché en Amérique du Nord est appelée ici « noix de Grenoble ». C'est le fruit du *J. regia*, originaire d'Eurasie.

Des noyers qui n'en sont pas. On retrouve dans nos forêts deux arbres très proches des noyers : il s'agit du noyer amer et du noyer tendre. En fait, ces appellations populaires sont erronées car il s'agit non pas de noyers, même s'ils produisent des fruits à amande, mais de caryers, arbres très proches des noyers car faisant partie de la même famille qu'eux.

Le caryer cordiforme (*Carya cordiformis*), ou noyer amer, produit des noix à amande amère.

Le caryer à noix douces (*C. ovata*), ou noyer tendre, donne des noix à amande douce.

Taillez en été, et seulement si c'est nécessaire. En pleine pousse, vous risquez de faire « pleurer » votre noyer et de le fatiguer par une perte abondante de sève. Pour une taille importante, étalez l'opération sur 2 ou 3 ans.

Un apéritif délicieux

Il faut, pour ce faire, récolter des noix bien formées, mais encore tendres (avant le début de juillet). Le mélange est simple : pour 20 noix, prenez 5 litres d'un bon vin rouge, 1 litre d'alcool pour fruits à 45° et 1 kg de sucre. Mélangez le tout dans une dame-jeanne, bouchez et laissez reposer 6 mois. Filtrez puis mettez en bouteilles. Ce vin se bonifie en vieillissant, et les meilleurs ont 4 à 5 ans.

▶ **Liqueur**

Œillet

PLANTATION

Le sol doit être bien drainé, léger et plutôt calcaire. Évitez les sols acides. Les espèces botaniques se contentent d'un sol pauvre, les variétés horticoles (œillets mignardises, de poète...) fleuriront mieux dans un sol riche.

Pour une floraison soutenue, offrez-leur le plein soleil : les œillets de toutes les espèces affectionnent cette exposition.

Préférez la plantation d'automne pour les œillets de rocaille, car leur floraison est souvent précoce. Enterrez juste la base de la tige, mais pas les feuilles inférieures.

Pour vos jardinières, choisissez les œillets de Chine, bas et étalés, ou les œillets de poète, odorants et attirants, avec leurs fleurs souvent composées de 2 couleurs.

Une bonne germination. Ne couvrez pas les graines : elles ont besoin de lumière pour germer. Tassez simplement avec une planchette pour assurer un bon contact entre graines et terreau.

ENTRETIEN

Après la première vague de floraison des œillets de Chine, taillez-les assez courts. Vous obtiendrez une bonne remontée (nouvelle floraison) en automne.

Ne mélangez pas les œillets mignardises car ils s'hybrident très facilement. Si vous associez des variétés différentes, vous obtiendrez l'année suivante des fleurs ne correspondant plus aux variétés d'origine. Plantez-les en taches ou bordures d'une seule variété.

Bouche-trous. Si les touffes de vos œillets mignardises se dégarnissent au centre, couchez quelques tiges vers le centre. Couvrez-les de terreau fin et, au besoin, maintenez-les en place avec des épingles à cheveux. Elles s'enracineront pour regarnir le cœur de la touffe.

Pincez les jeunes plants de mignardises au début du printemps pour qu'ils s'étoffent et portent plus de fleurs. Coupez la tige juste au-dessus d'un nœud (point d'attache d'une paire de feuilles).

MULTIPLICATION

Attention, plantes éphémères ! Renouvelez régulièrement vos œillets par bouturage ou marcottage, tous les 2 à 4 ans selon les espèces.

Bouturez après la floraison les espèces de rocaille ou de bordure, ou même les œillets mignardises. Coupez de jeunes pousses non fleuries juste sous une paire de feuilles. Supprimez les feuilles inférieures pour ne conserver que quelques feuilles en haut de la tige. Mettez ces boutures soit dans un mélange de tourbe et de sable, soit simplement dans l'eau. Elles s'enracinent en 3 ou 4 semaines.

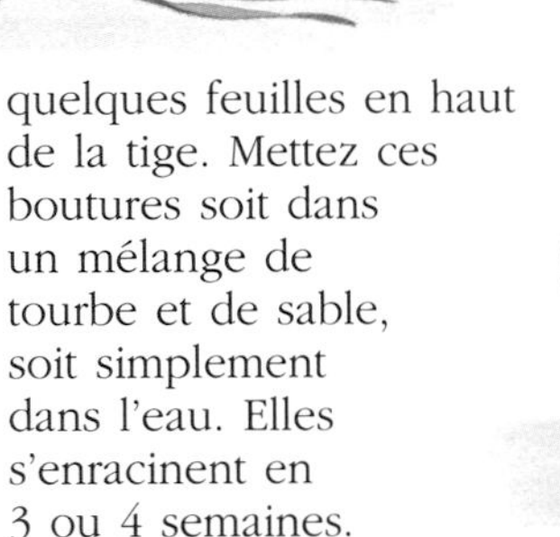

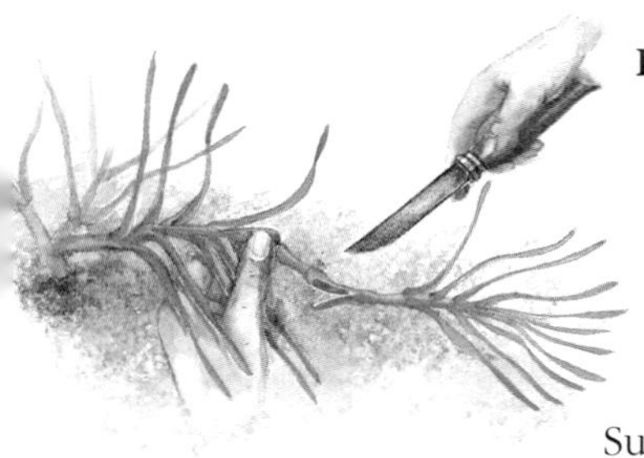

Pratiquez le marcottage. Après la floraison, sélectionnez des tiges de 20 à 25 cm, qui n'ont pas fleuri. Supprimez les feuilles du milieu de chaque tige. Entaillez au couteau la face inférieure de la tige au milieu du tronçon dénudé. Préparez un petit trou de plantation enrichi en sable et tourbe. Enfoncez-y la portion entaillée et maintenez la tige couchée par un morceau de fil de fer recourbé. Ajoutez au besoin un peu de mélange terreux en surface.

Des racines se formeront au niveau de l'entaille en 6 à 8 semaines. Quand la marcotte sera bien enracinée, coupez la tige avec un couteau au ras du fil de fer.

À L'INTÉRIEUR

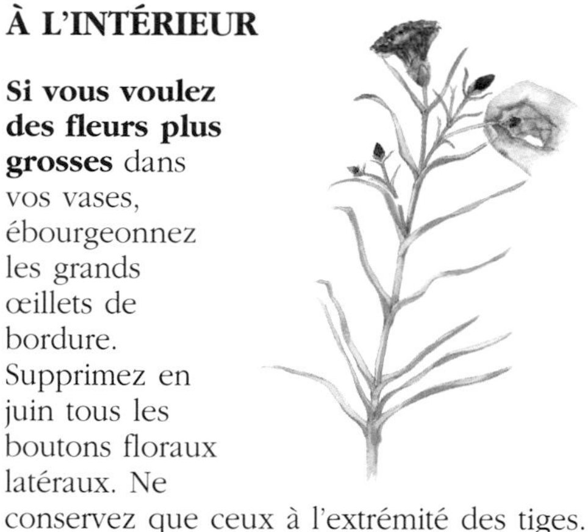

Si vous voulez des fleurs plus grosses dans vos vases, ébourgeonnez les grands œillets de bordure. Supprimez en juin tous les boutons floraux latéraux. Ne conservez que ceux à l'extrémité des tiges.

Éloignez votre bouquet d'œillets de la corbeille de fruits. L'éthylène dégagé par les fruits, pommes et bananes surtout, accélère le flétrissement des fleurs !

ŒILLET D'INDE

Semez dès mars dans la maison cette fleur dont la forme évoque celle de l'œillet mais qui n'a en réalité aucun lien de parenté botanique avec les vrais œillets du genre *Dianthus*. Couvrez légèrement les graines et cultivez à une température de 18 °C. Repiquez les plants en caissettes avant la mise en place définitive.

Plantez l'œillet d'Inde au potager pour éloigner nématodes et mouches blanches de vos planches de légumes. Mettez-le en place dès la fin des gelées. Ce sont les racines qui agissent contre les nématodes.

Petite histoire

Ne portez jamais un œillet à la boutonnière un mardi, ce serait un mauvais jour. N'offrez pas cette fleur à un artiste : elle a mauvaise réputation. Par l'envoi d'un joli bouquet d'œillets, les directeurs de théâtre congédiaient les comédiens ou les chanteurs au siècle dernier… Ce n'est pas encore oublié !

Si vous avez une serre ou une véranda, rempotez fin septembre quelques pieds d'œillet d'Inde dans une coupe large. Recoupez les tiges de moitié. Ils refleuriront au bout de quelques semaines.

Vous n'appréciez guère les pompons aux couleurs très vives ? Recherchez des variétés à fleurs simples, ou encore les variétés naines d'une espèce proche, *Tagetes tenuifolia pumila*. Elles forment des touffes basses couvertes de petites fleurs simples, comme 'Pumila Jaune Lullu' ou 'Pumila Orange'.

Œillets : faites le bon choix

Vivaces	Floraison	Utilisation
Dianthus allwoodii	juin à août	rocaille, bordure
D. deltoides	juin à septembre	rocaille, plante tapissante
D. gratianopolitanus	juin à août	bordure, rocaille
D. plumarius (œillet mignardise)	juin à août	rocaille, fleurs coupées
À cultiver comme des bisannuelles (vivaces à vie courte)		
Dianthus barbatus (œillet de poète)	juin à septembre	bordure, bouquet
D. caryophyllus (carnation bisannuelle)	juin à septembre	bordure, bouquet
D. chinensis (œillet de Chine)	juin à septembre	bordure, bouquet
À cultiver comme des annuelles		
œillet d'Inde	juin à septembre	bordure, jardinière

Œuf

Pas d'entonnoir pour verser un produit chimique dans le pulvérisateur ? Utilisez une coquille d'œuf percée d'un trou au fond. Jetez ensuite la coquille.

Petits pots individuels. Percez un trou au fond d'une coquille vide décapitée (œuf à la coque), remplissez-la d'un bon mélange terreux, posez-la sur une plaque alvéolée pour œufs… et semez vos graines. Au moment de la transplantation en terre, serrez un peu fort la coquille pour la briser, les racines passeront au travers des fentes.

Des colorants naturels pour œufs de Pâques

Jetez dans l'eau de cuisson des œufs des feuilles d'alchémille, d'ortie ou d'achillée, des fleurs de camomille ou d'œil-de-bœuf, des pelures d'oignon, du curcuma ou du safran pour leur donner des tons jaunes ; avec des épluchures de betterave, du chou rouge, des racines de garance, des baies de sureau ou de cassis, vous obtiendrez des jolies teintes allant du rose au rouge ; bleuets et feuilles d'épinard vous permettront d'avoir des œufs bleus et verts.

Contre les gastéropodes. La coquille écrasée, pilée, étalée autour des jeunes plants forme une barrière efficace.

Sol acide ? Épandez des coquilles d'œufs brisées, elles aideront le milieu à devenir plus basique, ce que préfèrent la plupart des plantes de jardin. Mêlez-en également au compost, à tendance toujours un peu acide.

Une bonne saumure. Si vous conservez certains légumes en saumure, testez votre saumure avant emploi : un œuf cru doit flotter dedans, s'il s'enfonce, c'est qu'il n'y a pas assez de sel.

Oignon

PLANTATION

Anticipez la plantation. Semez l'oignon en terrines sous abri 8 semaines avant la mise en terre (vers le 15-30 mars). Il résiste alors bien au froid. Ne semez pas le paquet tout entier, opérez en plusieurs fois. Attention : la faculté germinative ne persiste que 2 ans !

Évitez l'emploi des outils à lame entre les rangs d'oignons : ils peuvent blesser les racines superficielles. Préférez le désherbage manuel ou, mieux, l'apport de cendres de bois en cours de croissance des plantes.

Si vous disposez sur le sol un paillis de papier journal détrempé avant de mettre en place vos oignons et que vous l'arrosiez régulièrement, vous serez sûr de conserver la douce humidité nécessaire aux racines, sans jamais voir les mauvaises herbes. Quelques pierres, pavés ou galets empêcheront le papier de s'envoler avec le vent. Retirez-le après culture.

La solution de simplicité. Achetez des bulbes secs prêts à la plantation, plantez-les directement (espacez-les de 20 cm en tous sens) ou placez-les d'abord en godets (4 bulbes par godet de 7 cm) pour qu'ils s'enracinent à l'abri. Vous gagnerez du temps et éviterez l'éclaircissage.

Un sol riche en azote favorise le développement des feuilles aux dépens du bulbe. Si c'est le cas du vôtre, plantez vos oignons avec des laitues. Elles pomperont l'excès d'azote.

La sécheresse divise les oignons. Arrosez-les régulièrement au départ (les plants repiqués demandent plus d'eau que les bulbilles). Mais, une fois le bulbe formé, stoppez l'arrosage, l'excès d'humidité nuisant à la conservation.

Vous voulez de gros oignons ? Plantez dès le mois de mai des oignons espagnols : 'Hybride Planet' (jaune), 'Ailsa Craig' (jaune), 'Vega' (jaune, immense), 'Kelsae Sweet Giant' (jaune) ou 'Jumbo Blanc' (blanc, très gros).

Si la saison est courte dans votre région, optez pour 'Yula' (oignon espagnol), 'Copra' (oignon hybride), 'Mars' ou 'Mercury' (oignons rouges).

Pour faire mûrir les oignons, couchez leur feuillage jaunissant avec le dos d'un râteau. Cette pratique n'est valable que les années humides ; elle s'avère inefficace par temps sec.

Récoltez les oignons lorsque leur feuillage est totalement jaune : ils seront bien mûrs. Accélérez le processus en les déchaussant avec une binette 2 à 3 semaines avant la récolte. Contrairement à l'ail, l'oignon n'a nul besoin que l'on noue son feuillage.

CONSERVATION

Pour éviter que les oignons ne germent, passez, sans insister, les racines sur la flamme de la cuisinière ou d'un réchaud.

Faites sécher les oignons avant de les stocker. Limitez les manipulations en les plaçant dans un seau, le feuillage dirigé vers l'intérieur. Dès que les oignons sont secs, coupez les tiges avec des ciseaux, et entreposez les oignons sur des clayettes de bois propres, bien aérées.

À la verticale. Si vous avez un peu de place, tendez du grillage à mailles larges sur un cadre de bois, enfilez-y les tiges encore souples en laissant les oignons sécher face à vous. Coupez ou tirez au fur et à mesure de vos besoins.

Traditions

Lors de la récolte, comptez les pelures superposées de l'oignon : on raconte que vous aurez ainsi une idée de la rigueur de l'hiver. Si les pelures sont fines et peu nombreuses, l'hiver sera doux ; si elles sont épaisses et nombreuses, préparez les vêtements chauds. « Quand les oignons ont trois pelures, grande froidure », dit le dicton.
En Alsace, avant de partir pour la messe de minuit, on coupe transversalement en deux 12 oignons, qui symbolisent les 12 mois de l'année. On les saupoudre de sel fin, et on les place dans une soucoupe. Au retour de la messe, selon les « pleurs » de l'oignon, on « connaît » les mois pluvieux et les mois secs.

Si les tiges sont longues, faites de jolies tresses, que vous suspendrez en guirlandes. Moins décoratif, mais plus rapide : enfilez les oignons dans un vieux bas en nylon, et faites un nœud entre eux.

Pour avoir de l'oignon vert toute l'année, placez un bulbe sur le goulot d'une carafe ou d'un vase à jacinthe. Les racines se développeront dans l'eau et vous aurez des feuilles vertes jusqu'à épuisement du bulbe.

UTILISATION

Plus digestible. Faites tremper l'oignon 12 heures dans de l'eau froide ou blanchissez-le 5 minutes dans de l'eau bouillante.

Si vous voulez les farcir, cultivez les plus gros et les plus doux, comme les oignons qu'on appelle « espagnols ».

Au choix pour ne plus pleurer en l'épluchant : ouvrez la fenêtre, et respirez loin de l'oignon ; piquez un cube de pain à l'extrémité de votre couteau ; passez l'oignon au réfrigérateur ou sous l'eau avant épluchage ; blanchissez-le 2 à 3 minutes dans l'eau bouillante et raffermissez-le sous l'eau froide.

Pour colorer un bouillon, ajoutez lors de la cuisson quelques pelures d'oignon bien colorées, que vous retirerez avant le service.

Éliminez la rouille sur la lame d'un outil en la frottant avec un oignon entier ou coupé en tranches et en saupoudrant la lame humide de sucre en poudre. Frottez bien.

Si vous faites des travaux de peinture, taillez un oignon en tranches et laissez-le dans la pièce : vous verrez qu'il élimine l'odeur de peinture fraîche.

Éloignez les oiseaux de vos arbres fruitiers dont les fruits arrivent à maturité en suspendant dans les branches des rondelles d'oignon : cette odeur leur déplaît.

▶ **Potager**

Oiseaux

POUR LES ATTIRER

Une table à graines. Clouez une rondelle découpée dans un gros tronc sur un solide piquet de bois, que vous ficherez en terre. En plus de vos graines, disposez quelques galets, sur lesquels les oiseaux aimeront se poser, et n'oubliez pas une petite soucoupe d'eau pour qu'ils puissent se désaltérer. Cette table est à réserver à un endroit très abrité du vent.

Construisez-leur une vraie petite maison si vous avez plus de temps. Pour profiter des oiseaux, placez-la dans l'axe de vue de la maison. Prévoyez de larges ouvertures pour que les oiseaux viennent à l'intérieur et un rebord pour éviter aux graines de tomber. Le toit les gardera à l'abri du vent, de la pluie et des feuilles mortes. Merles, pinsons, moineaux, sittelles, mésanges, tourterelles et chardonnerets apprécieront votre initiative.

Antichats. Placez votre table à graines sur un piquet de bois solide, traité, à environ 1,50 m du sol. Plantez au pied un rosier grimpant très épineux. Si c'est impossible, enfilez un tuyau de drainage en plastique sur le pieu de bois, les griffes des chats n'y auront pas prise.

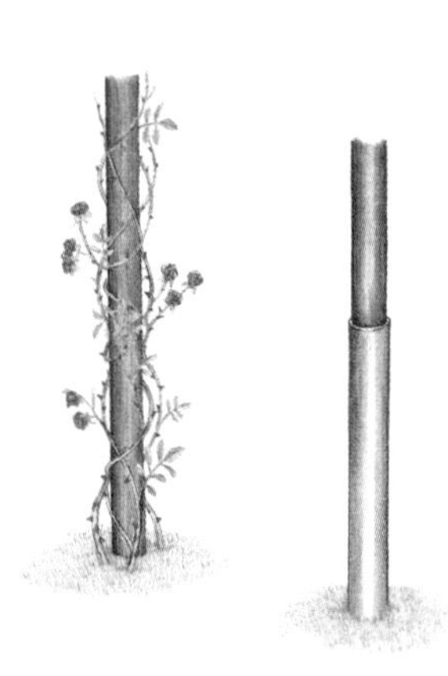

Faites le bon choix

Si vous voulez que les oiseaux égaient votre jardin, installez-y les végétaux qu'ils aiment, soit parce qu'ils portent des baies ou des graines, soit parce qu'ils attirent les insectes. Plantez : achillée, amélanchier, aronie, aster, aubépine, bouleau, buddléia, cerisier à grappes, chêne, chèvrefeuille, cosmos, cotonéaster, échinops, frêne, gaillarde, graminées comestibles (blé, avoine, orge, millet...), houx, monnaie-du-pape, mûrier blanc, myosotis, noisetier à long bec, pâquerette, pommier d'ornement, scabieuse, sorbier, sureau, tournesol, verge d'or, zinnia.

Antirongeurs. Fixez une boîte métallique retournée (biscuits ou bonbons) à mi-hauteur du piquet. Vos protégés seront à l'abri.

Installez un bain d'oiseaux de faible profondeur (3 à 7 cm). Si le récipient est large, placez au milieu quelques galets pour que les oiseaux se posent. Pensez à changer l'eau régulièrement.

Placez votre bain hors d'atteinte des ennemis, en plein soleil, afin que les plumes des oiseaux sèchent vite, et près d'arbustes, afin qu'ils puissent vite se percher après leurs ablutions. Bien protégé mais au ras du sol, il attirera plus d'espèces que sur un piédestal.

Pour retarder la prise en glace en automne, vous avez le choix : chauffez des pierres et mettez-les dans le récipient ; versez quelques gouttes de glycérine dans l'eau ou placez un fond noir dans l'abreuvoir en cas de petites gelées nocturnes, et un miroir pour capter la chaleur solaire si les gelées sont plus importantes.

Offrez-leur des matériaux pour qu'ils puissent fabriquer des nids. Dans un filet à mailles (filets dans lesquels sont vendus les agrumes), placez des petits bouts de ficelle, des cheveux récupérés sur vos brosses, des débris de laine, de coton, de fil..., et attachez le filet sur une branche, en libre-service !

Bain de poussière. Certaines espèces aiment se rouler dans la poussière. Mettez à leur disposition, en plein soleil et à proximité d'un buisson ou d'un autre perchoir, un récipient plat rempli de sable fin, de cendres ou de terre pulvérulente.

Appétit d'oiseau. Étalez des mélanges de graines sur la mangeoire pour satisfaire différentes variétés d'oiseaux. Vous pouvez aussi enfermer les graines dans des sacs à mailles de différents calibres. Donnez-leur en complément de la graisse (saindoux ou margarine), des céréales, des fruits secs, du fromage, des miettes de pain complet. En revanche, proscrivez noisettes, arachides salées, noix de coco déshydratée, pain blanc, viande crue et épices.

Ramassez des graines dans la nature, celles du coucou, du géranium vivace, de la digitale, de la saponaire, des giroflées, du cerfeuil musqué, du pois vivace, du plantain, de la bourse-à-pasteur, du phytolaque... et offrez-les-leur sur un plateau.

Formez le plus possible de haies naturelles en mélangeant les espèces comme l'aubépine, le noisetier, l'églantier, les ronces, le chèvrefeuille, l'aulne, le hêtre, le fusain, l'amélanchier, l'if et même le thuya.

Placez des nichoirs dans des coins du jardin un peu reculés, peu fréquentés, à l'abri du vent et des courants d'air, orientés à l'est. Mettez-les vers la fin mars, la plupart des installations et prises de territoire ayant lieu en avril-mai. Installez-les à différentes hauteurs : les troglodytes nichent près du sol, les mésanges à plus de 2 m.

POUR LES REPOUSSER

Protection des semis. Tendez deux lignes de ficelle en croix et mettez-y des rameaux piquants (tailles de houx, de rosier, fragon, mahonia, épine-vinette...).

Épouvantails pour arbres fruitiers. Suspendez dans les branches, au choix, des plats d'aluminium ménager qui rutilent au soleil et font du bruit avec le vent, des bouteilles en plastique, des boîtes de conserve de petit format, des ballons d'enfants aux couleurs vives. Autre solution, près de la mer : laissez dans l'arbre un panier rempli de coquillages..., qui sentiront mauvais au bout de quelques jours.

Lorsque vous semez du gazon, enrobez les graines dans de la poudre de minium : les oiseaux détestent son odeur.

Préservez les bourgeons. Après un hiver froid, s'il reste peu de baies et de graines dans la nature, les oiseaux, et plus principalement les mésanges, s'attaquent aux bourgeons à fleurs... Il y va alors de votre récolte ! Pulvérisez une solution d'alun, c'est un répulsif sans danger. Si les branches sont hautes, utilisez le nettoyeur à haute pression en pluie fine. Traitez dans la foulée les arbustes à petits fruits (framboises, cassis, groseilles...), qui peuvent aussi être attaqués.

Protégez les fraisiers. Si vous n'avez pas de « fil qui bourdonne » (vendu dans le commerce), récupérez la bande d'une cassette audio hors d'usage, et fixez-la juste au-dessus du feuillage, mais sans qu'elle le touche, en faisant quelques torsions pour que le vent provoque des sons différents.

▶ **Aluminium, Aquatiques (animaux), Épouvantail, Filet de protection, Fraisier, Groseillier, Mur, Oignon**

Oligoéléments

Plantes en manque. Offrez-leur de l'engrais foliaire. C'est la façon la plus rapide d'apporter des oligoéléments. Vérifiez bien sur l'emballage que l'engrais contient le précieux élément que vous cherchez (bore, chlore, cuivre, fer, manganèse, molybdène, zinc...). Ce traitement coup de fouet ne vous dispense pas d'une fumure annuelle : ce n'est qu'un supplément pour aider la végétation à franchir un cap difficile.

Sympathique peau de banane. Elle contient plein de magnésium, de fer et de potassium. Glissez-la sous les racines des plantes qui aimeront profiter de sa décomposition (bulbes, tomates, rosiers...).

▶ **Chlorose, Engrais**

Olivier

Dans les pays du Sud où croît l'olive, on piège la mouche de l'olive avec des bouteilles en plastique vides. On verse dans chaque bouteille quelques verres d'eau additionnée de 30 g par litre de phosphate d'ammoniaque (un engrais agricole courant) et on suspend le piège dans l'olivier. Attirées par la mixture, les mouches se noient et ne piquent plus les olives.

L'olivier : un méridional

Vous n'avez guère de chances de produire des olives en dehors de la « zone de l'olivier », une région qui, sur trois continents, borde la Méditerranée. C'est que l'olivier, arbre méditerranéen par excellence, n'est guère rustique. Un gel à −10 °C tue les jeunes pousses, et les charpentières ne résistent guère au-dessous de −12 à −15 °C.

Ombrage

DANS LA SERRE OU LA VÉRANDA

Pour diminuer la température intérieure efficacement, posez stores ou filets d'ombrage à l'extérieur des vitres et non à l'intérieur. L'ombrage intérieur protège certes les plantes des rayons du soleil, mais non de l'échauffement.

Préférez une peinture ombrante au classique blanc d'Espagne. Ces nouvelles peintures deviennent transparentes par temps de pluie ou ciel couvert. Votre serre bénéficiera d'un bon ombrage par temps ensoleillé, d'une bonne luminosité par temps couvert.

Si vous êtes souvent absent, optez pour des stores automatisés, qui vous assureront un ombrage efficace et sans contrainte.

Faites le bon choix

Pour ombrager le coin-repas sans pergola, optez pour un arbre au port large et au feuillage léger. Ne le plantez pas trop près de la maison, surtout pas dans l'axe d'une ouverture. Parmi les plus beaux : catalpa, érable à sucre, févier, marronnier d'Inde, noyer, pommier d'ornement (à port étalé).

EN PLEIN AIR

Plantez de petits arbres au feuillage léger comme bouleaux ou érables du Japon pour offrir un ombrage naturel à des vivaces, de petits arbustes de sous-bois, ou, si la terre est suffisamment acide, des arbustes de terre de bruyère (azalées, rhododendrons), qui redoutent le plein soleil.

Avant de planter une grande haie, évaluez l'ombre qu'elle projettera d'ici 10, voire 20 ans. Utilisez des branches ou piquets de la hauteur estimée, tenez compte également de la largeur de la haie. Suivez la course du soleil dans la journée, d'est en ouest. N'oubliez pas non plus qu'en hiver le soleil est beaucoup plus bas.

Bénéficiez dès la première année d'un bon ombrage sous la pergola en associant aux plantes grimpantes de croissance lente, comme rosiers, clématites..., quelques annuelles grimpantes (voir Grimpantes). Semez-les dans la maison dès mars. Mettez-les en place en mai.

Pour ombrager le coin-repas en été, faites grimper des chèvrefeuilles grimpants et des clématites sur une tonnelle. Vous obtiendrez en quelques années un décor exquis et plaisant pour y prendre vos repas.

▶ **Chaleur, Ombre**

Ombre

Pour évaluer la future ombre portée d'un arbre, plantez une baguette de bois de la hauteur présumée de l'arbre adulte et repérez l'ombre à différentes heures de la journée. Si la baguette n'est pas assez longue, rallongez-la en attachant à son extrémité une ficelle et un ballon gonflé à l'hélium. Fixez dessus des bandes de papier qui donneront de l'ombre. Opérez par une journée sans vent et très ensoleillée.

Éclaircissez les branches basses des arbres. Vous découvrirez une lumière filtrante de sous-bois très agréable à l'œil et permettant à certaines plantes de pousser.

Arbres persistants. N'hésitez pas à sacrifier les plus faibles, les moins bien placés, de façon à obtenir une clairière du plus bel effet. La lumière filtrera, mais aussi l'eau de pluie, et une nouvelle génération pourra s'installer.

L'ombre d'un mur sera plus lumineuse si vous enduisez celui-ci d'une couleur claire, ou pratiquez un simple chaulage blanc. La réverbération ayant plus de force, elle éclairera la partie centrale du jardin. Autre solution : palissez des plantes à feuillage sombre (chèvrefeuille, clématite) et plantez des espèces à feuillage clair doré, argenté ou panaché de blanc... dans les massifs.

Lorsqu'un semis lève, il redoute le soleil. Placez absolument un écran pour le protéger. Ce peut être un lattis incliné sur 2 pieds, une toile montée sur des

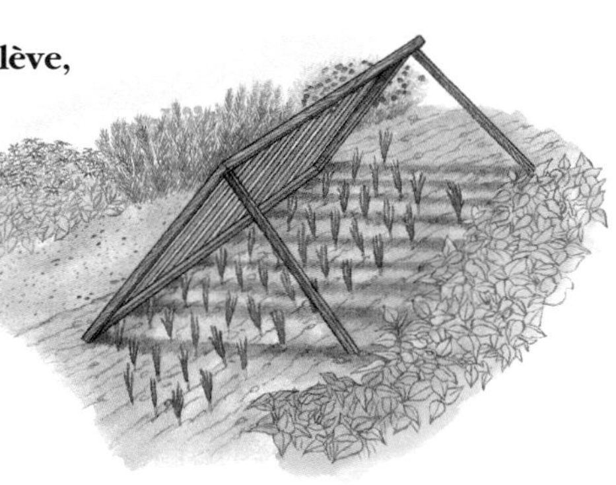

piquets… En cas d'urgence, et si vous n'avez rien d'autre, abritez vos petites pousses aux heures les plus chaudes avec la toile de votre chaise longue et courez acheter du matériel !

À l'ombre : faites le bon choix

Arbres fruitiers : Avec une ombre partielle, récoltez des prunes, des cerises, des noisettes et aussi pratiquement tous les petits fruits.
Arbustes : Au printemps, profitez du somptueux décor des rhododendrons et azalées, bruyères de printemps, andromèdes du Japon, kalmias, pivoines, mahonias... En été viendront les hortensias et les hydrangées, le thé des bois... En automne, jouez sur le feuillage des érables du Japon, hamamélis, alisiers, viornes trilobées.
Bulbes : Pour le printemps, plantez des anémones des bois, des scilles, des muscaris, de l'ail d'ornement, des narcisses, des jacinthes, des tulipes… En été, cantonnez-vous aux variétés de bégonias tubéreux et à certains lis botaniques. Pour l'automne, restez classique : plantez des colchiques.
Grimpantes : L'hydrangée grimpante est sans aucun doute la plus adéquate dans une situation ombragée. Sa croissance est lente, mais la beauté de son feuillage et de sa floraison mérite votre patience.
Herbes : Voir Aromatiques.
Légumes : Oubliez les grands amateurs de soleil que sont les tomates, haricots, pois, pommes de terre, pour cultiver l'épinard, le navet, les salades, les radis, les poireaux, les choux-fleurs d'été. Si les arbres du jardin sont caducs, optez pour les légumes d'hiver : fèves, ail, oignons blancs, mâche, pissenlit, choux…
Vivaces : En ombre fraîche et humide, optez pour fougères, primevères, astilbes, hostas, hellébores, pulmonaires, iris d'eau, ligularias, astrantias… En ombre sèche, heucheras, ancolies, euphorbes, hellébores, aconits… vous donneront de bons résultats.

▶ **Chaleur, Gazon, Ombrage, Pergola**

Orchidée

La plus facile à élever est le cymbidium, qui fleurit à l'intérieur d'octobre à mars et a besoin d'un repos à l'extérieur de mai à septembre. C'est le contraste entre la température du jour et celle de la nuit qui induit sa future floraison. Placez votre orchidée à l'abri des brûlures du soleil, derrière un mur ou sous un arbre, au pied d'une haie ou dans un coin au nord… jusqu'à ce que les nuits fraîchissent. Rentrez-la avant les premiers froids.

Aucune orchidée n'apprécie le calcaire, le chlore et autres produits contenus dans l'eau. Récupérez l'eau de pluie, celle du dégivrage du réfrigérateur, ou filtrez l'eau du robinet (voir Arrosage). N'oubliez pas de chambrer l'eau.

Pour l'aider à pousser et à fleurir, offrez-lui un engrais spécial dès la fin du repos annuel obligatoire. Commencez par la moitié de la dose conseillée par le fabricant, puis comptez une dose complète.

Si la plante paraît être à l'étroit, rempotez-la après floraison, mais avant le repos (entre février et juin, selon les espèces). Le terreau le plus courant est composé d'écorce de pin broyée et de matières parfois synthétiques (mousse, vermiculite, perlite, polyester…). Pour le cymbidium, le plus gourmand, ajoutez une poignée de terreau et une de tourbe pour 5 parties de compost du commerce. Profitez du rempotage pour éliminer les racines mortes avec des ciseaux. Séparez les faux tubercules pour multiplier la plante. On doit voir des racines et au moins un œil.

Des signes qui ne trompent pas. Si vous voyez que l'extrémité des racines aériennes est bien blanche et/ou verte, votre orchidée est en pleine forme. Tout jaunissement ou brunissement doit attirer votre attention. La plante peut réagir à un courant d'air, un coup de froid, un manque ou un excès d'alimentation, des arrosages par à-coups ou excessifs.

Les « bulbes » supportent mal les changements. Les meurtrissures liées au rempotage peuvent être source de pourriture. Aussi, n'arrosez pas, mais utilisez un mélange humidifié et vaporisez très légèrement le substrat après évaporation.

Jamais de pots de terre. Ils absorbent les sels des engrais dissous dans l'eau. Préférez des pots en plastique, des paniers de bois ajourés, des pots en racine de fougère. Ne placez pas la plante au centre du pot, elle va émettre de nouvelles pousses devant la touffe : laissez-leur la place de se développer.

Faites refleurir l'orchidée-papillon. Le phalaenopsis reste l'une des petites merveilles de l'hiver, facile à vivre à l'intérieur (18 à 20 °C). Chaque hampe florale tient plus de 1 mois. Après floraison, ne coupez surtout pas la tige : c'est sur cette tige que vous verrez se former les nouveaux boutons floraux dans 5 ou 6 mois. En attendant, détachez les fleurs fanées et offrez-lui de l'engrais à orchidées tous les 15 jours entre février et octobre.

Sachez l'acheter. Pour avoir une orchidée saine, portez votre choix sur une plante qui n'a pas de veine marquée sur les pétales, dont le pollen est bien clair et dont les racines sont drues et vertes.

En vase, l'orchidée meurt par décomposition de sa tige. Pour la conserver plus longtemps, offrez-lui de l'eau non calcaire, que vous changerez tous les 2 ou 3 jours, et coupez régulièrement l'extrémité de la tige avec un coutau universel pour rajeunir la plaie.

Vaste famille !

On trouve des orchidées dans le monde entier, surtout dans les régions chaudes et humides. Elles se raréfient à mesure que l'on remonte vers le froid arctique. On évalue leur nombre à 15 000 espèces, réparties en 600 genres... À partir de cette matière première sauvage, l'homme a créé de nombreux hybrides, cette plante exerçant une véritable fascination sur les collectionneurs de plantes. Une orchidée est très utilisée en cuisine : la vanille.

Un bain turc pour leur teint. D'origine souvent tropicale, l'orchidée de serre aime les atmosphères humides et les douces chaleurs. Plus il fait chaud, plus le degré d'hygrométrie doit être élevé.

Les pulvérisations sont certes les bienvenues, mais jamais lors de la floraison : les fleurs noirciraient. Pendant cette période, et lors du rempotage, placez les pots sur un plateau de gravillons ou de billes en argile expansée baignant dans l'eau. L'évaporation remplacera les pulvérisations.

Orientation

Gare au soleil levant. Ne plantez pas à l'est les plantes fragiles ou qui fleurissent tôt. En hiver, le bourgeon est parfois protégé par une coque de givre ou de glace. S'il fait beau, les rayons solaires vont vite faire fondre cette protection et les cellules vont éclater. Avec un réchauffement plus lent dans la journée et une autre orientation, ce problème n'est plus à craindre.

Du bon usage du tuteur. Placé le long d'un tronc d'arbre, il le soutiendra dans son jeune âge, mais il peut aussi, si vous repérez l'orientation, servir à protéger le tronc du vent dominant et des embruns, ou former une ombre protectrice aux heures chaudes de la journée (voir Bord de mer, Vent).

Avant transplantation, repérez l'exposition de la plante. Marquez le nord d'un fil de coton et replantez le sujet à la même orientation ; il repartira plus vite et conservera son équilibre.

Ortie

N'arrachez pas l'ortie près des arbres fruitiers : elle les rend plus résistants aux attaques des parasites.

Au potager, l'ortie semblerait fortifier la croissance des choux et des tomates, et donner plus de parfum à la menthe, l'angélique, la sauge et la marjolaine...

Jetez-la sur le compost. Elle accélérera le processus de fermentation et apportera des éléments minéraux très utiles (azote, fer, silice...). On la dit aussi riche que le fumier.

Si vous n'avez pas de gants pour l'arracher, glissez la main dans un sac en plastique épais ou... arrêtez net de respirer et saisissez l'ortie le plus à sa base possible en prenant les feuilles à l'envers, du bas vers le haut.

Vous vous êtes fait piquer ? Frottez-vous vite la peau avec une rondelle d'oignon, des feuilles d'oseille (cultivée ou sauvage) ou de rhubarbe, du plantain.

De beaux cheveux

Pour prévenir la chute des cheveux, frictionnez pendant plusieurs minutes votre cuir chevelu avec du jus d'ortie fraîche obtenu en passant les feuilles au mélangeur, ou avec de l'alcool dans lequel vous aurez laissé macérer des feuilles d'ortie. Rincez bien.
Fabriquez votre propre lotion antipelliculaire : Jetez 4 cuillerées d'ortie sèche dans 1/2 litre d'eau bouillante. Laissez infuser plusieurs heures. Ajoutez à froid 1/2 tasse de vinaigre de cidre et 1/2 tasse d'eau de Cologne. Appliquez après chaque shampooing.

Insecticide naturel. Fabriquez un purin d'ortie en laissant fermenter 1 kg de feuilles dans 10 litres d'eau pendant 2 jours au moins. Arrosez régulièrement vos massifs avec cette préparation particulièrement efficace contre l'altise des crucifères (navet, radis...) et de l'oseille, contre les pucerons, les acariens, et le mildiou.

Un excellent paillis. Placez un foin d'ortie sans graines à la surface d'une terre nue : vous l'incorporerez au sol lors d'un prochain bêchage.

Un bon indicateur. Si vous plantez dans une friche ou un ancien champ, regardez si des orties ne poussent pas quelque part : elles sont l'indice d'un sol très riche. Profitez-en pour y installer vos plantations.

Gagnez du temps. Couchez des fruits encore durs sur un lit de foin d'ortie ou glissez-les dans un sac en plastique avec des feuilles d'ortie. Ils mûriront plus vite.

À table. La soupe d'ortie printanière est un grand classique que l'on redécouvre sur les bonnes tables. Pensez aussi aux jeunes pousses blanchies à l'eau bouillante 1 minute, qui accompagnent fort bien une salade verte ou des épinards. Essayez l'ortie en compagnie de très jeunes feuilles de raifort, au petit goût moutardé, en association avec une laitue.

Os (poudre d')

Pour remplacer les engrais phosphatés de synthèse, employez de la poudre d'os, à raison de 1,5 kg par mètre carré. Épandez-la de préférence en automne, avant le labour.

N'ayez pas peur de surdoser. Les phosphates contenus dans cet engrais sont sans aucun danger pour les plantes. De plus, difficilement lessivés, ils ne sont jamais perdus.

À la plantation d'un arbre à racines nues, ajoutez de la poudre d'os dans le sol du fond de la fosse. Enfouissez-la par un béquillage (de petits coups de fourche) léger, avant de placer l'arbre et de combler. Les radicelles qui se développeront dans la saison trouveront ainsi à temps un secours bienvenu, où elles puiseront à leur rythme.

Oseille

L'oseille est une fille de l'ombre. Si elle pousse au soleil, elle s'y avère très acide. Réservez-lui donc un coin frais, humide et riche en humus.

Votre oseille est trop acide ? Cultivez au-dessus des haricots grimpants, qui lui fourniront une ombre bienvenue et... adoucissante.

Ne cueillez jamais plus de la moitié de chaque rosette, faute de quoi vous épuiserez la plante. Une autre solution consiste à cueillir une moitié de la touffe, et à attendre qu'elle ait bien repoussé pour toucher à l'autre moitié.

Préférez l'oseille « vierge ». Comme elle ne fleurit pas, elle ne s'épuise pas en vain et se consacrera tout entière à la fabrication de ses feuilles savoureuses.

Pour décorer votre potager, essayez les variétés colorées (rouges, essentiellement) en alternance avec les vertes. Leur saveur est absolument identique au type.

Pour bien conserver l'oseille, faites-la sécher sur des claies, dans un coin bien aéré, avant de la mettre en pots. Lorsque vous voudrez l'utiliser, un rapide passage dans l'eau lui redonnera tout le tonus voulu.

Goûtez votre oseille avant d'en acheter un pied. Il existe en effet des variétés absolument insipides.

Petite histoire

L'oseille connut un grand succès dans les temps anciens. Réputée pour son acidité, elle était utilisée dans la préparation de divers verjus, sauces relevées accompagnant les viandes et surtout les poissons, avant la popularisation du citron. Il est vrai que, jusqu'à une époque récente, à cause de la lenteur des transports et du manque de réfrigération, les produits arrivaient en fin de circuit avec un parfum peu engageant, que la sauce à l'oseille camouflait à merveille. Elle est toujours appréciée pour son goût et on lui a découvert aussi une autre qualité, celle de faire fondre, à la cuisson, les arêtes fines des poissons dits « nobles » (truite, brochet...).

Empêchez votre oseille de noircir : ne la faites cuire que dans des récipients en émail ou en verre.

Une de vos casseroles est noircie ou oxydée ? Faites-la tremper dans un autre récipient où bout de l'eau additionnée d'une bonne poignée de feuilles d'oseille (lestez-la pour qu'elle ne bouge pas). Laissez agir au moins 20 minutes. Votre casserole sera décapée.

▶ **Aromatiques**

Outils

UTILISATION

Sur les genoux. C'est la meilleure façon de jardiner pour éviter courbatures et maux de dos. Si vous n'avez pas de genouillères spéciales, remplissez une vieille bouillotte de sable ou de sciure, sans trop la charger : elle adoucira le contact avec la terre. Vous pouvez la

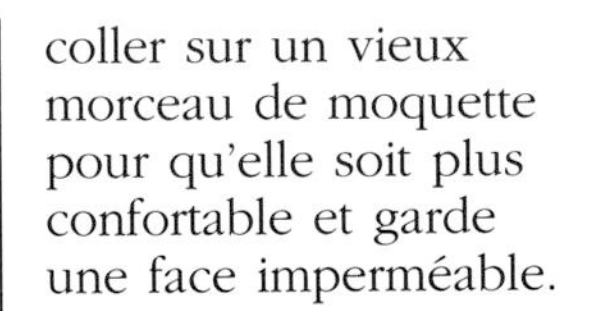

coller sur un vieux morceau de moquette pour qu'elle soit plus confortable et garde une face imperméable.

Retrouvez facilement vos outils. On pose un outil à terre, on l'oublie, il rouille, on le cherche... Placez de-ci, de-là quelques cylindres de boîtes de conserve, ou, mieux, de pots en plastique : vous pourrez y déposer les outils entre deux opérations. Plus besoin de vous baisser pour les récupérer.

Outils gradués. Lorsque l'outil est encore neuf, faites dans le manche quelques encoches légères à la scie tous les 5 cm, soulignez cette fente par un trait de peinture ou de vernis à ongles. Cette règle improvisée vous servira en de multiples occasions.

Jaunes ou rouges : toujours visibles. Peignez les manches en bois de couleurs vives ou, mieux, enrubannez-les d'adhésif de couleur, qui protégera l'outil contre l'humidité et sera également plus souple sous la main, vous évitant les échardes sur les bois trop verts.

Si vous faites de nombreuses transplantations, achetez-vous quelques truelles de maçon, elles sont solides, faites pour soulever du poids, et coûtent généralement bien moins cher que les traditionnels transplantoirs de jardin.

Tout est dans le manche. Trop court, il vous forcera à vous baisser (mal de dos) ; trop long, il vous déstabilisera. Pour trouver la bonne longueur, procédez comme pour choisir des bâtons de ski : le manche doit vous arriver juste sous l'aisselle.

Changez un manche sans vous fatiguer. Placez l'outil dans un feu de cheminée pour brûler la partie en bois. Laissez-le bien refroidir, puis trempez-le dans un seau d'eau, et positionnez le nouveau manche.

ENTRETIEN

Affûtage obligatoire. Les lames de tous les outils s'émoussent au fil des utilisations et doivent par conséquent être régulièrement affûtées. Pour connaître le bon angle d'affûtage d'un outil à manche long, tenez-le sur un morceau de bois tendre, comme si vous l'utilisiez, et marquez profondément la pièce de bois, cela vous donnera une idée de l'affûtage à faire.

Nettoyage avant rangement. Ne laissez aucune trace de boue sur un outil. Essuyez le plus gros avec du papier journal ou de la paille. Puis nettoyez la lame avec un morceau de bois (jamais de pierre ou de métal) ou un épi de maïs sans les graines. Terminez par un coup de chiffon. Ne le lavez pas à l'eau, qui risque de rouiller le métal et de faire gonfler le bois. À l'aide d'un pinceau, enduisez de graisse ou de pétrole les parties métalliques (à défaut, une couenne de lard peut dépanner). Évitez l'huile à salade, trop fluide.

Pour les garder longtemps, rangez les outils le manche en bas, dans un râtelier, surélevés du sol par une palette de bois ou un autre isolant.

Utilisez l'huile de vidange de la tondeuse pour graisser les lames des outils de jardin après les avoir débarrassées de la terre collante. Portez ensuite cette huile à votre garagiste ou dans un centre de tri des déchets, mais ne la versez en aucun cas dans le caniveau.

Nouvelle jeunesse pour manche en bois. Retirez les petits copeaux en grattant la surface à l'aide de papier de verre ou d'un tesson de bouteille. Travaillez en suivant le fil du bois. Persévérez jusqu'à ne plus sentir aucune rugosité en passant la main. Frottez ensuite énergiquement le manche avec un bloc de paraffine et lustrez avec un chiffon. L'échauffement de la friction fera doucement fondre la paraffine, le bois sera doux au toucher et protégé durablement.

Vous êtes toujours pressé ? Remplissez un seau profond (au moins 30 cm) ou une caisse de bois de sable imbibé d'huile de vidange ou de pétrole (il en existe sans odeur). Les outils plantés dans ce mélange seront entretenus presque automatiquement par l'abrasion du sable et la lubrification du produit gras.

Si une lame de scie est très sale, après un travail sur une branche pleine de sève par exemple, pulvérisez un produit décapant pour les fours ménagers, en pensant à enfiler des gants. Laissez le produit agir et retirez la saleté (sève, sciure, terre...) à l'aide d'une vieille brosse à dents. Passez ensuite l'outil au papier journal graissé (huile, pétrole).

Pour ranger verticalement les tuteurs, regroupez-les dans des portions de drain de construction en plastique, de large diamètre (20 cm et plus), que vous fixerez au mur par un clou à 80 cm ou 1 m de haut. Les conduits de terre cuite pour la cheminée, les tubes de ciment sont aussi une solution pour les petits tuteurs. Vous pouvez également ranger de cette façon les outils à long manche.

Faites durer les outils de frappe, dont les manches se dégradent tôt ou tard près du fer. Les chocs répétés hachent le bois, formant un point de faiblesse pouvant mener à une rupture dangereuse. En plaçant des bracelets de caoutchouc bien serrés (chambre à air usagée de bicyclette), vous prolongerez la vie de l'instrument.

Instruments aratoires. Pelles, râteaux... subissent l'action alternée de la sécheresse et de l'humidité. Après une période sans utilisation, faites pénétrer dans la douille de l'outil de l'huile minérale ou un produit hydrofuge vendu en petit bidon.

Soyez prévoyant. En hiver, les mécaniciens sont peu occupés, profitez-en pour faire contrôler et réparer tondeuse et motoculteur. Au printemps, quand vous en aurez besoin, il y aura beaucoup d'attente.

▶ **Échelle, Oignon, Pulvérisateur, Sécateur, Taille-haie, Tondeuse, Tronçonneuse**

À chaque tâche son outil

Voici la panoplie des outils très utiles — voire indispensables — à l'exercice du jardinage. Lorsque vous les achèterez, prenez toujours le parti de la qualité, même si cela semble plus coûteux. À long terme, vous serez gagnant, car un bon outil peut rendre service pendant des dizaines d'années. Il sera probablement plus agréable à manier et plus efficace.
En ce qui concerne les outils de travail du sol, préférez les lames forgées aux lames en acier plié (ce qui a plié... pliera !). Rejetez les manches en hêtre (bois reconnaissable à ses mouchetures) au profit du frêne (bois veiné).
Quant aux sécateurs, les meilleurs sont rarement les plus sophistiqués et pas toujours les plus chers.
La lame forgée est plus durable que celle en acier plat, et réalise une bien meilleure coupe que le système à enclume.
Un conseil : choisissez des outils proportionnés à vos forces (poids, dimensions) et à votre taille (longueur du manche). N'hésitez pas à prendre le temps de chercher.
Et enfin, l'entretien. Vos outils doivent être rangés au sec après usage, et leur lame nettoyée. La houe et la binette sont d'un usage beaucoup plus agréable lorsqu'elles sont régulièrement affûtées à l'aide d'une petite lime. La serpette et le sécateur méritent également un affûtage périodique, et leur axe un graissage à la vaseline. On ne le répétera jamais assez : il n'y a rien de plus pénible que d'utiliser des outils mal entretenus !

Préparer le terrain

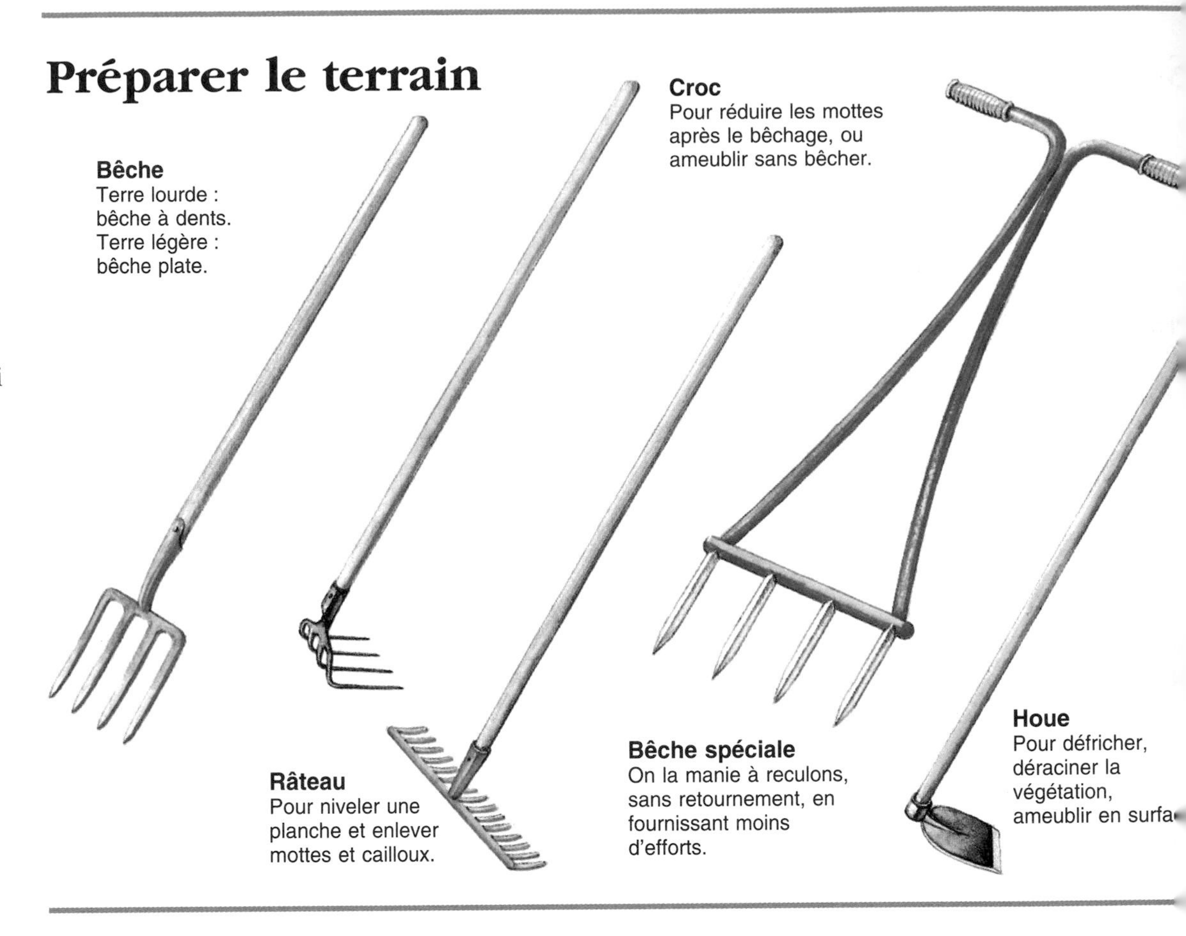

Bêche
Terre lourde : bêche à dents.
Terre légère : bêche plate.

Croc
Pour réduire les mottes après le bêchage, ou ameublir sans bêcher.

Râteau
Pour niveler une planche et enlever mottes et cailloux.

Bêche spéciale
On la manie à reculons, sans retournement, en fournissant moins d'efforts.

Houe
Pour défricher, déraciner la végétation, ameublir en surfa

Entretenir, désherber, arroser, traiter

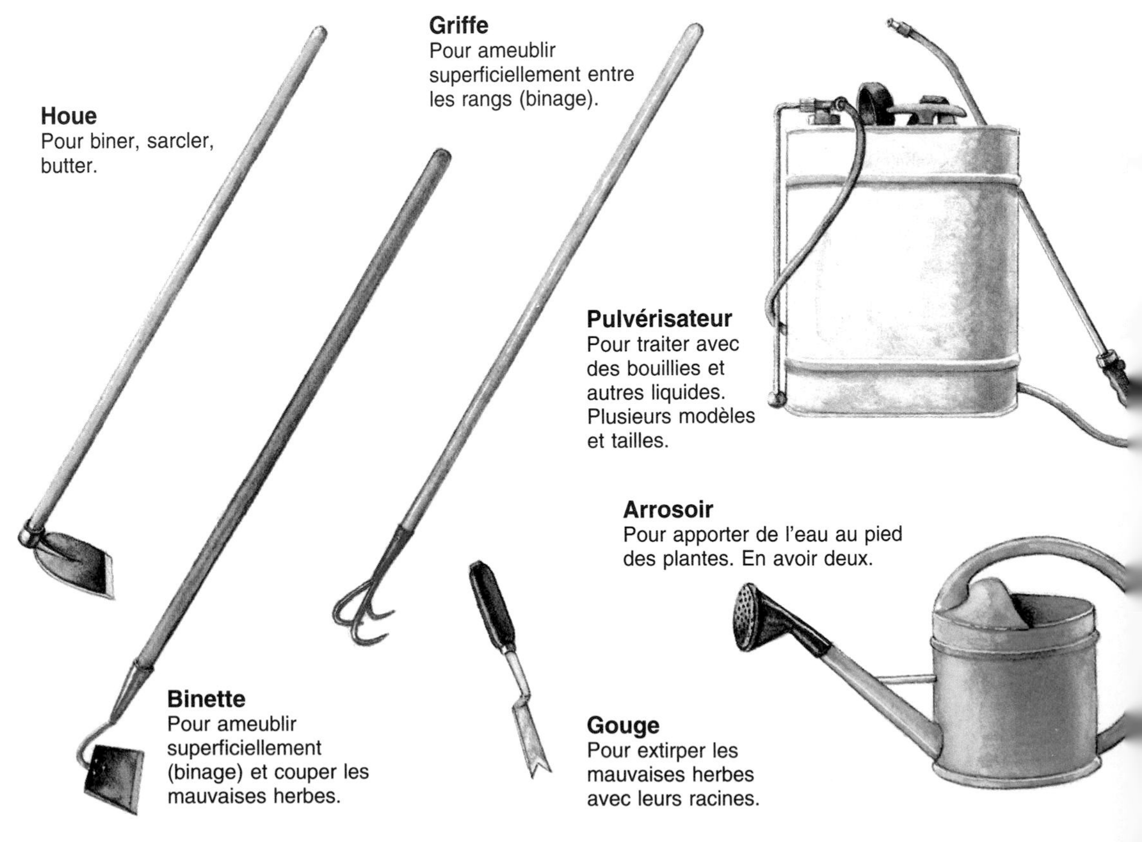

Houe
Pour biner, sarcler, butter.

Griffe
Pour ameublir superficiellement entre les rangs (binage).

Pulvérisateur
Pour traiter avec des bouillies et autres liquides. Plusieurs modèles et tailles.

Arrosoir
Pour apporter de l'eau au pied des plantes. En avoir deux.

Binette
Pour ameublir superficiellement (binage) et couper les mauvaises herbes.

Gouge
Pour extirper les mauvaises herbes avec leurs racines.

‹Semer et planter

‹Plantoir
‹Pour réaliser le trou de ‹plantation des petits plants ‹à racines nues.

Transplantoir
Pour déplanter des plants avant de les repiquer.

Cordeau
Pour semer et planter bien droit.

Règle
Baguette de bois graduée tous les 10 cm, pour espacer régulièrement rangs et plants.

Serfouette
Pour réaliser les sillons (larges avec la panne ou étroits avec la pointe).

Plantoir à bulbes
Pratique pour les tulipes, les pommes de terre, etc.

‹Un abri de jardin peut être tout à la fois utile et décoratif.

Fabriquer et épandre le compost

Pelle
Pour manipuler le compost mûr et le terreau.

Fourche
Pour manipuler et entasser les matériaux frais.

Silo à compost
Pour transformer les déchets en amendement. Plusieurs modèles.

‹Soigner et tailler arbres et arbustes

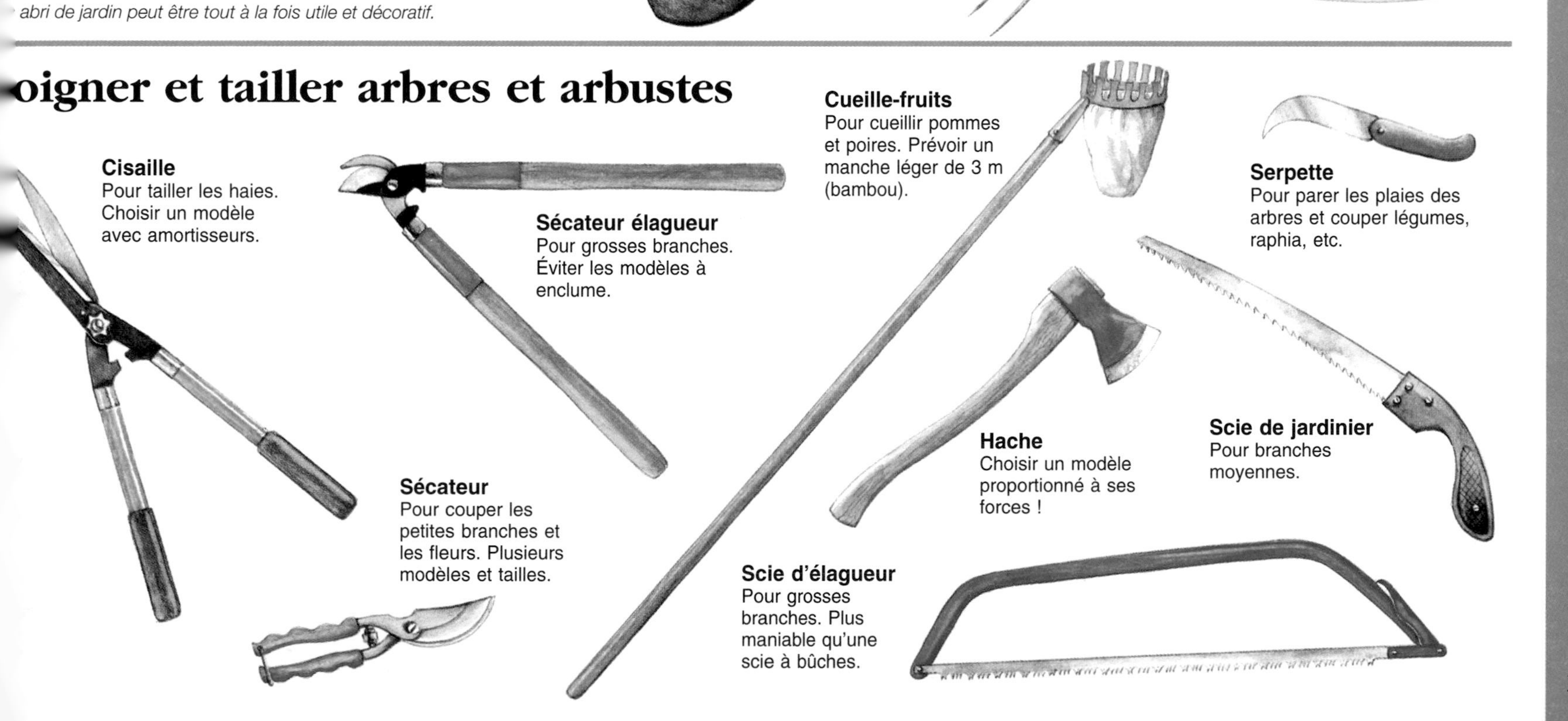

Cisaille
Pour tailler les haies. Choisir un modèle avec amortisseurs.

Sécateur élagueur
Pour grosses branches. Éviter les modèles à enclume.

Cueille-fruits
Pour cueillir pommes et poires. Prévoir un manche léger de 3 m (bambou).

Serpette
Pour parer les plaies des arbres et couper légumes, raphia, etc.

Sécateur
Pour couper les petites branches et les fleurs. Plusieurs modèles et tailles.

Hache
Choisir un modèle proportionné à ses forces !

Scie de jardinier
Pour branches moyennes.

Scie d'élagueur
Pour grosses branches. Plus maniable qu'une scie à bûches.

Paillage

La bonne période. N'appliquez un paillis sur les cultures qu'au moment où le sol est assez réchauffé et bien humidifié. C'est entre mai et juin — période d'intense activité biologique — qu'il sera le plus profitable. Procédez juste après un labour ou un binage. Les sols légers, sableux, supportent des paillis plus importants que les sols lourds.

Faites travailler vos poules, pour ceux qui en ont, afin d'obtenir une paille sans graines. Avant d'épandre la paille, laissez-les picorer tous les grains encore disponibles... Autant de germinations en moins dans les massifs !

Épaisseur variable. Faites une couche d'autant plus fine que le matériau a tendance à se compacter. Renouvelez-la dès que le matériau a disparu dans la terre.

Récupérez les fanes des légumes (pois, fèves, carottes, navets, pommes de terre primeurs...) si elles sont saines (sans maladies ni insectes) et mettez-les entre les rangs des autres légumes jeunes de l'été.

Les fruits des cucurbitacées (concombre, courge, citrouille, pâtisson...) sont vite sensibles à la pourriture sur un sol très frais. Isolez-les de la terre, normalement paillée, en leur composant un lit de galets. Autre solution : posez-les sur un pot de fleurs retourné, une tuile, une plaque d'ardoise, une plaque de verre surélevée par deux briques...

Lorsque vous rechargez les paillis d'écorce en automne, mieux vaut ne pas épandre la nouvelle couche sur l'ancienne, l'air y circulerait mal. Récupérez ce qui reste en surface du massif avec un râteau et mélangez-le à la nouvelle écorce. Binez la surface du sol si nécessaire pendant cette intervention.

Matériaux : faites le bon choix

Le paillis est presque une panacée pour le jardinier pressé ou souvent absent : il protège les racines contre les changements de température, il maintient l'humidité du sol en ralentissant l'évaporation et en neutralisant les effets asséchants du soleil et du vent. Il évite le compactage (eau de pluie, arrosage...), il limite l'érosion en cas de pluies violentes. Il empêche la prolifération des mauvaises herbes. Enfin, il apporte des éléments nutritifs dans le sol et améliore sa structure physique. Le tout est d'opter pour le bon matériau.

Aiguilles de conifères (ou branches coupées) : Elles tiennent bien en place et ont tendance à acidifier le sol. Excellent paillis sur azalées, camélias, rhododendrons, fraisiers, framboisiers...
Algues : Voir Algues.
Compost (ou fumier) : Bien décomposé, il s'intègre au sol et sert de couche fortifiante sous un autre matériau ; moins décomposé, c'est un bon paillis.
Déchets de jardin, déchets de tourbe : Attention, ils ne doivent pas avoir été traités aux herbicides, fongicides, insecticides... ni comporter de graines. Passez les déchets de jardin au broyeur avant utilisation. Vous pouvez étendre les déchets de tourbe soit directement, soit après 48 heures de séchage. Ajoutez un peu de sang desséché ou autre engrais azoté à l'épandage.
Écorces broyées (différents calibres) : Jolies à regarder, durables, elles apportent de l'humus au sol et ne se compactent jamais.
Feuilles de fougère sèches : Elles sont faciles à récupérer à l'automne. Un conseil : passez-les à la tondeuse à gazon pour les hacher grossièrement si vous n'avez pas de broyeur. Une couche de 5 cm d'épaisseur est nécessaire.
Foin (ou herbes sèches) : Excellent paillage s'il ne contient pas de graines, qui deviendraient autant de mauvaises herbes.
Marc de café : il apporte une note acide au sol, à compenser par un apport de chaux. Comme il est riche en azote et en phosphate, si vous en avez peu gardez-le pour vos plantes en pots.
Moquette : Un paillis facilement amovible, pas toujours joli, mais excellent pour le potager, en petites bandes passe-pieds pour les cueillettes entre les rangs.
Neige : Voir Neige.
Paille : Excellent paillis si elle n'est pas traitée aux herbicides, ne comporte pas de graines et si vous n'êtes pas dans une région à hauts risques d'incendie. Une épaisseur de 10 cm est nécessaire. Hachez-la menu au broyeur, elle repoussera les limaces et les escargots.
Papier journal : Mouillez-le bien avant mise en place, puis cachez-le sous des écorces ou de la tourbe pour qu'il se décompose.
Pierres, galets : Décoratifs autour des troncs d'arbres, entre certains arbustes (bambous...). Vous pouvez doubler leur action contre les mauvaises herbes en tendant dessous un film plastique.

Palissage

Sachez planter un arbuste au pied d'un mur. Faites une fosse de 30 à 50 cm de profondeur. Drainez le fond si le terrain est argileux. Remplissez le trou d'un mélange de bonne terre et de terreau. Étalez les racines de la plante en les dirigeant vers l'extérieur du mur : elles atteindront ainsi une terre bien irriguée et assez profonde. Veillez à placer le collet de la plante à 30 cm du mur en moyenne.

Plantes à palisser : faites le bon choix

Arbres et arbustes

• Caducs
cerisier d'ornement, cytise, forsythia, pommier d'ornement, rosiers arbustifs et rosiers grimpants

• Persistants
cotonéaster, houx, pyracantha et romarin

Arbres fruitiers

abricotier, groseillier, pêcher, poirier, pommier et vigne

Légumes

concombre, cornichon, courgette, haricot, melon, petits pois et tomate

Grimpants

Actinidia kolomikta, chèvrefeuille, clématite, glycine, houblon et jasmin de Virginie

Vivaces et annuelles

capucine, cobée, courge d'ornement, géranium-lierre, passiflore, pois de senteur et thunbergie

Grâce à son feuillage persistant, le pyracantha égaie toute l'année même le mur le plus triste.

Insonorisez votre terrasse en palissant des plantes sur les murs. Avec une épaisseur végétale de 20 à 30 cm, vous réussirez à étouffer une grande partie des bruits renvoyés par des parois planes.

Vous favoriserez la fructification ou la floraison si vous inclinez les branches de vos arbres fruitiers ou de vos rosiers palissés. Il suffit de les maintenir dans une position variant de 45° à l'horizontale.

Prévoyez un espace de 10 cm entre la plante et le mur. Cela permet à l'air de mieux circuler. Le mur sera moins humide en hiver et plus frais en été. Les plantes seront moins sujettes aux attaques de champignons (oïdium des rosiers en particulier).

Palissez vos rosiers sur de jolies barrières. Construisez-les avec des piquets de pin. Qu'elles soient installées en bordure de rue, autour de la terrasse ou du potager, vous apprécierez ces séparations de hauteur moyenne (1 à 1,20 m) sur lesquelles vous pourrez aussi cultiver des clématites.

Pour cacher un mur disgracieux, palissez des plantes de végétation dense à feuillage persistant : camélia, céanothe, chèvrefeuille, fusain, cotonéaster, pyracantha et certains rosiers comme 'Albéric Barbier'.

Récoltez vos fruits plus tôt en palissant les arbres contre un mur exposé au sud ou à l'ouest. Ils seront protégés des vents froids et bénéficieront du microclimat offert par le mur, qui garde la chaleur. Cultivez en espaliers palissés des treilles, des pommiers et des poiriers, mais aussi des pêchers, des abricotiers et des figuiers.

Palissez les plantes dans la maison, sur les murs, le long des fenêtres, au-dessus de la baignoire... ou fixez des claustras près de vos plus belles potées puis laissez grimper cissus, clérodendron, ficus, hibiscus, hoya, philodendron, schefflera, sparmannia...

▶ **Espalier, Grimpantes, Mur, Palmette, Treillage**

Palmette

On appelle palmette la forme d'une plante palissée symétriquement.

Cueillette facile. Lorsque vous tendez les fils que vous réservez à vos palmettes, calculez la bonne hauteur. Si vous placez les fils trop bas, vous serez toujours baissé pendant la cueillette, si vous les installez trop haut, vous serez obligé de monter sur un escabeau pour attraper les fruits du haut.

La palmette à la diable : une forme facile à obtenir. Partez d'un scion que vous couperez à 40 cm du sol au-dessus de deux bourgeons latéraux. L'année suivante, taillez les deux branches à quelques centimètres de leur départ, pour qu'elles se ramifient. Ensuite, conservez seulement les branches qui poussent parallèlement au mur, en gardant une symétrie globale peu stricte. Vous pouvez former ainsi de nombreux arbres fruitiers : abricotier, pêcher, pommier, poirier et prunier.

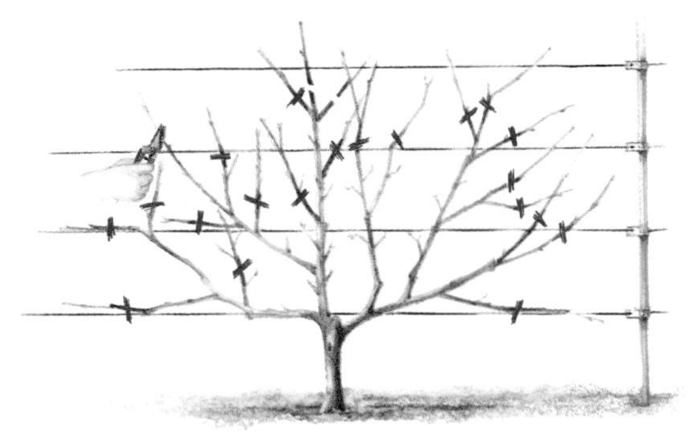

Pour obtenir des palmettes bien denses, ne les laissez pas pousser trop vite en espérant recouvrir rapidement le mur. Taillez court (10 à 20 cm) dès le départ, pour obliger les branches à se ramifier abondamment. Ainsi la base de votre palmette ne sera pas dégarnie.

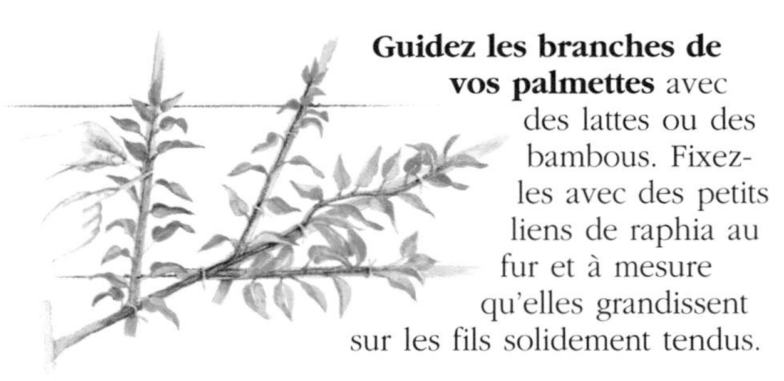

Guidez les branches de vos palmettes avec des lattes ou des bambous. Fixez-les avec des petits liens de raphia au fur et à mesure qu'elles grandissent sur les fils solidement tendus.

Les petits fruits (groseilles et cassis) forment aussi de très jolies palmettes contre un mur peu élevé (1,50 m). Plantez une touffe de 2 ans. Supprimez les branches perpendiculaires au mur et palissez les autres en un éventail le plus régulier possible le long de fils de fer tendus et de petites baguettes.

Formez des palmettes fleuries avec des arbres et des arbustes d'ornement : groseilliers à fleurs, magnolias, pommiers et cerisiers d'ornement donnent de jolis résultats au jardin. Pour votre véranda, choisissez plutôt abutilons, fuchsias ou hibiscus. Palissez les rameaux de part et d'autre de la tige centrale en les attachant à un treillage décoratif. Pincez-les régulièrement pour qu'ils se ramifient. Cette technique est rare dans nos régions.

Palmier

Au Québec, la culture du palmier ne peut se faire qu'en serre ou à l'intérieur d'une pièce bien éclairée.

Un semis réussi. Faites ramollir les graines dans l'eau tiède 24 heures. Enfoncez-les légèrement dans un mélange de sable et de terreau. La levée est irrégulière et lente (au minimum 1 mois, et jusqu'à 1 an). La terre doit être chaude et humide, et l'air saturé d'eau.

Le jaunissement des feuilles des palmiers d'intérieur est dû à un air trop sec : il est irrémédiable. Pour l'éviter, maintenez un taux d'hygrométrie suffisant (voir Hygrométrie) et optez pour des espèces à feuilles dures, moins sensibles à la sécheresse de l'air. Le mal fait, coupez les extrémités.

Si vous sciez à ras les pétioles des feuilles fanées, le tronc de votre palmier sera beaucoup plus élégant et risquera moins d'abriter des parasites.

Pour transplanter un gros sujet, opérez pendant la pleine période de végétation. Même si le sujet principal meurt, il apparaîtra vite des rejets. En hiver, ce serait la mort définitive. Replantez immédiatement après arrachage. Enterrez la motte un peu plus que dans le pot initial. La plante aura une plus grande stabilité et un meilleur enracinement. Arrosez abondamment et régulièrement en période de sécheresse et en été.

Une tenue d'hiver. En climat tempéré, protégez ce frileux en enveloppant la tête d'un voile de forçage ou d'une grosse toile bourrée de feuilles sèches (ou de paille, ou de fougères...). Enroulez le tronc dans un paillasson ou des bandes de plastique à bulles. Un tapis de feuilles mortes tenu par un filet et des crochets abritera les racines.

Les jeunes radicelles sont très fragiles. Pour faciliter la transplantation, semez vos graines dans des bouteilles en plastique coupées au couteau sous le goulot et perforées à la base. Vous n'aurez qu'à les fendre pour repiquer les jeunes plants sans dommages l'été suivant. Installez-les alors dans des pots plus hauts que larges, c'est un besoin constant du palmier.

Palmier : faites le bon choix

Sous climat non subtropical ou non méditerranéen mais néanmoins tempéré, la bonne espèce est *Trachycarpus fortunei,* souvent confondu avec *Chamaerops humilis.* Le premier résiste à –15 °C sans effort, le second à –10 °C. Sur le littoral atlantique sud-est du continent, essayez *Brahea armata, Jubaea chilensis* ou *Washingtonia filifera.* Choisissez l'endroit du jardin le plus chaud (près d'un mur, au sud). Dans une véranda, si la pièce est chaude, augmentez l'hygrométrie ambiante et optez pour *Chrysalidocarpus lutescens, Cocos nucifera, Areca catechu, Caryota mitis, Kentia* (rebaptisé tout récemment *Howea*), *Chamaedorea elegans, Phoenix roebelinii, Rhapis excelsa.* En revanche, si l'ambiance est fraîche, préférez *Phoenix canariensis, Phoenix dactylifera, Washingtonia robusta, Trachycarpus fortunei.* Sortez vos protégés au jardin pendant l'été.

Les feuilles fanées pendent le long du tronc ? Taillez les pétioles à ras du tronc à la scie égoïne. Non seulement votre palmier sera plus beau et plus propre, mais il offrira moins d'abris aux parasites.

Panais

Culture facile. Semez le panais très tôt au printemps, dès que la terre est réchauffée et préparée. Semez les graines rapprochées, car leur taux de germination est souvent peu élevé. Après la levée, éclaircissez en laissant un plant tous les 15 cm environ. Récoltez-le à la fin octobre ou laissez-le en terre pour l'arracher au printemps suivant. Le panais résiste aux plus fortes gelées et ne connaît pas d'ennemis.

Un légume parfois oublié

On trouve le panais assez facilement sur les marchés et dans les supermarchés. Il ressemble à une énorme carotte ventrue, entièrement blanche, dont la longueur dépasse souvent 50 cm. Au goût, il est sucré comme de la carotte et aromatique comme du céleri.

Le panais relève agréablement le pot-au-feu, la potée, le couscous, les potages et autres plats à base de mélanges de légumes. Mais, là où il brille, c'est dans l'accompagnement de la viande de porc fraîche : après l'avoir épluché au couteau économe, puis découpé en morceaux, faites-le mijoter à l'étouffée en cocotte dans très peu d'eau. Ou bien cuisez-le à l'eau, coupé en gros tronçons, puis faites-en une purée en le mélangeant à des pommes de terre ou à des rutabagas (dans cette deuxième combinaison, il accompagne très bien les viandes rouges et le gibier). Contrairement à la carotte et au céleri, le panais ne se consomme pas cru.

Des graines fraîches. Seules des semences récoltées l'année précédente peuvent vous assurer une levée régulière et rapide. Alors, un conseil : gardez toujours 2 racines de panais en pleine terre en hiver. Elles donneront au cours du printemps de hautes tiges garnies d'ombelles jaunes, qui produiront elles-mêmes des graines... pour le semis de l'année suivante.

Panier suspendu

Reconvertissez en paniers suspendus vos anciens paniers à salade en grillage ou les paniers métalliques à mailles des autocuiseurs.

Donnez un dernier usage aux vieux paniers d'osier. Vernissez l'extérieur contre les intempéries (utilisez une bombe pour aller plus vite) et doublez l'intérieur de film plastique transparent (sacs de nettoyeur).

Faites le bon choix

Avant de garnir vos paniers suspendus, faites attention à leur exposition. Au soleil, installez *Alyssum,* brachycomes, calcéolaires, capucines, fuchsias, géraniums-lierres, héliotropes, œillets d'Inde, pétunias 'Cascade', sanvitalias, *Scae-vola,* thunbergies... À l'ombre, optez pour *Asparagus sprengeri,* bégonias tubéreux, fougères, fuchsias, *Browallia,* impatiens, lierres, lobélies, mimulus...

Garniture naturelle. Tapissez toute la surface visible à travers les mailles de mousse des bois, puis ajoutez un linge et une soucoupe. Autre solution : posez sur la mousse un morceau de moquette découpé de façon à bien garnir l'intérieur. Ces matériaux superposés retiendront l'humidité nécessaire à la croissance des plantes (voir Mousse).

Installation futée. La plupart des paniers suspendus ont une base arrondie : si vous les posez pour faire vos plantations, ils ne sont pas stables. Tout change si vous calez votre panier sur un gros pot de fleurs vide.

En jouant avec les couleurs des fleurs et des feuillages, on obtient des suspensions très décoratives.

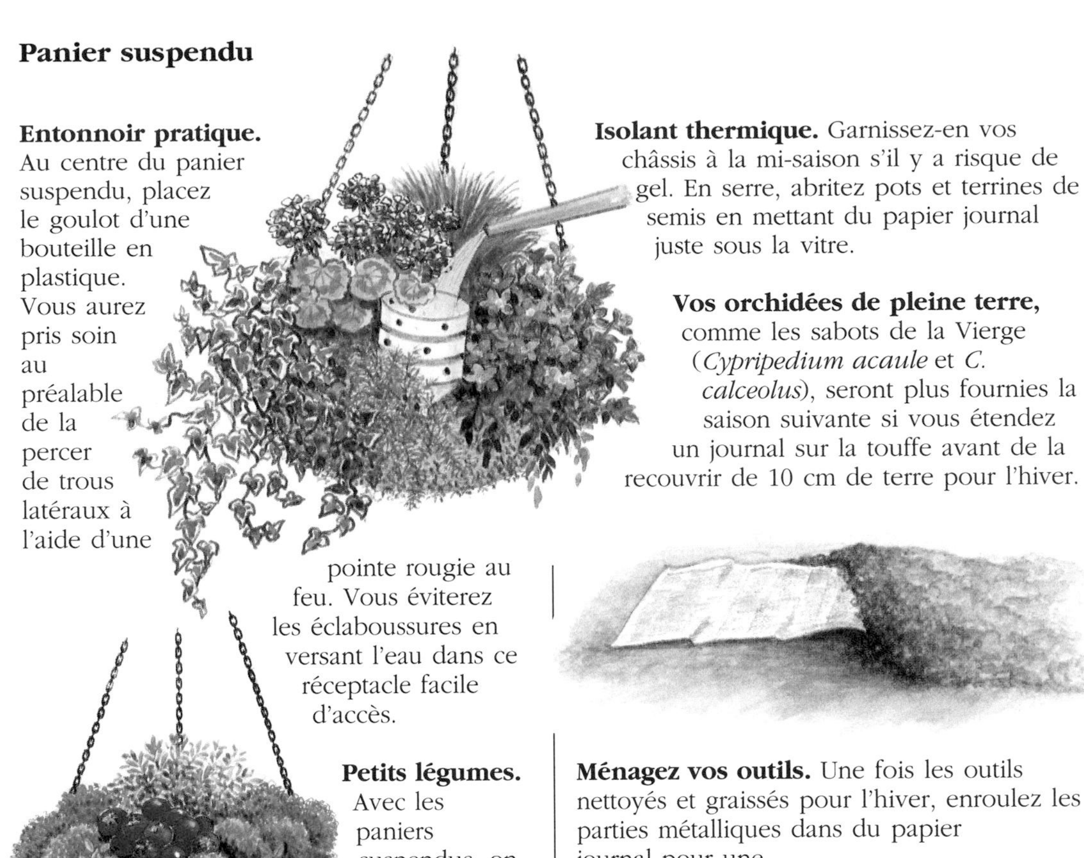

Panier suspendu

Entonnoir pratique. Au centre du panier suspendu, placez le goulot d'une bouteille en plastique. Vous aurez pris soin au préalable de la percer de trous latéraux à l'aide d'une pointe rougie au feu. Vous éviterez les éclaboussures en versant l'eau dans ce réceptacle facile d'accès.

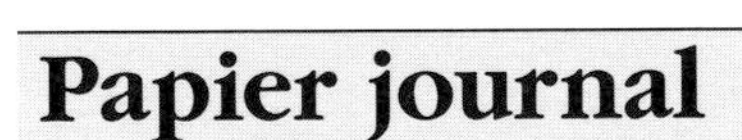

Petits légumes. Avec les paniers suspendus, on pense d'abord aux fleurs, mais amusez-vous avec quelques plants de salade, d'herbes aromatiques, de tomates-cerises, de fraisiers… à exposer en plein soleil.

Papier journal

Faites rougir vos tomates vertes. En fin de saison, après la cueillette, emballez les tomates séparément dans une feuille de papier journal et stockez-les en cageots.

Isolant thermique. Garnissez-en vos châssis à la mi-saison s'il y a risque de gel. En serre, abritez pots et terrines de semis en mettant du papier journal juste sous la vitre.

Vos orchidées de pleine terre, comme les sabots de la Vierge (*Cypripedium acaule* et *C. calceolus*), seront plus fournies la saison suivante si vous étendez un journal sur la touffe avant de la recouvrir de 10 cm de terre pour l'hiver.

Ménagez vos outils. Une fois les outils nettoyés et graissés pour l'hiver, enroulez les parties métalliques dans du papier journal pour une protection maximale.

Si vous vous absentez (au maximum 10 à 15 jours), taillez une collerette dans plusieurs épaisseurs de journal, mouillez bien ces papiers, et disposez-les à plat sur la terre de vos pots de fleurs après un bon arrosage. Le papier journal servira de tampon et limitera l'évaporation.

Protégez un jeune arbre des intempéries en entourant son tronc de papier journal. Préférez plutôt le papier brillant et glacé des couvertures de magazines ou des pages en couleurs, qui ne pourrit pas.

Papillons

Jolies photographies. Capturez avec délicatesse le papillon qui vous plaît, enfermez-le quelques minutes dans un bocal placé au réfrigérateur. Engourdi, l'insecte va s'endormir. Posez-le alors où vous souhaitez prendre votre cliché. Après 5 à 10 minutes, il se réveillera à la chaleur du soleil.

Faites le bon choix

C'est l'effet de masse fleurie qui incite les papillons à s'installer ; plantez plusieurs des végétaux suivants si vous souhaitez qu'ils viennent égayer votre jardin.

Annuelles : cosmos, œillet et rose d'Inde.
Arbustes : chèvrefeuille, clethra, lilas, troène.
Légumes : carotte, chou, fenouil.
Plantes aromatiques : lavande, menthe, monarde, origan, thym.
Vivaces : aster, buddléia, échinops, eupatoire, lavande, primevère, sauge russe, *Sedum spectabile,* verge d'or, véronique.

Sachez aussi que pratiquement tous les arbres fruitiers les attirent, ainsi que certaines « mauvaises herbes », comme la cardamine des prés ou l'ortie. Attention, tout papillon est d'abord une chenille qui, selon l'espèce, peut faire de gros dégâts dans les cultures.

Papyrus

Offrez un pot double à ces plantes aux souches très dures. Plantez-les dans un conteneur en plastique, que vous laisserez tremper dans un cache-pot empli d'eau. L'ensemble restera joli, et la transplantation ne posera aucun problème : il suffit de fendre le conteneur quand il est devenu trop petit.

Pour obtenir des plantes géantes (2 m et plus), placez vos papyrus en plein soleil, le pied dans l'eau, et versez un engrais liquide universel tous les 15 jours.

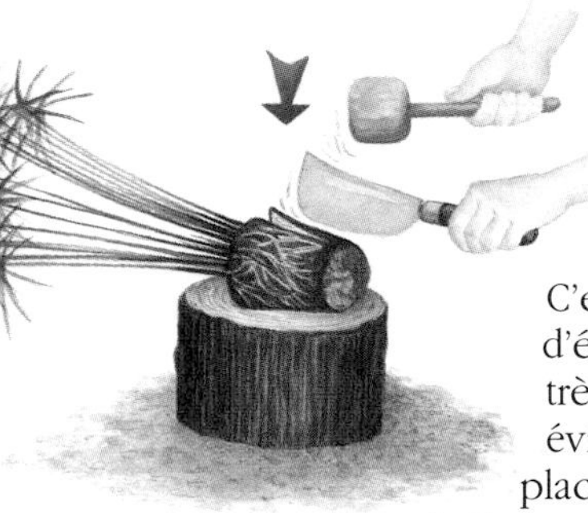

Pour diviser les souches, prenez une serpette bien affûtée et posez la souche sur un billot. C'est le seul moyen d'éclater ces plantes très dures. Pour éviter tout accident, placez la serpette, puis frappez avec un maillet.

Le papyrus du Nil est une plante de 2 à 3 m de haut, aimant chaleur et soleil, à cultiver à l'intérieur. Découvrez ses boules plumeuses de filaments verts, très élégants. Tuteurez les tiges dès le départ, car elles ont une tendance naturelle à la chute.

Utilisez les papyrus à l'extérieur, comme plantes insolites, en les plaçant dans un bassin pour l'été. Lorsque les risques de gel reviennent, rentrez-les dans une pièce éclairée de la maison. Ils continueront leur croissance tout l'hiver. Les racines doivent toujours être maintenues dans l'eau — qui s'évapore vite dans une pièce chauffée.

En régions méditerranéenne et subtropicale, une touffe de papyrus du Nil, plantée au bord de l'eau, donne une note exotique au jardin.

Propagez vos papyrus, c'est facile et amusant. Il suffit d'immerger à l'envers une tête ayant fleuri dans un verre d'eau. Racines et nouvelles pousses apparaissent en 1 mois.

Savourez les tubercules du souchet. Ce « papyrus » indigène, qui pousse en plein air dans tout lieu humide, produit des tubercules noirs à chair blanche, de la taille d'une fève, et au goût sucré d'amande. On en fait en Espagne un orgeat de fantaisie très agréable, mais vous pouvez les croquer tels quels, bien lavés.

Pas japonais

Où le placer ? En hiver, profitez d'une chute de neige pour repérer le passage le plus emprunté et le plus pratique : installez votre pas japonais à l'endroit où vous compterez le plus de traces de pas.

Pour obtenir le bon espacement entre les dalles, marchez naturellement et marquez l'emplacement de vos pieds avec un petit piquet ou une poignée de sable ou de farine. La bonne distance entre chaque pas se situe entre 55 et 65 cm. Trop serré, votre pas japonais vous donnera l'impression de piétiner ; trop lâche, vous vous fatiguerez en l'empruntant.

Zigzag ou ligne droite ? Les vrais pas japonais ne sont pas rectilignes. Mieux vaut donner au vôtre un aspect naturel en décalant chaque pierre par rapport à l'axe principal du chemin. Si vous préférez un pas japonais plus strict, alignez rigoureusement les pierres, que vous choisirez de forme rectangulaire ou carrée.

Joli gué inattendu : un pas japonais sur l'eau. Écartez moins les pierres que sur terre pour une plus grande sécurité.

Votre pied, une unité de mesure. La surface d'un pas japonais doit pouvoir accueillir la longueur d'un pied (30 cm). Si vous choisissez des dalles trop petites, vous risquez de poser le pied en porte-à-faux, de glisser, voire de tomber.

Choisissez des matériaux solides et antidérapants. Ce peut être, suivant le style de votre jardin, des pierres naturelles ou reconstituées, des pavés autobloquants, des briques ou des rondins de bois traités. Posez-les toujours sur un lit de sable, qui les stabilisera. (Voir Dallage.)

Un pas de billes pour un escalier discret. Choisissez des billes de cèdre ou d'érable de bonnes dimensions (40 cm de diamètre et 30 cm de long). Posez-les sur un lit de gravillons bien tassé. Faites-les se chevaucher de quelques centimètres.

Pas japonais

Si vous n'avez pas de pierres, creusez des trous de 10 cm dans le sol en leur donnant la forme irrégulière d'une pierre plate. Coulez du béton, que vous armerez d'un morceau de grillage. Le béton doit affleurer. Finissez la surface à la brosse, sans trop lisser, ou incorporez des gravillons. Si vous utilisez du ciment blanc, colorez-le dans un ton proche de la pierre naturelle. Il se patinera avec les années.

Marchez sur l'eau. De grosses pierres ou des billes de cèdre feront un élégant pas japonais à travers l'eau d'une mare ou d'un bassin peu profonds. Rapprochez-les un peu plus que des pas sur la terre,

pour une meilleure sécurité. L'idéal est de prévoir ce gué dès la construction du bassin. Si le fond comporte une toile (bâche en plastique), posez des contre-dalles parfaitement lisses sous le film. Elles supporteront les pas et éviteront que la toile ne soit percée.

Patio

Agrandissez les volumes en recherchant la continuité entre l'intérieur et l'extérieur. Pensez-y dans le choix des meubles, des teintes des murs (traditionnellement clairs), du revêtement de sol. Faites aussi le lien à l'aide des plantes en pots ou en bacs, près des ouvertures dans la maison, près des murs à l'extérieur.

Aménagez un petit bassin central dans une vasque ou un vieil évier de pierre. Garnissez-le d'une variété miniature de nénuphar et d'un papyrus, pour créer un contraste de feuillages. Entourez-le de plantes de fraîcheur comme l'arum des marais et vous obtiendrez un décor à la fois exotique, sobre et très reposant.

Pensez à l'écoulement de l'eau, de pluie ou d'arrosage. Soignez particulièrement la pose du revêtement de sol (voir Dallage) et prévoyez une rigole centrale ou le long d'un mur, reliée à un puisard.

L'ombrage naturel suffit, grâce à l'ombre portée des murs qui entourent le patio. Hormis sous un climat au soleil très ardent, évitez d'y ajouter une pergola, qui risquerait de faire trop d'ombre en hiver.

Optez pour la sobriété végétale. Préférez à un fouillis de fleurs quelques potées bien choisies : palmier, laurier-rose, datura... Le patio est un emplacement idéal pour présenter votre collection de plantes fétiches, qu'il s'agisse de fuchsias, de géraniums odorants ou d'autres végétaux.

Pensez au décor d'hiver. Choisissez des arbres ou arbustes décoratifs pour leurs fruits ou leurs feuilles persistantes : viorne obier à fruits jaunes, sumac de Virginie, pommetier nain 'Pom'zai', hydrangées paniculées, houx verticillé, andromède du Japon, mahonie à feuilles de houx, fusains.

▶ **Bac, Jardinière, Pot**

Paysagiste

Ne faites appel à un spécialiste qu'en connaissance de cause, qu'il s'agisse de l'aménagement ou de l'embellissement de votre jardin. Sachez à l'avance à quoi vous vous engagez financièrement. Demandez plusieurs devis et faites des comparaisons.

Faites le bon choix

L'aménagement d'un jardin peut être confié à divers spécialistes, n'ayant pas tous la même activité, comme on peut voir ci-dessous.

L'entrepreneur de jardins	Il se charge des travaux, des plantations, parfois de la conception même du jardin. Il travaille cependant le plus souvent sur plans : les vôtres, ceux d'un architecte ou ceux d'un concepteur.	Recourez à ses services si vous désirez un décor végétal agréable, sans plus. Il peut se charger également de travaux ponctuels et de l'entretien.
Le paysagiste	Il se charge de créer un jardin ou de le moduler, souvent de le planter. Il détient un DÉC (diplôme d'études collégiales). Toutefois, il n'est pas rare de voir certains s'approprier ce titre sans en avoir les qualifications. Soyez attentif et demandez à voir un dossier, ou, mieux encore, des réalisations précédentes, sur place.	Il vous aidera à créer un environnement plus complexe, en fonction de vos goûts et de vos besoins.
L'architecte-paysagiste	Il possède un diplôme universitaire, sait concevoir et dessiner un jardin en entier ; il travaille le plus souvent en association avec une entreprise de jardins qui exécute les travaux.	Il pourra faire face à une demande particulièrement complexe, résoudre un problème épineux, proposer une création tout à fait originale, sous forme de simple consultation, de plan ou de réalisation complète.

Ne vous laissez jamais imposer une idée qui ne vous convient pas parfaitement. Seul le professionnel qui acceptera de discuter longuement avec vous et de tenir compte de vos envies et de vos besoins devra retenir votre choix.

Pêcher

Où le placer ? Grâce à son port érigé et à son feuillage léger, le pêcher peut être planté au potager ou même dans une plate-bande de fleurs. Il y appréciera le sol fréquemment travaillé et fertilisé, et ne concurrencera guère les autres cultures. Choisissez un endroit abrité des vents dominants d'hiver, près de la maison ou d'une haie.

Taillez au bon moment. Attendez que vos pêchers aient le nez rose, c'est-à-dire que les boutons soient sur le point d'éclore. Cela se produit en mai ou juin, selon les régions. Ainsi, vous verrez facilement quels sont les rameaux susceptibles de donner des fruits, et les plaies de taille cicatriseront rapidement.

Taillez simple. Repérez les rameaux de 1 an, reconnaissables à leur couleur rougeâtre. Coupez à la base ceux qui sont orientés vers le haut ou vers le bas, ainsi que ceux qui semblent faibles. Il restera les pousses vigoureuses situées dans un même plan à peu près horizontal : c'est la technique de taille en arête de poisson !

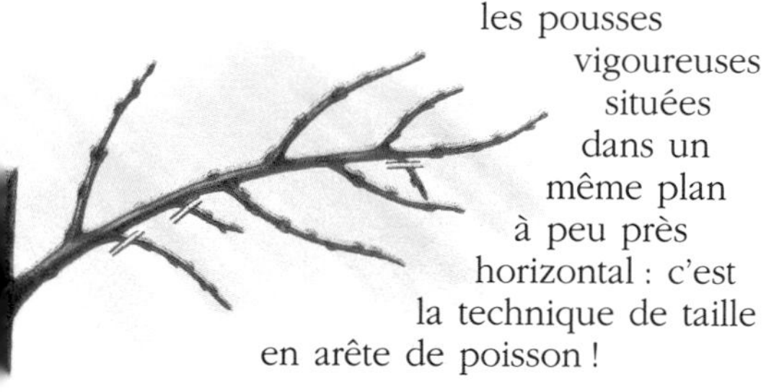

Vous souhaitez élaguer votre pêcher ? Repérez les branches principales, dites charpentières. Leur base est souvent dégarnie alors qu'à leur extrémité se développent un grand nombre de jeunes pousses. Raccourcissez ces charpentières de façon à éliminer la moitié des jeunes rameaux.

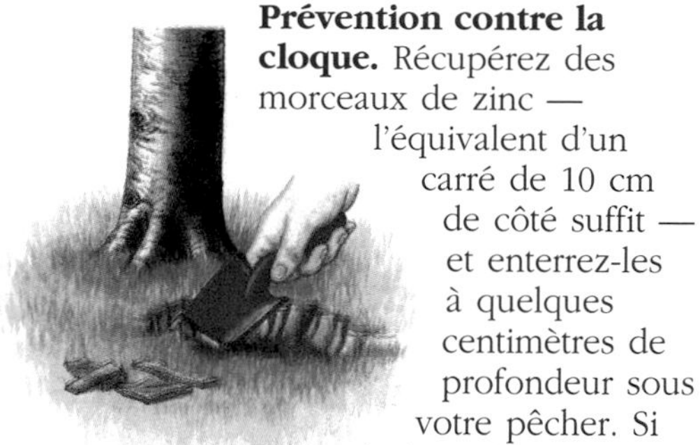

Prévention contre la cloque. Récupérez des morceaux de zinc — l'équivalent d'un carré de 10 cm de côté suffit — et enterrez-les à quelques centimètres de profondeur sous votre pêcher. Si vous opérez dès la fin de l'été, la protection sera efficace au printemps suivant.

Luttez contre la gomme. Retirez les écoulements gommeux de couleur brune sur le tronc et les branches (attention, ça poisse !), puis frictionnez les plaies avec une poignée de feuilles d'oseille.

Faites le bon choix

Les pêchers ne sont rustiques qu'à partir de la zone 5, et même alors, leur culture reste délicate... En effet, la fructification des pêchers diminue dès que la température atteint – 20 °C. C'est donc à partir des zones 6 et 7 que leur culture devient facile.

Il existe toutefois des variétés de pêchers rustiques en zone 5 : 'Carol', fruit et chair jaunes, excellent pour les conserves ou les confitures ; 'Harbelle', fruit jaune et rouge, bonne saveur ; 'Reliance', fruit jaune et rouge, un peu acidulé.

Autres variétés disponibles (zone 6 et plus) : 'Brighton', 'Candor', 'Collins', 'Cresthaven', 'Garnet Beauty', 'Harbinger', 'Harbrite', 'Redhaven', 'Veteran'.

Quant aux nectarines (ou brugnons), apparentées aux pêches — dont elles se différencient par l'absence de duvet sur leur peau —, leur culture n'est possible qu'à partir de la zone 6b ou 7. Voici quelques variétés disponibles dans l'est du Canada : 'Hardired', 'Harko', 'Mericrest', 'Stark Earlibraze'.

▶ Verger

Pente (jardin en)

AMÉNAGEMENT

Mesurez votre pente en utilisant des piquets gradués et un niveau à bulle. En travaillant à deux, vous pourrez calculer à la fois la hauteur et la profondeur du terrain. C'est utile pour prévoir un terrassement ou la construction d'un escalier. L'inclinaison d'une pente s'exprime en centimètres par mètre horizontal. Une pente de 8 % s'élève de 8 cm pour 1 m de longueur, soit de 8 m pour 100 m.

Prévoyez des voies de circulation pratiques et variées : allées, escaliers, pas-d'âne. Elles vous faciliteront les déplacements pour l'entretien et rendront vos promenades plus agréables.

Des murets-banquettes sont la meilleure solution pour aménager une pente dès qu'elle dépasse 8 %. Ils doivent suivre les courbes de niveau. Utilisez les pierres du terrain ou faites-vous livrer des moellons en vrac. Plus la pente est importante, plus les murets seront élevés. Si vous utilisez ces petites terrasses pour les cultures, les repas, les jeux..., donnez-leur des dimensions confortables : 3 à 4 m en tous sens au minimum. Pensez à les relier par de petits escaliers.

Le clayonnage : une solution pratique pour retenir la terre d'une pente sans végétation. Enfoncez des piquets de 80 cm de long tous les 60 cm. Laissez-les dépasser de 20 à 30 cm et reliez-les par des branches souples (saule, noisetier, châtaignier, viorne...). Plus la pente est forte,

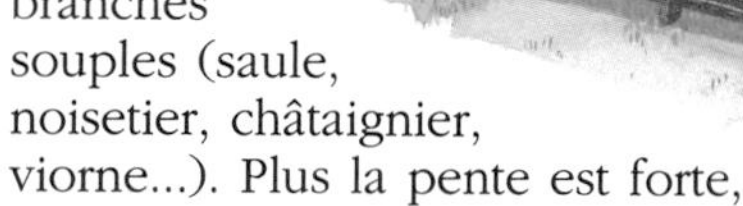

plus les clayonnages seront proches les uns des autres : entre 1 à 3 m. Conservez la pente entre les clayonnages, mais plantez ou semez un couvre-sol : herbe, plantes vivaces ou arbustes.

Posez les films plastiques en biais, soit à 45° par rapport à l'axe de la pente. L'eau de pluie coulera moins vite que sur des films posés dans le sens de la pente ou parallèlement à celle-ci, et vous limiterez le ravinement. Plantez vos arbres et arbustes au milieu des films.

Pensez à installer un point d'eau en haut du terrain (bassin, citerne, robinet...). Vous vous éviterez ainsi de monter la pente avec un arrosoir plein.

Faites le bon choix pour retenir la terre

Si la pente est forte (plus de 15 %), remplacez la pelouse par des plantes vivaces ou des arbustes qui couvrent ou retiennent bien le sol.

Plantes vivaces : achillée, *Ajuga,* alchémille, *Alyssum*, campanules, *Cerastium,* centaurée, *Echinops, Erigeron, Geranium sanguineum,* iris rhizomateux, julienne des jardins, lamier, lupin, pervenche (en sous-bois), renouée, *Salvia*, tanaisie, valériane.

Arbustes : bruyère, caragana, cognassier du Japon, cornouiller stolonifère, cotonéaster, forsythia, fusain, genêt, potentille, sorbaria à feuilles de sorbier, rosier rugueux, sureau.

Arbres : aulne, genévrier, mélèze, noisetier, pin, saule.

Labourez ou passez le motoculteur en remontant ou en suivant les courbes de niveau et en commençant toujours tout en bas. En travaillant en sens inverse, vous feriez petit à petit descendre la bonne terre.

Prévoyez un drainage et une évacuation de l'eau dans la partie basse, surtout si votre région est soumise à des orages importants. Vous pouvez construire un bassin ou une mare en bas de la pente. Ils recueilleront les eaux de ruissellement.

Créez une rocaille, elle sera bien plus belle et plus naturelle qu'en terrain plat. Utilisez de belles pierres, bien implantées, qui retiendront le sol. N'hésitez pas à y inclure une série de cascades dont l'eau sera recyclée en circuit fermé au moyen d'une petite pompe.

PLANTATIONS

Plantez pour éviter le ravinement et laisser l'air circuler. En haut du terrain, choisissez des arbres ou des arbustes robustes à feuillage caduc ou étroit (charmes, cytises, lilas, noisetiers, forsythias, genêts, ormes, saules, sorbiers), qui filtreront le vent. Plus l'on descend, plus les plantes seront basses. Au bas de la pente, évitez les haies compactes, qui piègent l'air froid.

Arbres : plantez-les dans le bons sens. Vous pouvez les disposer en ligne dans le sens de la pente si elle est inférieure à 3 %. Au-delà, suivez les courbes de niveau. Dans tous les cas, choisissez-les de petite taille : ils s'implanteront mieux que les grands sujets. Plantez-les toujours verticalement.

Semez du gazon sur une pente inférieure à 15 % et que vous pouvez tondre. Si le ravinement est important, n'hésitez pas à recourir au gazon en plaques (acheté ou que vous aurez fabriqué vous-même). Installez-le en le maintenant avec de petits piquets jusqu'à ce qu'il soit bien enraciné.

Installez vos plantes dans de petites cuvettes qui créeront un plan horizontal et recueilleront les eaux de pluie et de ruissellement. Une collerette de plastique ou un bon paillis autour de chacune d'elles éviteront le désherbage et l'érosion.

▶ **Alpines, Clôture, Escalier, Rocaille, Tondeuse**

Pépinière

Créez votre pépinière. C'est une bonne idée, facile à réaliser, pour avoir sous la main des plants de rechange ou d'échange avec vos amis et voisins : récupérez les semis naturels, les plantes divisées, les boutures... La plupart des végétaux d'ornement et les fruitiers se prêtent à des multiplications « maison ».

Le meilleur endroit pour installer sa pépinière est une partie abritée du potager : vous y accéderez facilement et pourrez soigner et surveiller les plantes qui s'y trouvent en attente. N'hésitez pas à l'équiper d'une ombrière et d'un système d'arrosage automatique.

Évitez la pépinière de pleine terre : il est difficile de contrôler les arbres ou les plantes rampantes en particulier. Mettez-les plutôt dans de grands conteneurs noirs serrés les uns contre les autres. Posez ceux-ci sur un film plastique noir épais, vous n'aurez pas à désherber. Autre solution en région froide, enfoncez les conteneurs en terre, vous n'aurez pas à les arroser trop souvent et ils craindront moins le gel.

Des jeunes plantes en nourrice. Les arbres et les vivaces coûtent moins cher lorsqu'ils sont encore jeunes, mais leur petite taille rend parfois problématique leur mise en place au jardin. Mettez-les en nourrice pendant 1 ou 2 ans dans la pépinière, en attendant qu'ils prennent de l'ampleur.

Pergola

Les bonnes dimensions d'une pergola sont de 2,50 à 3 m, en hauteur comme en largeur. L'effet « tunnel » est accentué lorsqu'elle est plus large que haute. Ce n'est pas très agréable. Il faut au minimum que l'on puisse marcher à deux de front. Laissez au moins 60 cm au-dessus de votre tête.

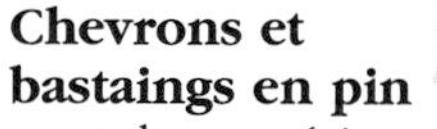

Chevrons et bastaings en pin sont des matériaux robustes et faciles à travailler. Les distributeurs de matériaux les vendent en sections de 2,40 m, 3 m, et 4,25 m de longueur. Utilisez au minimum des sections carrées de 10 cm (4 × 4) pour les poteaux et de 5 cm (2 × 2) d'épaisseur pour les traverses horizontales.

Les grands piquets de pin (2,40 ou 3 m) vendus en jardinerie ou dans certaines cours à bois sont tout à fait indiqués pour construire une pergola légère et rustique. Faciles à scier et à clouer, ils sont assez légers pour que vous les manipuliez tout seul. Autre avantage : leur coût modique.

Une pergola en métal ? C'est possible, à condition de travailler en finesse. Pour qu'elle ne ressemble pas à un échafaudage, utilisez des tubes de moins de 3 cm de section. Privilégiez les arceaux en anse de panier ou en demi-cercle pour accentuer la légèreté de l'ensemble. On peut se procurer des arceaux d'aluminium ou de métal galvanisé sur commande.

Des pieds solides et bien au sec sont les conditions indispensables pour la solidité et la longévité d'une pergola. Passez leur base au goudron et enfoncez-les dans des plots de béton en forme de pyramide. Enterrés, ceux-ci résisteront aux pressions du vent et isoleront les poteaux de l'humidité. Lorsque vous coulez le béton, utilisez du polystyrène pour former le trou dans lequel vous glisserez le poteau.

Rapides et mobiles, les pieds métalliques pour poteaux sont faciles à installer. Ils ne demandent pas de ciment et vous pourrez changer les poteaux lorsque vous le voudrez. Quelques coups de masse suffisent à les enfoncer en terre. Glissez-y ensuite le pied des poteaux de la pergola. Ils tiendront immédiatement et seront isolés du sol. Vous trouverez ces pieds pour poteaux — on s'en sert aussi pour les tentes — dans les grandes surfaces de bricolage.

Les piliers de brique sont très décoratifs et assez faciles à construire. Leur solidité vous permettra de les éloigner suffisamment les uns des autres (3 m) pour éviter l'aspect « mur ». Ils peuvent supporter des chevrons plus longs, donc plus épais et plus lourds. Leur semelle doit être creusée plus bas que la ligne de gel dans la région.

La bonne couleur. Protégez votre pergola tout en lui donnant une jolie couleur. Si vous ne laissez pas le bois brut, évitez le blanc ou le classique vert. Recherchez au contraire une couleur plus personnelle parmi les bleus, les ocres ou les gris. Utilisez des colorants en poudre, que vous diluerez dans un peu d'essence de térébenthine avant de les mélanger à votre peinture de base. Faites un essai que vous laisserez sécher une bonne semaine pour vous rendre compte du résultat avant de peindre l'ensemble.

Une pergola entièrement végétale. Clématites, chèvrefeuilles grimpants, actinidias, ipomées formeront une allée couverte si vous prenez la peine de les guider pendant leur jeunesse. Repiquez les jeunes plants tous les 2 m. Faites-les pousser verticalement, le long d'un tuteur. Dès qu'ils atteignent 2,50 m, formez la voûte. Utilisez des supports de bois ou de métal, que vous enlèverez une fois la charpente bien constituée. Par la suite, maintenez la forme de votre pergola par une taille d'entretien.

Sur la terrasse ou le balcon, la pergola est une solution efficace pour résoudre les problèmes d'ensoleillement et de bruit en été. Créez un îlot vert en installant de grands bacs au pied des poteaux. Vous y ferez pousser des plantes grimpantes annuelles ou vivaces.

Si vous accolez une pergola à une pièce de la maison, choisissez une infrastructure aussi légère que possible. Pensez que les montants et la végétation peuvent faire beaucoup d'ombre dans la pièce en hiver ! De ce fait, proscrivez les grimpantes à feuillage persistant et prévoyez une bonne hauteur pour laisser pénétrer la lumière dans la maison.

▶ **Clématite, Glycine, Grimpantes, Kiwi, Lierre, Ombrage, Vigne**

Persil

Sa germination est si lente (3 à 5 semaines) qu'elle a induit tout un folklore et des superstitions. On dit que le persil lève mieux s'il est semé le vendredi saint ! On raconte aussi qu'il doit faire 7 tours chez le diable avant de germer. Pour lui éviter ce voyage, trempez les graines dans un verre d'eau tiède quelques heures avant le semis pour ramollir l'enveloppe coriace.

Ajoutez du sable au semis, comme avec beaucoup de graines fines, pour espacer les graines les unes des autres. Recouvrez de 0,5 cm de terre et posez par-dessus une planche qui donnera de l'obscurité. Une température de sol de 15 à 18 °C est idéale.

Persils : faites le bon choix

Pour accommoder vos plats, préférez le persil simple et le persil d'Italie, dont le goût est incomparable. Mais semez aussi du persil frisé : il permet de faire de plus jolis décors. Il existe également un persil à grosse racine qui se sème et se mange comme un navet ou du céleri-rave. Découvrez son parfum subtil en beignets, purées...

Le persil lèvera mieux si vous plantez sur le même rang ou dans le même carré des oignons 'Jaune paille des vertus'.

Semez-le en pots ou en terrines, entourez le tout d'aluminium ménager et mettez au réfrigérateur. Après quelques jours, placez les pots ou les terrines dans une serre, une véranda ou un châssis, tout en maintenant l'aluminium, que vous retirerez à l'apparition de la première feuille verte. Transplantez le persil lorsqu'il possède 4 feuilles.

Du bon usage d'un pot à alvéoles. Placez la couche drainante au fond, remplissez de terre riche jusqu'à hauteur des premières alvéoles, placez les petits bouquets à l'horizontale, racines bien étalées, recouvrez de terre. Si vous remplissez le pot et essayez de forcer le persil à entrer dans les trous, vous courez à la catastrophe (voir Arrosage).

Auto-semis. Laissez grandir un beau pied de persil : il fleurira et montera en graine. C'est la meilleure méthode pour obtenir une relève de vos plantations.

Départ en vacances. Coupez court la ligne de persil (vous pouvez le congeler) et arrosez à l'engrais. Votre persil vous redonnera de belles feuilles, à point pour votre retour (même conseil pour le cerfeuil, l'estragon, l'oseille).

Pour cueillir du persil frais en hiver, faites un semis tardif (au mois d'octobre). Installez les pots devant une fenêtre bien lumineuse et maintenez-les dans une tiède humidité.

Pour lui garder son arôme, hachez-le et placez-le immédiatement au congélateur, vous prélèverez facilement ce qu'il vous faudra au fur et à mesure de vos besoins. Sec, il a autant de parfum que du foin !

Conservez-le quelques jours. Lavez-le frais et placez-le dans une petite boîte hermétique au réfrigérateur.

Ne jetez plus vos vieilles graines maison. Faites-en une infusion (comptez 20 g de graines pour 1 verre d'eau bouillante). Laissez refroidir, imbibez-en des compresses et appliquez-les sur le contour des yeux pendant 10 minutes pour dire adieu aux yeux rougis et aux paupières bouffies.

▶ **Aromatiques, Potager**

Persistantes (plantes)

ACHAT ET PLANTATION

Achetez-les en conteneurs ou en mottes, jamais à racines nues. Celles-ci sont fragiles et ne doivent jamais sécher. Examinez-les pour vous assurer qu'elles n'ont pas souffert.

Le bon moment pour les installer au jardin. Tout dépend du terrain. En sol léger, plantez-les au début de l'automne (septembre), quand la terre est encore chaude. Arrosez-les très régulièrement, après la plantation. Elles auront le temps de bien s'implanter avant l'hiver. En sol lourd, humide, attendez plutôt mai pour les planter. Il y a ainsi moins de risques d'asphyxie des racines en hiver par excès d'humidité dans le sol. Des arrosages soutenus pendant la première saison n'en sont pas moins indispensables !

Évitez-leur une exposition à l'est. Le dégel brutal dû aux rayons du soleil matinal peut abîmer les feuilles après des gelées nocturnes. L'exposition nord, sans variations brutales de température dans la journée, leur convient généralement.

Si vous habitez dans une région aux hivers rigoureux, plantez haies, bosquets, massifs... de persistants sur film plastique noir. Ameublissez bien le sol au préalable. Après avoir tendu et ancré le film, incisez-le en croix à chaque emplacement de plantation. Le film protège du froid, conserve mieux l'humidité dans le sol et évite le développement des mauvaises herbes. Quand vous arrosez, versez l'eau au pied de chaque arbuste.

ENTRETIEN

Pour qu'elles survivent la première année, arrosez-les en période sèche et bassinez régulièrement leur feuillage au printemps et en été. Amassez à leur pied un épais paillis organique, fait de compost ou de feuilles sèches.

Le vent est un ennemi redoutable pour les nouvelles plantations. Pendant toute la mauvaise saison, entourez tous les sujets isolés d'un manchon de toile grossière (un sac de jute par exemple). Pour les plantations de groupe, posez des filets brise-vent appuyés contre des piquets à environ 30 cm du feuillage.

Quand elles prennent trop d'ampleur, supprimez au printemps une partie des plus grosses tiges en les coupant à la base. Dégagez si nécessaire le centre des buissons. En supprimant chaque année une partie des vieilles tiges, vous contiendrez leur développement.

Rajeunissez de vieux arbustes persistants, souvent dégarnis à leur pied. Coupez presque à la base toutes les vieilles branches en fin d'hiver. Faites un apport d'engrais complet au printemps suivant et de nouvelles pousses se développeront au cours de la saison végétative.

UTILISATION

Pour les mettre en valeur, ne les alignez pas, mais jouez avec les volumes et la variété des feuillages. Plantez les grands sujets en quinconce, alternez hauteurs et teintes.

Sous un ombrage persistant épais, préférez un simple lit de gravillons clairs pour éclairer ce coin sombre.

Arbustes à feuillage persistant : faites le bon choix

Nom latin	Hauteur	Remarques
Andromeda polifolia	60 cm	fleurs et fruits décoratifs
Arctostaphylos uva-ursi	10 cm	couvre-sol très rustique
Buxus microphylla	60 cm	excellent pour haie taillée
Buxus × 'Green Mountain'	1,25 m	port pyramidal
Cotoneaster dammeri	30 cm	fruits rouges très abondants
Daphne cneorum	20 cm	floraison rose, odorante
Variétés de fusain de fortune	15 cm à 1,30 m	
Euonymus fortunei 'Canadale Gold'	60 cm	feuillage vert, marginé de jaune
Euonymus fortunei 'Emerald Gaiety'	1,20 m	feuillage vert, marginé de blanc
Euonymus fortunei 'Sunspot'	1 m	feuillage vert, taché de jaune
Ilex glabra, I. meserveae	1 à 1,20 m	feuilles et fruits décoratifs
Kalmia latifolia	60 cm	floraison rose
Mahonia aquifolium	1 m	fleurs et fruits décoratifs
Mahonia repens	30 cm	feuillage et fleurs décoratifs
Pieris japonica	1,50 m	floraison blanche, abondante
Rhododendron ×	80 cm à 2 m	floraison spectaculaire

Embellissez vos massifs de vivaces en leur apportant des touches de feuillage persistant. Pour les bordures, vous avez le choix entre bruyère, mahonie nain, buis, pervenche, cotonéaster... Si vous souhaitez des sujets plus hauts, préférez rhododendrons, houx, fusains, mahonie à feuilles de houx...

Pour vous protéger des regards, plantez un petit groupe d'arbustes à feuillage persistant, pas forcément taillés, dans l'axe voulu. Ce sera tout aussi efficace mais beaucoup plus agréable à l'œil qu'un écran sombre et uniforme.

▶ **Conifères, Haie, Taille, Topiaire**

Perspective (effet de)

Ouvrez les perspectives de votre jardin en dégageant des lignes de fuite par des allées, des haies, une ligne d'arbustes, des bordures bien nettes... Faites-les déboucher sur un élément qui attire l'œil : une belle porte, une potée spectaculaire, un bassin ou un banc.

Un plan d'eau, aussi petit soit-il, agrandit toujours un jardin par le reflet qu'il donne. Dans un petit espace, mieux vaut le placer au premier plan. Donnez-lui une forme allongée et orientez-le dans le sens de sa plus grande longueur.

Un grand miroir pour créer une fausse perspective. Installez-le au fond du jardin, appuyé sur le mur, et encadrez-le par des plantes assez denses qui en masqueront le contour. Vous pouvez aussi le placer juste au-dessus de la surface de l'eau d'un bassin, qu'il agrandira de façon spectaculaire. Attention : veillez à ce qu'il ne reçoive pas le soleil, car il pourrait mettre le feu.

Jouez avec les lignes de fuite d'une allée ou d'un bassin en les rétrécissant légèrement au fur et à mesure qu'ils s'éloignent de la maison. Ils paraîtront plus longs.

Mettez en valeur un élément situé hors du jardin. Une jolie vue, un clocher, une colline, un bel arbre au loin méritent un encadrement. Plantez des arbres symétriques à forme élancée, aménagez une allée ou une pergola légère qui guideront le regard vers eux.

▶ **Aménagement, Composition du jardin, Couleurs**

Phosphore

Sachez le repérer sur les emballages. Régulateur de croissance de première importance, c'est l'un des trois éléments principaux qui composent un engrais ; son symbole chimique est la lettre P, qui vient en deuxième dans l'ordre établi : N (azote), P (phosphore), K (potasse). Il est utile aux plantes dans l'élaboration de leurs racines, la maturation de leurs cellules, leur évolution en bois (lignification) et leur floraison.

Effet immédiat ou différé, à vous de choisir ! Pour une action rapide, avec assimilation presque immédiate par les plantes, achetez un phosphore d'origine chimique ou organique. Pour une action lente ne commençant que plusieurs mois après incorporation, optez pour un phosphore d'origine naturelle : hyper-phosphate (en liquide ou en poudre).

Le bon phosphore d'origine chimique. Tout dépend de la nature du sol. S'il est acide, épandez des scories de déphosphoration ; s'il est acide à neutre, choisissez du phosphate bicalcique ; s'il est neutre à alcalin, optez pour les superphosphates, solubles dans l'eau.

Si vous achetez un phosphore d'origine organique, préférez les superphosphates d'os, plus faciles à assimiler que les phosphates d'os.

Récupérez les cendres de bois (pas celles de charbon) : elles sont riches en potasse et en phosphore. Conservez-les au sec et offrez-les aux racines des plantes par un léger griffage.

▶ **Engrais**

Pierre

Pierre-paillis. On n'y pense pas, mais un paillis de pierres ou de gravillons aide les racines en maintenant l'humidité dans le sol et en captant la chaleur solaire dans la journée pour la restituer la nuit. Recourez-y pour la vigne et dans les allées du potager, où les plantes pousseront plus longtemps en saison et survivront mieux aux rigueurs de l'hiver.

La pierre retient la chaleur. Dans les pays où la fraîcheur revient vite (altitude ou région nord), installez les légumes sur une pente et formez un muret sur lequel vous laisserez retomber les tiges (de tomates, courgettes, tétragones, citrouilles…).

Là où rien ne pousse, pour éviter la mauvaise herbe, installez un lit de galets sur un film de plastique noir. Cela est particulièrement valable au pied des arbres pour tenir les lames de tondeuse à bonne distance du tronc.

Tapis isolant. Sous les feuillages étalés en coussinets, ou duveteux, des plantes rampantes, épandez de petites pierres ou des gravillons. Isolé du sol humide et des limaces, le feuillage restera beau et sain, surtout en période de pluies (printemps et automne).

Pour déplacer une grosse pierre sans la porter, faites-la rouler sur 5 ou 6 rondins de bois ou tubes métalliques. Au fur et à mesure de votre progression, placez devant le rondin, ou le tube, qui vient juste d'être libéré à l'arrière, et recommencez. Autre solution : traînez-la sur une bâche en plastique épaisse.

Dans un massif de fleurs, installez une dalle plate, qui vous servira de base où vous tenir lors des arrosages, binages, traitements et autres travaux d'entretien. Cela vous

évitera de piétiner la terre et d'abîmer vos plantations. La dalle disparaîtra vite dans la verdure.

▶ **Mur, Pas japonais, Rocaille**

Piment

Pour avoir une récolte plus piquante, ne mettez pas d'engrais, préférez du compost ou un bon fumier additionné de poudre d'os, ou de phosphates. Autre solution : gardez des cendres de bois, riches en potasse.

Faites buissonner la plante en pinçant ses tiges lorsqu'elle pousse avec vigueur, avant la floraison.

Modulez l'arrosage. Vous aimez les piments forts ? N'arrosez plus 15 jours avant la récolte pour concentrer la sève. Vous préférez plus de douceur ? Arrosez bien la semaine qui précède la récolte.

Mauvaise mine. Des feuilles pâles et une pousse faible indiquent un besoin urgent d'apport nutritif. Épandez vite du compost.

Une cueillette échelonnée. Cueillez les premiers fruits formés, même s'ils ne sont pas encore bien rouges : la plante continuera à fleurir et votre production y gagnera. Les piments verts sèchent bien et sont un peu moins forts que les rouges.

N'arrachez pas les piments des tiges : en déchirant l'épiderme, vous ouvrez la porte aux maladies. Coupez-les soigneusement au sécateur ou aux ciseaux.

Pour éloigner les rongeurs (lapins, écureuils, mulots...) et pas mal d'insectes, pulvérisez une solution d'eau et de piments forts filtrée (1 cuillerée à soupe de piments pour 4 litres d'eau). On peut ajouter de l'ail à la préparation pour renforcer son action.

Si le ciel est menaçant, cueillez les fruits mûrs, arrachez les plants et suspendez-les, tête en bas, dans un lieu éclairé hors gel jusqu'à ce que les piments encore verts se colorent.

Les piments (et les poivrons) aiment un sol légèrement acide. Si votre terrain n'offre pas ces conditions, enterrez quelques

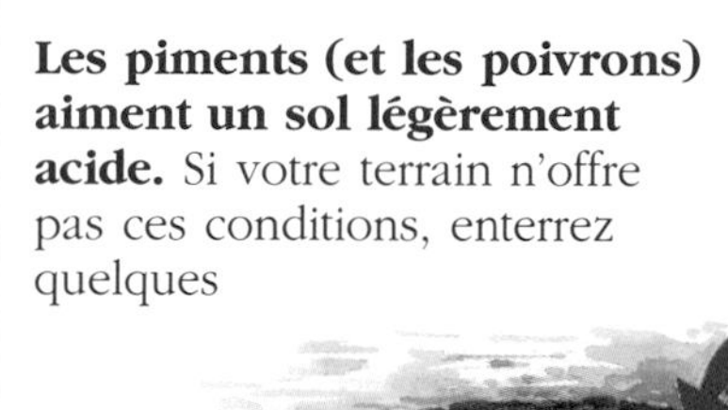

allumettes sous chaque pied lors de la plantation, en veillant à ce que la partie soufrée des allumettes ne touche pas les racines. Mais le soufre délivré acidifiera les alentours de la motte.

Bonne conservation. Enfilez les piments sur un fil, comme des perles, ou placez-les dans des petits pots aérés (sans fermeture hermétique), ou encore réduisez-les en petits morceaux ou en farine à l'aide du robot culinaire.

Pour jardiner les pieds au chaud en hiver, saupoudrez vos bas de farine de piment : elle activera votre circulation sanguine. Ayez la main légère si vous avez la peau fragile.

▶ **Aromatiques**

Pincement

Le geste qui fait les belles plantes. Pincer, c'est couper une pousse en se servant du pouce et de l'index. Cette forme de taille concerne donc uniquement les jeunes tiges encore tendres. Elle provoque le développement des bourgeons latéraux situés à l'aisselle des feuilles restantes. Résultat : davantage de tiges et, donc, davantage de fleurs, avec un port plus compact de la plante.

Mieux que les doigts ! Pour pincer les plantes fines ou touffues, utilisez de préférence une paire de ciseaux. Vous ferez un travail plus précis, sans risquer de détériorer les tiges voisines.

Supprimez les colonies de pucerons en pinçant les extrémités de tiges, où elles se situent le plus souvent. Cette méthode de lutte simple et écologique concerne les fèves et de nombreuses plantes ornementales.

Pour avoir de gros dahlias, pincez tous les petits boutons floraux qui apparaissent le long de la tige et ne conservez que le bouton terminal.

Pincez les « gourmands » des tomates. Éliminez dès qu'ils apparaissent les bourgeons qui se développent à l'aisselle des feuilles de vos pieds de tomate. Ne conservez que le bourgeon terminal. Ainsi, la production sera précoce, et les plants resteront aérés, donc plus sains.

Pincez-les !

Fleurs : abutilon, anthémis, chrysanthème d'automne, coléus, fuchsia, lantana, *Pelargonium zonale* (géranium à port dressé)...

Plantes d'intérieur : bégonia, *Hypoestes,* impatiens, misère, poinsettia, pommier d'amour, *Tibouchina...*

Plantes potagères et aromatiques : aubergine, basilic, estragon, melon, potiron...

Piscine

Respectez les règles. Avant de construire une piscine creusée, vérifiez avec votre municipalité s'il vous faudra un permis de construction et s'il vous faudra la clôturer et de quelle façon.

Choisissez un revêtement de sol non glissant pour le tour du bassin. Pour vous assurer de ses qualités antidérapantes, aspergez copieusement d'eau un ou plusieurs éléments et essayez-le, d'abord pieds nus, puis avec des chaussures.

Posez le revêtement de sol avec une pente légère montant vers la piscine pour éviter que l'eau de pluie ne stagne ou ne ruisselle dans le bassin.

Si vous optez pour un caillebotis en bois, frottez-le régulièrement avec une brosse métallique dure s'il s'avère glissant.

Pour que l'eau reste propre, installez la piscine à l'abri des vents dominants et loin des arbres à feuilles caduques. Comme écran, préférez planter des végétaux à feuillage persistant, même si vous n'utilisez la piscine qu'en été.

Si vous avez de jeunes enfants, pensez sécurité : construisez une clôture fermée et couvrez systématiquement la piscine quand personne ne s'y baigne. Vous trouverez des filets à tendre en surface, différents types de bâches à dérouler, dont des toiles solaires en plastique à bulles qui préservent mieux la pureté de l'eau et limitent l'abaissement de sa température. Choisissez un système facile et rapide à mettre en place.

Soignez les abords. Prévoyez une aire de repos de largeur suffisante, sur un côté au moins du bassin, pour installer les chaises longues, les

serviettes... Autour, une pelouse est l'écrin idéal. Agrémentez-la de petits arbres ou arbustes persistants pour apporter un ombrage léger près de la piscine, mais non directement sur l'eau.

En région froide, prolongez la saison d'utilisation en couvrant la piscine d'un abri-bulle transparent en PVC. L'air y circulera grâce à une soufflerie.

Pour donner un cadre exotique à votre piscine, plantez en second plan fougères, *Glyceria aquatica* 'Variegata', *Miscanthus,* arum des marais, iris de Sibérie, et agrémentez les bords en été avec de grands bacs (papyrus, palmier, grandes plantes vertes...).

Ne jetez pas la piscine gonflable trouée des enfants. Vous l'utiliserez pour traîner de lourdes charges sur la pelouse : grosses pierres destinées à la rocaille, arbuste à transplanter avec sa motte... Vous limiterez vos efforts en faisant glisser la charge sans la soulever et vous épargnerez également le gazon !

Pissenlit

Pour ceux qui raffolent de ses pousses vertes, semez-le au moment où s'égrènent dans les prés les petits parachutes (en fait, les fruits) des pissenlits sauvages, vers le mois de juin. Vous récolterez une succulente salade dès le mois d'avril ou de mai suivants.

Bouturez-le ! En juin, juillet ou août, arrachez dans votre jardin ou dans un pré quelques beaux (et bons) pissenlits. Découpez leurs grosses racines en tronçons de quelques centimètres. Piquez ceux-ci en terre bien préparée, dans le sens naturel, espacés de 20 cm sur la ligne. Chaque bouture de racine donnera un pied de pissenlit.

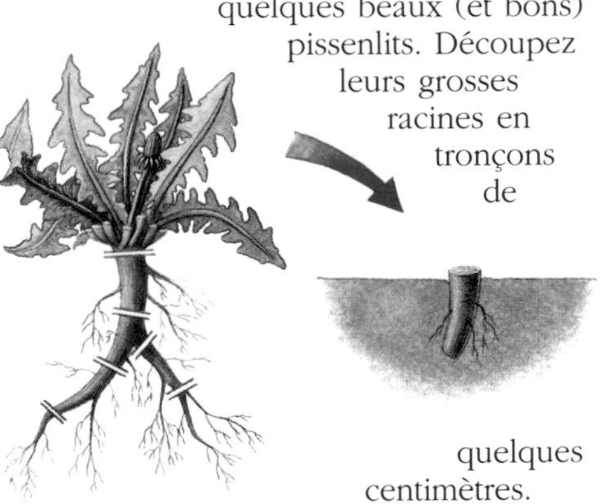

Pour l'éliminer en douceur de votre pelouse, achetez un désherbant à base de glyphosate, diluez-en un peu dans de l'eau en respectant le mode d'emploi, et badigeonnez sommairement chaque rosette de pissenlit de cette mixture à l'aide d'un petit pinceau. Procédez de juin à août. Le glyphosate est biodégradable et peu toxique.

Déracinez-le facilement. Utilisez un petit outil appelé gouge ou couteau désherbeur. Préférez un modèle coudé et à lame munie d'une encoche.

Pivoine

Elle n'aime pas être dérangée. La pivoine n'aime pas qu'on la déplace. Si c'est nécessaire, passez à l'acte à la fin de l'été, ou très tôt au printemps. Creusez à la bêche avec précaution. Divisez les racines charnues, chaque éclat devant porter un minimum de bourgeons. Replantez immédiatement en sol riche, et arrosez abondamment. Il suffit d'une épaisseur de 5 cm de terre sur les racines.

Attention au feuillage. Il abrite souvent des maladies ou des champignons. Chaque automne, coupez-le à ras de terre, et brûlez-le. Si vous avez constaté une attaque au cours de l'année, saupoudrez le jeune feuillage de l'année suivante avec un produit à base de soufre ou de thirame, 2 ou 3 fois à 2 semaines d'intervalle.

Les pivoines arbustives donnent de magnifiques massifs. Ici Paeonia × suffruticosa *(à fleurs simples), en pleine floraison.*

Un tuteurage nécessaire. Découpez un cercle dans du grillage à grosses mailles, en veillant à ce qu'il n'y ait pas de pointe apparente sur le pourtour. Posez ce cercle sur le sol en tout début de saison et enfoncez un solide tuteur central. Les pousses passeront à travers les mailles. Lorsqu'elles auront suffisamment grandi, rehaussez le cercle, qui maintiendra les tiges bien serrées et évitera à la touffe d'éclater vers le sol à la première pluie.

Si vous les cueillez en boutons à peine éclos, lorsque vous devinez juste la couleur, vous pourrez les conserver à ce stade 1 à 2 semaines, bien roulées dans un journal humide, au bas du réfrigérateur.

Pivoines : faites le bon choix

Il existe deux types de pivoines, les herbacées et les arbustives. Les premières sont des plantes vivaces de 50 à 80 cm de haut, disparaissant en hiver. Les secondes, beaucoup plus volumineuses, montrent des tiges ligneuses pouvant atteindre 1,20 m à 1,50 m de haut, au feuillage caduc. De croissance lente, ces dernières sont assez coûteuses. Pensez à la taille de votre jardin et à l'endroit où vous voulez les planter.

Faites le bon diagnostic

Pourquoi vos pivoines ne fleurissent pas :

– Les racines sont trop enterrées (5 cm est le maximum). Déplacez et soulevez la touffe.

– Elles ont trop d'ombre ; ce sont des plantes de soleil, supportant la mi-ombre légère. Installez-les dans un coin ensoleillé du jardin.

– Trop jeunes, vos plants sont en train d'installer leurs racines avant de produire des fleurs. Patientez !

– Le sol de votre jardin est sec ; les pivoines préfèrent les sols bien drainés mais restant frais, riches en humus. Offrez-leur une terre adaptée.

Plantation

Creusez vos trous à l'avance, si vous envisagez de planter plusieurs sujets. Le jour de la mise en place, la tâche sera plus rapide, moins fatigante. De plus, le fond des trous sera aéré et bien préparé, ce qui facilitera la reprise.

Pot résistant. Si la motte ne veut pas se dégager du pot, ne forcez pas. Trempez le pot dans l'eau d'un seau et si les choses ne s'améliorent pas, cassez le pot ou coupez-le avec un sécateur ou un couteau s'il est en plastique.

Planter en été ? C'est possible grâce aux conteneurs… Mais des arrosages réguliers (2 à 3 fois par semaine) sont indispensables. Augmentez vos chances d'une bonne reprise avec un paillage qui conservera l'humidité autour des racines. En cas de sécheresse, ombrez les jeunes sujets avec une toile tendue par 3 piquets.

Démêlage. Si les racines de votre plante en conteneur tapissent la paroi du pot, démêlez-les avec une fourchette ou une petite griffe. Étalez-les dans toutes les directions pour qu'elles se répartissent au mieux dans la bonne terre de plantation.

Terre très lourde, mauvais sous-sol. Formez des plates-bandes surélevées en installant d'abord une bonne couche drainante sur laquelle vous placerez 30 à 40 cm de bonne terre. Les bulbes, plantes de rocaille, légumes pourront y prospérer. Entourez ces massifs d'un muret (au choix : briques, traverses de chemin de fer, pierres, pavés...).

Seul... et un arbre à planter. Difficile de tenir un arbre à la bonne hauteur et de reboucher le trou avec la pelle. Choisissez un morceau de bois de longueur supérieure à la largeur du trou, et fixez-le sur le tronc à la bonne hauteur. Mettez l'arbre en place. Le morceau de bois, posé de part et d'autre du trou, le fera tenir tout seul. Rebouchez le trou, tassez bien puis retirez l'attache.

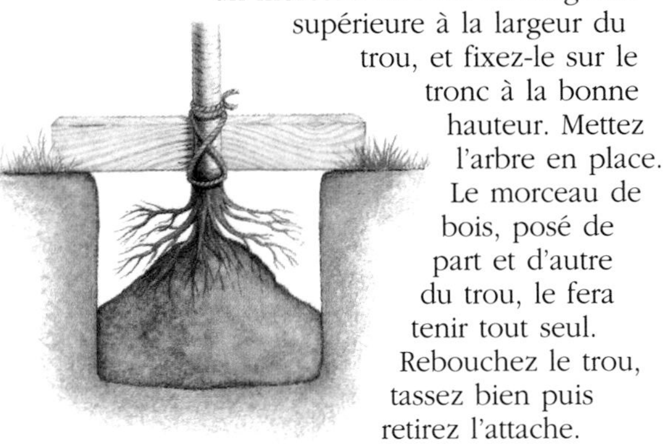

Ne jetez plus les sacs en papier. Pour bien marquer l'emplacement d'une jeune plante vivace, d'un petit arbuste..., plantez-le dans un sac en papier solide contenant un mélange terreux enrichi de compost, fumier, tourbe... tassez et arrosez. Disposez le sac dans le trou de plantation en laissant la partie supérieure dépasser de terre. La plante sera ainsi bien repérable, mais aussi protégée du vent et du froid jusqu'au début du printemps. Par la suite, le papier se déchirera en surface, se décomposera en profondeur et sera transpercé facilement par les racines.

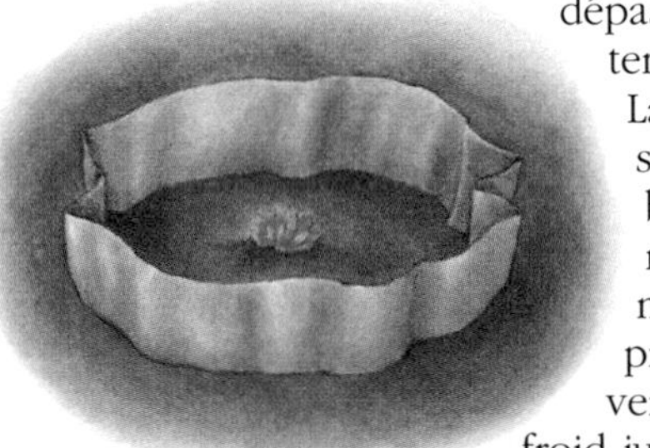

Quand vous remplacez un sujet malade ou mort, essayez de décaler le trou de plantation d'un bon mètre. Si c'est impossible, retirez totalement la terre pour mettre un nouveau mélange. Choisissez un végétal d'une famille botanique différente pour éviter les risques de contamination par les champignons parasites qui ont détruit votre précédent sujet.

Arrosage obligatoire. Arrosez abondamment toutes vos plantations après tassement du sol, même s'il risque de pleuvoir. Les racines nouvellement en place ont besoin de beaucoup d'eau. Elle éliminera les poches d'air et aidera à bien mettre en contact la terre et les radicelles.

Plantations tardives au potager. N'hésitez pas à planter ou semer vers la mi-juin pour les récoltes d'automne. Parmi les meilleures espèces : basilic, bette à carde, brocoli, carotte, épinard, laitue, mâche, oignon, oignon à botteler, panais, poireau, sariette d'été. En cette période, le développement est rapide et les attaques parasitaires limitées ; mais n'oubliez pas d'arroser régulièrement.

Si vous partez en vacances, évitez les plantations de dernière minute en début d'été. Les plantes vendues en conteneurs ou en pots en plastique peuvent certes être plantées quasiment toute l'année, hormis en période de gel ou de sécheresse, mais il faut les arroser très régulièrement pendant tout l'été, sans quoi elles périront !

Ne courez pas à l'échec

Interdisez-vous toute plantation : si le sol est gelé (voir Jauge), si la terre est saturée d'eau (risque d'asphyxie des racines) ou si les sujets caducs ont encore des feuilles.

▶ **Habillage, Lune, Orientation, Os, Pralinage, Tuteurage**

Plateau bactérien (fosse septique)

Plantez de la consoude de Russie : avide d'humidité et d'éléments nutritifs, elle vous permettra de recycler au potager l'azote, le potassium et autres éléments utiles contenus dans vos eaux usées. Vous n'aurez qu'à la couper deux fois par an et faire du purin avec les feuilles ou ajouter celles-ci au tas de compost.

Faites le bon choix

Là où s'épandent vos eaux sales (plateau bactérien, drainage, fossé...), installez des plantes vivaces capables d'évaporer une partie de l'excès d'humidité tout en produisant le plus bel effet : astilbe, érigeron, fougères *(Matteuccia, Osmunda),* graminées, *Heracleum mantegazzianum,* hémérocalle, *Inula,* iris des marais, iris du Japon, *Iris sibirica, Ligularia,* lysimaque, pétasite, trolle, etc.

Plate-bande

PLANTATION

Sur une grande surface, recherchez des floraisons échelonnées et des feuillages décoratifs pour que votre plate-bande demeure un centre d'intérêt au fil des mois. Pensez aux bulbes pour la fin de l'hiver et le début du printemps. Pour l'automne, optez pour les vivaces de fin de saison (asters, *Sedum spectabile,* rudbeckias, chrysanthèmes...) et les petits arbustes aux fructifications décoratives. Pour vous aider dans vos recherches, essayez de dessiner vos projets mois par mois.

Groupez les plantes par 3 pour les plus grandes, par 5, 7, 9 ou plus pour les petites. Les nombres impairs offrent toujours un aspect plus naturel que les associations en nombre pair.

Pour un tracé en courbe, utilisez le tuyau d'arrosage s'il est assez long. Souple, il vous permet de visualiser les contours du massif. S'il est trop court, ayez recours à de la ficelle et des piquets pour dessiner les contours.

Avant la plantation, marquez les contours de la plate-bande avec de la craie ou du sable clair. Pour vous faire une idée de l'effet esthétique, placez de grands piquets ou tuteurs aux

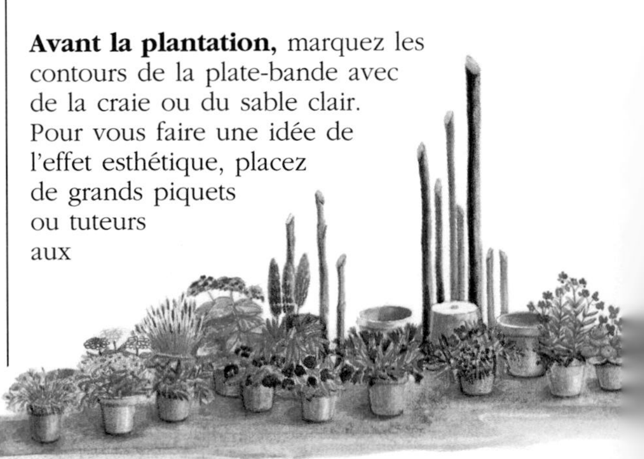

emplacements des plus grandes plantes ou des arbustes. Marquez les différents groupes de petites plantes à la craie ou, mieux, posez les godets sur le sol.

Disposez vos plantes par ordre de taille décroissant si votre plate-bande est adossée contre un mur ou une haie : vous préserverez la vue jusqu'au fond du massif. Mais apportez un peu de souplesse : faites quelques « rappels » de plantes plus grandes ici et là, placez une grande graminée souple parmi des plantes basses...

Pour une plate-bande en îlot sur la pelouse, installez les plus grandes espèces au centre, puis plantez par ordre de taille décroissant jusque sur les bords. Pour un effet plus naturel, décentrez légèrement l'îlot, par exemple à partir d'un arbuste ou d'un petit arbre.

ENTRETIEN

Sur sol lourd, collant, utilisez des planches pour vous déplacer et travailler dans la plate-bande. Vous compacterez ainsi moins la terre.

Si vous créez une plate-bande rectangulaire de vivaces, bordez-la au premier plan d'une allée, même étroite. Elle vous facilitera l'accès pour l'entretien, permettra aux plantes tapissantes du premier plan de déborder joliment et assurera la transition avec la pelouse tout en facilitant la tonte.

Si vous optez pour une allée de gravillons ou d'écorce broyée, tracez-la légèrement en contrebas de la plate-bande pour éviter qu'ils ne se répandent dedans. Prévoyez également une petite bordure (bois, brique...) pour une meilleure séparation.

Donnez du volume à une plate-bande basse de plantes à massif ou de vivaces : enfoncez des formes (cônes, boules, etc.) de grillage à 10 cm dans le sol. Faites pousser dessus des annuelles grimpantes à croissance rapide (cobée, ipomée, pois de

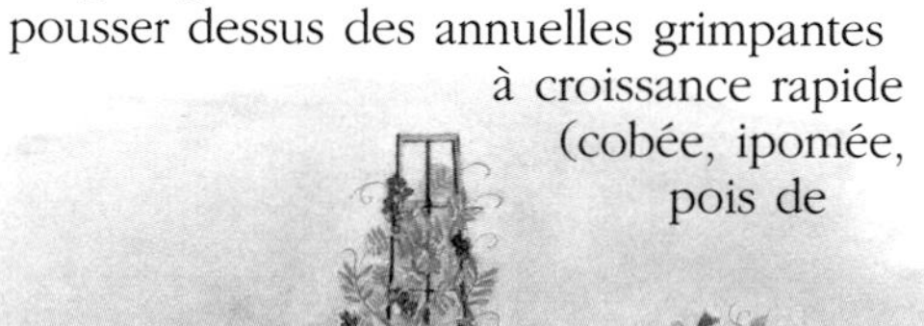

senteur, haricot d'Espagne...). Ne négligez pas arrosages et apports d'engrais liquide ! Les grands trépieds de bois sont également très décoratifs.

Isolez les racines des arbustes de la haie ou du bosquet voisins. Enfoncez jusqu'à 40 à 50 cm de profondeur des plaques rigides de plastique ou autre matériau solide, ou encore un film plastique épais, à 40-50 cm du pied des arbustes. Vos plantes herbacées s'épanouiront sans subir la concurrence déloyale des racines des arbustes !

▶ **Couleurs, Massif, Rampantes, Vivaces**

Pleureur (port)

Une forme régulière. Veillez à ce que les branches s'équilibrent en nombre et en taille tout autour du tronc. Éliminez les plus faibles et celles en surnombre.

Une cachette de verdure. Pour disposer d'une salle d'ombre à l'abri des regards, coupez les branches de l'intérieur si votre arbre est adulte ou déjà bien formé.

Faites « avancer » la silhouette en taillant les branches juste au-dessous d'une pousse dirigée vers l'extérieur de la couronne. Cette taille (à effectuer au printemps ou en hiver) permettra à la frondaison de s'élargir progressivement.

Faites le bon choix

Si vous souhaitez un arbre à port pleureur, ne pensez pas automatiquement aux saules (*Salix alba*). D'autres donnent de jolis résultats :
- bouleau 'Tristis'
- bouleau 'Youngii'
- caragana 'Pendula'
- faux-cyprès de Sawara
- frêne d'Europe 'Pendula'
- mûrier blanc 'Pendula'
- orme à feuilles de charme
- orme parasol
- pommetier 'Gracilis'
- pommetier 'Red Jade'
- pruche 'Jeddeleh'
- *Prunus armeniaca* 'Mandchurica'
- *Prunus seratina*
- tilleul de Mongolie

▶ **Silhouette**

Poireau

Endurcissez les jeunes plants. Avant de piquer en terre vos plants de poireau, et après les avoir parés (raccourcissement des racines et des feuilles), laissez-les sécher à l'air libre 2 à 7 jours. Ils peuvent être exposés au soleil, mais pas à la pluie. Ce traitement rend les jeunes poireaux moins attractifs pour la teigne (ver du poireau).

Nourrissez-les de tontes de gazon. Les poireaux ont un gros appétit, et ils raffolent de matières organiques. Épandez entre les rangs des tontes de gazon, en apports modérés mais répétés. Ce paillage nutritif a l'avantage supplémentaire de freiner l'évaporation de l'eau et la pousse des mauvaises herbes. D'où une économie d'arrosages et de binages, avec en plus la satisfaction de recycler vos déchets verts.

Arrachage facile par temps de gel. Avant les premiers risques de gel, garnissez l'intervalle entre les rangs de poireaux avec une couche épaisse (au moins 5 cm) d'un matériau isolant (feuilles mortes, fougères sèches, paillettes de lin). Ainsi protégé, le sol durcira moins et vous pourrez récolter vos poireaux jusqu'à ce que l'hiver soit bien installé.

Pour avoir de beaux blancs, plantez les poireaux très profondément. Commencez par faire, à la serfouette, une rigole de 5 cm de profondeur. Ensuite, plantez vos « poirettes » à l'aide d'un plantoir enfoncé à fond. La rigole se comblera au fur et à mesure des binages.

Poireaux : faites le bon choix

Variétés hâtives : 'Bluvetia', 'Elephant', 'Helvetia', 'Kilima', 'Titan'.

Variétés semi-hâtives : 'Albana', 'Argenta', 'Startrack'.

Variétés tardives : 'Alaska', 'Alberta', 'Arkansas', 'Carina', 'Jersey'.

Si vous désirez laisser en terre vos poireaux pour l'hiver et ne les récolter qu'au printemps (après les avoir butés et isolés sous la neige), optez pour des variétés à longue conservation telles 'Alaska' et 'Arkansas'.

Éliminez les vers du poireau. Si vous observez des perforations sur les jeunes feuilles de vos poireaux, c'est que ceux-ci sont attaqués par des larves de teigne. Ces petites chenilles rongent le cœur des poireaux. Pour les éliminer, coupez vos plants au ras du sol. Vous serez surpris de voir vos poireaux retrouver leur taille normale en 1 mois à peine.

▶ Potager

Poirier

Pour qu'un poirier fructifie bien, il faut que ses fleurs soient fécondées par du pollen appartenant à une variété compatible située à proximité. 'Anjou', 'Clapp's Favourite' et 'Beauté flamande' figurent parmi les meilleures variétés pollinisatrices. Veillez donc à avoir ces variétés dans votre verger pour polliniser les autres. De plus, leurs fruits sont les meilleurs qui soient !

Vous ne savez pas tailler ? Plantez de jeunes poiriers formés en fuseau. Même sans taille, ils se mettront à fruit sans problème et garderont une forme harmonieuse. Vous vous contenterez de pratiquer un élagage léger en coupant les branches par trop retombantes juste au-dessus d'un rameau latéral orienté vers le haut. Évitez de planter des formes exigeantes en taille comme les palmettes ou les cordons.

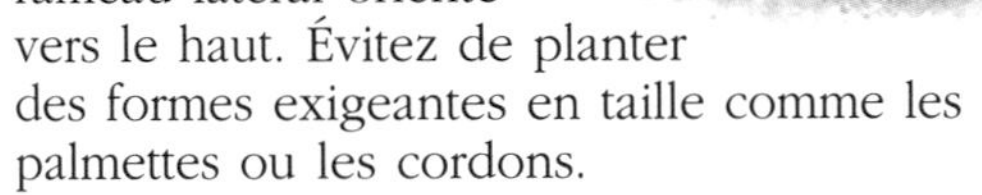

Votre sol est calcaire. N'y plantez que des poiriers greffés sur poirier franc (poirier de semis). Des arbres greffés sur cognassier pousseraient mal et risqueraient d'être atteints de chlorose. Greffé sur franc, un poirier devient plus grand que sur cognassier, et il peut mettre 7 ans ou plus avant de produire.

Votre poirier fleurit peu ou pas du tout ? Peut-être est-il encore trop jeune : n'espérez pas récolter avant la troisième année. Il se peut également que vous tailliez trop court : à l'avenir, taillez plus long (à 6 yeux, par exemple), ou même ne taillez plus du tout si votre poirier est en fuseau, en quenouille ou en gobelet. Contentez-vous d'un élagage de temps en temps.

Pour obtenir de plus belles poires, ne laissez que 2 ou 3 fruits par bouquet (les corymbes comptent habituellement de 5 à 7 fleurs qui, si elles sont toutes fertilisées, donneront un nombre égal de petits fruits). Limitez donc chaque groupe de fruits à 2 ou 3 en conservant plutôt les fruits du pourtour de chaque bouquet. Faites cet éclaircissage après la chute naturelle des fruits.

Éclaircissage doux. Lorsque vous éliminez de jeunes poires (taille d'une noix), ne les coupez pas au niveau du pédoncule, car cela provoquerait un brutal afflux de sève dans les fruits conservés, qui risqueraient de tomber. Sectionnez-les plutôt en plein milieu au sécateur.

Les meilleures poires sont celles que l'on récolte au début de leur maturité, dès qu'elles se détachent facilement de la branche à la moindre torsion du pédoncule. Autre signe qui ne trompe pas : les pépins deviennent noirs. Entreposez vos poires pendant quelques jours sur des plateaux dans un endroit aéré et abrité afin qu'elles sèchent, puis remisez-les au frais.

Vous ne parvenez pas à attraper les poires des branches du haut ? Fabriquez-vous un cueille-fruits économique en enfonçant une demi-bouteille plastique par le goulot dans un manche à balai.

Poiriers : faites le bon choix

Zone 3 : 'Golden Spice', fruit jaune-rouge, parfumé ; 'John', excellent pour les conserves ; 'Jubilé', excellent pour les conserves ; 'Ure', fruit vert-jaune, juteux et parfumé.

Zone 4 : 'Clapp's Favourite', gros fruit, maturité fin août ; 'Clark', idéal pour les confitures ; 'Beauté flamande', fruit jaune-rouge, chair juteuse et sucrée ; 'Hudar', variété hâtive ; 'Nova', gros fruit jaune, délicieux ; 'Patten', semblable à 'Bartlett' mais plus rustique.

Zone 5 et plus : 'Anjou', gros fruit parfumé, bonne conservation ; 'Bartlett', fruit rouge, variété très répandue mais sensible au feu bactérien ; 'Bosc', fruit brun, parfumé, bonne conservation ; 'Comice', gros fruit savoureux, variété tardive ; 'Highland', fruit jaune, très bonne conservation ; 'Magness', peu sensible aux maladies ; 'Starkrimson', fruit rouge.

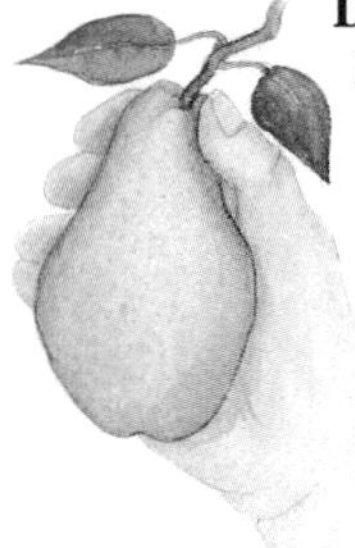

Dégustez au bon moment. Pour tester le degré de maturité d'une poire, prenez-la en main et exercez une pression avec le pouce juste sous le pédoncule. Si la chair cède un peu, allez-y ! Et ne laissez pas la poire se réchauffer dans la corbeille de fruits : elle est bien plus savoureuse à la température de la cave.

Pour conserver vos poires, trempez leur pédoncule dans de la paraffine liquide et laissez sécher. Vous pourrez profiter des fruits plus longtemps.

▶ **Liqueur, Pollinisation, Verger**

Pois

Faites vos semis au printemps, dès que le sol peut être cultivé. Si vous habitez une région où la saison estivale est courte, optez pour les variétés hâtives telles 'Early Bird', 'Novella', 'Extra hâtif du printemps', ou 'Maestro'.

Pois mange-tout ou pois à écosser, ils ont tous une délicieuse saveur au goût de l'été. N'oubliez pas de les récolter lorsqu'ils sont mûrs et tendres. En effet, ces délices du jardin ont vite fait de durcir si vous ne les récoltez pas à point.

Combien de graines ? Comptez 20 graines par mètre carré. Laissez tomber une graine tous les 2 cm pour un bon espacement des plants des variétés naines, tous les 4 cm pour un bon espacement des variétés à rames. Tracez des rangs profonds de 5 à 6 cm, espacés de 50 à 60 cm pour les pois à rames et de 35 à 40 cm pour les pois nains.

Rames pour beaux rangs. Ramez avec des brindilles sans feuilles tous les 20 cm dès que les pois ont 15 cm de haut. Attention : si les rames restent basses (40 cm) pour les pois nains, elles montent à 1,20 m pour les pois grimpants. Si vous ne ramez pas, les plants s'écroulent sur le sol, les gousses se salissent et votre production est très diminuée.

Palissage astucieux. Utilisez un montant métallique d'où pendent des lignes verticales (ficelles, fils de fer...) fichées dans le sol ou du grillage placé sur un châssis de bois en modules mobiles.

Mariage fleurs-gousses. Au printemps, lors du semis, glissez dans le sillon quelques graines ou petits plants de fleurs annuelles, qui attireront les insectes butineurs et rendront le potager beaucoup plus attrayant (coquelicot, tagète, capucine...).

Conseil de cuisson. Faites cuire les petits pois avec autant de sucre que de sel, ils en seront meilleurs.

Un bouillon coloré. Conservez quelques cosses de pois sèches dans un sac en papier (mais pas en plastique) ; utilisez-les par petites pincées pour colorer un bouillon.

Pois : faites le bon choix

Voici de quoi vous guider parmi les nombreuses variétés officielles !

Pois mange-tout :
- hâtives : 'Sugar Ann', 'Oregon Giant'
- naines : 'Sugar Snap', 'Sugar Ann'
- mi-tardives : 'Honeypod', 'Snow Flake'

Pois à écosser :
- hâtives : 'Extra hâtif du printemps', 'Sparkle', 'Knight', 'Maestro', 'Novella'
- naines : 'Petite merveille', 'Early Bird'
- mi-tardives : 'Early Frosty', 'Homesteader', 'Olympia', 'Green Arrow'
- tardive : 'Téléphone géant'

▶ **Potager**

Pois de senteur

Pour bénéficier dès fin juin de sa superbe floraison, semez-le en février. Dans des godets de 8 à 10 cm de diamètre remplis de terreau, enfoncez 6 graines à 1 ou 2 cm de profondeur. Placez les godets sous un châssis ou dans un local bien éclairé. En mai, mettez en place les potées.

Un magnifique buisson fleuri. Choisissez les races 'Royal' ou 'Bouquet'. Disposez en cercle 6 potées, à 50 cm de distance. Juste à côté de chaque groupe, plantez une branche ramifiée de 1,50 à 2 m de hauteur. Faites se rejoindre les 6 branches vers le haut.

Si vous ne voulez pas tuteurer... adoptez une variété naine (moins de 25 cm de haut) ou demi-naine (moins de 70 cm) comme 'Bijou'. Ce pois de senteur formera, selon sa taille, une jolie bordure ou une somptueuse nappe fleurie.

Coupez les fleurs fanées des pois de senteur afin de ne pas compromettre la suite de la floraison. N'oubliez cependant pas de laisser mûrir quelques gousses parmi les premières formées si vous désirez produire vos propres graines.

Poivron

Respectez la règle des rotations. N'installez pas vos poivrons là où poussaient l'année précédente la pomme de terre, l'aubergine, la tomate, le concombre, la courgette, le potiron ou le melon. Toutes ces plantes sont sensibles aux mêmes maladies transmises par le sol.

Semez-le à chaud. Le poivron étant particulièrement frileux, semez-le dans la maison, en mars, dans une terrine ou une miniserre placées devant une fenêtre bien exposée. Quand apparaîtront les premières feuilles après les cotylédons, vous repiquerez chaque plant dans un godet rempli de terreau. Plantez en pleine terre à partir de mi-mai.

Le meilleur arrosage. Le poivron possédant un enracinement superficiel, vous devrez l'arroser fréquemment. L'idéal est de le faire bénéficier de votre installation d'arrosage au goutte-à-goutte. Dès juin, couvrez le sol, après arrosage, d'un paillis d'herbes sèches qui limitera l'évaporation de l'eau.

Poivrons : faites le bon choix

Il existe aujourd'hui une panoplie de variétés de multiples couleurs :

- **vert :** 'Green Boy', 'Bell Boy', 'Galaxie'
- **jaune :** 'Golden Bell', 'Banana Suprême', 'Gypsy', 'Orobelle'
- **rouge :** 'Elysa', 'Memphis', 'Neptune', 'North Star', 'Renegade'
- **pourpre :** 'Purple Beauty', 'Fluo Pourpre'
- **orange :** 'Valencia', 'Fluo Orange'
- **lilas :** 'Lilac', 'Fluo Lilas'
- **chocolat :** 'Beauté Chocolat', 'Fluo Chocolat'
- **ivoire :** 'Ivory', 'Fluo Ivoire'

▶ **Ébourgeonnage, Piment**

Pollinisation

La meilleure place. Dans un jardin de petite surface, plantez l'arbre pollinisateur au milieu des arbres à polliniser. Dans une plantation en lignes (verger), installez-le en bout de rang face au vent dominant au moment des floraisons : celui-ci se chargera de disperser le pollen.

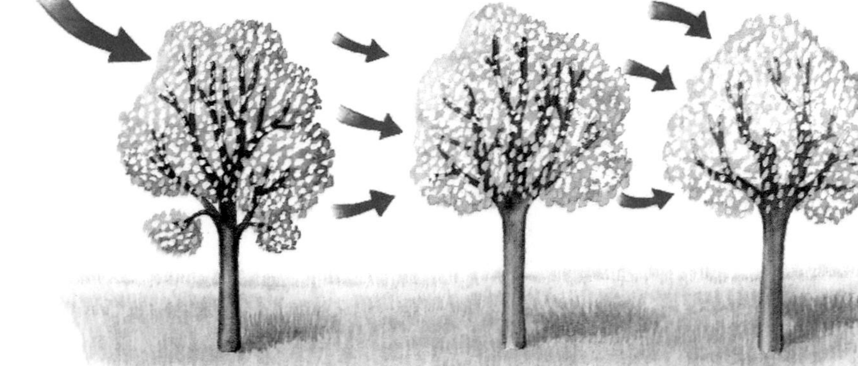

Dans un tout petit jardin. S'il n'y a de place que pour un seul arbre, plantez un sujet à variétés mixtes. C'est un porte-greffe sur lequel le pépiniériste a greffé deux, voire trois variétés. Autre solution, l'arbre autofertile, mais le choix des variétés n'est pas aussi vaste et les récoltes sont souvent moins fructueuses.

Tache de pollen. C'est le lis qui tache le plus le vêtement du jardinier. Ne mouillez pas la tache, mais utilisez un papier adhésif pour retirer le pollen. Sinon, attendez qu'il soit bien sec, et secouez le vêtement. Pour ne pas vous tacher ou tacher vos meubles avec vos bouquets, coupez les étamines aux ciseaux dès l'éclosion des fleurs.

Entraide. Si vous vous entendez bien avec vos voisins jardiniers, associez vos pollens. Discutez entre vous pour choisir des variétés qui profiteront à chacun.

Le pommetier *(Malus)* 'Everest' est un excellent pollinisateur des pommiers à fruits. Associez-le à vos plantations. Au printemps, c'est une boule de fleurs rose nacré ; à l'automne, ses branches sont couvertes de petites pommes de la taille d'une grosse cerise, qui persistent jusqu'à la floraison suivante.

Pollinisateurs : faites le bon choix

	Variété	Pollinisateur
Cerisier	'Anglaise hâtive'	autofertile
	'Annonay'	'Anglaise hâtive', 'Napoléon', 'Précoce de la Marche'
	'Burlat'	autofertile
	'Early Rivers'	'Géant d'Hedelfingen', 'Jaboulay', 'Napoléon'
	'Géant d'Hedelfingen'	'Burlat', 'Early Rivers', 'Guigne noire', 'Napoléon'
	'Griotte du Nord'	autofertile
	'Marmotte'	'Early Rivers', 'Moreau'
	'Montmorency'	autofertile
	'Napoléon'	autofertile, 'Early Rivers', 'Géant d'Hedelfingen', 'Moreau', 'Précoce de Mai'
	'Reverchon'	'Burlat', 'Géant d'Hedelfingen', 'Napoléon'
	'Van'	'Napoléon'
Poirier	'Beurré Bosc'	'Beurré Giffard', 'Conférence', 'Duchesse d'Angoulême'
	'Beurré d'Anjou'	'Conférence', 'Duchesse d'Angoulême'
	'Beurré Giffard'	'Docteur Jules Guyot', 'Louise Bonne d'Avranches', 'Précoce de Trévoux'
	'Beurré Hardy'	'Beurré Giffard', 'Williams'
	'Comtesse de Paris'	'Louise Bonne d'Avranches'
	'Conférence'	'Beurré Giffard', 'Beurré Hardy', 'Doyenné du Comice', 'Louise Bonne d'Avranches', 'Williams'
	'Curé'	'Bergamote Esperen', 'Clapp's Favourite' (évitez 'Williams')
	'Delbardélice'	'Beurré Giffard', 'Beurré Hardy'
	'Delbard précoce'	'Beurré Giffard'
	'Doyenné du Comice'	'Beurré Bosc', 'Beurré Hardy', 'Conférence', 'Grand Champion', 'Louise Bonne d'Avranches', 'Williams'
	'Duchesse d'Angoulême'	'Clapp's Favourite', 'Louise Bonne d'Avranches'
	'Fertilia'	'Super Comice Delbard'
	'Grand Champion'	'Beurré Giffard', 'Beurré Hardy', 'Conférence', 'Doyenné du Comice', 'Williams'
	'Jeanne d'Arc'	'Beurré Giffard', 'Delbard Précoce', 'Doyenné du Comice', 'Passe-Crassane', 'Williams'
	'Louise Bonne d'Avranches'	'Beurré Giffard', 'Beurré Hardy', 'Conférence', 'Duchesse d'Angoulême' (évitez 'Williams')
	'Passe-Crassane'	'Beurré Giffard', 'Beurré Hardy', 'Conférence', 'Doyenné du Comice', 'Williams'
	'Williams' (pollinisateur presque universel)	'Beurré Giffard', 'Beurré Hardy', 'Conférence', 'Doyenné du Comice', 'Grand Champion', 'Jeanne d'Arc', 'Passe-Crassane', 'Super Comice Delbard'
Pommier	'Belgolden'	autofertile, 'Granny Smith', 'Jonathan', 'Primrouge', 'Reine des Reinettes', 'Starkrimson'
	'Belle de Boskoop'	'Golden Delicious', 'Reine des Reinettes'
	'Golden Delicious'	'Granny Smith', 'Jonathan', 'Primrouge', 'Reine des Reinettes', 'Starkrimson'
	'Granny Smith'	'Golden Delicious', 'Reine des Reinettes', 'Starkrimson'
	'Jonathan'	'Golden Delicious', 'Reine des Reinettes'
	'Primrouge' (Akane)	'Golden Delicious', 'Reine des Reinettes', 'Starkrimson'
	'Reine des Reinettes'	'Golden Delicious', 'Granny Smith', 'Jonathan', 'Primrouge', 'Starkrimson'
	'Reinette du Canada'	'Golden Delicious', 'Granny Smith', 'Jonathan', 'Reine des Reinettes', 'Starkrimson'
	'Reinette du Mans'	'Belgolden', 'Golden Delicious', 'Starkrimson'
	'Royal Gala'	'Golden Delicious', 'Granny Smith', 'Primrouge', 'Reine des Reinettes', 'Starkrimson'
	'Starkrimson'	'Golden Delicious', 'Granny Smith', 'Primrouge', 'Reine des Reinettes'
Prunier	'Golden Japan'	'Methley'
	'Methley'	autofertile
	'Mirabelle de Nancy'	partiellement autofertile, 'Quetsche d'Alsace', 'Reine-Claude d'Althan', 'Reine-Claude dorée', 'Reine-Claude d'Oullins'
	'Prune d'Ente'	autofertile
	'Reine-Claude d'Althan' ('Conducta')	'Prune d'Ente', 'Quetsche d'Alsace', 'Reine-Claude dorée', 'Reine-Claude d'Oullins'
	'Reine-Claude de Bavay'	autofertile
	'Reine-Claude dorée' ('Reine-Claude verte')	'Mirabelle de Nancy', 'Prune d'Ente', 'Quetsche d'Alsace', 'Reine-Claude de Bavay', 'Reine-Claude d'Oullins'
	'Reine-Claude d'Oullins'	partiellement autofertile, 'Reine-Claude d'Althan'
	'Quetsche d'Alsace'	autofertile
	'Victoria'	autofertile

Note : certaines de ces variétés se cultivent dans le nord-est du continent, y compris au Québec, mais d'autres ne se retrouvent qu'en Europe.

Pollution

En période sèche, douchez les plantes exposées à la pollution : petits arbres, arbustes, haie longeant la rue. L'aspersion du feuillage en pluie fine dégage les pores des feuilles, obstrués par les poussières et autres dépôts, facilitant les échanges gazeux et la photosynthèse. Les plantes en seront revigorées et leur feuillage moins terne !

Faites le bon choix

Pour un jardin urbain soumis à la pollution, sélectionnez des végétaux robustes, en particulier pour les arbres, arbustes et plantes grimpantes, restant en place de nombreuses années. Voici une courte sélection.

Arbres

arbre aux quarante écus C
catalpa C
frêne C
lilas japonais 'Ivory Silk' C
micocoulier occidental C
peuplier C
robinier faux-acacia C

Arbustes (et haies)

argousier C
érable de l'Amur C
forsythia C
houx P
Kerria japonica C
lilas commun C
saule arctique nain C
sumac de Virginie (vinaigrier) C
sureau du Canada C
troène C

Conifères (et haies)

genévrier P
if P
thuya P

Plantes grimpantes

chèvrefeuille grimpant C
hydrangée grimpante C
lierre de Boston C
vigne vierge C

P = feuillage persistant   C = feuillage caduc

Dans la maison aussi, les plantes d'intérieur peuvent souffrir de la pollution de l'air : atmosphère enfumée, air confiné, chauffage… Parmi les plus sensibles : fougères, aglaonéma, bégonia, cyclamen, radermachera, spathiphyllum. Parmi les plus résistantes : aspidistra, broméliacées, cissus, ficus, lierre, misère, philodendron. Pensez à aérer tous les jours, même en hiver, sans pour autant exposer vos plantes aux courants d'air froid. Cette opération vous sera bénéfique autant qu'aux plantes !

Pomme de terre

Attendez l'épanouissement des premiers lilas pour planter vos pommes de terre. La nature donne ce signal vers le mois de mai dans les régions plus au sud et à peu près un mois plus tard dans les régions de l'Est et en altitude.

Plantez-les aussi en été. La plantation de fin juillet-début août donne des pommes de terre particulièrement saines, que vous récolterez en octobre. Attention : n'utilisez pas comme plants des pommes de terre fraîchement récoltées, mais uniquement des « vieux » plants tout ridés de l'an dernier.

La meilleure façon de planter. Après avoir ameubli et nivelé le terrain, munissez-vous d'un plantoir à bulbes. Cet outil correspond juste à la profondeur à laquelle il faut déposer les plants de pomme de terre. Sur chaque ligne de plantation, creusez, tous les 30 cm, un trou à l'aide du plantoir, laissez tomber un plant dedans, puis rebouchez sans tasser.

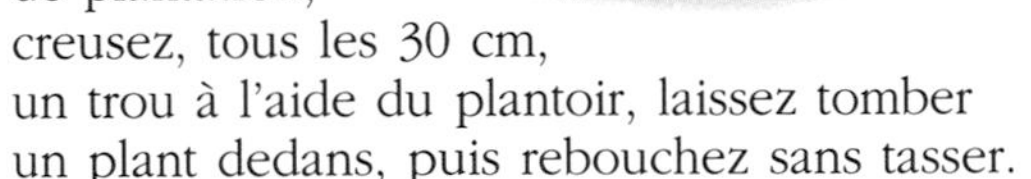

Gare au gel ! En mai, alors que les pommes de terre développent leurs tendres feuilles, les gelées destructrices peuvent encore frapper. Cela se produit la nuit lorsque le ciel est dégagé. Ne binez ou ne buttez vos pommes de terre que pendant une période de temps doux et couvert, car tout travail du sol accentue les dégâts du gel.

Sont-elles mûres ? Vous saurez que les pommes de terre sont bonnes à récolter pour la conservation lorsque le filament qui les relie au pied aura disparu. Autre indice : frottez la peau des tubercules avec les doigts ; elle doit être résistante.

Pour éviter que le mildiou ne gagne les tubercules, arrachez les fanes lorsqu'elles sont très atteintes. Pour cela, placez-vous un pied de chaque côté de la butte et tirez sur les tiges de façon à les éliminer complètement, y compris la base souterraine. C'est plus sûr que de simplement couper les fanes.

Le bon outil pour récolter les pommes de terre n'est pas la bêche ou le croc à fumier. Avec la première, vous aurez vite mal au dos, tandis qu'avec le second vous transpercerez involontairement nombre de tubercules. Munissez-vous plutôt d'un croc spécial à 2 longues dents plates et non pointues. Vous le planterez sous chaque groupe de pommes de terre, et n'aurez plus qu'à soulever pour mettre au jour la récolte.

De toutes les couleurs !

Pour nous, gens du XXe siècle, une pomme de terre, c'est jaune dedans et beige (à la rigueur rouge) dehors. Qui se souvient que l'on trouvait autrefois des pommes de terre à chair blanche et peau bleue et d'autres à chair violette et peau bleu pourpre ? On retrouve depuis peu une variété de ce dernier type sous le nom de 'Caribe'. Elle permet de confectionner une purée d'une délicate couleur lilas qui décore à merveille un plat d'épinards.

Pommes de terre : faites le bon choix

Variétés hâtives : 'Eramosa', très précoce ; 'Norland', peau rouge ; 'Yukon Gold', chair jaune.

Variétés mi-tardives : 'Caribe', peau bleu pourpre ; 'Chieftain', pelure rouge vif ; 'Kennebec', résistante aux maladies ; 'Superior', chair très blanche.

Variété tardive : 'Shepody', chair blanche.

Ne rentrez pas tout de suite vos pommes de terre en cave. Une fois arrachées, laissez-les sur le terrain pendant quelques heures pour qu'elles prennent le soleil. Puis étalez-les pendant 2 semaines au moins dans un local sombre, aéré et à température ambiante. Ainsi, les tubercules perdront une partie de leur eau et les éventuelles blessures se cicatriseront, ce qui assurera une bonne conservation. Après cela, stockez vos pommes de terre au frais.

Elles ont un goût sucré et roussissent trop en friture ? C'est que vous conservez vos pommes de terre à température trop basse (inférieure à 4 °C). Élevez la température de la pièce où vous les stockez, le phénomène s'estompera.

Dégermez le plus tard possible, en février ou, mieux, en mars. Si vous dégermez tôt, la génération de germes suivante poussera encore plus vite.

▶ **Potager**

Pommier

Les rameaux verticaux font plus de bois que de fruits ? Inclinez-les de manière qu'ils deviennent obliques, en les lestant simplement à l'aide de pierres attachées avec des ficelles. 2 ou 3 ans plus tard, ils porteront des pommes.

Préférez les formes libres — buisson, fuseau, plein-vent — aux palmettes et aux cordons, à moins que vous ne soyez un spécialiste de la taille. Elles sont plus faciles à conduire, se contentent d'un élagage, et se mettent à fruit spontanément au bout de quelques années.

Éclaircissage. Procédez 40 jours environ après la pleine floraison, c'est-à-dire en juin ou plus tard suivant les régions. Ne gardez que le fruit central de chaque bouquet. Coupez les autres en deux à l'aide d'un sécateur.

MALADIES ET RAVAGEURS

Luttez contre le ver des pommes en agissant préventivement. En mai-juin, ceinturez le tronc de vos pommiers avec des bandes de carton ondulé maintenues par de la ficelle. Après s'être développées aux dépens des pommes, les larves de carpocapse se nicheront dans les cartons pour se métamorphoser. Brûlez vos bandes-pièges en mars-avril, de façon à éliminer la future génération.

Un remède contre les pucerons lanigères. Râpez 20 g de savon et faites-les dissoudre dans 1 litre d'eau de pluie. Ajoutez 150 ml d'alcool à brûler. À l'aide de cette mixture et d'un pinceau, badigeonnez les amas floconneux blancs, en novembre et en avril.

La tavelure du pommier est la maladie la plus répandue pour cette culture dans toute l'Amérique du Nord. Cette maladie, produite par un champignon, peut avoir de graves conséquences sur la vie de votre pommier si elle n'est pas traitée dès son apparition. La présence de taches brunes sur les feuilles et sur les fruits sont les premiers symptômes de cette maladie. Appliquez un fongicide dès l'apparition de ces symptômes. Utilisez la bouillie bordelaise ou un fongicide à base de soufre. Opter pour des variétés peu sensibles à cette maladie reste le moyen de lutte écologique contre la tavelure. (Voir Faites le bon choix.)

Combattez le chancre, maladie qui s'attaque aux branches de certains pommiers. À l'aide d'un couteau bien aiguisé, décapez les parties malades jusqu'au bois sain. Badigeonnez ensuite les plaies à l'aide d'un pinceau trempé dans une solution très concentrée de sulfate de fer (antimousse du commerce). Coupez les petits rameaux atteints et brûlez-les.

Connaissez-vous l'échenilloir ? Cet outil est, en fait, un sécateur monté sur un long manche et actionné par une ficelle (voir Outils). Bien pratique pour débarrasser les grands pommiers des petites branches malades ou mortes et des jeunes rameaux infestés de chenilles ou de pucerons.

CUEILLETTE

Pour ne pas avoir à utiliser la grande échelle, cueillez vos pommes haut perchées à l'aide d'un cueille-fruits. C'est une poche en plastique ou en tissu montée au bout d'une perche de 3 m de longueur. Vos pommes ne seront pas meurtries.

Ramassez toutes les pommes tombées. Ces fruits plus ou moins gâtés constituent autant de réservoirs de parasites et de maladies. Mélangez ceux que vous ne consommerez pas aux autres matériaux du tas de compost, après les avoir sommairement écrasés. La fermentation du compost élimine la plupart des larves et germes nocifs.

CONSERVATION

Rangez vos pommes dans des caisses à fruits, sur une seule couche. Placez ces plateaux dans un local frais mais hors gel. Les pommes supportent la gelée à condition que la température ne descende pas au-dessous de −3 °C.

Conservation longue durée. Pour éviter que vos pommes ne se rident et ne se ramollissent trop tôt, enveloppez chacune d'elles dans du papier journal avant de les ranger dans les caisses. Mieux, stockez-les dans des cartons ou des caisses en bois en faisant alterner une couche de pommes et une couche de tourbe blonde bien sèche. Ceci s'applique aux variétés à maturité tardive comme la 'Northern Spy'.

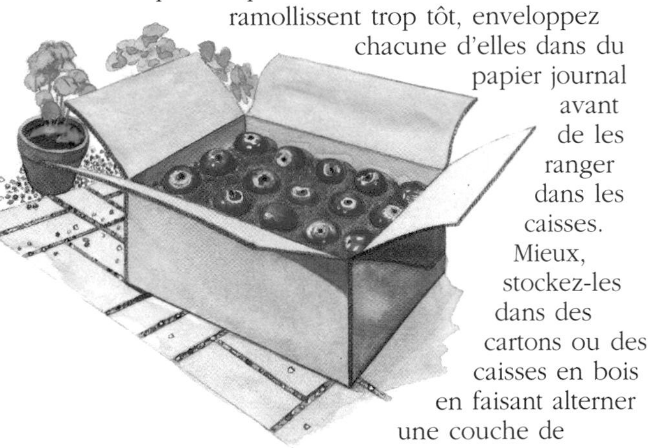

Délicieux : les pommes séchées. Épépinez vos pommes à l'aide d'un vide-pomme, découpez-les en rondelles de 0,5 cm d'épaisseur, passez celles-ci à l'eau citronnée pour éviter qu'elles ne brunissent, puis enfilez-les sur une ficelle tendue entre deux supports. Placées au-dessus d'un radiateur, vos rondelles de pommes sécheront en quelques jours. Vous les stockerez dans des sachets en papier.

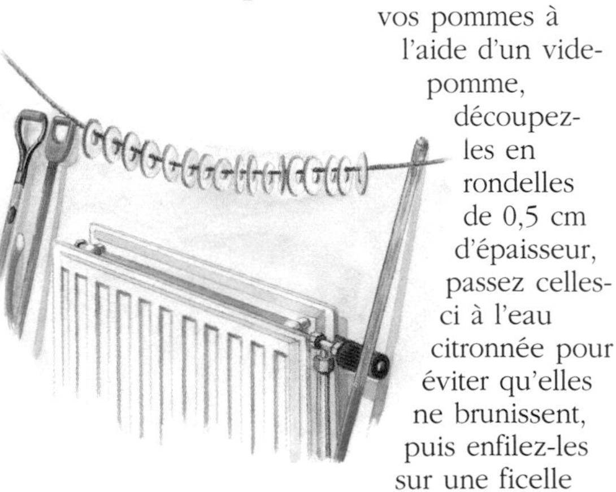

Pommiers : faites le bon choix

Zone 2 : 'Adanac', rouge, bonne conservation ; 'Collet', rouge-vert, à croquer ou à cuire ; 'Dolgo', rouge foncé, excellente pour gelées ; 'Heyer 20', pomme verte, juteuse ; 'Kerr', rouge foncé, bonne conservation ; 'Noran', jaune et rouge, très bonne conservation ; 'Norcue', jaune rayé rouge, fruit savoureux.

Zone 3 et 4 : 'Autumn Arctic' et 'Bancroft', rouges, savoureux ; 'Connell', variété tardive ; 'Cortland', rouge foncé ; 'Fameuse', rouge foncé, savoureuse, ne se conserve pas ; 'Honey Gold', jaune ; 'Lobo', rouge, juteuse ; 'McIntosh', très connue mais sensible aux maladies ; 'Melba', jaune-rouge, pour la cuisson.

Zone 5 et plus : 'Délicieuse rouge', bonne conservation ; 'Délicieuse jaune', se conserve moins bien ; 'Empire', rouge, à croquer ; 'Liberté', rouge foncé, variété hâtive ; 'Northern Spy', vert et rouge, très bonne conservation ; 'Sheepnose', rouge foncé, savoureuse.

▶ **Pollinisation, Verger**

Porte d'entrée

Pour mettre en valeur une jolie porte, utilisez les plantes grimpantes, les paniers suspendus ou les arbustes taillés. Harmonisez les coloris des fleurs et des feuillages avec ceux de la porte et du mur.

Quelques potées, un massif près du seuil, des grimpantes et la porte d'entrée devient très accueillante.

Prévoyez des espaces de plantation de part et d'autre de la porte. Aménagez un décor pour qu'elle soit accueillante toute l'année. Installez des arbustes à feuilles ou à fruits persistants pour l'hiver. Pensez au printemps : primevères, bruyères, bulbes printaniers. Plantez annuelles et plantes à massif en été, chrysanthèmes et asters pour l'automne.

En été, encadrez la porte de grandes potées un peu originales, avec un effet de symétrie. Vous obtiendrez un très joli résultat avec les lauriers-roses, daturas, hibiscus, agapanthe…

Pot

Avant l'achat, frappez du dos de l'index, d'un coup sec, toute poterie de terre cuite. Vous devez entendre un bruit clair qui dénote qu'aucune fêlure n'altère sa qualité.

Pour que le pot ne boive pas l'eau des premiers arrosages, immergez-le et laissez-le tremper jusqu'à ce qu'il n'y ait plus de bulles remontant à la surface.

Des usages détournés

Transformez un pot de fleurs en dévidoir à ficelle. Prenez une soucoupe, placez-y la pelote de ficelle, retournez le pot sur la pelote. Faites sortir la ficelle par le trou de drainage. Bloquez-la à l'aide d'une pince à linge. Vous n'avez plus qu'à vous servir.

Vous surprendrez vos invités en leur présentant du pain ou un gâteau en portion individuelle dans des pots de jardin ! Utilisez des petits pots neufs et très bien lavés. Tapissez-en l'intérieur d'aluminium ménager huilé. Remplissez-les de pâte (à pain, à brioche, mélange pour quatre-quarts…), et offrez un pot à chaque convive.

Si vous utilisez une soucoupe sous un pot, placez une couche isolante pour que la base du pot ne trempe pas dans l'eau en excédent (gravillons, sable, capsules de bouteille, billes d'argile expansée…).

Votre pot n'a pas de trou de drainage ? Si vous ne pouvez en faire avec une perceuse, placez verticalement un morceau de drain de petit diamètre (2 à 3 cm) et de la hauteur du pot.
Tapissez

le fond du pot de gravillons avant de le remplir de terre. En cas d'excès d'arrosage ou de forte pluie, couchez le pot.

Pot isolé. Doublez l'intérieur des pots en terre cuite de 10 cm de mousse de sphaigne pour protéger les racines de vos plantes et limiter les besoins d'arrosage pendant les périodes très chaudes de l'été. Vous pouvez aussi appliquer ce procédé pour vos boîtes à fleurs : garnissez de mousse de sphaigne le côté exposé au soleil. En climat tempéré, on tapisse les pots d'extérieur de plastique à bulles pour l'hiver : ça protège les racines du gel.

Poterie fêlée. Avant éclatement complet sous le poids et la dilatation (chaleur, arrosage…), cerclez-la d'un fil de fer discret qui disparaîtra sous les feuilles.

Antifuite. Faites couler une bonne épaisseur de paraffine liquide à l'intérieur d'un pot fendu, en insistant bien sur la fêlure.

Un cas particulier : la jarre. Volumineuse, rétrécie au col, sans trous de drainage, elle demande une attention spéciale. Placez d'abord au fond le drainage classique, sur 4 à 5 cm d'épaisseur, puis glissez verticalement au centre un tuyau de carton d'environ 8 cm de diamètre et aussi haut que la jarre. Remplissez-le de graviers, de billes d'argile expansée ou de flocons de polystyrène. Retirez-le doucement, une fois le substrat en place. Le drainage central restera en place.

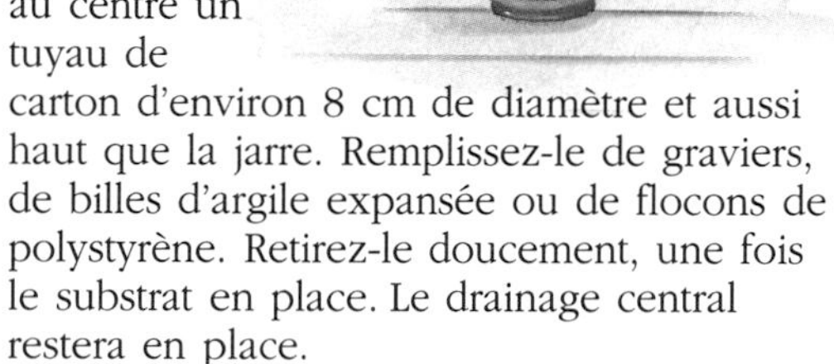

Suspensions pour un pot en terre ordinaire (voir Panier suspendu). Trois solutions s'offrent à vous : utilisez 3 chaînettes métalliques que vous accrocherez à un anneau placé sous la base du pot ; ou fabriquez une petite balançoire avec une tablette en bois ; ou bien encore, percez des trous le plus haut possible dans le rebord d'une soucoupe, vous n'aurez plus qu'à y attacher des cordelettes solides.

Dans la serre. Lorsque le feuillage d'une plante retombe jusqu'à la base du pot, il risque de s'abîmer. Remontez la plante d'un étage en glissant sous son pot un second pot retourné. L'air circulera bien sous le feuillage et les traitements seront mieux reçus. Ce conseil est surtout valable pour les plantes fragiles comme le cyclamen, les bégonias à feuillage…

Pour faire partir les traces de calcaire sans frotter : remplissez d'écorces broyées un grand seau d'eau, ajoutez de l'eau pour humidifier. Immergez complètement le pot à l'envers dans le seau et laissez tremper une nuit. Le lendemain, les dépôts de calcaire auront disparu ou partiront facilement.

Pot cassé ? Ne jetez plus les morceaux. Utilisez les tessons pour former une couche drainante au fond des bacs et pots. Elle laissera passer l'air et l'eau mais retiendra la terre.

▶ **Bac, Jardinière, Rempotage**

Potager

SITUATION

Le bon endroit. Installez votre potager dans la partie la plus plate et la plus ensoleillée de votre terrain. En effet, vous pourrez améliorer le sol le plus ingrat, mais vous ne compenserez jamais l'absence de lumière et corrigerez difficilement un mauvais nivellement.

Quels légumes cultiver la première année ? À peine défriché, votre potager n'est pas encore au mieux de sa forme. La terre renferme des résidus d'herbes non décomposées, ce qui a pour effet d'attirer nombre d'insectes nuisibles, et elle présente des mottes. Préférez des plantes qui s'installeront sans difficulté et nettoieront le sol, comme la pomme de terre, la tomate, la courgette et le potiron. Évitez la carotte, la laitue, l'oignon, le haricot.

Pour attirer dans votre potager les bons insectes et pas les mauvais, semez-y des fleurs. Le pollen et le nectar que celles-ci produisent sont des aliments très recherchés par les coccinelles, les chrysopes, les syrphes et autres ennemis naturels des pucerons, chenilles, etc. Optez pour des fleurs très attractives et capables de pousser toutes seules : souci, capucine naine, bourrache, aneth, coriandre… Un pied par-ci, par-là suffit.

Un potager, ça rapporte !

Bien cultivé, votre potager (200 à 300 m2) peut vous faire économiser chaque année 1 000 $ environ sur le budget légumes de votre famille. Cela explique que la culture des légumes soit de plus en plus prisée par les jardiniers amateurs. Sans compter la fraîcheur et la qualité des produits... Les dépenses annuelles se situent aux alentours de 200 $ et concernent les achats de semences, de plants, de matériel, d'engrais, etc.
Attention cependant à adapter sa surface à vos besoins en légumes et... à votre force de travail. Un potager de 250 m2 peut approvisionner une famille de 5 personnes, y compris en pommes de terre. Quant à la contrepartie, elle consiste en 2 h 30 à 5 heures (en moyenne) passées chaque semaine à bêcher, semer, désherber, arroser, etc. La pointe de travail se produit en mai-juin.

Faites confiance à la végétation naturelle. Si vous observez dans un coin plat de votre jardin l'une ou l'autre des plantes suivantes : ortie, petite ortie, dicente du Canada, claytonie de Caroline, sceau-de-Salomon, petit prêcheur, trille dressé, trille grandiflore, smilacine à grappes, sabot de Vénus, violette, renoncule recourbée..., c'est que la terre y est riche, donc favorable aux cultures légumières. Installez-y sans hésiter votre potager.

ORGANISATION

Une haie de légumes. Pour former rapidement un écran végétal (par exemple pour cacher le tas de compost), plantez une ligne de topinambours.
En mai, enterrez à quelques centimètres de profondeur un tubercule tous les 30 cm. Vous verrez se développer de hautes tiges (plus de 2 m) abondamment feuillues, qui se couronneront à l'automne de magnifiques « marguerites » jaune d'or.

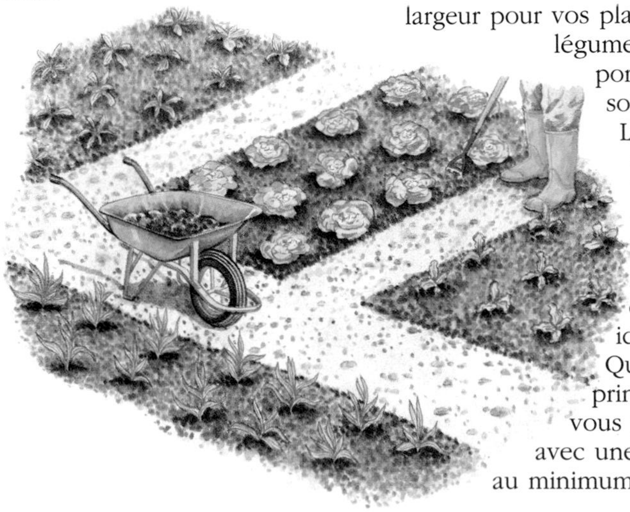

Pour bien utiliser le sol et diminuer les risques de parasitisme, faites tourner les cultures. Divisez votre potager en 3 parties égales.
Sur la parcelle n° 1 : plantez pomme de terre, tomate, courge, concombre. Faites un apport de compost. Sur la parcelle n° 2 : cultivez choux, céleri, carotte, betterave, poireau. Enfin, sur la parcelle n° 3 : plantez échalote, ail, oignon, haricot, pois, fève. L'année suivante, les cultures n° 2 viennent en n° 1, les n° 3 en n° 2, etc. Salades, radis, navet, épinard... s'intercalent entre ces cultures principales.

Pour moins vous fatiguer, respectez les bonnes mensurations. Adoptez comme largeur pour vos plates-bandes de légumes le double de la portée de votre bras, soit environ 1,20 m. Les petits sentiers entre les plates-bandes doivent pouvoir accueillir vos deux pieds dans tous les sens, d'où la largeur idéale de 25 cm. Quant à l'allée principale du potager, vous y circulerez à l'aise avec une brouette si elle fait au minimum 1,10 m de largeur.

PRODUCTION

Oubliés, nouveaux... autant d'adjectifs pour des légumes qui ont toujours existé mais qui, selon les modes, avaient déserté les jardins et les assiettes. Essayez, parmi les légumes-feuilles : poirée à côtes rouges, crambé... ; parmi les légumes fruits : tomates poire ou cerise, pâtisson, giraumon 'Turban', potimarron, tomatillo (un petit coqueret au fruit acidulé)... ; enfin, parmi les légumes-racines : topinambour, crosne, chervis, panais, cerfeuil tubéreux, persil à grosse racine...

Pourquoi pas un potager bio ?

Un nombre croissant de jardiniers optent pour un potager « biologique ». Pourquoi pas vous ? Jardiner en se passant d'engrais chimiques et de pesticides de synthèse permet de produire des légumes pratiquement indemnes de pollution tout en respectant au maximum l'environnement. Si tel est votre choix, enrichissez votre sol avec du compost issu du recyclage des déchets du jardin, et d'un complément d'engrais d'origine naturelle. Traitez contre les insectes et les maladies à l'aide d'insecticides végétaux, de produits à base de cuivre ou de soufre. Pratiquez systématiquement le paillage et les associations de culture.

▶ **Arrosage, Bordure, Compagnes, Conserves, Herbes**

Les bonnes et les mauvaises associations au potager

Plante	Voisinage favorable avec	Voisinage défavorable avec
ail	carotte, fraisier, pomme de terre, tomate	chou, haricot, pois
asperge	concombre, cornichon, persil, poireau, pois, tomate	betterave, oignon
betterave	céleri, chou, laitue, oignon	asperge, carotte, haricot, maïs, poireau
carotte	ail, échalote, haricot, laitue, oignon, poireau, pois, radis, tomate	betterave
céleri	betterave, chou, concombre, cornichon, haricot, poireau, pois, pomme de terre, tomate	laitue, maïs, persil
chicorée		chou
chou	betterave, céleri, concombre, cornichon, haricot, laitue, oignon, pois, pomme de terre, tomate	ail, chicorée, échalote, fraisier, poireau, radis
concombre, cornichon	asperge, céleri, chou, haricot, laitue, maïs, oignon, pois	pomme de terre, tomate
courge, courgette	haricot, maïs, pomme de terre	
échalote	carotte	chou, haricot, pois
épinard	la plupart des plantes potagères	
fraisier	ail, haricot, laitue, oignon, poireau	chou
haricot	carotte, céleri, chou, concombre, cornichon, courge, courgette, fraisier, laitue, maïs, melon, pois, pomme de terre, radis, tomate	ail, betterave, échalote, oignon
laitue	betterave, carotte, chou, concombre, cornichon, fraisier, haricot, melon, navet, oignon, poireau, pois, radis	céleri, persil
mâche	poireau	
maïs	concombre, cornichon, courge, courgette, haricot, melon, pois, pomme de terre, potiron, tomate	betterave, céleri
melon	haricot, laitue, maïs	
navet	laitue, pois	
oignon	betterave, carotte, chou, concombre, cornichon, fraisier, laitue, poireau, tomate	asperge, haricot, pois
persil	asperge, radis, tomate	céleri, laitue, pois
poireau	asperge, carotte, céleri, fraisier, laitue, mâche, oignon, tomate	betterave, chou
pois	asperge, carotte, céleri, chou, concombre, cornichon, haricot, laitue, maïs, navet, pomme de terre, radis	ail, échalote, oignon, persil, tomate
pomme de terre	ail, céleri, chou, courge, courgette, haricot, maïs, pois, potiron	concombre, cornichon, tomate
potiron	maïs, pomme de terre	
radis	carotte, haricot, laitue, persil, pois, tomate	chou
tomate	ail, asperge, carotte, céleri, chou, haricot, maïs, oignon, persil, poireau, radis	concombre, cornichon, pois, pomme de terre

Potasse

Sachez la repérer sur les emballages. Son symbole est K. C'est la troisième donnée à lire sur les étiquettes des paquets d'engrais complet, après N (azote) et P (phosphore). Son action est capitale dans l'élaboration des fleurs et des fruits et l'accumulation des sucres. La potasse renforce aussi la résistance des plantes aux maladies et à la sécheresse.

Une source naturelle. On trouve de la potasse en quantité notable dans les cendres de bois. Stockez-les au sec, car cet élément est vite solubilisé et entraîné par la moindre pluie ; les meilleures cendres sont celles des ajoncs, genêts, fougères, qui peuvent offrir jusqu'à 30 % de potasse contre 8 à 15 % pour la plupart des autres végétaux.

Un coup de pouce pour les pommes de terre. Hachez des feuilles de consoude flétries, et placez-les au fond des sillons. Vous pouvez aussi arroser la culture avec un purin de ces feuilles mises à macérer un mois à raison de 100 à 150 g par litre d'eau.

La bonne potasse d'origine chimique. Tout dépend de la nature de votre sol. S'il est acide (non chaulé), utilisez du bicarbonate de potassium. Sinon, préférez le chlorure de potassium (sylvinite déchlorurée) ou le sulfate de potassium, particulièrement recommandé pour les légumes exigeants en soufre, comme les choux.

En automne, épandez au pied des plantes fragiles que vous laissez en place un peu de superphosphate enfoui par griffage. Après assimilation, elles seront plus aptes à résister aux froids. Autre technique : paillez toute la surface au-dessus des racines avec un lit de fougères sèches. En se décomposant, elles libéreront de la potasse, directement assimilable. Paillez ainsi rhododendrons, azalées, hortensias, fuchsias, choux d'hiver...

Troubles sur arbres fruitiers. Trop de feuillage et pas assez de fleurs ? Il se peut que vos arbres souffrent d'un excès d'azote. Compensez ce déséquilibre en apportant des engrais potassiques à la périphérie des racines (aplomb extérieur des branches). Des fruits peu colorés ? peu sucrés ? Là encore, un engrais riche en potasse est souvent efficace.

▶ **Engrais**

Potiron

Le potiron appartient à la même famille que la citrouille : ils sont tous les deux des cucurbitacées et leur culture est similaire.

Si vous n'avez pas de serre, semez en pleine terre au mois de mai. Protégez votre semis par une plaque de verre placée au-dessus du trou de plantation. Faites ce trou assez profond (10 cm), de façon que le jeune plant puisse se développer à l'abri de cette miniserre. Soulevez ou enlevez le verre lorsqu'il fait plus chaud, mais maintenez-le la nuit tant que la température n'atteint pas

15 °C. Comptez entre 3 et 4 mois avant de pouvoir récolter la plupart des potirons.

Après la récolte, conservez-les à une température entre 10 et 18 °C. Inutile de les mettre au froid. Au contraire, installez-les dans votre cuisine ou votre salle à manger. Vous les admirerez avant de les manger. Utilisez aussi des filets pour les suspendre dans le garage ou le grenier, à condition qu'ils reçoivent de la lumière.

Des potirons pour le décor. Si vous souhaitez cultiver des potirons pour décorer votre maison, choisissez le giraumon 'Turban', que l'on nomme aussi 'Bonnet turc' : son écorce offre de beaux tons veinés d'orange, de vert, de blanc ou de gris. Il se conserve plusieurs mois. Essayez aussi 'Marina di Chioggia', un potiron vert bouteille à l'écorce très rugueuse, ou encore tout le groupe des potimarrons.

Records à battre

Êtes-vous tenté par la culture de ces fruits géants qui font la fierté du jardinier et le spectacle des concours en automne ? Sans hésiter, misez sur les potirons *(Cucurbita maxima)* et non sur les citrouilles. Visez haut tout de suite avec un 'Jaune Gros de Paris' et ses 30 à 50 kg. 'Prizewinner F1' vous permettra de dépasser 50 kg. Mais avec 'Atlantic Geant' vous tournerez autour de 100 kg. Ce dernier détient même le record mondial en dépassant 350 kg. Pour le mener à terme, prenez votre élan, car la culture demande au moins 120 jours, beaucoup de compost, de potasse, d'eau et de chaleur. Laissez la plante former 3 fruits. Supprimez-en 1 ou 2 pour favoriser le plus beau. Si le fruit « menace » de dépasser 50 kg, installez-le sur un solide brancard avant qu'il ne soit trop tard pour le transporter une fois mûr !

Courir ou grimper ? La plupart des potirons émettent de longues tiges qui courent sur le sol ou grimpent sur des supports. À vous de choisir en fonction de la taille de votre potager. Si vous avez une pergola à garnir, n'hésitez pas à semer des potirons à petits fruits, qui la décoreront de manière originale jusqu'en automne.

Drôles de goûts. Si vous trouvez la chair de nombreux potirons un peu farineuse, choisissez 'Rouge vif d'Étampes'. Essayez 'Hubbard bleue' ou 'Pink Jumbo Banana', ou encore les fameux potimarrons 'Red Kuri', 'Kabocha'. Leur saveur sucrée de châtaigne permet de les employer aussi bien comme des légumes que comme des fruits.

▶ **Courge, Courgette, Potager**

Pot-pourri

Pot-pourri de fleurs séchées. Il est plus facile à préparer que celui de fleurs fraîches. Mélangez dans un pot hermétique pétales et feuilles séchés, épices et ajoutez un fixateur. Laissez mûrir un mois. Remuez de temps à autre. Versez alors le pot-pourri dans le contenant de votre choix et ajoutez quelques gouttes d'essence parfumée si nécessaire.

Pot-pourri de fleurs fraîches. Récupérez au jardin le maximum de pétales et de feuilles. Lorsqu'ils sont secs, mais encore assez souples, remplissez un saladier de grès ou de porcelaine en alternant couches de pétales ou de feuilles et couches de gros sel. Terminez toujours par une couche de gros sel. Après 2 à 3 semaines, vous obtiendrez une sorte de « gâteau » très odorant. Émiettez-le. Ajoutez un fixateur, quelques épices selon vos goûts, du laurier, des zestes d'agrumes séchés et réduits en petits morceaux ou en poudre (au moulin à café). Refermez le récipient et ne l'ouvrez plus avant 6 mois.

Indispensables, les fixateurs permettent à vos pots-pourris de se conserver des années. Utilisez la poudre d'iris de Florence (environ 50 g pour un petit saladier de pétales), mais aussi l'essence de benjoin, la mousse de chêne, l'ambre, la racine de vétiver, la myrrhe...

Parfumés, les pots-pourris sont également très décoratifs si l'on soigne leur présentation. Ici, de la camomille romaine, des bleuets, des boutons de rose et des soucis joliment disposés.

Plaisir des yeux. L'œil est aussi sensible que l'odorat à la fraîcheur d'un pot-pourri. Ajoutez des fleurs qui restent colorées après séchage comme : souci, bourrache, œillet d'Inde, mauve, hortensia, camomille, tanaisie, nigelle, eucalyptus, bleuet, delphinium, pied-d'alouette, mimosa, immortelle...

Pour raviver les senteurs. Versez sur la préparation quelques gouttes de cognac ou d'alcool ; remuez-la avec les doigts au moins une fois par semaine. Si les parfums s'estompent au fil des mois, ajoutez quelques gouttes de l'essence de votre choix.

Où placer les pots-pourris ? Sur les chemins les plus empruntés de la maison, la table basse, au-dessus de la cheminée... mais aussi sur les radiateurs. Dans les armoires, accrochez de petits sachets aux cintres de la penderie pour parfumer le linge. Pour faire de beaux rêves, glissez un sachet entre l'oreiller et sa taie.

Faites le bon choix

Fleurs : chèvrefeuille, giroflée, héliotrope, jasmin, lavande, mimosa, œillet mignardise, oranger, rose parfumée, seringat, violette...

Feuilles : ciste, eucalyptus, géranium odorant, laurier, marjolaine, menthe, peuplier, romarin, sauge, thym, verveine...

Essences et huiles parfumées : amande amère, bergamote, géranium, néroli (oranger), rose, santal, vétiver, ylang-ylang...

Épices : bâtons de cannelle, badiane (anis étoilé), gingembre, coriandre, clous de girofle, macis, noix muscade, poivre, quatre-épices, bâtons de vanille...

Petite histoire

La tradition du pot-pourri remonte au Moyen Âge, où l'on avait l'habitude de sécher les plantes et les fleurs pour embaumer l'air et lutter contre les mauvaises odeurs. Née en France, cette préparation raffinée a vite conquis les Anglais d'Outre-Manche au point qu'ils en détiennent maintenant les secrets et les meilleures recettes. C'est l'action du sel qu'on ajoute à la préparation qui « pourrit » les ingrédients jusqu'à former une masse brune compacte, fortement odorante.

▶ **Séchage, Senteurs**

Primevère

Portez des gants pour les manipuler. Certaines primevères en effet, *Primula malacoides* notamment, mais aussi des espèces de jardin, peuvent déclencher des allergies cutanées.

EN PLEIN AIR

Ne plantez pas côte à côte des variétés différentes de primevères des jardins. Elles s'hybrident très facilement et vous auriez en quelques années de nombreux rejetons bien différents des variétés d'origine.

Repiquez au jardin, après leur floraison, les primevères vendues en pot (*Primula polyantha*). Elles refleuriront sans difficulté l'année suivante.

Heureux mariages. Associez les primevères à floraison précoce aux bulbes (narcisses, muscaris...) et aux fleurs délicates du printemps (*Brunnera,* cœur-de-Marie, pulmonaire). Mariez les primevères japonaises, plus tardives, aux feuillages des fougères, hostas et rodgersias, ou aux fleurs des rhododendrons.

Si vous avez de la patience, essayez le semis pour les espèces types. Semez les graines en caissettes à l'automne, et gardez-les sous châssis froid pour l'hiver. Elles germeront au printemps.

Découvrez les primevères d'été. *Primula japonica* et *P. vialii* fleurissent au mois de juin, après les espèces printanières. Pour prolonger le plaisir... des primevères !

Originale par ses couleurs éclatantes et la forme de ses fleurs, Primula auricula *prospère dans un sol bien drainé.*

Pour les espèces rhizomateuses, essayez les boutures de rhizomes. En fin d'été, coupez des portions de rhizome de 5 à 7 cm de long. Placez-les à l'horizontale dans une caissette remplie de tourbe et de sable, couvrez de 1 cm de mélange. Gardez-les sous châssis froid pour l'hiver.

À L'INTÉRIEUR

Prolongez la floraison en plaçant vos potées de primevères dans une pièce fraîche (12 à 16 °C), pour la nuit au moins. Votre véranda sera leur lieu de prédilection. Donnez-leur un peu d'engrais, dilué de moitié, tous les 15 jours.

Pour entretenir une atmosphère humide autour du pot : enfoncez-le dans un autre, plus grand, rempli de tourbe humide. Arrosez régulièrement mais sans excès.

Pour éviter que les tiges ne s'affaissent dans vos bouquets, glissez les primevères dans des vases à col étroit ou bien liez délicatement les tiges.

Primevères : faites le bon choix

Sélectionnez-les en fonction de l'emplacement que vous pouvez leur offrir, à l'ombre ou à la mi-ombre, selon la richesse du sol et leur période de floraison.

Sol	Floraison	Espèce
léger, frais et bien drainé	avril-mai	*Primula auricula*
	mai	*P. denticulata*
	mai	*P. saxatilis*
	juin-juillet	*P. vialii*
frais, riche et bien drainé	avril-mai	*P.* × *Julian Wanda*
	mai-juin	*P. polyantha*
	mai-juin	*P. rosea*
	juin	*P. japonica*

Protection hivernale

La protection hivernale des arbustes et des conifères s'avère judicieuse les deux ou trois années suivant la plantation, afin de permettre à ces végétaux de bien s'établir. Ensuite, ce n'est plus nécessaire.

Les longs hivers rigoureux que nous connaissons, et plus particulièrement les vents forts et froids, risquent de dessécher les arbustes récemment plantés, peu habitués à ces conditions extrêmes.

Arbustes à feuillage caduc. Protégez-les à l'automne, après la chute des feuilles. À l'aide d'une ou de quelques cordes, attachez ensemble les branches de l'arbuste et buttez le pied. Au printemps, vous n'avez qu'à retirer les cordes et dégager la base.

Arbustes à feuillage persistant et conifères. Ils sont plus sensibles aux vents d'hiver qui, souvent, occasionnent des brûlures à leur feuillage. Protégez-les donc bien à l'automne, vers la fin octobre. Buttez le pied et entourez l'arbuste ou l'arbre d'une clôture à neige ; fixez sur cette clôture de la jute ou une toile isolante (le matériel isolant ne doit toutefois pas toucher aux végétaux).

Très tôt au printemps, dès que le soleil commence à chauffer (mars-avril), enlevez la jute ou la toile de protection pour éviter toute condensation. En effet celle-ci pourrait

occasionner des maladies cryptogamiques. Pour éviter ces dernières, suivez la règle d'or : mettez la toile le plus tard possible à l'automne et enlevez-la le plus tôt possible au printemps.

Des filets fins permettent de protéger la silhouette des conifères à port pyramidal, en empêchant leurs branches d'ouvrir sous le poids de la neige.

Prunier

Il n'apprécie guère la taille — qui provoque des écoulements de gomme —, et se passe fort bien de l'intervention du sécateur pour se mettre à fruit. Cependant, certaines branches mal placées ou malades doivent parfois être enlevées. Procédez à l'élagage du prunier après la récolte, en période de descente de sève (septembre-octobre), de façon à favoriser la cicatrisation des plaies.

Pas d'herbe. Comme le prunier a un enracinement superficiel, il ne supporte la concurrence d'un tapis herbeux que dans les régions à été pluvieux. Partout ailleurs, maintenez le sol soigneusement désherbé et binez au pied de l'arbre.

Jamais de prunes et pourtant votre prunier fleurit très régulièrement ? C'est qu'il appartient à une variété autostérile. Il manque, à proximité, une autre variété de prunier dont le pollen, transporté par les insectes, pourrait féconder les fleurs de votre arbre. Le problème, pour la pollinisation des pruniers, c'est qu'il y a un grand nombre de variétés et qu'elles sont parfois incompatibles pour la pollinisation.

Il existe 4 grands groupes de pruniers : les pruniers européens, les pruniers de Damas, les pruniers américains et les pruniers sino-japonais. Pour une bonne pollinisation, optez pour des variétés de même groupe ou pour 2 variétés de groupes compatibles, comme prunier européen avec prunier de Damas, ou prunier américain avec prunier sino-japonais. (Voir Pollinisation.)

Ni prunes ni fleurs (ou très peu) ? Votre arbre est victime d'un déséquilibre dans son alimentation qui lui fait produire du bois au détriment de la fructification. Calmez ses ardeurs végétatives en sectionnant une ou deux grosses racines sans chevelu, que vous mettrez au jour en creusant une petite tranchée en arc de cercle à 1 à 2 m du tronc du prunier. C'est ce qu'on appelle le cernage.

Complétez ou remplacez l'action du cernage en apportant à votre prunier stérile des scories potassiques, riches en phosphore, potasse, calcium et autres éléments très utiles. Pour accélérer l'action de cet engrais, versez-en 1 kg par poignées dans des trous de 20 cm pratiqués à la barre à mine autour de l'arbre.

Des pruneaux maison. Placez les prunes ('Fallenberg', 'Prunier d'Italie'...) ouvertes en deux dans une cagette, partie coupée au-dessus. Recouvrez d'une vitre. Adossez ce séchoir improvisé à un mur exposé au sud. Après quelques jours de soleil, complétez éventuellement le séchage à four doux entrouvert puis stockez dans des sacs en papier.

Myrobolan, ce prunier !

L'un des premiers arbres à annoncer par sa floraison la fin de l'hiver est un prunier. Dès les premiers jours du printemps, le prunier myrobolan illumine haies, lisières et bosquets d'innombrables fleurs blanches. En août, celles-ci se métamorphosent en autant de prunes, petites mais savoureuses (surtout en confiture). Vigoureux et épineux, cet arbrisseau fait merveille pour constituer des haies en sol sec et ingrat, siliceux ou calcaire. C'est sur lui que l'on greffe la majorité des variétés de prunes cultivées. Mirobolant, non ?

Original et délicieux : les prunes en saumure. Prenez un grand bocal hermétique. Préparez de l'eau salée à raison de 30 g de sel par litre. Remplissez le bocal de prunes aux 4/5, recouvrez de saumure, laissez à température ambiante. Consommez après 2 semaines. Conservez au frais.

▶ **Pollinisation, Verger**

Pruniers : faites le bon choix

Zone 2	Zone 3	Zone 4	Zone 5
'Acme' : fruit rouge foncé venant à maturité début septembre	'Greenville' : fruit rouge, de grosse taille	'Emerald' : fruit jaune, sucré et juteux, arrivant à maturité fin septembre	'Bradshaw' : fruit pourpre, à chair jaune ; variété productive
'Dandy' : fruit jaune, à saveur douce	'La Crescent' : fruit jaune, savoureux, venant à maturité à la mi-août	'Reine-Claude' : fruit jaune, très parfumé, arrivant à maturité fin septembre	'Burbank' : fruit rouge foncé, parfumé
'Norther' : fruit rouge, à chair jaune et sucrée	'Ptitsin lo' : fruit jaune, juteux	'Kahinta' : fruit rouge, sucré	'Fallenberg' : variété idéale pour le séchage
'Patterson' : fruit rouge, qui se conserve bien	'Tecumseh' : fruit rouge, à chair jaune, venant à maturité à la mi-août	'Mont-Royal' : fruit pourpre, à chair jaune, arrivant à maturité à la mi-septembre	'Prunier d'Italie' : peut être parfois utilisé pour obtenir des fruits séchés (pruneaux)
'Perfection' : fruit rouge foncé, qui se conserve bien et arrive à maturité fin septembre	'Underwood' : fruit rouge, à chair jaune ; variété hâtive		'Shiro' : fruit jaune, juteux
'Superb' : fruit rouge, à chair jaune-rouge venant à maturité fin août			'Stanley' : fruit pourpre foncé, savoureux

Des jardins à visiter pour glaner des idées

La visite d'un jardin est le meilleur moyen de dénicher un aménagement original ou de découvrir la plante inconnue qui ferait merveille dans votre plate-bande. Visiter un jardin, c'est également rencontrer des spécialistes ou des passionnés qui sauront vous conseiller et vous révéleront peut-être leurs secrets. Collections d'arbustes ou de vivaces, roseraies, jardins d'eau, arboretum ou sous-bois, il existe au Québec une multitude de jardins publics et privés que vous pourriez découvrir. Nous vous invitons à la promenade.
L'intérêt d'un jardin varie selon son architecture, son paysage, son histoire, sa richesse botanique ou horticole. Certains développent un thème précis : les plantes médicinales, les roses, les parfums... D'autres sont le reflet d'une époque ou du style d'un paysagiste. Chacun a son originalité.
La plupart d'entre eux sont à leur apogée du mois de juin au mois d'août. Profitez de ces belles journées d'été où la nature est en pleine effervescence. Mais n'hésitez pas à les visiter en d'autres saisons : certains jardins dévoilent un tout autre charme une fois passée l'exubérance des fleurs, dans l'or de l'automne ou sous le givre de l'hiver. Vous glanerez de nouvelles idées.
Un dernier conseil : un carnet de notes et, éventuellement, un appareil photographique ou un caméscope sont les outils précieux du jardinier en quête de nouveauté.

△ Jardin botanique de Montréal : jardin japonais
Quiétude, sérénité, méditation... une promenade dans le jardin japonais ne peut que vous inspirer la paix.

△ Jardin botanique de Montréal : jardin chinois
Construit en 1991, le jardin chinois contribue à la grande réputation du Jardin botanique de Montréal, l'un des plus importants au monde par la diversité de ses collections.

△ Jardin Daniel A. Séguin
Situé à Saint-Hyacinthe, près de l'institut agro-alimentaire, ce jardin est à vocation pédagogique. Sur une superficie de 4,5 hectares, vous visiterez des jardins regroupés thématiquement : jardin Zen, jardin français, jardin d'eau, jardin de graminées, de fruits et légumes, jardin japonais, site de compostage...

Jardin Roger-Van den Hende de Sainte-Foy ▷

Ce jardin de l'université Laval est ouvert au public depuis 1978. Ses collections de lilas français, son arboretum et son jardin d'eau ne sont que quelques-uns des attraits de ce jardin réparti sur 6 hectares.

▽ Jardins de Métis

Aux portes de la Gaspésie, à Grand-Métis, ces jardins se classent parmi les plus beaux du monde. L'emblème des jardins, le pavot bleu (*Meconopsis betonicifolia*), de culture délicate et plutôt rare au Québec, n'est que l'une des beautés que vous y rencontrerez. Le site est admirable.

△ Jardin botanique de Montréal : jardin alpin

Une véritable montagne au cœur du jardin botanique. Des centaines de plantes alpines à connaître ou à reconnaître.

Pucerons

Signe de déséquilibre. La présence de pucerons sur une plante indique souvent que celle-ci a une alimentation mal dosée, avec un excès d'azote. À titre préventif, n'employez les engrais chimiques qu'à doses très modérées, ou bien préférez le compost et les engrais organiques.

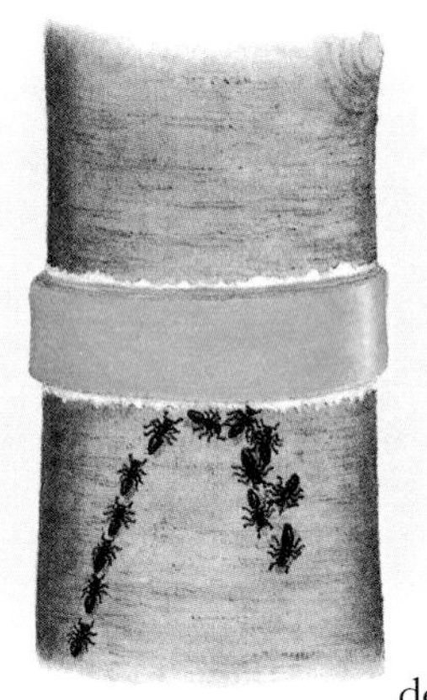

Pour éviter que les pucerons n'envahissent vos arbres (cerisiers, pruniers, etc.), enduisez les troncs d'une ceinture de glu (vendue dans le commerce). Ainsi, les fourmis qui « élèvent » les pucerons et les protègent, pour pouvoir se nourrir du miellat sucré qu'ils excrètent, ne pourront plus transporter au bout des branches les femelles fondatrices des colonies.

Plantes amères. Un de vos arbres est régulièrement envahi par les pucerons ? Semez sur la terre qu'il occupe de la rue ou du cresson de jardin. Ces plantes produisent des composés très amers ou irritants dont on suppose qu'une partie passe dans la sève de l'arbre, rendant celle-ci quasi inconsommable pour les pucerons.

Des antipucerons naturels

Si vous observez d'autres insectes parmi les pucerons qui colonisent vos plantes, ne traitez pas : ils sont à l'œuvre dans leur garde-manger. Vous reconnaîtrez peut-être des punaises prédatrices, des larves de coccinelle, des larves de chrysope... Tous ces insectes utiles seraient tués par votre traitement antipucerons, et rien ne s'opposerait plus à une nouvelle invasion.

Punaise

Larve de chrysope

Larve de coccinelle

Traitez bio. Deux traitements à 48 heures d'intervalle, le soir, avec un insecticide végétal du commerce à base de roténone et/ou de pyrèthre ont généralement raison des pucerons. Ce produit, non toxique pour l'homme et les animaux à sang chaud, peut cependant tuer des insectes utiles et les indispensables vers de terre. Ne l'utilisez que si cela vous semble indispensable.

Plantez l'absinthe dans votre jardin, en bordure d'allée ou dans une plate-bande de vivaces, par exemple. Son feuillage argenté est très décoratif, mais, surtout, elle sert de station-refuge aux ennemis naturels des pucerons. Tôt en saison, les coccinelles et autres auxiliaires trouvent sur l'absinthe des pucerons à consommer et sont ainsi à pied d'œuvre pour protéger vos cultures un peu plus tard.

Insecticides maison. Pour débarrasser de leurs pucerons vos rosiers et autres plantes sensibles, pulvérisez tout simplement... l'eau de cuisson des pommes de terre. Ou bien une décoction de feuilles de rhubarbe préparée comme suit : faites tremper 500 g de feuilles dans 3 litres d'eau pendant 24 heures puis portez à ébullition 20 à 30 minutes.

Poudrage express. En cas d'infestation de pucerons sur des plantes basses ou des arbustes, projetez à l'aide d'une boîte poudreuse (ou à la main) des cendres de bois ou du talc. Ces poudres fines et plus ou moins caustiques ont pour effet de déshydrater et d'asphyxier les pucerons. Le lendemain, vous n'aurez plus qu'à nettoyer d'un coup de jet d'eau les plantes traitées.

▶ **Insecticide**

Pulvérisateur

Rincez bien votre appareil entre deux traitements, sinon des résidus de produit risquent de se déposer et d'obstruer la buse ou le filtre. Juste après un traitement, mettez 2 ou 3 litres d'eau pure dans le réservoir et actionnez l'appareil pendant quelques instants de façon à bien nettoyer le tuyau et la lance. Ensuite, agitez le pulvérisateur et videz-le d'un coup par l'ouverture. Recommencez l'opération si vous avez pulvérisé un produit très toxique.

Désherbage de précision. Pour désherber chimiquement à proximité d'un arbuste ou dans un massif de fleurs, utilisez un flacon pulvérisateur du commerce contenant un produit systémique (véhiculé par la sève) prêt à l'emploi. Le jet réglable vous permettra de traiter les mauvaises herbes sans risquer d'atteindre les plantes cultivées.

Pour traiter les arbres ou les plates-bandes inaccessibles, procurez-vous dans le commerce spécialisé une allonge pour la lance de votre pulvérisateur. La longueur de cette dernière sera ainsi portée à 1,75 m environ.

Préférez la pression entretenue à la pression préalable. Avec un pulvérisateur à pression préalable, vous devrez mettre sous pression avant de pulvériser, et pomper d'autant plus que le volume à pulvériser sera réduit. Ce n'est guère pratique ! Le pulvérisateur à pression entretenue se porte sur le dos, la pompe étant actionnée au moyen d'un levier en cours d'opération. Il convient pour des volumes moyens (3 à 5 litres) ou importants (jusqu'à 15 litres).

Pulvérisez sans pulvérisateur. Plus de réservoir encombrant et lourd, plus de pompages fastidieux ! Équipez-vous d'un système à adapter au bout de votre tuyau d'arrosage. L'eau sous pression dilue le produit de traitement placé dans le réservoir et le pulvérise.

Écran de pulvérisation. Pour pulvériser un désherbant entre des lignes de culture, le long d'une haie ou d'un sentier sans risquer d'endommager les plantes cultivées, adaptez sur la lance de votre pulvérisateur un écran en plastique en forme d'entonnoir aplati qui évitera les projections.

Soyez prévoyant. Ayez toujours d'avance un jeu de rondelles, buses, etc., toutes ces petites pièces que l'on perd trop facilement dans l'herbe lors d'un démontage sur le terrain. Ce serait trop dommage de tomber en panne en plein traitement !

▶ **Œuf**

Pyramidal (port)

Restaurez une silhouette. Avec l'âge ou le manque d'attention, les branches dressées de votre arbre ont perdu de leur vigueur et s'écartent du tronc. Pour rééquilibrer l'arbre et lui rendre son élégante ligne d'origine, taillez toutes les extrémités des branches au-dessus d'un bourgeon tourné vers l'intérieur de la plante. Les nouvelles pousses se dirigeront vers le tronc au lieu de s'en s'écarter. Renouvelez cette taille tous les 2 ans environ.

Le tulipier de Virginie 'Pyramidalis' (zone 5b) est un bel exemple d'arbre à port pyramidal. Réservez-lui un grand espace.

Faites le bon choix

bouleau européen 'Fastigiata'
chêne pédonculé 'Fastigiata'
érable de Norvège 'Columnare'
frêne blanc 'Kleinburg'
peuplier blanc 'Pyramidalis'
peuplier 'Tower'
pommetier de Sibérie 'Columnaris'
pommetier de Sibérie var. *himmalaica*
pommetier 'Royalty'
sorbier à feuilles de chêne
tulipier de Virginie 'Pyramidalis'

▶ **Silhouette**

Rabattage

Procédez en plusieurs fois. Rabattre, cela consiste à raccourcir fortement une branche, ou même toutes les branches d'un arbre ou d'un arbuste. Or, un sujet adulte supporte mal la suppression brutale d'une grande partie de ses organes aériens. Le mieux est si possible d'étaler le travail sur 2 ou 3 saisons.

Choisissez bien le moment. Contrairement à une idée fort répandue, la meilleure période pour rabattre un arbre n'est pas la morte saison (octobre à février). Il est préférable d'intervenir au démarrage de la végétation, soit en avril ou en mai selon le climat. Ainsi, la cicatrisation des plaies se fera mieux. Une exception cependant : les arbres à forte circulation de sève (érables, bouleaux, cerisiers, noyers…), à rabattre en descente de sève (fin de l'été).

Une allure naturelle. Chaque espèce végétale a une silhouette qui lui est propre et, pour les arbres, un port particulier (voir Silhouettes). Sauf si vous désirez réaliser un alignement géométrique, une haie taillée ou une œuvre d'art topiaire (voir Topiaire), raccourcissez toutes les branches dans les mêmes proportions. Votre arbre, ou votre arbuste, résistera mieux au vent.

Rabattez sur un tire-sève. Autrement dit, coupez juste au-dessus d'une ramification latérale, de façon à canaliser la sève vers une partie vivante. Si vous laissiez un moignon, celui-ci, mal irrigué, pourrirait, ou bien il donnerait naissance à de nombreux gourmands (rameaux verticaux vigoureux) disgracieux.

Après le recépage (rabattage complet), il apparaît souvent de nombreuses repousses sur la souche. Ne les conservez que si vous désirez obtenir une touffe (noisetier, laurier, lilas...). Si vous voulez reconstituer un arbre, ne conservez que le plus beau brin et coupez à ras tous les autres.

Étoffez votre haie. N'hésitez pas à rabattre sévèrement votre haie 1 an après l'avoir plantée. Ainsi, chaque arbuste donnera de nombreuses repousses au niveau du sol, et la haie sera rapidement plus épaisse.

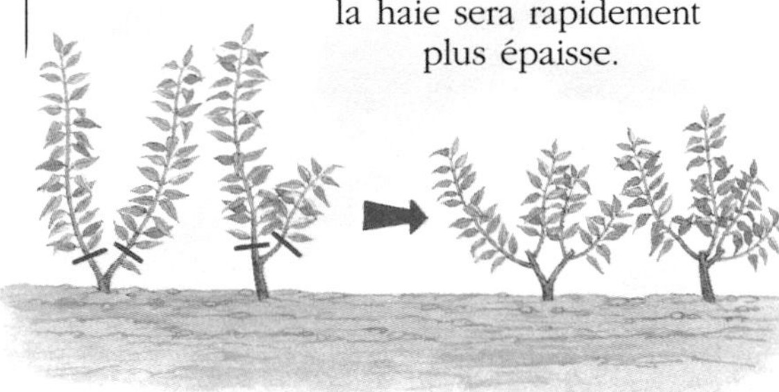

Jamais un conifère ! Ne rabattez ni sapin, ni cèdre, ni pin, ni autres résineux à l'exception de l'if, qui supporte fort bien un rabattage vigoureux. Contrairement aux feuillus, ils ne réagissent pas à la taille en faisant de nouvelles pousses. Cependant, vous pouvez étêter votre haie de thuyas ou de cyprès si elle devient trop haute.

▶ Rejet

Radis

Un bon indicateur au potager. Ajoutez des radis avec presque tous les semis en ligne que vous effectuez tôt au printemps (radis d'été) et recommencez avec les semis du mois d'août (radis d'hiver). Le radis lève vite, il dessine les rangs en quelques jours : vous ne craindrez plus un coup de binette malheureux. Semez léger, en espaçant les graines de 2 à 3 cm les unes des autres. Les radis seront consommés 20 à 25 jours plus tard, libérant l'espace pour l'autre culture.

La bonne profondeur. Semez les graines des radis ronds à fleur de terre ou, mieux, de terreau humide. En revanche, enfoncez de 2 cm environ les graines des radis longs, afin que les racines soient profondes et régulières.

Pour être croquants sans être piquants, les radis doivent pousser vite, et leur sol doit être souvent humidifié. Ils redoutent la sécheresse, les à-coups de végétation et les fortes chaleurs. En plein été, semez-les à mi-ombre, en leur évitant l'ensoleillement entre 12 et 16 heures. Profitez pour cela de l'ombre portée des haricots grimpants, des tomates ou du maïs. S'il n'y a pas d'ombre possible, paillez la culture avant la levée, pour que la terre conserve un peu de fraîcheur. À défaut de paille, utilisez de la toile de jute maintenue humide sur la culture.

Pour une production constante, ne semez pas tout un paquet de graines d'un coup, mais divisez-le en 3 ou 4. Semez la même quantité tous les 10 à 15 jours.

À titre préventif contre la mouche du navet, couvrez les planches d'un filet anti-insectes. Sachez par ailleurs que les semis précoces de radis, récoltés dès la mi-mai, ne sont pas attaqués.

Radis : faites le bon choix

Au printemps, semez les radis d'été comme : 'Pocker', 'Champion', 'Cavalier', 'Déjeuner français', 'Scarlet Knight', 'Cherry Belle', 'Snow Belle', 'Glaçon', 'Étincelant de Cooper'. Après, passez aux radis d'hiver comme : 'Espagnol long (ou rond) noir', 'Jumbo écarlate', 'Rond à chair rouge', 'Hybride Mikura Cross'.

Ne jetez plus les fanes de radis. Elles sont riches en sels minéraux et en vitamines. Mettez les plus jeunes dans la salade verte, en mélange avec celles du navet ou de la jeune moutarde, pour un brin de piquant original. Faites cuire les plus âgées et servez-les en potage.

Radis noir. Si vous le trouvez trop piquant, faites-le dégorger dans du sel fin, comme le concombre, avant de le manger avec des tartines de pain beurré.

Cuisine orientale. Lorsqu'une recette asiatique vous invite à mettre de la jacinthe d'eau dans votre plat, coupez quelques radis roses (en été), ou noirs (en hiver), qui remplaceront aisément cette denrée rare.

▶ Potager

Raifort

Découvrez cette bonne herbe méconnue. Ses touffes aux longues feuilles vertes cachent d'importantes racines blanc-jaune d'une grande richesse en vitamine C. Plantez des tronçons de racines ; vous pourrez récolter tout au long de l'année.

Pour éviter de récolter des racines fourchues, cultivez le raifort dans des tuyaux de drainage, placés verticalement dans le sol et remplis d'un riche mélange de terre. Vous obtiendrez des bâtons bien droits et épais.

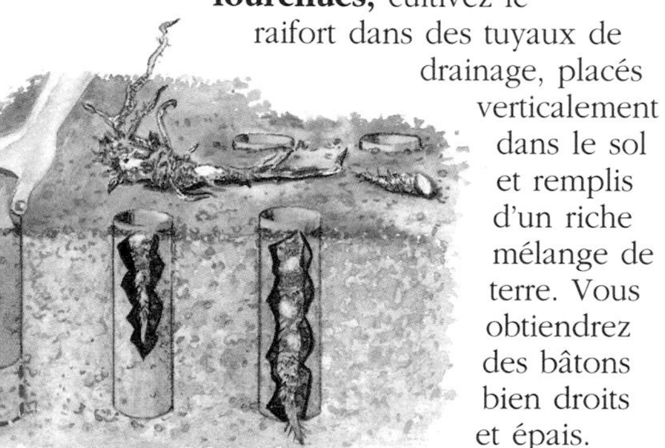

Conservation. Au moment de la récolte, installez les racines que vous souhaitez garder dans une fosse de tourbe maintenue humide, et transformez immédiatement les autres en purée après épluchage et râpage. Ajoutez-y du vinaigre ou de l'huile et un jus de citron. Conservez au frais.

Des feuilles utiles. Mixez des feuilles de raifort pour en faire du jus, puis filtrez-le et pulvérisez-le sur vos plantes : il a la propriété de combattre les champignons (surtout la moniliose, qui attaque les arbres fruitiers, en début de maladie). Autre solution : planté au verger, il protégera vos arbres.

Sauce au raifort

Mélangez 50 g de raifort frais râpé à 2 jaunes d'œufs crus et 3 cuillerées à soupe de crème fraîche épaisse. Ajoutez une pincée de sel et une autre de paprika. Dégustez cette sauce à la place (ou en plus) de la moutarde avec le pot-au-feu, les viandes froides, les pommes de terre... Vous pouvez également parfumer un bol de mayonnaise bien ferme en y incorporant 1 cuillerée à soupe de raifort frais râpé.

Salade originale. Au printemps, récoltez les jeunes feuilles de raifort pour les ajouter aux salades de saison ou aux pousses d'épinard.

▶ Aromatiques

Rampantes (plantes)

Faites ramper les grimpantes, par exemple pour habiller une pente légère ou un talus ingrat. Le lierre, bien sûr, ainsi que les capucines s'y prêtent, mais vous pouvez également vous essayer avec l'aristoloche, avec certains rosiers grimpants rustiques de même qu'avec certaines clématites (*Clematis virginiana, C.* × *jackmanii*).

Si les touffes se dégarnissent au centre, ce qui est souvent le cas du céraiste, de l'aubriète..., versez un peu de terreau fin sur les tiges pour les inciter à s'enraciner et à émettre de nouvelles pousses.

Plante rampante de 30 cm de hauteur, l'épimède × versicolor *'Sulphureum', au joli feuillage coloré, se couvre de petites fleurs jaune pâle au printemps.*

Nettoyage obligatoire. En fin d'hiver, supprimez les tiges sèches, faibles ou abîmées, rabattez celles qui sont trop longues, et divisez les touffes si nécessaire.

Donnez des limites aux rampantes les plus envahissantes. Accordez-leur une certaine surface, mais ne les laissez pas empiéter sur vos plates-bandes de fleurs. Arrêtez-les par une allée, une bordure de briques ou de rondins...

▶ **Couvre-sol**

Rejet

Un rejet, c'est ce qui pousse après une taille sévère ou un rabattage. Si le rejet provient du sol, on l'appelle drageon. Pour obtenir des rejets sur une plante, supprimez les bourgeons terminaux : vous « réveillerez » les yeux latéraux situés plus bas.

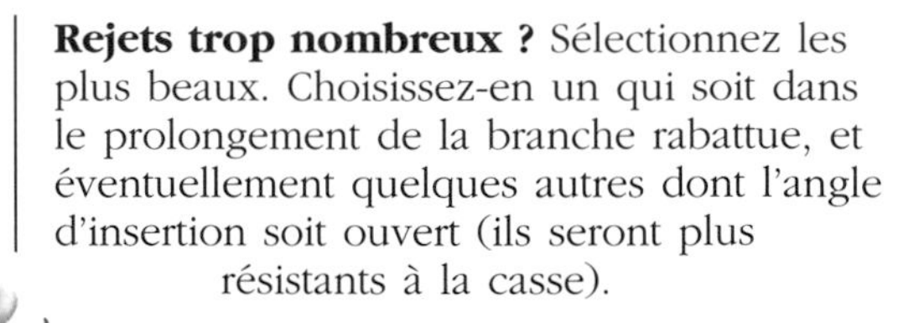

Rejets trop nombreux ? Sélectionnez les plus beaux. Choisissez-en un qui soit dans le prolongement de la branche rabattue, et éventuellement quelques autres dont l'angle d'insertion soit ouvert (ils seront plus résistants à la casse).

Des plantes rampantes pour les 4 saisons

Hiver	Aspect décoratif	Utilisation
andromède	feuillage persistant, floraison printanière	en bordure, avec plantes acidophiles
bergénie	feuillage persistant, floraison printanière	sous les arbustes ou au bord de l'eau
daphné canulé	feuillage persistant, floraison printanière	bordure, rocaille
fusain 'Canadale Gold'	feuillage persistant vert bordé de jaune	bordure, massif
fusain 'Coloratus'	feuillage persistant, pourpre en hiver	bordure, massif
mahonie nain	feuillage persistant, floraison printanière	bordure, rocaille
Printemps	**Aspect décoratif**	**Utilisation**
arabis (corbeille-d'argent)	floraison blanche ou rose	muret, rocaille
aspérule odorante	floraison blanche parfumée	sous-bois frais
aubriète	floraison colorée	bordure, rocaille
petite pervenche panachée	feuillage persistant, floraison printanière	sous-bois, entre les arbustes
phlox mousse	floraison printanière	rocaille, dallage
pulmonaire	feuillage persistant, floraison printanière	sous les arbres ou les arbustes
Été	**Aspect décoratif**	**Utilisation**
énothère naine	floraison estivale, jaune	bordure, plate-bande de vivaces
Geranium endressii	floraison estivale	plate-bande, talus
houttuynia	feuillage vert marginé de jaune, de rose et de vert pâle	muret, bord de l'eau
millepertuis rampant	floraison estivale	muret, rocaille, bordure
Polygonum affine	floraison jusqu'en automne	en sol frais
Automne	**Aspect décoratif**	**Utilisation**
Acaena microphylla	feuillage délicat roux	sous les arbustes, en sol sec
cotonéaster de Dammer	feuillage persistant, fruits rouges abondants	muret, rocaille, bordure
tiarelle	feuillage bronze, floraison printanière	sous les arbres, en sol frais et riche

Rempotage

La bonne période. Printemps et automne conviennent au rempotage, mais l'automne est préférable pour les plantes d'intérieur. En effet, au printemps, la plante doit faire face à la pousse normale liée à la montée de sève ; aussi vaut-il mieux ne pas lui demander de faire un effort de réadaptation supplémentaire en la rempotant.

L'art du rempotage

Sélectionnez un pot de diamètre légèrement supérieur à celui qui contient actuellement la plante (comptez une largeur de 2 à 3 doigts en plus). Nettoyez-le bien. S'il est neuf et en terre cuite, humidifiez-le.
Placez une couche drainante au fond, puis une couche de terreau. Arrosez la plante à transplanter, délogez-la de son pot trop petit. Si vous n'y parvenez pas, cassez le pot. Supprimez les racines tournantes. Positionnez la plante dans le nouveau pot de sorte qu'elle reste à la même hauteur que dans le précédent (tenez-la par son feuillage). Remplissez le vide entre la paroi du pot et la motte, puis tassez la terre fermement avec les pouces. Tapez le pot plusieurs fois sur la table. Arrosez, et installez la plante à l'ombre pendant 7 à 10 jours avant de la remettre à sa place habituelle. Il va lui falloir encore 2 semaines pour qu'elle reprenne sa croissance.

À quels signes se fier ? Si les feuilles ou les tiges poussent lentement, même avec un apport d'engrais, si le sol s'assèche vite après un arrosage, si de petites racines passent au travers du trou de drainage, il est sans doute temps de rempoter votre plante. En la dépotant, vous trouverez des racines apparentes, tournant sur elles-mêmes ou contre la paroi du pot, qui confirmeront vos soupçons. Si tel n'est pas le cas, replacez la plante dans son pot, et remettez le transfert à plus tard.

Pour faciliter la reprise, éliminez au maximum la vieille terre épuisée restée entre les racines. Pour ce nettoyage, utilisez une fourchette qui fera office de peigne.

N'apportez pas d'engrais pendant 6 mois à un sujet rempoté. La nouvelle terre est suffisamment nutritive pendant cette période. Vous pouvez toutefois incorporer du marc de café au nouveau mélange.

Antichats. Si votre compagnon aime gratter la terre de vos plantes en pots, cachez dans la motte 1 ou 2 boules de naphtaline lors du rempotage des plantes qu'il préfère (papyrus, fougère, bambou, népéta, armoise…).

▶ **Mélange de terre, Surfaçage**

Repiquage

Arrosage préalable. Donnez de l'eau quelques heures avant le prélèvement des plantules à repiquer. Elles se tiendront mieux, bien droites, et souffriront moins de cet acte traumatisant.

Le secret de la réussite : un premier repiquage très précoce dès que les plantules issues de semis peuvent être manipulées. Si vous les laissez trop longtemps, les plantules, serrées, vont s'étioler, durcir et monter très vite en graine.

Acclimatation. Pour endurcir plus vite un semis qui doit être repiqué à l'extérieur au printemps, alors que les températures sont encores fraîches, placez votre caissette dans le bas du réfrigérateur, d'abord 1 heure, puis 2, 3, 4, 5, 6 heures, et enfin 1 nuit. Après 10 à 12 jours de ce traitement, il n'y a plus à redouter la transplantation, sauf en cas de gel catastrophique.

Attention à la casse. Les jeunes plantules sont très fragiles : il faut les manier avec une extrême précaution. Pour les déraciner, sans tirer dessus, utilisez une fourchette à escargot (à 2 dents). Ne touchez pas la tige : tenez plutôt la plantule par une feuille.

Facilitez-vous la tâche. Clouez sur une planchette des bouchons de liège en quinconce à intervalles réguliers. Le jour du repiquage, placez la planche sur le sol meuble, bien travaillé, et posez les pieds dessus : les pré-trous sont faits, les distances respectées.

Plus productif. Les plantes potagères semblent produire plus de fleurs, et donc de fruits, lorsqu'elles ont été repiquées à racines nues. Pour les espèces délicates, cependant, préférez un repiquage avec une motte bien humide, ou la culture en petits pots de tourbe, qui se délitent en terre.

Habillez le poireau. À l'aide d'une lame bien tranchante, coupez une partie du chevelu des racines avant le repiquage. De nouvelles racines seront émises grâce à cette intervention, qui facilitera la reprise.

Repiquage interdit. Les plantes à racines pivotantes ne supportent pas le moindre déplacement. C'est le cas de nombreuses légumineuses (genêt, lupin…) mais aussi des eschscholzias, des nigelles, des clarkias… Semez-les directement en place.

Pas de semis avant les vacances. Ne faites plus de semis ni de repiquages 3 semaines avant un départ de plus de 8 jours. Les plants ne supporteraient pas votre absence… à moins que vous ne puissiez les emporter.

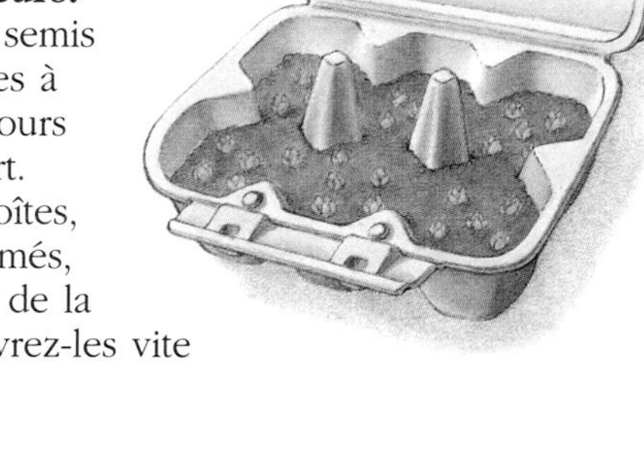

Semis voyageurs. Repiquez vos semis dans des boîtes à œufs 2 ou 3 jours avant le départ. Empilez les boîtes, couvercles fermés, dans le coffre de la voiture, et ouvrez-les vite dès l'arrivée.

Les différents types de repiquage

Flottant

Le repiquage flottant convient bien aux artichaut, betterave, cardon, chicorée, fraisier, laitue, pissenlit, poirée…

Comme le cœur n'est pas enterré, la jeune plante va parfois retomber sur le sol avant de reprendre vigueur.

Assez profond

Le repiquage assez profond donne de bons résultats avec : chou, concombre, cornichon, courgette, melon…

La plante est enterrée jusqu'à la base des 2 premières feuilles.

Profond

Le repiquage profond est recommandé pour : aubergine, piment, poireau, poivron, tomate.

Les premières feuilles et la tige sont enterrées au maximum. Souvent, de nouvelles racines pousseront sur la portion de tige enterrée, et elles alimenteront la plante.

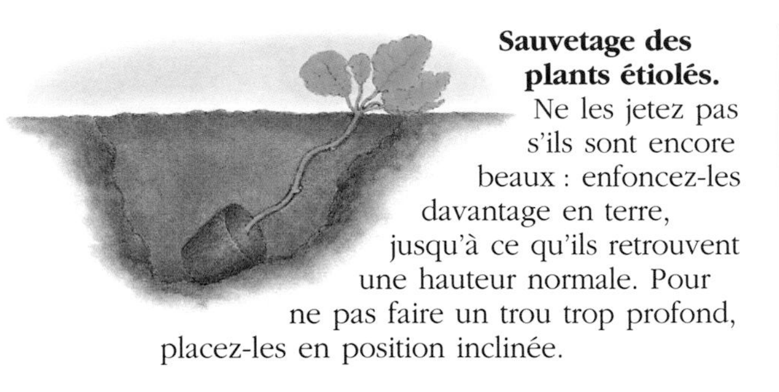

Sauvetage des plants étiolés. Ne les jetez pas s'ils sont encore beaux : enfoncez-les davantage en terre, jusqu'à ce qu'ils retrouvent une hauteur normale. Pour ne pas faire un trou trop profond, placez-les en position inclinée.

Rhododendron

Si vous achetez un rhododendron greffé, enterrez profondément le bourrelet de greffe pour que le greffon émette des racines et s'affranchisse. Sans quoi, le porte-greffe émettra des rejets qui prendront le dessus et, au lieu de la superbe variété attendue, vous vous retrouverez avec le classique *Rhododendron ponticum* violet.

En terre acide, peuplez un sous-bois clair en y plantant le plus rustique des rhododendrons : le rhododendron du Canada (zone 2). Cet arbuste indigène à fleurs pourpres, d'une hauteur de 1 m, est un choix judicieux pour les régions les moins clémentes. Utilisez-le en massif pour une floraison plus voyante et pour la naturalisation.

Si votre rhododendron a partiellement gelé, réagissez aussitôt en enveloppant de bandelettes de tissu l'écorce éclatée, pour la forcer à se ressouder. Buttez ensuite le pied avec un bon tas de tourbe. Vous aurez de bonnes chances de voir la souche repartir.

Propagez vos rhododendrons par marcottage en été : ils s'y prêtent fort bien. Veillez à ce que les branches couchées soient bien sous la terre (mettez des crochets ou des pierres pour les maintenir en place). Après 2 saisons, vous aurez de nouveaux rhododendrons à planter !

Prolongez l'effet des rhododendrons, dont la floraison est fugitive, en leur associant d'autres fleurs, qui ne les concurrenceront pas et donneront un second éclat au massif. Les lis orientaux sont parfaits pour cet usage : fleuris en été, ils passent à travers les branches de ces arbustes, dont les feuilles font un excellent écrin.

Ayez la main légère quand vous cassez les fleurs fanées : les bourgeons sont situés au ras des épis floraux. Attendez qu'ils pointent pour les reconnaître (et les épargner) aisément.

Ne plantez pas à l'ombre. S'ils n'aiment pas les sites brûlants, les rhododendrons aiment avoir du soleil la moitié de la journée environ. Ils s'avèrent ainsi beaucoup plus florifères qu'à l'ombre des murs, par exemple, qu'ils tolèrent mais qui les fait fleurir maigrement.

Rhododendrons : faites le bon choix

Zone 2
Rhododendron canadense : 1 m, fleurs pourpres

Zone 3
Hybrides 'Northern Lights' : 1,50 m, fleurs roses, blanches, oranges ou jaunes

Zone 4 ou 5 : Hybrides à grosses fleurs

R. carolinianum : 1,20 à 1,50 m
- 'P. J. M.' : fleurs rose pourpre
- 'Ramapo' : fleurs mauves, n'atteint que 80 cm

R. catawbiense : 2,50 à 3 m
- 'Album' : fleurs blanches, très grandes
- 'Cecille' : fleurs rose pâle à rose foncé
- 'Coccinea Speciosa' : fleurs orange foncé

R. dauricum : 1,50 à 2 m
- 'Daviesii' : fleurs blanches tachées de jaune
- 'Elie' : fleurs rouges, feuillage persistant
- 'Golden Sunset' : fleurs jaunes
- 'Janet Blair' : fleurs blanc rosé
- 'Kommingin Emma' : fleurs orange rosé

R. mucrulatum : 2 à 2,50 m
- 'Norma' : fleurs roses, doubles
- 'Pucella' : fleurs roses, orangées à l'intérieur
- 'Roseum' : fleurs roses, odorantes
- 'Roseum Elegans' : fleurs roses, feuillage persistant

Ne plantez pas de rhododendrons au pied d'arbres à enracinement superficiel, comme les bouleaux. Il y aurait une forte concurrence entre les racines, au détriment des rhododendrons. En revanche, des arbres à enracinement profond comme chêne ou pin peuvent convenir.

Des rhododendrons de toutes les tailles

Si la plupart des hybrides mesurent entre 1,50 et 2,50 m à l'âge adulte, il existe des espèces naines, de rocaille (0,50 m au plus), mais aussi des géantes de 8 à 10 m, qui forment d'énormes bouquets. Achetez donc en connaissance de cause.

▶ Calcaire, Terre de bruyère

Rhubarbe

Fleurs indésirables. Coupez les hampes florales dès qu'elles apparaissent, car elles utilisent la sève au détriment des tiges comestibles.

Pour protéger vos souches en hiver, laissez les feuilles en place : elles se flétriront dès la première gelée. Pour augmenter l'efficacité de cette couverture naturelle, vous pouvez y ajouter un lit de paille sèche, particulièrement indiqué dans une région aux hivers très rigoureux.

Remède écologique contre la hernie du chou. Lors du repiquage de choux ou de giroflées, glissez 4 ou 5 petits morceaux de tige de rhubarbe dans la terre, près des racines. L'acide oxalique de la rhubarbe limite le développement de ce champignon parasite, surtout fréquent en sol acide ou mal drainé.

Décoction antiparasitaire. Les feuilles de rhubarbe bouillies donnent un jus rosâtre dont l'action contre les pucerons est efficace. Comptez 600 à 700 g de feuilles pour 5 litres d'eau et une cuisson d'environ 1/2 heure. Ajoutez à cette préparation quelques gouttes d'un bon mouillant, comme du savon à vaisselle, qui aidera la décoction à bien se fixer sur le feuillage des plantes à protéger.

Pour atténuer l'acidité de la rhubarbe, laissez tremper les tiges épluchées pendant quelques heures dans l'eau froide ou faites-les blanchir quelques minutes à l'eau bouillante. Vous pouvez aussi ajouter dans la compote de rhubarbe des fruits à saveur douce qui en modifieront peu le goût, comme des poires, des bananes ou des abricots secs hachés.

Tarte moins sucrée. La tarte à la rhubarbe est un délice. Si vous souhaitez utiliser moins de sucre à la cuisson, ajoutez aux tiges crues une poignée de cerfeuil musqué, de mélisse ou d'angélique du jardin.

Feuilles et tiges contiennent de l'acide oxalique, qui peut dans le corps se combiner avec le calcium pour former des cristaux d'oxalate de calcium. À haute dose, ces cristaux entraînent des problèmes rénaux chez les sujets sensibles. Pour limiter la teneur en acide oxalique de la rhubarbe, coupez les feuilles largement au-delà de leur point d'attache et surtout ne cueillez que des feuilles juvéniles.

Rocaille

AMÉNAGEMENT

Le bon emplacement. Choisissez-le bien ensoleillé mais non brûlant, éventuellement avec une partie légèrement ombragée pour élargir la palette des espèces plantées. N'installez pas votre rocaille sous les arbres. Leurs racines pourraient soulever les pierres de la rocaille et, à l'automne, la chute des feuilles étoufferait vos petites plantes sous un matelas humide.

Évitez l'erreur classique : le monticule aux pentes raides au beau milieu d'un jardin plat. Profitez plutôt de votre descente de garage pour transformer en rocaille ses bords abrupts. Sinon, utilisez une pente douce ou créez une butte large et peu élevée, d'aspect plus naturel.

Si vous prévoyez un passage dans la rocaille, l'entretien sera plus facile et vous pourrez admirer vos trésors de près. Installez un escalier large ou une allée en pente douce pendant les gros travaux d'aménagement.

> **Faites le bon choix**
>
> Voici une sélection de plantes bulbeuses à installer dans votre rocaille : *Allium karataviense*, *Chionodoxa luciliae,* crocus botaniques, dent-de-chien, jacinthes, muscari, petits narcisses botaniques *(Narcissus bulbocodium, N. cyclamineus, N. triandrus...),* perce-neige, *Puschkinia scilloides,* scilles, *Tulipa tarda* et les autres petites tulipes botaniques.

Une variante facile à réaliser : le massif surélevé entouré de murets de pierres sèches. Plus facile à mettre en œuvre qu'une véritable rocaille, il s'intègre souvent mieux dans un petit jardin citadin ou au coin d'une terrasse. C'est également la solution idéale pour les sols lourds. Étalez une bonne couche drainante, puis remplissez le massif d'un mélange terreux pour les plantes de rocaille.

Dans une pelouse en pente douce, il est facile d'aménager un petit espace de rocaille. Creusez l'emplacement sur 40 à 50 cm de profondeur, étalez une couche caillouteuse drainante sur 10 à 15 cm, puis comblez de terre additionnée de terreau de feuilles et de sable grossier ou de graviers pour vos plantations. Mettez en place quelques belles pierres, légèrement inclinées, puis plantez vos végétaux.

LES PIERRES

Pour un aspect plus naturel, ne multipliez pas les petites pierres. Préférez un nombre réduit de grosses pierres assez plates, évocatrices d'un affleurement rocheux. Qui plus est, les grosses pierres sont plus stables.

Utilisez des pierres locales, elles vous coûteront moins cher et donneront un aspect plus naturel à votre rocaille. Adoptez des plantes qui conviennent aux roches choisies : acidophiles (c'est-à-dire de sol acide) pour accompagner roches granitiques ou grès, calcicoles (de terrain calcaire) pour les roches calcaires.

Évitez l'alignement de menhirs ! Pour cela, observez bien les pierres avant de les placer. Respectez les strates horizontales et les fissures verticales qui vous indiquent dans quel sens les disposer dans votre rocaille pour évoquer un affleurement rocheux.

Question d'organisation. Commencez toujours par mettre en place les pierres du bas de la pente et procédez en remontant. Posez les grandes dalles sur leur face la plus plate, légèrement inclinées vers l'arrière pour une bonne stabilité. Recouvrez-les en partie de terre pour obtenir un aspect naturel. Tassez bien la terre avant de poursuivre.

Si votre rocaille est pauvre en blocs rocheux, utilisez des gravillons de différents calibres pour couvrir la surface du sol entre les plantes, en couche de 7 à 8 cm d'épaisseur. Ces graviers évoqueront une pente d'éboulis et renforceront l'impact des quelques roches.

Pas de pierres ? Fabriquez les vôtres ! Préparez un mélange composé de 1/3 de sable ou de perlite, 1/3 de tourbe et 1/3 de ciment. Ajoutez de l'eau jusqu'à obtention d'un mortier homogène. Creusez des trous irréguliers dans la terre. Pour créer des creux dans la pierre, placez au fond du trou quelques cailloux ou galets enduits d'huile. Versez votre préparation. Laissez sécher quelques jours avant d'extraire, de nettoyer et de bien rincer les pierres moulées.

> **Une rocaille de plantes méditerranéennes**
>
> Optez pour une rocaille sèche plutôt que pour une rocaille proprement alpine. Certaines de ces plantes ne sont pas rustiques ici.
> **Arbustes :** *Genista hirsuta,* lavande, lithospermum, *Phlomis purpurea...*
> **Bulbes :** ail, crocus, cyclamen, muscari, scille, *Tulipa sylvestris...*
> **Plantes vivaces :** *Agathaea,* asphodéline, ficoïde, hellébore de Corse, joubarbe, orpin, vipérine...

LES PLANTES

Protégez les faibles. Évitez de planter côte à côte de véritables espèces alpines comme les androsaces, gentianes, draves, aux coussinets délicats et à croissance lente, et les plantes tapissantes vigoureuses comme aubriète, alysse, céraiste, qui auraient vite fait d'étouffer les premières.

Profitez des fissures verticales : glissez-y avec une poignée de terre les petites rosettes des plantes grasses comme les orpins.

Prolongez la floraison, essentiellement printanière dans la rocaille, par celle de quelques arbustes nains et vivaces tapissantes à floraison estivale : genêt 'Vancouver Gold', certaines saxifrages, *Cytisus decumbens, Gaultheria* à baies blanc rosé (sur sol acide)...

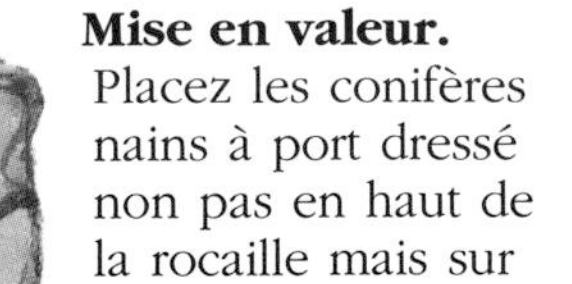

Mise en valeur. Placez les conifères nains à port dressé non pas en haut de la rocaille mais sur un replat, devant une grande pierre qui soulignera leur silhouette. Plantez au contraire en hauteur ou au sommet des roches les plantes rampantes, pour qu'elles retombent joliment.

ENTRETIEN

En période hivernale, pensez à protéger votre rocaille. Couvrez vos plantes d'une bonne épaisseur de feuilles, surtout dans les endroits où il y a peu d'accumulation de neige.

Désherbez très régulièrement la rocaille pour éviter la concurrence des mauvaises herbes. Ayez recours à un herbicide systémique, appliqué sur le feuillage à l'aide d'un pulvérisateur, pour supprimer les mauvaises herbes vivaces, à enracinement profond.

En fin d'hiver, tassez la terre au pied des plantes déchaussées par le gel. Par la même occasion, apportez un peu de mélange enrichi (terreau de feuilles, sable et un peu de poudre d'os, engrais à action lente) au pied de vos petites plantes pour leur donner un coup de fouet.

▶ **Alpines, Conifères, Mur, Nains, Pente, Pierre**

Romarin

Le romarin n'est pas une plante vivace au Québec. On peut toutefois le cultiver en pot : laissez-le à l'extérieur pendant l'été et rentrez le pot à l'intérieur de la maison pendant l'hiver.

De jolies formes. Plus rapide que l'oranger, plus résistant que le laurier, le romarin pousse vite et se conduit comme on le souhaite. Choisissez un romarin dont la tige principale est bien droite, éliminez au sécateur les branches les plus basses et recommencez ce traitement chaque année jusqu'à obtention de la hauteur voulue. Formez alors la tête, en boule, en cône, en cœur… Comptez une pousse de 1,20 à 1,50 m en 2 ans. Faites des boutures avec les rameaux éliminés.

Un bon compagnon. Le romarin aide les choux (toutes les variétés), navets, haricots… à repousser leurs ennemis (insectes et maladies). Son odeur déplaît particulièrement à la mouche de la carotte.

Bain parfumé pour votre chien. Rincez votre protégé avec une infusion de romarin à raison de 1/2 tasse de feuilles sèches par litre d'eau. Ce rinçage aidera à éliminer puces et tiques.

▶ **Aromatiques**

Ronce

Coupez-la pendant la dernière semaine de juin si elle colonise votre haie ou un coin un peu négligé de votre jardin. À cette époque de l'année, les ressources de la souche de ronce sont au plus bas, et la priver de ses organes aériens est le plus sûr moyen de l'affaiblir. Répétez ce traitement 2 ou 3 ans de suite si nécessaire.

Du sel contre les ronces. Creusez autour des souches, coupez les tiges le plus ras possible et versez sur chaque plaie une bonne pincée de sel fin.

Débroussaillant biologique. Pour éliminer la ronce sur une surface donnée sans utiliser d'herbicide chimique de synthèse, faites appel à un produit minéral à base de sulfamate d'ammonium. En 8 semaines, il se dégradera en composés naturels inoffensifs, et la remise en culture sera possible. Attention : il s'agit d'un désherbant total qui détruira toute la végétation sur l'aire traitée !

Une aide pour les boutures. Les petites racines blanches qui apparaissent sur les marcottes des ronces sont très riches en hormones. Coupez ces racines en tout petits morceaux et faites-les macérer dans de l'eau. Il ne vous restera qu'à faire tremper vos boutures dans cette potion magique pendant 24 heures avant de les mettre en terre : enracinement garanti.

▶ **Débroussaillage, Mûre**

Rongeurs

Un engrais pour les repousser. Si vos rangs de carottes, endives, etc., ou même votre pelouse, ont à souffrir des incursions des campagnols, apportez un engrais à base de tourteau de ricin. Ce produit organique (et toxique !) est excellent pour enrichir le sol, et il a fait la preuve d'un certain pouvoir répulsif à l'encontre des rongeurs. Répandez-en 3 poignées par mètre carré. Arrosez ensuite. L'effet dure plusieurs mois.

Les légumes conservés à la cave, pendant l'hiver (carottes, céleris, endives, navets, etc.) doivent être mis à l'abri des rongeurs, lesquels ont l'art de se frayer un chemin à travers la moindre fissure d'un bâtiment. Pour ranger vos légumes, récupérez un appareil ménager désaffecté (tambour de machine à laver ou de sécheuse recouvert d'une planche) ou une glacière, et percez quelques trous permettant l'aération.

Protégez vos bulbes à fleurs (tulipes, narcisses, etc.) en les disposant avant plantation dans de petits paniers en grillage à mailles fines. Veillez à ce que les bords affleurent le niveau du sol.

Une barrière d'ail. Si vous désirez protéger de la dent des rongeurs une plantation à laquelle vous tenez beaucoup (artichauts, bulbes à fleurs, etc.), entourez-la d'une ligne d'ail : les campagnols délaisseront vos plantes préférées.

Une fausse bonne idée… que celle de planter dans votre jardin des plantes censées être répulsives, comme la grande euphorbe ou la fritillaire. Elles seules seront épargnées !

Sachez les reconnaître

Si vous rencontrez dans votre jardin une petite bête à poils à l'allure de souris, ne vous alarmez pas avant de savoir de quelle espèce il s'agit. Museau long et pointu, tout petits yeux : ce n'est pas un rongeur mais une musaraigne, insectivore fort utile. L'animal possède-t-il de grands yeux noirs, de grandes oreilles et une longue queue ? Vous avez alors affaire au mulot, un granivore plutôt inoffensif qui ne pullule jamais. Enfin, de petits yeux associés à une queue courte, un museau arrondi et des oreilles à peine visibles signalent le campagnol, redoutable ravageur souvent appelé mulot, à tort.

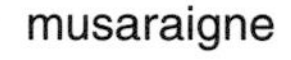

musaraigne

mulot

campagnol

Créer un jardin de roses

Vous aimez peut-être les rosiers pour leur parfum, leurs couleurs, leur histoire ou pour confectionner de magnifiques bouquets de roses. Depuis fort longtemps, des jardiniers ont poussé l'amour de ces plantes jusqu'à leur consacrer des jardins spécialisés.
Mais la roseraie est un art difficile : elle risque de tourner rapidement à la collection monotone et indigeste et seuls quelques grands parcs ont réussi à rendre un honneur exclusif aux roses.

Rosiers en compagnie

Heureusement, les rosiers offrent une famille botanique si vaste qu'il est possible de les cultiver dans un jardin paysagé où ils s'appuient sur une mise en scène, en compagnie d'autres végétaux : par exemple, des plantes vivaces comme aster, clématite, delphinium, lavande, géranium, gypsophile ou iris.
Des arbustes comme chèvrefeuille, Elaeagnus, weigela, pivoines arborescentes, cytise ou viburnum sont également d'excellents compagnons. Les rosiers se prêtent à des compositions parfaitement harmonieuses de formes et de couleurs, que votre jardin soit petit ou grand, contemporain, classique, ancien ou sauvage.
Nous avons retenu huit façons de les cultiver. Ces utilisations vous permettront d'imaginer de nombreuses situations. Il vous suffira de les adapter à votre domaine pour créer votre décor.

Rose 'Seagull'

Les rosiers lianes

Ce sont les plus grands de la famille. Au-dessus de 5 m, vous pouvez considérer comme liane un rosier grimpant. Mais les rosiers sarmenteux, pour la plupart, se couvrent une fois par an, en juin ou juillet, de fleurs simples, souvent odorantes, puis de petits fruits en automne. Recouvrez-en un appentis, un vieux puits, une tonnelle ou un arbre mort. Faites-leur aussi escalader un arbre vivant et bien solide.
Ces rosiers un peu sauvages ne sont rustiques qu'à partir des zones 6 et 7. Ne les taillez pas, sauf s'ils deviennent trop envahissants, car l'exubérance de certains est spectaculaire.

Notre sélection : 'Alexandre Girault', 'American Pillar', 'Apple Blossom', 'Aviateur Blériot', 'Bobbie James', 'Dorothy Perkins', 'Euphrosine', 'Kew Rambler', 'Kifsgate', *Rosa longicuspis, Rosa lucens erecta,* 'Seagull', 'Sénateur Lafolette', 'Suzon', 'Wedding Day'.

Dans les pots et les jardinières

Avec un minimum de soins, vous pouvez parfaitement cultiver des rosiers en pots ou en petits bacs. Les plus adaptés sont les rosiers nains ou miniatures : ils ne dépassent pas 50 cm de hauteur. Si la profondeur de terre est supérieure à 30 cm, vous aurez également la possibilité de planter des rosiers de patio. Offrez-leur une terre à la fois riche et un peu argileuse. Il existe des sacs de terreau « spécial rosiers » prêt à l'emploi. Ne laissez pas les rosiers avoir soif en été. Même s'ils sont rustiques, mettez-les à l'abri du gel en hiver, pour protéger les pots. Pensez-y aussi pour fleurir certains coins de votre rocaille, un escalier ou un muret.

Notre sélection : 'Baby Darling', 'Cinderella', 'Estralita', 'Lavender Lace', 'Lilianne', 'Ocarina', 'Sheri-Anne', 'Starina', 'Yellow Ball', 'Yellow Doll', 'Yellow Pigmea'.

Rose 'Dick Koster'

Des fleurs pour les bouquets

Tous vos rosiers peuvent donner des fleurs à couper pour confectionner des bouquets, qu'ils soient anciens ou modernes, à fleurs uniques ou groupées. Tout dépend du décor souhaité. Mais si vous rêvez de ces grands bouquets de roses classiques, bien turbinées (mais souvent peu parfumées), cultivez des rosiers buissons à grandes fleurs.
Ces arbustes modernes au port un peu raide sont parfois difficiles à intégrer dans un jardin. Une bonne solution consiste à les cultiver à part (au potager, par exemple) : vous pourrez les soigner et cueillir les fleurs dans de bonnes conditions.
Pour obtenir des roses spectaculaires, supprimez les boutons latéraux en laissant l'unique fleur de tête.

Notre sélection : 'Carrousel', 'Flamingo Queen', 'Graham Thomas', 'Montezuma', 'Ole', 'Pink Perfection', 'Queen of Denmark', 'Spartan', 'Sonia', 'Sundowner', 'Wenlock', 'Winchester Cathedral'.

Rose 'Grand Siècle'

Des rosiers à palisser

Si vous avez un mur à recouvrir, une pergola à ombrer, une colonne, des arceaux, une jolie barrière de bois à fleurir, les rosiers ne manqueront pas. Les grimpants sont plein d'énergie et leu floraison est généreuse. Beaucoup d'entre eux vous feront même le plaisir de fleurir pendant de nombreux mois. Ils peuvent monter jusqu'à 4 ou 5 m sans problème et draper un vieux mur d'une somptueuse tapisserie.
C'est à l'entrée de la maison ou au-dessus du portillon du jardin qu'il faut planter les rosiers d'accueil par excellence, en choisissant de préférence les variétés les plus parfumées et en les associant aux clématites en particulier. Les boutures de la plupart de ces rosier donnent des plantes aussi belles que celles qui sont greffées : ne vous en privez pas si un voisin vous en propose

Notre sélection : 'America', 'Blaze', 'Blossomtime', 'Casino', 'Don Juan', 'Handel', 'John Cabot', 'William Baffin'.

Des rosiers de bordure et de patio

Ces petits rosiers ne dépassent pas 80 cm en tous sens. Leur port compact et leur floraison généreuse et remontante sont précieux pour les petits jardins de ville, lorsque la place est limitée. Plantez-les dans une cour, un patio, sur une terrasse, voire un balcon équipé de grands bacs. Installez-les également en bordure des massifs de fleurs, le long des allées. N'hésitez pas à les associer, comme leurs grands frères, à des plantes vivaces et à des arbustes de petite taille comme le buis taillé, les potentilles ou les weigelas.

Notre sélection :
'Amsterdam', 'Bredon', 'Coventry Cathedral', 'Dove', 'English Garden', 'Fair Bianca', 'Floradora', 'Iceberg', 'Lili Marlène', 'Mother's Day', 'Perdita', 'Pretty Jessica', 'Radio Time'.

Rose
'Graham Thomas'

Rose
'Constance Spry'

Rose 'Lili Marlène'

Des massifs classiques aux bordures mixtes

Qu'il s'agisse d'un massif consacré aux seules roses ou d'une bordure où plantes vivaces et arbustes se côtoient, utilisez des rosiers buissons (anciens ou modernes). Ils peuvent atteindre 2 m en tous sens.
Ne négligez pas les rosiers tiges, pleureurs ou non. À la campagne, adoptez les rosiers paysages, au port plus flou, qui n'exigent pratiquement ni taille ni traitement. Découvrez aussi les « nouvelles roses anciennes », dites « roses anglaises », à la santé et au parfum incomparables. À la plantation, respectez les consignes de distance pour que les rosiers prennent toute leur dimension.

Notre sélection : 'Chaucer', 'Charles Austin', 'Claire Rose', 'Cymbeline', 'Eutin', 'Frensham', 'Graham Thomas', 'Gertrude Jekyll', 'Iceberg', 'Lucetta', 'Trevor Griffiths', 'Windflower', 'William Shakespeare'.

La haie fleurie

Certains rosiers y font merveille, à l'image de notre églantier familier. Utilisez aussi bien les espèces arbustives vigoureuses que les grimpantes, qui s'intégreront à la haie. Faites-vous un bel écran en les mélangeant à des arbustes à fleurs (amélanchier, chèvrefeuille, cognassier du Japon, cornouiller, forsythia, viorne). Le style peut aller d'une haie moyenne (1,50 m) dans les petits jardins de ville aux grandes haies sauvages de la campagne (2 à 3 m). N'oubliez pas d'intégrer un ou deux rosiers à fruits décoratifs, pour apporter un peu de couleur à votre haie durant l'automne.

Notre sélection : 'Blanc Double de Coubert', 'Champlain', 'Dapple Dawn', 'Hansa', 'Henry Hudson', 'Jens Munk', 'Linda Campbell', 'Thérèse Bugnet', 'The Nun'.

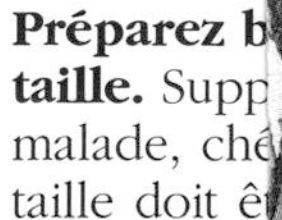

Rose 'Nozomi'

Les rosiers couvre-sol

Ces rosiers aux rameaux souples et retombants ont tendance à s'étaler sur le sol. Ils ne montent guère plus haut que 50 cm mais peuvent recouvrir 1 à 2 m^2. Cette façon d'agrémenter les sols est pratiquée par de nombreux jardiniers amateurs de roses.
La plupart de ces rosiers se plaisent en plein soleil. Ils sont d'un usage précieux sur les talus en particulier.
Pensez-y aussi pour adoucir la surface d'une terrasse dallée ou la silhouette rigide d'un bac.
Mais attention, une fois qu'ils ont été plantés, il est difficile d'intervenir sous ces rosiers, souvent très épineux.
Faites un désherbage préalable soigneux (mécanique et chimique) et paillez le sol avec une pellicule plastique recouverte d'écorce de pin.

Notre sélection : 'Creepy', 'Emera', 'Flower Carpet', 'Jet Spray', 'Lac Blanc', 'Max Graf', 'Tapis Rouge', 'Nozomi', 'Yellow Fairy'.

Rose 'Golden Wings'

Sable

Pour alléger une terre lourde, travaillez-la avec du sable, elle sera moins collante. N'achetez que du sable grossier (1 mm de diamètre environ). Si le sable est trop fin, le remède sera pire que le mal.

Lestez un vase fragile en glissant dedans une poignée de sable avant de le remplir d'eau. Cette astuce est particulièrement recommandée pour les soliflores, souvent peu stables. L'effet est également décoratif — vous pouvez d'ailleurs dessiner des strates en versant du sable de différentes couleurs.

Après avoir semé des fleurs ou des légumes, épandez du sable dessus. Vous repérerez ainsi facilement pendant quelque temps la surface à respecter. D'autre part, l'eau de pluie ou d'arrosage étant amortie par le sable et ne battant pas directement la terre, vous éviterez la formation d'une croûte retardant la germination.

Pas de pourriture sur vos boutures. Si vous bouturez dans un gros pot ou dans une terrine, remplissez le récipient pour moitié d'un mélange de terre très léger, et complétez par du sable pur. Enfoncez les boutures de façon que leur base pénètre juste le mélange terreux. Vous éviterez la pourriture, le sable étant un bon drainant.

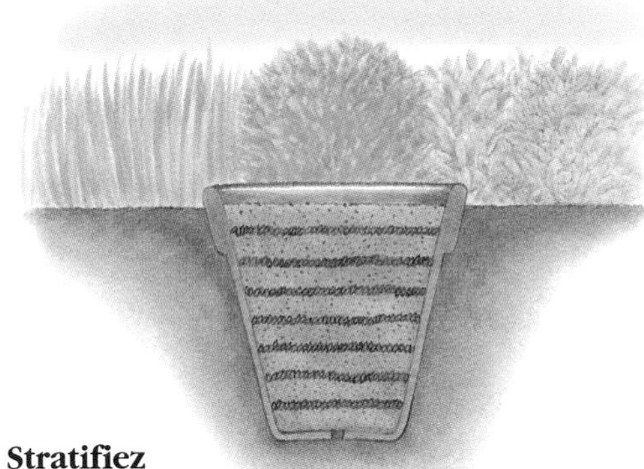

Stratifiez les graines dures. Dans un gros pot de fleurs, placez un lit de sable humide, une couche de graines, un lit de sable, etc., jusqu'au complet remplissage du pot. Enterrez-le dans un coin du jardin et laissez-le plusieurs mois en maintenant le sable humide. La coque ou la peau des graines dures se ramollira et la germination en sera facilitée (noyaux de fruits, d'olive, baies de viorne, aubépine…).

▶ **Mélange de terre**

Sablonneux (sol)

Comment le reconnaître ? Il est friable, inconsistant, file vite entre les doigts (voir Analyse du sol). Il est pauvre car les éléments nutritifs sont vite lessivés. Il est de ce fait toujours bien drainé et se réchauffe vite au printemps, permettant une végétation précoce.

Améliorez la terre par des apports de matière organique (compost, tourbe, fumier…). Elle retiendra mieux l'humidité et les éléments nutritifs. Préférez des engrais à réaction rapide.

Pour stabiliser les sols sablonneux en bord de mer, plantez des touffes de graminées, des tamaris, des *Elaeagnus*, des rosiers rugueux, des tritomes, des chardons bleus…

Sagine

La meilleure façon de la planter. Commencez par désherber au maximum le terrain. Découpez la plaque de sagine en petits carrés de 2 × 2 cm. Espacez bien les petits plants en tous sens.

Le désherbage manuel de la sagine doit être très minutieux. Sur une grande surface, facilitez-vous le travail en utilisant un désherbant sélectif.

Salade

Multipliez les petits semis. Ainsi, vous n'aurez pas la mauvaise surprise de voir monter ensemble toute une ligne de laitues avant d'avoir eu le temps de les manger. À partir de mai et jusqu'en septembre-octobre, faites des semis sur 50 cm de long tous les 15 jours. C'est amplement suffisant. Vous pourrez varier les salades et les croquer avant qu'elles ne montent.

Pour recouvrir les graines d'une très fine couche de terreau — quelques millimètres suffisent —, utilisez un tamis à mailles fines (4 mm). Les graines, juste cachées, seront assez protégées mais pas gênées pour germer.

Paillez et arrosez régulièrement toutes vos salades : c'est là le secret d'une croissance régulière et de la formation d'un beau feuillage pour les chicorées ou d'une belle pomme pour les laitues. Mais attention, évitez d'arroser le feuillage, surtout en plein soleil !

En sol lourd et humide, repiquez les salades sur de petites buttes hautes de 10 cm (billons). Les salades d'hiver, qui craignent particulièrement l'humidité stagnant dans le sol, apprécieront.

Protégez-les des oiseaux, car les jeunes salades fraîchement repiquées sont bien tentantes pour eux. Pour cela, supprimez une bonne moitié du feuillage de vos salades avant le repiquage. Elles reprendront mieux et les oiseaux ne les tireront pas. Au besoin, posez un léger filet sur les jeunes plants (voir Filet de protection et Oiseaux).

Salades sauvages et domestiques

Pour donner une note originale à vos salades, cultivez au potager : bette à carde, mâche, moutarde, roquette, cresson de jardin et épinards. Sortez du jardin pour courir les champs à la recherche de : pissenlit, violette, grande oseille, véronique beccabunga, cresson officinal. Recherchez aussi les racines de *Armoracia lapathifolia* (raifort) : c'est un condiment très utile en cuisine. Évitez les bords des routes fréquentées ainsi que les lieux pollués, et lavez très soigneusement votre récolte. Ne ramassez pas le cresson sauvage, qui peut être vecteur de la douve du foie.

Le mesclun. On appelle ainsi un mélange de jeunes pousses de salade que les gourmets affectionnent. Fabriquez un mesclun à même votre potager en mélangeant les restes de vos sachets de graines : laitue, chicorée, scarole, cerfeuil, fenouil, épinard, roquette et cresson. Faites un semis assez dense, et récoltez au couteau lorsque les feuilles ont une dizaine de centimètres de haut.

Des salades en automne, c'est possible, même lorsque les nuits sont froides (voir tableau). Il vous suffit de protéger les derniers plants de chicorée et de scarole avec de grands cageots à légumes. Si le froid se fait plus vif, recouvrez-les d'un plastique noir ou à bulles, que vous relèverez dans la journée. Vous pouvez utiliser ces mêmes cageots en été pour protéger les salades du soleil.

De la salade pour tous les goûts

	Semez	Récoltez
PRINTEMPS (mars à mai)	laitues à couper, laitues pommées de printemps et romaines, chicorées frisées et scaroles, mesclun	laitues pommées et romaines
ÉTÉ (juin à août)	chicorées scaroles en cornet et frisées, chicorée 'Pain de sucre', endives, mâche	laitues pommées, batavias et romaines, laitues à couper, chicorées frisées et scaroles
AUTOMNE (septembre à octobre)	laitues pommées d'hiver et romaines, mâche	chicorées scaroles en cornet, chicorées frisées, chicorée 'Pain de sucre'

Salades : faites le bon choix

Les salades à couper sont plus faciles à cultiver que les salades pommées. Semez des variétés prévues à cet effet ('Feuille de chêne', 'Kamino', 'Lollo Rossa'). Si vous n'en avez pas, faites un semis de laitue pommée que vous n'éclaircirez pas. Lorsque le feuillage aura atteint 10 cm, récoltez au couteau en laissant 2 cm au-dessus du sol. Arrosez copieusement et attendez la repousse pour faire une seconde récolte.

▶ **Blanchiment, Endive, Laitue, Potager**

Sang desséché

Des couleurs plus vives pour vos hortensias. Arrosez chaque pied avec la valeur d'un arrosoir d'eau (10 litres) où vous aurez dilué 25 à 30 g de sang desséché. Renouvelez l'opération 1 mois après le premier arrosage.

Ayez la main légère. Quelques pincées de sang desséché suffisent à hauteur des racines ou mélangées à sec dans le mélange terreux (dans les jardinières, lors du rempotage…). N'en privez pas vos plantes à cause de son odeur peu engageante, c'est un très bon engrais à décomposition lente, composé d'environ 12 à 15 % d'azote, 1,5 à 3 % de phosphore, et 0,7 % de potasse.

Utile dans le compost. Le sang desséché aide à la décomposition des matières fibreuses en activant le travail des bactéries.

Sapin de Noël

Si vous voulez replanter votre sapin de Noël au jardin une fois le printemps venu, ne le gardez pas plus de 8 à 10 jours dans la maison. Laissez-le dans son contenant ou, mieux, placez-le dans un gros pot, caché dans de la tourbe humide : il souffrira moins de la sécheresse. Pin, sapin, if et genévrier en colonne peuvent convenir.

Antifeu. Pulvérisez une solution d'alun à 5 % sur les branches. N'installez aucune bougie ou flamme à proximité de l'arbre, la résine, surtout après dessèchement du feuillage, ne demandant qu'à s'enflammer. Préférez les guirlandes lumineuses à basse tension.

Décor naturel. Proposez à vos enfants de peindre les pommes de pin ramassées en forêt et accrochez-les dans le sapin. Une certaine unité de couleur est préférable. Pour un résultat plus brillant, vernissez les pommes à la bombe une fois peintes.

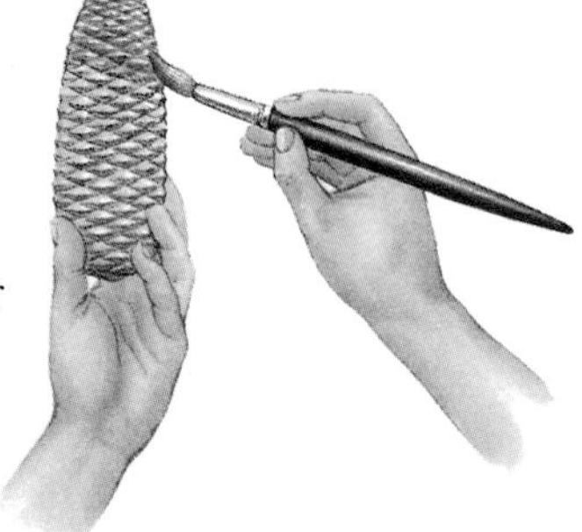

Un air de fête au jardin. Vous ne voulez pas d'un arbre coupé à l'intérieur ? Décorez un conifère de votre jardin. Pour en profiter, choisissez un arbre bien visible des fenêtres de la pièce dans laquelle vous vivez le plus. Achetez des décorations qui ne craignent ni la pluie ni le gel et accrochez-les solidement pour qu'elles ne s'envolent pas avec le vent.

Décor gourmand. Attachez des bonbons ou des papillotes que vous aurez choisis pour leur emballage coloré à un long fil de bolduc vif. Vous obtiendrez des guirlandes aussi belles que bonnes à manger.

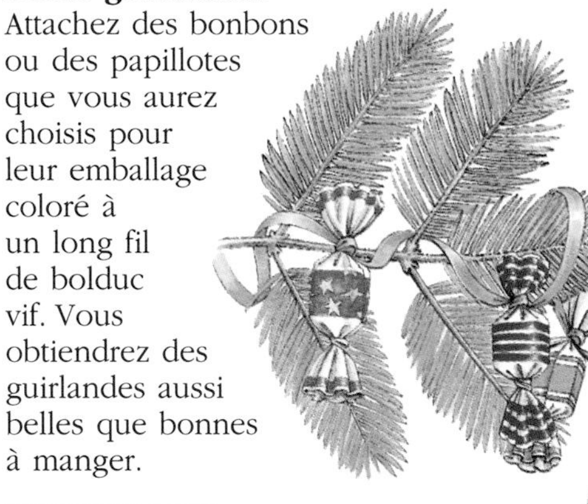

RECYCLAGE

Les petites branches. Coupées au sécateur, elles vous permettront de protéger les jeunes semis contre lapins, chats, soleil…

Le tronc sans ses branches deviendra un tuteur apprécié par les grimpantes annuelles (ipomée, capucine, cobée, houblon panaché, pois de senteur…).

Installez les aiguilles sèches en paillis au pied des arbustes de terre de bruyère. Leur acidité leur sera utile.

Sarclage

Sarclez avant que les mauvaises herbes ne fleurissent. Ainsi, elles seront plus faciles à arracher et ne risqueront pas de donner des graines. Attention, certaines plantes (le séneçon, par exemple) sont capables de mûrir leurs semences même si elles sont arrachées au stade de la floraison.

Laissez sur place les herbes arrachées, à condition qu'elles ne soient pas montées en graine. Elles constitueront une couverture protectrice pour le sol et nutritive pour les plantes cultivées. Une façon de rendre au sol ce qui lui a été pris !

Sarclez le matin, en choisissant de préférence une journée sèche et ensoleillée. Ainsi, les mauvaises herbes laissées sur le sol auront le temps de faner et risqueront moins de se réenraciner.

Adoptez la houe. C'est le meilleur outil pour sarcler une parcelle de potager ou au pied des arbres et des arbustes. Choisissez une lame plutôt longue, étroite et légèrement recourbée. Important pour vous éviter une fatigue inutile : affûtez régulièrement votre houe à l'aide d'une lime.

Pour un sarclage minutieux, c'est la gouge qu'il vous faut. Rien de tel que ce petit outil muni d'une lame tranchante terminée par une encoche pour extirper les mauvaises herbes au milieu d'une plate-bande de vivaces. Choisissez un modèle solide, forgé, et non en tôle pliée. Car… qui a plié pliera ! (Voir Outils.)

> **Ne confondez plus sarclage et binage**
>
> Sarcler consiste à détruire les mauvaises herbes en les déracinant. Biner, c'est ameublir le sol très superficiellement à l'aide d'un outil. Il va de soi qu'en binant on coupe des plantules de mauvaises herbes et, donc, que l'on sarcle. Mais on peut sarcler sans biner, en arrachant les herbes à la main, par exemple.

Que faire des mauvaises herbes grainées ? Évitez de les ajouter à votre tas de compost car vous ne feriez alors qu'entretenir le stock de semences présentes dans le sol. Faites plutôt un tas à part, un compost « spécial mauvaises herbes » qui vous servira exclusivement à enrichir la terre de rebouchage lors de la plantation de vos arbres et arbustes. Bien enterrées, les graines des mauvaises herbes ne pourront pas germer.

Les coriaces. Chiendent, prêle, ortie et autres adventices (mauvaises herbes) à tiges souterraines traçantes exigent, pour disparaître, un sarclage renforcé, réalisé au cœur de l'été, sur sol sec. À l'aide d'un fort croc à deux dents, extirpez les racines et tiges souterraines, pour la plupart peu profondes. Laissez-les sécher sur place ou brûlez-les.

Spécial mouron. Cette mauvaise herbe très répandue dans les potagers possède la particularité de se développer très rapidement et devient vite envahissante. Profitez d'une période de gel pour... piétiner ou frapper à l'aide d'un balai de bouleau les touffes de mouron. Fragilisées par le gel, celles-ci ne s'en relèveront pas.

▶ **Désherbage, Herbes**

Sauge

LES VIVACES

Plantez-les sur sol léger, très drainant et même sec. Elles seront plus rustiques sur sol sec et calcaire que dans une plate-bande sur sol frais et riche.

Protection hivernale. Buttez la souche d'un matelas de feuilles sèches, ou bien couvrez-la d'un voile d'hivernage. Taillez les sauges vivaces court, à 10-20 cm du sol ; elles résisteront mieux au froid.

Bouturez-les en fin d'été. Prélevez des pousses terminales non fleuries, si possible avec un talon (éclat de la tige lignifiée portant la pousse). Trempez la base des boutures dans une poudre d'hormone d'enracinement, puis repiquez-les dans un mélange de tourbe et de sable.

La sauge officinale : une herbe à usages multiples. Essayez-la en tisane. Disposez quelques feuilles sur vos rôtis avant de les mettre au four. Saupoudrez de feuilles hachées vos pizzas et brochettes...

Sauge : faites le bon choix

Recherchez les variétés colorées, précieuses pour leur feuillage persistant et aromatique et leur floraison violette : 'Aurea', à feuillage panaché de jaune ; 'Purpurascens', gris violacé ; et 'Tricolor', panachée de vert, de crème et de rose.

Pour vos plates-bandes fleuries, essayez *Salvia argentea,* au feuillage argenté, laineux. Sa grande taille (1 m), sa magnifique floraison (en juin-juillet) et son feuillage particulier en font une plante de choix pour créer un point d'intérêt dans votre massif de fleurs. *S.* × *sylvestris* donne des fleurs bleu violacé et *S.* × *superba rosea,* des fleurs roses.

Pour aromatiser vos salades de fruits, adoptez *S. rutilans,* au feuillage qui sent l'ananas. Cette sauge n'étant pas rustique ici, vous devrez la rentrer en serre pour l'hiver.

Une riche palette

Pour fleurir vos massifs d'été, il existe d'autres sauges annuelles que la traditionnelle sauge rouge *Salvia splendens,* dont vous trouverez les nouvelles variétés, plus claires ou en mélange (blanc, saumon, rouge, violet).

Espèces	Floraison	Description
Salvia coccinea 'Lady in Red' *S. c.* 'Lady in Salmon'	rouge saumon	Annuelle, longs épis écarlates, moins criards que ceux de la sauge rouge classique. Hauteur : 50 cm.
S. farinacea	bleue	Annuelle, feuillage fin, foncé et longs épis farineux bleu-violet. Hauteur : 50 à 60 cm.
S. farinacea 'Argent'	blanche	Annuelle, sauge farineuse à floraison blanc argenté.
S. × *superba*	bleu violet	Vivace produisant un grand nombre d'épis. Hauteur : 60 cm.
S. argentea		Une bisannuelle qui se ressème. Feuilles grisâtres et fleurs aux bractées blanches. Hauteur : 1 m.

Pour éloigner les mites de vos armoires, ajoutez quelques feuilles de sauge dans les sachets de lavande avec lesquels vous parfumez votre linge.

LES ANNUELLES

Semez-les au chaud en fin d'hiver, pour une mise en place après les gelées, en situation bien ensoleillée. Pour les espèces bisannuelles, laissez-les monter en graine car elles se ressèment facilement.

Pincez les jeunes plants lors de la plantation : raccourcissez les tiges en les coupant entre pouce et index. Elles seront ainsi plus ramifiées et compactes.

▶ **Aromatiques**

Scarification

Pour scarifier aisément des graines d'arbre, jetez-les dans un bocal doublé d'un cylindre de papier de verre à grain moyen, côté abrasif vers l'intérieur. Fermez et agitez comme un shaker, une dizaine de fois. Après usure de leur épiderme, les graines les plus dures (acacia, mimosa) se laissent pénétrer par l'eau et germent en quelques jours au lieu de plusieurs mois.

Économie de temps et d'argent. Pour scarifier une bonne surface de pelouse, recourez au scarificateur à moteur. C'est un outil coûteux, mieux vaut le louer. En une journée, vous obtiendrez une scarification complète (4 passages) sur 2 000 m^2 sans effort.

Pour un travail efficace, il vaut mieux scarifier la pelouse dans les deux sens, perpendiculairement, en fin d'hiver. Ne vous inquiétez pas si elle apparaît bien mitée après un tel traitement : un bon roulage, un semis complémentaire aux endroits les plus dénudés, et il n'y paraîtra plus au bout de 15 jours.

Récupérez les déchets de scarification et compostez-les. Pour une décomposition efficace et homogène, mettez-les en tas dans un coin à part et incorporez-les par petites doses à d'autres matériaux à composter.

Sur une petite surface, ou pour un simple raccord, le râteau scarificateur suffit amplement. Mais renoncez-y dès que vous sentez la fatigue, sans quoi la tâche sera épuisante.

Sciure

Où la trouver ? Les scieries et menuiseries se débarrassent volontiers des sacs de sciure. Récupérez-en quelques-uns pour votre jardin, en évitant la sciure de cèdre, qui convient mal aux végétaux. La sciure se décompose lentement et elle allège les sols lourds. Elle est idéale en couverture de sol autour des arbres fruitiers, des arbustes à baies et à fleurs, des rosiers.

Décomposition rapide. Faites un tas de compost en alternant couches de sciure et couches de fumier de volaille. 1,5 kg de sciure donnera 500 g de compost. L'acidité de la sciure compense l'alcalinité du fumier de volaille.

Au potager, incorporez la sciure au moins 6 mois avant la plantation afin qu'elle ait commencé à se décomposer quand vous planterez. Ne la mettez jamais en contact avec les jeunes plants de légumes, car, pour se décomposer, la sciure exige beaucoup d'azote, tout comme les jeunes plants pendant leur croissance : il y aurait alors concurrence et souffrance. Cependant, si vous l'avez fait, ajoutez vite de l'azote au sol sous forme de sang desséché, corne torréfiée, poudre d'os, compost, déchets de tonte…

Un bon remède pour les sols secs. Mélangée à la terre, la sciure absorbe jusqu'à 5 fois son poids en eau. Elle retient aussi les éléments minéraux solubles pour les rendre au sol ou aux plantes lors de sa décomposition.

▶ **Escargot**

Sécateur

Choisissez-le bien. Préférez un modèle simple et solide, du type monobloc, tout en acier forgé poli, muni d'un ressort en spirale et de butées en caoutchouc, peint d'une couleur vive (à l'exception de la lame) afin que vous puissiez le retrouver facilement sur la terre ou dans l'herbe. Évitez les modèles trop sophistiqués (également les plus coûteux), au mécanisme et à la lame plus fragiles.

Lame échangeable ? L'avantage n'est pas évident car celle-ci est fragile et rouille facilement. La lame fixe classique, si elle est de bonne qualité, est quasi éternelle car on peut l'affûter.

Si vous avez de petites mains, cherchez un modèle adapté, léger, ergonomique et court (moins de 20 cm). Un « sécateur de dame », tout petit et chromé..., vous conviendra sans doute très bien.

Enclume ? Dans ce système, la lame coupante vient appuyer contre une semelle en métal tendre (aluminium) ou plus dur (bronze) formant enclume. Les branches coupées sont alors plus ou moins écrasées. D'autre part, l'enclume et la lame doivent être remplacées régulièrement. Le sécateur à enclume convient davantage à la cueillette des roses qu'à la taille proprement dite.

Vous êtes gaucher ? Il existe des sécateurs faits pour vous, avec lame, contre-lame et cliquet de fermeture inversés.

Utile, le système de verrouillage situé vers l'axe et qui permet de verrouiller ou de déverrouiller votre sécateur d'une seule main. Vous l'apprécierez lorsque vous serez cramponné en haut d'une échelle !

Pour couper de grosses branches (entre 1,5 et 3 cm de section), prenez un sécateur ébrancheur ou sécateur « à deux mains ». Évitez d'utiliser un modèle à enclume sauf pour couper du bois mort. Et n'hésitez pas à investir dans un modèle solide, à lame forgée et trempée, car votre outil sera soumis à rude épreuve.

Le bon geste. Lorsque vous taillez une branche avec votre sécateur, faites en sorte que la lame mobile soit du côté de la partie de rameau conservée. Ainsi, la partie écrasée par la contre-lame se trouvant sur le morceau enlevé, la cicatrisation de la plaie se fera dans les meilleures conditions. Veillez également à tailler en biseau, à quelques millimètres au-dessus d'un bourgeon ou d'un rameau qui servira de « tire-sève ».

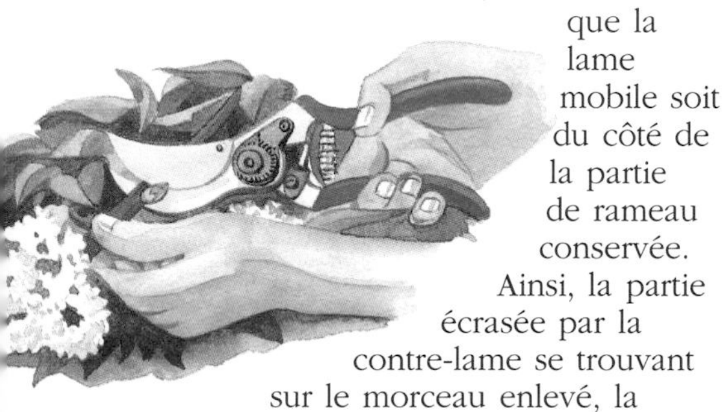

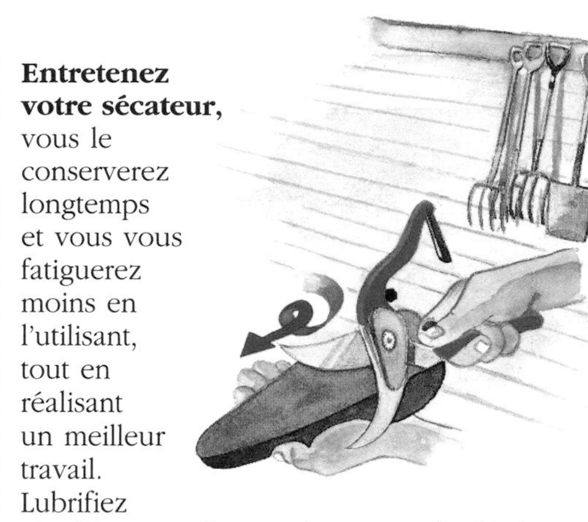

Entretenez votre sécateur, vous le conserverez longtemps et vous vous fatiguerez moins en l'utilisant, tout en réalisant un meilleur travail. Lubrifiez régulièrement l'axe et les zones de friction avec quelques gouttes d'une huile légère (vaseline). Affûtez la lame en frottant doucement le tranchant, côté partie bombée, sur une pierre spéciale mouillée d'eau.

▶ **Outils**

Séchage

Cueillez les fleurs par temps sec après 11 heures du matin, quand la rosée s'est évaporée. Groupez-les par petits bouquets et protégez-les de la poussière en les couvrant d'une feuille de papier.

Suspendues la tête en bas, c'est la meilleure façon de faire sécher des fleurs fraîches. Choisissez un local aéré, sec et peu lumineux (grenier, garage), ou un placard si vous voulez qu'elles gardent des couleurs bien vives. En effet, la lumière décolore les fleurs.

Pour que les fleurs ne perdent pas leurs pétales en séchant, cueillez-les avant leur épanouissement complet et laissez un espace suffisant entre les bouquets suspendus (15 cm environ).

Tigez les fleurs alors qu'elles sont encore fraîches. Sèches, elles éclatent. Enfilez du petit fil de fer de fleuriste dans la tige, faites-le ressortir par la tête et laissez sécher.

Conservez vos vieux annuaires pour faire sécher les tiges, fleurs ou feuilles que vous destinez à votre herbier. Placez dessus une planche et un gros poids ou un pavé pour écraser la végétation glissée entre les pages.

Le séchage à l'air est la plus facile de toutes les méthodes de séchage. Pour réussir, commencez le séchage aussitôt après la cueillette.

Séchage au gros sel. Remplissez un vase de gros sel, ajoutez quelques cuillerées d'eau pour l'humidifier légèrement, et plongez-y la queue des fleurs à tige raide (aconit, pied-d'alouette...).

Découvrez les cristaux de gel de silice pour les fleurs aux pétales fragiles (pensée, zinnia, anémone, narcisse...). Vous les trouverez dans les magasins de bricolage ou de travaux manuels. On y enfouit les fleurs à sécher, et les cristaux virent du bleu au rose lorsque les fleurs sont sèches. Insistez pour les fleurs touffues (œillet, rose...).

Feuillage d'automne. Stabilisez les couleurs en repassant les feuilles au fer moyennement chaud. C'est assez facile avec les grands feuillages (hêtre, tilleul, frêne, érable à sucre...). Pour les petits feuillages, glissez la branche entre deux épaisseurs de papier journal et montez un peu la température du fer.

Pas éternel. Attention, un bouquet sec a une durée de vie limitée, car la poussière s'y installe vite. En fin d'hiver, n'hésitez pas à tout démonter ; conservez ce qui peut l'être et renouvelez la présentation.

Choisissez les roses qui conservent le mieux leurs coloris : 'Sonia Meilland' (rose), 'Mercedes' (rouge), 'Golden Times' (jaune)... Cueillez-les encore en bouton ou à peine ouvertes et placez-les dans le four de la cuisinière, à chaleur très douce (80 °C), porte entrebâillée, pendant 5 heures. Pensez aussi aux rosiers à fruits décoratifs (voir Fruits décoratifs) pour donner une note originale à vos compositions. Retirez toutes les feuilles et une partie des épines et faites-les sécher dans un lieu aéré.

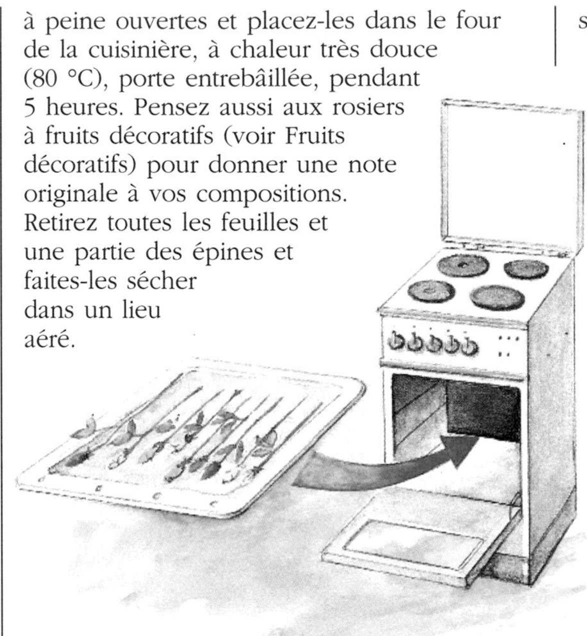

Faites le bon choix

Les meilleures plantes de jardin à faire sécher sont les suivantes : achillée, achillée millefeuille, aconit, alchémille, amarante, aster, *Briza media, Centaurea macrocephala,* chardon bleu, *Eryngium maritimum,* graminées, *Gypsophila elegans, G. paniculata,* hortensia, hydrangée, immortelle, lavande, *Lagurus ovatus, Limonium latifolium, L. sinuatum* et *L. tartaricum,* matricaire, monnaie-du-pape, pavot oriental, pied-d'alouette, rose, scabieuse.

▶ **Cueillette, Fil de fer, Pot-pourri**

Sécheresse

Sachez vous adapter. Choisissez des plantes qui supportent les conditions de sol et de climat secs (voir tableau page ci-contre). Ne rêvez pas de plantes de terre de bruyère, même dans une fosse spéciale, car une hygrométrie trop faible ne convient pas à leur végétation.

Le bon arrosage. Évitez les arrosages superficiels, qui, même répétés, ne mouillent qu'une infime couche du sol. Préférez des arrosages de longue durée, qui font pénétrer l'eau en profondeur et forcent les racines à s'enfoncer dans la terre et à puiser dans les réserves. Un développement en surface des racines par des arrosages trop parcimonieux provoque dès les premiers beaux jours cet effet « paillasson » si redoutable sur les pelouses et massifs. Arrosez la nuit, les plantes en profitent mieux et les pertes par évaporation immédiate seront d'autant limitées.

Travaillez régulièrement le sol. Des binages légers et répétés briseront la croûte superficielle et réduiront les déperditions d'eau. Apportez de l'engrais organique (fumier, compost...), qui favorise la vie microbienne en surface, et évitez les engrais chimiques, libérant trop vite leurs éléments.

Économie d'eau. Placez des bacs récupérateurs sous les gouttières. Installez une citerne pour collecter l'eau de pluie. Sous chaque potée de votre jardin, n'oubliez pas la soucoupe pour récupérer l'eau de pluie et d'arrosage. Recyclez l'eau de rinçage des légumes en arrosant les potées proches de la cuisine.

Une terrasse au frais. Utilisez des écrans — cannisses, filets, plantations verticales, treilles... — pour éviter un soleil trop brûlant sur la terrasse aux heures les plus chaudes. Ombrez la véranda et la serre par des plantations estivales à végétation très dense, qui garniront les abords immédiats : haricot d'Espagne, vigne, rosiers grimpants... (Voir Grimpantes.)

Plantez tôt au printemps. Évitez les achats impulsifs en été. Ces végétaux « coups de cœur » exigeront beaucoup d'arrosages et de présence et auront plus de difficultés à reprendre.

Pelouse rustique. Le trèfle est plus résistant que les graminées d'un gazon classique. Introduisez-le dans la pelouse si vous vivez dans une zone où les arrosages sont très limités, voire fréquemment interdits en été. En cas de sécheresse passagère, n'arrosez plus le gazon et tondez haut ou pas du tout. Laissez l'herbe jaunir, et sachez qu'elle reverdira bien vite dès les premières pluies.

▶ **Chaleur**

Faites le bon choix

Voici une sélection de plantes supportant bien la sécheresse une fois établies. Après plantation, il est nécessaire de les aider à reprendre par des arrosages profonds et un épais paillis protecteur (voir Paillage).

Arbres	Arbustes	Vivaces, bulbes, annuelles
aubépine ergot-de-coq	amélanchier	achillée
catalpa de l'Ouest	*Andromeda polifolia*	*Anacyclus*
cerisier 'Shubert'	arbre à perruque	anthémis
chêne châtaignier	*Arctostaphylos*	armoise
érable argenté	argousier faux-nerprun	aubrietia
érable à Giguère	aulne blanc	baptisia
érable de Norvège	aulne crispé	centaurée
févier inerme d'Amérique	bleuet	centranthe
genévrier de Chine	buddléia	céraiste
genévrier de Virginie	caragana	cléome
lilas japonais 'Ivory Silk'	céanothe	coréopsis
Malus × *arnoldiana*	chalef argenté	cosmos
mélèze d'Europe	chèvrefeuille	draba
micocoulier	*Cotoneaster acutifolius*	*Echinops ritro*
mûrier blanc	cytise	énothère
olivier de Bohème	érable de l'Amur	euphorbe
orme de Sibérie	érable de Tartarie	gaillarde
peuplier	genêt	gaura
pin à cônes épineux	genévrier commun	gazania
pin noir	genévrier horizontal	gypsophile
robinier faux acacia	*Juniperus sabina*	hélianthème
sapin du Colorado	kolkwitzia aimable	*Iris pumila*
tilleul à petites feuilles	mahonia	lavande
	physocarpe	liatris
	potentille frutescente	lin
	pyracantha	lotier
	rhamnus	lupin
	rosier rugueux	molène
	seringat	narcisse
	shepherdie	népéta
	sumac vinaigrier	orpin
	sureau noir	pavot d'Islande
	sureau rouge	*Pennisetum*
	symphorine	pourpier
	Syringa villosa	rue
	tamaris	rudbeckie
		santoline
		sempervivum
		statice
		tritome
		valériane
		verveine
		yucca

On peut ajouter à ces listes :
- les plantes aromatiques de soleil (voir Aromatiques) ;
- tous les bulbes de printemps qui exigent un repos de végétation au sec en été ;
- toutes les plantes à feuillage duveteux, argenté, laineux, et celles qui portent le qualificatif latin de *maritima* ou *maritimum.*

Semis

AVANT DE SEMER

Vos graines sont-elles trop vieilles ? Faites un test. Prélevez 10 graines dans le sachet et étalez-les entre 2 feuilles de papier absorbant mouillé. Roulez le tout et glissez-le dans un sachet en plastique étanche, placé au chaud (à proximité d'un radiateur, au-dessus du réfrigérateur…). Vérifiez tous les 3 ou 4 jours l'évolution des graines. Si, sur les 10 graines, 8 ont levé, le lot germera à 80 %. En dessous de 70 %, on considère que le lot est médiocre. Vous pouvez le semer, mais en augmentant la densité au centimètre carré.

Des graines très dures. Leur taux de germination est capricieux. Vous augmenterez vos chances de succès en scarifiant avec la pointe d'un couteau leur épaisse peau protectrice. Si la graine est longue, coupez un petit morceau de peau à une extrémité. Si elle est ronde et difficile à tenir, usez sa peau sur du papier de verre ou une lime à grain fin. L'humidité nécessaire à la germination entrera par ce point faible.

Des graines au mètre. On trouve dans le commerce des graines en ruban qu'on étale au fond des sillons, ce qui supprime les calculs d'écartement entre les graines et permet un travail rapide. Malheureusement, le choix des variétés est très limité et leur prix assez élevé.

La bonne date. Semez les légumes et les fleurs résistant au froid lorsque les fleurs de pommier s'épanouissent. Semez les graines aimant la chaleur lorsque les lilas montrent leur couleur.

EN TERRE

Économie d'eau. Arrosez abondamment le fond du sillon, déposez les graines, refermez le sillon et recouvrez-le d'un peu de tourbe, de paille hachée ou de déchets de tonte de gazon.

Anti-oiseaux. Graines de gazon ou graines semées en surface peuvent tenter petits et gros oiseaux. Découragez-les en plaçant sur vos semis un grillage fin — par exemple une moustiquaire — jusqu'à la levée du semis.

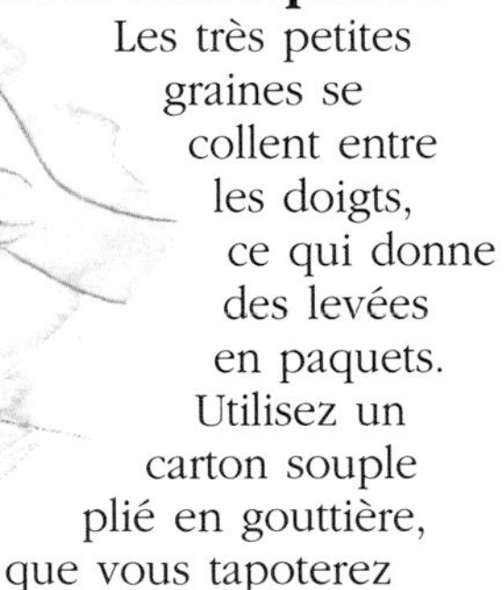

Petites graines bien réparties. Les très petites graines se collent entre les doigts, ce qui donne des levées en paquets. Utilisez un carton souple plié en gouttière, que vous tapoterez doucement en le promenant au-dessus du sillon. Ou servez-vous d'une salière, secouée avec prudence, et ne revenez pas sur une surface déjà ensemencée.

Levée rapide. La température reconnue optimale pour la levée de la plupart des graines est 21 °C. Faites chauffer la caissette de terreau pendant quelques jours sur un radiateur ou quelques instants à four doux, ou utilisez une miniserre chauffante.

Tassez la terre, mais pas trop. Au jardin, utilisez une planche et marchez dessus, ou bien damez avec le plat du râteau ; dans les pots, appuyez doucement avec le dos de la main ou pressez légèrement avec la base d'un pot vide.

Un terreau stérile. Le terreau pour semis du commerce est sain, testé, vérifié. Il n'en est pas de même de votre mélange maison, qui, même s'il a toutes les qualités requises pour une bonne germination, n'est pas indemne de spores, bactéries, œufs, larves...

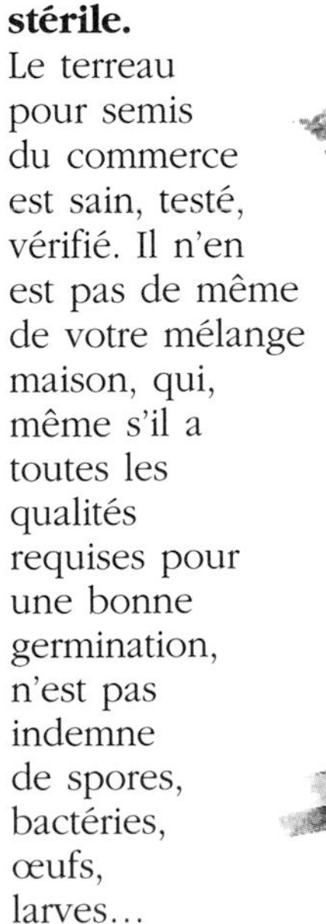

Stérilisez votre mélange pour mettre toutes les chances de votre côté (et éviter la fonte des semis). Placez le terreau dans un plat allant au four (genre plat en aluminium pour congélateur) et couvrez-le d'aluminium ménager pour limiter les odeurs. Enfournez à 450 °C pendant 2 heures.

Plus jamais mal au dos. Semez sans vous baisser et avec précision en utilisant un morceau de drain en plastique d'environ 1 m de long (adaptez-le à votre taille) et de 2 à 3 cm de diamètre. Coupez sa base à 45° pour former une pointe qui s'enfoncera facilement dans le sol. Piquez ce tuyau-plantoir en début de sillon, lâchez une graine dans le trou supérieur et passez au trou suivant. Tassez d'un petit coup de talon léger en avançant sur le rang et en suivant le cordeau. Cette méthode convient particulièrement aux grosses graines (fèves, pois, haricots), mais elle peut servir pour les betteraves, salades, courges et associées. Il existe une autre solution pour tasser le sillon sans se baisser : attachez une ficelle solide à une planche de contreplaqué de 25 cm de large. Placez cette planche sur le sillon et montez dessus. Une fois la terre tassée, vous n'aurez plus qu'à tirer la ficelle pour entraîner la planche un peu plus loin.

La bonne profondeur. Dans la nature, les graines tombent et personne ne les enfouit... Souvenez-vous-en lors des semis et n'enfouissez pas vos graines de plus de leur propre hauteur, c'est-à-dire que la plupart seront juste dissimulées sous un léger film de terreau. Les conseils inscrits au revers des paquets de graines sont soit évasifs, soit erronés. Seules les grosses graines s'enterrent de 2 fois leur hauteur.

Indispensable obscurité. Nombreuses sont les graines qui éclosent sous la caresse du soleil, mais d'autres ne germent que dans l'obscurité (bette, betterave, carotte, chou, chou-fleur, céleri, concombre, épinard, melon, oignon, persil, pois, radis...) : placez un journal replié sur les caissettes ou un paillis de tourbe sur les sillons.

Les semis de mai-juin n'aiment pas votre absence. Avant de partir en week-end, pour ne pas retrouver tout brûlé en 3 jours, étendez en surface (ou sur 4 petits piquets de bois fichés en terre) une toile fine, un vieux foulard, un torchon humide... Cette protection laissera passer la pluie et abritera les plantules du froid comme de la chaleur. Retirez-la dès que les plants auront grandi ou que votre surveillance sera redevenue attentive.

Pour faire des semis droits, l'utilisation d'un cordeau est indispensable. Le semoir est lui très pratique pour déposer les graines dans les sillons sans se baisser.

EN GODETS OU EN PETITS POTS...

Semez les graines 2 par 2 dans chaque pot, godet ou alvéole de caissette de tourbe compressée. Ce sera votre assurance... pour éviter les pots vides dans le futur. Si les deux graines germent, coupez la plantule la plus faible avec l'ongle à ras du sol.

Évitez la transplantation en semant directement dans un matériau biodégradable comme des cornets de papier journal, des godets de tourbe compressée, des coquilles d'œufs vides (voir Œuf). Tous ces matériaux se désintègrent en terre et les racines les traversent aisément.

Des pots remplis à ras bord. Contrairement aux pots de fleurs, qui exigent un vide en surface pour permettre les arrosages, remplissez totalement vos godets, car le terreau se tasse beaucoup à la longue et le jeune plant en a besoin pour former de belles racines.

Faites sécher de la mousse des bois, et râpez-la ou écrasez-la finement entre vos doigts. Saupoudrée entre les sillons du plat à semis ou en surface des godets, elle fera fuir par son acidité le champignon microscopique responsable de la terrible fonte des semis.

► **Graines, Lune, Mélange de terre, Repiquage, Terreau**

Senteurs

La ronde des parfums

L'univers des parfums du jardin est à la fois familier et étranger : il faut lui accorder un peu d'attention pour l'apprivoiser. Une bonne clé pour y entrer a été mise au point par les parfumeurs.

Tête, cœur, fond

Pour découvrir toute la richesse d'un parfum, laissez-lui le temps de vous dévoiler toutes ses notes. Testez par exemple votre nez sur les roses anciennes : leurs notes sont très variées. Petit à petit vous parviendrez à distinguer trois niveaux de senteur. En premier, vous sentirez la tête. Elle est composée des notes vives mais fugitives. Une fois passées les notes de tête, vous sentirez celles du cœur, plus riches et plus durables. En dernier lieu apparaît le fond du parfum, avec ses notes entêtantes, qui persistent souvent lorsque les fleurs ont séché. Ce sont elles qui font du pot-pourri un plaisir qui dure.

Mettez-vous au parfum

Les parfums s'attrapent souvent dans la fleur, tantôt en bouton, tantôt en pleine floraison. Mais ils nichent parfois aussi dans le feuillage, que vous devrez froisser, ou dans une écorce mouillée. Certaines plantes exhalent leur parfum la nuit, d'autres après une pluie d'orage. À vous de les découvrir et de faire vos gammes au cours de vos promenades. Laissez-les cheminer à travers vos souvenirs. Fermez les yeux et redécouvrez votre propre jardin.

N.B. : Le tableau ci-contre propose une sélection de plantes parfumées réparties en fonction de leur note dominante. Certaines, dont le parfum est particulièrement riche et typique, peuvent apparaître dans plusieurs notes. (F) indique une plante dont le feuillage est parfumé.

Notes de tête

Vives et fugitives,
elles se livrent les premières.

Agrumes

bergamote
citron
mandarine
orange

buddléia	osmanthe
Magnolia grandiflora	*Pelargonium crispum* (F)
menthe-bergamote (F)	roses ('Madame Hardy', 'Héritage')
monarde (F)	skimmia
oranger du Mexique	

Aromates

anis
basilic
citronnelle
lavande
menthe

Artemisia discolor
ciste (F)
menthe (F)
sauge sclarée
... et toutes les plantes aromatiques (F)

Notes de cœur

Plus riches et plus durables.
Vous les sentirez après les notes de tête.

Fleuries

chèvrefeuille
jasmin
lilas
muguet
œillet
rose
violette

Vertes

feuille
foin
herbe
lichen
lierre
mousse

Fruitées-sucrées

Épicées

basilic	giroflée
Bignonia capreolata	*Helichrysum serotinum*
cercidiphyllum (F)	œillet
Clematis armandii	oranger du Mexi
cosmos chocolat	*Pelargonium fragrans*
fenouil	roses
gattilier (F)	viorne
genêt d'Espagne	
géranium (vrai)	

chèvrefeuille	jasmin
Chimonanthus fragrans	lilas
cyclamen	muguet
daphné	œillet
géranium rosat	osmanthe
hémérocalle	rose
iris de Florence	seringat
jacinthe	

ıpérule odorante
ılsamine
ıssis
ıgères
ırre
enthe
ousse
olette

abricot
coing
framboise
miel
noix de coco
pêche
poire
pomme

ajonc	muflier
buddléia	osmanthe
crocosmia	phlox
cytise	pois de senteur annuel
freesia	réséda
glycine	robinier
iris	rose ('Old Blush', 'Yellow button')
jonquille	*Salvia rutilans*
laurier-rose	sarcocoque
lupin	seringat
mahonia	viorne
mimosa	

cannelle
chocolat
curry
gingembre
girofle
muscade
poivre
pomme

Notes de fond

Persistantes, entêtantes,
elles apparaissent en dernier.

Boisées

camphre
cèdre
encens
mousse
myrrhe
patchouli
santal
vétiver

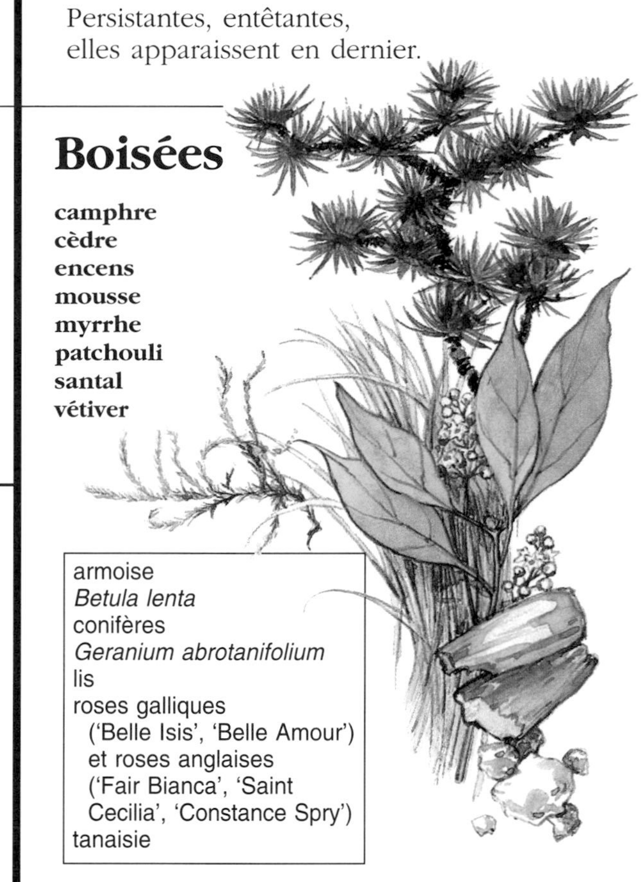

armoise
Betula lenta
conifères
Geranium abrotanifolium
lis
roses galliques ('Belle Isis', 'Belle Amour') et roses anglaises ('Fair Bianca', 'Saint Cecilia', 'Constance Spry')
tanaisie

Balsamiques

ambre
fève tonca
héliotrope
musc
vanille

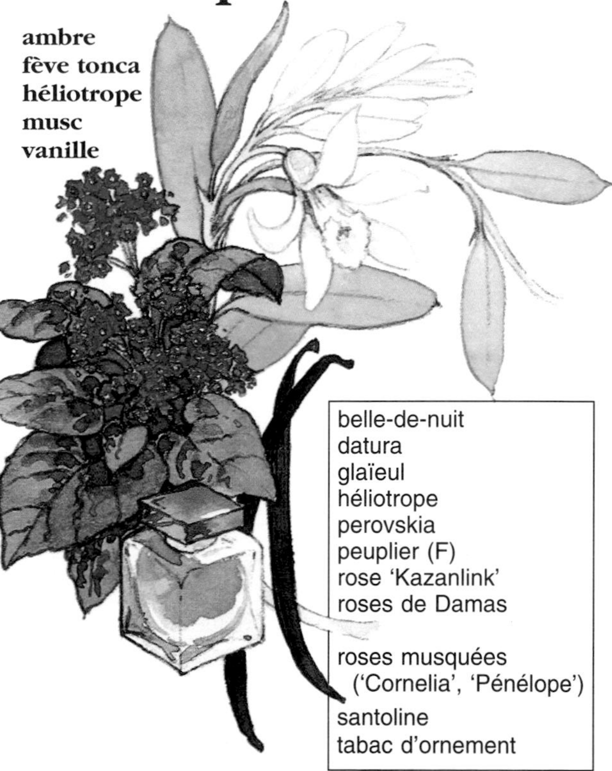

belle-de-nuit
datura
glaïeul
héliotrope
perovskia
peuplier (F)
rose 'Kazanlink'
roses de Damas

roses musquées ('Cornelia', 'Pénélope')
santoline
tabac d'ornement

Serpents

Les seuls serpents au Québec sont d'inoffensives couleuvres. Ailleurs au Canada, dans l'Ouest et au sud de l'Ontario cependant, on risque, en jardinant, de tomber sur de dangereux serpents comme le crotale des bois (ou serpent à sonnette), le mocassin d'eau et le mocassin à tête cuivrée, dont la morsure est dangereuse, et le redoutable serpent corail de l'Est.

Pour les repousser, il existe des produits à épandre près des habitations. Mais la présence d'animaux domestiques (chats, chiens et surtout poules) est encore plus efficace.

Débroussaillez régulièrement les coins un peu abandonnés de votre jardin : les serpents n'y éliront plus domicile.

La serre n'est pas réservée aux professionnels. Si la taille de votre jardin le permet, installez-en une petite. Elle vous rendra bien des services tout au long de l'année.

Serre

INSTALLATION

Une bonne organisation. Groupez les végétaux par affinités : les cactées contre les vitres, les plantes de sous-bois côté nord, par exemple. Placez tous les végétaux à feuillage duveteux dans un coin, à l'abri des éclaboussures, car l'eau ferait pourrir leurs feuilles. Vous pourrez ainsi adapter facilement votre arrosage aux différents groupes de plantes.

Économie d'eau. Récupérez l'eau de pluie en reliant les gouttières de la serre à une cuve placée à l'intérieur de celle-ci. Prévoyez un filtre pour éviter la présence de feuilles mortes et autres débris putrescibles.

Installez votre serre à l'abri d'un brise-vent. Un brise-vent bien situé vous permettra de faire de 10 à 15 % d'économie sur le chauffage. C'est donc un avantage réel d'en prévoir un lors de l'installation de votre serre. La distance entre la serre et le brise-vent peut être rapprochée au nord, moyennement proche à l'est et à l'ouest et assez éloignée au sud afin d'éviter que le brise-vent ne fasse de l'ombre sur la terre. Lorsque vous évaluez cette distance, n'oubliez pas que le soleil est très haut au solstice d'été (21 juin) mais aussi très bas au solstice d'hiver (21 décembre) ; ces deux facteurs sont importants si vous cultivez dans votre serre pendant toute l'année. Un brise-vent, pour être efficace, doit laisser passer 50 % d'air : il a donc 50 % d'espaces vides et 50 % d'espaces pleins. À cette fin, vous devez planter vos arbres et vos arbustes sur 2 ou même idéalement 3 rangées et, détail très important, les planter en quinconce. Ne taillez jamais les branches du bas des arbres ou des arbustes afin de conserver la base du brise-vent garnie.

Confiez tous les travaux électriques à un électricien. Non seulement il vous fera une installation adaptée, mais sachez que vous ne serez couvert par votre assurance qu'à cette condition.

Gagnez de la place en installant des tablettes suspendues accrochées au toit. Pour protéger le crâne des jardiniers, garnissez toutes les arêtes vives d'un cordon de joint en tube comme celui qui est utilisé pour les salles de bains ou les aquariums.

Économie de chauffage. Au lieu de chauffer une grande serre, installez une miniserre chauffante à l'intérieur d'une serre froide. La miniserre sera sans doute bien assez grande pour vos semis en bas âge et vos boutures délicates, à qui vous ferez faire un stage dans la serre froide avant qu'elles ne gagnent l'extérieur.

Ne vous privez pas de tablettes surélevées, plates ou dotées de caissettes profondes. Toutes les plantes en pots et nombre de végétaux à faible enracinement s'y trouvent à l'aise. Quant à vous, vous apprécierez de pouvoir travailler sans vous pencher. Enfin, le dessous des tablettes permettra de stocker eau, outils, mélanges terreux...

Ne vous encombrez pas de tuteurs rigides : laissez pendre des ficelles accrochées aux montants en des points stratégiques. Vous n'aurez plus qu'à y entortiller les tiges, qui prendront le pli aisément et tendront la ficelle sous leur simple poids.

L'HIVER

Stockez l'eau d'arrosage à l'intérieur de la serre. Elle sera ainsi à la bonne température pour arroser les plantes sans choc thermique.

Pour une bonne répartition de la chaleur, utilisez un radiateur soufflant. Achetez impérativement un modèle spécialement adapté à cette ambiance humide.

En cas de coups de froid un peu durs, et si vous disposez d'une cheminée, obtenez des réchauds supplémentaires en récupérant cendres et braises dans des seaux ou des bassines métalliques que vous disposerez au milieu des allées. Vous pourrez gagner 2 à 3 précieux degrés à peu de frais.

Pour augmenter l'hygrométrie, mouillez abondamment le sol à l'arrosoir 2 fois par jour. Une bonne couche de graviers permettra d'augmenter encore la quantité d'eau retenue.

Limitez les problèmes dus à la surpopulation dans la serre en hiver en traitant et en éclaircissant les plantes 1 mois et demi avant de les rentrer, vers fin septembre. Vous n'accueillerez ainsi que des végétaux sains.

Lavez régulièrement les vitres de la serre afin d'assurer aux plantes les bénéfices d'une luminosité maximale, naturellement faible en cette saison. Le balai-brosse destiné au lavage des voitures, qui se raccorde au tuyau d'arrosage, s'avérera bien pratique : plus besoin d'échelle !

L'ÉTÉ

Profitez de la chaleur de la serre pour y mettre à mûrir les bulbes de tulipe et de jacinthe une fois leur feuillage disparu (juin). À cette époque, nombre de plantes sont sorties en plein air. Il suffit d'entreposer les bulbes sous les tablettes, dans des cageots maraîchers, jusqu'à la plantation automnale.

Pour ombrer la serre, plantez une belle grimpante que vous palisserez jusque sous le toit, par exemple une treille pour son feuillage et ses fruits, un jasmin de Virginie ou une passiflore pour le charme de l'exotisme !

Prévoyez un grand nettoyage de votre serre froide en été pour éviter maladies et parasites. La serre étant vide à cette saison, vous aurez accès partout sans risque de casse et les détergents n'endommageront aucune plante.

▶ **Aleurodes, Brûlures, Châssis, Feutre de jardin, Froid, Miniserre, Ombrage**

Souche

Facilitez-vous l'arrachage. Forez un trou de 4 à 5 cm de diamètre à la perceuse au milieu de la souche et remplissez-le de 100 g de salpêtre (nitrate de potasse). Bouchez-le avec un bouchon de liège ou de bois. Laissez pénétrer le salpêtre durant 10 à 12 mois, puis débouchez. Versez de l'essence dans le trou et mettez-y le feu. Il va se propager lentement et transformera les racines en charbon de bois. L'arrachage se fera ensuite beaucoup plus aisément.

Pour dévitaliser une souche ou supprimer ses rejets, utilisez un produit débroussaillant comme le chlorate de soude, le triclopyr (+ 2,4-D) ou du sulfamate d'ammonium. En mai-juin ou en septembre, badigeonnez la coupe après l'avoir rafraîchie ou, mieux, percez des trous pour y faire couler le produit.

▶ **Tronc mort**

Surfaçage

Ne changez pas toute la terre d'un pot, mais grattez simplement la surface sur quelques centimètres. Retirez la couche dégagée, et remplacez-la par un mélange très riche, qui diffusera ses éléments dans toute la potée. Effectuez ce surfaçage chaque année, vous ne ferez plus qu'un rempotage tous les 5 ans.

Si la surface à retirer est trop dure parce qu'envahie de racines serrées, n'hésitez pas : tranchez celles-ci avec une griffe robuste en épargnant les plus grosses. Agissez en mars, avant la reprise de la végétation. Les plantes reconstitueront vite le déficit de racines dans le milieu neuf que vous leur apporterez.

Ne soyez pas trop généreux en apportant de la nouvelle terre : il doit rester au moins 1 cm entre la surface de la terre et le haut du pot, pour que l'eau ne déborde pas au moment des arrosages. Pour les gros pots dont la terre se tasse, procédez en 2 temps, en recommençant si nécessaire l'opération au bout de 8 jours.

Silhouette et port des arbres

Non, tous les feuillus ne sont pas arrondis comme des marronniers, et tous les conifères ne ressemblent pas à des sapins de Noël ! En fait, chaque espèce d'arbre possède une silhouette qui lui est propre. Pensez aux pins, souvent en parasol, à l'allure massive des chênes comparée à celle, plus gracile, des bouleaux. Cette silhouette dépend de la forme et du nombre des troncs, de la façon dont les branches s'insèrent sur ceux-ci et se ramifient, etc. Elle se forme spontanément si on laisse les arbres se développer dans un espace suffisant et sans trop les tailler. Pour chaque espèce d'arbre, les pépiniéristes proposent le plus souvent plusieurs variétés de ports différents obtenues par des sélectionneurs. La vulgaire épinette de nos montagnes, naturellement en cône, possède ainsi plusieurs formes globuleuses, une forme en colonne, une forme pleureuse, une forme rampante, etc. À chacune de ces formes horticoles correspond un nom très évocateur à consonance latine : 'Nidiformis', 'Fastigiata', 'Inversa', 'Repens'... Ainsi, vous pouvez les repérer facilement sur les catalogues. Comment choisir ? C'est avant tout une question de goût. Mais sachez qu'un arbre à port en colonne sera a priori moins encombrant qu'un arbre à port étalé, et qu'un arbre en boule donne un style moins naturel qu'un autre en tour arrondie. Enfin, pour éviter les déceptions, sachez qu'un arbre a rarement la même silhouette au début et à la fin de sa vie. Le tilleul, par exemple, est d'abord cône, puis œuf et enfin tour.

Œuf, cône, pyramide

Feuillus

Acer rufinerve
allier *Sorbus aria*
aulnes *Alnus spp.*
charme *Carpinus betulus*
chêne écarlate *Quercus coccinea*
érable plane *Acer platanoides*
érable rouge *A. rubrum*
hêtre *Fagus sylvatica*
houx *Ilex aquifolium*
liquidambar *Liquidambar styraciflua*
orme à feuilles de charme *Ulmus carpinifolia*
peuplier tremble *Populus tremula*
Pyrus calleryana 'Chanteclerc'
sorbier des oiseleurs *Sorbus aucuparia*
tilleul à petites feuilles *Tilia cordata*
tilleul européen *T. × europaea*

Sapin de Nordman

Sorbus aucuparia

Thuja plicata

Conifères

arbre aux quarante écus *Ginkgo biloba*
épinettes *Picea spp.*
faux cyprès *Chamaecyparis spp.*
genévrier de Virginie *Juniperus virginiana* 'Canaertii' et 'Glauca'
if *Taxus baccata*
mélèze *Larix decidua*
mélèze du Japon *L. kaempferi*
Metasequoia glyptostroboides
pin de montagne *Pinus mugo*
Pinus contorta
P. leucodermis
P. peuce
sapin de Douglas *Pseudotsuga douglasii*
sapins *Abies spp.*
Taxus × media
thuyas *Thuja spp.*
tsugas *Tsuga spp.*

Ginkgo biloba

Tour arrondie

Feuillus

'antes *Ailanthus spp.*
aryer cordiforme *Carya cordiformis*
aryer à noix douces *C. ovata*
atalpas *Catalpa spp.*
iêne blanc *Quercus alba*
iêne bleu *Q. bicolor*
iêne à gros fruits *Q. macrocarpa*
iêne à lattes *Q. imbricaria*
iêne des marais *Q. palustris*
iêne pédonculé *Q. robur*
iêne rouge *Q. rubra*
able argenté *Acer saccharinum*
able à Giguère *A. negundo*
able de Norvège *A. platanoides*
able rouge *A. rubrum*
able à sucre *A. saccharum*
ne *Fraxinus excelsior*
ne rouge *F. pennsylvanica*
agnolia à feuilles acuminées
Magnolia acuminata
arronnier d'Inde *Aesculus*
hippocastanum
yer noir *Juglans nigra*
yer tendre *J. cinerea*
me champêtre *Ulmus procera*
ne de Sibérie *U. pumila*
atane de Virginie *Platanus occidentalis*
mmetier du Japon *Malus floribunda*
ule blanc *Salix alba*
uls *Tilia platyphyllos, T.* × *europaea*

Conifères

faux-cyprès de Nootka
Chamaecyparis nootkatensis

Platanus occidentalis

Tilleul commun

Colonne

Feuillus

bouleau colonnaire *Betula pendula* 'Fastigiata'
cerisier à fleurs *Prunus serrulata* 'Amanogawa'
charme pyramidal *Carpinus betulus* 'Fastigiata'
chêne pédonculé *Quercus robur* 'Fastigiata'
érable argenté *Acer saccharinum* 'Pyramidale'
érable de Norvège *A. platanoides* 'Columnare'
frêne blanc *Fraxinus americana* 'Manitou'
hêtre *Fagus sylvatica* 'Fastigiata'
orme d'Amérique *Ulmus americana* 'Ascendens'
peuplier blanc *Populus alba* 'Pyramidalis'
peuplier de Lombardie *P. nigra* 'Italica'
pommetier *Malus* 'Royalty' et 'Strathmore'
robinier faux acacia *Robinia pseudoacacia* 'Pyramidalis'
sorbier à feuilles de chêne *Sorbus* × *thuringiaca* 'Fastigiata'
sorbier des oiseleurs *S. aucuparia* 'Fastigiata'
tilleul *Tilia cordata* 'Greenspire'

Peuplier de Lombardie

Conifères

faux cyprès de Lawson *Chamaecyparis lawsoniana* 'Alumii', 'Columnaris', 'Ellwood's Pillar', 'Intertexta', 'Lane' et 'Witzeliana'
épinette *Picea abies* 'Fastigiata'
épinette de Serbie *P. omorika*
genévrier de Chine *Juniperus chinensis* 'Keteleeri'
genévrier des Rocheuses *J. scopulorum* 'Green Spire'
genévrier de Virginie *J. virginiana* 'Glauca', 'Burkii', 'Hillii' et 'Sky Rocket'
genévriers *J. communis* 'Compressa', 'Hibernica' et 'Suecica'
if hybride *Taxus* × *media* 'Hicksii'
if du Japon *T. cuspidata* 'Jeffrey's Pyramidalis'
pin blanc *Pinus strobus* 'Fastigiata'
pin sylvestre *P. sylvestris* 'Fastigiata'
thuya occidental *Thuja occidentalis* 'Fastigiata' et 'Pyramidalis Compacta'

Cyprès de Provence

Boule

Érable plane Acer platanoides 'Globosum'

Feuillus

Catalpa bignonoides 'Nana'
érable plane *Acer platanoides* 'Globosum' et 'Drummondii'
robinier faux acacia *Robinia pseudoacacia* 'Lombarts'

Conifères

Abies lasiocarpa 'Compacta'
épinette blanche *Picea glauca* 'Dwarf Wild Acres' et 'Echiniformis'
épinette du Colorado *P. pungens* 'Glauca Globosa'
épinette de Norvège *P. abies* 'Compacta', 'Compacta Asselyn', 'Echiniformis', 'Maxwellii', 'Nidiformis' et 'Pumila'
épinette de Serbie *P. omorika* 'Nana'
faux-cyprès de Nootka *Chamaecyparis nootkatensis* 'Aureovariegata' et 'Compacta'
thuya occidental *Thuja occidentalis* 'Danica', 'Globosa', 'Hetz Midget', 'Little Giant' et 'Woodwardii'

Robinier faux acacia

Parasol

Pin sylvestre

Pin parasol

Feuillus

cerisier à fleurs *Prunus serrulata* 'Shidare Sakura' et 'Shirofugen'
orme d'Amérique *Ulmus americana*
orme champêtre *U. procera*
orme à feuilles de charme *U. carpinifolia*
orme rouge *U. rubra*
orme de Russie *U. leavis*

Conifères

pin noir *Pinus nigra*
pin parasol *P. pinea*
pin sylvestre *P. sylvestris*
thuya occidental *Thuja occidentalis* 'Umbraculifera'

Pleureur

Saule pleureur

Feuillus

bouleau *Betula pendula* 'Tristis' et 'Youngii'
cerisier oriental *Prunus serrulata* 'Kiku Shidare'
frêne *Fraxinus excelsior* 'Pendula'
hêtre *Fagus sylvatica* 'Pendula'
mûrier *Morus alba* 'Pendula'
orme parasol *Ulmus glabra* 'Camperdownii'
peuplier faux-tremble *Populus tremuloides* 'Pendula'
poirier *Pyrus salicifolia* 'Pendula'
pommetier d'Arnold *Malus* × *arnoldiana*
pommetier de Sibérie *M. bacchata* 'Gracilis'
pommetiers *M.* 'Oekonomierat Echtermeyer' et 'Red Jade'
saules *Salix alba* 'Tristis', *S. babylonica* et *S. caprea*
tilleul *Tilia americana* 'Pendula'
tremble *Populus tremula* 'Pendula'

Conifères

cyprès de Nootka *Chamaecyparis nootkatensis* 'Pendula'
épinette de Norvège *Picea abies* 'Inversa' et 'Viminalis'
épinette de Sitka *P. sitchensis*
épinette du Colorado *Picea pungens* 'Endtz'
faux-cyprès de Sawara *Chamaecyparis pisifera*
genévrier *Juniperus virginiana* 'Pendula'
pin blanc *Pinus strobus* 'Pendula'
pruche *Tsuga canadensis* 'Pendula'

Hêtre pleureur

Multicaules plusieurs troncs

Feuillus

aralie du Japon *Aralia elata*
bouleau à feuilles de peuplier *Betula populifolia*
bouleau à papier *B. papyrifera*
bouleau noir *B. nigra*
charmes *Carpinus betulus, C. caroliana* var *virginiana*
érables *Acer campestre, A. ginnala, A. spicatum, A. palmatum, A. negundo, A. tataricum*
févier *Gleditschia triacanthos* 'Rubylace'
gainier du Canada *Cercis canadensis*
hamamélis de Virginie *Hamamelis virginiana*
noisetier *Corylus americana*

Noisetier

Acer palmatum 'Senkaki'

Conifères

genévrier de Chine *Juniperus chinensis* 'Kaizuka'
if *Taxus baccata*
pin de montagne *Pinus mugo*
Pinus contorta
pruche *Tsuga canadensis*

Port étalé ou rampant

Mûrier noir

Conifères

épinette de Norvège *Picea abies* 'Repens'
épinette du Colorado *Picea pungens* 'Compacta' et 'Glauca Procumbens'
genévrier horizontal *Juniperus horizontalis*
genévrier Sabine *J. sabina*
genévriers *J. communis* 'Hornibrooki', *J. procumbens, J. squamata* 'Meyeri'
if *Taxus baccata* 'Repandens'
Microbiota decussata
Pinus densiflora 'Umbraculifera'

Feuillus

Acer ginnala
aralie du Japon *Aralia elata*
aubépine *Crataegus spp.*
cerisier à fleurs *Prunus sargentii*
figuier *Ficus carica*
gainier du Canada *Cercis canadensis*
magnolias *Magnolia sieboldii, M.* × *soulangeana*
mûrier noir *Morus nigra*
pommetiers *Malus* 'Aldenhamensis' et 'Elisa Rathke', *M. floribunda*

Figuier

Formes bizarres, picturales

Ces formes sont variées, soit très régulières, soit irrégulières, ou encore tortueuses ou sculpturales.

Acer palmatum dissectum ornatum

Feuillus

noisetier *Corylus avellana* 'Contorta' : branches tortueuses
robinier faux acacia *Robinia pseudoacacia* 'Tortuosa' : branches tortueuses, pousses en tire-bouchon
saule *Salix babylonica* 'Crispa' : rameaux tordus et feuilles spiralées, port pleureur
saule *S. matsudana* 'Tortuosa' : large colonne aux rameaux torsadés

Conifères

désespoir-des-singes *Araucaria araucana* : arbre très curieux, dont les branches, recouvertes de grosses écailles vertes, sont disposées de manière très géométrique
épinette de Norvège *Picea abies* 'Acrocona' : arbre aux rameaux retombants, cônes rouges très décoratifs
genévrier de Chine *Juniperus chinensis* 'Kaizuka' : petit arbre aux rameaux divergents et irréguliers
pin blanc *Pinus strobus :* pin dont les branches sont disposées en étages horizontaux dans sa partie inférieure et érigées dans sa partie supérieure
pin blanc japonais *P. parviflora* 'Glauca' *:* pin élancé, élégant dans son irrégularité

Araucaria araucana

pin cembro *P. cembra :* pin d'allure biscornue
sapin de Nordmann *Abies nordmanniana :* port pyramidal étroit, branches retombantes
sapin du Colorado *A. concolor :* port conique très régulier, longues aiguilles bleutées

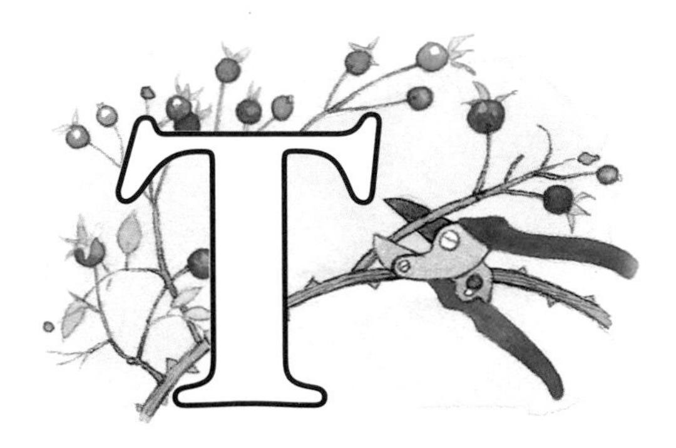

Taille

Ramassage facile. Récupérez les coupes en étendant un vieux drap ou une bâche sous l'arbre, l'arbuste, la haie ou la plante grimpante. Ainsi, vous ne perdrez pas de temps à ramasser les brindilles, et la pelouse sera protégée.

La panoplie du bon tailleur d'arbres. Votre outil de base sera le sécateur. Équipez-vous également d'un sécateur élagueur et d'une scie de jardinier pour couper les grosses branches, d'une cisaille pour tailler les haies et d'une serpette pour parer les grosses plaies de taille. Enfin, une pierre à affûter et une boîte de baume cicatrisant ou de goudron (protection des plaies) sont indispensables. (Voir Outils et Sécateur.)

Taillez juste au-dessus d'un tire-sève. Ce tire-sève peut être un œil (bourgeon) ou un rameau latéral. Cet organe, en entretenant la circulation de la sève dans le voisinage de la plaie de taille, facilitera la cicatrisation de cette dernière. Évitez si possible de laisser des chicots, véritables culs-de-sac pour la sève et foyers de pourriture. Seule exception : les haies, pour lesquelles vous ne pouvez tailler chaque branche individuellement.

▶ **Échelle, Espalier, Haie, Loi, Lune, Palissage, Palmette, Topiaire**

Les différentes tailles

Type	But
Taille fruitière	Provoquer et entretenir la fructification.
Taille de formation	Donner à un arbre ou à un arbuste une forme déterminée ; effectuée les premières années de son existence.
Taille d'entretien	Entretenir la floraison et la forme de l'arbre ou de l'arbuste.
Élagage	Réduire le volume de l'arbre ou de l'arbuste par la suppression de branches entières (voir Élagage).
Rabattage ou recépage	Supprimer une grosse partie des branches et même, éventuellement, du tronc (voir Rabattage).
Taille de haie	Limiter le volume des arbres et des arbustes ; effectuée à la cisaille.

Taille-haie

Le bon outil. Utilisez un taille-haie à moteur pour les conifères, les charmes, les buis et les troènes. Pour les essences à grandes feuilles (lauriers), utilisez un sécateur élagueur pour ne pas abîmer le feuillage et risquer de faire pénétrer des maladies. (Voir Outils.)

Pour nettoyer les lames et notamment bien éliminer la sève ou la résine, utilisez un pinceau trempé dans de l'essence ou de l'essence minérale. Graissez-les ensuite.

Entre deux saisons de taille, rangez la lame de votre taille-haie dans un fourreau en plastique étanche après l'avoir généreusement huilée. Elle ne rouillera pas et sera prête à servir immédiatement.

Pour ne pas risquer de couper le câble électrique, achetez-en un de couleur bien visible. Au besoin, nouez des bandes de couleur (découpées dans des sacs en plastique) le long du câble pour le rendre encore plus repérable. Passez le câble sur une épaule pendant le travail ou utilisez un harnais de sécurité spécial.

Taille-haie : faites le bon choix

Électrique ? Moins cher, pratiquement sans entretien, vous apprécierez sa légèreté. Il faudra, en revanche, vous habituer au fil.

Thermique ? Plus puissant que les modèles électriques, il est autonome. Mais il coûte plus cher, fait davantage de bruit et fatigue plus son utilisateur.

Sans fil ? Actionné par une batterie rechargeable, il a une autonomie allant de 1/2 heure à 1 heure selon les modèles. Idéal pour les petites haies et les topiaires qui réclament des soins réguliers.

Lame simple ou double ? La simple donne plus de puissance à la machine — vous pourrez couper des branches de 2 cm de diamètre. La double permet de tailler en va-et-vient et d'obtenir une taille plus rapide et régulière.

Lame courte ou longue ? La courte (30/40 cm) est plus maniable et plus légère. La longue (60/75 cm) assure une taille plus plane, surtout dans les parties verticales d'une haie. Mais il faut une bonne pratique pour utiliser une lame de plus de 50 cm de long.

Affûtez régulièrement les lames de votre taille-haie : une fois toutes les 10 heures de travail est une bonne moyenne. Vous éviterez ainsi de déchiqueter les tiges ou les feuillages.

Taupe

Sophistiqué : l'effaroucheur à infrasons. Cet appareil électrique fonctionnant sur piles ou accumulateur émet dans le sol des vibrations analogues à celles du pas humain. Il ne fera fuir les taupes que s'il est placé à proximité immédiate du nid où elles se reposent. Celui-ci étant difficile à localiser, déplacez l'appareil fréquemment, jusqu'à ce que vous obteniez le résultat escompté.

Fausses bonnes idées. Nombre d'objets et de substances repousseraient la taupe : tessons ou épines enterrés, boules de naphtaline, huile de vidange, etc. Mais cela vaut-il la peine de souiller son jardin quand on sait que la taupe se contente habituellement de contourner ces obstacles ? D'autre part, quelques catalogues de pépiniéristes prêtent à certaines plantes (fritillaire, grande euphorbe, *Incarvillea,* datura, etc.) le pouvoir d'éloigner taupes et rongeurs. Cela n'est, malheureusement, nullement prouvé.

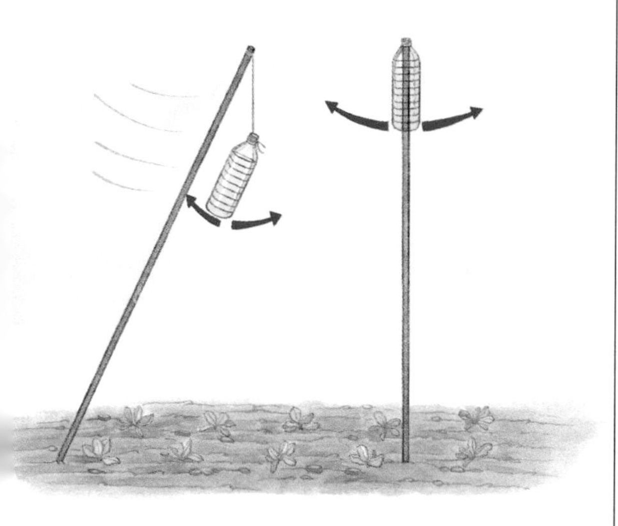

Simple : la bouteille vibrante. Plantez des fers à béton (d'environ 1,50 m) aux endroits de votre jardin d'où vous voulez expulser les taupes. Adaptez-y des bouteilles en plastique — éventuellement découpées — de telle manière que celles-ci viennent les frapper sous l'effet du vent. Vous aurez ainsi réalisé autant d'émetteurs de vibrations répulsives.

Les bons côtés de la taupe

Gênante quand elle bouleverse les semis ou perfore la pelouse, la taupe n'en joue pas moins un rôle équilibrant dans le jardin. Car si son ordinaire se compose, en effet, d'une majorité de lombrics (vers de terre) fort utiles, elle se nourrit aussi de nombreux ennemis héréditaires du jardinier : courtilières, larves de tipule, de taupin (vers fil-de-fer), de hanneton (vers blancs), de noctuelle, etc. De plus, les galeries de la taupe favorisent le drainage des terres humides.

Récupérez la terre des taupinières pour vos semis et rempotages. Fine, grumeleuse, légère, aérée et riche en sels minéraux, elle vaut bien des terreaux vendus dans le commerce.

Vous rêvez d'une pelouse impeccable ? Pour vous débarrasser des taupes, utilisez la technique employée sur les terrains de golf. Procurez-vous un insecticide contre les larves du sol et les courtilières et mélangez-le par griffage à la terre. En détruisant la nourriture de base des taupes, vous les éloignerez de votre jardin.

Le temps des taupiers

Il existait autrefois en France une corporation chargée de pourchasser les taupes sur les terres agricoles. Les taupiers — personnages un peu sorciers — passaient ainsi de ferme en ferme. On raconte qu'ils prenaient soin de ne jamais éliminer toutes les taupes afin de laisser quelques reproducteurs. Il aurait été stupide qu'ils détruisent leur gagne-pain par excès de zèle !

Terrasse

CONSTRUCTION

Ne multipliez pas les matériaux. L'utilisation d'un seul matériau, deux ou trois tout au plus, donne une unité et une harmonie aux éléments construits (dallage, bordures, murets...). Vos plantations y seront mieux mises en valeur.

Pensez au drainage, que la terrasse soit de plain-pied ou en hauteur. Une légère pente (2 à 3 %) permet l'évacuation des eaux de pluie ou d'arrosage vers le jardin ou la descente des eaux.

Une juxtaposition de jolies potées transforme une terrasse à peu de frais. En choisissant bien les plantes, il est facile d'obtenir un décor coloré pour chaque saison.

Pour une terrasse orientée plein sud, évitez les revêtements de sol blancs ou très clairs, qui réverbèrent la lumière. Vos plantes et vous-même y « chaufferiez » trop. Préférez les teintes neutres.

Un plancher extérieur. Installez un caillebotis devant la maison. Choisissez un bois traité à cœur, pour une bonne durabilité. Commencez par couler des dés en béton qui accueilleront les piliers de soutien en bois. Fixez sur ces piliers les poutres d'assise du caillebotis.

Évitez les mauvaises herbes si le caillebotis est juste au-dessus du sol, en étalant dessous un plastique noir (perforé pour l'écoulement des eaux).

AMÉNAGEMENT

Pour profiter de votre terrasse le soir, installez un éclairage et modulez-le : prévoyez-le assez puissant pour le coin-repas, plus discret pour les abords de la terrasse ou l'accès depuis le jardin.

Pour vous abriter des regards. Dans une jardinière large et stable, installez un treillage. Il doit être solidement maintenu, fixé soit directement au fond de la jardinière, soit sur des tasseaux perpendiculaires maintenus par des pierres. Plantez-y quelques plantes grimpantes vigoureuses, ainsi que de petits couvre-sol.

Pour entourer une terrasse en contrebas, au bas d'une pente, ou située au niveau du sous-sol, aménagez un amphithéâtre de verdure. Faites des marches délimitées par des murets de pierre, brique ou des rondins de bois selon le style recherché. Vous y planterez de petits arbustes, des conifères nains, des plantes couvre-sol et, en été, un décor de fleurs.

Donnez du volume à votre terrasse en créant des tipis ou des colonnes fleuries. Dans un bac large, installez un solide tuteur central, mettez en place des plants de grimpantes puis tendez des fils de palissage rayonnant du haut du tuteur au bord externe du bac. Pour une colonne, utilisez un grillage fin roulé et disposez quelques pots tout autour.

Pour structurer l'espace, choisissez quelques silhouettes nettes comme celles des formes taillées (buis, conifères...) ou des arbustes sur tige. Faites des rappels, par exemple autour de l'encadrement de la porte d'accès à la maison.

Si la terrasse est sur le toit, installez les bacs et jardinières de plantes le plus près possible des bords. C'est en effet au niveau des murs porteurs que la résistance au mètre carré est le plus élevée.

Un mur de fleurs pour gagner de la place et obtenir un effet très coloré. Réalisez la structure à l'aide de lattes de

La terrasse aux 4 saisons

PRINTEMPS	AUTOMNE
arbustes et conifères : cognassier superba, conifères nains, cytise, forsythia, genêt **bulbes :** crocus, jacinthe, muscari, narcisse, tulipe **grimpantes :** *Clematis alpina, C. macropelata, C. montana,* glycine **plantes à massif :** myosotis, pensée **vivaces :** ancolie, aspérule odorante, cœur saignant, primevère	**arbustes et conifères :** *Cotinus coggygria,* conifères nains, cotonéaster, fusain panaché, pyracantha **bulbes :** colchique, lis (hybride oriental) **grimpantes :** lierre de Boston, vigne vierge (et autres vignes) **plantes à massif :** bruyère, chrysanthème, reine-marguerite **vivaces :** anémone du Japon, aster, chrysanthème, *Pennisetum, Sedum spectabile, S. telephium*
ÉTÉ	**HIVER**
arbustes et conifères : cognassier du Japon, conifères nains, narcisse, potentille, spirée japonaise ('Little Princess', 'Shirobana', 'Golden Princess'), lilas de Preston **bulbes :** acidanthera, *Anemone coronaria*, freesia **grimpantes :** clématite à grandes fleurs, hydrangée grimpante **plantes à massif :** toutes les fleurs d'été ! **vivaces :** campanule, soleil...	Pensez à planter des conifères, des arbustes à feuillage persistant (qui prennent une belle coloration hivernale), des arbustes dont la fructification persiste longtemps. Autre suggestion : ne coupez pas les fleurs des graminées ; elles font de jolis bouquets séchés dans la neige. Les arbustes aux branches tortueuses (noisetier chinois, saule de Pékin tortueux...) offrent un spectacle particulier en hiver.

bois et de grillage, le tout sur une base en bois. Prévoyez une profondeur de 20 cm pour une plantation sur une seule face, 30 cm au moins pour les deux faces. Prenez un grillage à mailles assez larges pour permettre l'installation des jeunes plants. Plantez ce mur de *Begonia semperflorens* dans différentes teintes, d'impatiens ou de lobélies...

Si votre terrasse est petite, plantez en hauteur. Utilisez les paniers suspendus (voir Panier suspendu) et installez des jardinières d'angle, qui offrent un bon volume de plantation dans un espace généralement peu utilisé.

Privilégiez les persistants. La terrasse, souvent accolée aux « pièces à vivre » de la maison, gagne à ne pas être trop dénudée en hiver.

Sus aux arbres dont les fruits tachent en bordure de terrasse : amélanchier, mûrier noir, cerisier... Vous éviterez les mauvaises surprises sur votre dallage ou sur vos vêtements.

Insonorisez votre terrasse en palissant des plantes sur les murs. Avec une épaisseur végétale de 20 à 30 cm, vous réussirez à étouffer une grande partie des bruits renvoyés par des parois planes.

▶ **Bac, Balcon, Dallage, Jardinière**

Terreau

Le sac ne fait pas le terreau ! « Universel », « pour rempotage », « complet »... Hélas, ces arguments publicitaires figurant sur les emballages ne constituent pas une garantie. Un bon test : à travers le sac, le terreau acceptable est souple sous les doigts. N'achetez pas un terreau compacté. Les « terreaux » composés uniquement d'écorce, bien que grumeleux, sont néanmoins peu recommandables.

Terreau maison. Entassez dans un coin du jardin, à l'ombre, les feuilles mortes que vous avez ratissées sur la pelouse ou dans les allées. L'année suivante, elles se seront transformées en un excellent terreau, indemne de graines de mauvaises herbes et de germes de maladies. Les meilleures feuilles à terreau sont celles d'aulne et de frêne.

Prospectez les arbres creux. Le cœur des vieux saules, peupliers, mûriers, etc., contient souvent un excellent terreau issu de la décomposition du bois et... enrichi par les fientes des oiseaux venus y nicher.

Pratiquez le terreautage. Lors de vos premiers semis de printemps, recouvrez les graines d'une couche de terreau de 1 mm à 4 cm d'épaisseur selon la taille des semences. La couleur sombre accélérera le réchauffement du sol, et donc la levée.

Ne confondez plus terreau et compost

Le terreau vendu dans le commerce est un mélange finement tamisé, le plus souvent à base de tourbe. En principe, il peut servir tel quel aux semis en terrines et aux rempotages. Sur le sac de terreau, vous trouverez :

– le pH (qui mesure l'acidité) : il doit être compris entre 5,8 et 7 ;
– la teneur en matière sèche : 50 % au minimum ;
– la capacité de rétention en eau : 50 % au minimum ;
– le taux de matière organique : au moins 10 %.

Le compost est un amendement destiné à être ajouté au sol pour l'enrichir et l'améliorer ; il provient le plus souvent de la fermentation en tas de fumier, écorces et sous-produits forestiers broyés, matières végétales ou animales diverses. Au bout de plusieurs mois d'évolution, le compost prend l'aspect du terreau, mais il est plus riche que ce dernier et ne doit pas être employé pur.

▶ **Hannetons**

Terre de bruyère (plantes de)

Regroupez-les dans un seul massif (voir Calcaire) : vous ferez les travaux de fouille et l'apport de terre en une seule fois, et un bon choix vous permettra de composer un ensemble qui restera beau presque toute l'année.

Mouillez bien la terre de bruyère que vous achetez prête à l'emploi pour remplir vos jardinières. Elle a besoin de temps pour absorber l'eau. Lorsque vous mettez en terre des plants en godets, laissez-les tremper au préalable une bonne demi-heure dans une bassine d'eau.

Faites votre propre terre de bruyère. Elle sera bien plus riche que la terre de bruyère vendue dans le commerce. Un mélange classique et parfait consiste en 1/3 de tourbe, 1/3 de terreau de feuilles et 1/3 de sable siliceux.

Tour de main. Que vous installiez vos plantes de terre de bruyère dans un massif surélevé ou que vous creusiez pour elles une tranchée, tapissez toujours le fond du trou de plantation de feutre de jardin. Vous préviendrez ainsi partiellement la chlorose en évitant que les racines ne s'échappent. Cependant, les eaux calcaires continueront de s'infiltrer.

Disposez un bon matelas de feuilles mortes au pied de vos arbustes, à l'automne. Nombre de plantes acidophiles ont des racines plus frileuses que leurs branches. Avec ce paillis, vous éviterez les accidents tout en apportant un supplément d'humus, que les vers de terre se chargeront d'enfouir d'ici le printemps.

Installez vos végétaux à mi-ombre, avec du soleil en fin d'après-midi, par exemple. Tous proviennent de climats doux et frais et le soleil brûlant ne leur vaut rien. En revanche, l'ombre continue limite la floraison.

Utilisez le faible développement radiculaire de la plupart de ces végétaux pour les planter en pots, où ils seront

Les azalées, comme toutes les plantes de terre de bruyère, ont besoin d'un sol acide, frais et bien drainé. Si vous ne pouvez le leur offrir, plantez-les en bacs.

assurés d'avoir le milieu qui leur convient. De nombreux rhododendrons se contenteront ainsi de récipients très petits, pourvu qu'ils soient bien irrigués et normalement nourris.

Attention aux engrais. Procurez-vous des produits adaptés « pour plantes de terre de bruyère », qui ne comportent aucune trace de chaux. Appliquez-les en fin d'hiver.

Pour réussir vos transplantations, procédez de préférence au printemps : c'est l'époque d'activité radiculaire maximale de la plupart de ces végétaux, en particulier les azalées et les magnolias.

Acidifiez l'eau calcaire avant de l'employer pour les arrosages en la laissant décanter dans un bac garni d'une litière de tourbe ou de sciure de pin. Changez la litière tous les mois (voir Arrosage).

▶ **Acide, Bruyère, Calcaire, Chlorose, Mousse**

Thé

Si vous habitez dans une région à climat doux et humide, vous pouvez vous amuser à planter un théier. Ce camélia *(Camellia sinensis)* se couvre de petites fleurs blanches. Il faut cependant le rentrer à l'intérieur pour l'hiver.

Rustines pour pelouse. Réparez les petits accrocs de votre pelouse en semant vos graines de gazon sur des sachets de thé usagés. Une bonne humidité, favorable à la levée des graines, sera ainsi maintenue.

Récupérez les feuilles ou les restes de thé froids : ils constituent un bon améliorant acide pour les sols. Offrez-le en priorité aux plantes acidophiles (hortensia, bruyère, azalée...) et aux plantes d'appartement.

Miniréserves d'eau pour les racines. Disposez quelques sachets de thé usagés au fond de vos pots de fleurs, juste au-dessus de la couche drainante. Ils retiendront l'eau d'arrosage.

Paillis nutritif. Placez quelques sachets de thé usagés à la surface des pots et jardinières, et masquez-les avec un lit de gravillons blancs. Lors des arrosages, l'eau se chargera en éléments nutritifs pour les plantes, et la surface des pots restera fraîche plus longtemps.

Thym

L'ami des papillons. Les fleurs de thym, très mellifères, attirent les abeilles mais aussi les papillons. Pour mieux profiter de cette vie colorée du jardin, placez vos plants de thym au premier rang ou en bordure, dans le jardin d'agrément comme au potager.

Touffe dégarnie. Taillez les tiges à la cisaille après floraison et de nouveaux bourgeons perceront bien vite. Autre solution : buttez la touffe avec quelques pelletées de terre légère, qui favorisera le développement de nouvelles pousses.

Plantation en sol lourd. Creusez un bon trou et remplissez-le au tiers de gravillons, tessons de pot, cailloux, billes d'argile expansée… puis plantez votre touffe de thym dans un mélange bien enrichi. N'apportez jamais de fumier ou d'engrais, et n'oubliez pas d'arroser en cas de sécheresse prolongée.

Avant de déplacer un lapin, frottez-vous les mains avec du thym. Il sera moins effrayé et le thym est un excellent antiseptique à passer sur sa fourrure.

Petits sachets parfumés. L'odeur du thym repousse les parasites. Glissez-en des sachets dans les tiroirs et placards. Dans la bibliothèque, quelques brins disposés à intervalles réguliers élimineront ces petits insectes sans ailes appelés lépismes ou poissons d'argent.

► **Aromatiques**

Tige (arbustes sur)

Pour obtenir un arbuste sur tige, plantez en pot ou en pleine terre un jeune sujet avec une tige droite et solide. Tuteurez-le. Les années suivantes, palissez la tige et coupez à ras les branches basses. Quand la hauteur souhaitée est obtenue, pincez les pousses qui formeront la tête pour les faire ramifier et obtenir une boule. Par la suite, supprimez tous les bourgeons ou tiges qui naîtraient sur le tronc.

Achat malin. Les sujets sur tige sont très en vogue et la demande dépasse souvent la production. Si vous êtes tenté, passez votre commande de bonne heure ou même à contre-saison, en demandant que l'on vous réserve un sujet bien équilibré.

Faites le bon choix

Euonymus fortunei, forsythia, fuchsia, fusain ailé, lilas de Corée nain, *Prunus triloba,* romarin de même que rosier donnent de très bons résultats sur tige.

Jolie tresse. Elle s'obtient avec 3 plants de *Ficus benjamina* plantés dans le même pot. Lorsqu'ils auront atteint 35 à 40 cm de haut, supprimez les branches latérales puis tressez doucement les 3 tiges dénudées. Avec l'âge, les tiges s'épaississent pour ne plus former qu'un seul gros tronc, et donc un sujet unique.

Les chèvrefeuilles grimpants peuvent se conduire sur tige. Ici un chèvrefeuille des bois, aussi décoratif que parfumé.

Tisane

Le bon moment pour la cueillette. Récoltez les fleurs dès qu'elles s'épanouissent, lorsqu'elles ne sont encore qu'à demi ouvertes, les tiges et les feuilles de préférence juste avant la floraison. C'est à ces moments qu'elles sont le plus riches en substances aromatiques.

Une cueillette soignée. Munissez-vous d'un panier large ou d'un plateau, où vous pourrez coucher les plantes sans les écraser ni les abîmer. Ne prélevez fleurs, feuilles ou tiges que sur des plantes saines, bien sûr, mais aussi « propres », c'est-à-dire non poussiéreuses (évitez le bord des allées) et n'ayant pas été traitées ou enrichies par des engrais chimiques. Évitez également les plantes mouillées, qui ont toute chance de moisir. Avant de les faire sécher ou de les utiliser fraîches, faites bien le tri pour éliminer les fragments d'autres plantes, les feuilles abîmées...

Cueillez le matin, par beau temps, quand la rosée a disparu. Vous pouvez aussi récolter en fin d'après-midi, mais sachez que la chaleur du soleil se traduit par une baisse de la teneur en huiles essentielles.

Pour sucrer vos tisanes, préférez le miel, aux vertus adoucissantes. Le fin du fin : assortissez vos miels à vos tisanes. Le miel de lavande est savoureux avec les plantes méditerranéennes (lavande, thym, romarin...), le miel de tilleul avec le tilleul, la menthe...

Une note acidulée dans vos tisanes. Ajoutez 1 ou 2 rondelles de citron ou d'orange par tasse. Vous obtiendrez ainsi vos propres tilleul-citron, verveine-orange...

Fraîches ou séchées, quelle quantité ? Comptez environ 50 g de feuilles ou de fleurs fraîches, ou 20 g de feuilles ou de fleurs séchées pour 1 litre d'eau. Versez l'eau bouillante sur les plantes et laissez infuser 5 à 10 minutes avant de verser dans les tasses. Pesez 1 ou 2 fois vos herbes habituelles pour vous faire une idée du volume nécessaire.

Les vertus des tisanes du jardin

EFFETS	PLANTES	PARTIES UTILISÉES
Effet calmant ; favorise le sommeil ; contre les insomnies	houblon lavande marjolaine mélisse millepertuis tilleul verveine odorante	fleurs femelles fleurs feuilles et sommités fleuries feuilles feuilles et sommités fleuries fleurs et bractées feuilles
Effet tonique, fortifiant	cerfeuil musqué	feuilles
Effet diurétique	bourrache cerise menthe poivrée pissenlit	fleurs queues feuilles feuilles et racines
Facilite la digestion	camomille romaine cerfeuil musqué estragon marjolaine matricaire mélisse menthe poivrée sauge officinale thym verveine odorante	capitules feuilles feuilles feuilles et sommités fleuries capitules feuilles feuilles feuilles feuilles et sommités fleuries feuilles
Contre le rhume et la bronchite	bourrache hysope thym	fleurs feuilles et sommités fleuries feuilles et sommités fleuries
Contre la toux	bouillon-blanc oignon tilleul violette	fleurs 4 par litre d'eau, avec du miel fleurs et bractées fleurs

Tomate

PLANTATION

La bonne façon de les semer. Procédez environ 8 semaines avant la date approximative du dernier gel dans votre région. Placez 4 ou 5 graines par pot rempli d'un mélange (terreau plus terre de jardin) bien drainé. Maintenez les pots à 18-20 °C avec une bonne luminosité et faites-les tourner régulièrement d'un quart de tour : vous obtiendrez une croissance vigoureuse et régulière.

Vous saurez qu'il est temps de repiquer vos plants lorsqu'ils porteront 5 à 7 feuilles. N'attendez pas : plus le repiquage est réalisé avec un plant jeune et meilleure sera la récolte. Enfoncez profondément la tige, quitte à enfouir les premières feuilles dans la terre. Sur la partie enterrée naîtront des racines qui aideront le plant à puiser sa nourriture.

Bons amis. Mêlez à vos tomates quelques pieds d'œillet d'Inde (nématicide) et de capucine naine (fongicide). L'effet est ravissant au potager.

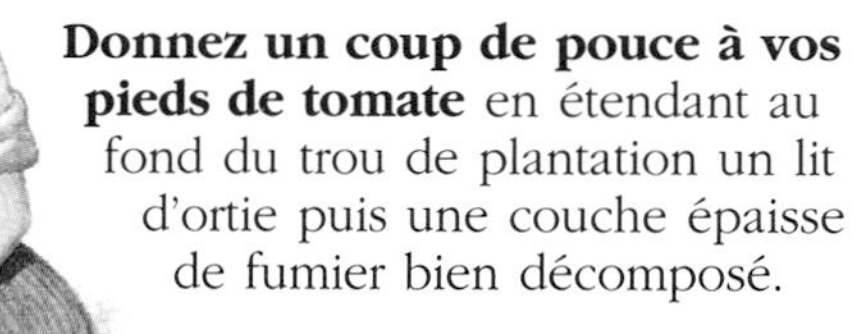

Comment installer vos plants en pleine terre ? Creusez un large trou (30 cm de diamètre), que vous remplirez de compost additionné de cendre de bois et de phosphate. Placez un tuteur solide. Espacez les trous de 40 à 50 cm, et les rangs de 70 à 80 cm.

Un tuteurage original. Plantez un pied de tournesol à côté de chaque plant de tomate. Au fur et à mesure de la croissance des tiges de tournesol, palissez dessus les tomates avec du raphia.

Dans un petit jardin ou sur un balcon, conduisez vos plants de tomate comme des palmettes en U simple ou en U double. C'est un bon moyen d'économiser de la place. Coupez la jeune tige principale pour lui faire développer 2 tiges à palisser sur 2 tuteurs espacés de 40 cm (U simple). Renouvelez une seconde fois l'opération (U double). Conservez 3 ou 4 bouquets de fleurs. La production sera plus tardive mais aussi plus abondante.

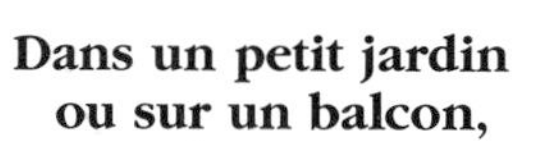

ENGRAIS

Évitez l'excès d'azote. Il provoque une baisse du taux de sucre des tomates, dont la pulpe devient très aqueuse et donc peu goûteuse. En revanche, choisissez un engrais riche en potasse.

Donnez un coup de pouce à vos pieds de tomate en étendant au fond du trou de plantation un lit d'ortie puis une couche épaisse de fumier bien décomposé.

Comme les Indiens. Glissez un poisson (acheté en fin de marché) dans chaque trou de plantation. Recouvrez de terre et installez votre plant de tomate… il donnera une récolte spectaculaire.

Un distributeur d'engrais automatique. Creusez un trou de 25 cm de profondeur sur 1 m de diamètre. Fixez autour du trou un cylindre de grillage de 60 cm de haut. Remplissez le cylindre de compost ou de fumier bien décomposés. Plantez autour du cylindre 6 pieds de tomate enfermés dans 6 petits cylindres de grillage bien enfoncés dans le sol. Arrosez régulièrement le cylindre nourricier central.

ENTRETIEN

Chaufferette. Installez de part et d'autre du pied de chaque jeune plant 2 tuiles ou 2 carreaux de terre cuite posés à plat sur le sol. Ils emmagasineront la chaleur solaire pour la restituer durant la nuit.

Pour limiter le nombre d'arrosages, paillez le sol avec un épais matelas composé d'un mélange de tourbe et de paille hachée. Il limitera les pertes d'eau par évaporation tout en facilitant le développement du chevelu radiculaire qui alimente la plante.

Un arrosage amélioré. Environ une fois par semaine ou par quinzaine, arrosez vos plants avec de l'eau à laquelle vous aurez ajouté des coquilles d'œufs broyées au mélangeur (6 coquilles par litre d'eau). Cette préparation stimulera la récolte, qui sera plus précoce, et les plants seront plus sains. Les arrosages du matin profitent mieux aux plantes. Évitez de mouiller fleurs et fruits.

Protections individuelles. Achetez des « housses à tomates », sorte de petits fourreaux que l'on attache à chaque tuteur puis qui seront déroulés sur toute la hauteur de la plante. Si la végétation est trop volumineuse, effeuillez en partie le plant. À défaut de housses, utilisez de vieux bas.

Complément de chaleur en fin de saison. Tendez un filet de plastique tissé très fin au-dessus de la plantation de façon à former une sorte de miniserre. Fermez les extrémités, que vous fixerez au sol avec 2 piquets en fil de fer plastifié. Avec cette technique simple, vous aiderez les fruits à mûrir malgré les baisses de température.

Vos tomates seront plus douces et plus fondantes si vous ajoutez 1 cuillerée à soupe de sucre dans l'eau d'arrosage lorsque les fruits grossissent et se colorent.

Le supplice de la tomate

En 1830, un condamné à mort de Salem, dans le New Jersey, eut le choix entre l'application de sa peine ou la consommation d'un panier de tomates en public. Il opta pour la seconde proposition et apporta la preuve que ce fruit n'était pas aussi toxique que la rumeur l'affirmait. Depuis, la tomate est devenue le légume-fruit le plus cultivé au monde, avec plus de 1 000 variétés connues.

À la fin de l'été, supprimez les bouquets floraux qui se forment, les fruits ne parviendraient pas à maturité. Mieux vaut consacrer les apports nutritifs au grossissement des fruits préexistants.

RÉCOLTE

Une plus grosse récolte. Cueillez les tomates lorsqu'elles sont roses à rouge pâle et faites achever leur maturation sur un rebord de fenêtre ensoleillé. Pendant ce temps, la sève économisée servira à former de nouveaux fruits.

Tomates : faites le bon choix

Variétés	Caractéristiques
'Fournaise'	La plus précoce, fruit moyen, rond, rouge, lisse
'Golden Boy'	Fruit globulaire, couleur orange ; goût très sucré
'Husky Rose'	Fruit rose et rond ; plant nain, idéal pour petit jardin ou bac
'Lemon Boy'	Gros fruit globuleux jaune citron ; saveur très douce
'Monte-Carlo'	Gros fruit sphérique très coloré ; remplace 'Saint Pierre'
'Mountain Spring'	Fruit rouge et ferme; mi-hâtive
'Pink Girl'	Gros fruit plat (230 g) rosé ; délicieux
'Président'	Gros fruit rouge (200 g) ; variété hâtive et productive
'Roma'	Fruit allongé, moyen, chair ferme ; très productif
'Sunbeam'	Fruit rouge, aplati, très ferme ; variété de mi-saison
'Super Marzano'	Tomate de type italienne ; gros fruits de 10-12 cm de long
Tomates-cerises	
'Golden Tom Boy'	Petit fruit jaune, oval
'Micro Tom'	Plante miniature ; fruit rouge de 1 à 1,5 cm
'Pixie'	Idéal pour la culture en bac ; chair lisse et savoureuse
'Sweet 100'	Fruit rouge vif de 3 cm ; saveur très sucrée
'Sweet Cherry'	Longues grappes de 30 à 40 fruits rouges
'Tiny Tim'	Fruits rouges ; plante compacte ; se tient sans tuteur

Dès la première petite gelée, cueillez tous les fruits. Consommez les plus mûrs et rangez les autres sur des clayettes. Ne jetez pas les plus petits encore verts, mais transformez-les en confiture ou en condiment au vinaigre. (Voir Conserves.)

Pour faire mûrir les fruits peu ou pas mûrs, regroupez-les dans un large panier que vous suspendrez dans un des coins les plus chauds de la maison (chaufferie, cuisine, serre).

Conservation en pied. Tendez une ficelle dans un coin sombre et aéré du garage ou du cellier : la température doit être comprise entre 16 et 25 °C. Suspendez la tête en bas les plants entiers débarrassés de leur feuillage.

▶ **Papier journal, Potager**

Tondeuse

Pour un travail très soigné, offrez-vous deux tondeuses, dont une extrêmement maniable (électrique sur coussin d'air ou tondeuse à fil), qui permettra les finitions dans les coins difficiles.

Ne risquez plus de couper le fil de votre tondeuse électrique, passez-le simplement sur votre épaule ou autour de votre cou. Vous dégagerez ainsi un rayon d'action suffisant. Deux précautions valant mieux qu'une, nouez des rubans de plastique (découpés dans des sacs de couleurs variées) tous les 50 cm sur votre fil, qui sera ainsi beaucoup plus visible, ou utilisez une rallonge de couleur.

Sur forte pente, utilisez un engin électrique sur coussin d'air, que vous descendrez et remonterez à l'aide d'une solide ficelle amarrée au guide.

Sur pente moyenne, tondez toujours perpendiculairement à la pente. Si vous tondiez dans le sens de celle-ci, placé au-dessus de l'engin, vous seriez épuisé par son poids. Et ne vous placez jamais au-dessous de la tondeuse, car vous risqueriez un accident mortel en cas de glissade.

Portez toujours de solides chaussures, ou des bottes, pour tondre. Cette mesure simple est souvent oubliée en été ; elle limite pourtant les accidents les plus fréquents. Et évitez la toile et les couleurs claires, à moins que vous n'aimiez les chaussures vertes, l'herbe s'avérant une teinture efficace !

Avant tout travail sur le moteur, coupez le contact et débranchez la bougie, pour éviter tout risque d'auto-allumage et le démarrage de la lame. Il en va de même pour dégager le déflecteur en cas de bourrage.

Tondeuses : faites le bon choix

MODÈLES	QUALITÉS	SURFACE À TRAITER
Tondeuse à lame hélicoïdale manuelle	Permet une tonte fine, mais avec un certain effort, et sur gazon bien entretenu seulement	Quelques mètres carrés, (allée engazonnée)
Tondeuse à fil	Utile pour les finitions, mais projette les tontes	Les recoins seulement, ou les bordures d'obstacle (bancs, etc.)
Tondeuse électrique sur coussin d'air	Maniable dans toutes les positions (pentes) sans effort, silencieuse	Jusqu'à 200 m^2
Tondeuse poussée (moteur deux temps)	Rustique, permet la tonte des gazons un peu négligés ; accepte une pente forte	Jusqu'à 500 m^2
Tondeuse tractée (moteur quatre temps)	Le modèle à tout faire, manque un peu de maniabilité, mais économise les efforts	Jusqu'à 1 500 m^2
Tondeuse à essence autoportée	Efficace et puissante, mais coûteuse et moyennement maniable	Plus de 1 500 m^2
Tondeuse à essence à cylindre	Permet une tonte idéale, en belles bandes fines, mais elle coûte très cher. À réserver aux gazons haut de gamme	Plus de 1 500 m^2

N'abîmez plus l'écorce des arbres avec votre tondeuse. Si les gros arbres sont faciles à contourner, les petits sont souvent victimes d'un coup maladroit. Entourez simplement le tronc d'un cylindre de mousse servant à protéger les tuyaux de chauffage.

Pour protéger les buissons, plantez tout autour des pieux solides, en les laissant dépasser de 25 cm, et garnissez-les de mousse (cette fois pour protéger la tondeuse). Des pieux de 4 à 5 cm de diamètre suffisent.

Après utilisation, nettoyez très soigneusement votre tondeuse à l'aide d'une raclette en plastique. Vous éviterez le bourrage, cause de fatigue du moteur, et retarderez l'usure du carter. Laissez bien sécher la tondeuse avant de la ranger.

▶ **Bordure, Feuilles mortes, Loi, Tonte**

Tonte

Pour qu'elle ressemble à celle d'un terrain de golf, tondez la pelouse de votre jardin par bandes parallèles, très régulières, sans oublier la moindre surface. Avec la force de l'habitude, vous verrez votre gazon prendre l'aspect brillant du velours.

Avant la tonte, aidez l'herbe à sécher au printemps et en automne. Un balayage léger, au balai ou au râteau à herbe, fera tomber la rosée et accélérera l'égouttage de l'herbe. Renoncez à tondre l'herbe humide : vous obtiendriez de la « soupe », en faisant bourrer la machine, dont le moteur calerait.

Pour que la tonte ne devienne pas un parcours du combattant, ne disséminez pas les obstacles (plate-bande, arbre, banc, massif, statue, fontaine…) au centre de la pelouse : regroupez plutôt les éléments dans un seul lieu, et si possible sur les bords de terrain. Limitez-vous à 1 ou 2 obstacles au centre.

Les hauteurs de coupe varient suivant la qualité du gazon et la période de l'année. Tondez un gazon très fin à 1 cm du sol, un gazon moyen à 2 cm, une pelouse rustique à 5 cm. De mai à la mi-octobre, tondez votre gazon à la hauteur voulue. En revanche, en avril et en octobre-novembre, n'oubliez pas de tondre un cran au-dessus. Et, pour une première tonte de printemps, tondez d'abord très long, en descendant d'un cran à la coupe suivante, et ainsi de suite jusqu'à la hauteur voulue.

Par temps chaud, tondez plus long pour protéger les brins de gazon et empêcher le cœur de chaque petite touffe de jaunir.

Faites des tas d'herbe tondue. Pour une surface moyenne à grande, gagnez du temps et du carburant en vidant sur place les paniers pleins. Des carrés de toile accueilleront l'herbe en facilitant le transport à la brouette dans un second temps. Naturellement, ne disposez vos toiles que sur l'herbe déjà tondue.

Après une absence, tondez en 2 fois. Faites une première tonte haute, suivie 3 ou 4 jours plus tard d'une tonte rase.

Question de fréquence. En pleine période de pousse (mai-octobre), tondez le gazon fin tous les 3 jours, le gazon moyen tous les 5 jours, le gazon rustique toutes les semaines. Doublez ces intervalles en période de pousse « calme ». Les tontes sont généralement inutiles — même par temps doux — de la mi-novembre à la mi-mars.

Attendez quelques jours après une tonte avant d'appliquer engrais ou désherbant. Accordez 2 jours de battement en pleine végétation et 4 jours en période de pousse ralentie, pour permettre une bonne assimilation sans accident.

▶ **Tondeuse**

Topiaire (art)

Pour obtenir facilement une forme géométrique bien nette, fabriquez-vous un gabarit de la forme que vous voulez obtenir (pyramide, cylindre, cône, boule...). Utilisez pour cela du grillage et des tuteurs en bois. Placez ce « moule » sur le jeune arbuste que vous avez choisi. Vous n'aurez plus qu'à tailler régulièrement au sécateur toutes les pousses qui dépassent au fur et à mesure de la croissance.

Une jolie spirale. Deux plantes sont à préférer pour cette technique : l'if et le buis. La première année, plantez dans un sol riche un sujet de 50 à 60 cm de haut, bien dense, avec un tuteur de 1,50 à 1,80 m, qui maintiendra la tige bien verticale. La deuxième année, continuez le palissage de la tige centrale, et rabattez toutes les tiges latérales (entre avril et juin) pour obtenir une colonne d'environ 10 cm de diamètre. En fin d'été, elle aura 15 à 20 cm d'épaisseur et vous pourrez, lors de la taille, lui donner la largeur souhaitée. La troisième année, répétez les soins précédents. Quand la plante atteindra 1,20 m, formez les premiers anneaux inférieurs de la spirale. Le premier anneau sera plus long et les intervalles décroîtront en allant vers le sommet. Utilisez un sécateur pour dégager le tronc. Au début, le résultat paraîtra irrégulier mais, avec le temps, les tailles répétées formeront un ruban de feuillage bien dense. Une jolie variante : vous pouvez tailler la base de la plante pour obtenir un socle végétal et ne commencer la spirale qu'à 1 m environ du sol.

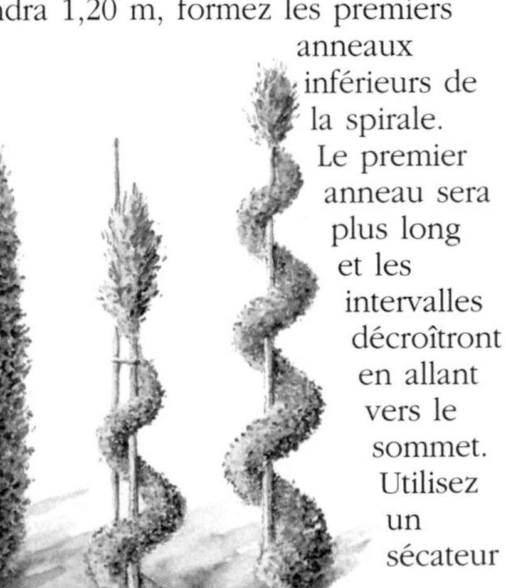

Donnez un pot végétal à un arbuste ou à un arbre sur tige. Plantez un arbre ou un arbuste sur tige, supportant bien la taille. Tuteurez-le avec un tuteur solide que vous

aurez fermement enfoncé en terre. Plantez à son pied des touffes basses. Formez peu à peu une haie basse par des tailles précoces et renouvelées jusqu'à établissement complet du « pot ».

Retirez alors le tuteur. Le « pot » peut être rond, carré, octogonal... au gré de votre fantaisie.

Drôle d'oiseau. Dans une haie, dégagez les tiges que vous utiliserez et placez un tuteur qui donnera la hauteur du dos de votre futur sujet. Courbez

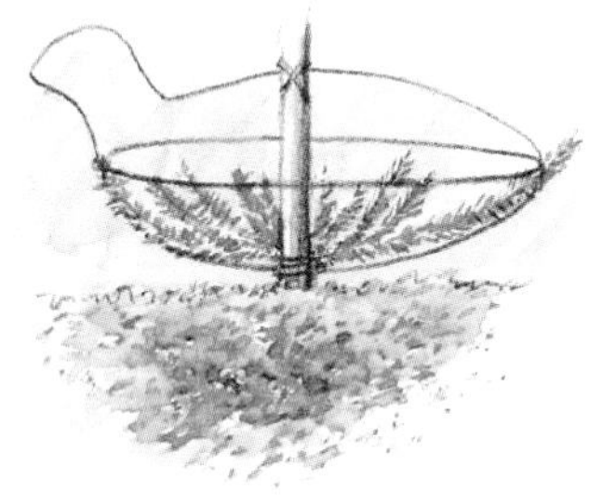

un morceau de fil de fer pour former le cou et la tête et fixez-le au tuteur. Formez le corps avec un autre fil

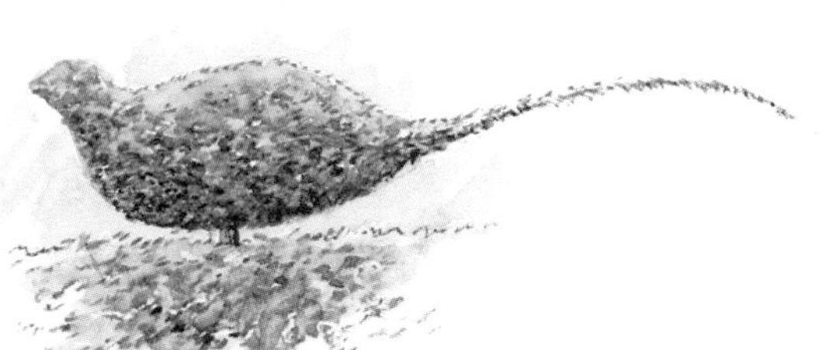

de fer attaché sur la première armature. Liez les pousses à intervalles réguliers pour couvrir uniformément la carcasse. Gardez les pousses les plus vigoureuses pour la tête et la queue. Dans un premier temps, attachez la queue à une ficelle et courbez-la par la suite vers le bas.

Pas d'animal plus docile ! Plantez 4 arbustes à l'emplacement des 4 futures pattes. Placez une forme en hauteur (corps, tête) et une autre horizontale à 30-35 cm du sol (volume du corps). Palissez peu à peu les pousses et tiges qui constitueront le corps. Tirez la queue vers le bas avec une ficelle.

ENTRETIEN

Question de taille. En règle générale, coupez la moitié des pousses annuelles pour que la végétation prenne du volume à la base. Quand les côtés s'étoffent, commencez des tailles légères et régulières. Une fois la forme obtenue, ne pratiquez plus qu'une taille de routine, 1 à 2 fois par an. Procédez après la croissance printanière et après la floraison, s'il y en a une.

Petite histoire

Topiaria est le terme utilisé par Cicéron pour décrire « l'art de faire grimper harmonieusement des plantes après des colonnes et surtout de tailler les arbres en formes diverses », un travail réservé aux esclaves, sans doute grecs, qui introduisirent ces techniques à Rome. C'est au cours de la conquête de la Perse que les Grecs avaient découvert ces haies savamment taillées, ces arbustes aux formes figuratives ou fantastiques qui allaient séduire leurs jardiniers. Après plusieurs siècles d'oubli, la Renaissance italienne remettra l'art topiaire, découvert dans les écrits de Pline l'Ancien, au goût du jour et le transmettra au reste du monde.

Apportez de l'engrais au cours des premières années : les arbustes ont besoin d'une nourriture riche en azote pour produire tiges et feuilles en nombre et volume suffisants. Réduisez cet apport avec l'âge. Au stade adulte, il n'est plus nécessaire.

Le bon arrosage. Offrez de l'eau au pied de votre arbuste mais aussi à son feuillage, surtout s'il est persistant.

À chacun son rythme. Il est difficile d'obtenir une homogénéité complète de croissance. Laissez les retardataires se développer librement ou taillez-les très légèrement dans leurs premières années. En parallèle, taillez plus fortement les sujets très vigoureux pour rattraper le niveau. Tout rentrera dans l'ordre avec le temps.

Faites le bon choix

Voici une sélection de végétaux qui vous donneront de bons résultats si vous vous lancez dans l'art topiaire.

Plantes à feuillage persistant : buis, fusain, houx, laurier, *Lonicera nitida, Pittosporum,* troène

Conifères : genévrier, if

Plantes à feuillage caduc : charme, épine-vinette

Plantes pour haies basses, broderies, petits sujets : armoise, lavande, romarin, santoline

Plantes à palisser : *Ficus repens,* lierre

Précautions hivernales. Dans nos régions à hivers rudes, protégez les formes topiaires saillantes en les ligotant avant l'arrivée de la neige ou du givre. Sans cette précaution, les formes s'évasent et peuvent même se rompre sous l'effet du poids. Ailleurs, secouez la neige au plus vite après une chute abondante.

Paillis nourricier. Pour éviter le développement des mauvaises herbes, concentrer l'humidité du sol, limiter les arrosages et apporter des éléments nutritifs aux racines, épandez chaque année un épais lit de fumier bien décomposé sous les branches basses des formes topiaires.

▶ **Lierre**

Topinambour

Le topinambour est un féculent méconnu. C'est un tubercule à peau noire, dont la chair blanche a un peu le goût de l'artichaut (d'où son nom anglais, « artichaut de Jérusalem »). La plante possède de très hautes tiges (jusqu'à 3 m) terminées par des sortes de marguerites jaunes s'épanouissant en automne. Pour les Européens, le topinambour fait partie des « aliments de disette ». Comme le rutabaga, il a laissé un mauvais souvenir à ceux qui ont vécu la Seconde Guerre mondiale.

À savoir

Certaines personnes apprécient le goût du topinambour mais ne le digèrent pas. La consommation de ce tubercule leur occasionne des flatulences et même, parfois, des vertiges d'origine digestive. La raison : le topinambour, à la différence de la pomme de terre ou de la carotte, ne renferme pas d'amidon mais un sucre voisin appelé inuline. Or, tout le monde ne possède pas les enzymes qui permettent d'assimiler l'inuline. Pour y remédier, même les meilleures épices carminatives — graines de fenouil, d'anis ou d'aneth — sont impuissantes.

Cultivez-le à part. En effet, lorsque vous récolterez, vous ne pourrez faire autrement que d'oublier des tubercules en terre. Et ceux-ci s'empresseront de repousser : plutôt gênant si vous avez semé un autre légume au même emplacement ! D'autre part, le topinambour est une plante encombrante, avec ses grandes tiges que le vent peut coucher. Implantez-le, par exemple, sur un côté de votre potager, ou utilisez-le comme écran devant votre tas de compost.

Gare aux campagnols ! Les petits rongeurs raffolent des tubercules juteux et sucrés du topinambour. Ils ne laissent parfois que la peau ! Pour barrer la route à ces gourmands importuns, creusez un petit fossé autour de votre carré de topinambours, bourrez-le de feuilles sèches de noyer. Et couvrez le carré entier avec ce même matériau.

Tortue

SOS Tortues. Les principales causes d'accident au jardin sont la tondeuse à gazon, la débroussailleuse, la voiture et... le chien. Évitez également de brûler un tas d'herbes ou de broussailles pendant la période d'hivernage des tortues, ou étalez-le au préalable, car il se peut qu'elles y aient trouvé refuge.

N'introduisez pas de tortue de Floride dans votre bassin. Cette espèce aquatique est parfaitement capable de s'acclimater dans votre pièce d'eau mais, attention, elle fera le vide autour d'elle : adieu poissons, tritons, grenouilles, etc. !

Vorace. Si vous possédez une tortue terrestre en liberté dans votre jardin, pensez à protéger vos plantations les plus attractives (fleurs, cultures potagères) à l'aide de bordures basses en fil de fer plastifié.

La « tortue de nos livres d'enfant », ça n'existe plus !

Les tortues d'autrefois (tortue grecque, tortue d'Hermann) sont maintenant protégées par la loi. Ramassées à outrance pour être revendues, elles ont fortement régressé dans leurs milieux naturels du bassin méditerranéen. Les seules tortues terrestres que l'on trouve maintenant dans le commerce sont exotiques, comme la tortue-boîte, importée de Louisiane et de Caroline. Mais ces tortues qui ont besoin de chaleur et d'humidité ne font que survivre dans nos jardins. Un bon conseil : n'en achetez pas !

Ne les relâchez pas dans la nature. Qu'elles soient aquatiques ou terrestres, les tortues achetées en animalerie sont exotiques. Leur introduction dans notre environnement est une cause de déséquilibre écologique (concurrence avec les espèces sauvages, propagation de maladies, etc.). Si vous souhaitez vous débarrasser de votre tortue, donnez-la ou renseignez-vous auprès des responsables de la faune.

Tourbe

Tour de main. La tourbe est un matériau lent à s'hydrater mais, une fois mouillée, elle résiste bien à la sécheresse. Pour faire un mélange de terre, laissez d'abord tremper la tourbe dans un seau d'eau ou mouillez-la copieusement directement dans son emballage plastique.

Faites démarrer vos plantes dans un sac de tourbe. Ouvrez le sac en découpant 2 grandes ouvertures. Mouillez la tourbe assez longuement et installez les bulbes à floraison estivale que vous voulez voir

démarrer avant la plantation (bégonia tubéreux, dahlia...). En cas de froid annoncé, refermez le sac et empêchez-le de s'ouvrir à l'aide d'un poids (une planche...).

Pensez à la tourbe pour améliorer votre sol. La tourbe est une sorte d'éponge végétale qui retient aussi bien l'humidité que les éléments nutritifs solubles. Elle allège doucement un sol lourd et donne du corps à un sol sablonneux si elle est appliquée en grande quantité.

Anticalcaire. Laissez tremper un ballot de tourbe dans l'eau d'une cuve ou d'un arrosoir pour neutraliser le calcaire en excès. Renouvelez la tourbe toutes les semaines.

Sauvez une plante trop arrosée. Remplissez un sac en plastique de tourbe sèche, plongez-y la plante, la tourbe absorbera l'excès d'eau.

Contre la chaleur. En été, les plantes en pots s'assoiffant vite, regroupez-les dans un récipient rempli de tourbe, qui servira d'isolant thermique.

La tourbe sèche est idéale pour protéger les plantes sensibles au froid en hiver. Formez comme une cage de grillage autour des plantes à isoler, doublez-la d'un plastique contre les intempéries, et bourrez-la de tourbe sèche. Cette protection convient bien aux artichauts, fuchsias, hortensias, bananiers, figuiers…

▶ Mélange de terre

Toxiques (plantes)

Les dangers du jardin

Un certain nombre de plantes contiennent des matières actives (souvent utilisées en pharmacopée) qui sont nocives pour ceux qui les touchent ou les avalent. Apprenez à vos enfants à distinguer les plantes qui peuvent les rendre malades et à ne pas manger de baies, fleurs, bulbes… sans votre permission. Si un enfant avale une partie toxique, appelez le centre antipoison.

Plantes irritantes au toucher : amaryllis, berce du Caucase, chrysanthème, cyclamen, dieffenbachia, *Ficus benjamina,* géranium, iris, jacinthe, jonquille, marguerite, narcisse (bulbes secs), œillet, poinsettia, primevère, renoncule…

Plantes toxiques à l'ingestion : anthurium, arum, azalée, buis, chrysanthème, crocus, cytise, daphné, datura, digitale, fusain, gui, hortensia, if, laurier-rose, lierre, lupin, muguet, philodendron, ricin, sceau-de-Salomon, spathiphyllum, troène, vigne vierge du Japon, volubilis…

Transplantation

La meilleure saison pour transplanter un arbre ou un arbuste va du printemps à l'automne pour ce qui est des plantes achetées en contenant. En revanche, les arbres ou arbustes à racines nues doivent être plantés au printemps afin d'échapper aux chaleurs estivales qui assèchent rapidement les radicelles au moment de la transplantation.

Sujets âgés : préparez-les 1 an à l'avance. Au printemps, cernez les racines à l'aplomb de la couronne, sur une profondeur de 50 cm au moins. En sectionnant les grosses racines de l'arbre et en l'arrosant bien pendant l'été, vous l'obligerez à former des radicelles plus nombreuses, plus près du tronc. Il souffrira donc moins de l'arrachage à l'automne suivant et reprendra mieux.

Le diamètre de la motte radiculaire que vous découpez doit être en moyenne 10 fois supérieur à celui du tronc (50 cm pour un tronc de 5 cm de diamètre ; 1,50 m pour un tronc de 15 cm). Son épaisseur doit se situer entre la moitié et le tiers de son diamètre.

Pour transporter à deux un arbre lourd, fixez 1 ou 2 barres de bois au niveau du collet en protégeant le tronc pour ne pas le blesser. Vous le porterez sans difficulté jusqu'à son nouveau trou de plantation.

Si vous devez transporter un arbre dont la motte radiculaire est importante et fragile, emballez-la soigneusement dans un filet à mailles fines ou dans une toile épaisse. Ainsi protégé, votre arbre pourra même patienter quelques jours avant d'être mis en place.

Après la transplantation, la réussite dépend de l'arrosage. Inondez régulièrement le pied de l'arbre pour saturer le sol sur 60 cm de profondeur. Dès le mois de mai, paillez le sol (voir Paillage).

Un outil de professionnel : le louchet. Les pépiniéristes s'en servent pour transplanter la plupart des arbustes et des arbres. Cette bêche au fer étroit et long peut pénétrer plus facilement et plus profondément dans le sol. Elle vous permettra de cerner l'arbre à transplanter puis de soulever toute la motte de terre.

Votre arbre transplanté reprend avec difficulté ? Réduisez le feuillage de 15 % au maximum. Il est possible que les racines ne suffisent pas à l'alimenter. L'arbre épuise alors rapidement ses réserves, malgré les arrosages prodigués.

▶ Cernage, Orientation

Transport des plantes

La meilleure saison. Pour les arbres et les arbustes, c'est l'automne, tant et aussi longtemps qu'il ne gèle pas. Faites des emballages solides pour protéger les racines et les tiges. N'hésitez pas à rabattre une partie des tiges des sujets caducs pour faciliter le transport, car de toute façon vous serez obligé de rabattre les branches d'un bon tiers pour stimuler la reprise.

Voyage en voiture. Placez vos plantes dans le coffre : il reste souvent plus frais que l'habitacle. Si vous fixez un tronc sur le toit, placez sa motte à l'avant de la galerie : il y aura moins de prise au vent dans les branches. Nouez un chiffon rouge à l'arrière si le sujet dépasse de la voiture.

Petits plants. Faites-les voyager dans des boîtes, caissettes, cageots... de même taille pour les superposer facilement dans le coffre de la voiture. Si vous voyagez en avion, l'idéal est de ranger vos petits plants dans une boîte en plastique à fermeture hermétique (ou à défaut dans un sac en plastique bien fermé), chaque sujet roulé indépendamment dans du papier absorbant humide. Aérez la boîte ou le sac tous les jours, sinon vous risquez la pourriture.

Bouquets. Ne les mettez jamais sur la plage arrière du véhicule : c'est l'un des endroits les plus chauds. Enveloppez-les dans du papier journal humide et placez-les dans le coffre ou entre les sièges, à l'abri des rayons solaires et du chauffage.

BOUTURES

Si vous faites des boutures en voyage, préparez-les en fin de séjour. Envoyez-les à votre adresse par la poste, dans un emballage rigide, après les avoir entourées de papier absorbant humide et glissées dans un sac en plastique.

Boutures en boîte. Repliez dans le sens de la longueur un long rectangle de plastique. Glissez dans le pli du coton humide ou du papier absorbant. Installez les boutures côte à côte, roulez le plastique sur lui-même et conservez l'ensemble dans une boîte en plastique hermétique.

Boutures en bouteille. Coupez le fond d'une bouteille en plastique, calez à l'intérieur un bloc de mousse synthétique bien mouillé,

et piquez les boutures dedans. Repiquez-les le plus rapidement possible à votre arrivée.

Pour un petit trajet, plantez les boutures non préparées dans une pomme de terre, elles y puiseront l'humidité qui leur convient pour survivre quelques heures. Occupez-vous d'elles dès votre arrivée.

Treillage

Un treillage sur mesure. Fabriquez-le avec des tasseaux et des chevrons en pin. Il ne sera pas moins cher mais certainement plus original qu'un treillage préfabriqué. Pour une maison de campagne, faites de grandes mailles rectangulaires (20 × 30 cm). En ville, un treillage plus dense à mailles carrées ou en losange (15 cm) sera plus raffiné. Si vous souhaitez réaliser de grands panneaux, bâtissez plusieurs unités de 1,50 à 2 m de long au maximum. Au-delà, ils sont difficiles à transporter et à fixer.

Les treillages à l'ancienne ont des mailles rectangulaires assez larges (24 × 30 cm). C'est là tout le secret de leur élégance. Réalisés avec des perches d'érable refendu, ils durent très longtemps et deviennent de plus en plus beaux avec l'âge. Pour poser vos lattes immédiatement au bon écartement, préparez des gabarits en bois à la taille voulue. Vous les déplacerez au fur et à mesure du travail.

Vos treillages en bois prendront une inimitable couleur bleu-vert si vous les enduisez de bouillie bordelaise, ou d'un produit pour protéger le bois. On trouve également du treillage prétraité dans les grands centres de jardinage.

Réalisez un treillage express et très solide avec du treillis métallique soudé à béton. Choisissez des grandes mailles (15 ou 20 × 30 cm). Taillez-le aux bonnes dimensions avant de le fixer solidement le long du mur. Si vous voulez le rendre plus élégant, encadrez-le de bois, que vous pouvez peindre ou colorer à votre goût pour l'harmoniser au reste du jardin. Si vous n'avez pas de treillis, vous pouvez utiliser un grillage à mailles larges, de type agricole.

Un treillage en bambou. Si vous disposez de nombreuses cannes de bambou, utilisez-les pour construire des treillages et des claustras pour cloisonner le jardin. Vous y ferez pousser de nombreuses plantes vivaces ou annuelles. Assemblez les bambous avec du fil de fer ou des liens imputrescibles (ficelle en sisal) noués en croisillons.

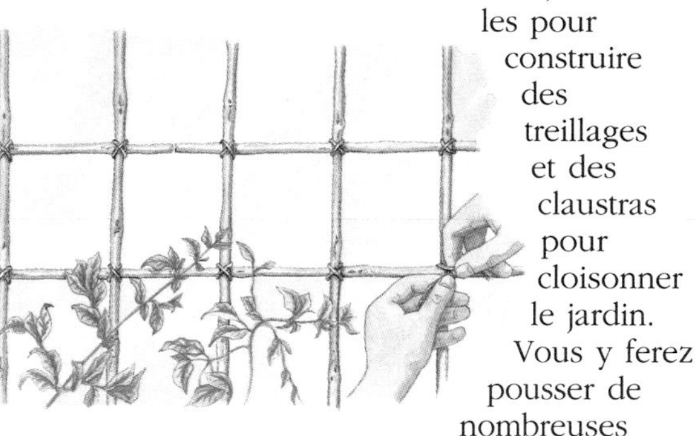

Ne plaquez pas un treillage contre un mur. Posez-le toujours sur des cales ou des chevrons de 5 cm d'épaisseur et fixés verticalement : les plantes pousseront beaucoup plus librement ; le mur, mieux ventilé, ne s'abîmera pas. Seuls les treillages décoratifs (sans plantes) peuvent être collés au mur.

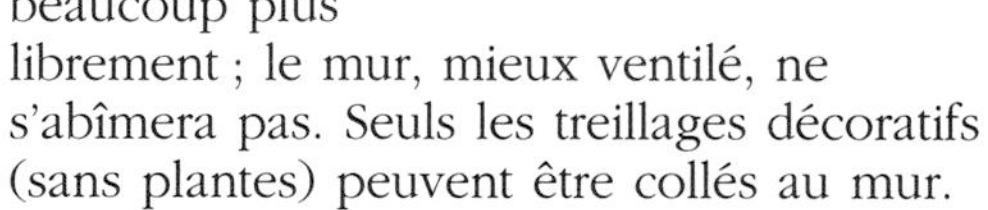

Pour cacher des éléments disgracieux (une bouche d'aération, une cheminée, une cuve...), utilisez des treillages à mailles fines que vous pouvez peindre de différentes couleurs. Installez-les comme des claustras en les fixant sur des piquets. Plantez à leur base des grimpantes annuelles ou vivaces.

Les treillages en trompe-l'œil font paraître un balcon, une cour, une terrasse plus longs ou plus profonds. Ne les recouvrez pas de plantes, pour préserver l'effet de perspective.

▶ **Grimpantes, Palissage**

Tronc mort

Une richesse à conserver. Même mort, un arbre a sa place dans votre jardin. Il sert d'habitat à toute une faune intéressante à observer : oiseaux nichant dans les trous (mésange, rouge-queue, sittelle, merle d'Amérique, grive, tourterelle triste, etc.), insectes (coccinelles, papillons, cigales, etc.), lézards... Cependant, n'hésitez pas à abattre un arbre mort qui, en tombant, pourrait causer des dégâts (toiture, clôture...) ou provoquer un accident. (Voir Nature.)

Toilettez-le. Enlevez toutes les petites branches et ne conservez qu'une partie des grosses. Ainsi, votre arbre mort offrira moins de prise au vent et se fera plus discret.

Un tuteur pour grimpantes. Rien de plus facile que d'habiller un tronc à l'aspect un peu triste. Plantez à son pied, dans une poche de terre ameublie, une plante grimpante proportionnée à la taille du support : rosier grimpant (voir Roses) ou clématite pour les plus petits troncs (quelques mètres), vigne vierge ou renouée pour les plus grands.

Une nouvelle vie. Supprimez les branches inférieures en diamètre à la taille d'un manche de pioche et plantez au pied 3 ou 4 lierres, choisis assez longs pour coloniser cette charpente. L'arbre finira par disparaître mais, à ce moment-là, les lierres seront assez forts pour s'en passer. (Voir Lierre.)

Piédestal pour vasque fleurie. Coupez le tronc de façon bien horizontale et posez dessus une belle poterie garnie de plantes retombantes (lestez-la pour qu'elle ne tombe pas).

Une jardinière naturelle. Évidez une souche large et enduisez l'intérieur d'une couche isolante (argile). Forez un trou de drainage à la base, et remplissez la cavité de terre : vous n'aurez plus qu'à faire vos plantations.

Parure pour arbre creux. Remplissez de terreau les cavités, et installez-y des plantes ornementales à port retombant : *Lobelia erinus,* géranium-lierre, pétunia 'Super Cascade', verveine 'Imagination', etc. N'oubliez pas d'arroser.

S'il tombe, n'hésitez pas à recycler votre tronc mort. Bordez-en une allée dans un coin sauvage du jardin pour le repos du promeneur, ou bien installez-le en bordure de la mare pour le grand bonheur des grenouilles et des tritons.

▶ **Banc, Souche**

Tronçonneuse

Électrique ou à essence ? Si vous avez seulement des bûches à débiter à proximité de la maison ou dans un local fermé, optez de préférence pour un modèle électrique. Il vous coûtera moins cher et sera moins bruyant. En revanche, si vous avez des arbres à abattre ou à élaguer, seul une tronçonneuse à moteur à essence vous donnera l'autonomie nécessaire.

Ne sous-estimez jamais la puissance nécessaire à vos besoins : un modèle trop faible risque de chauffer et de vous fatiguer inutilement avant de devenir dangereux.

Le guide de votre chaîne est bleu ? C'est signe que l'acier se détrempe sous l'effet de la chaleur. Il risque de se déformer. Entretenez mieux votre chaîne (graissage et affûtage) et pensez à retourner le guide s'il est symétrique.

Pour ne pas oublier de graisser votre chaîne, remplissez le réservoir à huile à chaque plein d'essence.

Ne perdez pas de temps : ayez toujours au moins une chaîne neuve ou bien affûtée en rechange, surtout si vous devez travailler loin de votre maison.

Tronçonneuse : les dix commandements de la sécurité

– Tronçonnez lorsque vous êtes en forme, surtout pour des travaux d'élagage ou d'abattage.

– Mettez des gants : vous tiendrez mieux votre machine. Portez des chaussures en cuir, des lunettes et si possible un casque de sécurité.

– Portez des vêtements serrés et épais. Jamais d'écharpe ni de collier.

– Vérifiez que la machine est propre pour l'avoir bien en main : poignées sèches et non grasses.

– Faites toujours démarrer votre tronçonneuse en la posant par terre. Maintenez-la avec le pied. Assurez-vous que la chaîne ne touche aucun obstacle.

– Débroussaillez les abords des arbres avant de les abattre ou de les élaguer. Méfiez-vous des baliveaux : leur souplesse risque de provoquer des rebonds de la machine.

– Tronçonnez toujours à une hauteur inférieure à celle de vos épaules.

– Éloignez les curieux, en particulier les enfants. Mettez le protège-lame le plus souvent possible. Les dents de la chaîne sont coupantes et pointues, même à l'arrêt.

– Arrêtez le moteur de la machine pour monter sur une échelle, grimper dans un arbre ou vous déplacer dans une zone accidentée.

– Ne touchez pas la chaîne arrêtée lorsque la machine tourne au ralenti. Le débrayage peut tomber en panne et la chaîne se remettre en mouvement.

Tulipe

La bonne profondeur. Plantez les variétés horticoles à 15 cm de profondeur, entre la mi-septembre et la fin octobre. En sol léger, sableux, plantez plus profond, jusqu'à 20 cm pour un bon enracinement. En sol lourd, plantez à 10-12 cm. En revanche, enfouissez les bulbes des tulipes botaniques à une profondeur d'au moins 2 fois et demie leur diamètre.

Jolies jardinières. Choisissez plutôt des variétés de tulipes à tige courte (elles résisteront mieux au vent sur le balcon, la terrasse, la fenêtre...) et à floraison hâtive pour bien commencer le printemps.

Indispensable feuillage. Coupez les fleurs fanées au sécateur, mais laissez le feuillage, indispensable au bulbe pour reconstituer ses réserves en vue de la prochaine floraison. Attendez qu'il ait jauni, entre juin et août selon les espèces et variétés, pour le couper.

Des plantes faciles. Les tulipes se débrouillent très bien dans vos plates-bandes. Leurs seules exigences : un sol meuble, bien drainé, enrichi de compost... et du soleil.

Attention aux narcisses ! Ne plantez pas vos tulipes à un endroit où vous aviez installé des narcisses l'année précédente sous peine d'obtenir une floraison décevante. Les narcisses libèrent dans le sol des substances peu favorables aux tulipes.

Pour des floraisons renouvelées à chaque saison. Coupez la hampe florale mais ne débarrassez pas tout de suite le plant de son feuillage : laissez celui-ci jaunir (au moins 2 à 3 feuilles) pour permettre aux petits bulbes d'emmagasiner les réserves nécessaires à leur nouvelle floraison, le printemps suivant. Vous pouvez également fertiliser vos bulbes pendant l'été afin d'accroître leurs réserves : utilisez en alternance aux 2 semaines les engrais solubles 10-52-10 et 20-20-20.

Tulipes : faites le bon choix

Catégories	Floraison	Quelques variétés
Tulipes botaniques (15 à 40 cm)	début de saison	'Candela', 'Cape Cod', 'Plaisir', 'Purissima', 'Toronto', 'Yellow Dawn'
Tulipes simples (30 à 60 cm)	début de saison (hâtives) et mi-saison	'Apricot Beauty', 'Burgundy Lace', 'Christmas Marvel', 'Couleur Cardinal', 'Georgette', 'Halcro', 'Queen of Night'
Tulipes doubles (30 à 40 cm)	début de saison (hâtives) et mi-saison	'Azalea', 'Bonanza', 'Carlton', 'Electra', 'Kareol', 'Orange Nassau', 'Peach Blossom'
Tulipes perroquet (50 cm)	mi-saison	'Estella Rijnveld', 'Flaming Parrot', 'Holland Happenings'
Tulipes triomphe (40 à 60 cm)	mi-saison	'Arabian Mystery', 'Blenda', 'Don Quichotte', 'Garden Party', 'Kees Nelis', 'Orange Monard', 'Peerless Pink', 'Preludium'
Tulipes fleur-de-lis (40 à 60 cm)	mi-saison	'Aladdin', 'Astor', 'Ballade', 'China Pink', 'Maytime', 'West Point', 'White Triumphator'
Tulipes Darwin (60 cm)	mi-saison	'Apeldoorn', 'Beauty of Apeldoorn', 'Big Chief', 'Golden Apeldoorn', 'Holland's Glorie', 'Oxford', 'Striped Apeldoorn'

D'autres catégories sont disponibles sur le marché, telles :

Tulipes Cottage (50 à 60 cm), tulipes Fosteriana (30 à 40 cm), tulipes Greigii (20 à 30 cm), tulipes Kaufmanniana (20 à 30 cm), tulipes à pétales frangés (50 à 60 cm), tulipes Rembrandt (50 à 60 cm), tulipes Viridiflora (50 à 60 cm).

Pensez aux tulipes pour habiller le pied de vos arbres au printemps. Elles réclament peu de soins et forment de superbes massifs.

Pour gagner de la place dans vos massifs, extrayez délicatement les bulbes de vos tulipes défleuries, avec racines et feuilles, et mettez-les en jauge dans une tranchée aménagée dans un coin discret du jardin (au potager par exemple), où elles attendront le jaunissement du feuillage. Vous pourrez ainsi mettre en place plus tôt vos plantations estivales.

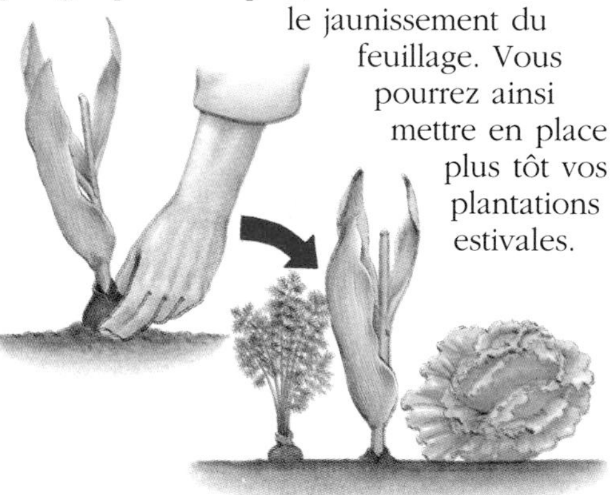

Arrachage plus facile. Lorsque vous mettez en jauge vos bulbes défleuris, étalez au fond de la tranchée un large grillage à mailles fines ou un filet plastique dépassant de chaque côté. Quand le feuillage sera sec, il vous suffira de tirer sur les bords du filet ou du grillage pour extraire tous les bulbes à la fois, sans risquer de les blesser.

Petite histoire

L'ambassadeur d'Autriche à Istanbul, Ogier de Busbecq, fait parvenir à Vienne en 1554 des bulbes de tulipe originaires de Turquie. Charles de l'Écluse, botaniste au service de l'empereur d'Autriche, étudie et garde jalousement ces nouvelles plantes. Partant enseigner à Leyde, en Hollande, à la fin du XVIe siècle, il emporte sa collection de tulipes, toujours inconnue du grand public. Là-bas, une nuit, on lui vole ses précieux bulbes. C'est le point de départ des premières hybridations et, au XVIIe siècle, d'une incroyable « tulipomanie », en Hollande surtout, où les nouvelles espèces et variétés s'arrachent à prix d'or.

▶ **Bouquet**

Tuteurage

Les meilleurs tuteurs sont en bois d'érable, de noyer, de frêne ou de noisetier. Plantez-les dans le sol dans le sens contraire à celui de leur croissance naturelle (bref, à l'envers !), vous limiterez les ravages du temps, car les moisissures monteront peu dans les vaisseaux du bois.

Faites durer vos tuteurs. À l'aide d'une petite lampe à souder, passez vivement leur base à la flamme ; il faut juste roussir le bois, sans insister, afin de ne pas risquer de le brûler. Pour réaliser ce travail, utilisez d'épais gants de cuir. Si les piquets ne sont pas plantés près de racines, vous pouvez aussi tremper leur base dans du goudron, qui lutte contre l'humidité et les champignons parasites, ou encore dans de l'eau de Javel, mais les effets seront moins durables.

Pour pouvoir réutiliser vos tuteurs d'une année sur l'autre, désinfectez-les soigneusement en trempant leur base dans une solution concentrée de bouillie bordelaise (comptez 3 cuillerées à soupe pour 10 litres d'eau).

Tuteurs invisibles. Peignez-les en vert, utilisez du raphia synthétique vert et des morceaux de filet de nylon à larges mailles également verts.

Attention à vos yeux : les tuteurs de moins de 1,50 m sont dangereux lorsque vous jardinez. Placez une protection à leur extrémité supérieure : une petite figurine de terre cuite ou, à défaut, un bouchon de liège ou une boulette de pâte à modeler, à laquelle vous pouvez donner la forme de votre choix.

La bonne attache. Elle doit être très solide pour résister aux coups de vent et aux intempéries mais ne doit pas blesser la plante. Trois bons trucs : une attache de plastique (vendue dans le commerce) ; un vieux bas ou un collant, une large bande de caoutchouc ou de plastique épais fixée avec du fil de fer bien serré.

Lien pratique. Procurez-vous un rouleau de velcro vert dans une jardinerie. Ce velcro maintiendra bien la plante sur son tuteur et aura l'avantage de disparaître dans la verdure du feuillage.

Pour les tiges fleuries très lourdes (iris, delphinium, glaïeul, chrysanthème…), vous avez trois possibilités. Fichez en terre une tige de

bambou et accrochez la tige avec une ficelle en formant un 8 ; plantez une tige métallique et calez la tige dans une fourche ; ou attachez-y la tige fleurie avec une boucle de fil de fer.

ARBRES

Sujet à racines nues. Placez toujours le tuteur avant de reboucher le trou de plantation : vous ne risquez pas d'abîmer les racines encore visibles. Enfoncez-le à la

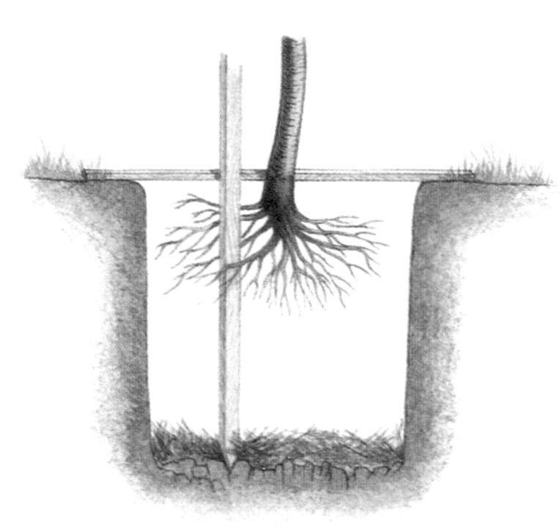

masse pour qu'il résiste aux intempéries (bourrasques, pluies violentes...). Fixez le jeune arbre à son tuteur. Ainsi maintenu, votre arbre ancrera ses racines plus rapidement dans le sol et grandira plus vite.

Sujet en motte. Plantez 2 solides poteaux de bois de chaque côté de la motte, assez loin du tronc pour ne pas risquer de la casser. Prévoyez des attaches assez longues.

Si vous devez placer un tuteur après la plantation, fabriquez un portique en bois sur lequel vous attacherez le tronc ; vous n'abîmerez pas les racines ou la motte. Autre solution : un tuteur oblique, fixé à mi-hauteur du tronc.

Grand arbre isolé. Entourez-le de petits piquets en bois solidement plantés en terre et haubanez-le avec des liens résistants.

Étais décoratifs. Si vous aidez les branches lourdes de fruits à ne pas casser en fixant des étais (perches en Y ou perches simples sur lesquelles on cloue un tasseau), plantez au pied de chaque étai une annuelle grimpante ne demandant pas trop de soleil (houblon annuel, haricot d'Espagne...). Vos tuteurs fleuris seront du meilleur effet.

Jeune arbre encore souple. Choisissez un tuteur robuste et fixez l'arbre par 3 attaches situées à des hauteurs différentes.

PLANTES EN POTS

Joli trépied. Plantez solidement 3 tiges de bambou et liez-les au sommet.

Tuteurage naturel. Au lieu d'utiliser des tuteurs traditionnels au port rigide, fichez en terre des rameaux effeuillés que vous aurez choisis pour leur jolie forme.

Formes géométriques. Confectionnez un cylindre de grillage et enfoncez-le dans le pot. Maintenez-le en place avec de petits tuteurs. Vous obtiendrez une colonne très décorative. Une variante : roulez le grillage en cône.

Pour déplanter un tuteur bien ancré dans le sol, plutôt que de tirer dessus de toutes vos forces, enfoncez-le légèrement d'un coup de masse pour le décoincer. Il viendra ensuite tout seul.

▶ **Bas nylon, Bois, Bord de mer, Orientation**

Vacances

EN PLEIN AIR

Si vous partez toujours à la même période de l'année, ne plantez pas d'espèces qui s'épanouiront ou donneront des fruits à ce moment-là. Pensez à accentuer le décor pour les autres saisons. Il sera toujours temps de boucher quelques trous à votre retour s'il n'y a pas assez de couleurs à votre goût.

Pas d'engrais, ni sur le gazon, ni sur les massifs, ni dans les pots 15 jours avant votre départ. Tout apport d'engrais doit se conjuguer avec des arrosages pour que la substance active soit assimilée sans risques de brûlure des racines.

Un grand désherbage avant le départ et un binage soigné, qui brisera la croûte du sol, seront aussi efficaces en votre absence que plusieurs arrosages… surtout si vous optez pour le paillis (voir Paillage).

Enterrez tous les pots de votre terrasse dans un coin ombragé, arrosez-les copieusement avant votre départ et recouvrez le sol de tourbe bien humide jusqu'à cacher les pots. Cette formule n'est valable qu'à la belle saison, lorsqu'il n'y a pas de risques de gel.

Dans les massifs, coupez toutes les fleurs, y compris les boutons prêts à s'ouvrir en votre absence. À votre retour (après 3 ou 4 semaines), un nouveau cycle de floraison des vivaces, annuelles et rosiers pourra vous accueillir.

Au potager, cueillez, mangez ou congelez tout ce qui peut l'être. Paillez avec un lit de terreau ou de compost après un bon arrosage. Une nouvelle récolte se développera pour votre retour. Au jardin d'herbes aromatiques, coupez court l'oseille, le persil, le cerfeuil, l'estragon, et pincez le basilic.

Attention aux branches des arbres fruitiers. Les fruits vont grossir pendant vos vacances. Pour éviter la casse des branches trop lourdes, placez des étais les années de forte production.

À L'INTÉRIEUR

L'idéal : un voisin à la main verte. Rien ne remplace le coup d'œil et le doigté d'un autre jardinier. Essayez d'échanger vos bons services en partant en vacances à des dates différentes ! Sachez sinon que certains fleuristes ou pépiniéristes acceptent de prendre en pension vos protégées… en échange de quelques frais modiques, variant selon la taille et le nombre des plantes. Une solution à étudier si vous avez des sujets qui réclament des soins attentifs (bonsaïs).

En groupe. Réunissez les pots dans le lavabo, l'évier, la baignoire ou le bac de la douche, en les disposant sur un grand plastique. Entourez les pots de tourbe bien humide et n'oubliez pas que les plantes ont besoin de lumière. Ne fermez pas les volets ni les doubles rideaux de la pièce.

Si vous achetez un système de goutte-à-goutte, alimenté par un réservoir ou à brancher directement sur un robinet, pensez à installer le matériel quelques jours avant votre départ pour en vérifier le bon fonctionnement. Si vous n'avez que peu de pots, utilisez des cônes poreux dont les mèches trempent dans une réserve d'eau.

Une nourrice pour les vacances. Conservez les grandes bouteilles en plastique (1,5 ou 2 litres). Coupez-en le fond, plantez-les dans le sol par le goulot, fixez-les à un tuteur pour qu'elles se maintiennent bien droites. Obstruez leur goulot avec un morceau de coton hydrophile et remplissez-les d'eau. L'eau s'écoulera doucement pendant votre absence… mais ne partez pas trop longtemps. Autre solution : gardez les bouteilles entières, remplissez-les d'eau et retournez-les très rapidement pour les planter en terre par le goulot. Pour que la terre ne pompe pas l'eau aussitôt, arrosez-la bien au préalable.

Une serre en sac. Avant de partir, placez vos pots dans des sacs en plastique transparent, qui laisseront passer la lumière (soufflez dedans avant pour vérifier leur étanchéité). Isolez la base de chaque pot du sac par quelques gravillons, pierres, coquilles Saint-Jacques vides… Arrosez abondamment la veille du départ, pour avoir de l'eau au fond du sac. Refermez-le autour de la plante en ménageant un passage pour l'air. L'humidité enfermée dans le sac s'évaporera doucement, faisant patienter les plantes jusqu'à votre retour.

▶ **Feutre de jardin**

Vent

Utilisez des filets brise-vent. Un bon filet fait perdre 60 % de sa force au vent. Si le vent rencontre un second écran placé à 5 m du premier, la force peut diminuer de 75 %. On estime d'autre part qu'un bon brise-vent protège sur une longueur de 20 fois sa hauteur (un brise-vent de 1 m voit son effet jouer sur 20 m de terrain). Tenez-en compte en fonction des végétaux que vous mettez en place.

Vous aménagez un jardin dans une zone ventée ? Conservez un peu de végétation naturelle. Déjà bien établie, elle servira de protection aux plantes que vous installerez. Vous pourrez toujours la supprimer par la suite pour la remplacer par des espèces plus ornementales.

Enterrez plus profondément que la moyenne les légumes (chou, tomate...) et les grimpantes (clématite, chèvrefeuille) : ils seront mieux ancrés et résisteront bien aux bourrasques.

À éviter si vous habitez dans une région venteuse

– **Les plantes à feuilles larges,** parce que leurs feuilles se déchiquettent en cas de bourrasque. C'est le cas de *Catalpa,* du tilleul d'Amérique et même des rhododendrons.
– **Les plantes cassantes,** comme les grimpantes qui ne s'accrochent pas seules (clématite, rosier, capucine...) et celles qui ont de jeunes pousses fragiles (magnolia, érable du Japon...).
– **Les plantes allergisantes.** Leur pollen ou leur bourre sont vite emportés par le vent, et vous ne pourrez plus vous promener dans votre jardin si vous êtes sujet aux allergies (peuplier femelle, pivoine, glaïeul, dahlia, iris, bégonia...).

En situation froide et venteuse, entourez le tronc des arbres qui viennent d'être plantés de carton ondulé, ou de bandelettes de toile grossière (jute) trempées dans une boue liquide. Supprimez cette protection au bout de 1 an.

Au verger. C'est essentiellement entre la floraison et la récolte que les arbres fruitiers ont besoin d'être protégés du vent. Pour cela, plantez quelques sujets caducs élancés : peuplier, chêne pyramidal, robinier fastigié...

▶ **Bord de mer, Haie, Tuteurage**

Véranda

Indispensable aération. Sous peine de voir votre véranda devenir invivable en été, tant pour vous que pour les plantes, prévoyez plusieurs ouvertures de taille suffisante. L'ensemble des ouvertures doit représenter le quart de la surface au sol. L'air chaud montant, les ouvertures hautes sont indispensables. Les ouvertures latérales assurent le renouvellement de l'air.

Pour faciliter l'entretien, choisissez un revêtement de sol mais aussi du mobilier robustes, supportant l'eau. Un point d'eau est indispensable pour les arrosages et les bassinages. Dans un coin discret, une petite table de travail pour effectuer les rempotages et autres soins vous sera précieuse.

Faites le bon choix

Cette courte sélection de plantes vous permettra de composer un joli décor dans la véranda de l'automne au printemps. En été, vous sortirez vos protégées sur la terrasse.

plantes	floraison
abutilon	presque toute l'année
anthémis	presque toute l'année
bougainvillée	printemps-été
callistemon	été, parfois remontée en automne
camélia	hiver-printemps
cassia	jusqu'en hiver
lantana	été-automne
laurier-rose	été-automne
myrte	été-automne
oranger nain	presque toute l'année
palmier *(Chamaerops humilis, Washingtonia...)*	toute l'année
passiflore	été ou automne
tibouchina	été, jusqu'en hiver souvent
trachelospermum	été

Cherchez un style. Privilégiez la fonction décorative de votre véranda et donnez-lui une atmosphère. Optez par exemple pour du mobilier en rotin accompagnant de grandes plantes vertes exotiques, ou pour le style jardin d'hiver un peu rétro, avec mobilier ancien et plantes d'orangerie...

Programmez votre grand nettoyage annuel l'été. L'opération sera plus facile car la véranda est presque vide. Désinfectez les tablettes à l'eau de Javel pour anéantir maladies et parasites. Effectuez au besoin un poudrage de soufre contre les champignons. Sachez qu'il existe pour les montants et les tablettes des peintures ayant des propriétés insecticides.

Pour éviter maladies et parasites, aérez bien, même en hiver, et espacez suffisamment les plantes pour que l'air circule tout autour du feuillage.

Arrosez peu en hiver, car la plupart des plantes observent une période de repos végétatif de plusieurs mois. Laissez la terre sécher sur plusieurs centimètres entre les arrosages. Des arrosages trop copieux fragilisent les plantes.

Surélevez les plantes sensibles à l'humidité. Posez les pots des plantes redoutant une forte humidité de l'air — bégonias à feuillage décoratif, saintpaulias... — sur des tablettes en hauteur ou bien simplement sur des pots retournés. L'air circulera mieux sous les feuilles. Ne laissez pas d'eau stagner sous les pots dans les soucoupes.

Faites des économies de chauffage. Préférez les plantes des régions subtropicales et méditerranéennes, qui se contentent de 5 à 10 °C en hiver, aux beautés tropicales délicates, plus exigeantes en chaleur.

En région froide, si vous comptez cultiver dans votre véranda des plantes de serre chaude, optez pour un verre isolant triple ou du polycarbonate.

▶ **Froid, Ombrage, Serre**

Verger

Votre verger est petit ? Proscrivez le prunier, le cerisier (guigne, bigarreau) en haute tige greffé sur merisier, le poirier en haute tige greffé sur franc (arbre obtenu par semis). Adulte, un seul de ces arbres peut couvrir plus de 100 m² !

En sol humide, plantez vos fruitiers de manière que le collet (limite tronc-racines) se trouve à 10-20 cm au-dessus du niveau du sol environnant. Les arbres, placés ainsi sur une légère butte, bénéficient d'une terre mieux drainée.

Une haie écologique. Un brise-vent végétal est souvent utile au verger. Choisissez des arbustes attractifs pour les insectes utiles en panachant les espèces à feuillage persistant et les espèces à feuillage caduc : cotonéaster, épinette de Norvège, lilas, pin de montagne, pin noir d'Autriche, prunier myrobolan, sapin de l'Ouest 'Compacta', thuya occidental.

À chaque arbre son encombrement

Avant toute plantation, connaissez l'encombrement de l'arbre à l'âge adulte pour prévoir l'espacement minimal à respecter.
abricotier (haute tige) : 5 à 6 m
cerisier acide : 5 à 6 m (bigarreau, guigne : 8 m)
cognassier : 5 m
figuier : 5 m
pêcher (demi-tige) : 5 à 6 m
poirier et pommier : 8 m (haute tige), 3 m (fuseau), 1,20 m (palmette)
prunier : 5 à 6 m

Gare au « lac d'air froid » ! Si votre verger est en pente, ne plantez pas de haie dans sa partie basse. Ce mur végétal pourrait avoir pour effet de faire barrage à l'écoulement de l'air froid et de favoriser ainsi les gelées printanières, fatales pour les fleurs. Prévoyez une clôture à claire-voie.

Attention à l'herbe : elle concurrence les arbres fruitiers pour l'eau. Désherbez bien le pied des arbres, à moins que vous n'habitiez dans une région à été humide, où le pré-verger est traditionnel, auquel cas vous pouvez engazonner votre verger. Observez ce qui se fait dans votre voisinage.

Désherbage en douceur. Préférez un désherbant peu toxique et biodégradable à base de glyphosate. Il n'aura aucun effet négatif sur les arbres et sur l'environnement. Complétez et prolongez l'effet de ce produit chimique en couvrant le sol d'un paillis d'herbe sèche ou d'écorces de pin broyées.

Pour favoriser la pollinisation de vos arbres fruitiers, installez une ou plusieurs ruches dans votre verger (voir Abeilles). Veillez également à la compatibilité des variétés (voir Pollinisation).

Quelle forme d'arbre acheter ?

Haute tige

Hauteur de tronc : 1,80 à 2 m. Si vous avez un grand jardin, et que vous souhaitiez pouvoir circuler sous les arbres et/ou faire brouter des animaux.
Avantages
- grande longévité
- forte productivité
- pas de taille

Inconvénients
- fort encombrement
- ombrage
- mise à fruit lente
- parfois alternance de la production
- récolte difficile sur les hautes branches

Recommandée pour : cerisier, noyer, pommier, prunier.

Demi-tige

Hauteur de tronc : 1,20 à 1,50 m. Intéressante pour un arbre isolé.
Avantages
- bonne productivité
- peu de taille (sauf pour le pêcher)

Inconvénients
- fort encombrement
- gêne la circulation

Recommandée pour : abricotier, cerisier, cognassier, pêcher, pommier, prunier.

Quenouille, buisson, fuseau

Si vous avez un petit jardin.
Avantages
- mise à fruit rapide
- récolte assez facile
- encombrement moyen

Inconvénients
- gêne la circulation
- travail de taille assez important
- tonte difficile au pied.

Palmette

Si vous voulez planter des arbres dans le potager ou le long d'un mur sans leur consacrer beaucoup de place.
Avantages
- faible encombrement
- mise à fruit rapide
- forme architecturée très esthétique
- récolte facile

Inconvénient
- taille sévère indispensable

Recommandée pour : poirier, pommier.

Cordon horizontal

Même situation et mêmes avantages que pour la palmette.
Inconvénients
- taille sévère
- forme particulièrement difficile à conduire.

Au verger, pas de meilleure assurance antipucerons et anticarpocapses (vers des pommes) qu'un couple de mésanges élevant sa nichée. Installez dans les branches de vos arbres au moins un nichoir, dont l'ouverture fasse entre 28 et 32 mm de diamètre (pour éviter l'intrusion des moineaux).

Faites le bon choix

Avant de créer un verger, observez quelles sont les essences qui semblent prospérer dans votre région, en fonction du climat, de l'exposition, du sol... Inutile de prendre des risques en plantant des espèces a priori inadaptées, car une erreur fait perdre des années. Avant d'opter pour une variété bien précise, goûtez ses fruits, par exemple en achetant la production locale sur un marché. C'est la meilleure manière d'éviter une éventuelle déception.

Coup de pouce pour la fructification. Tous les 2 ans, à l'automne, appliquez au pied de vos arbres fruitiers une fumure à dominante de phosphore (P) et de potasse (K). Une formule « spéciale arbres fruitiers » ou des scories potassiques (100 g/m^2) sont excellentes pour cet usage. (Voir Engrais.)

Du calcium pour les noyaux. Abricotiers, cerisiers et pruniers apprécient cet élément. Si le sol de votre verger est acide ou non calcaire, faites des apports de calcaire broyé, dolomie, lithothamne, scories, phosphates naturels, etc.

Épandez les engrais au niveau de la couronne des arbres, car, dans cette zone, les racines sont nombreuses. Inutile de bêcher pour enfouir la fumure. En sol enherbé, faites des trous de 20 cm de profondeur à la barre à mine et versez dans chacun environ 100 g d'engrais.

▶ **Chaux, Chute des fruits, Confiture, Conservation, Cueillette, Échelle, Éclaircissage, Espalier, Feu bactérien, Palmette, Pollinisation**

Vers

Faites agir les oiseaux. Pour lutter contre les larves des insectes (ver gris, ver blanc, ver fil-de-fer) présentes dans le sol, griffez la terre et attendez au moins une demi-journée avant de semer ou de planter. Les oiseaux auront le temps de nettoyer le terrain. Autre solution très efficace, si vous avez une basse-cour, faites passer des poules.

L'engrais vert antivers. Si vos pommes de terre sont régulièrement attaquées par les vers fil-de-fer (larves de taupin), en août, semez de la moutarde à l'emplacement prévu. Il vous suffira, au printemps suivant, d'enfouir cet engrais vert (en grande partie détruit par le gel) que les taupins n'apprécient guère. Bénéfice supplémentaire : votre terre aura été améliorée.

Traitement au chlorpyrifos. Cet insecticide de contact, utilisé pour détruire les larves des insectes du sol, présente aussi certains inconvénients : il est très toxique pour les abeilles, toxique pour les poissons et modérément toxique pour les mammifères. Il peut persister dans le sol de 3 à 4 mois. Comme tout insecticide de synthèse, il faut l'employer prudemment. Préférez les appâts naturels.

Appât naturel. Pour pouvoir détruire les taupins sur une petite parcelle de potager, attirez-les en déposant sur le sol des demi-pommes de terre, qu'ils coloniseront. Vous n'aurez plus qu'à relever régulièrement ces pièges très efficaces.

Il y a ver et ver

Le même mot désigne, en français, le ver de terre, ou lombric, indispensable à la fertilité du sol (voir Vers de terre), et différentes larves d'insectes nuisibles : ver du poireau (voir Poireau), ver des pommes (voir Pommier), ver gris (larve de noctuelle), ver blanc (voir Hannetons), ver fil-de-fer... Seule l'apparence — corps allongé et souple, pattes réduites ou absentes — justifie cet amalgame. Prenez garde de ne pas confondre les 2 catégories.

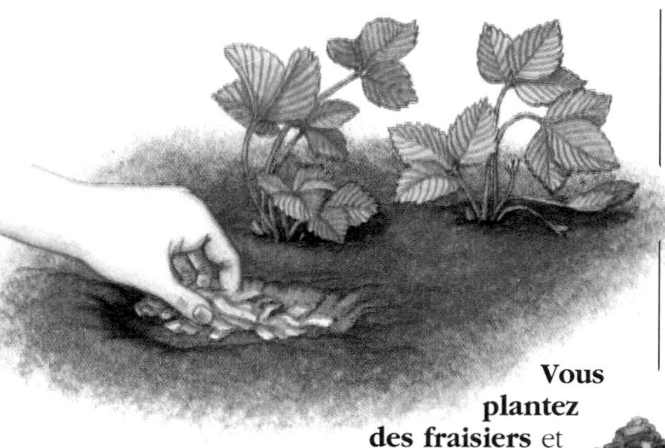

Vous plantez des fraisiers et vous avez constaté antérieurement des attaques de vers blancs ? Enfouissez de grosses feuilles de chou ou de chou-fleur hachées, des fanes de navet ou des tiges de colza. Les vers fuient l'odeur des crucifères.

Taches brunes ou jaunâtres dans la pelouse ? Faites ce test : enfoncez une boîte de conserve sans fond ni couvercle sur 1/3 de sa hauteur dans le sol. Remplissez ce cylindre d'eau savonneuse et attendez 15 à 20 minutes que l'eau pénètre dans le sol. Si vous comptez plus de 10 larves en surface, faites un traitement spécifique.

Inspection du gazon. Découpez un carré d'herbe à l'aide d'une bêche et soulevez-le avec ses racines. Observez la surface du sol mis à nu et, si vous apercevez des larves en grand nombre, traitez. Replacez la motte sur le sol, tassez et arrosez généreusement pour que les racines se réinstallent vite.

Plantes en pots. En automne, faites macérer 10 marrons d'Inde coupés en morceaux par litre d'eau. Arrosez les mottes de terre dans lesquelles vous avez détecté des vers, que ce soit à la maison ou sur le balcon ou la terrasse. N'utilisez pas cette préparation en massif : les vers de terre fuiraient.

Plantes d'intérieur. Versez un verre de vin au pied de la plante attaquée. Les vers remonteront à la surface et vous pourrez alors vous en débarrasser sans peine.

▶ **Insecticide**

Vers de terre

Un terreau de choix. Chaque ver de terre mange l'équivalent de son propre poids par jour. Ses déjections, c'est-à-dire ses excréments, se présentent sous la forme de fins tortillons de terre déposés en tas.

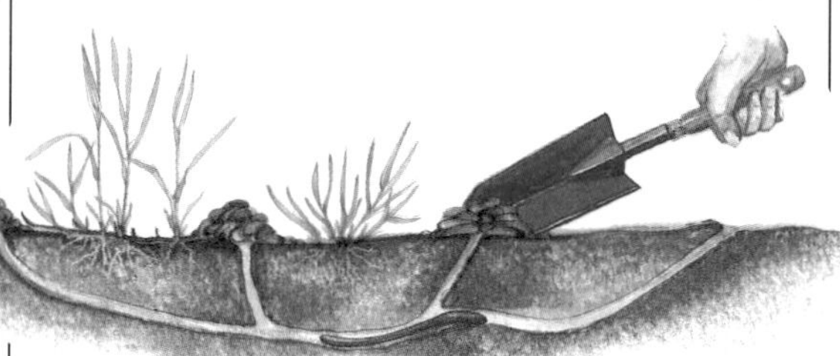

Ramassez-les : c'est un terreau très nutritif pour vos pots, vos bacs ou vos jardinières, car il est très riche en potassium et en phosphore, aliments essentiels aux plantes.

Le « ver du fumier » — qui se distingue du lombric par sa taille plus petite et ses anneaux alternativement roses et blanchâtres — est indispensable à la transformation de votre tas de compost en terreau. Inutile de l'y introduire, il en trouve tout seul le chemin. Lorsqu'il laisse la place au ver de terre proprement dit, c'est que le compost est mûr.

Épargnez les vers de terre. Pour éviter de les tronçonner avec votre motoculteur, travaillez en milieu de journée, période où ils se trouvent en profondeur. D'autre part, préférez la fourche-bêche à la bêche plate.

Les vers de terre en chiffres

– Si tous les vers de terre remontaient à la surface, il y en aurait de 100 à 1000/m² selon les sols et les apports organiques. En poids, cela représente de 500 kg à 5 tonnes/hectare.
– De 40 à 120 tonnes de tortillons (les excréments des vers) sont laissés annuellement dans un seul hectare.
– La masse représentée par les vers de terre est la troisième derrière les micro-organismes et les plantes. C'est la première biomasse animale. Les vers, dans une prairie, pèsent plus lourd que les vaches !

Le ver de terre, votre allié laboureur

Le lombric, bien connu des pêcheurs et des jardiniers, est indispensable à la fertilité du sol : il se charge d'enfouir et de digérer les déchets végétaux, il draine la terre en creusant ses galeries, il renforce la structure du sol. Il opère en général à moins de 15 cm de profondeur, mais il peut creuser jusqu'à 1,80 m. En hiver, il descend en dessous de la partie du sol prise par le gel et aide à briser les couches compactes. Son travail d'aération stimule celui des bactéries en leur apportant de l'oxygène. Ses plus grands ennemis sont les traitements chimiques, principalement insecticides. Une raison supplémentaire de ne traiter qu'en cas d'absolue nécessité.

Le « cri » du ver de terre. Profitez d'un jour de pluie pour faire cette expérience : tapez du pied sur le sol de votre jardin. Normalement, vous entendrez un bruit de succion produit par le brusque mouvement des vers dans leurs galeries. C'est le cri des vers de terre !

Vigne

La bonne plantation. Procédez à l'automne ou au printemps. Que votre plant soit en motte ou à racines nues, laissez dépasser le point de greffe de 4 cm. Offrez-lui un sol bien drainé, avec un pH se rapprochant de 6. Préparez le sol avec soin : c'est le secret de la durée de vie de votre vigne.

Si vous plantez une treille au pied d'un mur, dirigez les racines vers l'extérieur, où la terre est humide. Pensez à arroser le jeune plant pendant les premières années, car la base des murs est souvent très sèche.

Une multiplication rapide et économique. En automne ou en fin d'hiver, prélevez des rameaux de 20 à 30 cm de longueur. Enfoncez-les aux deux tiers et buttez la partie extérieure jusqu'au printemps, pour la protéger du froid. Dès l'automne suivant, vous pourrez les transplanter.

La meilleure période pour tailler une treille se situe au démarrage de la végétation (tôt au printemps). Pour les vignes qui ont besoin d'une protection en hiver, taillez en octobre les sarments à 70 cm du sol, puis couchez-les au sol en mettant un poids dessus pour les maintenir dans cette position. Couvrez d'un paillis ou d'un monticule de terre.

Une treille sur la pergola est une très bonne idée, car l'ombrage de la vigne est agréable et efficace dès le mois de juin. Pensez toutefois à la gêne que peut provoquer un traitement aux pesticides de même qu'au risque d'être envahi en fin d'été par les guêpes, qu'attirent les raisins, si la pergola vous sert de lieu de repas. Choisissez une variété résistant aux maladies.

Cultivez des vignes en pots pour décorer votre balcon ou votre véranda. Utilisez de grands pots de 35 à 40 cm de diamètre. Remplissez-les d'un mélange de terre de jardin (pour moitié), de terreau et de sable grossier (1/4 de chacun). Repiquez-y une bouture de vigne ou un jeune plant. Prévoyez quelques tuteurs pour soutenir les sarments. À la fin de l'été, chaque plant pourra vous donner quelques grappes. Rempotez-les tous les 2 ans pour renouveler la terre.

Tenez compte du climat. Mieux vaut réserver les cépages précoces au nord et les plus tardifs au sud : ils y trouveront assez de chaleur pour mûrir en automne. Dans le Nord, plantez en situation protégée (palissage le long d'un mur bien exposé) pour éviter les gelées de printemps.

Ensachez les plus belles grappes dès que les grains atteignent la taille d'un petit pois. C'est le meilleur moyen de les protéger des maladies, des parasites (vers de la grappe), des oiseaux et des guêpes. Utilisez des sacs spéciaux en papier cristal ou, mieux, en voile non tissé : vous les réutiliserez d'une année sur l'autre.

Stockez le raisin dans des boîtes en métal ou en plastique remplies de sciure de bois. Choisissez une sciure sans parfum, jamais de conifère. Pour bien enrober chaque grain de sciure, saisissez les grappes à l'envers. Votre raisin se conservera plusieurs mois.

Du raisin à Noël. Avec chaque grappe, prélevez un long morceau de sarment (10 cm). Éliminez les grains abîmés. Enfilez une extrémité du sarment dans le goulot d'une bouteille d'eau où trempe un morceau de charbon de bois. Obturez alors le goulot avec de la cire à cacheter. Conservez les bouteilles dans un lieu aéré, plutôt sec (garage, cellier). Les grains se friperont légèrement mais conserveront leur parfum.

Faites le bon choix

Zone 3
- 'Eona', raisin blanc, fabrication du vin
- 'Minnesota 81', raisin rose, très bon goût
- 'Valiant', raisin bleu, variété hâtive
- Vigne des rivages, raisin sauvage, idéal pour gelées

Zone 4
- 'Delaware', fruit blanc, fabrication du vin
- 'Interlaken Seedless', raisin blanc savoureux
- 'Maréchal Foch', raisin bleu délicieux

Zone 5
- 'Concord', raisin bleu, délicieux frais
- 'Fortin', raisin bleu, variété très rustique
- 'Himrod', fruit vert sans pépin, fin septembre
- 'Price', raisin bleu, variété hâtive
- 'Seneca', raisin blanc, variété hâtive
- 'Tissier-Ravat 578', raisin blanc savoureux

Vivaces (plantes)

Que sont-elles ? Ce sont des espèces herbacées (tiges souples, non ligneuses) qui poussent chaque printemps à partir d'une souche pérenne rustique. Seul leur système aérien est plus ou moins détruit par le gel. Elles peuvent vivre de longues années à la même place en fleurissant régulièrement.

Achat en godets. Mouillez copieusement la terre des godets pour que les racines et les tiges soient bien vigoureuses avant la mise en place. Arrosez aussi le fond du trou si vous plantez en période chaude et un peu sèche. Le collet du plant doit affleurer la surface du sol.

Facilitez-vous le travail en choisissant des vivaces qui se ressèment toutes seules : alchémille, ancolie, campanule des murailles, digitale, achillée, géranium vivace par exemple. En nettoyant les massifs lors d'un désherbage, prélevez les semis naturels pour les repiquer ailleurs. Vous pouvez aussi les mettre en pots pour les offrir à des amis jardiniers.

En jouant avec les hauteurs et les couleurs des vivaces, on obtient des compositions très élégantes. Ici des alchémilles (vertes) et des vrais géraniums (violets).

Soyez attentif à la hauteur des vivaces. Vendues en godets au printemps, ce sont encore de petites plantes buissonnantes, mais, quelques mois plus tard, certaines dépassent 1 m ! Ouvrez l'œil, car diverses variétés d'une même espèce peuvent atteindre des tailles très différentes !

Le bon nombre de touffes au mètre carré

Petites plantes tapissantes : 7 à 9 plants.

Plantes basses (25 à 40 cm) : 5 à 7 plants.

Plantes à moyen développement (50 cm à 1 m) : 3 à 5 plants.

Plantes à grand développement (1 à 2 m) : 3 plants.

La meilleure période pour les planter. En sol lourd ou sous climat rude ou très humide en hiver, procédez au printemps quand la terre se réchauffe et que l'enracinement est rapide. En sol léger, préférez l'automne, quand la terre est encore chaude. Un cas spécial : les plantes à racines charnues (pivoines, iris...), qui demandent une plantation au printemps (mai-juin) pour ne pas perdre une année de floraison.

Faites des économies en les semant. De nombreuses plantes vivaces se sèment facilement en pots, terrines ou godets. Vous les repiquerez ensuite dans les massifs après développement de petites touffes. Le prix d'un sachet de graines équivaut à celui d'une seule touffe en pépinière.

Une belle plate-bande herbacée. Choisissez vos vivaces en fonction de leur hauteur, de leur forme, de leur époque de floraison et de leur couleur. Dessinez un petit plan sur du papier quadrillé. Pour obtenir une floraison presque continue et un bel effet décoratif, le massif devra avoir environ 2 m de large et 5 à 8 m de long. Placez les couleurs chaudes et vives au centre du massif et déclinez les nuances pastel vers les côtés.

Plantez par taches. Prévoyez au minimum 5 à 7 sujets identiques pour les petites vivaces, 3 à 5 sujets pour les moyennes. Les « rappels » de plantes dominantes (grandes campanules, delphiniums, pivoines ou autres) aident également à structurer un massif. Ne multipliez pas les espèces et les variétés sur une petite surface. C'est un exercice difficile à réussir puis à entretenir !

ENTRETIEN

Le bon arrosage. Les vivaces ont des tiges souples portant souvent des fleurs d'autant plus lourdes qu'elles sont mouillées par la pluie ou un arrosage. Évitez donc d'apporter de l'eau avec un arroseur oscillant ou un jet. Préférez le tuyau perforé et tourné contre terre, et changez-le de place régulièrement.

Vivaces : faites le bon choix

Dans certains coins ingrats du jardin, aucune végétation ne dure. Essayez les vivaces suivantes, sélectionnées pour leur très grande résistance.

Printemps : alysse, ancolie, arabette, *Armeria,* aspérule odorante, brunnéra, bugle, céraiste, cœur-saignant, digitale, doronic, euphorbe, heuchera, iris, mertensia, myosotis, pervenche, pivoine, primevère, pulmonaire, tiarelle, trille, violette.

Été : achillée, aconit, campanule, épilobe, euphorbe, fraxinelle, gaillarde, géranium, hémérocalle, lamier, lavande, liatris, lupin, lysimaque, mauve, millepertuis, molène, monarde, népéta, pavot oriental, penstemon, phlox, platycodon, polémonium, polygonum, pyrèthre, saponaire, saxifrage, sénécio, stachys, trolle, valériane, véronique, thym.

Automne : anémone du Japon, aster, cimicifuga, marguerite d'automne, orpin d'automne, pérovskia, tricyrtis, tritoma, verge-d'or.

Petit pincement. Lorsque les vivaces démarrent au printemps, procédez sur certaines espèces à un petit pincement des jeunes tiges (à 15-20 cm de haut). Ce petit coup d'ongle incitera les plantes à développer des ramifications secondaires, et donc plus de tiges fleuries. Elles seront moins hautes mais plus trapues, avec une floraison plus généreuse et légèrement plus tardive. À faire en particulier sur : achillée, aster, coréopsis, delphinium, gaillarde, hélénie, lavatère, phlox, rudbeckia, sauge, verge-d'or.

Touffe dégarnie au centre. En automne ou au printemps, prenez une bêche ou une fourche-bêche, et détachez des mottes du sol avec leurs racines. Éliminez la partie dégarnie, trop vieille, pour ne garder que les éclats extérieurs bien vigoureux. Replantez immédiatement sans laisser les racines s'assécher.

Dans un massif de digitales blanches, arrachez toute plante portant des clochettes roses ou rouges. Vous éviterez ainsi les risques d'une pollinisation croisée et le mélange des couleurs parmi les futurs plants issus des semis.

▶ **Division, Méditerranéennes, Ombre**

Les ennemis du jardin

Voici les 105 principaux ennemis de votre jardin. Mais cela ne veut pas dire que vous aurez à les subir tous ! Ce sont les plus importants et les plus fréquents parmi trois grands types d'attaques (que vous reconnaîtrez à leur symbole) : les animaux, les maladies et les troubles physiologiques. Une telle sélection est nécessairement imparfaite, car, selon le lieu ou l'année, un ennemi peut être inexistant ou se révéler catastrophique.
Sans être un spécialiste, vous parviendrez à les identifier rapidement grâce à ce chapitre, qui les classe à partir des symptômes visibles. En comparant ce que vous observez dans votre jardin avec le dessin et la description précise fournis pour chaque ennemi, vous serez en mesure de déterminer les causes de votre problème.

Les produits de traitement conseillés ont été sélectionnés pour leur peu de nocivité sur l'environnement. Évitez le recours aux « bombes totales », qui frappent tous azimuts, le plus souvent sans nécessité.
Traitez si possible les maladies préventivement, lorsque vous savez que telle culture est sensible. En revanche, en ce qui concerne les animaux (les insectes principalement), ne soyez pas trop pressé. Laissez à la nature le temps de rétablir un certain équilibre avec l'arrivée et la multiplication d'auxiliaires naturels (les coccinelles, par exemple).
Choisissez pour traiter une période sans vent ni pluie, de manière que la substance active ne soit pas entraînée vers le sol ou les plantes voisines.

 Animaux

 Maladies

 Troubles physiologiques

Feuilles avec insectes apparents

Pucerons

Omniprésents au jardin et au verger.

Plantes attaquées Nombreuses, en particulier rosier, arbres fruitiers, artichaut, fève, chou, laitue.

Symptômes et causes Sous les feuilles, à l'extrémité des rameaux, colonies de petits insectes globuleux de couleur noire, verte, rose, brune, jaune ou grisâtre, la plupart sans ailes. Favorisés par une fumure déséquilibrée et la présence de fourmis.

Remèdes Préventivement, modérer les apports d'engrais riches en azote et ne pas traiter si des larves de coccinelle (ou autres auxiliaires) sont présentes. Introduire des larves de coccinelle dans les colonies de pucerons (une ou deux larves par colonie). Pincer ou tailler les parties attaquées. Les poudrer avec de la cendre de bois ou du talc. Pulvériser à plusieurs reprises de la macération de tabac (un paquet de « gris » pour 10 litres d'eau, pendant 10 jours), un insecticide à base de pyréthrines naturelles, de roténone, de pyrimicarbe ou d'acides gras. Sur arbres, placer des colliers antifourmis dès la fin de l'hiver, ou semer de la rue à leur pied.

Cochenilles

Communes à l'intérieur et sous serre.

Plantes attaquées Nombreux arbres, arbustes, plantes de serre ou d'intérieur, en particulier conifères, laurier, fusain, camélia, citronnier, oranger, lierre d'appartement, fougère de serre.

Symptômes et causes Petits boucliers bruns, gris ou blanchâtres, plats ou globuleux, circulaires ou allongés, cireux ou farineux, visibles surtout sous les feuilles le long des nervures. Favorisées par la chaleur.

Remèdes Pulvériser un insecticide à base de pyréthrines naturelles ou de pyrimicarbe. Sur les plantes d'intérieur, nettoyer les feuilles attaquées à l'aide d'une éponge imbibée d'eau savonneuse.

Aleurodes ou mouches blanches

Fréquents, principalement sous serre.

Plantes attaquées Tomate, aubergine, poivron, chou, pélargonium et autres plantes ornementales.

Symptômes et causes Sortes de moucherons blancs sous les feuilles ou voletant autour des plantes. Favorisés par la chaleur.

Remèdes Entre deux cultures sensibles, détruire toutes les plantes hôtes. Associer les cultures avec des capucines ou des œillets d'Inde. Piéger les insectes à l'aide de panneaux jaunes englués. Sous serre, introduire leurs ennemis naturels *(Encarsia formosa)*, ou bien enfumer les nuisibles en enflammant des feuilles de chêne sèches. Pulvériser un insecticide à base de perméthrine.

Feuilles déformées

Pucerons du prunier

Plante attaquée Prunier.

Symptômes Les jeunes feuilles se recroquevillent. Présence de pucerons à la face inférieure.

Remèdes À titre préventif, placer sur le tronc, dès la fin de l'hiver, un collier anti-insectes du commerce (à la rigueur une bande de glu). Ainsi, les fourmis — qui amènent les pucerons et les protègent afin de mieux exploiter le miellat qu'ils excrètent — n'auront plus accès aux branches du prunier. Dès l'apparition des premiers symptômes, pulvériser un insecticide à base de roténone ou de pyrimicarbe.

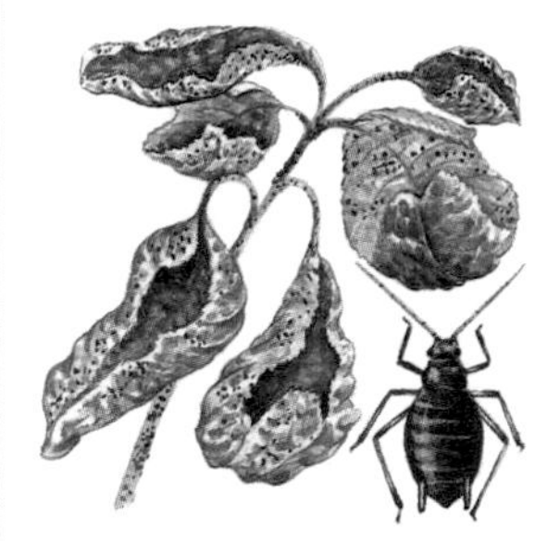

Pucerons noirs du cerisier

Fréquents sur les jeunes cerisiers.

Plantes attaquées Cerisier, cerisier à fleurs.

Symptômes et causes Les feuilles des extrémités des rameaux se recroquevillent. Présence de pucerons noirs à la face inférieure des feuilles. Apparition d'un dépôt noirâtre de fumagine (voir p. 334). Favorisés par la chaleur et la sécheresse.

Remèdes À titre préventif, placer sur le tronc, dès la fin de l'hiver, un collier anti-insectes du commerce, ou à la rigueur une bande de glu (voir ci-dessus). Dès l'apparition des premiers symptômes, pulvériser un insecticide à base de roténone ou de pyrimicarbe.

Tarsonèmes

Ces acariens causent rarement de gros dégâts.

Plantes attaquées Fraisier, bégonia, dahlia, fuchsia, gerbera, cyclamen en pot, gloxinia, pélargonium, saintpaulia, fougère et autres plantes de serre.

Symptômes Les feuilles sont petites, déformées, recroquevillées, friables, éventuellement gaufrées, pourvues d'une pilosité anormale, ou enroulées sur les bords.

Remèdes Acheter des plants sains. Renouveler les plantations. Associer les fraisiers avec l'ail, l'oignon ou le poireau. En cas d'attaque, pulvériser un acaricide à base de soufre ou de dicofol.

Pucerons du groseillier

Plantes attaquées Groseillier à grappes, groseillier à maquereau, cassis.

Symptômes Jeunes feuilles crispées aux extrémités des rameaux et/ou présentant des boursouflures vertes ou rougeâtres. Colonies de pucerons à la face inférieure.

Remèdes Au cours de l'hiver, pulvériser une huile paraffinique pour détruire les pucerons hivernants. Dès l'apparition des premiers symptômes, pulvériser un insecticide à base de pyrimicarbe ou de roténone.

Érinose ou galles

De drôles de petites excroissances sur les feuilles d'arbres.

Plantes attaquées Principalement tilleul et érable.

Symptômes et causes Comme une éruption de petites galles rouges, allongées ou sphériques, à la face supérieure des feuilles. Ces protubérances sont causées par la présence, à l'intérieur des feuilles, de larves d'acariens (phytoptes, etc.).

Remèdes La présence de galles ne nuit guère à l'arbre, et il est inutile de traiter. On peut éventuellement enlever et brûler les feuilles atteintes.

Tenthrèdes du rosier

Plante attaquée Rosier.

Symptômes Les feuilles s'enroulent de façon très serrée sur toute leur longueur. Ou bien leur limbe est dévoré, à l'exclusion de la nervure principale, par des larves verdâtres à tête noire.

Remèdes Pulvériser en mai, à 2 semaines d'intervalle, un insecticide à base de pyrèthre et/ou de roténone. En mai-juin, enlever et brûler les feuilles atteintes.

Pucerons du pommier

Plante attaquée Pommier.

Symptômes Jeunes feuilles gaufrées ou enroulées, présentant éventuellement une coloration jaunâtre ou rougeâtre. Présence de pucerons à l'extrémité des pousses et sous les feuilles.

Remèdes À titre préventif, dès la fin de l'hiver, placer un collier anti-insectes sur le tronc. Installer des nichoirs à mésanges — ennemies naturelles des pucerons — dans le jardin. À l'apparition des premiers symptômes, pulvériser un insecticide à base de pyrimicarbe ou de roténone.

Cynips

Des galles spectaculaires sur les feuilles d'arbres et d'arbustes.

Plantes attaquées Chênes, certains rosiers et saules.

Symptômes et causes Galles en forme de pois, cerises, boutons soyeux et paillettes visibles sur le feuillage. Parfois solitaires, parfois très nombreuses. Ces excroissances sont causées par des larves de cynips.

Remèdes Les galles sont plus spectaculaires que nuisibles. Il est inutile de traiter. Éventuellement couper et détruire les parties atteintes.

Hernie du chou

Plantes attaquées Chou, rutabaga, giroflée et quelques plantes voisines.

Symptômes et causes Les feuilles se ramollissent au soleil, se flétrissent, puis se dessèchent. La plante reste chétive. Le champignon agent de la hernie peut survivre plus de 10 ans dans le sol. Il est disséminé par le fumier, la terre collée aux souliers, les plants. La maladie est favorisée par l'acidité et l'humidité du sol.

Remèdes Corriger l'éventuelle acidité du sol (pH inférieur à 6) par des apports d'amendements calcaires. Ne repiquer que des plants sains cultivés dans une pépinière non contaminée (terreau neuf). Au potager, pratiquer la rotation la plus longue possible (si possible 7 à 8 ans entre deux cultures sensibles). Éviter l'engrais vert de moutarde. Détruire les plants atteints, y compris les racines.

Verticilliose

Plantes attaquées Pomme de terre, artichaut, aubergine, tomate, abricotier, framboisier, chrysanthème, pélargonium, érable, forsythia, lilas, rosier, œillet, aster, etc.

Symptômes Dessèchement des feuilles sur une partie de la plante.

Remèdes La lutte est difficile. Supprimer et détruire les parties atteintes, voire la plante entière si le mal s'étend. Au potager, cultiver des variétés résistantes.

Cloque du pêcher

Le problème majeur du pêcher.

Plantes attaquées Pêcher, nectarinier, amandier.

Symptômes et causes Grosses boursouflures rougeâtres sur les feuilles, qui tombent prématurément. La maladie est favorisée par un printemps humide et froid succédant à un hiver humide et doux.

Remèdes Planter des variétés résistantes. Enterrer des morceaux de zinc sous l'arbre, à l'automne y planter de l'ail. Traiter à la bouillie bordelaise au printemps. En cas d'attaques fortes et régulières, traiter une fois à la chute des feuilles puis de nouveau au printemps. Pour favoriser la repousse du feuillage sain, arroser avec du purin d'ortie.

Modifications de

Chlorose

En terrain calcaire.

Plantes attaquées Rosier, glycine, hortensia, rhododendron, framboisier, fraisier, pêcher, cognassier, etc.

Symptômes et causes Le feuillage devient jaune clair (parfois presque blanc). Cette décoloration provient d'une mauvaise assimilation du fer par la plante, due à un excès de calcaire dans le sol.

Remèdes Éviter de cultiver en terre calcaire des plantes sensibles à la chlorose. Acidifier le sol par des apports réguliers de compost de fleur de soufre (120 g/m^2). Arroser plusieurs fois à 3 semaines d'intervalle avec une solution de sulfate de fer (5 g/litre) ou de chélate de fer (antichlorose du commerce).

Coup de froid

Plantes attaquées Concombre, courge, tomate, ipomée, pois de senteur, plantes à massif, etc.

Symptômes et causes Les jeunes feuilles deviennent blanchâtres ou jaune pâle. Se produit au printemps lorsque les températures nocturnes se rapprochent de 0 °C.

Remèdes Éviter de biner pendant une période où le ciel est clair, car cela favorise le refroidissement du sol. Protéger les jeunes plants à l'aide de cloches, de tunnels ou de voiles. Pulvériser préventivement une solution d'algues marines. En curatif, arroser avec du purin d'ortie dilué à 15 % pour favoriser la reprise de croissance des plantes.

la couleur des feuilles

Carence en magnésie

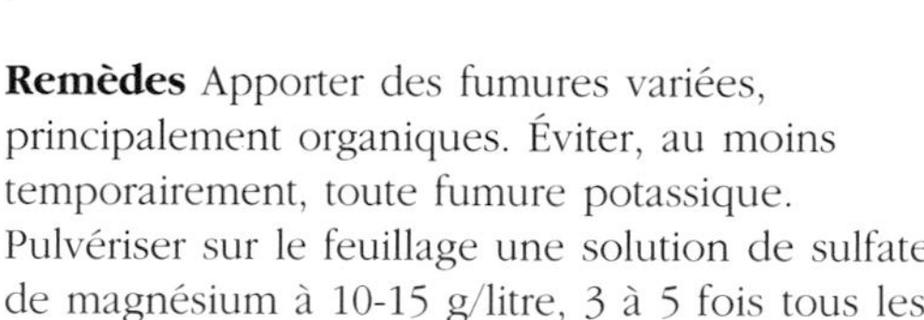

Plantes attaquées Pommier, cerisier, pêcher, vigne, rosier, pomme de terre.

Symptômes et causes Les feuilles prennent une coloration jaune plus ou moins claire entre les nervures (qui restent vertes). Elles finissent par brunir et se dessécher. Provient d'une carence dans le sol ou d'un blocage dû à un excès de potassium.

Remèdes Apporter des fumures variées, principalement organiques. Éviter, au moins temporairement, toute fumure potassique. Pulvériser sur le feuillage une solution de sulfate de magnésium à 10-15 g/litre, 3 à 5 fois tous les 10 à 15 jours à partir de juin.

Érinose du poirier

Plantes attaquées Poirier, sorbier.

Symptômes Apparition de nombreuses cloques verdâtres ou brunâtres (parfois rouges) sur les deux faces des feuilles.

Remèdes Traiter préventivement en poudrant avec du soufre (par température de plus de 16 °C). Retirer et brûler les feuilles atteintes.

Chermès

Sur les conifères.

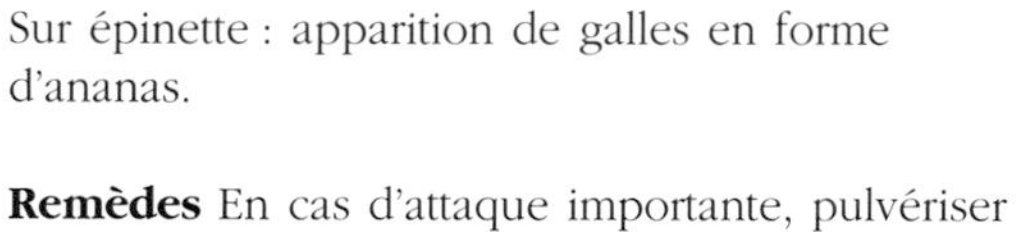

Plantes attaquées Pin, sapin de Douglas, mélèze, épinette.

Symptômes Colonies de petits pucerons de teinte sombre, en partie recouvertes de flocons cireux blancs, infestant le dessous et la base des aiguilles. Ces dernières jaunissent et se déforment. Sur épinette : apparition de galles en forme d'ananas.

Remèdes En cas d'attaque importante, pulvériser à l'automne un insecticide à base d'huile blanche paraffinique (éventuellement associée au malathion).

Carence en azote

Plantes attaquées Arbres et arbustes fruitiers, légumes.

Symptômes et causes Feuilles et tiges se développent peu. Les jeunes feuilles sont vert-jaune pâle puis virent au rougeâtre. Signe d'un sol pauvre en humus et d'une activité biologique insuffisante.

Remèdes Faire des apports préventifs de compost ou de fumier bien mûr (environ 3 kg/m²) à l'automne ou tôt au printemps. Au printemps, apporter au pied des plantes carencées un engrais riche en azote (guano, sang desséché, fientes de poule, tourteau de ricin, ou formule spéciale légumes). Par temps frais, biner. Arroser avec du purin d'ortie dilué.

Feuillage grillé

Gare au vent printanier !

Plantes attaquées Plantes à feuillage tendre, et en particulier hêtre, marronnier, érable, kiwi, et la plupart des plantes d'intérieur et de serre.

Symptômes et causes Taches brun clair au bord des feuilles, qui parfois sèchent entièrement. En plein air, ce sont les vents froids du printemps qui causent ce trouble. En serre ou à l'intérieur, il est dû à un excès de soleil.

Remèdes Préventivement, installer des brise-vent (branchages, treillis, voile...). Ombrer la serre. À l'intérieur, installer la plante à un endroit moins ensoleillé. Pulvériser un engrais foliaire.

Thrips

Plantes attaquées Poireau, oignon, tomate, pois, glaïeul, bégonia, chrysanthème, ficus, rosier, troène, etc.

Symptômes et causes Les feuilles sont finement tachetées, parfois déformées ou crispées, et ont un aspect argenté. Les pullulations de thrips sont favorisées par la sécheresse et la chaleur. Elles sont plus fréquentes en serre qu'en plein air.

Remèdes À titre préventif, bassiner et arroser les plantes fréquemment. Sur culture potagère sensible, placer un filet anti-insectes. En cas d'attaque, traiter régulièrement avec un insecticide à base de perméthrine.

Araignées rouges ou acariens rouges

Plantes attaquées Pêcher, poirier, pommier, prunier, vigne, plantes de serre et d'intérieur.

Symptômes et causes Ponctuation fine et claire sur les feuilles, décoloration de l'ensemble et dessèchement. Présence de minuscules araignées rougeâtres à la face inférieure des feuilles. Favorisées par la chaleur, une fertilisation azotée excessive et les traitements insecticides répétés.

Remèdes Éviter les traitements insecticides systématiques. Apporter une fertilisation équilibrée. En serre, lâcher des acariens prédateurs *(Phytoseiulus persimilis)*. Poudrer au soufre ou pulvériser un acaricide à base de dicofol ou de diméthoate.

Cicadelles

Ces minuscules cigales transmettent des maladies aux plantes.

Plantes attaquées Rhododendron, rosier, pélargonium, plantes de serre, etc.

Symptômes Petites taches blanchâtres sur les feuilles. Restes d'insectes sur l'envers du feuillage.

Remèdes En cas de pullulation importante, pulvériser un insecticide à base de roténone et/ou de pyrèthre naturel.

Fumagine

Une sorte de suie qui salit les feuilles.

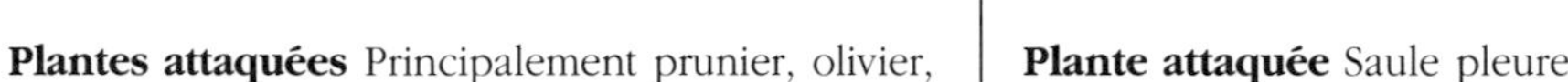

Plantes attaquées Principalement prunier, olivier, chêne, tilleul, rosier, camélia, agrumes et laurier.

Symptômes et causes Un dépôt noir recouvre la face supérieure des feuilles. La fumagine correspond au développement d'un champignon microscopique sur le miellat (liquide sucré) excrété par les insectes suceurs de sève (pucerons, cochenilles, etc.).

Remèdes Éviter les fumures azotées excessives. Lutter contre les pucerons ou les cochenilles (voir p. 330).

Cicadelles écumeuses

Les « crachats de coucou », spectaculaires mais inoffensifs.

Plantes attaquées Lavande, chrysanthème, rosier, verge d'or, aster, saule, etc.

Symptômes et causes Parmi les feuilles, amas de bave mousseuse dits « crachats de coucou », recouvrant de petits insectes de couleur variable, le plus souvent rose. Ce sont les larves de différentes espèces de cercopes improprement appelées cicadelles écumeuses.

Remèdes Les larves de cercope causent peu de tort aux plantes, la principale nuisance étant esthétique (aspect de crachat). Éventuellement, éliminer les amas mousseux au jet d'eau et poudrer avec un insecticide végétal à base de roténone.

Anthracnose du saule

Plante attaquée Saule pleureur.

Symptômes et causes Petites taches brunes sur les feuilles, qui finissent par tomber, au moins en partie. Favorisée par l'humidité de l'air.

Remèdes Pulvériser de la bouillie bordelaise sur les petits arbres, au gonflement des bourgeons, puis à deux reprises à 2 ou 3 semaines d'intervalle. Dès l'apparition des feuilles (mai), on peut également pulvériser un fongicide à base de captane. Ramasser et détruire les feuilles.

Maladie des taches noires

La plus fréquente des maladies du rosier.

Plante attaquée Rosier.

Symptômes Taches noirâtres de forme arrondie atteignant environ 1 cm de diamètre. Les feuilles peuvent jaunir entièrement puis tomber.

Remède Détruire les feuilles tombées. Pulvériser toutes les 3 semaines, à partir de juin, un produit à base de cuivre (bouillie bordelaise, par exemple), de soufre, de bénomyl ou de captane.

Tavelure

L'ennemie jurée des pommes.

Plantes attaquées Pommier, poirier, pyracantha.

Symptômes et causes Taches vert olive, brunes ou noirâtres à la face supérieure des feuilles (la face inférieure pour le poirier) et sur les fruits. Favorisée par l'humidité de l'air et la grêle.

Remèdes À l'automne, passer la tondeuse sous les pommiers pour favoriser l'enfouissement par les vers de terre des feuilles contaminées. Épandre ensuite du compost ou un engrais organique (tourteau de ricin, par exemple). Avant la floraison, traiter à la bouillie bordelaise. Pendant la belle saison, pulvériser des extraits d'algues et du soufre mouillable.

Pourriture grise ou botrytis

Plantes attaquées Vigne, laitue, tomate, haricot, saintpaulia, primevère, poinsettia, pélargonium, chrysanthème et autres plantes à massif, de serre ou d'intérieur.

Symptômes et causes Moisissure grise veloutée sur les feuilles. Favorisée par l'humidité.

Remèdes Veiller à avoir un espacement suffisant entre les plantes et un sol bien drainé. En serre, recueillir et éliminer les parties atteintes. À titre préventif, traiter aux extraits d'algues marines. Pulvériser un fongicide contenant du bénomyl ou du thiophanate-méthyl.

Oïdium

Le fameux « blanc », hantise des vieux jardiniers.

Plantes attaquées Pois, concombre, salsifis, vigne, pommier, bégonia, fusain, chêne, aster, rosier, groseillier à maquereau, etc.

Symptômes et causes Revêtement blanchâtre d'aspect farineux sur les feuilles et les pousses. Dessèchement du feuillage. Favorisé par un temps chaud et sec.

Remède Poudrer préventivement ou curativement avec du soufre, ou pulvériser du soufre mouillable. La température doit être égale ou supérieure à 16 °C au moment du traitement.

Rouille

Plantes attaquées Rosier, rose trémière, pélargonium, anémone, œillet de poète, muflier, menthe, haricot, ail, asperge, salsifis, poireau, framboisier, prunier, etc.

Symptômes Amas poudreux bruns, orange ou jaunes de spores se développant sur les feuilles, les tiges et, parfois, les fleurs. Les feuilles se dessèchent puis tombent.

Remèdes Si possible, à titre préventif, changer la culture d'emplacement. Pulvériser toutes les 2 semaines un fongicide à base de soufre ou de thiophanate-méthyl, ou une décoction de prêle (50 g de plante par litre, puis dilution à 20 %).

Rouille blanche

Plantes attaquées Fleurs de la famille des crucifères (alysse, aubriète, monnaie-du-pape, raifort, etc.), chou, salsifis, scorsonère.

Symptômes Pustules emplies de la poudre blanche des spores, souvent brillantes, se développant sur les feuilles et parfois sur les tiges.

Remèdes Les traitements fongicides viennent difficilement à bout de cette maladie. Enlever les parties atteintes et les détruire.

Fusariose

Les germes demeurent plusieurs années dans le sol.

Plantes attaquées Principalement œillet, pois de senteur, pois et haricot.

Symptômes et causes Les feuilles, et parfois la base des tiges, se décolorent et se dessèchent. La plante peut mourir. Favorisée par un temps chaud et humide.

Remèdes Il n'existe pas de traitement curatif. Laisser au moins 5 ans entre deux cultures sensibles pratiquées au même endroit. Éliminer les parties atteintes. Choisir si possible des variétés résistantes, et ne pas utiliser les graines des plantes attaquées.

Sclérotiniose

Une des nombreuses formes de « pourriture ».

Plantes attaquées Narcisse, laitue, chicorées frisée et scarole, etc.

Symptômes et causes Les feuilles pourrissent à la base, se couvrent d'un feutrage velouté et gris. La plante entière jaunit et se flétrit. Le champignon responsable de la maladie survit dans le sol.

Remèdes Pratiquer une rotation au potager. Détruire les plantes attaquées, y compris les racines. Pulvériser une décoction de prêle.

Virose

Gare à la dégénérescence !

Plantes attaquées Nombreuses, en particulier haricot, tomate, pomme de terre, ail, fraisier, concombre, melon, laitue, framboisier, narcisse, lis, etc.

Symptômes et causes Bandes ou marbrures jaunes, taches, déformations, crispations affectant les feuilles. Mauvaise croissance (dégénérescence). Transmise par les insectes piqueurs (pucerons, cicadelles, etc.) ou les semences.

Remèdes Pas de traitement efficace. Pour les espèces sensibles, planter de préférence des plants et semences certifiés ou des variétés résistantes. Traiter éventuellement contre les pucerons. Arracher et brûler les plantes atteintes.

Mildiou

Il fait des ravages par temps humide.

Plantes attaquées Pomme de terre, tomate vigne.

Symptômes et causes Taches brunes sur le feuillage avec un duvet blanc sur l'envers de la feuille, qui se dessèche ou pourrit. Transmis par les plants ou les repousses de pommes de terre. Favorisé par un temps humide et doux.

Remèdes Ne fertiliser qu'avec du compost bien mûr, à l'exclusion du fumier frais. Supprimer les repousses de pommes de terre. Planter des variétés résistantes à la maladie. Butter les pommes de terre. Transpercer la tige des tomates avec des morceaux de fil de cuivre. Traiter préventivement à la bouillie bordelaise, 2 ou 3 fois à 10 jours d'intervalle.

Graphiose de l'orme

Plantes attaquées Orme champêtre, orme de Sibérie.

Symptômes et causes Les feuilles virent au jaune puis au brun par branches entières. Ces dernières meurent. Le plus souvent, seuls les jeunes sujets sont indemnes. Maladie causée par un champignon transmis par des insectes (scolytes) ou par les racines.

Remèdes Traiter les ormes de valeur en injectant dans le tronc un fongicide à base de carbendazime. Abattre les autres et brûler la souche et les écorces. Replanter avec une espèce d'orme résistante.

Feuilles rongées

Chenilles

Elles sont partout !

Plantes attaquées Nombreuses espèces potagères, fruitières ou ornementales, notamment chou, groseillier, pommier, chêne, pin.

Symptômes Feuilles découpées, traversées de galeries, parfois entièrement détruites. Présence possible de nids soyeux (processionnaire du pin, hyponomeute). Chez certaines espèces, les pullulations sont cycliques.

Remèdes Sur arbres, poser des colliers englués autour des troncs. Sur légumes, poser des filets à mailles fines antipapillons, ou piquer en terre des rameaux frais de thuya ou de genêt. Pulvériser un insecticide à base de *Bacillus thuringiensis* ou de roténone.

Tenthrèdes

Plantes attaquées Groseillier, rosier, pommier, chou-fleur, etc.

Symptômes Feuilles dévorées ou comme décapées, certaines étant réduites à leurs nervures.

Remèdes Dès l'apparition des dégâts, pulvériser un insecticide à base de pyréthrines naturelles ou de roténone.

ou trouées

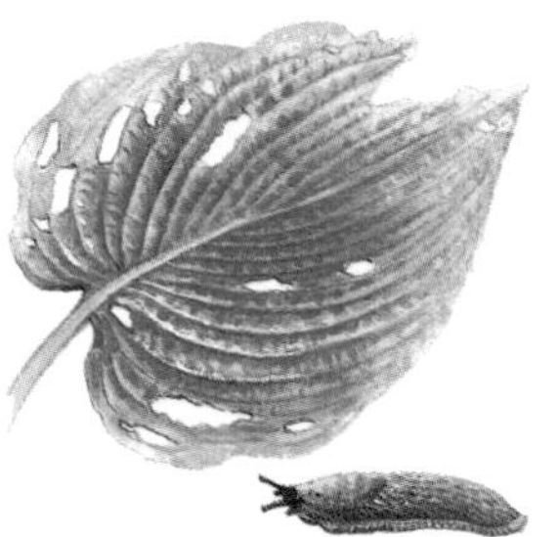

Limaces et escargots

Plantes attaquées Nombreuses, particulièrement sous forme de plantules ou de jeunes plants. En particulier : tulipe, hosta, lis, delphinium, pois de senteur, laitue, fraise.

Symptômes et causes Feuilles rongées irrégulièrement ou percées de trous, avec traces de mucus (bave). Favorisés par l'humidité et par la présence d'herbe ou de détritus végétaux.

Remèdes Entourer le pied des plantes sensibles d'une barrière de cendre de bois. Installer au sol des pièges (récipients protégés par un couvercle) amorcés à la bière. Épandre des granulés toxiques contenant une substance répulsive pour chats, chiens...

Punaises

Plantes attaquées Pommier, poirier, dahlia, hortensia, buddléia, chou, bette, betterave, etc.

Symptômes Les feuilles sont criblées de petits trous ou de points décolorés. Elles se déforment et se dessèchent.

Remède Pulvériser un insecticide à base de roténone ou de pyrèthre naturel.

Altises

Plantes attaquées Chou, navet, radis, alysse et autres plantes de la famille des crucifères, mais aussi betterave, pomme de terre.

Symptômes et causes Cotylédons et jeunes feuilles criblés de petits trous. Les dégâts sont favorisés par la sécheresse et la chaleur.

Remèdes Arroser régulièrement les semis. Ombrer à l'aide d'un voile. Poudrer le matin avec de la cendre de bois ou le soir avec un insecticide à base de roténone. Ou encore, utiliser un insecticide à base de carbaryl.

Sitones du pois

Plantes attaquées Pois, fève.

Symptômes Bord des feuilles rongé en forme d'échancrures. Les dégâts frappent surtout les jeunes plantes.

Remèdes Poudrer le soir, 2 fois à 2 jours d'intervalle, à l'aide d'un insecticide végétal à base de roténone.

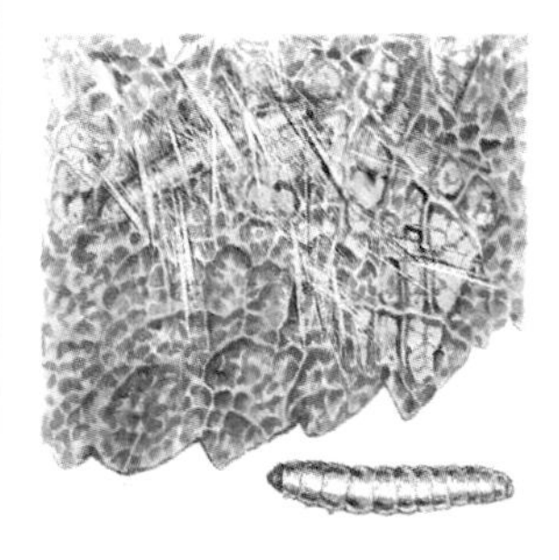

Tordeuses

Plantes attaquées Arbres, arbustes et plantes herbacées, principalement pommier, cerisier, groseillier, houx, rosier, troène.

Symptômes Jeunes feuilles rongées, réunies par des fils de soie et plus ou moins enroulées.

Remède Pulvériser un insecticide à base de *Bacillus thuringiensis*.

Criblure ou coryneum

Plantes attaquées Pêcher, prunier, cerisier, abricotier.

Symptômes Petites taches brunes à bordure pourpre se transformant en trous. Les feuilles se dessèchent et tombent prématurément.

Remèdes Apporter aux arbres une fumure équilibrée. Éliminer, lors de la taille, les rameaux atteints. Pulvériser de la bouillie bordelaise à la chute des feuilles et au gonflement des bourgeons.

Pousses dévorées, brunies ou portant des ravageurs visibles

Pucerons

Difficile de leur échapper !

Plantes attaquées Très nombreuses, en particulier rosier, fève, artichaut, pommier, etc.

Symptômes Des colonies de pucerons se développent sur les jeunes pousses.

Remèdes À titre préventif, modérer les apports d'engrais riches en azote. Pincer les pousses très attaquées. Lâcher des larves de coccinelle dans les colonies de pucerons. Poudrer avec du talc ou de la cendre de bois. En dernier recours, pulvériser un insecticide à base de sels d'acide gras, de roténone (et/ou de pyrèthre) ou de pyrimicarbe.

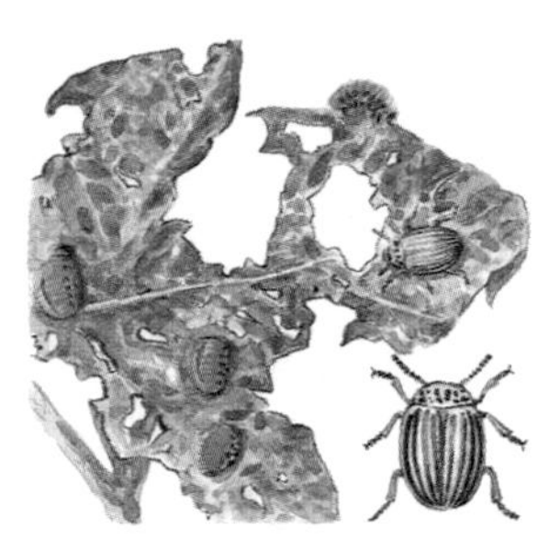

Doryphores

Ils font peur, mais sont heureusement très localisés.

Plantes attaquées Pomme de terre, aubergine.

Symptômes et causes Feuilles partiellement ou totalement dévorées par des coléoptères rayés jaune et noir et des larves orange tachetées de noir. Favorisés par la chaleur et une fertilisation déséquilibrée.

Remèdes Pratiquer une fertilisation équilibrée à base de compost et d'engrais organiques. Si l'attaque est faible, ramasser les insectes et les détruire. En cas de pullulation, poudrer à la roténone (plusieurs fois à 2 jours d'intervalle) ou pulvériser un insecticide à base de malathion.

Vers gris

Plantes attaquées Laitue, chicorée, etc., principalement sous forme de jeunes plants.

Symptômes Les plantes sont rongées au niveau du sol par de grosses chenilles grisâtres.

Remède Si possible, lâcher des poules sur le terrain au moment du bêchage. Éliminer les mauvaises herbes. Pratiquer le semis direct plutôt que le repiquage. Piquer dans la parcelle à protéger des rameaux verts de genêt. Arroser avec un insecticide à base de *Bacillus thuringiensis*.

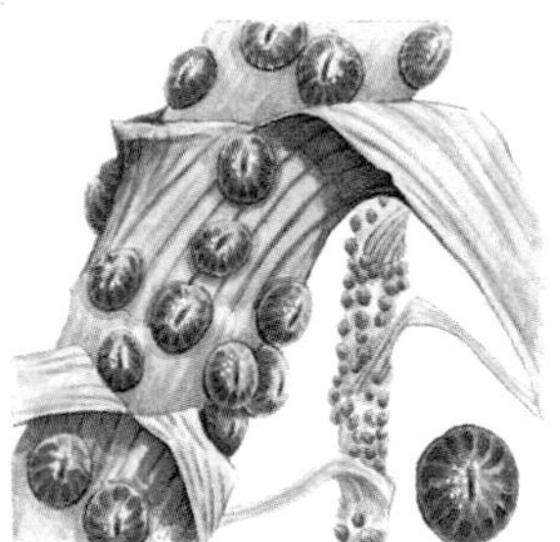

Cochenilles

Plantes attaquées Fusain, agrumes, olivier, plantes vertes d'intérieur, etc.

Symptômes Présence de colonies d'insectes présentant une carapace cireuse ou farineuse, brune, jaune ou blanche, en forme d'écaille ou de bouclier. Principalement sur les vieilles pousses.

Remèdes Tailler les pousses attaquées. Traiter avec un produit spécifique à base d'huile blanche paraffinique et de malathion. Nettoyer les feuilles des plantes vertes attaquées à l'aide d'une éponge humectée d'eau savonneuse.

Lapins, lièvres, campagnols

Plantes attaquées Jeunes arbres, légumes (chou, etc.).

Symptômes Écorce rongée sur le tronc ou les tiges ligneuses au niveau du sol. Pousses herbacées rongées.

Remèdes Protéger les jeunes arbres à l'aide de spirales spéciales ou de grillage à petites mailles à enrouler autour des troncs. Poser des ficelles imprégnées de produit répulsif à base d'huile ou de thirame. Piéger les rongeurs. Protéger les cultures en les entourant d'une ligne d'ail.

Pucerons lanigères

Plantes attaquées Pommier, cotonéaster, pyracantha, aubépine, sorbier.

Symptômes Déformation des rameaux et apparition de flocons blancs laineux sur le tronc et les branches.

Remèdes Éviter de planter des variétés de pommiers sensibles. Semer chaque année des capucines au pied des arbres atteints. Badigeonner les troncs et les charpentières avec une bouillie à base de terre argileuse. En cas d'attaque, les badigeonner à l'aide d'un pinceau imprégné d'alcool à brûler. Ou bien passer rapidement une flamme. L'hiver, pulvériser une huile paraffinique.

Araignées rouges des arbres fruitiers

Plantes attaquées Pommier, prunier, pêcher, poirier.

Symptômes et causes Présence sur les tiges d'œufs ronds brun-rouge, généralement près des boutons. La pullulation est favorisée par les traitements insecticides et fongicides répétés, ainsi que par une fumure azotée excessive.

Remèdes Préserver les ennemis naturels des araignées rouges. Ne traiter contre les insectes et les maladies qu'en cas d'attaque grave. Pratiquer une fertilisation modérée et équilibrée. Pulvériser un acaricide à base de soufre ou de dicofol.

Sclérotiniose

Plantes attaquées Dahlia, chrysanthème, chou, haricot, laitue, pois, etc.

Symptômes et causes Les tiges atteintes sont recouvertes à leur base par un feutrage blanc dans lequel on distingue des corpuscules noirs. Elles pourrissent. Cette maladie contamine le sol. Elle est favorisée par un temps frais et humide.

Remèdes Ne pas semer ou planter trop serré. Dans la rotation, ne pas faire se succéder deux cultures sensibles (par exemple carotte et laitue). Arroser le matin pour que la surface du sol sèche vite. Arroser préventivement avec de la décoction de prêle.

Pousses déformées ou desséchées

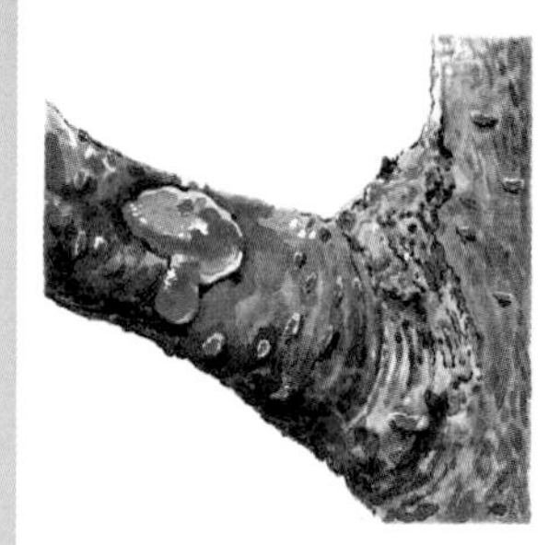

Gommose ou gomme

Le symptôme de différentes maladies des arbres à noyau.

Plantes attaquées Cerisier, prunier, pêcher, abricotier, prunus.

Symptômes et causes Écoulement, à la base des branches et sur le tronc, d'un liquide visqueux et jaune qui finit par durcir. La gomme n'est pas, en elle-même, une maladie, mais le symptôme de différents troubles et maladies (criblure [voir p. 337], chancre bactérien, etc.).

Remèdes Apporter une fumure équilibrée. Nettoyer les exsudations et frictionner les endroits concernés avec de l'oseille. Traiter à la bouillie bordelaise à la chute des feuilles, avant le débourrement et avant la floraison.

Éclatement de l'écorce

Plantes attaquées Les arbres, y compris les fruitiers, principalement les jeunes sujets.

Symptômes et causes L'écorce éclate dans le sens de la longueur, sur le tronc et les charpentières. Souvent provoqué par un coup de soleil matinal succédant à une nuit de gel.

Remèdes Préventivement, en début d'hiver, badigeonner les troncs avec une bouillie à base de terre argileuse et d'eau (consistance de pâte à crêpes). En curatif, retirer l'écorce soulevée à l'aide d'un couteau bien affûté et badigeonner la plaie avec de la bouillie de terre argileuse épaisse.

Balais de sorcière

Plantes attaquées Cerisier, bouleau, sapin, chèvrefeuille, etc.

Symptômes et causes En certains points de l'arbre, apparition de pousses très nombreuses et serrées, ayant l'aspect de balais. Les feuilles peuvent être petites ou gaufrées, les entre-nœuds sont courts. Ce trouble est causé par différents champignons pathogènes, comme celui de la cloque du cerisier.

Remèdes On soigne cette maladie bénigne en coupant les branches atteintes à 15 cm sous le balai de sorcière, en été pour le cerisier, le bouleau et le chèvrefeuille, et au printemps pour le sapin.

Anthracnose du framboisier

Plantes attaquées Framboisier et ronces fruitières hybrides.

Symptômes Sur les jeunes tiges, taches elliptiques blanchâtres à bordure pourpre qui se fendent pour former des crevasses.

Remèdes À titre préventif, pulvériser de la bouillie bordelaise à deux ou trois reprises pendant le développement des tiges. Couper et brûler celles qui sont le plus atteintes. Brûler le bois de taille.

Rouille du rosier

Plante attaquée Rosier.

Symptômes Renflements sur les tiges qui éclatent en révélant une masse de spores orangées devenant ensuite brun-noir. Présence de pustules orangées puis foncées à la face inférieure des feuilles, sur les pousses et les pédoncules floraux. La sensibilité à cette maladie varie selon les variétés.

Remèdes À titre préventif, pulvériser de la bouillie bordelaise toutes les 3 semaines à partir de début juin. En curatif, pulvériser un fongicide à base de soufre. Éliminer les parties atteintes.

Fasciation

Plantes attaquées Nombreuses, plus spécialement concombre, forsythia, lis, delphinium et prunus.

Symptômes Les jeunes poussent s'aplatissent et s'élargissent en une sorte de ruban, ce qui ne les empêche pas de se ramifier et de porter des feuilles et des fleurs.

Remède Aucun, sinon, pour les plantes ligneuses, la suppression des parties atteintes.

Virose

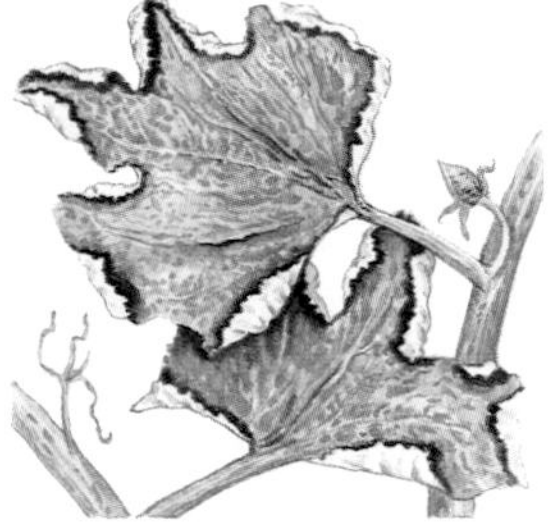

Plantes attaquées Pratiquement toutes, plus spécialement dahlia, chrysanthème, lis, fraisier, ronce fruitière, tomate, cucurbitacées, etc.

Symptômes et causes Rabougrissement général de la plante, accompagné de déformations ou de décolorations des feuilles. Floraison et fructification déficientes. Les viroses, comme leur nom le suggère, sont causées par des virus. Ces derniers sont propagés par les semences et les plants contaminés ou les insectes piqueurs (pucerons, cicadelles).

Remèdes Utiliser des plants certifiés (fraisier, bulbes) ou des variétés résistantes (espèces potagères). Arracher et brûler les plantes atteintes.

Flétrissement de la clématite

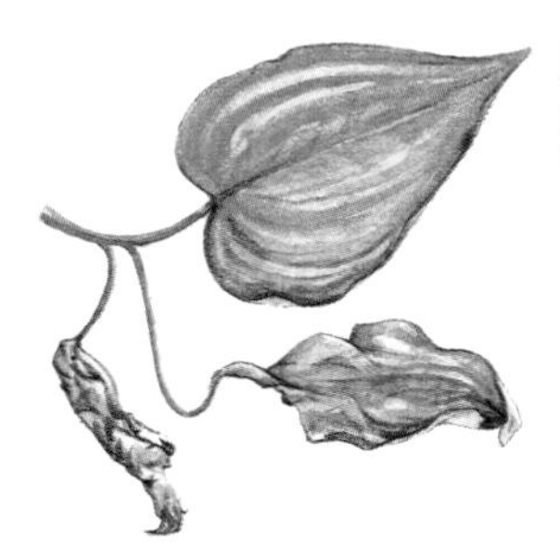

Plante attaquée Clématite.

Symptômes et causes Dessèchement brutal, en cours d'été, d'une partie ou de la totalité de la plante, sans raison apparente. Ce flétrissement est causé par une bactérie.

Remèdes Couper les tiges atteintes, même si elles s'enfoncent dans le sol. De nouvelles pousses se développeront plus tard en saison ou au printemps suivant ; les traiter à la bouillie bordelaise.

Chancre du pommier

Dangereux en verger humide.

Plantes attaquées Pommier, poirier.

Symptômes et causes Taches brunes, déprimées, ovales, sur les branches, autour d'un œil ou de l'insertion d'un petit rameau. Puis chancres avec exfoliation de l'écorce rendant visible le bois. Dessèchement de certaines branches. Cette maladie sévit surtout dans les endroits humides.

Remèdes Pulvériser de la bouillie bordelaise à la chute des feuilles et avant le débourrement. Éliminer les rameaux atteints ou bien curer les chancres, puis les badigeonner avec une solution concentrée de sulfate de fer ou une bouillie de terre argileuse.

Maladie du corail

Plantes attaquées Érable, tilleul, magnolia, groseillier, figuier et certains autres arbres et arbustes.

Symptômes Apparition de chancres déprimés entraînant le dessèchement des branches, puis de pustules remplies de spores rouge corail sur le bois mort.

Remèdes Lors de la taille, couper les rameaux atteints à 5-10 cm au-dessous de la zone malade et les brûler. Aussitôt après, pulvériser de la bouillie bordelaise.

Tavelure

La « plaie » du pommier et du poirier.

Plantes attaquées Pommier, poirier.

Symptômes Sur les jeunes rameaux, pustules autour desquelles l'écorce éclate et se détache en écailles.

Remèdes Supprimer les parties atteintes. À l'automne, passer la tondeuse sous les pommiers pour favoriser l'enfouissement par les vers de terre des feuilles contaminées. Épandre ensuite du compost ou un engrais organique (tourteau de ricin, par exemple). Avant la floraison, traiter à la bouillie bordelaise. Pendant la belle saison, pulvériser des extraits d'algues et du soufre mouillable.

Pied noir

Plantes attaquées Pélargonium. Des symptômes analogues ayant d'autres causes peuvent apparaître sur pomme de terre, fève, chou, etc.

Symptômes Pourriture molle et noirâtre à la base des tiges. Les feuilles jaunissent et la plante finit par dépérir.

Remèdes À titre préventif, n'utiliser, pour le bouturage ou le rempotage des pélargoniums, qu'un terreau désinfecté. Stériliser pots et jardinières à l'eau bouillante. Éviter l'humidité excessive, spécialement en serre. Éliminer les plantes atteintes.

Pourriture grise de la tulipe

Plante attaquée Tulipe.

Symptômes Les tiges pourrissent au ras du sol, et la plante entière se couvre d'une moisissure grise d'aspect velouté.

Remèdes À titre préventif, ne pas apporter de fumure azotée à la plantation des bulbes de tulipe, et arroser avec de la décoction de prêle lors de la pousse des feuilles. Dès l'apparition des premiers symptômes, pulvériser un fongicide à base de thirame ou de méthyl-thiophanate. Détruire les plantes très atteintes.

Feu bactérien

Un fléau localisé.

Plantes attaquées Poirier, pommier, cognassier, pommier à fleurs, cotonéaster, aubépine, sorbier.

Symptômes et causes Les jeunes pousses se recourbent en crosse. Les feuilles et les bouquets floraux virent au brun, comme brûlés. Écoulement blanchâtre à la base des parties atteintes. Transmission par la pluie, les insectes, les plants et greffons malades. Pénétration par les fleurs ou par les plaies (taille, grêle, etc.).

Remèdes Il n'existe pas de traitement curatif. Éliminer les parties atteintes. Choisir si possible des variétés résistantes.

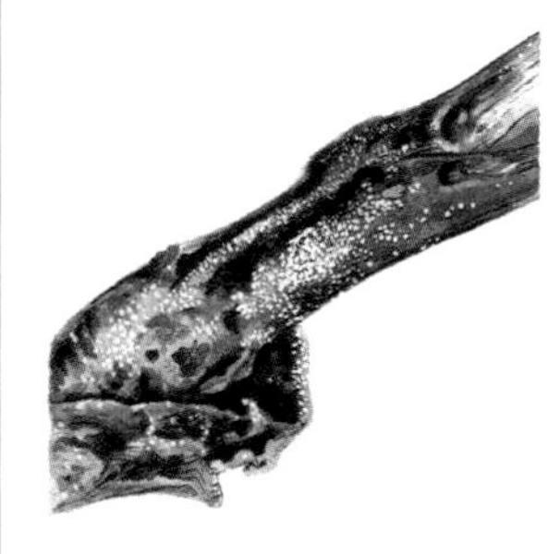

Pourriture du collet

Plantes attaquées Croton, gloxinia, primevère, saintpaulia, tomate, haricot, pois de senteur, etc.

Symptômes et causes La base des tiges brunit et pourrit. Les racines puis la plante entière dépérissent. Ce type de maladie est causé par différents champignons microscopiques vivant dans le sol.

Remèdes Au potager et dans les massifs, pratiquer une rotation des cultures sur au moins 4 ans. Pour les plantes en pots, n'utiliser que du terreau désinfecté. Stériliser pots et jardinières à l'eau bouillante. Éliminer les plantes atteintes.

Pourriture sèche

Plantes attaquées Glaïeul, acidanthera, crocus, freesia.

Symptômes Une pourriture sèche des feuilles forme un manchon au niveau du sol (collet) et finit par provoquer la mort de la plante. Les organes atteints sont recouverts de corpuscules noirs.

Remèdes À titre préventif, ne pas replanter au même endroit les bulbes sensibles. Déposer un peu de poudre de charbon de bois dans les trous de plantation. Arroser avec de la décoction de prêle en cours de croissance. Détruire les plantes atteintes.

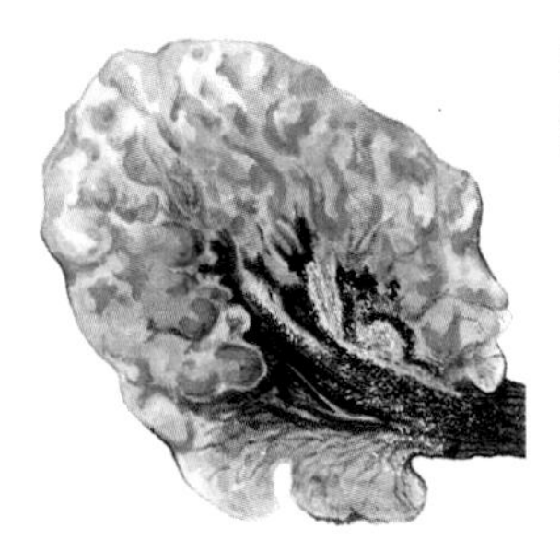

Pourriture grise de la laitue

Plantes attaquées Laitue, chicorée.

Symptômes et causes Pourriture et jaunissement des feuilles au niveau du sol. Apparition d'une moisissure grise d'aspect velouté. Dessèchement de la plante entière. La maladie sévit principalement en automne-hiver et sous abri.

Remèdes À titre préventif, planter en espaçant suffisamment (30 à 40 cm en tous sens selon les variétés). Éviter les fumures azotées excessives, aérer les abris, supprimer les déchets de culture. Arroser avec de la décoction de prêle ou bien (uniquement en début de croissance) avec un fongicide à base de thirame ou de méthyl-thiophanate.

Fonte des semis

La bien nommée !

Plantes attaquées Toutes, mais particulièrement laitue, épinard, chou, oignon, poireau, haricot, tomate, muflier, etc.

Symptômes et causes Peu après la levée, la tige des plantules devient filiforme et pourrit au ras du sol. On observe des manques dans les semis. Cette maladie est causée par différents champignons présents dans le sol.

Remèdes Uniquement préventifs. Pour les semis, utiliser un terreau neuf et désinfecté. Arroser sans excès. Mélanger à la terre ou déposer au fond du sillon de la poudre de charbon de bois (à volonté). Semer clair. Bien aérer les abris.

Pourriture grise de la pivoine

Plante attaquée Pivoine.

Symptômes Les pousses attaquées pourrissent au ras du sol puis meurent.

Remèdes À titre préventif, ne pas apporter de fumure riche en azote. À l'apparition des feuilles, arroser plusieurs fois avec de la décoction de prêle, ou pulvériser un fongicide à base de méthyl-thiophanate ou de thirame. Couper les tiges atteintes au-dessous du niveau du sol et saupoudrer les plaies avec de la bouillie bordelaise en poudre.

Dégâts sur boutons

Cétoines

Plus beaux que nuisibles !

Plante attaquée Principalement le rosier.

Symptômes et causes Pétales et étamines rongés par de gros coléoptères vert brillant ou noir brillant ponctué de clair. Les larves des cétoines vivent dans le terreau des arbres creux. Ces insectes pullulent rarement, et ils seraient même en régression dans certaines régions.

Remèdes Il est rarement nécessaire de lutter contre les cétoines. Éventuellement, les ramasser et les relâcher au loin.

Oiseaux

Plantes attaquées Groseillier, cassis, groseillier à fleurs, poirier, prunier, forsythia, cerisier à fleurs, etc.

Symptômes et causes Les boutons floraux sont dévorés en hiver par des roselins et d'autres passereaux à bec fort.

Remèdes Protéger par des filets les arbustes sujets aux attaques des oiseaux. Pulvériser sur les arbres un produit répulsif du commerce.

Anthonomes du pommier

Devenus peu fréquents du fait des traitements chimiques.

Plante attaquée Pommier.

Symptômes et causes Les boutons floraux ne s'ouvrent pas, brunissent et se dessèchent, prenant l'apparence de clous de girofle. À l'intérieur se trouve une larve blanchâtre.

Remèdes En hiver, pulvériser de l'huile paraffinique sur les branches, ou bien les badigeonner avec une bouillie à base de terre argileuse. Pulvériser au moment de la ponte, lorsque les boutons floraux commencent juste à s'ouvrir, un insecticide à base de roténone.

Perce-oreilles ou forficules

Utiles, ils sont parfois indésirables.

Plantes attaquées Clématite, chrysanthème, dahlia, glaïeul, etc.

Symptômes et causes Pétales découpés. Le perce-oreille se nourrit principalement de petits insectes (pucerons, etc.) et accessoirement de pétales.

Remèdes Installer parmi les fleurs sensibles des pièges constitués par des pots de fleurs, des sacs, des boîtes, etc., bourrés de fibre de bois. Après quelques jours, lorsque les perce-oreilles y auront trouvé abri, on pourra facilement les détruire.

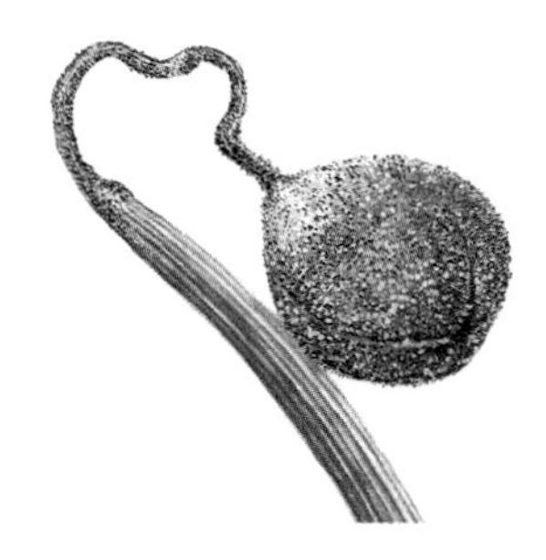

Pourriture grise de la pivoine

Plante attaquée Pivoine.

Symptômes Les boutons à fleurs pourrissent et se recouvrent d'un feutrage gris.

Remèdes À titre préventif, ne pas apporter de fumure riche en azote. À l'apparition des feuilles, arroser plusieurs fois avec de la décoction de prêle, ou pulvériser un fongicide à base de méthyl-thiophanate ou de thirame. Couper les tiges atteintes au-dessous du niveau du sol et saupoudrer les plaies avec de la bouillie bordelaise en poudre.

Chenilles

Plantes attaquées Rosier, chrysanthème, pommier et quelques autres plantes.

Symptômes et causes Trous dans les boutons floraux. Présence éventuelle de petites chenilles pouvant appartenir à différentes espèces.

Remèdes Dès l'apparition des premiers symptômes, pulvériser un insecticide à base de roténone ou de *Bacillus thuringiensis.*

Thrips du glaïeul

Plantes attaquées Glaïeul et plantes voisines.

Symptômes Fleurs déformées et portant de petites taches blanches. Présence de petits insectes allongés et jaunâtres.

Remèdes À l'automne et juste avant la plantation, poudrer préventivement les cormus avec un produit à base de roténone. Dès l'apparition des premiers symptômes, pulvériser un insecticide à base de pyréthrines naturelles ou de roténone.

Pourriture grise ou botrytis

En serre.

Plantes attaquées Cyclamen, chrysanthème.

Symptômes Taches foncées sur les pétales, puis, sur les chrysanthèmes, pourriture des fleurs, couvertes d'un duvet gris.

Remèdes Éviter d'apporter des engrais riches en azote. Réduire l'humidité en aérant la serre le matin. N'arroser que le matin pour que les plantes aient le temps de sécher. Éliminer les fleurs atteintes. Dès l'apparition des premiers symptômes, pulvériser un fongicide à base de méthyl-thiophanate ou de thirame.

Virose

Plantes attaquées Pensée, giroflée, tulipe, lis, dahlia, chrysanthème et autres plantes vivaces.

Symptômes et causes Fleurs déformées ou pétales aux couleurs panachées. Rayures blanches ou nuances plus claires ou plus sombres que la couleur d'origine. Ces troubles sont causés par des virus transmis par des plants contaminés ou par des insectes piqueurs (pucerons, cicadelles, etc.). Les viroses sont exploitées pour créer certains coloris de tulipes.

Remède Aucun. Détruire les plantes atteintes et renouveler les plants.

Avortement des fleurs

Plantes attaquées Tulipe, narcisse.

Symptômes Les fleurs sèchent avant de s'épanouir.

Remèdes Uniquement préventifs. Conserver les bulbes dans un endroit frais et sec. Planter à la bonne époque (fin septembre à mi-octobre) et s'assurer que le sol ne s'assèche jamais. Les bulbes atteints peuvent être replantés.

Dégâts sur fruits

Taches amères

Plante attaquée Pommier.

Symptômes et causes Petites taches brunes sous la peau et sur la chair des pommes, qui devient amère. Les dégâts apparaissent dès la récolte ou lors de la conservation. Les principales causes sont un excès d'azote (sur les jeunes arbres) et une déficience en calcium, provoquant un déséquilibre de la fumure.

Remèdes À titre préventif, appliquer une fumure équilibrée à base de compost mûr et d'engrais organique complet (formule « arbres fruitiers »). En terre acide ou neutre, apporter régulièrement un amendement calcaire. Pailler le sol, de manière qu'il reste frais.

Éclatement des fruits

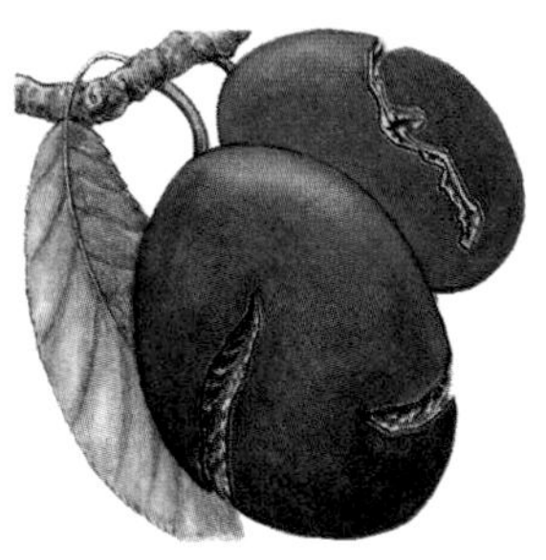

Plantes attaquées Cerisier, prunier, pommier, poirier.

Symptômes et causes Les fruits se fendent à l'approche de la maturité, puis ils pourrissent. Ce trouble peut être causé par des pluies abondantes succédant à une relative sécheresse.

Remèdes Pailler sous les arbres, de manière à régulariser l'humidité du sol. Arroser si la terre est sèche.

Vers des framboises

Plantes attaquées Framboisier, mûre de Logan, ronce fruitière.

Symptômes Présence de petites larves blanchâtres dans les fruits, dont elles dévorent la chair.

Remèdes Semer des myosotis parmi les plantes attaquées. À la floraison, faire tomber les adultes (de petits coléoptères gris-brun) dans un récipient en secouant les inflorescences. Éventuellement, au même moment, pulvériser un insecticide à base de pyréthrines naturelles ou de roténone (sans danger pour les abeilles et les bourdons).

Mouches de la cerise

Plante attaquée Cerisier.

Symptômes Les cerises sont véreuses. Le fruit brunit partiellement puis pourrit à l'intérieur.

Remèdes Après la floraison, mais avant que les fruits ne changent de couleur, suspendre dans chaque arbre plusieurs pièges de couleur jaune enduits de glu. Une partie des mouches viendront s'y coller avant d'avoir eu le temps de pondre sur les cerises.

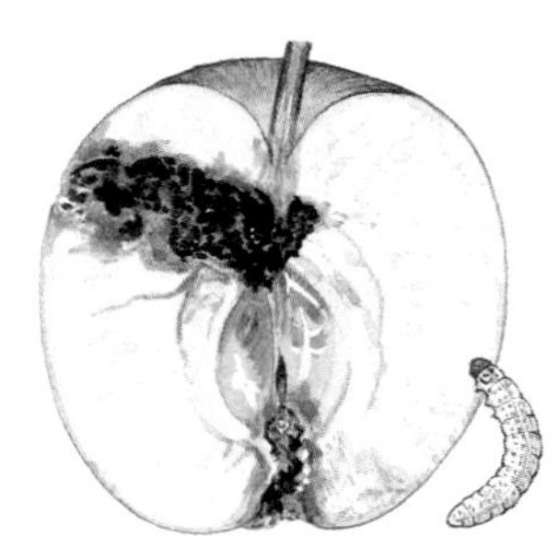

Carpocapses

Les tristement célèbres vers des pommes.

Plantes attaquées Pommier, poirier, cognassier.

Symptômes Fruits dévorés par une petite chenille blanchâtre. L'orifice de la galerie, souvent situé au contact de deux fruits, est encombré par une poudre brunâtre. Trace en spirale sur l'épiderme du fruit. Ce dernier tombe souvent avant maturité.

Remèdes Installer dans le verger des nichoirs pour les mésanges, grandes destructrices de chenilles hivernantes cachées sous l'écorce. Il existe d'autres prédateurs naturels du carpocapse : les pics mineur et chevelu ainsi que plusieurs guêpes de l'espèce *Trichogramma.* En mai-juin, ceinturer les troncs avec du carton ondulé pour piéger les larves. De mai à juillet, mettre en place des pièges appâtés avec une capsule libérant une phéromone sexuelle attirant les carpocapses mâles ; on peut aussi utiliser un insecticide à base de ryana. Détruire les fruits tombés véreux.

Hoplocampes

Localisés dans certains vergers non traités.

Plantes attaquées Pommier, poirier.

Symptômes Les fruits présentent un orifice de galerie encombré d'excréments signalant la présence d'une larve jaunâtre à odeur de punaise. Ils restent petits et tombent prématurément.

Remèdes Pulvériser un insecticide à base de roténone juste après la floraison, puis en faire une autre application 2 semaines plus tard.

Tavelure

Le gros problème des pommes sous climat humide.

Plantes attaquées Pommier, poirier.

Symptômes et causes Taches brunes ou noires, plus ou moins liégeuses, sur les fruits, dégénérant en craquelures en cas d'attaque sévère. Les fruits peuvent être déformés. L'humidité atmosphérique favorise la contamination.

Remèdes Supprimer du verger tous les fruits atteints. Ils peuvent être additionnés au compost à condition que celui-ci ne soit épandu qu'une fois bien décomposé. Planter des variétés peu sensibles à la tavelure.

Moniliose

Plantes attaquées Les arbres fruitiers, notamment le cerisier, le cognassier et le prunier.

Symptômes et causes Apparition de taches rondes de pourriture sur les fruits mûrs, avec taches blanchâtres disposées en cercle. Les fruits les plus atteints, comme momifiés, restent accrochés à l'arbre après la chute des feuilles. L'humidité favorise cette maladie causée par un champignon.

Remèdes Détruire tous les fruits pourris ou momifiés. Éliminer le bois mort. Pulvériser de la bouillie bordelaise en fin d'hiver, avant le débourrement. En cours de végétation, mais pas moins de 15 jours avant la récolte, pulvériser un fongicide à base de méthyl-thiophanate.

Oïdium

Plantes attaquées Fraisier, groseillier à maquereau, vigne.

Symptômes et causes Apparition sur les fruits d'un revêtement poudreux blanc, virant au brun sur la groseille à maquereau ou pouvant masquer une décoloration sur la fraise. Les grains de raisin éclatent. L'oïdium est favorisé par la chaleur et la sécheresse.

Remèdes Poudrer avec du soufre, préventivement et curativement. Sur fraisier, couper les vieilles feuilles après la récolte.

Pourriture grise ou botrytis

Plantes attaquées Vigne, framboisier, fraisier.

Symptômes et causes Les fruits se couvrent d'une moisissure duveteuse grise. Cette maladie est favorisée par l'humidité et la présence de mauvaises herbes.

Remèdes À titre préventif, sur fraisier, pailler avec du plastique noir ou des écorces de pin. Limiter les apports d'engrais riches en azote. Pulvériser à plusieurs reprises un fongicide à base de méthyl-thiophanate : en début, milieu et fin de floraison pour le fraisier ; en début de floraison et 10 jours plus tard pour le framboisier ; et en fin de floraison, début de véraison (coloration) et 3 à 4 semaines avant la récolte pour la vigne.

Dégâts sur tomates, pois, haricots

Carence en potasse

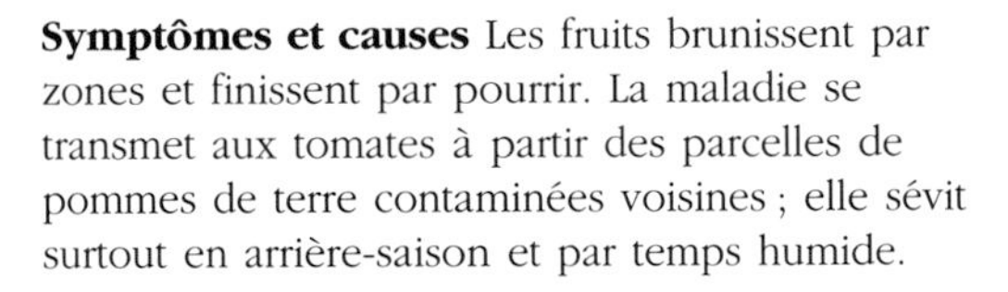

Plante attaquée Tomate.

Symptômes et causes Des plages vertes ou jaunes, dures, apparaissent sur les fruits en cours de maturation, en particulier autour du pédoncule. Ce trouble est causé par une absorption insuffisante de potasse.

Remèdes Changer de variété. Employer des engrais riches en potassium (symbole : K), en veillant à ce qu'ils contiennent également du magnésium (symbole : Mg). Pailler le sol pour maintenir une humidité régulière. Ombrer la serre si le temps est chaud.

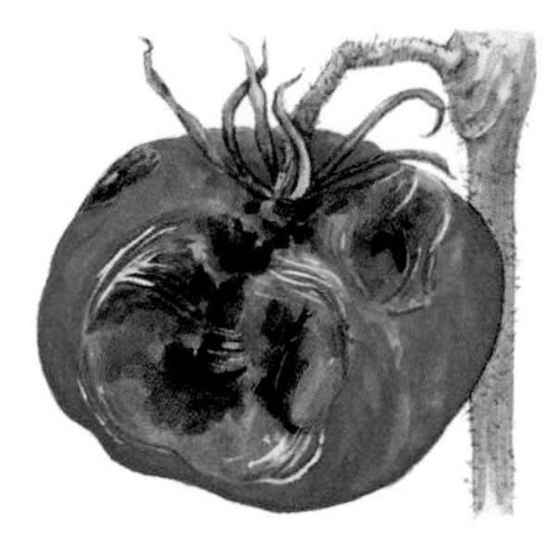

Mildiou

La plus courante des maladies de la tomate.

Plante attaquée Tomate.

Symptômes et causes Les fruits brunissent par zones et finissent par pourrir. La maladie se transmet aux tomates à partir des parcelles de pommes de terre contaminées voisines ; elle sévit surtout en arrière-saison et par temps humide.

Remèdes À titre préventif, pulvériser de la bouillie bordelaise toutes les 2 à 3 semaines. Éliminer au fur et à mesure les feuilles et les fruits atteints.

Anthracnose du haricot

Plante attaquée Haricot, principalement les variétés naines.

Symptômes et causes Taches déprimées, brun clair puis brun foncé avec auréoles rougeâtres, sur les gousses. Les grains peuvent également être tachés. Cette maladie est favorisée par un temps humide. Elle se transmet par les semences.

Remèdes Choisir des variétés résistantes (caractère souvent mentionné sur l'emballage ou dans le catalogue). Utiliser des semences saines. Pulvériser de la bouillie bordelaise ou de l'oxychlorure de cuivre avant la floraison. Détruire les plantes contaminées et les graines correspondantes.

Pourriture, ou nécrose, apicale

Plante attaquée Tomate.

Symptômes et causes Apparition d'une tache circulaire noire et légèrement déprimée sur le fruit, à l'opposé du pédoncule. Ce symptôme, causé par une alimentation en eau irrégulière, relève une insuffisance de la teneur des fruits en calcium.

Remèdes Pailler la culture pour régulariser l'humidité du sol. Arroser régulièrement, si possible au goutte-à-goutte ou à l'aide de bouteilles en plastique percées placées au pied de chaque plant de tomate.

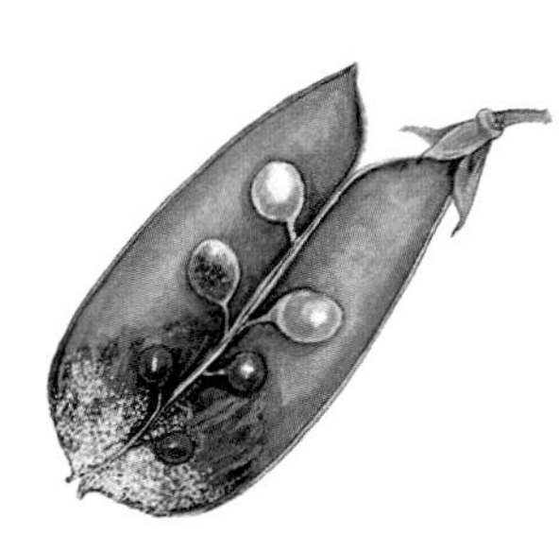

Pourriture grise ou botrytis

Plantes attaquées Tomate, pois, haricot.

Symptômes et causes Une pourriture veloutée, grise, se développe sur les fruits ou les gousses. Cette maladie est favorisée par l'humidité.

Remèdes Veiller à ne pas avoir une végétation trop dense, cause de mauvaise aération. Limiter les apports d'engrais riches en azote. Éliminer les fruits ou gousses atteints. En début de floraison, pulvériser un fongicide à base de bénomyl.

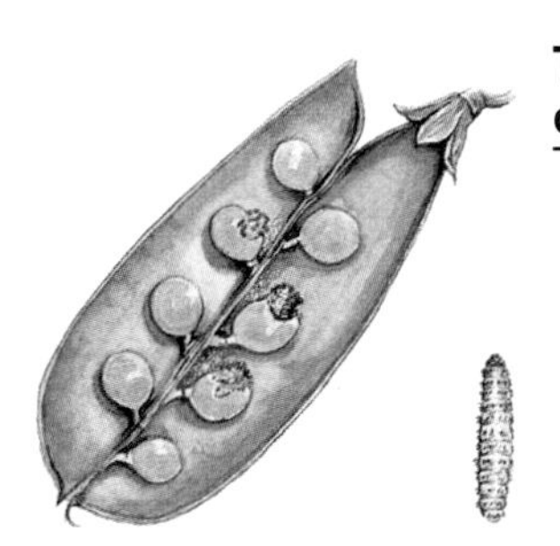

Tordeuses du pois

Plante attaquée Pois.

Symptômes Les grains sont dévorés dans les gousses par de petites chenilles de couleur jaunâtre.

Remèdes Les pois à maturation très hâtive sont moins attaqués que les autres. Pulvériser, au moment de la floraison, le soir, un insecticide végétal à base de pyrèthre et/ou de roténone. Recommencer ce traitement 2 semaines plus tard.

Dégâts sur bulbes et légumes-racines

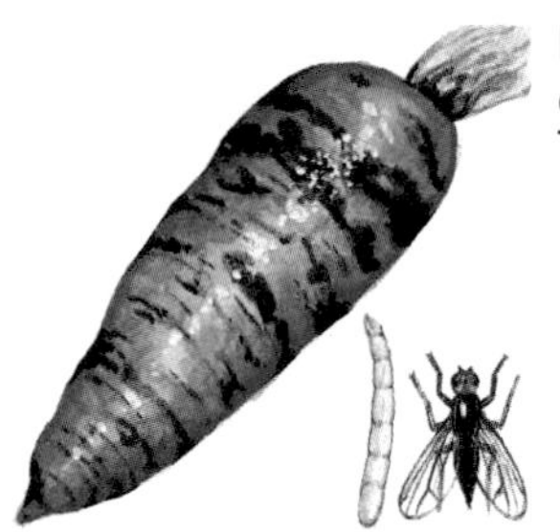

Mouches de la carotte

Plantes attaquées Carotte principalement, mais aussi persil, cerfeuil, céleri, fenouil.

Symptômes Jaunissement du feuillage. Galeries noirâtres à la surface des racines.

Remèdes Ne pas semer les carottes pour la conservation hivernale avant juin. Associer la carotte à l'oignon ou au poireau. Mélanger aux graines de carotte et de persil quelques graines de coriandre et d'aneth, plantes ayant un effet protecteur. Saupoudrer de suie la ligne de semis. Installer autour de la parcelle de carottes un écran haut de 40 cm au minimum (vieux rideau en voilage, voile plastique non tissé) fixé à des baguettes verticales.

Anguillules ou nématodes

Localisés dans les sols fatigués.

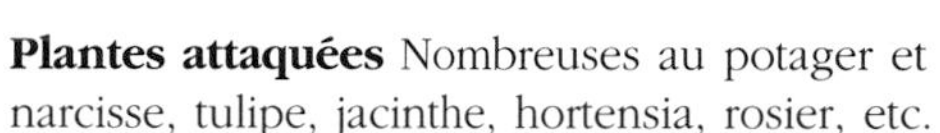

Plantes attaquées Nombreuses au potager et narcisse, tulipe, jacinthe, hortensia, rosier, etc.

Symptômes et causes Mauvais développement des plantes, feuilles boursouflées ou déformées, pourriture des bulbes, présence de nombreux kystes ou galles sur les racines. Troubles causés par de minuscules vers dans le sol.

Remèdes Pratiquer une longue rotation au potager. Désinfecter les plants de fraisier ou les bulbes en les plongeant pendant 1 heure dans de l'eau à 45-50 °C. Associer aux cultures sensibles des plantes antagonistes des anguillules : moutarde, œillet d'Inde, souci, gaillarde. Faire des apports de compost. Détruire les plantes atteintes.

Pourriture blanche

Plantes attaquées Oignon, et parfois poireau, ail, échalote.

Symptômes La base du bulbe est recouverte d'un feutrage blanc correspondant à la présence d'un champignon, avec présence de corpuscules noirâtres. Le bulbe pourrit en cours de culture.

Remèdes Attendre au moins 4 ans avant de recultiver une plante sensible au même endroit. Tremper graines et semences avant utilisation dans un fongicide à base de bénomyl. Brûler les plantes atteintes.

Pourriture des bulbes

Plantes attaquées Crocus, narcisse, lis, ail, échalote, oignon.

Symptômes Pourriture des racines et de la base du cormus ou du bulbe, principalement durant la conservation. Maladie causée par une moisissure.

Remèdes Ne pas apporter de fumier, de compost ou d'engrais riches en azote sur les cultures sensibles. Avant le stockage, éliminer les bulbes blessés ou abîmés. Conserver les bulbes, sans les équeuter, dans de la tourbe, du sable ou de la sciure et dans un local frais et bien aéré.

Mouches de l'oignon

Plantes attaquées Oignon, échalote.

Symptômes et causes Flétrissement du feuillage ; bulbe mou, attaqué par des asticots, finissant par pourrir. Favorisées en terrain lourd et humide.

Remèdes Ne pas apporter de fumier au sol avant une culture sensible. Pratiquer une rotation des cultures. Intercaler les rangs d'oignons ou d'échalotes entre des rangs de carottes. Brûler les plantes atteintes.

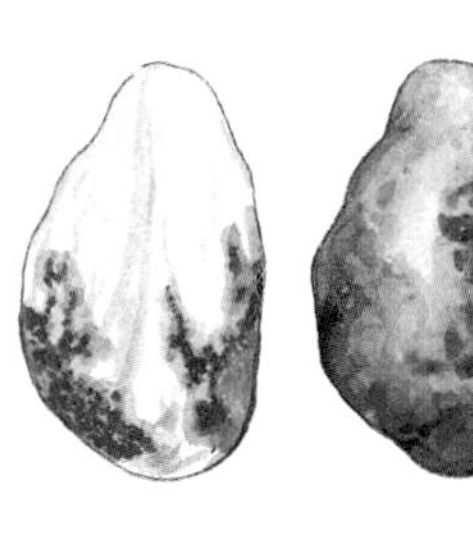

Mildiou de la pomme de terre

Maladie très fréquente lors des années humides.

Plante attaquée Pomme de terre.

Symptômes Taches brunes sur la peau des pommes de terre correspondant à une pourriture sèche, brun-rouge, de la chair.

Remèdes Butter les pommes de terre quand le feuillage atteint 30 cm. En cas de forte attaque de mildiou sur les feuilles, les couper ou, mieux, les arracher en tirant dessus, de façon à éviter que la maladie ne gagne les tubercules. Ceux-ci peuvent alors attendre 2 ou 3 semaines de plus avant d'être récoltés. Au printemps, supprimer toutes les repousses de pommes de terre.

Glossaire

Abri Tout objet, mobile ou fixe, chauffé ou non, ayant pour fonction de protéger les végétaux contre les intempéries. Un brise-vent, un châssis, une véranda sont des abris. La culture « sous abri » s'applique aux plantes hâtées, ou trop fragiles pour une culture continue en plein air.

Acaricide Produit de traitement à appliquer sur les végétaux et destiné à détruire les acariens nuisibles (araignées rouges, jaunes...). Très spécifiques, les acaricides n'agissent que sur ces animaux et ne peuvent servir d'insecticides polyvalents.

Acaule Signifie littéralement « sans tige ». En fait, les végétaux acaules ont une tige, mais elle est très réduite et la plante se développe au ras du sol, généralement en rosette. Nombre de végétaux de haute montagne (gentiane, certaines variétés de chardons...) répondent à cette définition.

Acide Ce terme désigne un sol dont le pH (voir ce terme) est inférieur à 7. Un sol est modérément acide entre 7 et 6,5, très acide en deçà. Ce type de sol est souvent pauvre mais convient à la culture des plantes dites « de terre de bruyère », appelées aussi plantes acidophiles ou calcifuges.

Ados Plate-bande inclinée afin de recevoir le maximum de soleil, donc de chaleur, pour le semis ou la culture des plantes délicates. Il est généralement appuyé (adossé) à un mur. On parle également de côtière ou costière.

Adventice Toute plante apparaissant spontanément dans une culture. Les mauvaises herbes étant les plus nombreuses dans ce cas, on appelle élégamment adventices les... indésirables !

Aération Tout moyen permettant la circulation de l'air. On aère un semis, une fois la levée effectuée, en le découvrant, pour réduire l'humidité et éviter la poussière. Pour un sol, l'aération est fournie par un labour, ou un griffage superficiel.

Affranchissement Sevrage d'une marcotte une fois l'enracinement effectué, ou séparation du greffon de son pied dans la greffe par approche. L'affranchissement désigne aussi le moment où, sur une plante greffée, le greffon, trop enterré, émet ses propres racines ; il ne bénéficie plus alors des qualités apportées par son porte-greffe (résistance aux maladies, au froid...).

Aisselle Angle aigu formé entre deux parties d'un végétal : branche et tronc, brindille et branche, feuille et écorce.

Alcalin Se dit d'un sol dont le pH est supérieur à 7. C'est le contraire d'un sol acide. Tous les sols calcaires sont alcalins. (Voir pH.)

Alternance Succession, chez certaines espèces, d'une année de récolte abondante et d'une année maigre. Les arbres fruitiers à noyaux (les pruniers, en particulier) y sont très souvent sujets.

Amendement Substance incorporée au sol pour en améliorer sa structure physique, chimique, ou les deux : le sable et la chaux sont des amendements. Ces produits ne nourrissant pas les plantes, ce ne sont donc pas des engrais. Cependant, certaines matières organiques (compost, terreau, fumier...) jouent à la fois le rôle d'amendement et d'engrais.

Annuelle Plante qui germe, fleurit, fructifie et meurt dans la même année. Les annuelles sont dites hivernantes quand elles germent en automne, passent l'hiver puis fleurissent au printemps : c'est le cas des pieds-d'alouettes et des coquelicots, par exemple.

Aoûtement Passage de la structure herbacée à la structure ligneuse (voir ce mot) pour un arbre, un arbuste ou un sous-arbrisseau. Cet état apparaît le plus souvent en été, d'où son nom. C'est le moment idéal pour de nombreuses boutures.

Autofertile Se dit d'une fleur fécondée par son propre pollen. Cette mention est particulièrement utile sur les arbres fruitiers, les arbres autofertiles n'ayant pas besoin d'un apport de pollen étranger pour fructifier.

Autostérile Qualifie une fleur qui ne peut être fécondée par son propre pollen. Il s'agit soit d'espèces chez lesquelles les fleurs mâles et femelles, séparées, ne s'épanouissent pas en même temps (noisetier), soit d'espèces réfractaires à leur propre pollen (nombre de pruniers, poiriers, pommiers, cerisiers...). La présence d'une autre variété, dite pollinisatrice, est obligatoire.

Baliveau Jeune arbre n'ayant encore subi aucune taille.

Bassinage Arrosage en pluie du feuillage des plantes, à l'arrosoir à pomme fine, au pulvérisateur ou à la seringue. Le bassinage a pour effet d'augmenter l'hygrométrie, naturellement, mais également d'abaisser la température, en serre notamment.

Béquillage Travail superficiel du sol, à la fourche-bêche ou à la houe. On le pratique au pied des arbres et arbustes, pour alléger le sol, et limiter l'évaporation, sans endommager les racines.

Bisannuelle Plante qui germe au printemps ou en été, passe l'hiver et fleurit au printemps suivant puis disparaît. Les bisannuelles sont en fait des annuelles hivernantes à cycle long ; un semis hâtif permet d'obtenir une floraison d'arrière-automne. Les pensées, les pâquerettes, les giroflées, par exemple, sont des bisannuelles.

Blanchiment Action consistant à protéger une plante de la lumière. La plante, dans l'obscurité, passe du vert au blanc, et devient plus tendre et plus douce au goût ; les chicorées, dont l'endive, sont les plantes les plus « blanchies » du potager, mais on applique ce traitement aux céleris en branches, aux cardons et, dans les pays anglo-saxons, aux crambes et à la rhubarbe.

Borgne Désigne une plante privée de son bourgeon terminal à la suite d'un traumatisme. Le chou borgne ne pomme pas, un rameau à fruits borgne ne fleurit pas.

Bouillie Mélange d'eau et d'un produit de traitement poudreux ou liquide en suspension dans celle-ci. La plus célèbre est la bouillie bordelaise, à base de sulfate de cuivre.

Bractée Feuille, généralement vivement colorée, qui est disposée à la base de certaines fleurs et ressemble parfois à un pétale, se confondant avec les fleurs, qui sont alors insignifiantes. Les bractées constituent l'essentiel de la beauté des inflorescences des bougainvillées, hortensias, cornouillers d'Asie et d'Amérique.

Buttage Accumulation de terre formant une butte au pied d'un végétal pour le protéger du froid, de la pluie ou de la lumière (voir Blanchiment).

Caïeu ou **bulbille** Bourgeon secondaire d'une plante bulbeuse qui se forme contre le bulbe principal et est apte à se développer en sujet indépendant.

Calcaire Se dit d'un sol comportant un taux important de carbonate de chaux et ayant un pH élevé (voir ce terme). L'excès de calcaire entraîne des chloroses bloquant la diffusion d'oligoéléments essentiels, le fer en particulier.

Calcicole Se dit d'une plante qui s'adapte à la présence, même élevée, de calcaire. Contraire de calcifuge.

Cépée Arbre ou arbuste à troncs multiples partant tous de la base. Très naturelle d'aspect, la cépée est parfois « fabriquée » par la réunion de plusieurs sujets d'une même espèce.

Cernage Action de trancher les racines d'un arbre ou d'un arbuste, dans un rayon donné. Les radicelles de remplacement se développent à l'intérieur de la motte ainsi formée et en facilitent la transplantation. Cette technique est également employée pour ralentir la végétation d'un arbre fruitier.

Champignon pathogène Champignon microscopique se développant au détriment des plantes et provoquant diverses maladies, mortelles ou non. Parmi les atteintes les plus connues figurent l'oïdium (ou « blanc »), les taches noires du rosier, etc. On lutte contre ces champignons à l'aide de fongicides (voir ce mot).

Charpente Ensemble des branches principales d'un arbre, d'un arbuste ou d'une liane, déterminant sa silhouette. Une fois formée, celle-ci ne subit généralement pas de taille. On appelle branche charpentière la branche principale d'un arbre, d'un arbuste ou d'une liane.

Chevelu Ensemble des fines racines d'une plante qui enserrent la motte. Un chevelu important indique que la plante est vigoureuse et aura une bonne reprise en cas de transplantation. Mais, attention, ces racines sont fragiles.

Chlorose Décoloration partielle ou totale du feuillage consécutive à une carence en oligoéléments. La plus répandue est la carence en fer, en particulier sur les végétaux calcifuges mis en présence de calcaire.

Clones Ensemble de sujets identiques reproduits végétativement (et non par semis) à partir d'un seul exemplaire. La division, le bouturage, la culture in vitro (voir Multiplication in vitro) permettent, entre autres, d'obtenir la propagation de clones.

Collet Niveau d'un végétal situé à la surface du sol, à la frontière entre la ou les tiges et les racines.

Compost Ensemble de matières organiques, essentiellement végétales, mises en tas pour se décomposer sous l'action de bactéries et former un terreau ; par extension, substrat (voir ce mot) léger et riche en humus.

Cormus Partie de forme plus ou moins sphérique ou aplatie, renflée, dense, de la base des tiges de certaines plantes herbacées et constituant leur organe de réserve. Les souches de colchique, crocus, glaïeul, improprement appelées bulbes, sont des cormus. Riches en amidon, ils sont très convoités par les rongeurs. On dit également corme.

Couche Châssis de culture empli de terre fine posée sur un fond de fumier frais et destiné à fournir une chaleur constante permettant la culture de plantes délicates, généralement par semis ou bouturage. Les couches sont aujourd'hui chauffées par des résistances électriques adaptées.

Cultivar Abréviation de l'anglais *cultivated variety* (variété cultivée) désignant une plante obtenue par semis ou sélection de la main de l'homme. Elle s'oppose à la variété botanique. (Voir Variété.)

Drageon Rejet (voir ce mot) émis par un végétal sur ses racines, parfois à une grande distance de la souche. Les peupliers d'Italie et les framboisiers émettent de nombreux drageons. Ils sont utiles pour les peuplements sauvages et la fixation des sols. Les plantes à drageons demandent une bonne surveillance dans les cultures régulières car ils peuvent nuire à une pelouse ou un massif.

Éclaircissage Élimination d'une partie des jeunes plants, à un stade variable suivant les espèces (lorsqu'elles arrivent à 2 ou 4 feuilles le plus souvent), dans les semis de graines très fines, qui ne peuvent être espacées régulièrement. Cet éclaircissage donne de la place aux plants restants, qui peuvent se développer normalement.

Éclatage Séparation d'une touffe d'un végétal en plusieurs morceaux, ou éclats, afin d'obtenir plusieurs sujets. Effectuée à la main, à l'aide de 2 fourches mises dos à dos ou d'un sécateur, cette opération a pour effet de rajeunir la plante.

Écusson Lambeau d'écorce en forme de lentille comportant un bourgeon et servant à la greffe.

Endémique Se dit d'une espèce dont la répartition géographique est limitée au pays ou à la région considérés. C'est le contraire d'exotique (voir ce mot).

Épiphyte Végétal qui vit installé sur un support, végétal ou inerte, dont il ne tire pas sa subsistance, au contraire du parasite, comme le gui. Les racines ne sont pas reliées au sol. Les tillandsias, par exemple, et bon nombre d'orchidées tropicales sont des épiphytes.

Étouffée (à l') Culture dans un milieu confiné (châssis fermé, serre, cloche…) ayant le minimum d'échanges avec l'extérieur.

Exotique Se dit d'une espèce extérieure au pays, à la région considérés ; contraire d'endémique (voir ce mot). Littéralement, les plantes méditerranéennes, par exemple, sont des exotiques pour le Canada. Le terme exotique est souvent confondu avec celui de tropical.

F1 Voir Hybride.

Fongicide Produit employé contre les maladies cryptogamiques, provoquées par des champignons pathogènes. Les fongicides sont généralement plus efficaces appliqués préventivement, car ils ne détruisent pas l'agent infectieux mais l'empêchent de se développer. (Voir Champignon pathogène.)

Forçage Culture pratiquée à contre-saison sous abri.

Franc (ou franc de pied) Arbre ou arbuste qui n'a pas été greffé. Les rosiers sont généralement greffés, le plus souvent sur églantier ; ceux qui sont issus de boutures poussent sur leurs propres racines. Ils sont francs de pied.

Franche (terre) Sol considéré comme idéal pour la culture de la plupart des plantes, car ses éléments se trouvent parfaitement équilibrés : 60 % de sable, 30 % d'argile, 5 % de calcaire et 5 % d'humus.

Gourmand Sur une plante greffée, pousse issue du porte-greffe (voir ce mot). Généralement plus vigoureux que le sujet greffé, il consomme la sève au détriment de ce dernier et doit être éliminé.

Habillage Préparation d'un plant avant repiquage ou d'une plante avant replantation. On habille une bouture en supprimant une partie des feuilles afin de limiter l'évaporation jusqu'à l'enracinement. On habille une motte de racines en rabattant celles-ci d'un tiers pour provoquer l'apparition de vigoureuses radicelles de remplacement.

Herbacée Plante qui ne comporte que des tissus tendres, non ligneux (voir ce mot). Ne pas confondre avec graminiforme, qui signifie « en forme d'herbe ».

Humifère Qualifie un sol riche en humus.

Hybride Résultat du croisement entre deux plantes d'espèces ou de genres différents : hybrides interspécifiques ou hybrides intergénériques. À la première génération, on obtient des hybrides dits F1, dont les qualités ne sont pas forcément transmises à ceux de la seconde génération, dits F2. Les hybrides F1, issus de croisements renouvelés chaque année, sont plus coûteux, mais leurs qualités justifient la différence de prix.

Jauge Tranchée creusée pour y placer momentanément les végétaux, les racines recouvertes d'un matériau léger, en attendant le moment propice pour la plantation (végétaux fruitiers ou d'ornement) ou la consommation (en hiver, les légumes tels que les poireaux).

Levée Première étape du développement d'une graine, qui devient plantule ; synonyme de germination.

Ligne ou **rayon** Sillon mince et rectiligne où s'effectue le semis en ligne et dans lequel on ne dépose qu'une seule largeur de graines.

Ligneuse Se dit d'une plante dont les tiges et les branches, d'abord faibles, prennent peu à peu la consistance du bois.

Louchet Sorte de bêche très robuste, à lame étroite et tranchante, servant au cernage.

Multicaule Se dit d'une plante dotée de nombreuses tiges, ou à tige ramifiée sur un tronc court (les œillets par exemple).

Multiplication in vitro Culture de cellules ou de graines en milieu stérile, permettant d'obtenir rapidement des dizaines de milliers d'individus, tous identiques (sauf mutation), à partir de quelques cellules choisies d'une plante d'origine (un nouvel hybride, par exemple), ou de régénérer, à partir de cellules saines restantes, des espèces affaiblies par des viroses (pomme de terre, violette).

Neutre Se dit d'un sol dont le pH (voir ce terme) n'est ni alcalin, ni acide mais se situe autour de 7.

Nouaison Premier stade de la formation du fruit, apparaissant quelques jours après la chute des pétales.

Œil Bourgeon.

Oligoélément Élément minéral normalement présent dans le sol à l'état de traces infinitésimales mais qui s'avère indispensable à la croissance des végétaux ; le zinc, le cuivre, le bore, le fer, le manganèse sont des oligoéléments.

Ombrière Toute installation visant à faire écran au soleil, et donc à faire de l'ombre, sur les cultures.

Paillage, paillis Couverture, végétale ou autre, posée sur le sol et destinée à retenir la chaleur et l'humidité tout en limitant la pousse des mauvaises herbes. À l'origine composé de paille, le paillis peut être constitué de foin, de compost (voir ce mot), d'écorces, de graviers ou de matière plastique.

Palissage Fixation d'une plante sur un support à l'aide d'attaches afin de lui donner une forme particulière (cordon, palmette…).

Pesticide Produit servant à lutter contre les parasites animaux ou végétaux.

pH Abréviation de potentiel Hydrogène. Il indique le taux d'acidité (entre 5,5 et 7) ou d'alcalinité (au-dessus de 7) d'un sol. Des péamètres électriques, ou à base de réactifs colorés, permettent de mesurer ce taux et d'adapter les cultures en conséquence.

Pincement Opération qui consiste à couper entre deux doigts les pointes tendres d'un végétal en cours de pousse, pour faire apparaître des pousses secondaires et favoriser ainsi sa ramification et son épaississement.

Plate-bande ou **planche** Parcelle travaillée et aplanie servant à des cultures régulières. Quelle que soit sa longueur, la planche ne doit mesurer, en largeur, que deux fois la longueur du bras du jardinier, qui doit pouvoir atteindre le milieu de sa plate-bande sans marcher dessus (par exemple, planche de fraisiers).

Poquet (semis en) Semis par petits groupes de 3 à 6 grosses graines dans des trous régulièrement espacés. Cette technique est traditionnellement pratiquée, par exemple pour les haricots.

Port Silhouette générale d'un végétal : port pleureur, fastigié, en boule, étalé, rampant...

Porte-greffe Plante qui accueille et nourrit la partie greffée (greffon) d'une autre plante. Le porte-greffe fait bénéficier celle-ci de certaines de ses qualités : résistance au froid, au calcaire, nanification (pour les pommiers), etc. Lors de la greffe, on ne conserve que les racines et parfois le tronc du porte-greffe, appelé aussi sujet.

Pralinage Opération qui consiste à tremper les racines d'un arbuste dans une boue très fluide, en général à base de terre et de fumier, afin de les protéger du dessèchement et d'activer la reprise des sujets à racines nues.

Rabattage Opération qui consiste à tailler fortement les plus grosses branches d'un arbre ou d'un arbuste, afin de provoquer l'apparition de jeunes rameaux denses. Les tailles de rajeunissement sont un rabattage sévère, parfois effectué en plusieurs temps.

Recépage Taille d'un arbuste ou d'un arbre jusqu'à la souche, effectuée en vue d'obtenir un buisson régulier et vigoureux. On recèpe, par exemple, les cornouillers à bois rouge *(Cornus alba),* pour qu'ils conservent leur belle écorce. Les catalpas, une fois recépés, produisent dans la saison des pousses de plusieurs mètres portant des feuilles gigantesques.

Rejet Bourgeon ou jeune pousse émis par une plante dont la tige a été coupée.

Remontant Se dit d'une plante qui fleurit en plusieurs vagues au cours d'une même saison ; les rosiers modernes sont des remontants. À ne pas confondre avec grimpant.

Rustique Littéralement : robuste. Désigne en fait les végétaux qui résistent facilement à diverses agressions (vent, sécheresse), mais principalement au froid ; souvent employé comme synonyme de non gélif.

Sarmenteux Se dit de longs rameaux ou de tiges souples qui traînent sur le sol ou peuvent garnir un support moyennant l'aide d'attaches.

Scarification Griffage de graines à coque dure pour permettre à l'eau de pénétrer et à la germification d'avoir lieu. Travail du gazon au râteau ou à l'aide d'une machine (scarificateur) pour retirer mousses et herbes mortes.

Sport Mutation apparaissant généralement sur une partie d'une plante. Nombre d'espèces panachées sont nées ainsi, avant d'être isolées et propagées pour l'horticulture.

Stolon Tige souterraine ou s'allongeant à la surface du sol, terminée par une pousse, qui s'enracine et s'affranchit pour former une nouvelle plante à une certaine distance du pied mère. Les pervenches, les fraisiers, le chiendent forment des stolons.

Substrat Support de culture résultant d'un mélange de divers matériaux, variable suivant les plantes considérées.

Succulente Se dit d'une plante dont les tissus charnus sont gorgés de sucs. Les cactées et les plantes grasses sont qualifiées de succulentes.

Surfaçage Opération qui consiste à remplacer la terre (ou autre substrat de culture) appauvrie d'un pot ou d'un bac en évitant le rempotage. Il s'effectue en prélevant, par grattage, la couche supérieure de terre. Cette technique permet de ne pas abîmer les racines.

Systémique Se dit d'un produit qui pénètre dans les tissus d'une plante et est véhiculé par la sève. Les produits systémiques protègent toutes les parties d'une plante (feuilles, tige, racines...) contre les agressions des divers parasites et maladies.

Taille en sec Taille effectuée pendant le repos de la plante, en hiver généralement. On taille en sec les rosiers remontants, par exemple.

Taille en vert Taille de jeunes rameaux inutiles qui se sont formés pendant la pleine végétation des plantes. Pratiquée sur formes fruitières, elle sert à freiner une végétation trop vigoureuse.

Terreauter Épandre une fine couche d'humus pour favoriser l'enracinement rapide de la culture. On terreaute les semis de graines fines, et le gazon après scarification (voir ce mot).

Tontine Emballage constitué de paille, de toile, de film plastique ou d'un filet maintenant une motte de terre au pied d'une plante pour empêcher la mise à nu des racines.

Traçante Se dit d'une plante qui se répand à l'aide de stolons ou de drageons (voir ces mots).

Variété Modification spontanée apparaissant dans une espèce, et apte à se reproduire fidèlement. La variété est l'œuvre de la nature, au contraire du cultivar, qui est créé par l'homme et peut subir des changements (voir Hybride).

Véraison Dernier stade, chez les fruits à baies, avant la maturité proprement dite.

Vivace Se dit d'une plante herbacée apte à fleurir et à fructifier plusieurs années de suite. On la qualifie aussi de pérenne.

Volée (semis à la) Semis où les graines sont épandues au hasard, à la main, en un mouvement d'aspersion.

Index

Les chiffres renvoient aux pages du dictionnaire ; ils sont précédés du nom de la rubrique dans laquelle ils se trouvent. Les chiffres **en gras** indiquent les pages où le sujet fait l'objet d'un article ou d'un long développement. L'astérisque (*) précise qu'il s'agit d'un encadré ou d'un tableau. Les chiffres *en italique* renvoient aux légendes des photos ou aux grands dessins. Les références Ennemis et Glossaire renvoient aux parties qui suivent le dictionnaire, pages 326 à 351.

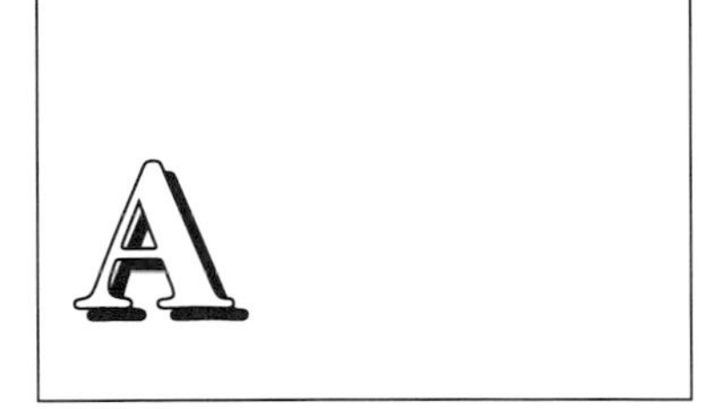

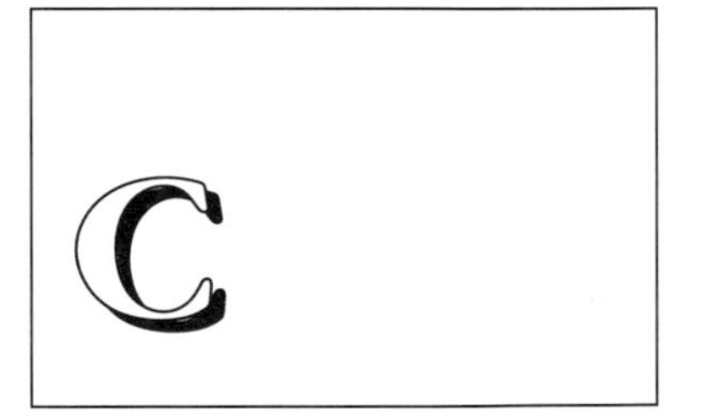

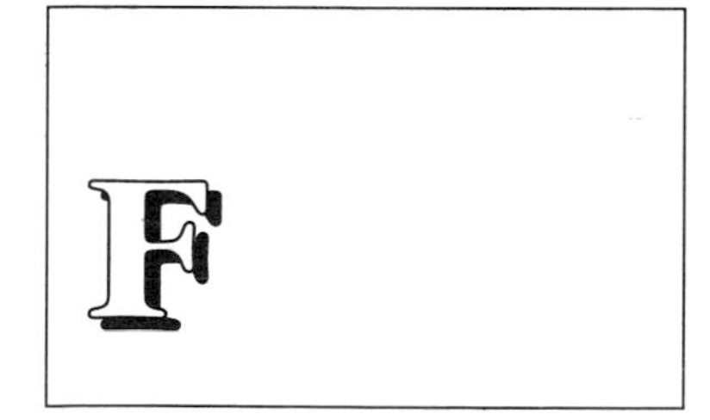

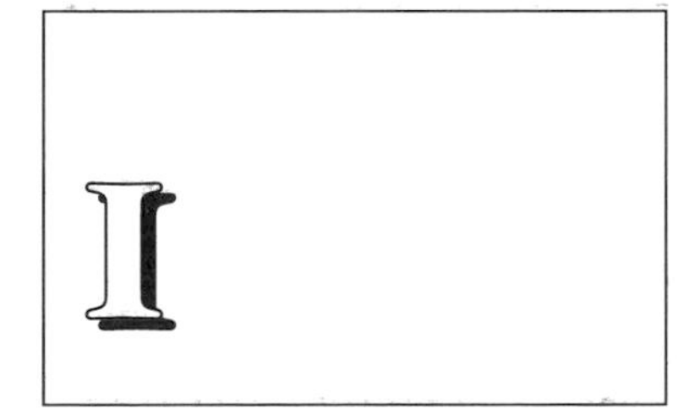
I

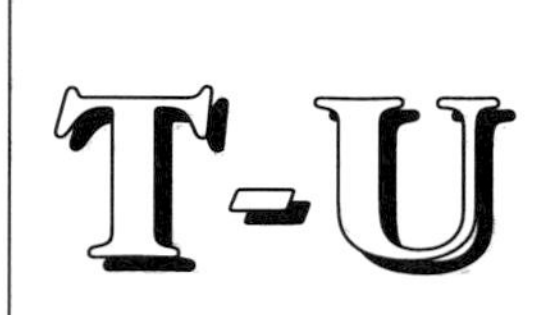

V-Z

Crédits photographiques

Abréviations : h : haut ; m : milieu ; b : bas ; g : gauche ; d : droite. .

P. 17 : **LAMONTAGNE ;** 19 : **MAP/Y. Monel ;** 23, 26, 34 : **LAMONTAGNE ;** 41 : **MAP/N.** et **P. Mioulane ;** 45 : **LAMONTAGNE ;** 47 : **MAP/N.** et **P. Mioulane ;** 50, 53, 56, 58, 61, 68, 70 : **LAMONTAGNE ;** 74 : **MAP/A. Descat ;** 76 : **Ph. PERDEREAU ;** 77, 91, 93 : **LAMONTAGNE ;** 94g : **PHOTO RESEARCHERS/M. P. Gadomski ;** 94d : **JARDIN BOTANIQUE DE MONTRÉAL/D. Fortin ;** 95 : **PUBLIPHOTO/Jacana ;** 96, 98 101 : **LAMONTAGNE ;** 104 : **J. C. MAYER-G. LE SCANFF ;** 105 : **LAMONTAGNE ;** 108 : **Ph. PERDEREAU ;** 114 : **LAMONTAGNE ;** 117 : **Ch. M. FITCH ;** 119, 122 : **LAMONTAGNE ;** 129 : **A. SCHREINER ;** 132 : **MAP/N.** et **P. Mioulane ;** 136 : **PUBLIPHOTO/P. G. Adam ;** 137h : **PUBLIPHOTO/Y. Hamel ;** 137mh : **PUBLIPHOTO/Y. Marcoux ;** 137m : **PUBLIPHOTO/M. Tremblay ;** 137b : **RÉFLEXION/S. Naiman ;** 140, 143 : **Ph. PERDEREAU ;** 148, 150 : **LAMONTAGNE ;** 154 : **J. C. MAYER-G. LE SCANFF ;** 161, 167 : **LAMONTAGNE ;** 173g : **JARDIN BOTANIQUE DE MONTRÉAL/N. Fleury ;** 173h : **JARDIN BOTANIQUE DE MONTRÉAL/J.-P. Bellemare ;** 176, 177 : **LAMONTAGNE ;** 181 : **MAP/A. Descat ;** 182-183 : **A. SCHREINER ;** 185 : **Ph. PERDEREAU ;** 186 : **MAP/N.** et **P. Mioulane ;** 187g : **J. C. MAYER-G. LE SCANFF ;** 187d : **Ph. PERDEREAU ;** 188, 194, 195, 198 : **LAMONTAGNE ;** 201 : **THE IMAGE BANK/P. Eden ;** 202, 205, 213, 215, 218 : **LAMONTAGNE ;** 220 : **MAP/A. Descat ;** 233 : **Ph. PERDEREAU ;** 235, 236, 237, 239, 249 : **LAMONTAGNE ;** 258 : **Ph. PERDEREAU ;** 263 : **MAP/N.** et **P. Mioulane ;** 264 : **LAMONTAGNE ;** 266hg : **RÉFLEXION/T. Bognar ;** 266hd : **ENVIROFOTO/M. Pitre ;** 266b : **FONDATION EN HORTICULTURE ORNEMENTALE DE L'ITA DE SAINT-HYACINTHE/N. Ducharme ;** 267hd : **JARDIN VAN DEN HENDE/J. Allard ;** 267bg : **PUBLIPHOTO/G. Depairon ;** 267bd : **JARDIN BOTANIQUE DE MONTRÉAL/R. Gagnon ;** 269, 271 : **LAMONTAGNE ;** 278h : **MAP/N.** et **P. Mioulane ;** 278m : **MAP/A. Descat ;** 278b : **Ph. PERDEREAU ;** 279hg, hd : **MAP/N.** et **P. Mioulane ;** 279m : **LAMONTAGNE ;** 279bg : **Ph. PERDEREAU ;** 279bd : **Ph. PERDEREAU-THOMAS ;** 287 : **LAMONTAGNE ;** 291, 294 : **MAP/N.** et **P. Mioulane ;** 296 : **JACANA/D. Lecourt ;** 297h : **MAP/N.** et **P. Mioulane ;** 297b : **BIOS/Gunther ;** 298h : **MAP/A. Descat ;** 298bg, bd : **MAP/N.** et **P. Mioulane ;** 299hg : **MAP/A. Descat ;** 299hd : **Ph. PERDEREAU ;** 299b, 301 : **MAP/N.** et **P. Mioulane ;** 304, 305, 317, 325 : **LAMONTAGNE.**

Publié par Sélection du Reader's Digest

Papier : Westvaco
Impression : Imprimeries Transcontinental inc.
Reliure : Métropole Litho inc.

PREMIÈRE ÉDITION